D1274414

CUENTOS COMPLETOS

VOCES / LITERATURA

COLECCIÓN VOCES / LITERATURA 113

Ilustración de cubierta: litografía de Federico Castellón incluida en la edición *The Mask of the Red Death* (Aquarius Press, Baltimore, 1969).

Nuestro fondo editorial en www.ppespuma.com

Edgar Allan Poe, *Cuentos completos*
Primera edición: noviembre de 2008
Segunda edición: enero de 2009
Tercera edición: marzo de 2009
Cuarta edición: enero de 2010
Quinta edición: mayo de 2011

ISBN: 978-84-8393-025-0
Depósito legal: M-20525-2011

c/ Madera 3, 1.º izq. 28004 Madrid
Tel.: 915 227 251 Fax: 915 224 948
E-mail: ppespuma@arrakis.es

Impresión: Omagraf
Encuadernación: Moen

Impreso en España - Printed in Spain

EDGAR ALLAN POE

CUENTOS COMPLETOS

EDICIÓN COMENTADA

Traducción y prólogo de Julio Cortázar

Prefacios de Carlos Fuentes y Mario Vargas Llosa

Edición de Fernando Iwasaki y Jorge Volpi

PÁGINAS DE ESPUMA

ÍNDICE

POE & CÍA.

¿Por qué 69 escritores latinoamericanos y españoles nos hemos conjurado para homenajear a Edgar Allan Poe en nuestra lengua? Primero, porque a todos los autores de cuentos nos encanta Edgar Allan Poe y, segundo, porque el 69 es un número extraordinario con cualquier lengua.

Todos somos descendientes literarios de Poe, pues gracias a Poe existieron Chesterton y Baudelaire, Conan Doyle y Maupassant, Lovecraft y Saki, Cheever y Borges, y así hasta Julio Cortázar, ancestro de los cuentistas que nacimos a partir de 1960. Y como todos leímos en su momento la memorable edición de bolsillo de los cuentos completos de Edgar Allan Poe traducidos por Cortázar, no encontramos otra manera mejor de celebrar el bicentenario de Poe, que rescatando aquellos míticos tomitos azules.

Juan Casamayor, el único editor español que se permite el lujo de rechazar todas las novelas que le presentan, adquirió los derechos de la traducción de Cortázar para Páginas de Espuma y nos encargó elegir a sesenta y siete escritores para que contemplaran con ojos de narradores y no con anteojos de filólogo cada uno de los sesenta y siete cuentos de Poe. A cada escritor se le asignó un cuento manteniendo el orden que estableció Cortázar.

Como toda selección es arbitraria, decidimos invitar tanto a narradores españoles como latinoamericanos, con el único requisito de haber nacido después de 1960 y de haber publicado al menos un libro de cuentos. Admitimos que hay ausencias notables, pero las hemos compensado con presencias maravillosas.

Sin embargo, para llegar al gozoso y recíproco 69 contamos con la generosa complicidad de Carlos Fuentes y Mario Vargas Llosa, quienes prepararon para esta edición sendos prólogos sobre Edgar Allan Poe y Julio Cortázar, respectivamente. Gracias a ellos esta edición no es sólo un homenaje sino una genealogía literaria, porque todos somos descendientes de Edgar Allan Poe.

Somos Poe & cía.

Jorge Volpi – Fernando Iwasaki
México D. F. – Sevilla, otoño de 2008

PRESENTACIÓN

Carlos Fuentes

Como en el magistral relato «William Wilson», se trata de dos personalidades distintas y un solo hombre verdadero. Uno es el Edgar Allan Poe, nacido en 1809 en Boston, hijo de actores itinerantes, y muerto de delírium trémens en Baltimore en 1849. Otro es Edgarpó, el invento francés de Charles Baudelaire, sobre cuya tumba Stéphane Mallarmé entona un himno a la inmortalidad. Esta, la inmortalidad, transforma al fin a un hombre en sí mismo. No obstante, ambos Poe –el norteamericano Edgar Allan y el francés Edgarpó– siguen escapando a toda definición precisa o restrictiva. ¿Cómo dársela a un hombre que en su vida apenas sobrevivió, fue objeto de ataques y desprecios sin fin, pero que, en esa eternidad que le otorgó Mallarmé, fue autor favorito de Nietzsche, Kafka, Valéry y Stalin?

Cito las famosas palabras de Hawthorne acerca de la dificultad de encontrar el misterio en un país sin otra cosa que «una prosperidad común y corriente», un país «sin sombra, sin antigüedad». La imaginación de Poe, como la de Melville, como la del propio Hawthorne, no cabía dentro de esta normalidad incolora e insípida. Desde luego, Poe conocía las obras de la novela gótica inglesa (Monk Lewis, Ann Radcliffe) y la literatura romántica alemana de misterio (Tieck, Hoff man) y no encontrando en su patria «común y corriente» los escenarios de su imaginación, los situó a las orillas del Rin, en los castillos de Inglaterra y en las calles de París. Con qué velocidad, sin embargo, intuyó Poe que los escenarios de sus cuentos no contaban, que el paisaje verdadero de su imaginación era el de su propia alma, y que en esa alma no había una asoleada «prosperidad común y corriente», sino la sombra y el misterio.

Nuevamente, como en *La letra escarlata* y *Moby Dick*, un escritor de fundación norteamericano busca la cara nocturna de la vida, la noche del alma que Boston, Richmond o Baltimore le niegan, pero que su propio «corazón delator» le revelan. Menos ligado, desde luego, que Hawthorne o Melville a las circunstancias sociales o históricas de Estados Unidos, Poe desciende a los infiernos sin fondo de su propio espíritu y allí encuentra un terror ante nuestro destino. Terror a ser encerrado detrás de un muro sin salida. Terror de vivir sin el ser amado. Terror de los vórtices del alma que, como en «Un descenso al Maelström», pueden arrastrarnos a un paradójico descubrimiento de nuestra propia ignorancia del cielo y de la tierra.

«No tengo fe en la perfectibilidad humana», dice de arranque Poe, separándose de un tajo de la ilusión de progreso permanente del Siglo de las Luces. Pero no sólo se separa de una época histórica. Se separa de la historia en cuanto devenir linear, mensurable, para instalarse en el tiempo original del miedo, los asaltos salvajes a la integridad moral y física, la dolorosa formación de las conciencias: el tiempo antes del tiempo. Despojadas de sus ropajes góticos, las narraciones de Poe ocurren en un turbio amanecer del mundo. En esa aurora que aún no abandona la noche, ni nos permite creer que ella nos ha abandonado, empiezan a surgir formas terribles de soportar. Los muertos escuchan. Las tumbas se abren. Los fantasmas tocan con los nudillos a la entrada de los sepulcros. «Poe –escribe Paul Valéry–, crea la forma a partir de la nada.»

Poe sustrae la tradición gótica de los escenarios externos y la instala en el interior de cada uno de nosotros. Da el paso de más, el paso hacia otra cultura que no es la de la Ilustración. En ella, la conciencia de los muertos no acaba nunca de morir. El amor trasciende la muerte. La belleza perdura más allá de la tumba. Y «la muerte de una mujer bella es sin duda el tema más poético del mundo». ¿El gótico ha pasado a ser romántico, la señora Radcliffe ha cedido a la señora Brontë? Sólo en apariencia, porque los relatos de Poe tienen un origen más radical que cualquier relato gótico o romántico.

Se ha dicho que Poe escribió como si la cristiandad jamás hubiese existido. También se ha dicho que Poe nació y se crió dentro de un féretro. Pero si su paganismo y su claustrofobia son ciertos, también lo es su lucha con los dioses de la Razón. Si su descenso al vórtice de lo irracional y primigenio es cierto, también lo es su combate con lo mismo que lo niega, la primacía moderna de la Razón sobre la Intuición.

Dos ejemplos de esta extremosidad del autor son los cuentos «La caída de la Casa Usher» y «La carta robada». En el primero, Usher pierde la razón. En el segundo, Dupin la gana e inaugura, de paso, el cuento policial de detección. Dupin es el primer detective moderno. Sólo que la solución del misterio, en Poe, es otro misterio. ¿Es el detective que resuelve el enigma identificándose con la mente del criminal hermano del criminal y, acaso, el criminal mismo?

El trato con la Razón en Poe nos devuelve, de este modo, al misterio y el misterio, una vez más, es el corazón humano, el corazón delator, el corazón de Poe. Si la razón es el Bien, ¿qué decir del anhelo de Poe, «este anhelo sin fondo que siente el alma de dañarse a sí misma, de violentar su propia naturaleza, de hacer el mal por el mal mismo»? Estamos muy cerca del territorio reconocido por *El hombre del subterráneo* de Dostoievski, y esa breve novela del ruso es un de las fuentes del existencialismo y el psicoanálisis. En Poe, el afán de dañarse a sí mismo ha sido identificado, más de una vez, como una persistencia de la edad infantil en un hombre maduro. Nietzsche lo dijo con todas sus letras: Poe es un niño jugando en el lodo, pero posando como una estrella.

Si el infantilismo de Poe es cierto, sólo demuestra (con anterioridad al Henry James de *Una vuelta de tuerca*) que la inocencia puede ser malvada. Que Poe fuese autor favortito de Stalin sólo añade a esta lógica que el poder fascinado por la tortura y el terror es no sólo malvado. Es corruptamente infantil, es un desarrollo arrestado, una inmadurez. Pero Poe no tuvo poder político; no pudo hacer el mal a nadie. Por eso brilla con generosidad particular la apreciación de Kafka: Poe «escribió cuentos de misterio para sentirse a gusto en el mundo».

Es difícil, de todos modos, pensar que estaba «a gusto en el mundo» un hombre tan avasallado por la pobreza, el vicio, los amores frustrados... «Bebía como un salvaje –escribió de él Baudelaire–, bebía como un salvaje, con una energía totalmente americana... como si asesinara.» La frase bárbara de Baudelaire clausura, en cierta manera, la fascinación biográfica y la afición psicoanalítica respecto a Poe y su obra para abrir la puerta de su ingreso a la poesía simbolista bajo el segundo nombre de su doble, Edgarpó, el santo patrono literario de Baudelaire, Rimbaud y Mallarmé.

¿Y qué es lo que los simbolistas descubren y exaltan e imitan en Poe el niño, Poe el cadáver, Poe el borracho, Poe el amurallado, Poe el corazón delator? Simplemente, la ecuación de los sentidos. Simplemente, la correspondencia entre todas las cosas. Esta es, en el fondo, la lectura precisa y poética de Poe, Edgarpó, y el prólogo y la traducción de Julio Cortázar nos dan la insuperable versión castellana de ambos autores: Edgar Allan Poe de Boston, Richmond y Baltimore, y Edgarpó de Baudelaire, Rimbaud y Mallarmé[1].

1. Texto recogido de: Edgar Allan Poe, *Cuentos*, Círculo de Lectores, Barcelona, 2000.

POE Y CORTÁZAR

Mario Vargas Llosa

Aunque su vida estuvo marcada por la desgracia, Edgar Allan Poe fue uno de los más afortunados escritores modernos en lo que concierne a la irradiación de su obra por el mundo. En Francia sus cuentos deslumbraron al poeta más grande del siglo XIX y Charles Baudelaire no sólo los vertió al francés en una recreación maravillosa sino que sus traducciones contribuyeron de manera decisiva a la popularidad que la obra de Poe alcanzó en toda Europa. En español, el cuentista y poeta norteamericano tuvo el privilegio de que toda su obra en prosa fuera traducida por Julio Cortázar, uno de los mejores escritores de nuestra lengua y un traductor excepcional.

Muchas veces me pregunté a qué circunstancias o factores se debió el hecho de que Cortázar dedicara dos años de su vida, trabajando a tiempo completo, a esa extraordinaria mudanza que llevó a cabo de la obra de Poe al español. La razón primera, claro está, fue la admiración que sintió desde muy joven por el gran escritor que fue Poe. Pero la razón práctica sólo la descubrí años después de leer con pasión los cuentos de Poe en su versión cortazariana, mientras enseñaba en la Universidad de Río Piedras, en Puerto Rico. Allí supe que fue gracias a Francisco Ayala, quien había conocido a Cortázar en Buenos Aires, donde Ayala pasó parte de su exilio, que la universidad puertorriqueña, entonces bajo el rectorado de Jaime Benítez, encargó a Cortázar la traducción de la obra completa de Poe en prosa. Gracias a este contrato Julio y Aurora Cortázar pudieron vivir sin muchos apuros sus primeros años europeos, entre Francia e Italia, trabajando en esta traducción en la que seguramente los consejos y la ayuda de Aurora, traductora extraordinaria también, contribuyeron al éxito de esta notable empresa literaria.

La traducción que hizo Cortázar de los cuentos, ensayos y novelas cortas de Poe merece figurar entre las obras maestras de la literatura contemporánea en lengua española, así como la traducción de los cuentos de Poe por Baudelaire es reconocida como uno de los monumentos literarios de la lengua francesa. Esta traducción, al mismo tiempo que una maestría absoluta en el dominio del inglés y el español y un conocimiento exhaustivo de la obra de Poe, delata una cercanía intelectual y un amor apasionado de Cortázar por el mundo, la fantasía, los fantasmas y los traumas con los que el genio de Poe construyó su obra. Su mayor mérito es que ella en ningún momento parece una traducción pues Cortázar ha conseguido recrear dentro del espíritu de la lengua de Cervantes y de Borges el lenguaje de Edgar Allan Poe, encontrando equivalencias lingüísticas y reconstruyendo dentro del genio de nuestra lengua las peculiaridades estilísticas inglesas y la riquísima orfebrería léxica con que Poe elaboró todos sus textos. Quiero decir que, como todas las grandes traducciones, la versión que el autor de *Rayuela* da de la obra del norteamericano pertenece tanto a Poe como al propio Cortázar.

Para comprobarlo vale la pena leer el largo y lúcido ensayo con que la traducción de Cortázar apareció en su primera edición, hecha por la Universidad de Puerto Rico. En ella Cortázar, además de examinar con erudición el mundo de Poe, sus fuentes, la manera como la vida de este perseguida por el infortunio y los reveses se volcó en las alucinaciones y pesadillas de sus cuentos macabros y en las aventuras extraordinarias que fraguó su imaginación, hace una defensa de la literatura fantástica, género en el que Cortázar escribió relatos tan originales y notables como los del propio Edgar Allan Poe. Al igual que Baudelaire, a Julio Cortázar Edgar Allan Poe no sólo le deparó el placer de una lectura, también fue un espejo que le permitió descubrir su propia cara.

Madrid, 21 de agosto de 2008

VIDA DE EDGAR ALLAN POE[1]

Julio Cortázar

Infancia

Edgar Poe, más tarde Edgar Allan Poe, nació en Boston el 19 de enero de 1809. Nació allí como podría haber nacido en cualquier otra parte, al azar del itinerario de una oscura compañía teatral donde actuaban sus padres, y que ofrecía un característico repertorio que combinaba *Hamlet* y *Macbeth* con dramas lacrimosos y comedias de magia.

Extenderse en consideraciones sobre el parentesco de Poe no conduce a nada sólido. Edgar era tan pequeño cuando desaparecieron sus padres que la influencia del teatro no lo alcanzó. Sus tendencias histriónicas de la madurez coinciden con las de tantos otros genios cuyos padres fueron médicos o fabricantes de tejas. Parece preferible mencionar herencias más profundas. Por su madre, Elizabeth Arnold Poe, el poeta descendía de ingleses (sus abuelos fueron también actores, del Covent Garden, de Londres), mientras su padre, David Poe, era norteamericano, de ascendencia irlandesa. Edgar habría de fabricar en su juventud mitológicas genealogías, de las cuales la más notable (que muestra pronto su tendencia a lo truculento) lo presenta como descendiente del general Benedict Arnold, famoso en los anales de la traición.

1. Esta noticia de los hechos salientes de la vida de Poe sigue, en líneas generales, la biografía de Hervey Allen, *Israfel, The Life and Times of Edgar Allan Poe*, la más completa hasta la fecha junto con la de Arthur Hobson Quinn.

Su sangre inglesa y norteamericana (todavía la misma, aunque se repelieran políticamente) le llegaba doblemente debilitada e impura por la mala salud de sus padres, tuberculosos ambos. David Poe, actor insignificante, sale rápidamente del escenario: murió o quizá abandonó a su mujer y a sus tres hijos, el último por nacer. Mrs. Poe debió dejar al mayor en casa de unos parientes y trasladarse al Sur con Edgar, que apenas tenía un año, para seguir actuando en el teatro y ganar algún dinero. En Norfolk (Virginia) nació Rosalie Poe; y si su madre había reaparecido en las tablas apenas tres semanas después de nacido Edgar en Boston, así se la vio en escena muy poco antes de dar a luz a Rosalie. La miseria y la enfermedad la doblegaron pronto en Richmond, donde la caridad de sus admiradores teatrales, en su mayoría damas, alivió en parte sus sufrimientos. Edgar se encontró huérfano antes de cumplir tres años; la noche en que su madre murió en una miserable habitación, dos señoras caritativas se llevaron los niños a sus casas.

El carácter del poeta no puede ser comprendido si se descuidan dos influencias capitales en su infancia: la importancia psicológica y afectiva que tiene para un niño saber que carece de padres y que vive de la caridad ajena (caridad sumamente peculiar, como se verá), y la residencia en el Sur. Virginia, en aquella época, representaba el espíritu sureño mucho más de lo que una ojeada casual al mapa de Estados Unidos haría suponer. La llamada «línea de Mason y Dixon», que marcaba el extremo meridional de Pensilvania, valía también como límite del «Norte» y el «Sur», de las tendencias que pronto fermentarían en el abolicionismo y el régimen esclavista y feudal sureño. Edgar Poe creció como sureño, pese a su nacimiento en Boston, y jamás dejó de serlo en espíritu. Muchas de sus críticas a la democracia, al progreso, a la creencia en la perfectibilidad de los pueblos, nacen de ser «un caballero del Sur», de tener arraigados hábitos mentales y morales moldeados por la vida virginiana. Otros elementos sureños habrían de influir en su imaginación: las nodrizas negras, los criados esclavos, un folklore donde los aparecidos, los relatos sobre cementerios y cadáveres que deambulan en las selvas bastaron para organizarle un repertorio de lo sobrenatural sobre el cual hay un temprano anecdotario. John Allan, su casi involuntario protector, era un comerciante escocés emigrado a Richmond, donde tenía en sociedad una empresa dedicada al comercio del tabaco y otras actividades curiosamente disímiles, pero propias de un tiempo en que los Estados Unidos eran un inmenso campo de ensayo. Uno de los renglones lo constituía la representación de revistas británicas, y en las oficinas de Ellis & Allan el niño Edgar se inclinó desde temprano sobre los magazines trimestrales escoceses e ingleses y trabó relación con un mundo erudito y pedante, «gótico» y novelesco, crítico y difamatorio donde los restos del ingenio del siglo XVIII se mezclaban con el romanticismo en plena eclosión, donde las sombras de Johnson, Addison y Pope cedían lentamente a la fulgurante presencia de Byron, la poesía de Wordsworth y las novelas y cuentos de terror. Mucho de la tan debatida cultura de Poe salió de aquellas tempranas lecturas.

Sus protectores no tenían hijos. Frances Allan, primera influencia femenina benéfica en la vida de Poe, amó desde el comienzo a Edgar, cuya figura, bellísima y vivaz, había sido el encanto de las admiradoras de la desdichada Mrs. Poe. En cuanto a John Allan, deseoso de complacer a su esposa, no opuso reparos a la adopción tácita del niño; pero de ahí a adoptarlo legalmente había un trecho que no quiso franquear jamás. Los primeros biógrafos de Poe hablaron de egoísmo y dureza de corazón; hoy sabemos que Allan tenía hijos naturales y que costeaba secretamente su educación. Uno de ellos fue condiscípulo de Edgar, y Mr. Allan pagaba trimestralmente una doble cuenta de gastos escolares. Aceptó a Edgar porque era «un espléndido muchacho», y llegó a encariñarse bastante con él. Era un hombre seco y duro, a quien los años, los reveses y finalmente una gran fortuna volvieron más y más tiránico. Para desgracia suya y de Edgar, sus naturalezas divergían de la manera más absoluta. Quince años más tarde habrían de chocar encarnizadamente, y ambos cometerían faltas tan torpes como imperdonables.

A los cuatro o cinco años, Edgar era un hermoso niño de rizos oscuros, de grandes y brillantes ojos. Muy pronto aprendió los poemas al gusto del día (Walter Scott, por ejemplo), y las damas que visitaban a Frances Allan a la hora del té no se cansaban de oírle recitar, grave y apasionadamente, las extensas composiciones que se sabía de memoria. Los Allan cuidaban inteligentemente de su educación, pero el mundo que lo rodeaba en Richmond le era tan útil como los libros. Su *mammy*, la nodriza negra de todo niño de casa rica en el Sur, debió de iniciarlo en los ritmos de la gente de color, lo que explicaría en parte su interés posterior, casi obsesivo, por la escansión de los versos y la magia rítmica de «El cuervo», de «Ulalume», de «Annabel Lee». Y además estaba el mar, representado por sus embajadores naturales, los capitanes de veleros, que acudían a las oficinas de Ellis & Allan para discutir los negocios de la firma, y que bebían con los socios mientras narraban largas aventuras. El pequeño Edgar debió de entrever, ansioso oyente, las primeras imágenes de *Arthur Gordon Pym*, del remolino del Maelström, y todo ese aire marino que circula en su literatura y que él supo recoger en velámenes que todavía impulsan a sus barcos de fantasmas.

Un barco más tangible habría de mostrarle pronto el prestigio de las singladuras, los atardeceres en alta mar, la fosforescencia de las noches atlánticas. En 1815, John Allan y su mujer se embarcaron con él rumbo a Inglaterra y Escocia. Allan quería cimentar de manera más amplia sus negocios y visitar a su numerosa familia. Edgar vivió un tiempo en Irvine (Escocia) y luego en Londres. De sus recuerdos escolares entre 1816 y 1820 habría de nacer más tarde el extraño y misterioso escenario inicial de William Wilson. También el folklore escocés influiría en él. Como previendo el ansia de universalidad que habría de tener algún día, las circunstancias lo enfrentaban con paisajes, fuerzas, humores distintos. Agradecido, aunque ya con una sombra de desdén, él no perdió nada. Un día habría de escribir: «El mundo entero es el escenario que requiere el histrión de la literatura».

La familia volvió a Estados Unidos en 1820. Edgar, en la plenitud de su infancia, desembarcaba robustecido y avispado por su larga permanencia en un colegio inglés, donde los deportes y la rudeza física eran más importantes que en Richmond. Por eso lo vemos muy pronto capitanear a los camaradas de juego. Salta más alto y más lejos que ellos, y sabe dar y recibir una paliza según sople el viento. No hay todavía en él signos que lo distingan de los otros chicos, salvo, quizá, que le gusta dibujar, que le gusta juntar flores y estudiarlas. Pero lo hace un poco a escondidas y pronto vuelve a los juegos. Protege al pequeño Bob Sully, lo defiende de los muchachos más grandes, lo ayuda en sus lecciones. A veces desaparece durante horas, entregado a una tarea misteriosa: escribe secretamente sus primeros versos, los copia con bella letra, los atesora. Todo esto entre dos rebanadas de pan con mermelada.

Adolescencia

Hacia 1823 o 1824, Edgar pone todas las fuerzas de sus quince años en esos versos. Algunas jovencitas de Richmond habrán de recibirlos, especialmente las alumnas de cierta elegante escuela; su hermana Rosalie –adoptada por otra familia de Richmond– se encarga de hacer llegar los mensajes a las agraciadas. Pero el precoz enamorado tiene tiempo para otras proezas. La enorme influencia de Byron, modelo de todo poeta joven en esta década, lo inducía a emularlo en todos los terrenos. Ante la estupefacción de camaradas y profesores, Edgar nadó seis millas contra la corriente del río James y se convirtió en el efímero héroe de un día. Su salud era entonces excelente, después de una infancia algo enfermiza; y su cargada herencia sólo se manifiesta en detalles de precocidad, de talento anormalmente desarrollado, en un carácter donde el orgullo, la excitabilidad, la violencia que nace de una debilidad fundamental, lo estimulaban a adelantarse en todos los caminos y a no tolerar competidores.

En aquellos días conoció a «Helen», su primer amor imposible, su primera aceptación del destino que habría de signar toda su vida. Decimos aceptación, y será mejor explicarse desde ahora. «Helen» es la primera mujer –en una larga galería– de quien Edgar Poe habría de enamorarse sabiendo que era un ideal, sólo un ideal, y enamorándose porque era ese ideal y no meramente una mujer conquistable. Mrs. Stanard, joven madre de uno de sus condiscípulos, se le apareció como la personificación de todos los sueños indecisos de la infancia y las ansiosas vislumbres de la adolescencia. Era hermosa, delicada, de maneras finísimas. «Helen, tu belleza es para mí como esas remotas barcas niceas que, dulcemente, sobre un mar perfumado, traían al cansado viajero errabundo de retorno a sus playas nativas», escribiría de ella un día en uno de sus poemas más misteriosos y admirables. Su encuentro fue para Edgar el arribo a la madurez. El adolescente que acudía a casa de su condiscípulo sin otro propósito que el de jugar, fue recibido por la Musa. Esto no es una exageración. Edgar retrocedió enceguecido frente a una mujer que le daba su mano a besar, sin comprender lo que ese gesto valía para él. Ignorándolo, «Helen» le exigió que ingresara definitivamente en la dimensión de los hombres. Edgar aceptó, enamorándose. Su amor fue secreto, perfecto y duró lo que su vida, por debajo o por encima de muchos otros. Exteriormente, las diferencias de edad y de estado social condicionaron el diálogo, hicieron de esa relación un coloquio amistoso que continuó hasta el día en que Edgar no pudo visitar más la casa de los Stanard. «Helen» enfermó, y la locura –ese otro signo siempre latente en el mundo del poeta– la alejó de sus amigos. Al morir en 1824 tenía treinta y un años. Hay una «historia inmortal» que muestra a Edgar visitando de noche la tumba de «Helen». Hay testimonios igualmente inmortales aunque menos románticos, que prueban el desconcierto, el dolor contenido, la angustia sin expansión posible. Edgar callaba en la escuela, rehuía los juegos, las escapatorias; todos sus camaradas lo notaron sin sospechar la causa, y muchos años más tarde, cuando el mundo supo quién era él, lo recordaron en memorias y cartas.

Refugiado en casa de los Allan (que para Edgar, despierto ya a la realidad social, no era su casa), poco consuelo le esperaba. Su madre adoptiva lo quiso siempre tiernamente, pero empezaba a ceder a un enigmático mal. John Allan se mostraba cada día más severo y Edgar cada día más rebelde. Quizá entonces se enteró el niño de que su protector tenía hijos naturales y sospechó que jamás sería adoptado legalmente. Parece seguro que su primera reacción contra Allan nació de su cólera por la ofensa que ese descubrimiento infería a Frances. También esta lo supo y debió de confiarse a Edgar, que tomó resueltamente su partido. A esta crisis se agrega el que en aquellos días John Allan se convirtiera en millonario al heredar la fortuna de su tío. Paradójicamente, Edgar debió comprender que sus posibilidades de ser adoptado, y por tanto de heredar, habían disminuido todavía más. Y su especial inadaptación empezó a manifestarse tempranamente. Incapaz de suavizar asperezas o de conciliarse el afecto de su protector mediante una conducta adaptada a sus gustos, emprendía ya un camino anárquico al que su temperamento y sus gustos lo predisponían naturalmente. John Allan empezó a saber lo que es tener un poeta –o alguien que quiere llegar a serlo– en casa. Su intención era hacer de Edgar un abogado o un buen comerciante como él. No hay necesidad de abundar más sobre la razón fundamental de todos los choques futuros.

La crisis había madurado lentamente. Edgar era todavía el niño mimado de su «madre» y su bondadosa «tía», y el brillante alumno que daba satisfacción a John Allan. Por aquellos días el marqués de La Fayette andaba recorriendo los campos de sus antiguas hazañas. Edgar y sus camaradas organizaron una milicia uniformada y armada para rendir honores al viejo soldado francés. Entre ejercicio y ejercicio, Edgar leía vorazmente lo que caía a su alcance; pero no parecía feliz, y ni siquiera el traslado a una nueva y magnífica casa que la flamante fortuna de su protector requería, y la comodidad de una excelente habitación, bastaban para alegrarlo. Es harto probable que sus altaneras declaraciones a John Allan sobre sus propósitos de llegar a ser un poeta encontraran una fría, irónica respuesta en los ojos y las palabras del comerciante. Edgar había crecido, y sus actividades «militares» lo habían aguerrido e independizado aún más. La anómala situación del hogar de los Allan apresuró el proceso. Su guardián veía ya un mozo en Edgar y sus diálogos eran de hombre a hombre. Si Edgar le reprochó alguna vez, en nombre de su «madre» Frances, las infidelidades conyugales, Allan debió a su turno replicar con algo capaz de herir al joven en lo más vivo. Sabemos hoy cuál fue esa réplica: una velada referencia, deshonrosa para Mrs. Poe, acerca de la verdadera paternidad de Rosalie, la hermana menor de Edgar. Bien puede imaginarse la reacción de este. Pero los lazos con los Allan eran todavía demasiado fuertes, y hubo otro intervalo de paz. Intervalo dulce, porque Edgar acababa de enamorarse de una jovencita de bellos rizos, Sarah Elmira Royster, que habría de representar un extraño papel en su vida, desapareciendo tempranamente para surgir en los últimos tiempos. Pero ahora el amor era matinal, y Elmira lo correspondía con toda la efusión compatible entonces con una señorita virginiana. A John Allan no le gustó la idea de que Edgar llegara a casarse con Elmira, y además había que pensar en su ingreso en la Universidad de Virginia. Sin duda habló con Mr. Royster, y de esa conversación en beneficio de los hijos nació una torpe traición: las cartas de Edgar a Elmira fueron interceptadas, y más tarde se obligó a la niña a que aceptara el presunto olvido de su novio como prueba de desamor y se casara con un tal Mr. Shelton, que correspondía mucho mejor que Edgar a la idea que los Allan y los Royster se hacen siempre de los esposos adecuados. Ignorante de lo que iba a ocurrir, Edgar se despidió de Frances y John Allan en febrero de 1826. En el camino confió una carta para Elmira al cochero que lo llevaba a Charlottesville; fue probablemente el último mensaje que aquella alcanzó a recibir de él. De la vida estudiantil de Poe hay numerosos documentos que prueban el clima de libertinaje y anarquía de la flamante Universidad fundada con tantas esperanzas por Thomas Jefferson, y su influencia catalizadora de las tendencias hasta entonces latentes en el poeta. Los estudiantes, hijos de familias adineradas, jugaban por dinero, bebían, disputaban y se batían en duelo, endeudándose con la mayor extravagancia, seguros de que sus padres pagarían al final de cada período escolar. A Edgar le ocurrió algo previsible: John Allan se negó desde el primer momento a enviarle más dinero del estrictamente necesario para sus gastos escolares. Edgar se empecinó en mantener el nivel de vida de sus camaradas, por razones bien comprensibles entonces y en Virginia. Hasta cierto punto, tenía razón: su protector lo había criado y educado en un nivel social que entrañaba determinadas exigencias económicas. Proporcionarle con una mano la mejor educación de la época y negarle con la otra el dinero necesario para no tener que avergonzarse ante los camaradas sureños, revelaba no sólo falta de bondad, sino de sentido común e inteligencia. Poe comenzó a escribir a «casa» pidiendo pequeñas sumas, haciendo minuciosos estados de cuenta para mostrar a Allan que las cantidades recibidas no bastaban para subvenir a sus gastos elementales. Si Allan maduraba ya el proyecto de buscar motivos de querella y desentenderse finalmente de Edgar, aprovechando la enfermedad cada vez más grave de Frances para librarse de ese molesto obstáculo en sus futuros proyectos, no hay duda de que la conducta de Poe en la Universidad le dio amplio motivo para resolverse. Exaltado e incapaz de reflexionar con calma en nada que no fueran materias intelectuales, Edgar lo ayudó insensatamente. Se sumaba a ello su desesperación por no recibir respuesta de Elmira y sospechar que esta lo había olvidado, o que una intriga de los Royster y los Allan lo apartaba de su novia –pues como tal la consideraba entonces–. Por primera vez oímos mencionar el alcohol en la vida de Edgar. El clima de la Universidad era tan favorable como el de una taberna: Poe jugaba, perdía casi invariablemente, y bebía. Uno piensa en Pushkin, ese Poe ruso. Pero a Pushkin el alcohol no le hacía daño, mientras que desde el principio provocó en Poe un efecto misterioso y terrible, del que no hay una explicación satisfactoria como no sea la de su hipersensibilidad, sus taras hereditarias, esa «maraña de nervios» al descubierto. Le bastaba beber un vaso de ron (y lo bebía de un trago, sin paladearlo) para intoxicarse. Está probado que un solo vaso lo hacía entrar en ese estado de hiperlucidez mental que convierte a su víctima en un conversador brillante, en un «genio» momentáneo. El segundo trago lo hundía en la borrachera más absoluta, y el despertar era lento, torturante, y Poe se arrastraba días y días hasta recobrar la normalidad. Sin duda, esto era mucho menos grave a los diecisiete años; pasados los treinta, en los días de Baltimore y Nueva York, configuró su imagen más desgraciadamente popular.

Como estudiante, Edgar fue todo lo sobresaliente que cabía esperar. Los recuerdos de sus condiscípulos lo muestran dominando intelectualmente aquel grupo de *jeunesse dorée* virginiana. Habla y traduce las lenguas clásicas sin esfuerzo aparente, prepara sus lecciones mientras otro alumno está recitando y se gana la admiración de profesores y condiscípulos. Lee, infatigable, historia antigua, historia natural, libros de matemáticas, de astronomía y, naturalmente, a poetas y novelistas. Sus cartas a John Allan describen con vividas imágenes el clima peligroso de aquella Universidad, donde los estudiantes se amenazan con pistolas y luchan hasta herirse gravemente, entre dos escapatorias a las colinas y alguna francachela en las tabernas de los aledaños. El estudio, el juego, el ron, las fugas, todo es casi lo mismo. Cuando las deudas de juego alcanzaron una cifra exasperante para John Allan y este se negó una vez más a pagarlas, Edgar tuvo que abandonar la Universidad. En aquel entonces una deuda podía llevar a cualquiera a la cárcel o, por lo menos, vedarle el reingreso al Estado donde la había contraído. Edgar rompió los muebles de su cuarto para encender un fuego de despedida (era en diciembre de 1826) y abandonó la casa de estudios. Sus camaradas de Richmond lo acompañaban; para ellos empezaban las vacaciones, pero él sabía que no volvería más.

Los acontecimientos se sucedieron rápidamente. El hijo pródigo encontró a Frances Allan cariñosa como siempre, pero el «querido papá» (como le llamaba Edgar en sus cartas) ardía de indignación por el balance de aquel año universitario. Para colmo, apenas llegado a Richmond descubrió Edgar lo ocurrido con Elmira, a quien sus padres acababan de alejar prudentemente de la ciudad. No hay que extrañarse de que en casa de Allan la atmósfera se volviera tensa y que, apenas pasado el tácito armisticio de Navidad y las fiestas de fin de año, la querella entre los dos hombres, que se miraban ahora de igual a igual, estallara en toda su violencia. Allan se negó a que Edgar volviera a la Universidad y a buscarle un empleo, a la vez que le reprochaba su holgazanería. Edgar replicó escribiendo secretamente a Filadelfia en demanda de trabajo. Enterado de esto, Allan le dio doce horas para que decidiera si se sometería o no a sus deseos (que entrañaban la obligación de estudiar Leyes o alguna otra carrera profesional). Edgar lo pensó todo una noche y repuso negativamente; siguió una terrible escena de mutuos insultos y, ante la exasperación de John Allan, su insubordinado protegido se marchó golpeando las puertas. Después de errar durante horas, escribió desde una taberna pidiendo su baúl, así como dinero para viajar al Norte y mantenerse hasta encontrar empleo. Allan no contestó, y Edgar escribió otra vez sin resultado. Su «madre» le hizo llegar el baúl y algún dinero. Con no poca sorpresa, Allan debió convencerse de que el hambre y la miseria no doblegaban al muchacho, como había supuesto. Edgar se embarcó rumbo a Boston para probar fortuna, y entre 1827 y 1829 se abre en su vida un paréntesis que los biógrafos entusiastas llenarían más tarde con fabulosos viajes a ultramar y experiencias novelescas en Rusia, Inglaterra y Francia. Naturalmente, Edgar los ayudaba desde más allá de la vida, pues siempre fue el primero en inventar detalles románticos que salpimentaran su biografía. Hoy sabemos que no se movió de Estados Unidos. Pero hizo, en cambio, algo que prueba su determinación de vivir conforme a su estrella. Apenas llegado a Boston, la amistad incidental de un joven impresor le permitió publicar *Tamerlán y otros poemas*, su primer libro (mayo de 1827). En el prólogo sostuvo que casi todos los poemas habían sido compuestos antes de los catorce años. Cierto vocabulario, cierto tono de magia, ciertas fronteras entre lo real y lo irreal mostraban al poeta; el resto era inexperiencia y candor. Ni que decir que el libro no se vendió en absoluto. Edgar debió de verse en una miseria espantosa que sólo atinó al magro recurso de engancharse en el ejército como soldado raso. Y mientras sobrevivía, melancólicamente, miraba en sí mismo y a veces en torno; fue así como reunió el material para el futuro «El escarabajo de oro», aprovechando el pintoresco escenario que rodeaba al fuerte Moultrie, en la Carolina, donde pasó la mayor parte de ese tiempo y donde la adolescencia quedó irrevocablemente atrás.

Juventud

El soldado Edgar A. Perry –pues con ese alias se había enganchado– se condujo irreprochablemente en las filas y no tardó en ser ascendido a sargento mayor. El tedio insoportable de aquella mediocre compañía humana, con la cual se veía obligado a alternar y su invariable resolución de consagrarse a la literatura, para la cual requería tiempo, bibliotecas, contactos estimulantes, lo forzaron finalmente a reanudar relaciones con John Allan. Poe se había alistado por cinco años y aún le faltaban tres; pidió entonces a Allan que escribiera a sus jefes manifestando su conformidad en caso de que lo relevaran de su puesto. Allan no le contestó, y poco después Edgar fue transferido a Virginia. Muy cerca de su casa, ansioso por ver a su «madre», cada vez más enferma, comprendió que Allan no toleraría su baja si continuaba hablando de una carrera literaria. Optó entonces por un compromiso momentáneo, pensando que quizá Allan apoyara su ingreso a la academia militar de West Point. Era una carrera, y una bella carrera. Allan aceptó. Pero en aquellos días Poe iba a sufrir el segundo gran dolor de su vida. «Mamá» Frances Allan murió mientras él estaba en el cuartel; un mensaje de Allan llegó demasiado tarde para cumplir la voluntad de la moribunda, que había reclamado hasta el fin la presencia de Edgar. Ni siquiera le fue dado a este ver su cadáver. Frente a su tumba (tan cerca de la de «Helen», tan cerca ambas en su corazón), no pudo resistir y cayó inanimado; los criados negros debieron llevarlo en brazos hasta el carruaje.

El ingreso de Edgar en West Point fue precedido por una visita a Baltimore en busca y reconocimiento de su verdadera familia, que, frente a la mala voluntad de su guardián, asumía para él una importancia creciente. Implacable en su secreta decisión, buscaba asimismo publicar «Al Aaraaf», largo poema en el cual depositaba infundadas esperanzas. Puede decirse que es este un momento crucial en la vida de Poe, aunque sus biógrafos no lo hagan notar quizá porque no es dramático ni teatral como tantos otros. Pero en mayo de 1829, solo, con el escaso dinero que le ha dado Allan para vivir y tramitar el no fácil ingreso a West Point, Edgar se lanza a establecer los primeros contactos sólidos con editores y directores de revistas. Como era de suponer, no pudo editar su poema por falta de fondos. En medio de las más angustiosas apreturas, acabó yéndose a vivir a casa de su tía María Clemm, donde también residían Mrs. David Poe, abuela paterna de Edgar, el hermano mayor de este (personaje borroso que moriría a los veinticuatro años y en quien la herencia familiar se acusó más rápida y violentamente) y los hijos de Mrs. Clemm, Henry y la pequeña Virginia, que habría de constituir el complejo y jamás resuelto enigma de la vida del poeta.

De Mrs. Clemm es casi innecesario adelantar que fue en todo sentido el ángel guardián de Edgar, su verdadera madre (como habría de decirlo en un soneto), la «Muddie» de las horas negras y de los años tortuosos. Edgar se incorporó al mísero hogar que María Clemm sostenía con labores de aguja y la caridad de parientes y vecinos, sin aportar más que su juventud y sus esperanzas. «Muddie» lo aceptó desde el primer momento como si comprendiera que Edgar la necesitaba en más de un sentido, y se encariñó con él a un punto que el resto de este relato mostrará cabalmente. Gracias a la buhardilla que compartía con su hermano, tuberculoso en último grado, pudo Edgar escribir en paz y establecer relaciones con editores y críticos. Bien recomendado por John Neal, escritor muy conocido en esos días, «Al Aaraaf» encontró por fin editor, y apareció en unión de *Tamerlán* y los restantes poemas del ya olvidado primer volumen.

Satisfecho en este terreno, Edgar volvió a Richmond para esperar en casa de John Allan –que todavía era «su» casa– la hora del ingreso en West Point. Resultaba difícil imaginar la actitud de Allan en estas circunstancias; se había negado a financiar la edición de los poemas, pero los poemas aparecían a pesar suyo. Edgar hablaría, sin duda, de sus esperanzas literarias y distribuiría ejemplares del libro a sus amigos virginianos (que no entendieron palabra, incluso los de la Universidad). Por fin, alguna referencia de Allan a la «holgazanería» de Edgar provocó otra violenta querella. Pero en marzo de 1830, Poe fue aceptado en la academia militar; a fines de junio aprobaba sus exámenes y pronunciaba el juramento de ingreso. Huelga decir con qué tristeza debió de entrar en West Point, donde le esperaban actividades aún más penosas y desagradables para él que las simples tareas del soldado raso. Pero la alternativa era la misma que tres años antes: o la «carrera» o morirse de hambre. El prestigio pasajero de las galas militares había terminado con la adolescencia. Edgar sabía de sobra que no estaba hecho para ser soldado, ni siquiera en el orden físico, porque su excelente salud de los quince años empezaba a resentirse tempranamente, y el entrenamiento severísimo de los cadetes no tardó en resultarle penoso, casi insoportable. Pero su cuerpo obedecía en gran medida al desgano, a la tristeza que lo invadía en un ambiente donde pocos minutos diarios podían consagrarse a pensar (a pensar fuera de los textos, es decir, a pensar poesía, a pensar literatura) y a escribir. John Allan, por su parte, iba a seguir la misma línea de conducta que en la etapa universitaria; pronto descubrió Edgar que no recibiría dinero ni para sus gastos más indispensables. Inútil quejarse por carta, mostrar que estaba haciendo el ridículo ante sus camaradas, provistos de fondos. Edgar se refugió entonces en el prestigio que le daba el ser un «viejo» al lado de sus bisoños compañeros, y en su facilidad para mentir imaginarios viajes, aventuras novelescas que muchos creyeron y que plagarían medio siglo después tantas biografías del poeta. Su orgullo, su humor sardónico, lo ayudaron no poco, pero estos rasgos tienen sus desventajas, y él lo supo pronto. Ahogado por la atmósfera vulgar, ramplona, carente hasta la náusea de imaginación y capacidad creadora, se defendió encerrándose, meditando ya los elementos de su futura poética (con gran ayuda de Coleridge). Entretanto, le llegaron desde «casa» noticias del segundo matrimonio de John Allan y comprendió, ya sin sombra de engaño, que toda esperanza de una futura protección debía ser abandonada. No se equivocaba: Allan habría de tener los hijos legítimos que deseaba, y la nueva Mrs. Allan se mostró desde el primer día hostil hacia el desconocido «hijo de actores» que estudiaba en West Point.

Edgar había calculado cumplir el curso en seis meses, confiando en su preparación universitaria y militar precedentes. Pero, una vez en la academia, descubrió que ello era imposible por razones administrativas. No debió de vacilar mucho. Escéptico por lo que concernía a Allan, poco podía importarle que este se disgustara o no de su decisión, y decidió hacerse expulsar, única forma posible de salir de West Point sin violar el juramento pronunciado. Fue muy simple; como era alumno brillante, eligió la parte disciplinaria para ponerse en falta. Sucesivas y deliberadas desobediencias, tales como no concurrir a clase o a los servicios religiosos, le valieron una expulsión en regla. Pero antes, y dando una de sus raras muestras de auténtico humor, Poe había conseguido, con ayuda de un coronel, que los cadetes costearan por suscripción su nuevo libro de versos, compuesto durante la breve permanencia en West Point. Todo el mundo imaginaba un librito lleno de versos satíricos y divertidos acerca de la academia; se encontraron en cambio con «Israfel», «A Helena» y «Lenore». Pueden inferirse los comentarios.

La ruptura con Allan parecía definitiva y se complicó por un grave error de Edgar, quien, en un momento de ofuscación, había escrito a uno de sus acreedores excusándose por no pagar a causa de la tacañería de su tutor, y agregando que este estaba pocas veces sobrio. La afirmación, indudablemente calumniosa, llegó a manos de Allan. Su carta a Edgar se ha perdido, pero debió de ser terrible. Edgar le contestó ratificando su aseveración y vertiendo por fin toda su amargura, sus reproches y su desesperanza. El 19 de febrero de 1831 se embarcaba, envuelto en su capa de cadete, que lo acompañó hasta el fin de sus días, rumbo a Nueva York y a sí mismo.

En marzo, hambriento y angustiado, pensó en engancharse como soldado en el ejército de Polonia, sublevada contra Rusia. Su solicitud no tuvo éxito, y entretanto apareció su primer libro importante de poemas, «respetuosamente dedicado al colegio de cadetes». Edgar Poe está ya allí de cuerpo entero. En esos versos (que sufrirán más adelante infinitas modificaciones) los rasgos centrales de su genio poético brillan inequívocos –salvo para los escasos críticos que se ocuparon entonces del volumen–. La magia verbal donde, por lo menos en lo que a su poesía se refiere, se ahínca lo más asombroso de su genio, irrumpe como portadora de un oscuro mensaje lírico, sea el de los poemas amorosos en que desfilan las sombras de Helen o de Elmira, sea el de los cantos metafísicos y casi cosmogónicos. Cuando Edgar Poe volvió a Baltimore perseguido por el hambre y se refugió por segunda vez en casa de Mrs. Clemm, llevaba en el bolsillo la prueba palpable de que su decisión había sido justa y de que, al margen de todas las debilidades, los vicios y las flaquezas, había sido y era «fiel a sí mismo», por más caras que fuesen las consecuencias presentes y futuras.

A poco de llegar a Baltimore, murió su hermano mayor, y Edgar pudo instalarse y trabajar con relativa comodidad en la buhardilla que había compartido con el enfermo. Su atención, hasta entonces dedicada íntegramente a la poesía, va a volverse hacia el cuento, género más «vendible» –lo cual en esos momentos constituía un argumento capital–, y que interesaba además como género literario al joven escritor. Poe advirtió muy pronto que su talento poético, debidamente encauzado, podía crear en el cuento una atmósfera especialísima subyugadora, que él debió de atisbar el primero con irreprimible emoción. Todo estaba en no confundir cuento con poema en prosa, y sobre todo no confundir cuento con fragmento novelesco. No era Edgar hombre de incurrir en esos fáciles errores, y su primer relato publicado, «Metzengerstein», nació como Palas armado de punta en blanco con todas las cualidades que habrían de alcanzar perfección unos años después.

La miseria y Mrs. Clemm se conocían de antiguo. «Muddie» pedía prestado, salía con una cesta donde sus amigas ponían siempre alguna legumbre, huevos, fruta. Edgar no encontraba manera de publicar, y los pocos dólares ganados aquí y allá desaparecían en seguida. Se sabe que en todo este período se condujo sobriamente, y que hizo lo posible por ayudar a su tía. Pero una vieja deuda (quizá su hermano) surgió de pronto, con la consiguiente amenaza de arresto y prisión. Edgar escribió a John Allan con el tono más angustiado y lamentable que cabe imaginar. «Por el amor de Cristo, no me dejes perecer por una suma de dinero cuya falta ni siquiera notarás...» Allan intervino de manera indirecta –y por última vez–; el peligro de prisión quedó descartado. Al criticar la formación literaria y cultural de Poe no debería olvidarse que en los años 1831 y 1832, cuando su carrera de escritor quedó definitivamente sellada, Edgar trabajaba acosado por el hambre, la miseria y el temor; el hecho de que pudiera seguir adelante y remontar día a día nuevos peldaños hacia su propia perfección literaria prueba toda la fuerza que habitaba en ese gran débil. Pero a veces Edgar perdía los estribos. No se sabe que bebiera entonces más de la cuenta (aunque para él la menor dosis era siempre fatal). Habíase enamorado de Mary Devereaux, joven y bonita vecina de los Clemm. Para Mary, el poeta representaba el misterio y, en cierto modo, lo prohibido, pues corrían ya rumores sobre su pasado, en gran medida sembrados por él mismo. Y además, Edgar tenía esa presencia que habría de subyugar siempre a las mujeres que cruzaron por su vida. La misma Mary, muchísimos años después, lo recordaba así: «Mr. Poe tenía unos cinco pies y ocho pulgadas de estatura, cabello oscuro, casi negro, que usaba muy largo y peinado hacia atrás como los estudiantes. Su cabello era fino como la seda; los ojos, grandes y luminosos, grises y penetrantes. Tenía el rostro completamente afeitado. La nariz era larga y recta, y los rasgos muy finos; la boca, expresivamente hermosa. Era pálido, exangüe, de piel bellamente olivácea. Miraba de manera triste y melancólica. Era sumamente delgado... pero tenía una fina apostura, un porte erguido y militar, y caminaba rápidamente. Lo más encantador en él, sin embargo, eran sus modales. Era elegante. Cuando miraba a alguien parecía capaz de leer sus pensamientos. Tenía una voz agradable y musical, pero no profunda. Vestía siempre una chaqueta negra, abotonada hasta el cuello... No seguía la moda, sino que tenía su propio estilo».

Con semejante retrato no sorprenderá que la niña quedara fascinada por su cortejante. El idilio duró apenas un año, y la gazmoñería de la época hizo lo suyo. «Mr. Poe no valoraba las leyes de Dios ni las humanas», dirá Mary en sus recuerdos de vejez. Mr. Poe era celoso y provocaba violentas escenas. Mr. Poe se propasaba. Mr. Poe se consideró ofendido por un tío de Mary, que se inmiscuía en su noviazgo, y, luego de comprar una fusta, fue a buscar a dicho caballero y le dio de latigazos. Sus parientes contestaron golpeándolo y desgarrándole de arriba abajo la chaqueta. La escena final es digna de la mejor escena romántica: Mr. Poe atravesó tal como estaba la ciudad, seguido de una turba de chiquillos, armó un escándalo en la puerta de Mary, se metió en su casa y acabó tirándole la fusta a los pies, mientras decía: «¡Toma, te regalo esto!» Pero la anécdota es importante: por primera vez vemos a Edgar con las ropas destrozadas, perdido todo dominio de sí mismo; se exhibe al desnudo, como tantas veces más adelante, en un patético testimonio de su fundamental inadaptación a las leyes de los hombres. La familia de Mary hizo el resto, y Mr. Poe perdió a su novia. Consuela pensar que no lo lamentó demasiado.

En julio de 1832, Edgar supo que John Allan había hecho testamento y que estaba gravemente enfermo. Fue inmediatamente a Richmond, por razones donde el interés y los recuerdos del pasado se mezclaban confusamente. Nadie lo había invitado, pero él llegó tempestuosamente y se coló de rondón, dándose de boca con la segunda Mrs. Allan, que no tardó en hacerle entender que lo consideraba un intruso. No es difícil imaginar la violenta reacción de Edgar bajo ese techo que guardaba el recuerdo de su «madre» y toda su infancia. Volvió a perder la serenidad de la manera más lamentable, sobre todo porque no tuvo el valor de enfrentar a Allan, y salió de la casa en el preciso momento en que aquel, presurosamente reclamado, acudía con el estado de ánimo imaginable. La visita acababa en el más completo fracaso, y Edgar se volvió a Baltimore y a la miseria.

En abril de 1833 escribiría su última carta a su «protector». Contiene un párrafo que lo dice todo: «En nombre de Dios, ten piedad de mí y sálvame de la destrucción.» Allan no le contestó. Pero en el intervalo Edgar había ganado el primer premio (y 50 dólares) en un concurso de cuentos del Baltimore Saturday Visiter. Sus cuentos, al menos, eran más eficaces que sus cartas.

El año 1833 y gran parte del siguiente fueron tiempos de penoso trabajo en la más horrible miseria. Poe era ya conocido por los círculos cultivados de Baltimore, y su cuento vencedor, «Manuscrito hallado en una botella», le valía no pocas admiraciones. A comienzos de 1834 le llegó la noticia de que Allan estaba moribundo y, sin pensarlo dos veces, se lanzó a una segunda e insensata visita a «su» casa. Rechazando al mayordomo, que debía de tener instrucciones de no dejarlo entrar, voló escaleras arriba para detenerse en la puerta de la habitación donde John Allan, paralizado por la hidropesía, leía el diario en un sillón. Al verlo, el enfermo fue presa de un acceso de furor, y se enderezó bastón en mano profiriendo terribles insultos. Los sirvientes acudieron y echaron a la calle a Edgar. En Baltimore, poco después, se enteró de la muerte de Allan. Este no le dejó ni un centavo de su enorme fortuna. Digamos de él que, si Edgar hubiera seguido alguno de los sólidos caminos profesionales o comerciales que su protector le proponía, nada hace dudar de que Allan lo hubiera ayudado hasta el fin. Edgar tuvo plena razón en seguir su camino, y por su parte Allan no puede ser culpado más allá de lo razonable. Su verdadera falta no fue tanto no «entender» a Edgar, sino mostrarse deliberadamente mezquino y cruel, obstinándose en acorralarlo y dominarlo. Al fin y al cabo, Mr. John Allan perdió la partida contra el poeta en todos los terrenos; pero la victoria de Edgar se parecía demasiado a las de Pirro para no desesperar en primer término al vencedor.

Se abre ahora el «episodio misterioso», el incitante tema que ha hecho correr ríos de tinta. La pequeña Virginia Clemm, prima carnal de Edgar, habría de convertirse en su novia y, poco después, en su mujer. Virginia tenía apenas trece años y Edgar veinticinco. Si en aquel tiempo no era insólito que las mujeres se casaran a los catorce años, el hecho de que Virginia no estuviera mentalmente bien desarrollada, y diera hasta su muerte la impresión de una niña, agrega un elemento penoso al episodio. «Muddie» consintió en el noviazgo y en la boda (aunque esta tuvo lugar secretamente para no provocar la cólera harto imaginable del resto de la familia), y el consentimiento tiene su importancia. Si la madre de Virginia la confiaba a Edgar, no puede dudarse de que se sentía moralmente tranquila. Virginia, que adoraba al «primo Eddie», debió de consentir con su puerilidad habitual, llena de maravilla a la idea de casarse con aquel muchacho prestigioso. En cuanto a él, ése es el misterio. Que quiso siempre a «Sis» con un cariño entrañable, los hechos van a probarlo. Que la amó, que la hizo su mujer, es y sigue siendo materia de discusión. La hipótesis más sensata parece ser la de que Poe se casó con Virginia para protegerse en su relación con otras mujeres y mantenerlas en el plano de la amistad. Lo probaría el hecho de que sólo después de la muerte de «Sis» sus amores adquirieron nuevamente un carácter apasionado aunque siempre ambiguo. Pero ¿de qué se protegía Edgar? Aquí es donde se abren las compuertas y empieza a correr la tinta. No hagamos nosotros de afluente. Lo único verosímil es suponer una inhibición sexual de carácter psíquico, que obligaba a Poe a sublimar sus pasiones en un plano de ensueño e ideal, pero que a la vez lo atormentaba al punto de exigirle por lo menos una fachada de normalidad, provista en este caso por su casamiento con Virginia. Se ha hablado de sadismo, de atractivo malsano hacia una mujer impúber o apenas núbil. El tema da para infinitas variaciones[2].

En marzo de 1835, en plena fiebre creadora, Edgar carecía de un traje como para poder aceptar una invitación a comer. Así tuvo que escribirlo, avergonzado, a un bondadoso caballero que buscaba ayudarlo literariamente. La honradez de aquella confesión vino en su ayuda. Su anfitrión lo vinculó de inmediato con el *Southern Literary Messenger*, una revista de Richmond. Allí apareció «Berenice», y meses más tarde Edgar regresaría, una vez más, a «su» ciudad virginiana para incorporarse a la redacción de la revista y asumir su primer empleo estable. Pero, entretanto, la mala salud se había manifestado inequívocamente. Hay testimonios de que en el período de Baltimore, Edgar tomó opio (en forma de láudano, como De Quincey y Coleridge). Su corazón no andaba bien y necesitaba estímulos; el opio, que le había dictado tanto de «Berenice» y que le dictaría muchos otros cuentos, lo ayudaba a reaccionar. Su llegada a Richmond significó un resurgimiento momentáneo, la posibilidad de publicar sus trabajos y, sobre todo, de ganar algún dinero, ayudar a «Muddie» y a «Sis», que esperaban en Baltimore. Los habitantes de Richmond que habían conocido al niño Edgar, al mozo de turbulenta fama, encontraban ahora a un hombre prematuramente envejecido a los veintiséis años. La madurez física le sentaba bien a Edgar. Sus pulcras si bien algo raídas ropas, invariablemente negras, le daban un aire fatal en el sentido byroniano, presente ya en los fetichismos de la época. Era bello, fascinador, hablaba admirablemente bien, miraba como si devorara con los ojos, y escribía extraños poemas y cuentos que hacían correr por la espalda ese frío delicioso que buscaban los suscriptores de revistas literarias al uso de los tiempos. Lo malo era que Edgar sólo ganaba diez dólares semanales en el *Messenger*, que sus amigos de juventud andaban cerca y que en Virginia se bebe duro. La lejanía de «Muddie» y de Virginia hacía también lo suyo. Edgar bebió la primera copa y el resto fue la cadena inevitable de consecuencias. Esta caída, alternada con largos períodos de salud y temperancia, va a repetirse ahora monótonamente hasta el fin. Uno daría cualquier cosa por refundir todos los episodios en uno, evitar esa duplicación infernal, ese paseo en círculo del prisionero en el patio de la cárcel.

2. Es sabido que el psicoanálisis aplicado a los relatos de Poe proporciona sorprendentes resultados en este terreno. Véase el libro de Marie Bonaparte, y, en un plano meramente deductivo, el de Joseph Wood Krutch.

Al salir de una de sus borracheras, Edgar escribe desesperado a un amigo –mientras le oculta con típica astucia la verdadera razón–: «Me siento un miserable y no sé por qué... Consuéleme... pues usted puede hacerlo. Pero que sea pronto... o será demasiado tarde. Escríbame inmediatamente. Convénzame de que vivir vale la pena, de que es necesario...». Esta vaga alusión a un suicidio habrá de materializarse años después.

Por supuesto, perdió su empleo, pero el director del *Messenger* estimaba a Poe y volvió a llamarlo, aconsejándole que viniera con su familia y que viviera junto a ella lejos de cualquier lugar donde hubiera vino en la mesa. Edgar siguió el consejo y Mrs. Clemm y Virginia se le reunieron en Richmond. Desde las columnas de la revista la fama del joven escritor empezaba a afirmarse. Sus reseñas críticas, ácidas, punzantes, muchas veces arbitrarias e injustas, pero siempre llenas de talento, eran muy leídas. Durante más de un año Edgar se mantuvo perfectamente sobrio. En el *Messenger* empezaba a aparecer en folletín la *Narración de Arthur Gordon Pym*. En mayo de 1836 Poe se casó por segunda vez, pero ahora públicamente y rodeado por sus amigos, con la siempre maravillada Virginia. Aquel período –en el que sin embargo empezaban las recaídas en el alcohol, cada vez más frecuentes–, se tradujo en reseñas y ensayos de una fertilidad extraordinaria. Afirmada su fama de crítico, los círculos literarios del norte, para quienes el sur no había significado jamás nada importante en el orden intelectual, se mostraban tan ofendidos como furiosos contra aquel «Mr. Poe» que osaba denunciar sus cliques, sus bombos, y desollaba vivos a sus malos escritores y poetas, sin importársele un ardite de la reacción que provocaba. Más se hubieran irritado de saber que Edgar acariciaba cada vez con mayores deseos la posibilidad de abandonar el campo demasiado estrecho de Virginia y probar su suerte en Filadelfia o Nueva York, los grandes centros de las letras norteamericanas. Su alejamiento del *Messenger* se vio precipitado por las deudas, el descontento del director y las continuas ausencias provocadas por el aplastante efecto que en él provocaba la bebida. El *Messenger* lamentó sinceramente prescindir de Poe, cuya pluma había octuplicado su tirada en pocos meses.

Edgar y los suyos se instalaron precariamente en Nueva York, en un pésimo momento para encontrar trabajo a causa de la gran depresión económica que caracterizó la presidencia de Jackson. Este intervalo de forzosa holganza fue, como siempre, benéfico para Edgar desde el punto de vista literario. Libre de reseñas y comentarios periodísticos, pudo consagrarse de lleno a la creación y escribió una nueva serie de cuentos; logró asimismo que Gordon Pym se publicara en volumen, aunque la obra fue un fracaso de ventas. Pronto se vio que Nueva York no ofrecía un panorama favorable y que lo mejor era repetir la tentativa en Filadelfia, el primer centro editorial y literario de Estados Unidos a esa altura del siglo. A mediados de 1838 hallamos a Edgar y a los suyos pobremente instalados en una casa de pensión de Filadelfia. La mejor prueba de la situación por la que pasaban la da el hecho de que Edgar se prestó a publicar bajo su nombre un libro de texto sobre conquiliología, que no pasaba de ser la refundición de un libro inglés sobre la materia y que preparó un especialista con la ayuda de Poe. Más tarde ese libro le trajo un sinfín de disgustos, pues lo acusaron de plagio, a lo cual habría de contestar airadamente que todos los textos de la época se escribían aprovechando materiales de otros libros. Lo cual no era una novedad ni entonces ni hoy en día, pero resultaba un débil argumento para un denunciador de plagios tan encarnizado como él.

Madurez

En 1838 aparecerá el cuento que Poe prefería, «Ligeia». Al año siguiente nacerá otro aún más extraordinario, «La caída de la casa Usher», en el que los elementos autobiográficos abundan y son fácilmente discernibles, pero donde, sobre todo, se revela –después del anuncio de «Berenice» y el estallido terrible de «Ligeia»– el lado anormalmente sádico y necrofílico del genio de Poe, así como la presencia del opio. Por el momento, la suerte parecía inclinarse de su lado, pues ingresó como asesor literario en el *Burton's Magazine*. Por ese entonces le obsesionaba la idea de llegar a tener una revista propia, con la cual realizar sus ideales en materia de crítica y creación. Como no podía financiarla (aunque el sueño lo persiguió hasta el fin), aceptó colaborar en el *Burton's* con un sueldo mezquino pero amplia libertad de opinión. La revista era de ínfima categoría; bastó que Edgar entrara en ella para ponerla a la cabeza de las de su tiempo en originalidad y audacia.

Aquel trabajo le permitió al fin mejorar la situación de Virginia y su madre. Aunque se separó por un tiempo del *Burton's*, pudo trasladar su pequeña familia a una casa más agradable, la primera casa digna desde los días de Richmond. Estaba situada en los aledaños de la ciudad, casi en el campo, y Edgar recorría diariamente varias millas a pie para acudir al centro. Virginia, con sus modales siempre pueriles, lo esperaba de tarde con un ramo de flores, y nos han quedado numerosos testimonios de la invariable ternura de Edgar hacia su «mujer–niña», y sus mimos y atenciones para con ella y «Muddie».

En diciembre de 1839 apareció otro volumen, donde se reunían los relatos publicados en su casi totalidad en revistas; el libro se titulaba *Cuentos de lo grotesco y lo arabesco*. Aquella época había sido intensa, bien vivida, y de ella emergía Edgar con algunas de sus obras en prosa más admirables. Pero la poesía estaba descuidada. «Razones al margen de mi voluntad me han impedido en todo momento esforzarme seriamente por algo que, en circunstancias más felices, hubiera sido mi terreno predilecto», habría de escribir en los tiempos de «El cuervo». Un cuento podía nacer al despertar de una de sus frecuentes «pesadillas diurnas»; un poema, tal como Edgar entendía su génesis y su composición, exigía una serenidad interior que le estaba vedada. En eso, más que en otra cosa, hay que buscar el motivo de la desproporción entre su poesía y su obra en prosa.

En junio de 1840, Edgar se separó definitivamente del *Burton's Magazine* por razones de incompatibilidad asaz complejas. Pero la refundición de esta revista con otra, bajo el nombre de *Graham's Magazine*, le permitió, después de un período penoso y oscuro, en el que estuvo enfermo (se sabe de un colapso nervioso), reanudar su trabajo como director literario, en condiciones más ventajosas. Poe especificó ante Graham, propietario del *Magazine*, que no había abandonado el proyecto de fundar una revista propia, y que llegado el momento renunciaría a su puesto. Su empleador no tuvo motivos para lamentar el aporte que Edgar trajo al *Graham's*, y que puede calificarse de sensacional. Cuando tomó la dirección había apenas cinco mil suscriptores; al irse dejó cuarenta mil... Y esto entre febrero de 1841 y abril del año siguiente. Edgar ganaba un sueldo mezquino, aunque Graham se mostraba generoso en otros sentidos y admiraba su talento y su técnica periodística. Pero para Poe, obsesionado por la brillante perspectiva de editar por fin su revista (sobre la cual había enviado circulares y requerido colaboraciones), el trabajo en el despacho del *Graham's* debía resultar mortificante. A un amigo que le buscaba en Washington un empleo oficial que le permitiera al mismo tiempo escribir con libertad, le dice en una carta: «Acuñar moneda con el propio cerebro, a una señal del amo, me parece la tarea más dura de este mundo...».

Entretanto, había que ganar esos pocos dólares, y ganarlos bien. Edgar atravesaba por una época brillantísima. Se ha dicho que inició la serie de sus «cuentos analíticos» para desvirtuar las críticas de quienes lo acusaban de dedicarse solamente a lo mórbido. Lo único seguro es que este cambio de técnica, más que de tema, prueba la amplitud y la gama de su talento y la perfecta coherencia intelectual que poseyó siempre, y de la que «Eureka» habría de ser la prueba final y dramática. «Los crímenes de la calle Morgue» pone en escena al chevalier C. Auguste Dupin, ese álter ego de Poe, expresión de su egotismo cada día más intenso, de su sed de infalibilidad y superioridad que tantas simpatías le enajenaba entre los mediocres. Tras él apareció «El misterio de Marie Rogêt», sagaz análisis de un asesinato que apasionaba entonces a los amigos de un género considerado años atrás por De Quincey como una de las bellas artes. Pero el lado macabro y mórbido corría paralelo al frío análisis, y Poe no renunciaba a los detalles espeluznantes, al clima congénito de sus primeros cuentos.

Este período creador se vio trágicamente interrumpido. A fines de enero de 1842, Poe y los suyos tomaban el té en su casa, en compañía de algunos amigos. Virginia, que había aprendido a acompañarse en el arpa, cantaba con gracia infantil las melodías que más le gustaban a «Eddie». Súbitamente, su voz se cortó en una nota aguda, mientras la sangre manaba de su boca. La tuberculosis se reveló brutalmente en una hemoptisis inequívoca, a la que seguirían otras muchas. Para Edgar, la enfermedad de su mujer fue la más horrible tragedia de su vida. La sintió morir, la sintió perdida y se sintió perdido él también. ¿De qué fuerzas espantosas se defendía junto a «Sis»? Desde ese momento, sus rasgos anormales empiezan a mostrarse desnudamente. Bebió, con los resultados sabidos. Su corazón fallaba, ingería alcohol para estimularse, y el resto era un infierno que duraba días. Graham se vio precisado a llamar a otro escritor para que llenara los frecuentes vacíos de Poe en la revista. Ese escritor era el reverendo Griswold, de ambigua memoria en los anales poeianos.

Una famosa carta de Edgar admite que sus irregularidades se desencadenaron a consecuencia de la enfermedad de Virginia. Reconoce que «se volvió loco» y que bebía en estado de inconsciencia. «Mis enemigos atribuyeron la locura a la bebida, en vez de atribuir la bebida a la locura...» Empieza para él una época de fuga, de marcharse de su casa, de volver completamente deshecho, mientras «Muddie» se desespera y trata de ocultar la verdad, limpiar las ropas manchadas, preparar una tisana para el infeliz, que delira en la cama y tiene atroces alucinaciones. En aquellos días el estribillo de «El cuervo» empezó a hostigarlo. Poco a poco, el poema nacía, larval, indeciso, sujeto a mil revisiones. Cuando Edgar se sentía bien, iba a trabajar al *Graham's* o a llevar artículos. Un día, al entrar, vio a Griswold instalado en su despacho. Se sabe que giró en redondo y que no volvió más. Y hacia julio de 1842, perdido por completo el dominio de sí mismo, hizo un viaje fantasmal de Filadelfia a Nueva York, obsesionado por el recuerdo de Mary Devereaux, la muchacha a cuyo tío había dado de latigazos. Mary estaba casada, y Edgar parecía absurdamente deseoso de averiguar si amaba o no a su marido. Después de cruzar y recruzar el río en *ferryboat,* preguntando a todo el mundo por el domicilio de Mary, llegó por fin a su casa e hizo una terrible escena. Luego se quedó a tomar el té (uno imagina las caras de Mary y su hermana, a quienes les tocó recibirlo a la fuerza, pues se había metido en la casa en su ausencia), y por fin se marchó, no sin antes desmenuzar con un cuchillo algunos rábanos y exigir que Mary cantara su melodía favorita. Pasaron varios días hasta que Mrs. Clemm, desesperada, logró la ayuda de vecinos bondadosos, que encontraron a Edgar mientras vagaba por los bosques próximos a Jersey City, perdida, momentáneamente, toda razón.

En una carta, Poe se defendió alguna vez de las acusaciones que le hacían, señalando que el mundo sólo lo veía en los momentos de locura, pero que ignoraba sus largos períodos de vida sana y laboriosa. Esto no es hipócrita y, sobre todo, es cierto. No todos los críticos de Poe han sabido estimar la enorme acumulación de lecturas de que fue capaz, su voluminosa correspondencia y, sobre todo, el bulto de su obra en prosa, cuentos, ensayos y reseñas. Pero, como él lo señala, dos días de embriaguez pública lo volvían mucho más notorio que un mes de trabajo continuo. La cosa no puede extrañar, naturalmente; tampoco extrañará que Poe, sabiendo que las consecuencias eran menos sórdidas, volviera siempre que podía al opio para olvidarse de la miseria, para salirse del mundo con más dignidad por algunas horas.

Durante un breve período, la amistad de escritores y críticos importantes y su propio optimismo, casi siempre mal fundado, hicieron creer a Poe que su revista alcanzaría a materializarse. Terminó por encontrar a un caballero dispuesto a financiarla, y entonces sus amigos de Washington lo llamaron a la capital, a fin de que pronunciara una conferencia, recogiera suscripciones a la revista y fuera presentado en la Casa Blanca, de donde, sin duda, saldría con un nombramiento capaz de ponerlo al abrigo de la miseria. Duele pensar que todo ello pudo ocurrir exactamente así, y que Edgar tuvo la culpa de que no ocurriera. Al llegar a Washington aceptó unas copas de oporto, y el resto fue lo de siempre. Sus amigos no pudieron hacer nada por un hombre que insistía en presentarse ante el presidente de los Estados Unidos con la capa negra puesta del revés, y que recorría las calles querellándose con todo el mundo. Hubo que meterlo en un tren de vuelta, y la peor consecuencia fue que el caballero que pensaba financiar la revista se atemorizó muy explicablemente y no quiso volver a oír hablar del asunto. Edgar enfrentó el doble peso del remordimiento (que lo hundía en la desesperación durante semanas enteras) y la miseria, frente a la cual Mrs. Clemm debía acudir a los más tristes recursos para mantener a la familia. Pero aquel año aciago debía hacerle subir otro peldaño de la fama. En junio, Edgar ganó el premio instituido por el *Dollar Newspaper* para el mejor relato en prosa. Este cuento llegaría a ser el más famoso de los suyos, el que todavía tiene en suspenso el aliento de todo adolescente imaginativo. Era «El escarabajo de oro», mezcla felicísima del Poe analítico con el de la aventura y el misterio.

A fines de año encontramos a Edgar pronunciando una conferencia sobre poesía y poetas. Poco público, poco dinero. Su período de Filadelfia terminaba tristemente después de haber estado a punto de llevarlo a una fama definitiva. Dejaba muchos amigos fieles, pero una gran cantidad de enemigos: los autores maltratados en sus reseñas, los envidiosos profesionales, los Griswold, y también tantos que tenían fundados motivos de agravio contra él. Los comienzos de 1844 son oscuros, y lo más interesante consiste en la aparición de «Un cuento de las Montañas Escabrosas», relato digno de los mejores. Pero ya nada quedaba por hacer en Filadelfia y era preferible intentar otra cosa en Nueva York. Tan pobres estaban los Poe que Edgar partió con Virginia, dejando a «Muddie» en una casa de pensión a la espera de que aquel reuniera los dólares suficientes para mandarla llamar. En abril de 1844 la pareja llegaba a Nueva York y otra vez se abría un interludio favorable, estrepitosamente saludado por «El camelo del globo». El título del relato dice bien de lo que se trataba. Edgar lo vendió al *New York Sun*, que publicó una edición especial anunciando que un globo tripulado por ingleses acababa de cruzar el Atlántico. La noticia provocó una conmoción extraordinaria y la muchedumbre se agolpó frente al periódico. No lejos de ahí, quizá en algún balcón, un caballero de aire grave, vestido de negro, debió de contemplar la escena con una sonrisa indefiniblemente irónica. Pero ahora «Muddie» podía reunirse con él.

El período de Nueva York señala el resurgimiento del poeta en Edgar, a quien el tema de «El cuervo» seguía obsesionando de continuo. El poema habría de adquirir pronto forma definitiva, y las circunstancias fueron por una vez favorables. El calor del verano hacía daño a la desfalleciente Virginia, y Edgar buscó, reuniendo dinero con su trabajo periodístico, algún lugar en las afueras de Nueva York donde pasar los meses de estío. Lo encontró en una granja de Bloomingdale, que habría de convertirse para los Poe en un pequeño y efímero paraíso. Allí había aire puro, praderas, alimento en abundancia, hasta alegría. Edgar halló un poco de paz lejos de Nueva York y su mundo inconciliable con el suyo. El famoso busto de Palas, inmortalizado en «El cuervo», estaba sobre una puerta interior de la casa. Edgar empezó a escribir regularmente, y los cuentos y artículos se sucedían y hasta se publicaban en seguida, porque el nombre del autor bastaba para interesar a los lectores de todo el país. «El entierro prematuro», mezcla de crónica y cuento, fue escrito en el «perfecto cielo» de Bloomingdale y prueba la ambivalencia invariable de la mente de Poe; es uno de sus relatos más mórbidos y angustiosos, lleno de una malsana fascinación por los horrores de la tumba, que el pretexto del tema disfraza malamente.

«El cuervo» alcanzó aquel verano su versión casi definitiva –pues los retoques de Edgar a sus poemas eran infinitos y se multiplicaban en las diferentes publicaciones de cada uno–. El autor lo leyó a muchos amigos, y hay anécdotas que lo muestran recitando el poema y pidiendo luego la opinión de los presentes, con vistas a posibles cambios. Todo ello está muy lejos de su propia versión en el ensayo titulado *Filosofía de la composición,* aunque este pueda estar más cerca de la verdad de lo que se suele creer. Que el poema pasó por diversos «estados» es cierto; pero la estructura central, a la que se alude en el ensayo, pudo nacer de un proceso lógico (poéticamente lógico, mejor, y todo poeta sabe que no hay contradicción en los términos) como el que se describe en el ensayo.

Se acercaba el invierno y había que volver a Nueva York, donde Poe acababa de obtener un modesto empleo en el flamante *Evening Mirror.* El año 1845 –Edgar tenía treinta y seis años– se abrió con su amistosa separación del *Mirror* y su ingreso en el *Broadway Journal.* De pronto, inesperadamente para todos, pero quizá no para él, la fama habría de difundir su nombre más allá de las fronteras de su patria y convertido en el hombre del día. Hábilmente preparada por Poe y sus amigos, la publicación de «El cuervo» conmovió los círculos literarios y todas las capas sociales, hasta un punto que actualmente resulta difícil imaginar. La misteriosa magia del poema, su oscuro llamado, el nombre del autor, satánicamente aureolado con una «leyenda negra», se confabularon para hacer de «El cuervo» la imagen misma del romanticismo en Norteamérica, y una de las instancias más memorables de la poesía de todos los tiempos. Las puertas de los salones literarios se abrieron inmediatamente para Poe. El público acudía a sus conferencias con el deseo de oírle recitar «El cuervo» –experiencia memorable para muchos oyentes y de la cual quedan testimonios inequívocos–. Las damas, sobre todo, estaban fascinadas oyéndolo hablar. Edgar lo hacía admirablemente, seguro de sí mismo, pisando, por fin, el terreno que durante tantos años había tanteado. «Su conversación –habrá de decir Griswold con florida retórica– alcanzaba a veces una elocuencia casi sobrenatural. Modulaba la voz con asombrosa destreza y sus grandes ojos, de variable expresión, miraban serenos o infundían una ígnea confusión en los de sus oyentes, mientras su rostro resplandecía o manteníase inmutablemente pálido, según que la imaginación apresurara el correr de su sangre o la helara en torno al corazón. Las imágenes que empleaba procedían de mundos que un mortal sólo puede ver con la visión del genio. Partiendo bruscamente de una proposición planteada exacta y agudamente en términos de máxima sencillez y claridad, rechazaba las formas de la lógica habitual y, en un cristalino proceso de acumulación, alzaba sus demostraciones oculares en formas de grandeza tan lúgubre como fantasmal o en otras de la más aérea y deliciosa belleza, tan detallada y claramente y con tanta rapidez, que la atención quedaba encadenada en medio de sus asombrosas creaciones; todo ello hasta que él mismo disolvía el embrujo y traía otra vez a sus oyentes a la existencia más baja y común mediante fantasías vulgares o exhibiciones de las pasiones más innobles...»

Hasta por el mismo zarpazo final el testimonio es válido viniendo de quien viene. Edgar magnetizaba a su público, y su altanera confianza en sí mismo podía explayarse ahora sin provocar el ridículo. En cuanto a los rencores ajenos, se hicieron naturalmente más profundos. Él mismo colaboraba con los odios y las calumnias. En marzo de 1845, en plena apoteosis, se dejó llevar otra vez por el alcohol. La creciente agravación de Virginia y ese oscilar entre esperanza y desesperación que el poeta mencionó alguna vez como algo peor que la muerte misma de su mujer, podían más que sus fuerzas. En este momento empieza para Poe una época de total desequilibrio anímico, de entrega a las amistades apasionadas con escritoras prominentes de Nueva York, episodios que en nada afectan su tierno y angustioso cariño por Virginia. Esto no es embellecer los hechos: Edgar necesitaba embriagarse con algo más que alcohol. Necesitaba palabras, decirlas y escucharlas. Virginia no le daba más que su infantil presencia, su cariño ciego de cachorro. Una Frances Osgood, en cambio, poetisa y gran lectora, unía a su imagen llena de gracia la cultura capaz de medir a Poe en su verdadero valor. Y además Edgar huía de la miseria, de los sucesivos y cada vez más lamentables cambios de domicilio, de las querellas en el *Broadway Journal*, donde su egotismo, pero también su primacía intelectual, le creaban continuos conflictos con sus socios. Por un lado se publicaba una edición aumentada de los

Cuentos; por otra, su amistad imprudente con Mrs. Osgood se veía comprometida por los rumores que obligaban a su amiga (enferma, a su vez, de tuberculosis) a retirarse de la escena, dejándolo otra vez frente a sí mismo. El fin de 1845 es también el fin de la gran producción de Poe. Sólo «Eureka» espera su hora, todavía lejana. Los mejores cuentos y casi todos los grandes poemas están escritos. Poe empieza a sobrevivirse en muchos aspectos. Un episodio lo prueba: invitado por los bostonianos a pronunciar una conferencia, parece ser que bebió tanto los días anteriores que, llegado el momento, se encontró sin material para ofrecer al público. Poe había prometido un nuevo poema; leyó, en cambio, «Al Aaraaf», obra de adolescencia, no sólo por debajo de su genio, sino la menos indicada para el recitado. La crítica se mostró severa y él pretendió que lo había hecho ex profeso para vengarse de los bostonianos, del «estanque de las ranas» literarias que detestaba. A fin de año, el *Broadway Journal* dejó de aparecer y Edgar se encontró otra vez perdido. Si 1845 marca su momento más alto en la fama, es también el comienzo de una caída proporcionalmente acelerada. Por un tiempo, empero, brillará como las estrellas apagadas hace mucho. A lo largo de 1846 va a circular activamente entre los *literati*, como se llamaba a las marisabidillas y escritores más conocidos de Nueva York. Aquel mundo era harto mezquino y mediocre, con honrosas excepciones. Las damas se reunían a leer poemas, propios y ajenos, e intrigaban entre sonrisas y cumplidos, procurando críticas favorables de los colaboradores de las revistas literarias. Edgar, que los conocía perfectamente a todos, decidió un día ocuparse de ellos. Publicó en el Godey's Lady's Book una serie de treinta y tantas críticas, casi todas implacables, que produjo terrible conmoción, réplicas furibundas, odios y admiraciones igualmente exagerados. Lo mejor que puede decirse de esta ejecución en masa es que el tiempo ha dado la razón al ejecutor. Los *literati* duermen en piadoso olvido; pero es comprensible que en aquel momento no pudieran preverlo, y que reaccionaran en consecuencia.

Los Poe seguían mudándose de casa una y otra vez, hasta que, en mayo de 1846, buscando aire puro para la moribunda Virginia, dieron con un *cottage* en Fordham, en las afueras de la ciudad. Edgar debió de refugiarse en él como un animal acosado. Las semanas anteriores habían sido horribles. Querellas (una de las cuales acabó a golpes), acusaciones, deudas apremiantes y el alcohol y el láudano como vanos paliativos. Mrs. Osgood se había apartado de la escena. Virginia se moría y faltaba el dinero. La única carta que se conserva de Poe a su mujer tiene acentos desgarradores: «Mi corazón, mi querida Virginia, nuestra madre te explicará por qué no vuelvo esta noche. Confío en que la entrevista que debo sostener será beneficiosa para nosotros... Hubiera perdido yo todo coraje si no fuera por ti, mi mujercita querida... Eres mi mayor y mi único estímulo ahora para batallar contra esta vida inconciliable, insatisfactoria e ingrata... Que duermas bien y que Dios te dé un agradable verano junto a tu devoto Edgar».

Virginia se moría. Edgar la sabía muerta, y así nació «Annabel Lee», que es la visión poética de su vida junto a ella. Yo era un niño y ella una niña, en un reino a orillas del mar... El verano y el otoño pasaron sin que encontraran tranquilidad. Su fama traía numerosos visitantes al placentero *cottage*, y de ellos quedan testimonios de ternura, la delicadeza de Edgar para con Virginia y de los esfuerzos de «Muddie» para darles de comer. Con el invierno la situación se volvió desesperada. Los círculos literarios de Nueva York supieron lo que ocurría, y la muerte inminente de Virginia ablandó muchos corazones que, de tratarse sólo de Poe, no se hubieran mostrado tan accesibles. La mejor amiga en ese trance fue Marie Louise Shew, vinculada indirectamente a los *literati*, mujer sensible y sensata a la vez. Herido en su orgullo, Poe debió de rebelarse al comienzo; luego tuvo que aceptar los socorros y Virginia recibió lo indispensable para no pasar frío y hambre. Murió a fines de enero de 1847. Los amigos recordaban cómo Poe siguió el cortejo envuelto en su vieja capa de cadete, que durante meses había sido el único abrigo de la cama de Virginia. Después de semanas de semiinconsciencia y delirio, volvió a despertar frente a ese mundo en el que faltaba Virginia. Y su conducta desde entonces es la del que ha perdido su escudo y ataca, desesperado, para compensar de alguna manera su desnudez, su misteriosa vulnerabilidad.

Final

Al principio fue el miedo. Se sabe que Edgar temía la oscuridad, que no podía dormir, que «Muddie» debía quedarse horas a su lado, teniéndole la mano. Cuando se apartaba al fin de su lado, él abría los ojos. «Todavía no, Muddie, todavía no...» Pero de día se puede pensar con ayuda de la luz, y Edgar es todavía capaz de asombrosas concentraciones intelectuales. De ellas va a nacer «Eureka», así como del fondo de la noche, del balbuceo mismo del terror, rezumará la maravilla de «Ulalume».

El año 1847 mostró a Poe luchando contra los fantasmas, recayendo en el opio y el alcohol, aferrándose a una adoración por completo espiritual de Marie Louise Shew, que había ganado su afecto durante la agonía de Virginia. Ella contó más tarde que «Las campanas» nacieron de un diálogo entre ambos. Contó también los delirios diurnos de Poe, sus imaginarios relatos de viajes a España y a Francia, sus duelos, sus aventuras. Mrs. Shew admiraba el genio de Edgar y tenía una profunda estima por el hombre. Cuando sospechó que la presencia incesante del poeta iba a comprometerla, se alejó apenada, como lo había hecho Frances Osgood. Y entonces entra en escena la etérea Sarah Helen Whitman, poetisa mediocre pero mujer llena de inmaterial encanto, como las heroínas de los mejores sueños vividos o imaginados por Edgar, y que además se llama Helen, como él había llamado a su primer amor de adolescencia. Mrs. Whitman había quedado tempranamente viuda, pertenecía a los *literati* y cultivaba el espiritismo, como la mayoría de aquellos. Poe descubrió de inmediato sus afinidades con Helen, pero el mejor índice de su creciente desintegración lo da el hecho de que, en 1848, mientras por una parte mantiene correspondencia amorosa con Mrs. Whitman, que aún hoy conmueve a los entusiastas del género, por otra parte conoce a Mrs. Annie Richmond, cuyos ojos le causan profunda impresión (uno piensa en los dientes de Berenice), y de inmediato la visita, gana la confianza de su esposo, de toda la familia, la llama «hermana Annie» y descansa en su amistad, encuentra ese alivio espiritual que requería siempre de las mujeres y que una sola era ya incapaz de darle[3].

Los movimientos de Edgar en estos últimos tiempos son complicados, fluctuantes, a veces desconocidos. Dio alguna conferencia. Volvió a «su» Richmond, donde bebió terriblemente y recitó largos pasajes de «Eureka» en los bares, para estupefacción de honestos ciudadanos. Pero también en Richmond, cuando recobró la normalidad, pudo vivir sus últimos días felices porque tenía allí viejos y leales amigos, familias que lo recibían con afecto mezclado de tristeza, y quedan crónicas de paseos, bromas y juegos en los que «Eddie» se divertía como un chico. Asoma entonces (parece que en una de sus conferencias) la imagen de Elmira, su novia de juventud, que había quedado viuda y no olvidaba al hombre de quien la apartara una conjura familiar. Edgar debió de verla y pensar en ella. Pero Helen lo atraía mágicamente y volvió al Norte con expresa intención de proponerle

3. Las relaciones amorosas de Poe integran una enorme bibliografía, iniciada por las memorias o las fábulas escritas posteriormente por varias de las protagonistas, quienes no hicieron más que aumentar la confusión sobre este tema. Edmund Gosse lo ha resumido con mucho humor: «Que Poe fue un pertinaz enamorado, constituye otro cargo irrefutable. Cortejó a muchas mujeres, pero sin acarrear daño a ninguna. A todas les gustó muchísimo. Hubo por lo menos una docena, y el orgullo que cada una muestra en sus memorias por las atenciones de Poe, sólo es igualado por su odio hacia las otras once».

matrimonio. Helen era incapaz de resistir la fascinación de Poe, pero no se sentía muy dispuesta a casarse de nuevo. Prometió reflexionar y decidirse. Edgar se fue a esperar su decisión a casa de Annie Richmond, lo cual es perfectamente característico.

El resto se vuelve cada vez más brumoso. Poe recibe una carta indecisa de Helen y, entretanto, su afecto por Annie parece haber aumentado tanto que, al separarse de ella, le arrancó la promesa de que acudiría a su lecho de muerte. Desgarrado por un conflicto entre imaginario y real, Edgar partió dispuesto a visitar a Helen, sin llegar a su destino. «No me acuerdo de nada de lo sucedido», diría luego en una carta. Pero él mismo narra su tentativa de suicidio. Compró láudano y bebió la mitad del frasco en Boston. Antes de tener tiempo de tomar la otra mitad (que lo hubiera matado) sobrevino la reacción de un organismo ya habituado al opio, y Edgar vomitó el exceso de láudano. Cuando más tarde llegó a casa de Helen tuvo lugar una escena desgarradora, hasta que ella consintió en el matrimonio si Edgar le prometía abstenerse para siempre de toda droga o estimulante. Poe lo prometió, volviendo al *cottage* de Fordham, donde Mrs. Clemm lo esperaba angustiada por su larga ausencia y los rumores que llegaban sobre las locuras de «Eddie».

Quien quiera asomarse al Poe de esos días deberá leer la correspondencia enviada desde ese momento a Helen, a Annie, a algunos amigos; la miseria, la inquietud, una angustia que la promesa de Helen no alcanza a borrar –se diría que todo lo contrario–, configuran el clima indefinible de las pesadillas. Edgar sabía que los *literati* batallaban para disuadir a Helen y que la madre de esta temblaba por las consecuencias del matrimonio. Le disgustó profundamente que en la redacción del contrato de bodas los escasos bienes de Mrs. Whitman fueran puestos deliberadamente a salvo de su alcance, como si le creyeran un aventurero. En vísperas de la boda pronunció una conferencia que fue aplaudida con entusiasmo, pero simultáneamente Helen se enteró de las visitas de Edgar a casa de Annie y de los rumores, por lo demás perfectamente falsos, que circulaban al respecto. Edgar había bebido con unos amigos, aunque sin embriagarse. Todo ello provocó a último momento la negativa de Helen. Edgar suplicó en vano. Ella volvió a decirle que le amaba, pero se mantuvo firme, y el poeta retornó a Fordham en un infierno de desesperación.

Quizá este mismo infierno le ayudó a levantarse una vez más, la última. Asqueado por los rumores, la maledicencia, la sociedad de los *literati* y sus mezquinas querellas, se encerró en el cottage con Mrs. Clemm y luchó con los restos de su energía para salir adelante, editar, por fin, su nunca olvidada revista y reanudar el trabajo creador.

De enero a junio de 1849 pareció agazaparse, esperar. Pero hay un poema, «Para Annie», en el que Poe se describe a sí mismo muerto, feliz y abandonadamente muerto, por fin y definitivamente muerto. Era demasiado lúcido para engañarse sobre la verdad, y cuando iba a Nueva York se entregaba al láudano con desesperada avidez. Un admirador le escribió entonces ofreciéndose a financiar la revista que tanto había deseado. Era la última oportunidad de su vida, era la última carta. Pero Edgar, como Pushkin, perdía siempre en el juego y también perdió esta vez. El final comprende dos terribles etapas con un interludio amoroso.

En julio de 1849, Poe abandonó Nueva York para volver a su ciudad de Richmond. No se sabe por qué lo hizo, como no fuera movido por un oscuro instinto de refugio, de protección. Lleno de presentimientos, se despidió de la pobre «Muddie», que no volvería a verlo. De una amiga se separó diciéndole que estaba seguro de no regresar; lloraba al decirlo. Era un hombre con los nervios a flor de piel, que temblaba a cada palabra. No se sabe cómo llegó a Filadelfia, interrumpiendo su viaje al Sur, hasta que a mediados de julio, probablemente después de muchos días de intoxicación continua, Edgar entró corriendo en la redacción de una revista donde tenía amigos y reclamó desesperadamente protección. La manía persecutoria estallaba en toda su fuerza. Estaba convencido de que «Muddie» había muerto; probablemente quiso matarse a su vez, pero el «fantasma» de Virginia lo había detenido... La alucinante teoría duró semanas enteras hasta que Edgar empezó a reaccionar. Entonces pudo escribir a Mrs. Clemm, pero el párrafo central de su carta decía: «Apenas recibas esta ven inmediatamente... Hemos de morir juntos. Inútil tratar de convencerme: debo morir...». Sus desolados amigos reunieron algún dinero y lo embarcaron rumbo a Richmond; durante el viaje, sintiéndose mejor, escribió otra carta a «Muddie» reclamando su presencia. Lejos de ella, lejos de alguien que lo acompañara y cuidara, Edgar estaba siempre perdido. El más solitario de los hombres no sabía estar solo. Apenas llegado a Richmond escribió otra vez. La carta es horrible: «Llegué aquí con dos dólares, de los cuales te mando uno. ¡Oh, Dios, madre mía! ¿Nos veremos otra vez? ¡Oh, VEN si puedes! Mis ropas están en un estado tan horrible y me siento tan mal...».

Pero los amigos de Richmond le proporcionaron sus últimos días tranquilos. Bien atendido, respirando la atmósfera virginiana que, después de todo, era la única verdaderamente suya, Edgar nadó una vez más contra la corriente negra, como había nadado de niño para asombro de sus camaradas. Se le vio de nuevo paseando reposadamente por las calles de Richmond, visitando las casas de los amigos, asistiendo a las tertulias y a las veladas, donde, claro está, lo asediaban cordialmente para que recitara «El cuervo», que en su boca se convertía en «el poema inolvidable». Y luego estaba Elmira, su novia lejana, convertida en una viuda de respetable apariencia, y a quien Edgar buscó de inmediato como quien necesita cerrar un círculo, completar una forma imperfecta. Luego se diría que Edgar no ignoraba la fortuna de Elmira. Sin duda no la ignoraba; pero es tan gratuito como sórdido ver en su retorno al pasado una maniobra de cazador de dotes. Elmira aceptó de inmediato su compañía, su amistad, su pronto galanteo. En la adolescencia había prometido ser su mujer; los años habían pasado y Edgar estaba otra vez ahí, fatalmente bello y misterioso, aureolado por una fama donde el escándalo era una prueba más del genio que lo provocaba. Elmira aceptó casarse con él, y aunque hubo una etapa de malentendidos y algunas recaídas de Edgar, hacia septiembre de 1849 el matrimonio quedó definitivamente concertado para el mes siguiente. Decidiose que Edgar viajaría al Norte en busca de «Muddie», y para entrevistarse con Griswold, quien había aceptado ocuparse de la edición de las obras del poeta. Edgar pronunció una última conferencia en Richmond, repitiendo su famoso texto sobre *El principio poético*, y la delicadeza de sus amigos halló la manera de proporcionarle el dinero necesario para el viaje. A las cuatro de la madrugada del 27 de septiembre de 1849, Edgar se embarcó rumbo a Baltimore. Como siempre en esas circunstancias, estaba deprimido y lleno de presentimientos. Su partida a hora tan temprana (o tan tardía, pues había pasado la noche en un restaurante con sus amigos) parece haber obedecido a un repentino capricho suyo. Y desde ese instante todo es niebla, que se desgarra aquí y allá para dejar entrever el final.

Se ha dicho que Poe, en los períodos de depresión derivados de una evidente debilidad cardiaca, acudía al alcohol como un estimulante imprescindible. Apenas bebía, su cerebro pagaba las consecuencias. Este círculo vicioso debió cerrarse otra vez a bordo durante la travesía a Baltimore. Los médicos le habían asegurado en Richmond que otra recaída sería fatal, y no se equivocaban. El 29 de septiembre el barco atracó en Baltimore; Poe debía tomar allí el tren para Filadelfia, pero se hacía necesario esperar varias horas. En una de estas horas se selló su destino. Se sabe que cuando visitó a un amigo ya estaba ebrio. Lo que pasó después es sólo materia de conjetura. Se abre un paréntesis de cinco días, al final de los cuales un médico, conocido de Poe, recibió un mensaje presurosamente escrito a lápiz, informándolo de que un caballero «más bien mal vestido» necesitaba urgentemente su ayuda. La nota procedía de un tipógrafo que acababa de reconocer a Edgar Poe en un borracho semiinconsciente, metido en una taberna y rodeado por la peor ralea de Baltimore. Eran días de elecciones, y los partidos en pugna hacían votar repetidas veces a pobres diablos, a quienes emborrachaban previamente para llevarlos de un comicio a otro. Sin que exista prueba concreta, lo más probable es que Poe fuera utilizado como votante y abandonado finalmente en la taberna donde acababan de identificarlo. La descripción que más adelante haría el médico muestra que estaba ya perdido para el mundo, a solas en su particular infierno en vida, entregado definitivamente a sus visiones. El resto de sus fuerzas (vivió cinco días más en un hospital de Baltimore) se quemó en terribles alucinaciones, en luchar con las enfermeras que lo sujetaban, en llamar desesperadamente a Reynolds, el explorador polar que había influido en la composición de Gordon Pym y que misteriosamente se convertía en el símbolo final de esas tierras del más allá que Edgar parecía estar viendo, así como Pym había entrevisto la gigantesca imagen de hielo en el último instante de la novela. Ni «Muddie», ni Annie, ni Elmira estuvieron junto a él, pues lo ignoraban todo. En un intervalo de lucidez, parece haber preguntado si quedaba alguna esperanza. Como le dijeran que estaba muy grave, rectificó: «No quiero decir eso. Quiero saber si hay esperanza para un miserable como yo». Murió a las tres de la madrugada del 7 de octubre de 1849. «Que Dios ayude a mi pobre alma», fueron sus últimas palabras. Más tarde, biógrafos entusiastas le harían decir otras cosas. La leyenda empezó casi en seguida, y a Edgar le hubiera divertido estar allí para ayudar, para inventar cosas nuevas, confundir a las gentes, poner su impagable imaginación al servicio de una biografía mítica.

CUENTOS COMPLETOS
EDGAR ALLAN POE

WILLIAM WILSON

Comentario de Iban Zaldua

Tecleando «William Wilson» en el buscador de internet Google, la primera referencia que aparece es la de una compañía homónima, dedicada a la fontanería y a los cuartos de baño. Tengo que reconocer que sufrí una pequeña decepción al acceder a dicha página web, pues esperaba algo más misterioso y, por consiguiente, significativo. Hasta que me di cuenta de que William Wilson Company es una empresa británica, y que entre sus productos principales, como no podía ser de otra manera, están los espejos.

«William Wilson» no es ni de los primeros ni de los últimos relatos de Edgar Allan Poe: lo publicó en 1839, y en él se advierten ya los modos del Poe más maduro. Que no el más *clásico*: «William Wilson» traiciona, en cierto sentido, la preceptiva del cuento acuñada por el propio Poe o, al menos, la versión tópica y simplificada que sobre la misma se ha ido forjando a lo largo de los años. Su arranque es moroso, la descripción del internado –británico, por supuesto– en el que hizo sus primeros estudios el narrador no parece contribuir a ningún «efecto único», y el final no sorprende al lector, pues este, mediado el relato, ya sabe de qué manera acabará, aunque desconozca los detalles exactos. Como decía Augusto Monterroso, «la verdad es que nadie sabe cómo debe ser un cuento. El escritor que lo sabe es un mal cuentista, y al segundo cuento se le nota que sabe, y entonces todo suena falso y aburrido y fullero».

Aquí lo que importa es la dosificación de la información y el *crescendo* que Poe imprime al relato. La evocadora descripción de la escuela del reverendo Bransby, aunque luego no desempeñe un papel crucial en la narración, nos sumerge en un ambiente muy propicio para lo que escritor nos quiere contar, y de paso le sirve para dejarnos un claro apunte autobiográfico: ese fue el internado, cercano a Londres, en el que Poe pasó parte de sus años escolares, antes de regresar a América; ni siquiera se molesta en alterar el apellido de su director. Por otra parte, la fecha de nacimiento del protagonista –de los dos protagonistas– es la misma que la de Poe, el 19 de enero, aunque no el año.

El narrador William Wilson, cuyo verdadero nombre no conocemos, aunque es tan vulgar como el seudónimo que ha escogido para presentarse ante el mundo, es sin duda Poe, pero también podemos serlo cualquiera: el autor lo concibió como un juego de espejos en los que reflejarse no sólo él mismo y su protagonista, sino también nosotros sus lectores. Uno de esos espejos en los que, por las mañanas, al despertar, solemos mirarnos, ajenos y legañosos, dispuestos a creer, por un instante, que es imposible que aquel seamos nosotros. Un espejo que bien pudo haber sido fabricado por William Wilson Company, «uno de los máximos proveedores de material de fontanería de todo el Reino Unido».

WILLIAM WILSON

«¿Qué decir de ella?
¿Qué decir de la torva CONCIENCIA,
de ese espectro en mi camino?».
CHAMBERLAYNE, *Pharronida*

Permitidme que, por el momento, me llame a mí mismo William Wilson. Esta blanca página no debe ser manchada con mi verdadero nombre. Demasiado ha sido ya objeto del escarnio, del horror, del odio de mi estirpe. Los vientos, indignados, ¿no han esparcido en las regiones más lejanas del globo su incomparable infamia? ¡Oh proscrito, oh tú, el más abandonado de los proscritos! ¿No estás muerto para la tierra? ¿No estás muerto para sus honras, sus flores, sus doradas ambiciones? Entre tus esperanzas y el cielo, ¿no aparece suspendida para siempre una densa, lúgubre, ilimitada nube?

No quisiera, aunque me fuese posible, registrar hoy la crónica de estos últimos años de inexpresable desdicha e imperdonable crimen. Esa época –estos años recientes– ha llegado bruscamente al colmo de la depravación, pero ahora sólo me interesa señalar el origen de esta última. Por lo regular, los hombres van cayendo gradualmente en la bajeza. En mi caso, la virtud se desprendió bruscamente de mí como si fuera un manto. De una perversidad relativamente trivial, pasé con pasos de gigante a enormidades más grandes que las de un Heliogábalo. Permitidme que os relate la ocasión, el acontecimiento que hizo posible esto. La muerte se acerca, y la sombra que la precede proyecta un influjo calmante sobre mi espíritu. Mientras atravieso el oscuro valle, anhelo la simpatía –casi iba a escribir la piedad– de mis semejantes. Me gustaría que creyeran que, en cierta medida, fui esclavo de circunstancias que excedían el dominio humano. Me gustaría que buscaran a favor mío, en los detalles que voy a dar, un pequeño oasis *de fatalidad* en ese desierto del error. Me gustaría que reconocieran –como no han de dejar de hacerlo– que si alguna vez existieron tentaciones parecidas, jamás un hombre fue tentado *así,* y jamás cayó *así.* ¿Será por eso que nunca ha sufrido en esta forma? Verdaderamente, ¿no habré vivido en un sueño? ¿No muero víctima del horror y el misterio de la más extraña de las visiones sublunares?

Desciendo de una raza cuyo temperamento imaginativo y fácilmente excitable la destacó en todo tiempo; desde la más tierna infancia di pruebas de haber heredado plenamente el carácter de la familia. A medida que avanzaba en años, esa modalidad se desarrolló aún más, llegando a ser por muchas razones causa de grave ansiedad para mis amigos y de perjuicios para mí. Crecí gobernándome por mi cuenta, entregado a los caprichos más extravagantes y víctima de las pasiones más incontrolables. Débiles, asaltados por defectos constitucionales análogos a los míos, poco pudieron hacer mis padres para contener las malas tendencias que me distinguían. Algunos menguados esfuerzos de su parte, mal dirigidos, terminaron en rotundos fracasos y, naturalmente, fueron triunfos para mí. Desde entonces mi voz fue ley en nuestra casa; a una edad en la que pocos niños han abandonado los andadores, quedé dueño de mi voluntad y me convertí de hecho en el amo de todas mis acciones.

Mis primeros recuerdos de la vida escolar se remontan a una vasta casa isabelina llena de recovecos, en un neblinoso pueblo de Inglaterra, donde se alzaban innumerables árboles gigantescos y nudosos, y donde todas las casas eran antiquísimas. Aquel venerable pueblo era como un lugar de ensueño, propio para la paz del espíritu. Ahora mismo, en mi fantasía, siento la refrescante atmósfera de sus avenidas en sombra, aspiro la fragancia de sus mil arbustos, y me estremezco nuevamente, con indefinible delicia, al oír la profunda y hueca voz de la campana de la iglesia quebrando hora tras hora con su hosco y repentino tañido el silencio de la fusca atmósfera, en la que el calado campanario gótico se sumía y reposaba.

Demorarme en los menudos recuerdos de la escuela y sus episodios me proporciona quizá el mayor placer que me es dado alcanzar en estos días. Anegado como estoy por la desgracia –¡ay, demasiado real!–, se me perdonará que busque alivio, aunque sea tan leve como efímero, en la complacencia de unos pocos detalles divagantes. Triviales y hasta ridículos, esos detalles asumen en mi imaginación una relativa importancia, pues se vinculan a un período y a un lugar en los cuales reconozco la presencia de los primeros ambiguos avisos del destino que más tarde habría de envolverme en sus sombras. Dejadme, entonces, recordar.

Como he dicho, la casa era antigua y de trazado irregular. Alzábase en un vasto terreno, y un elevado y sólido muro de ladrillos, coronado por una capa de mortero y vidrios rotos, circundaba la propiedad. Esta muralla, semejante a la de una prisión, constituía el límite de nuestro dominio; más allá de él nuestras miradas sólo pasaban tres veces por semana: la primera, los sábados por la tarde, cuando se nos permitía realizar breves paseos en grupo, acompañados por dos preceptores, a través de los campos vecinos; y las otras dos los domingos, cuando concurríamos en la misma forma a los oficios matinales y vespertinos de la única iglesia del pueblo. El director de la escuela era también el pastor. ¡Con qué asombro y perplejidad lo contemplaba yo desde nuestros alejados bancos, cuando ascendía al púlpito con lento y solemne paso! Este hombre reverente, de rostro sereno y benigno, de vestiduras satinadas que ondulaban clericalmente, de peluca cuidadosamente empolvada, tan rígida y enorme... ¿podía ser el mismo que, poco antes, agrio el rostro, manchadas de rapé las ropas, administraba férula en mano las draconianas leyes de la escuela? ¡Oh inmensa paradoja, demasiado monstruosa para tener solución!

En un ángulo de la espesa pared rechinaba una puerta aún más espesa. Estaba remachada y asegurada con pasadores de hierro, y coronada de picas de hierro. ¡Qué sensaciones de profundo temor inspiraba! Jamás se abría, salvo para las tres salidas y retornos mencionados; por eso, en cada crujido de sus fortísimos goznes, encontrábamos la plenitud del misterio... un mundo de cosas para hacer solemnes observaciones, o para meditar profundamente.

El dilatado muro tenía una forma irregular, con muchos espaciosos recesos. Tres o cuatro de los más grandes constituían el campo de juegos. Su piso estaba nivelado y cubierto de fina grava. Me acuerdo de que no tenía árboles, ni bancos, ni nada parecido. Quedaba, claro está, en la parte posterior de la casa. En el frente había un pequeño cantero, donde crecían el boj y otros arbustos; pero a través de esta sagrada división sólo pasábamos en raras ocasiones, tales como el día del ingreso a la escuela o el de la partida, o quizá cuando nuestros padres o un amigo venían a buscarnos y partíamos alegremente a casa para pasar las vacaciones de Navidad o de verano.

¡Aquella casa! ¡Qué extraño era aquel viejo edificio! ¡Y para mí, qué palacio de encantamiento! Sus vueltas y revueltas no tenían fin, ni tampoco sus incomprensibles subdivisiones. En un momento dado era difícil saber con certeza en cuál de los dos pisos se estaba. Entre un cuarto y otro había siempre tres o cuatro escalones que subían o bajaban. Las alas laterales, además, eran innumerables –inconcebibles–, y volvían sobre sí mismas de tal manera que nuestras ideas más precisas con respecto a aquella casa no diferían mucho de las que abrigábamos sobre el infinito. Durante mis cinco años de residencia jamás pude establecer con precisión en qué remoto lugar hallábanse situados los pequeños dormitorios que correspondían a los dieciocho o veinte colegiales que seguíamos los cursos.

El aula era la habitación más grande de la casa y –no puedo dejar de pensarlo– del mundo entero. Era muy larga, angosta y lúgubremente baja, con ventanas de arco gótico y techo de roble. En un ángulo remoto, que nos inspiraba espanto, había una división cuadrada de unos ocho o diez pies, donde se hallaba el *sanctum* destinado a las oraciones de nuestro director, el reverendo doctor Bransby. Era una sólida estructura, de maciza puerta; antes de abrirla en ausencia del «dómine» hubiéramos preferido perecer voluntariamente por *la peine forte et dure*. En otros ángulos había dos recintos similares mucho menos reverenciados por cierto, pero que no dejaban de inspirarnos temor. Uno de ellos contenía la cátedra del preceptor «clásico», y el otro la correspondiente a «inglés y matemáticas». Dispersos en el salón, cruzándose y recruzándose en interminable irregularidad, veíanse innumerables bancos y pupitres, negros y viejos, carcomidos por el tiempo, cubiertos de libros harto hojeados, y tan llenos de cicatrices de iniciales, nombres completos, figuras grotescas y otros múltiples esfuerzos del cortaplumas, que habían llegado a perder lo poco que podía quedarles de su forma original en lejanos días. Un gran balde de agua aparecía en un extremo del salón, y en el otro había un reloj de formidables dimensiones.

Encerrado por las macizas paredes de tan venerable academia, pasé sin tedio ni disgusto los años del tercer lustro de mi vida. El fecundo cerebro de un niño no necesita de los sucesos del mundo exterior para ocuparlo o divertirlo; y la monotonía aparentemente lúgubre de la escuela estaba llena de excitaciones más intensas que las que mi juventud extrajo de la lujuria, o mi virilidad del crimen. Sin embargo debo creer que el comienzo de mi desarrollo mental salió ya de lo común y tuvo incluso mucho de exagerado. En general, los hombres de edad madura no guardan un recuerdo definido de los acontecimientos de la infancia. Todo es como una sombra gris, una remembranza débil e irregular, una evocación indistinta de pequeños placeres y fantasmagóricos dolores. Pero en mi caso no ocurre así. En la infancia debo de haber sentido con todas las energías de un hombre lo que ahora hallo estampado en mi memoria con imágenes tan vívidas, tan profundas y tan duraderas como los exergos de las medallas cartaginesas.

Y, sin embargo, desde un punto de vista mundano, ¡qué poco había allí para recordar! Despertarse por la mañana, volver a la cama por la noche; los estudios, las recitaciones, las vacaciones periódicas, los paseos; el campo de juegos, con sus querellas, sus pasatiempos, sus intrigas... Todo eso, por obra de un hechizo mental totalmente olvidado más tarde, llegaba a contener un mundo de sensaciones, de apasionantes incidentes, un universo de variada emoción, lleno de las más apasionadas e incitantes excitaciones. *Oh, le bon temps, que ce siècle defer!*

El ardor, el entusiasmo y lo imperioso de mi naturaleza no tardaron en destacarme entre mis condiscípulos, y por una suave pero natural gradación fui ganando ascendencia sobre todos los que no me superaban demasiado en edad; sobre todos..., con una sola excepción. Se trataba de un alumno que, sin ser pariente mío, tenía mi mismo nombre y apellido; circunstancia poco notable, ya que, a pesar de mi ascendencia noble, mi apellido era uno de esos que, desde tiempos inmemoriales, parecen ser propiedad común de la multitud. En este relato me he designado a mí mismo como William Wilson –nombre ficticio, pero no muy distinto del verdadero–. Sólo mi tocayo, entre los que formaban, según la fraseología escolar, «nuestro grupo», osaba competir conmigo en los estudios, en los deportes y querellas del recreo, rehusando creer ciegamente mis afirmaciones y someterse a mi voluntad; en una palabra, pretendía oponerse a mi arbitrario dominio en todos los sentidos. Y si existe en la tierra un supremo e ilimitado despotismo, ese es el que ejerce un muchacho extraordinario sobre los espíritus de sus compañeros menos dotados.

La rebelión de Wilson constituía para mí una fuente de continuo embarazo; máxime cuando, a pesar de las bravatas que lanzaba en público acerca de él y de sus pretensiones, sentía que en el fondo le tenía miedo, y no podía dejar de pensar en la igualdad que tan fácilmente mantenía con respecto a mí, y que era prueba de su verdadera superioridad, ya que no ser superado me costaba una lucha perpetua. Empero, esta superioridad –incluso esta igualdad– sólo yo la reconocía; nuestros camaradas, por una inexplicable ceguera, no parecían sospecharla siquiera. La verdad es que su competencia, su oposición y, sobre todo, su impertinente y obstinada interferencia en mis propósitos eran tan hirientes como poco visibles. Wilson parecía tan exento de la ambición que espolea como de la apasionada energía que me permitía brillar. Se hubiera dicho que en su rivalidad había sólo el caprichoso deseo de contradecirme, asombrarme y mortificarme; aunque a veces yo no dejaba de observar –con una mezcla de asombro, humillación y resentimiento– que mi rival mezclaba en sus ofensas, sus insultos o sus oposiciones cierta inapropiada e intempestiva *afectuosidad*. Sólo alcanzaba a explicarme semejante conducta como el producto de una consumada suficiencia, que adoptaba el tono vulgar del patronazgo y la protección.

Quizá fuera este último rasgo en la conducta de Wilson, conjuntamente con la identidad de nuestros nombres y la mera coincidencia de haber ingresado en la escuela el mismo día, lo que dio origen a la convicción de que éramos hermanos, cosa que creían todos los alumnos de las clases superiores. Estos últimos no suelen informarse en detalle de las cuestiones concernientes a los alumnos menores. Ya he dicho, o debí decir, que Wilson no estaba emparentado ni en el grado más remoto con mi familia. Pero la verdad es que, *de haber sido* hermanos, hubiésemos sido gemelos, ya que después de salir de la academia del doctor Bransby supe por casualidad que mi tocayo había nacido el 19 de enero de 1813, y la coincidencia es bien notable, pues se trata precisamente del día de mi nacimiento.

Podrá parecer extraño que, a pesar de la continua inquietud que me ocasionaba la rivalidad de Wilson, y su intolerable espíritu de contradicción, me resultara imposible odiarlo. Es cierto que casi diariamente teníamos una querella, al fin de la cual, mientras me cedía públicamente la palma de la victoria, Wilson se las arreglaba de alguna manera para darme a entender que era él quien la había merecido; pero, no obstante eso, mi orgullo y una gran dignidad de su parte nos mantenía en lo que se da en llamar «buenas relaciones», a la vez que diversas coincidencias en nuestros caracteres actuaban para despertar en mí un sentimiento que quizá sólo nuestra posición impedía convertir en amistad. Me es muy difícil definir, e incluso describir, mis verdaderos sentimientos hacia Wilson. Constituían una mezcla heterogénea y abigarrada: algo de petulante animosidad que no llegaba al odio, algo de estima, aún más de respeto, mucho miedo y un mundo de inquieta curiosidad. Casi resulta superfluo agregar, para el moralista, que Wilson y yo éramos compañeros inseparables.

No hay duda que lo anómalo de esta relación encaminaba todos mis ataques (que eran muchos, francos o encubiertos) por las vías de la burla o de la broma pesada –que lastiman bajo la apariencia de una diversión– en vez de convertirlos en franca y abierta hostilidad. Pero mis esfuerzos en ese sentido no siempre resultaban fructuosos, por más hábilmente que maquinara mis planes, ya que mi tocayo tenía en su carácter mucho de esa modesta y tranquila austeridad que, mientras goza de lo afilado de sus propias bromas, no ofrece ningún talón de Aquiles y rechaza toda tentativa de que alguien ría a costa suya. Sólo pude encontrarle un punto vulnerable que, proveniente de una peculiaridad de su persona y originado acaso en una enfermedad constitucional, hubiera sido relegado por cualquier otro antagonista menos exasperado que yo. Mi rival tenía un defecto en los órganos vocales que le impedía alzar la voz más allá *de un susurro apenas perceptible.* Y yo no dejaba de aprovechar las míseras ventajas que aquel defecto me acordaba.

Las represalias de Wilson eran muy variadas, pero una de las formas de su malicia me perturbaba más allá de lo natural. Jamás podré saber cómo su sagacidad llegó a descubrir que una cosa tan insignificante me ofendía; el hecho es que, una vez descubierta, no dejó de insistir en ella. Siempre había yo experimentado aversión hacia mi poco elegante apellido y mi nombre tan común, que era casi plebeyo. Aquellos nombres eran veneno en mi oído, y cuando, el día de mi llegada, un segundo William Wilson ingresó en la academia, lo detesté por llevar ese nombre, y me sentí doblemente disgustado por el hecho de ostentarlo un desconocido que sería causa de una constante repetición, que estaría todo el tiempo en mi presencia y cuyas actividades en la vida ordinaria de la escuela serían con frecuencia confundidas con las mías, por culpa de aquella odiosa coincidencia.

Este sentimiento de ultraje así engendrado se fue acentuando con cada circunstancia que revelaba una semejanza, moral o física, entre mi rival y yo. En aquel tiempo no había descubierto el curioso hecho de que éramos de la misma edad, pero comprobé que teníamos la misma estatura, y que incluso nos parecíamos mucho en las facciones y el aspecto físico. También me amargaba que los alumnos de los cursos superiores estuvieran convencidos de que existía un parentesco entre ambos. En una palabra, nada podía perturbarme más (aunque lo disimulaba cuidadosamente) que cualquier alusión a una semejanza intelectual, personal o familiar entre Wilson y yo. Por cierto, nada me permitía suponer (salvo en lo referente a un parentesco) que estas similaridades fueran comentadas o tan sólo observadas por nuestros condiscípulos. Que *él* las observaba en todos sus aspectos, y con tanta claridad como yo, me resultaba evidente; pero sólo a su extraordinaria penetración cabía atribuir el descubrimiento de que esas circunstancias le brindaran un campo tan vasto de ataque.

Su réplica, que consistía en perfeccionar una imitación de mi persona, se cumplía tanto en palabras como en acciones, y Wilson desem peñaba admirablemente su papel. Copiar mi modo de vestir no le era difícil; mis actitudes y mi modo de moverme pasaron a ser suyos sin esfuerzo, y a pesar de su defecto constitucional, ni siquiera mi voz escapó a su imitación. Nunca trataba, claro está, de imitar mis acentos más fuertes, pero la tonalidad general de mi voz se repetía exactamente en la suya, y *su extraño susurro llegó a convertirse en el eco mismo de la mía.*

No me aventuraré a describir hasta qué punto este minucioso retrato (pues no cabía considerarlo una caricatura) llegó a exasperarme. Me quedaba el consuelo de ser el único que reparaba en esa imitación y no tener que soportar más que las sonrisas de complicidad y de misterioso sarcasmo de mi tocayo. Satisfecho de haber provocado en mí el penoso efecto que buscaba, parecía divertirse en secreto del aguijón que me había clavado, desdeñando sistemáticamente el aplauso general que sus astutas maniobras hubieran obtenido fácilmente. Durante muchos meses constituyó un enigma indescifrable para mí el que mis compañeros no advirtieran sus intenciones, comprobaran su cumplimiento y participaran de su mofa. Quizá la *gradación* de su copia no la hizo tan perceptible; o quizá debía mi seguridad a la maestría de aquel copista que, desdeñando lo literal (que es todo lo que los pobres de entendimiento ven en una pintura) sólo ofrecía el espíritu del original para que yo pudiera contemplarlo y atormentarme.

He aludido más de una vez al desagradable aire protector que asumía Wilson conmigo, y de sus frecuentes interferencias en los caminos de mi voluntad. Esta interferencia solía adoptar la desagradable forma de un consejo, antes insinuado que ofrecido abiertamente. Yo lo recibía con una repugnancia que los años fueron acentuando. Y, sin embargo, en este día ya tan lejano de aquellos, séame dado declarar con toda justicia que no recuerdo ocasión alguna en que las sugestiones de mi rival me incitaran a los errores tan frecuentes en esa edad inexperta e inmadura; por lo menos su sentido moral, si no su talento y su sensatez, era mucho más agudo que el mío; y yo habría llegado a ser un hombre mejor y más feliz si hubiera rechazado con menos frecuencia aquellos consejos encerrados en susurros, y que en aquel entonces odiaba y despreciaba amargamente.

Así las cosas, acabé por impacientarme al máximo frente a esa desagradable vigilancia, y lo que consideraba intolerable arrogancia de su parte me fue ofendiendo más y más. He dicho ya que en los primeros años de nuestra vinculación de condiscípulos mis sentimientos hacia Wilson podrían haber derivado fácilmente a la amistad; pero en los últimos meses de mi residencia en la academia, si bien la impertinencia de su comportamiento había disminuido mucho, mis sentimientos se inclinaron, en proporción análoga, al más profundo odio. En cierta ocasión creo que Wilson lo advirtió, y desde entonces me evitó o fingió evitarme.

En esa misma época, si recuerdo bien, tuvimos un violento altercado, durante el cual Wilson perdió la calma en mayor medida que otras veces, actuando y hablando con una franqueza bastante insólita en su carácter. Descubrí en ese momento (o me pareció descubrir) en su acento, en su aire y en su apariencia general algo que empezó por sorprenderme, para llegar a interesarme luego profundamente, ya que traía a mi recuerdo borrosas visiones de la primera infancia; vehementes, confusos y tumultuosos recuerdos de un tiempo en el que la memoria aún no había nacido. Sólo puedo describir la sensación que me oprimía diciendo que me costó rechazar la certidumbre de que había estado vinculado con aquel ser en una época muy lejana, en un momento de un pasado infinitamente remoto. La ilusión, sin embargo, desvaneciose con la misma rapidez con que había surgido, y si la menciono es para precisar el día en que hablé por última vez en el colegio con mi extraño tocayo.

La enorme y vieja casa, con sus incontables subdivisiones, tenía varias grandes habitaciones contiguas, donde dormía la mayor parte de los estudiantes. Como era natural en un edificio tan torpemente concebido, había además cantidad de recintos menores que constituían las sobras de la estructura y que el ingenio económico del doctor Bransby había habilitado como dormitorios, aunque dado su tamaño sólo podían contener a un ocupante. Wilson poseía uno de esos pequeños cuartos.

Una noche, hacia el final de mi quinto año de estudios en la escuela, e inmediatamente después del altercado a que he aludido, me levanté cuando todos se hubieron dormido y, tomando una lámpara, me aventuré por infinitos pasadizos angostos en dirección al dormitorio de mi rival. Durante largo tiempo había estado planeando una de esas perversas bromas pesadas con las cuales fracasara hasta entonces. Me sentía dispuesto a llevarla de inmediato a la práctica, para que mi rival pudiera darse buena cuenta de toda mi malicia. Cuando llegué ante su dormitorio, dejé la lámpara en el suelo, cubriéndola con una pantalla, y entré silenciosamente. Luego de avanzar unos pasos, oí su sereno respirar. Seguro de que estaba durmiendo, volví a tomar la lámpara y me aproximé al lecho. Estaba este rodeado de espesas cortinas, que en cumplimiento de mi plan aparté lenta y silenciosamente, hasta que los brillantes rayos cayeron sobre el durmiente, mientras mis ojos se fijaban en el mismo instante en su rostro. Lo miré, y sentí que mi cuerpo se helaba, que un embotamiento me envolvía. Palpitaba mi corazón, temblábanme las rodillas, mientras mi espíritu se sentía presa de un horror sin sentido pero intolerable. Jadeando, bajé la lámpara hasta aproximarla aún más a aquella cara. ¿Eran esos... *esos,* los rasgos de William Wilson? Bien veía que eran los suyos, pero me estremecía como víctima de la calentura al imaginar que no lo eran. Pero, entonces, ¿qué había en ellos para confundirme de esa manera? Lo miré, mientras mi cerebro giraba en multitud de incoherentes pensamientos. No era ese su aspecto... no, *así* no era él en las activas horas de vigilia. ¡El mismo nombre! ¡La misma figura! ¡El mismo día de ingreso a la academia! ¡Y su obstinada e incomprensible imitación de mi actitud, de mi voz, de mis costumbres, de mi aspecto! ¿Entraba verdaderamente dentro de los límites de la posibilidad humana *que esto que ahora veía* fuese meramente el resultado de su continua imitación sarcástica? Espantado y temblando cada vez más, apagué la lámpara, salí en silencio del dormitorio y escapé sin perder un momento de la vieja academia, a la que no habría de volver jamás.

Luego de un lapso de algunos meses que pasé en casa sumido en una total holgazanería, entré en el colegio de Eton. El breve intervalo había bastado para apagar mi recuerdo de los acontecimientos en la escuela del doctor Bransby, o por lo menos para cambiar la naturaleza de los sentimientos que aquellos sucesos me inspiraban. La verdad y la tragedia de aquel drama no existían ya. Ahora me era posible dudar del testimonio de mis sentidos; cada vez que recordaba el episodio me asombraba de los extremos a que puede llegar la credulidad humana, y sonreía al pensar en la extraordinaria imaginación que hereditariamente poseía. Este escepticismo estaba lejos de disminuir con el género de vida que empecé a llevar en Eton. El vórtice de irreflexiva locura en que inmediata y temerariamente me sumergí barrió con todo y no dejó más que la espuma de mis pasadas horas, devorando las impresiones sólidas o serias y dejando en el recuerdo tan sólo las trivialidades de mi existencia anterior.

No quiero, sin embargo, trazar aquí el derrotero de mi miserable libertinaje, que desafiaba las leyes y eludía la vigilancia del colegio. Tres años de locura se sucedieron sin ningún beneficio, arraigando en mí los vicios y aumentando, de un modo insólito, mi desarrollo corporal. Un día, después de una semana de estúpida disipación, invité a algunos de los estudiantes más disolutos a una orgía secreta en mis habitaciones. Nos reunimos estando ya la noche avanzada, pues nuestro libertinaje habría de prolongarse hasta la mañana. Corría libremente el vino y no faltaban otras seducciones todavía más peligrosas, al punto que la gris alborada apuntaba ya en el oriente cuando nuestras deliberantes extravagancias llegaban a su ápice. Excitado hasta la locura por las cartas y la embriaguez me disponía a proponer un brindis especialmente blasfematorio, cuando la puerta de mi aposento se entreabrió con violencia, a tiempo que resonaba ansiosamente la voz de uno de los criados. Insistía en que una persona me reclamaba con toda urgencia en el vestíbulo.

Profundamente excitado por el vino, la inesperada interrupción me alegró en vez de sorprenderme. Salí tambaleándome y en pocos pasos llegué al vestíbulo. No había luz en aquel estrecho lugar, y sólo la pálida claridad del alba alcanzaba a abrirse paso por la ventana semicircular. Al poner el pie en el umbral distinguí la figura de un joven de mi edad, vestido con una bata de casimir blanco, cortada conforme a la nueva moda e igual a la que llevaba yo puesta. La débil luz me permitió distinguir todo eso, pero no las facciones del visitante. Al verme, vino precipitadamente a mi encuentro y, tomándome del brazo con un gesto de petulante impaciencia, murmuró en mi oído estas palabras:

–¡William Wilson!

Mi embriaguez se disipó instantáneamente.

Había algo en los modales del desconocido y en el temblor nervioso de su dedo levantado, suspenso entre la luz y mis ojos, que me colmó de indescriptible asombro; pero no fue esto lo que me conmovió con más violencia, sino la solemne admonición que contenían aquellas sibilantes palabras dichas en voz baja, y, por sobre todo, el carácter, el sonido, el *tono* de esas pocas, sencillas y familiares sílabas que había *susurrado,* y que me llegaban con mil turbulentos recuerdos de días pasados, golpeando mi alma con el choque de una batería galvánica. Antes de que pudiera recobrar el uso de mis sentidos, el visitante había desaparecido.

Aunque este episodio no dejó de afectar vivamente mi desordenada imaginación, bien pronto se disipó su efecto. Durante algunas semanas me ocupé en hacer toda clase de averiguaciones, o me envolví en una nube de morbosas conjeturas. No intenté negarme a mí mismo la identidad del singular personaje que se inmiscuía de tal manera en mis asuntos o me exacerbaba con sus insinuados consejos. ¿Quién era, qué era ese Wilson? ¿De dónde venía? ¿Qué propósitos abrigaba? Me fue imposible hallar respuesta a estas preguntas; sólo alcancé a averiguar que un súbito accidente acontecido en su familia lo había llevado a marcharse de la academia del doctor Bransby la misma tarde del día en que emprendí la fuga. Pero bastó poco tiempo para que dejara de pensar en todo esto, ya que mi atención estaba completamente absorbida por los proyectos de mi ingreso en Oxford. No tardé en trasladarme allá, y la irreflexiva vanidad de mis padres me proporcionó una pensión anual que me permitiría abandonarme al lujo que tanto ansiaba mi corazón y rivalizar en despilfarro con los más altivos herederos de los más ricos condados de Gran Bretaña.

Estimulado por estas posibilidades de fomentar mis vicios, mi temperamento se manifestó con redoblado ardor, y mancillé las más elementales reglas de decencia con la loca embriaguez de mis licencias. Sería absurdo detenerme en el detalle de mis extravagancias. Baste decir que excedí todos los límites y que, dando nombre a multitud de nuevas locuras, agregué un copioso apéndice al largo catálogo de vicios usuales en aquella Universidad, la más disoluta de Europa.

Apenas podrá creerse, sin embargo, que por más que hubiera mancillado mi condición de gentilhombre, habría de llegar a familiarizarme con las innobles artes del jugador profesional, y que, convertido en adepto de tan despreciable ciencia, la practicaría como un medio para aumentar todavía más mis enormes rentas a expensas de mis camaradas de carácter más débil. No obstante, esa es la verdad. Lo monstruoso de esta transgresión de todos los sentimientos caballerescos y honorables resultaba la principal, ya que no la única razón de la impunidad con que podía practicarla. ¿Quién, entre mis más depravados camaradas, no hubiera dudado del testimonio de sus sentidos antes de sospechar culpable de semejantes actos al alegre, al franco, al generoso William Wilson, el más noble y liberal compañero de Oxford, cuyas locuras, al decir de sus parásitos, no eran más que locuras de la juventud y la fantasía, cuyos errores sólo eran caprichos inimitables, cuyos vicios más negros no pasaban de ligeras y atrevidas extravagancias?

Llevaba ya dos años entregado con todo éxito a estas actividades cuando llegó a la Universidad un joven noble, un *parvenu* llamado Glendinning, a quien los rumores daban por más rico que Herodes Ático, sin que sus riquezas le hubieran costado más que a este. Pronto me di cuenta de que era un simple, y, naturalmente, lo consideré sujeto adecuado para ejercer sobre él mis habilidades. Logré hacerlo jugar conmigo varias veces y, procediendo como todos los tahúres, le permití ganar considerables sumas a fin de envolverlo más efectivamente en mis redes. Por fin, maduros mis planes, me encontré con él (decidido a que esta partida fuera decisiva) en las habitaciones de un camarada llamado Preston, que nos conocía íntimamente a ambos, aunque no abrigaba la más remota sospecha de mis intenciones. Para dar a todo esto un mejor color, me había arreglado para que fuéramos ocho o diez invitados, y me ingenié cuidadosamente a fin de que la invitación a jugar surgiera como por casualidad y que la misma víctima la propusiera. Para abreviar tema tan vil, no omití ninguna de las bajas finezas propias de estos lances, que se repiten de tal manera en todas las ocasiones similares que cabe maravillarse de que todavía existan personas tan tontas como para caer en la trampa.

Era ya muy entrada la noche cuando efectué por fin la maniobra que me dejó frente a Glendinning como único antagonista. El juego era mi favorito, el *écarté*. Interesados por el desarrollo de la partida, los invitados habían abandonado las cartas y se congregaban a nuestro alrededor. *El parvenu,* a quien había inducido con anterioridad a beber abundantemente, cortaba las cartas, barajaba o jugaba con una nerviosidad que su embriaguez sólo podía explicar en parte. Muy pronto se convirtió en deudor de una importante suma, y entonces, luego de beber un gran trago de oporto, hizo lo que yo esperaba fríamente: me propuso doblar las apuestas, que eran ya extravagantemente elevadas. Fingí resistirme, y sólo después que mis reiteradas negativas hubieron provocado en él algunas réplicas coléricas, que dieron a mi aquiescencia un carácter destemplado, acepté la propuesta. Como es natural, el resultado demostró hasta qué punto la presa había caído en mis redes; en menos de una hora su deuda se había cuadruplicado.

Desde hacía un momento, el rostro de Glendinning perdía la rubicundez que el vino le había prestado y me asombró advertir que se cubría de una palidez casi mortal. Si digo que me asombró se debe a que mis averiguaciones anteriores presentaban a mi adversario como inmensamente rico, y, aunque las sumas perdidas eran muy grandes, no podían preocuparlo seriamente y mucho menos perturbarlo en la forma en que lo estaba viendo. La primera idea que se me ocurrió fue que se trataba de los efectos de la bebida; buscando mantener mi reputación a ojos de los testigos presentes –y no por razones altruistas– me disponía a exigir perentoriamente la suspensión de la partida, cuando algunas frases que escuché a mi alrededor, así como una exclamación desesperada que profirió Glendinning, me dieron a entender que acababa de arruinarlo por completo, en circunstancias que lo llevaban a merecer la piedad de todos, y que deberían haberlo protegido hasta de las tentativas de un demonio.

Difícil es decir ahora cuál hubiera sido mi conducta en ese momento. La lamentable condición de mi adversario creaba una atmósfera de penoso embarazo. Hubo un profundo silencio, durante el cual sentí que me ardían las mejillas bajo las miradas de desprecio o de reproche que me lanzaban los menos pervertidos. Confieso incluso que, al producirse una súbita y extraordinaria interrupción, mi pecho se alivió por un breve instante de la intolerable ansiedad que lo oprimía. Las grandes y pesadas puertas de la estancia se abrieron de golpe y de par en par, con un ímpetu tan vigoroso y arrollador que bastó para apagar todas las bujías. La muriente luz nos permitió, sin embargo, ver entrar a un desconocido, un hombre de mi talla, completamente embozado en una capa. La oscuridad era ahora total, y solamente podíamos *sentir* que aquel hombre estaba entre nosotros. Antes de que nadie pudiera recobrarse del profundo asombro que semejante conducta le había producido, oímos la voz del intruso.

–Señores –dijo, con una voz tan baja como clara, con un inolvidable *susurro* que me estremeció hasta la médula de los huesos–. Señores, no me excusaré por mi conducta, ya que al obrar así no hago más que cumplir con un deber. Sin duda ignoran ustedes quién es la persona que acaba de ganar una gran suma de dinero a Lord Glendinning. He de proponerles, por tanto, una manera tan expeditiva como concluyente de cerciorarse al respecto: bastará con que examinen el forro de su puño izquierdo y los pequeños paquetes que encontrarán en los bolsillos de su bata bordada.

Mientras hablaba, el silencio era tan profundo que se hubiera oído caer una aguja en el suelo. Dichas esas palabras, partió tan bruscamente como había entrado. ¿Puedo describir... describiré mis sensaciones? ¿Debo decir que sentí todos los horrores del condenado? Poco tiempo me quedó para reflexionar. Varias manos me sujetaron rudamente, mientras se traían nuevas luces. Inmediatamente me registraron. En el forro de mi manga encontraron todas las figuras esenciales en el *écarté y,* en los bolsillos de mi bata, varios mazos de barajas idénticos a los que empleábamos en nuestras partidas, salvo que las mías eran lo que técnicamente se denomina *arrondées;* vale decir que las cartas ganadoras tienen las extremidades ligeramente convexas, mientras las cartas de menor valor son levemente convexas a los lados. En esa forma, el incauto que corta, como es normal, a lo largo del mazo, proporcionará invariablemente una carta ganadora a su antagonista, mientras el tahúr, que cortará también tomando el mazo por sus lados mayores, descubrirá una carta inferior.

Todo estallido de indignación ante semejante descubrimiento me hubiera afectado menos que el silencioso desprecio y la sarcástica compostura con que fue recibido.

–Señor Wilson –dijo nuestro anfitrión, inclinándose para levantar del suelo una lujosa capa de preciosas pieles–, esto es de su pertenencia. (Hacía frío y, al salir de mis habitaciones, me había echado la capa sobre mi bata, retirándola luego al llegar a la sala de juego.) Supongo que no vale la pena buscar aquí –agregó, mientras observaba los pliegues del abrigo con amarga sonrisa– otras pruebas de su habilidad. Ya hemos tenido bastantes. Descuento que reconocerá la necesidad de abandonar Oxford, y, de todas maneras, de salir inmediatamente de mi habitación.

Humillado, envilecido hasta el máximo como lo estaba en ese momento, es probable que hubiera respondido a tan amargo lenguaje con un arrebato de violencia, de no hallarse mi atención completamente concentrada en un hecho por completo extraordinario. La capa que me había puesto para acudir a la reunión era de pieles sumamente raras, a un punto tal que no hablaré de su precio. Su corte, además, nacía de mi invención personal, pues en cuestiones tan frívolas era de un refinamiento absurdo. Por eso, cuando Preston me alcanzó la que acababa de levantar del suelo cerca de la puerta del aposento, vi con asombro lindante en el terror que yo tenía mi propia capa colgada del brazo –donde la había dejado inconscientemente–, y que la que me ofrecía era absolutamente igual en todos y cada uno de sus detalles. El extraño personaje que me había desenmascarado estaba envuelto en una capa al entrar, y aparte de mí ningún otro invitado llevaba capa esa noche. Con lo que me quedaba de presencia de ánimo, tomé la que me ofrecía Preston y la puse sobre la mía sin que nadie se diera cuenta. Salí así de las habitaciones, desafiante el rostro, y a la mañana siguiente, antes del alba, empecé un presuroso viaje al continente, perdido en un abismo de espanto y de vergüenza.

Huía en vano. Mi aciago destino me persiguió, exultante, mostrándome que su misterioso dominio no había hecho más que empezar. Apenas hube llegado a París, tuve nuevas pruebas del odioso interés que Wilson mostraba en mis asuntos. Corrieron los años, sin que pudiera hallar alivio. ¡El miserable...! ¡Con qué inoportuna, con qué espectral solicitud se interpuso en Roma entre mí y mis ambiciones! También en Viena... en Berlín... en Moscú. A decir verdad, ¿dónde no tenía yo amargas razones para maldecirlo de todo corazón? Hui, al fin, de aquella inescrutable tiranía, aterrado como si se tratara de la peste; hui hasta los confines mismos de la tierra. *Y en vano.*

Una y otra vez, en la más secreta intimidad de mi espíritu, me formulé las preguntas: «¿Quién es? ¿De dónde viene? ¿Qué quiere?». Pero las respuestas no llegaban. Minuciosamente estudié las formas, los métodos, los rasgos dominantes de aquella impertinente vigilancia, pero incluso ahí encontré muy poco para fundar una conjetura cualquiera. Cabía advertir, sin embargo, que en las múltiples instancias en que se había cruzado en mi camino en los últimos tiempos, sólo lo había hecho para frustrar planes o malograr actos que, de cumplirse, hubieran culminado en una gran maldad. ¡Pobre justificación, sin embargo, para una autoridad asumida tan imperiosamente! ¡Pobre compensación para los derechos de un libre albedrío tan insultantemente estorbado!

Me había visto obligado a notar asimismo que, en ese largo período (durante el cual continuó con su capricho de mostrarse vestido exactamente como yo, lográndolo con milagrosa habilidad), mi atormentador consiguió que no pudiera ver jamás su rostro las muchas veces que se interpuso en el camino de mi voluntad. Cualquiera que fuese Wilson, *esto,* por lo menos, era el colmo de la afectación y la insensatez. ¿Cómo podía haber supuesto por un instante que en mi amonestador de Eton, en el desenmascarador de Oxford, en aquel que malogró mi ambición en Roma, mi venganza en París, mi apasionado amor en Nápoles, o lo que falsamente llamaba mi avaricia en Egipto, que en él, mi archienemigo y genio maligno, dejaría yo de reconocer al William Wilson de mis días escolares, al tocayo, al compañero, al rival, al odiado y temido rival de la escuela del doctor Bransby? ¡Imposible! Pero apresurémonos a llegar a la última escena del drama.

Hasta aquel momento yo me había sometido por completo a su imperiosa dominación. El sentimiento de reverencia con que habitualmente contemplaba el elevado carácter, el majestuoso saber y la ubicuidad y omnipotencia aparentes de Wilson, sumado al terror que ciertos rasgos de su naturaleza y su arrogancia me inspiraban, habían llegado a convencerme de mi total debilidad y desamparo, sugiriéndome una implícita, aunque amargamente resistida sumisión a su arbitraria voluntad. Pero en los últimos tiempos acabé entregándome por completo a la bebida, y su terrible influencia sobre mi temperamento hereditario me hizo impacientarme más y más frente a aquella vigilancia. Empecé a murmurar, a vacilar, a resistir. ¿Y era sólo la imaginación la que me inducía a creer que a medida que mi firmeza aumentaba, la de mi atormentador sufría una disminución proporcional? Sea como fuere, una ardiente esperanza empezó a aguijonearme y fomentó en mis más secretos pensamientos la firme y desesperada resolución de no tolerar por más tiempo aquella esclavitud.

Era en Roma, durante el carnaval del 18..., en un baile de máscaras que ofrecía en su *palazzo* el duque napolitano Di Broglio. Me había dejado arrastrar más que de costumbre por los excesos de la bebida, y la sofocante atmósfera de los atestados salones me irritaba sobremanera. Luchaba además por abrirme paso entre los invitados, cada vez más malhumorado, pues deseaba ansiosamente encontrar (no diré por qué indigna razón) a la alegre y bellísima esposa del anciano y caduco Di Broglio. Con una confianza por completo desprovista de escrúpulos, me había hecho saber ella cuál sería su disfraz de aquella noche y, al percibirla a la distancia, me esforzaba por llegar a su lado. Pero en ese momento sentí que una mano se posaba ligeramente en mi hombro, y otra vez escuché al oído aquel profundo, inolvidable, maldito *susurro.*

Arrebatado por un incontenible frenesí de rabia, me volví violentamente hacia el que acababa de interrumpirme y lo aferré por el cuello. Tal como lo había imaginado, su disfraz era exactamente igual al mío: capa española de terciopelo azul y cinturón rojo, del cual pendía una espada. Una máscara de seda negra ocultaba por completo su rostro.

–¡Miserable! –grité con voz enronquecida por la rabia, mientras cada sílaba que pronunciaba parecía atizar mi furia–. ¡Miserable impostor! ¡Maldito villano! ¡No me perseguirás... no, no me perseguirás hasta la muerte! ¡Sígueme, o te atravieso de lado a lado aquí mismo!

Y me lancé fuera de la sala de baile, en dirección a una pequeña antecámara contigua, arrastrándolo conmigo.

Cuando estuvimos allí, lo rechacé con violencia. Trastrabilló, mientras yo cerraba la puerta con un juramento y le ordenaba ponerse en guardia. Vaciló apenas un instante; luego, con un ligero suspiro, desenvainó la espada sin decir palabra y se aprestó a defenderse.

El duelo fue breve. Yo me hallaba en un frenesí de excitación y sentía en mi brazo la energía y la fuerza de toda una multitud. En pocos segundos lo fui llevando arrolladoramente hasta acorralarlo contra una pared, y allí, teniéndolo a mi merced, le hundí varias veces la espada en el pecho con brutal ferocidad.

En aquel momento alguien movió el pestillo de la puerta. Me apresuré a evitar una intrusión, volviendo inmediatamente hacia mi moribundo antagonista. Pero ¿qué lenguaje humano puede pintar *esa* estupefacción, *ese* horror que se posesionaron de mí frente al espectáculo que me esperaba? El breve instante en que había apartado mis ojos parecía haber bastado para producir un cambio material en la disposición de aquel ángulo del aposento. Donde antes no había nada, alzábase ahora un gran espejo (o por lo menos me pareció así en mi confusión). Y cuando avanzaba hacia él, en el colmo del espanto, mi propia imagen, pero cubierta de sangre y pálido el rostro, vino a mi encuentro tambaleándose.

Tal me había parecido, lo repito, pero me equivocaba. Era mi antagonista, era Wilson, quien se erguía ante mí agonizante. Su máscara y su capa yacían en el suelo, donde las había arrojado. No había una sola hebra en sus ropas, ni una línea en las definidas y singulares facciones de su rostro, que no fueran *las mías,* que no coincidieran en la más absoluta identidad.

Era Wilson. Pero ya no hablaba con un susurro, y hubiera podido creer que era yo mismo el que hablaba cuando dijo:

–*Has vencido, y me entrego. Pero también tú estás muerto desde ahora... muerto para el mundo, para el cielo y para la esperanza. ¡En mí existías... y al matarme, ve en esta imagen, que es la tuya, cómo te has asesinado a ti mismo!*

EL POZO Y EL PÉNDULO

Comentario de Santiago Roncagliolo

Cuando yo tenía once años, mis padres empezaron a dejarme solo en casa. Era su ritual de fin de semana. Cada sábado por la noche, me anotaban en una libreta los números telefónicos importantes –desde la abuela hasta los bomberos–, y me hacían jurar que no haría tonterías. Luego salían a cenar, a bailar, a vivir.

Podían estar tranquilos. Yo no hacía tonterías. Yo veía películas de terror.

Las primeras que recuerdo estaban protagonizadas por Vincent Price y por su voz de barítono, que era casi un personaje más. A las diez de la noche, yo me metía en la cama con la frazada hasta las narices y veía –¡y escuchaba!– a Price emparedando gente, odiando a enigmáticos gatos negros y emborrachando a sus rivales para matarlos. Las imágenes parecían cobrar vida fuera de la pantalla. Después de media hora, me parecía oír rechinar las puertas. Creía sentir pasos en el piso de abajo. Y veía sombras siniestras proyectándose contra la ventana. Para cuando mis padres volvían a casa, yo temblaba de la cabeza a los pies.

Una noche, mi madre me preguntó por qué veía esas películas si me daban tanto miedo. Respondí: «Porque me gusta asustarme». Suena raro, pero era verdad. Y lo sigue siendo. Intrigada, mi madre preguntó cómo se llamaban mis películas. Le recité los títulos de memoria. Ella respondió: «Esas no son películas. Eso es Edgar Allan Poe».

Para demostrármelo, me dio un libro. El primer cuento era «El pozo y el péndulo», y comenzaba con un hombre que se desmaya al escuchar su sentencia de muerte en manos de la Inquisición. No se parecía tanto a la película. Y, sin embargo, la literatura tenía una cualidad inquietante: ocurría *dentro* de la cabeza del torturado.

La película, dirigida por Roger Corman en 1961, respetaba mucho las obsesiones de Poe (la oscuridad, los tormentos, los sepultados en vida), pero tenía diálogos y castillos y acantilados, todo el decorado gótico. El cuento no tenía ni personajes, a menos que contemos a las ratas. Sólo una voz encerrada en una habitación, consciente de que va a morir, preguntándose cómo llegará el momento. Eso era mucho más aterrador. A fin de cuentas, Vincent Price era Vincent Price. Estaba encerrado en una caja, a menudo en blanco y negro, sobre la cómoda del dormitorio. Pero el narrador del cuento, silenciosamente leído sin voz ni escenario, podías ser *tú*. Al repetir mentalmente las palabras del condenado, te transformabas en él, palpitando de angustia ante el descubrimiento de la cuchilla mortal o las paredes incandescentes, sin escape posible, listo para morir en el interior de la celda de tus pensamientos. El terror no radicaba en lo visible, sino en la penumbra. No en la voz amortajada de Price, sino en la propia.

Poco después, cambiaron las películas de Poe por unas porquerías con zombis y cadáveres mutilados. Pero ya no me importaba. Ahora, si quería miedo, tenía los libros. *Y luego el universo no fue más que silencio, calma y noche.*

EL POZO Y EL PÉNDULO

«Impia tortorum longas hic turba furores
Sanguina innocui, nao satiata, aluit.
Sospite nunc patria, fracto nunc funeris antro,
Mors ubi dira fuit vita salusque patent».
Cuarteto compuesto para las puertas de un mercado que ha de ser erigido en el emplazamiento del Club de los Jacobinos en París

Sentía náuseas, náuseas de muerte después de tan larga agonía; y, cuando por fin me desataron y me permitieron sentarme, comprendí que mis sentidos me abandonaban. La sentencia, la atroz sentencia de muerte, fue el último sonido reconocible que registraron mis oídos. Después, el murmullo de las voces de los inquisidores pareció fundirse en un soñoliento zumbido indeterminado, que trajo a mi mente la idea de *revolución,* tal vez porque imaginativamente lo confundía con el ronroneo de una rueda de molino. Esto duró muy poco, pues de pronto cesé de oír. Pero al mismo tiempo pude ver... ¡aunque con qué terrible exageración! Vi los labios de los jueces togados de negro. Me parecieron blancos... más blancos que la hoja sobre la cual trazo estas palabras, y finos hasta lo grotesco; finos por la intensidad de su expresión de firmeza, de inmutable resolución, de absoluto desprecio hacia la tortura humana. Vi que los decretos de lo que para mí era el destino brotaban todavía de aquellos labios. Los vi torcerse mientras pronunciaban una frase letal. Los vi formar las sílabas de mi nombre, y me estremecí, porque ningún sonido llegaba hasta mí. Y en aquellos momentos de horror delirante vi también oscilar imperceptible y suavemente las negras colgaduras que ocultaban los muros de la estancia. Entonces mi visión recayó en las siete altas bujías de la mesa. Al principio me parecieron símbolos de caridad, como blancos y esbeltos ángeles que me salvarían; pero entonces, bruscamente, una espantosa náusea invadió mi espíritu y sentí que todas mis fibras se estremecían como si hubiera tocado los hilos de una batería galvánica, mientras las formas angélicas se convertían en hueros espectros de cabezas llameantes, y comprendí que ninguna ayuda me vendría de ellos. Como una profunda nota musical penetró en mi fantasía la noción de que la tumba debía ser el lugar del más dulce descanso. El pensamiento vino poco a poco y sigiloso, de modo que pasó un tiempo antes de poder apreciarlo plenamente; pero, en el momento en que mi espíritu llegaba por fin a abrigarlo, las figuras de los jueces se desvanecieron como por arte de magia, las altas bujías se hundieron en la nada, mientras sus llamas desaparecían, y me envolvió la más negra de las tinieblas. Todas mis sensaciones fueron tragadas por el torbellino de una caída en profundidad, como la del alma en el Hades. Y luego el universo no fue más que silencio, calma y noche.

Me había desmayado, pero no puedo afirmar que hubiera perdido completamente la conciencia. No trataré de definir lo que me quedaba de ella, y menos describirla; pero no la había perdido por completo. En el más profundo sopor, en el delirio, en el desmayo... ¡hasta la muerte, hasta la misma tumba!, *no todo se pierde.* O bien, no existe la inmortalidad para el hombre. Cuando surgimos del más profundo de los sopores, rompemos la tela sutil de algún sueño. Y, sin embargo, un poco más tarde (tan frágil puede haber sido aquella tela) no nos acordamos de haber soñado. Cuando volvemos a la vida después de un desmayo, pasamos por dos momentos: primero, el del sentimiento de la existencia mental o espiritual; segundo, el de la existencia física. Es probable que si al llegar al segundo momento pudiéramos recordar las impresiones del primero, estas contendrían multitud de recuerdos del abismo que se abre más atrás. Y ese abismo, ¿qué es? ¿Cómo, por lo menos, distinguir sus sombras de la tumba? Pero si las impresiones de lo que he llamado el primer momento no pueden ser recordadas por un acto de la voluntad, ¿no se presentan inesperadamente después de un largo intervalo, mientras nos maravillamos preguntándonos de dónde proceden? Aquel que nunca se ha desmayado, no descubrirá extraños palacios y caras fantásticamente familiares en las brasas del carbón; no contemplará, flotando en el aire, las melancólicas visiones que la mayoría no es capaz de ver; no meditará mientras respira el perfume de una nueva flor; no sentirá exaltarse su mente ante el sentido de una cadencia musical que jamás había llamado antes su atención.

Entre frecuentes y reflexivos esfuerzos para recordar, entre acendradas luchas para apresar algún vestigio de ese estado de aparente aniquilación en el cual se había hundido mi alma, ha habido momentos en que he vislumbrado el triunfo; breves, brevísimos períodos en que pude evocar recuerdos que, a la luz de mi lucidez posterior, sólo podían referirse a aquel momento de aparente inconsciencia. Esas sombras de recuerdo me muestran, borrosamente, altas siluetas que me alzaron y me llevaron en silencio, descendiendo... descendiendo... siempre descendiendo... hasta que un horrible mareo me oprimió a la sola idea de lo interminable de ese descenso. También evocan el vago horror que sentía mi corazón, precisamente a causa de la monstruosa calma que me invadía. Viene luego una sensación de súbita inmovilidad que invade todas las cosas, como si aquellos que me llevaban (¡atroz cortejo!) hubieran superado en su descenso los límites de lo ilimitado y descansaran de la fatiga de su tarea. Después de esto viene a la mente como un desabrimiento y humedad, y luego, todo es *locura* –la locura de un recuerdo que se afana entre cosas prohibidas–.

Súbitamente, el movimiento y el sonido ganaron otra vez mi espíritu: el tumultuoso movimiento de mi corazón y, en mis oídos, el sonido de su latir. Sucedió una pausa, en la que todo era confuso. Otra vez sonido, movimiento y tacto –una sensación de hormigueo en todo mi cuerpo–. Y luego la mera conciencia de existir, sin pensamiento; algo que duró largo tiempo. De pronto, bruscamente, *el pensamiento,* un espanto estremecedor y el esfuerzo más intenso por comprender mi verdadera situación. A esto sucedió un profundo deseo de recaer en la insensibilidad. Otra vez un violento revivir del espíritu y un esfuerzo por moverme, hasta conseguirlo. Y entonces el recuerdo vívido del proceso, los jueces, las colgaduras negras, la sentencia, la náusea, el desmayo. Y total olvido de lo que siguió, de todo lo que tiempos posteriores, y un obstinado esfuerzo, me han permitido vagamente recordar.

Hasta ese momento no había abierto los ojos. Sentí que yacía de espaldas y que no estaba atado. Alargué la mano, que cayó pesadamente sobre algo húmedo y duro. La dejé allí algún tiempo, mientras trataba de imaginarme dónde me hallaba y *qué* era de mí. Ansiaba abrir los ojos, pero no me atrevía, porque me espantaba esa primera mirada a los objetos que me rodeaban. No es que temiera contemplar cosas horribles, pero me horrorizaba la posibilidad de que no hubiese *nada* que ver. Por fin, lleno de atroz angustia mi corazón, abrí de golpe los ojos, y mis peores suposiciones se confirmaron. Me rodeaba la tiniebla de una noche eterna. Luché por respirar; lo intenso de aquella oscuridad parecía oprimirme y sofocarme. La atmósfera era de una intolerable pesadez. Me quedé inmóvil, esforzándome por razonar. Evoqué el proceso de la Inquisición, buscando deducir mi verdadera situación a partir de ese punto. La sentencia había sido pronunciada; tenía la impresión de que desde entonces había transcurrido largo tiempo. Pero ni siquiera por un momento me consideré verdaderamente muerto. Semejante suposición, no obstante lo que leemos en los relatos ficticios, es por completo incompatible con la verdadera existencia. Pero ¿dónde y en qué situación me encontraba? Sabía que, por lo regular, los condenados morían en un auto de fe, y uno de estos acababa de realizarse la misma noche de mi proceso. ¿Me habrían devuelto a mi calabozo a la espera del próximo sacrificio, que no se cumpliría hasta varios meses más tarde? Al punto vi que era imposible. En aquel momento había una demanda inmediata de víctimas. Y, además, mi calabozo, como todas las celdas de los condenados en Toledo, tenía piso de piedra y la luz no había sido completamente suprimida.

Una horrible idea hizo que la sangre se agolpara a torrentes en mi corazón, y por un breve instante recaí en la insensibilidad. Cuando me repuse, temblando convulsivamente, me levanté y tendí desatinadamente los brazos en todas direcciones. No sentí nada, pero no me atrevía a dar un solo paso, por temor de que me lo impidieran las paredes de una *tumba*. Brotaba el sudor por todos mis poros y tenía la frente empapada de gotas heladas. Pero la agonía de la incertidumbre terminó por volverse intolerable, y cautelosamente me volví adelante, con los brazos tendidos, desorbitados los ojos en el deseo de captar el más débil rayo de luz. Anduve así unos cuantos pasos, pero todo seguía siendo tiniebla y vacío. Respiré con mayor libertad; por lo menos parecía evidente que mi destino no era el más espantoso de todos.

Pero entonces, mientras seguía avanzando cautelosamente, resonaron en mi recuerdo los mil vagos rumores de las cosas horribles que ocurrían en Toledo. Cosas extrañas se contaban sobre los calabozos; cosas que yo había tomado por invenciones, pero que no por eso eran menos extrañas y demasiado horrorosas para ser repetidas, salvo en voz baja. ¿Me dejarían morir de hambre en este subterráneo mundo de tiniebla, o quizá me aguardaba un destino todavía peor? Demasiado conocía yo el carácter de mis jueces para dudar de que el resultado sería la muerte, y una muerte mucho más amarga que la habitual. Todo lo que me preocupaba y me enloquecía era el modo y la hora de esa muerte.

Mis manos extendidas tocaron, por fin, un obstáculo sólido. Era un muro, probablemente de piedra, sumamente liso, viscoso y frío. Me puse a seguirlo, avanzando con toda la desconfianza que antiguos relatos me habían inspirado. Pero esto no me daba oportunidad de asegurarme de las dimensiones del calabozo, ya que daría toda la vuelta y retornaría al lugar de partida sin advertirlo, hasta tal punto era uniforme y lisa la pared. Busqué, pues, el cuchillo que llevaba conmigo cuando me condujeron a las cámaras inquisitoriales; había desaparecido, y en lugar de mis ropas tenía puesto un sayo de burda estameña. Había pensado hundir la hoja en alguna juntura de la mampostería, a fin de identificar mi punto de partida. Pero, de todos modos, la dificultad carecía de importancia, aunque en el desorden de mi mente me pareció insuperable en el primer momento. Arranqué un pedazo del ruedo del sayo y lo puse bien extendido y en ángulo recto con respecto al muro. Luego de tentar toda la vuelta de mi celda, no dejaría de encontrar el jirón al completar el circuito. Tal es lo que, por lo menos, pensé, pues no había contado con el tamaño del calabozo y con mi debilidad. El suelo era húmedo y resbaladizo. Avancé, titubeando, un trecho, pero luego trastrabillé y caí. Mi excesiva fatiga me indujo a permanecer postrado y el sueño no tardó en dominarme.

Al despertar y extender un brazo hallé junto a mí un pan y un cántaro de agua. Estaba demasiado exhausto para reflexionar acerca de esto, pero comí y bebí ávidamente. Poco después reanudé mi vuelta al calabozo y con mucho trabajo llegué, por fin, al pedazo de estameña. Hasta el momento de caer al suelo había contado cincuenta y dos pasos, y al reanudar mi vuelta otros cuarenta y ocho, hasta llegar al trozo de género. Había, pues, un total de cien pasos. Contando una yarda por cada dos pasos, calculé que el calabozo tenía un circuito de cincuenta yardas. No obstante, había encontrado numerosos ángulos de pared, de modo que no podía hacerme una idea clara de la forma de la cripta, a la que llamo así pues no podía impedirme pensar que lo era.

Poca finalidad y menos esperanza tenían estas investigaciones, pero una vaga curiosidad me impelía a continuarlas. Apartándome de la pared, resolví cruzar el calabozo por uno de sus diámetros. Avancé al principio con suma precaución, pues aunque el piso parecía de un material sólido, era peligrosamente resbaladizo a causa del limo. Cobré ánimo, sin embargo, y terminé caminando con firmeza, esforzándome por seguir una línea todo lo recta posible. Había avanzado diez o doce pasos en esta forma cuando el ruedo desgarrado del sayo se me enredó en las piernas. Trastabillando, caí violentamente de bruces.

En la confusión que siguió a la caída no reparé en un sorprendente detalle que, pocos segundos más tarde, y cuando aún yacía boca abajo, reclamó mi atención. Helo aquí: tenía el mentón apoyado en el piso del calabozo, pero mis labios y la parte superior de mi cara, que aparentemente debían encontrarse a un nivel inferior al de la mandíbula, no se apoyaba en nada. Al mismo tiempo me pareció que bañaba mi frente un vapor viscoso, y el olor característico de los hongos podridos penetró en mis fosas nasales. Tendí un brazo y me estremecí al descubrir que me había desplomado exactamente al borde de un pozo circular, cuya profundidad me era imposible descubrir por el momento. Tanteando en la mampostería que bordeaba el pozo logré desprender un menudo fragmento y lo tiré al abismo. Durante largos segundos escuché cómo repercutía al golpear en su descenso las paredes del pozo; hubo por fin, un chapoteo en el agua, al cual sucedieron sonoros ecos. En ese mismo instante oí un sonido semejante al de abrirse y cerrarse rápidamente una puerta en lo alto, mientras un débil rayo de luz cruzaba instantáneamente la tiniebla y volvía a desvanecerse con la misma precipitación.

Comprendí claramente el destino que me habían preparado y me felicité de haber escapado a tiempo gracias al oportuno accidente. Un paso más antes de mi caída y el mundo no hubiera vuelto a saber de mí. La muerte a la que acababa de escapar tenía justamente las características que yo había rechazado como fabulosas y antojadizas en los relatos que circulaban acerca de la Inquisición. Para las víctimas de su tiranía se reservaban dos especies de muerte: una llena de horrorosos sufrimientos físicos, y otra acompañada de sufrimientos morales todavía más atroces. Yo estaba destinado a esta última. Mis largos padecimientos me habían desequilibrado los nervios, al punto que bastaba el sonido de mi propia voz para hacerme temblar, y por eso constituía en todo sentido el sujeto ideal para la clase de torturas que me aguardaban.

Estremeciéndome de pies a cabeza, me arrastré hasta volver a tocar la pared, resuelto a perecer allí antes que arriesgarme otra vez a los horrores de los pozos –ya que mi imaginación concebía ahora más de uno– situados en distintos lugares del calabozo. De haber tenido otro estado de ánimo, tal vez me hubiera alcanzado el coraje para acabar de una vez con mis desgracias precipitándome en uno de esos abismos; pero había llegado a convertirme en el peor de los cobardes. Y tampoco podía olvidar lo que había leído sobre esos pozos, esto es, que su horrible disposición impedía que la vida se extinguiera *de golpe*.

La agitación de mi espíritu me mantuvo despierto durante largas horas, pero finalmente acabé por adormecerme. Cuando desperté, otra vez había a mi lado un pan y un cántaro de agua. Me consumía una sed ardiente y de un solo trago vacié el jarro. El agua debía contener alguna droga, pues apenas la hube bebido me sentí irresistiblemente adormilado. Un profundo sueño cayó sobre mí, un sueño como el de la muerte. No sé, en verdad, cuánto duró, pero cuando volví a abrir los ojos los objetos que me rodeaban eran visibles. Gracias a un resplandor sulfuroso, cuyo origen me fue imposible determinar al principio, pude contemplar la extensión y el aspecto de mi cárcel.

Mucho me había equivocado sobre su tamaño. El circuito completo de los muros no pasaba de unas veinticinco yardas. Durante unos minutos, esto me llenó de una vana preocupación. Vana, sí, pues nada podía tener menos importancia, en las terribles circunstancias que me rodeaban, que las simples dimensiones del calabozo. Pero mi espíritu se interesaba extrañamente en nimiedades y me esforcé por descubrir el error que había podido cometer en mis medidas. Por fin se me reveló la verdad. En la primera tentativa de exploración había contado cincuenta y dos pasos hasta el momento en que caí al suelo. Sin duda, en ese instante me encontraba a uno o dos pasos del jirón de estameña, es decir, que había cumplido casi completamente la vuelta del calabozo. Al despertar de mi sueño debí emprender el camino en dirección contraria, es decir, volviendo sobre mis pasos, y así fue cómo supuse que el circuito medía el doble de su verdadero tamaño. La confusión de mi mente me impidió reparar entonces que había empezado mi vuelta teniendo la pared a la izquierda y que la terminé teniéndola a la derecha.

También me había engañado sobre la forma del calabozo. Al tantear las paredes había encontrado numerosos ángulos, deduciendo así que el lugar presentaba una gran irregularidad. ¡Tan potente es el efecto de las tinieblas sobre alguien que despierta de la letargia o del sueño! Los ángulos no eran más que unas ligeras depresiones o entradas a diferentes intervalos. Mi prisión tenía forma cuadrada. Lo que había tomado por mampostería resultaba ser hierro o algún otro metal, cuyas enormes planchas, al unirse y soldarse, ocasionaban las depresiones. La entera superficie de esta celda metálica aparecía toscamente pintarrajeada con todas las horrendas y repugnantes imágenes que la sepulcral superstición de los monjes había sido capaz de concebir. Las figuras de demonios amenazantes, de esqueletos y otras imágenes todavía más terribles recubrían y desfiguraban los muros. Reparé en que las siluetas de aquellas monstruosidades estaban bien delineadas, pero que los colores parecían borrosos y vagos, como si la humedad de la atmósfera los hubiese afectado. Noté asimismo que el suelo era de piedra. En el centro se abría el pozo circular de cuyas fauces, abiertas como si bostezara, acababa de escapar; pero no había ningún otro en el calabozo.

Vi todo esto sin mucho detalle y con gran trabajo, pues mi situación había cambiado grandemente en el curso de mi sopor. Yacía ahora de espaldas, completamente estirado, sobre una especie de bastidor de madera. Estaba firmemente amarrado por una larga banda que parecía un cíngulo. Pasaba, dando muchas vueltas, por mis miembros y mi cuerpo, dejándome solamente en libertad la cabeza y el brazo derecho, que con gran trabajo podía extender hasta los alimentos, colocados en un plato de barro a mi alcance. Para mayor espanto, vi que se habían llevado el cántaro de agua. Y digo espanto porque la más intolerable sed me consumía. Por lo visto, la intención de mis torturadores era estimular esa sed, pues la comida del plato consistía en carne sumamente condimentada.

Mirando hacia arriba observé el techo de mi prisión. Tendría unos treinta o cuarenta pies de alto, y su construcción se asemejaba a la de los muros. En uno de sus paneles aparecía una extraña figura que se apoderó por completo de mi atención. La pintura representaba al Tiempo tal como se lo suele figurar, salvo que, en vez de guadaña, tenía lo que me pareció la pintura de un pesado péndulo, semejante a los que vemos en los relojes antiguos. Algo, sin embargo, en la apariencia de aquella imagen me movió a observarla con más detalle. Mientras la miraba directamente de abajo hacia arriba (pues se encontraba situada exactamente sobre mí) tuve la impresión de que se movía. Un segundo después esta impresión se confirmó. La oscilación del péndulo era breve y, naturalmente, lenta. Lo observé durante un rato con más perplejidad que temor. Cansado, al fin, de contemplar su monótono movimiento, volví los ojos a los restantes objetos de la celda.

Un ligero ruido atrajo mi atención y, mirando hacia el piso, vi cruzar varias enormes ratas. Habían salido del pozo, que se hallaba al alcance de mi vista sobre la derecha. Aún entonces, mientras las miraba, siguieron saliendo en cantidades, presurosas y con ojos famélicos atraídas por el olor de la carne. Me dio mucho trabajo ahuyentarlas del plato de comida.

Habría pasado una media hora, quizá una hora entera –pues sólo tenía una noción imperfecta del tiempo–, antes de volver a fijar los ojos en lo alto. Lo que entonces vi me confundió y me llenó de asombro. La carrera del péndulo había aumentado, aproximadamente, en una yarda. Como consecuencia natural, su velocidad era mucho más grande. Pero lo que me perturbó fue la idea de que el péndulo había *descendido* perceptiblemente. Noté ahora –y es inútil agregar con cuánto horror– que su extremidad inferior estaba constituida por una media luna de reluciente acero, cuyo largo de punta a punta alcanzaba a un pie. Aunque afilado como una navaja, el péndulo parecía macizo y pesado, y desde el filo se iba ensanchando hasta rematar en una ancha y sólida masa. Hallábase fijo a un pesado vástago de bronce y todo el mecanismo *silbaba* al balancearse en el aire.

Ya no me era posible dudar del destino que me había preparado el ingenio de los monjes para la tortura. Los agentes de la Inquisición habían advertido mi descubrimiento del pozo. *El pozo,* sí, cuyos horrores estaban destinados a un recusante tan obstinado como yo; *el pozo,* símbolo típico del infierno, última Thule de los castigos de la Inquisición, según los rumores que corrían. Por el más casual de los accidentes había evitado caer en el pozo y bien sabía que la sorpresa, la brusca precipitación en los tormentos, constituían una parte importante de las grotescas muertes que tenían lugar en aquellos calabozos. No habiendo caído en el pozo, el demoniaco plan de mis verdugos no contaba con precipitarme por la fuerza, y por eso, ya que no quedaba otra alternativa, me esperaba ahora un final diferente y más apacible. ¡Más apacible! Casi me sonreí en medio del espanto al pensar en semejante aplicación de la palabra.

¿De qué vale hablar de las largas, largas horas de un horror más que mortal, durante las cuales conté las zumbantes oscilaciones del péndulo? Pulgada a pulgada, con un descenso que sólo podía apreciarse después de intervalos que parecían siglos... más y más íbase aproximando. Pasaron días –puede ser que hayan pasado muchos días– antes de que oscilara tan cerca de mí que parecía abanicarme con su acre aliento. El olor del afilado acero penetraba en mis sentidos... Supliqué, fatigando al cielo con mis ruegos, para que el péndulo descendiera más velozmente. Me volví loco, me exasperé e hice todo lo posible por enderezarme y quedar en el camino de la horrible cimitarra. Y después caí en una repentina calma y me mantuve inmóvil, sonriendo a aquella brillante muerte como un niño a un bonito juguete.

Siguió otro intervalo de total insensibilidad. Fue breve, pues al resbalar otra vez en la vida noté que no se había producido ningún descenso perceptible del péndulo. Podía, sin embargo, haber durado mucho, pues bien sabía que aquellos demonios estaban al tanto de mi desmayo y que podían haber detenido el péndulo a su gusto. Al despertarme me sentí inexpresablemente enfermo y débil, como después de una prolongada inanición. Aun en la agonía de aquellas horas la naturaleza humana ansiaba alimento. Con un penoso esfuerzo alargué el brazo izquierdo todo lo que me lo permitían mis ataduras y me apoderé de una pequeña cantidad que habían dejado las ratas. Cuando me llevaba una porción a los labios pasó por mi mente un pensamiento apenas esbozado de alegría... de esperanza. Pero, ¿qué tenía *yo* que ver con la esperanza? Era aquel, como digo, un pensamiento apenas formado; muchos así tiene el hombre que no llegan a completarse jamás. Sentí que era de alegría, de esperanza; pero sentí al mismo tiempo que acababa de extinguirse en plena elaboración. Vanamente luché por alcanzarlo, por recobrarlo. El prolongado sufrimiento había aniquilado casi por completo mis facultades mentales ordinarias. No era más que un imbécil, un idiota.

La oscilación del péndulo se cumplía en ángulo recto con mi cuerpo extendido. Vi que la media luna estaba orientada de manera de cruzar la zona del corazón. Desgarraría la estameña de mi sayo..., retornaría para repetir la operación... otra vez..., otra vez... A pesar de su carrera terriblemente amplia (treinta pies o más) y la sibilante violencia de su descenso, capaz de romper aquellos muros de hierro, todo lo que haría durante varios minutos sería cortar mi sayo. A esa altura de mis pensamientos debí de hacer una pausa, pues no me atrevía a prolongar mi reflexión. Me mantuve en ella, pertinazmente fija la atención, como si al hacerlo pudiera detener *en ese punto* el descenso de la hoja de acero. Me obligué a meditar acerca del sonido que haría la media luna cuando pasara cortando el género y la especial sensación de estremecimiento que produce en los nervios el roce de una tela. Pensé en todas estas frivolidades hasta el límite de mi resistencia.

Bajaba... seguía bajando suavemente. Sentí un frenético placer en comparar su velocidad lateral con la del descenso. A la derecha... a la izquierda... hacia los lados, con el aullido de un espíritu maldito... hacia mi corazón, con el paso sigiloso del tigre. Sucesivamente reí a carcajadas y clamé, según que una u otra idea me dominara.

Bajaba... ¡Seguro, incansable, bajaba! Ya pasaba vibrando a tres pulgadas de mi pecho. Luché con violencia, furiosamente, para soltar mi brazo izquierdo, que sólo estaba libre a partir del codo. Me era posible llevar la mano desde el plato, puesto a mi lado, hasta la boca, pero no más allá. De haber roto las ataduras arriba del codo, hubiera tratado de detener el péndulo. ¡Pero lo mismo hubiera sido pretender atajar un alud!

Bajaba... ¡Sin cesar, inevitablemente, bajaba! Luché, jadeando, a cada oscilación. Me encogía convulsivamente a cada paso del péndulo. Mis ojos seguían su carrera hacia arriba o abajo, con la ansiedad de la más inexpresable desesperación; mis párpados se cerraban espasmódicamente a cada descenso, aunque la muerte hubiera sido para mí un alivio, ¡ah, inefable! Pero cada uno de mis nervios se estremecía, sin embargo, al pensar que el más pequeño deslizamiento del mecanismo precipitaría aquel reluciente, afilado eje contra mi pecho. Era la *esperanza* la que hacía estremecer mis nervios y contraer mi cuerpo. Era la *esperanza,* esa esperanza que triunfa aún en el potro del suplicio, que susurra al oído de los condenados a muerte hasta en los calabozos de la Inquisición.

Vi que después de diez o doce oscilaciones el acero se pondría en contacto con mi ropa, y en el mismo momento en que hice esa observación invadió mi espíritu toda la penetrante calma concentrada de la desesperación. Por primera vez en muchas horas –quizá días– me puse a *pensar*. Acudió a mi mente la noción de que la banda o cíngulo que me ataba *era de una sola pieza*. Mis ligaduras no estaban constituidas por cuerdas separadas. El primer roce de la afiladísima media luna sobre cualquier porción de la banda bastaría para soltarla, y con ayuda de mi mano izquierda podría desatarme del todo. Pero, ¡cuán terrible, en ese caso, la proximidad del acero! ¡Cuán letal el resultado de la más leve lucha! Y luego, ¿era verosímil que los esbirros del torturador no hubieran previsto y prevenido esa posibilidad? ¿Cabía pensar que la atadura cruzara mi pecho en el justo lugar por donde pasaría el péndulo? Temeroso de descubrir que mi débil y, al parecer, postrera esperanza se frustraba, levanté la cabeza lo bastante para distinguir con claridad mi pecho. El cíngulo envolvía mis miembros y mi cuerpo en todas direcciones, *salvo en el lugar por donde pasaría el péndulo.*

Apenas había dejado caer hacia atrás la cabeza cuando relampagueó en mi mente algo que sólo puedo describir como la informe mitad de aquella idea de liberación a que he aludido previamente y de la cual sólo una parte flotaba inciertamente en mi mente cuando llevé la comida a mis ardientes labios. Mas ahora el pensamiento completo estaba presente, débil, apenas sensato, apenas definido... pero entero. Inmediatamente, con la nerviosa energía de la desesperación, procedí a ejecutarlo.

Durante horas y horas, cantidad de ratas habían pululado en la vecindad inmediata del armazón de madera sobre el cual me hallaba. Aquellas ratas eran salvajes, audaces, famélicas; sus rojas pupilas me miraban centelleantes, como si esperaran verme inmóvil para convertirme en su presa. «¿A qué alimento –pensé– las han acostumbrado en el pozo?»

A pesar de todos mis esfuerzos por impedirlo, ya habían devorado el contenido del plato, salvo unas pocas sobras. Mi mano se había agitado como un abanico sobre el plato; pero, a la larga, la regularidad del movimiento le hizo perder su efecto. En su voracidad, las odiosas bestias me clavaban sus afiladas garras en los dedos. Tomando los fragmentos de la aceitosa y especiada carne que quedaba en el plato, froté con ellos mis ataduras allí donde era posible alcanzarlas, y después, apartando mi mano del suelo, permanecí completamente inmóvil, conteniendo el aliento.

Los hambrientos animales se sintieron primeramente aterrados y sorprendidos por el cambio... la cesación de movimiento. Retrocedieron llenos de alarma, y muchos se refugiaron en el pozo. Pero esto no duró más que un momento. No en vano había yo contado con su voracidad. Al observar que seguía sin moverme, una o dos de las mas atrevidas saltaron al bastidor de madera y olfatearon el cíngulo. Esto fue como la señal para que todas avanzaran. Salían del pozo, corriendo en renovados contingentes. Se colgaron de la madera, corriendo por ella y saltaron a centenares sobre mi cuerpo. El acompasado movimiento del péndulo no las molestaba para nada. Evitando sus golpes, se precipitaban sobre las untadas ligaduras. Se apretaban, pululaban sobre mí en cantidades cada vez más grandes. Se retorcían cerca de mi garganta; sus fríos hocicos buscaban mis labios. Yo me sentía ahogar bajo su creciente peso; un asco para el cual no existe nombre en este mundo llenaba mi pecho y helaba con su espesa viscosidad mi corazón. Un minuto más, sin embargo, y la lucha terminaría. Con toda claridad percibí que las ataduras se aflojaban. Me di cuenta de que debían de estar rotas en más de una parte. Pero, con una resolución que excedía lo humano, me mantuve *inmóvil.*

No había errado en mis cálculos ni sufrido tanto en vano. Por fin, sentí que estaba *libre.* El cíngulo colgaba en tiras a los lados de mi cuerpo. Pero ya el paso del péndulo alcanzaba mi pecho. Había dividido la estameña de mi sayo y cortaba ahora la tela de la camisa. Dos veces más pasó sobre mí, y un agudísimo dolor recorrió mis nervios. Pero el momento de escapar había llegado. Apenas agité la mano, mis libertadoras huyeron en tumulto. Con un movimiento regular, cauteloso, y encogiéndome todo lo posible, me deslicé, lentamente, fuera de mis ligaduras, más allá del alcance de la cimitarra. Por el momento, al menos, *estaba libre.*

Libre... ¡y en las garras de la Inquisición! Apenas me había apartado de aquel lecho de horror para ponerme de pie en el piso de piedra, cuando cesó el movimiento de la diabólica máquina, y la vi subir, movida por una fuerza invisible, hasta desaparecer más allá del techo. Aquello fue una lección que debí tomar desesperadamente a pecho. Indudablemente espiaban cada uno de mis movimientos. ¡Libre! Apenas si había escapado de la muerte bajo la forma de una tortura, para ser entregado a otra que sería peor aún que la misma muerte. Pensando en eso, paseé nerviosamente los ojos por las barreras de hierro que me encerraban. Algo insólito, un cambio que, al principio, no me fue posible apreciar claramente, se había producido en el calabozo. Durante largos minutos, sumido en una temblorosa y vaga abstracción me perdí en vanas y deshilvanadas conjeturas. En estos momentos pude advertir por primera vez el origen de la sulfurosa luz que iluminaba la celda. Procedía de una fisura de media pulgada de ancho, que rodeaba por completo el calabozo al pie de las paredes, las cuales parecían –y en realidad estaban– completamente separadas del piso. A pesar de todos mis esfuerzos, me fue imposible ver nada a través de la abertura.

Al ponerme otra vez de pie comprendí de pronto el misterio del cambio que había advertido en la celda. Ya he dicho que, si bien las siluetas de las imágenes pintadas en los muros eran suficientemente claras, los colores parecían borrosos e indefinidos. Pero ahora esos colores habían tomado un brillo intenso y sorprendente, que crecía más y más y daba a aquellas espectrales y diabólicas imágenes un aspecto que hubiera quebrantado nervios más resistentes que los míos. Ojos demoniacos, de una salvaje y aterradora vida, me contemplaban fijamente desde mil direcciones, donde ninguno había sido antes visible, y brillaban con el cárdeno resplandor de un fuego que mi imaginación no alcanzaba a concebir como irreal.

¡Irreal...! Al respirar llegó a mis narices el olor característico del vapor que surgía del hierro recalentado... Aquel olor sofocante invadía más y más la celda... Los sangrientos horrores representados en las paredes empezaron a ponerse rojos... Yo jadeaba, tratando de respirar. Ya no me cabía duda sobre la intención de mis torturadores. ¡Ah, los más implacables, los más demoniacos entre los hombres! Corrí hacia el centro de la celda, alejándome del metal ardiente. Al encarar en mi pensamiento la horrible destrucción que me aguardaba, la idea de la frescura del pozo invadió mi alma como un bálsamo. Corrí hasta su borde mortal. Esforzándome, miré hacia abajo. El resplandor del ardiente techo iluminaba sus más recónditos huecos. Y, sin embargo, durante un horrible instante, mi espíritu se negó a comprender el sentido de lo que veía. Pero, al fin, ese sentido se abrió paso, avanzó poco a poco hasta mi alma, hasta arder y consumirse en mi estremecida razón. ¡Oh, poder expresarlo! ¡Oh espanto! ¡Todo... todo menos eso! Con un alarido, salté hacia atrás y hundí mi cara en las manos, sollozando amargamente.

El calor crecía rápidamente, y una vez más miré a lo alto, temblando como en un ataque de calentura. Un segundo cambio acababa de producirse en la celda..., y esta vez el cambio tenía que ver con la *forma.* Al igual que antes, fue inútil que me esforzara por apreciar o entender inmediatamente lo que estaba ocurriendo. Pero mis dudas no duraron mucho. La venganza de la Inquisición se aceleraba después de mi doble escapatoria, y ya no habría más pérdida de tiempo por parte del Rey de los Espantos. Hasta entonces mi celda había sido cuadrada. De pronto vi que dos de sus ángulos de hierro se habían vuelto agudos, y los otros dos, por consiguiente, obtusos. La horrible diferencia se acentuaba rápidamente, con un resonar profundo y quejumbroso. En un instante el calabozo cambió su forma por la de un rombo. Pero el cambio no se detuvo allí, y yo no esperaba ni deseaba que se detuviera. Podría haber pegado mi pecho a las rojas paredes, como si fueran vestiduras de eterna paz. «¡La muerte! –clamé–. ¡Cualquier muerte, menos la del pozo!» ¡Insensato! ¿Acaso no era evidente que aquellos hierros al rojo tenían por objeto precipitarme *en el pozo?* ¿Podría acaso resistir su fuego? Y si lo resistiera, ¿cómo oponerme a su presión? El rombo se iba achatando más y más, con una rapidez que no me dejaba tiempo para mirar. Su centro y, por tanto, su diámetro mayor llegaba ya sobre el abierto abismo. Me eché hacia atrás, pero las movientes paredes me obligaban irresistiblemente a avanzar. Por fin no hubo ya en el piso del calabozo ni una pulgada de asidero para mi chamuscado y convulso cuerpo. Cesé de luchar, pero la agonía de mi alma se expresó en un agudo, prolongado alarido final de desesperación. Sentí que me tambaleaba al borde del pozo... Desvié la mirada...

¡Y oí un discordante clamoreo de voces humanas! ¡Resonó poderoso un toque de trompetas! ¡Escuché un áspero chirriar semejante al de mil truenos! ¡Las terribles paredes retrocedieron! Una mano tendida sujetó mi brazo en el instante en que, desmayado, me precipitaba al abismo. Era la del general Lasalle. El ejército francés acababa de entrar en Toledo. La Inquisición estaba en poder de sus enemigos.

MANUSCRITO HALLADO EN UNA BOTELLA

Comentario de Ignacio Padilla

El narrador de este naufragio es la incertidumbre en carne viva. Lo ignora casi todo de sí mismo y de su circunstancia. No sabe dónde está ni hacia dónde se dirige. Ni siquiera puede decir que se encuentra en alguna parte. O si el barco es un barco o si la noche es un punto más o un punto menos que la noche. Tampoco cuenta con la certeza de la muerte, la única que lo igualaría con los lectores posibles –aunque también inciertos– de las palabras que escribe a medida que lo devora la oscuridad.

Sin embargo, escribe. Sin saberlo, en una especie de rapto fantasmal, este náufrago da luz a una palabra tan simple como avasallante: *descubrimiento*. ¿Qué es lo que descubre? ¿Qué suerte de revelación encierra este relato? Nunca lo sabremos. Acaso sea sólo el secreto de lo inasible, la iluminación que aguarda a todos los náufragos del infierno mundo: la lucidez de no saber, la plena consciencia de nuestra pequeñez aunada al extraño placer que en nosotros produce el horror del misterio.

Si algo creo haber aprendido de la lectura de los cuentos de Poe eso es la cuadratura del círculo de lo siniestro. Me refiero a esa incertidumbre intelectual que nos produce el tránsito por la frontera entre lo animado y lo inanimado. Para Freud, ese sentimiento lo producían los autómatas anunciados por Hoffmann; en el cuento de Poe, lo siniestro está lo mismo en la embarcación espectral que en la posibilidad de que el narrador sea aún más fantasmal que el barco y que la propia tripulación. Indescriptible, inaprensible, el barco es también el *kraken,* la embarcación es la muerte como es también un punto anterior a la muerte. Sus tripulantes son lo mismo almas del más allá que judíos errantes destinados a nunca llegar al más allá. ¿Es el narrador uno de ellos? ¿Somos nosotros, los lectores de su manuscrito embotellado, los tripulantes de esta *estul-*

tifera navis cargada de notomías? Imposible saberlo. De allí el vértigo, de allí el horror.

No es menos estremecedor Poe cuando nos acerca al sentimiento de sublime. Si el horror de lo siniestro procede de la incertidumbre, el horror de lo sublime nos viene de una seguridad: la de nuestro ser mortales, mínimos frente a la cruel grandeza de Dios y sus meteoros. Pocas páginas como estas conozco tan contundentes a la hora de dialogar con la tradición de la belleza de lo terrible. A pesar de su ambigüedad, o acaso por eso mismo, este relato ha constituido siempre para mí el vórtice de lo sublime. Al leerlas no puedo dejar de pensar en los infinitos naufragios que lo antecedieron en las artes y en la literatura. Entre las primeras, el náufrago de Poe aborda de pronto los barcos náufragos de Turner y sus contemporáneos nórdicos, esas embarcaciones raquíticas, muchas de ellas en llamas, que son literalmente devoradas por los elementos, destazadas por las olas y el viento, tripuladas por seres pequeños e indefensos que apenas alcanzan a ver, allá a lo lejos, la puntiaguda y agreste promesa de un arrecife que difícilmente los salvará. En el trágico destino de estos hombres está sin duda la belleza de lo terrible, nuestra indefensión ante la fuerza nunca domeñable de los meteoros, que entonces y aún ahora son el eterno recordatorio de que nunca, en verdad nunca, seremos dioses, no digamos felices.

Entre los naufragios de la literatura, desde luego, el autor del manuscrito en la botella es Ulises. No el de Homero sino el de Dante, aquel que comparte con Diomedes una llama doble en la fosa de los falsarios. Cuando Dante pregunta a Ulises cómo halló la muerte, este describe un naufragio en el fin del mundo que podría perfectamente haber inspirado lo mismo a Turner que a Poe: olas enormes fuera de los límites de la cartografía, montañas de pura furia natural atropellando la frágil embarcación del soberbio navegante que no se arredró ante los abismos y que por eso mismo encontró la muerte en ellos. Este pasaje concreto de *La Commedia* también obsesionó a Borges, quien le dedica un texto también iluminador. Lector entusiasta de Poe y de Dante, el argentino rastrea el naufragio de Ulises en san Agustín y Clemente de Alejandría, luego lo ubica en las dos literaturas de idioma inglés: en Tennyson y, desde luego, en el Ahab de Melville. En opinión del gran cuentista, el argumento general de Moby Dick es el mismo que el de Dante, el remate idéntico y las últimas palabras del náufrago casi iguales. Extraño que Borges no haya encontrado aún más coincidencias entre el Ulises dantesco y el anónimo náufrago de este genial relato escrito acaso por su maestro más amado.

MANUSCRITO HALLADO EN UNA BOTELLA

«Qui n'a plus qu'un moment à vivre
N'a plus rien à dissimuler».
QUINAULT, *Atys*

De mi país y mi familia poco tengo que decir. Un trato injusto y el andar de los años me arrancaron del uno y me alejaron de la otra. Mi patrimonio me permitió recibir una educación esmerada, y la tendencia contemplativa de mi espíritu me facultó para ordenar metódicamente las nociones que mis tempranos estudios habían acumulado. Las obras de los moralistas alemanes me proporcionaban un placer superior a cualquier otro; no porque admirara equivocadamente su elocuente locura, sino por la facilidad con que mis rígidos hábitos mentales me permitían descubrir sus falsedades. Con frecuencia se me ha reprochado la aridez de mi inteligencia, imputándome como un crimen una imaginación deficiente; el pirronismo de mis opiniones me ha dado fama en todo tiempo. En realidad temo que mi predilección por la filosofía física haya inficionado mi mente con un error muy frecuente en nuestra época: aludo a la costumbre de referir todo hecho, aun el menos susceptible de dicha referencia, a los principios de aquella disciplina. En general, no creo que nadie esté menos sujeto que yo a desviarse de los severos límites de la verdad, arrastrado por los *ignes fatui* de la superstición. Me ha parecido apropiado hacer este proemio, para que el increíble relato que he de hacer no sea considerado como el delirio de una imaginación desenfrenada, en vez de la experiencia positiva de una inteligencia para quien los ensueños de la fantasía son letra muerta y nulidad.

Después de varios años pasados en viajes por el extranjero, me embarqué en el año 18... en el puerto de Batavia, capital de la rica y populosa isla de Java, para hacer un crucero al archipiélago de las islas de la Sonda. Me hice a la mar en calidad de pasajero, sin otro motivo que una especie de inquietud nerviosa que me hostigaba como si fuera un demonio.

Nuestro excelente navío, de unas cuatrocientas toneladas, tenía remaches de cobre y había sido construido en Bombay con teca de Malabar. Llevaba una carga de algodón en rama y aceite procedente de las islas Laquevidas. También teníamos a bordo bonote, melaza, aceite de manteca, cocos y algunos cajones de opio. El arrumaje había sido mal hecho y, por lo tanto, el barco escoraba.

Iniciamos el viaje con muy poco viento a favor, y durante varios días permanecimos a lo largo de la costa oriental javanesa, sin otro incidente para amenguar la monotonía de nuestro derrotero que el encuentro ocasional con alguno de los pequeños *grabs* del archipiélago al cual nos encaminábamos.

Una tarde, mientras me hallaba apoyado en el coronamiento, observé hacia el noroeste una nube aislada de extraño aspecto. Era notable tanto por su color como por ser la primera que veíamos desde nuestra partida de Batavia. La observé continuamente hasta la puesta del sol, en que comenzó a expandirse rápidamente hacia el este y el oeste, cerniendo el horizonte con una angosta faja de vapor y dando la impresión de una dilatada playa baja. Pronto mi atención se vio requerida por la coloración rojo-oscuro que presentaba la luna y la extraña apariencia del mar. Operábase en este una rápida transformación, y el agua parecía más transparente que de costumbre. Aunque me era posible distinguir muy bien el fondo, lancé la sonda y descubrí que había quince brazas. El aire se había vuelto intolerablemente cálido y se cargaba de exhalaciones en espiral semejantes a las que brotan del hierro al rojo. A medida que caía la noche cesó la más ligera brisa y hubiera sido imposible concebir calma más absoluta. La llama de una bujía colocada en la popa no oscilaba en lo más mínimo, y un cabello, sostenido entre dos dedos, colgaba sin que fuera posible advertir la menor vibración. Empero, como el capitán manifestara que no veía ninguna indicación de peligro pero que estábamos derivando hacia la costa, mandó arriar las velas y echar el ancla. No se apostó ningún vigía y la tripulación, formada principalmente por malayos, se tendió sobre el puente a descansar. En cuanto a mí, bajé a la cámara, apremiado por un penoso presentimiento de desgracia. Todas las apariencias me hacían ver la inminencia de un huracán. Transmití mis temores al capitán, pero no prestó atención a mis palabras y se marchó sin haberse dignado contestarme. Mi inquietud, sin embargo, no me dejaba dormir, y hacia media noche subí a cubierta. Cuando apoyaba el pie en el último peldaño de la escala de toldilla, me sorprendió un fuerte rumor semejante al zumbido que podría producir una rueda de molino girando rápidamente y, antes de que pudiera asegurarme de su significado, sentí que el barco vibraba. Un instante después un mar de espuma nos caía de través y, pasando sobre el puente, barría la cubierta de proa a popa.

La excesiva violencia de la ráfaga significó en gran medida la salvación del navío. Aunque totalmente sumergido, como todos sus mástiles habían volado por la borda, surgió lentamente a la superficie al cabo de un minuto y, vacilando unos instantes bajo la terrible presión de la tempestad, acabó por enderezarse.

Imposible me sería decir por qué milagro escapé a la destrucción. Aturdido por el choque del agua volvía en mí para encontrarme encajado entre el codaste y el gobernalle. Me puse de pie con gran dificultad y, mirando en torno presa de vértigo, se me ocurrió que habíamos chocado contra los arrecifes, tan terrible e inimaginable era el remolino que formaban las montañas de agua y espuma en que estábamos sumidos. Un momento después oí la voz de un viejo sueco que se había embarcado con nosotros en el momento en que el buque se hacía a la mar. Lo llamé con todas mis fuerzas y vino tambaleándose. No tardamos en descubrir que éramos los únicos supervivientes de la catástrofe. Todo lo que se hallaba en el puente había sido barrido por las olas; el capitán y los oficiales debían haber muerto mientras dormían, ya que los camarotes estaban completamente inundados. Sin ayuda, poco era lo que podíamos hacer, y nos sentimos paralizados por la idea de que no tardaríamos en zozobrar. Como se supondrá, el cable del ancla se había roto como un bramante al primer embate del huracán, ya que de no ser así nos habríamos hundido en un instante. Corríamos a espantosa velocidad, y las olas rompían sobre cubierta. El maderamen de popa estaba muy destrozado y todo el navío presentaba gravísimas averías; empero, vimos con alborozo que las bombas no se habían atascado y que el lastre no parecía haberse desplazado. Ya la primera furia de la ráfaga estaba amainando y no corríamos mucho peligro por causa del viento; pero nos aterraba la idea de que cesara completamente, sabedores de que naufragaríamos en el agitado oleaje que seguiría de inmediato. Este legítimo temor no se vio, sin embargo, verificado. Durante cinco días y cinco noches –durante los cuales nos alimentamos con una pequeña cantidad de melaza de azúcar, trabajosamente obtenida en el castillo de proa–, el desmelenado navío corrió a una velocidad que desafiaba toda medida, impulsado por sucesivas ráfagas que, sin igualar la violencia de la primera, eran sin embargo más aterradoras que cualquier otra tempestad que hubiera visto antes. Con pequeñas variantes navegamos durante los primeros cuatro días hacia el sud-

sudeste y debimos de pasar cerca de la costa de Nueva Holanda. Al quinto día el tiempo se puso muy frío, aunque el viento había girado un punto hacia el norte. El sol se alzó con una coloración amarillenta y enfermiza y remontó unos pocos grados sobre el horizonte, sin irradiar una luz intensa. No se veían nubes y, sin embargo, el viento arreciaba más y más, soplando con furiosas ráfagas irregulares. Hacia mediodía –hasta donde podíamos calcular la hora– el sol nos llamó de nuevo la atención. No daba luz que mereciera propiamente tal nombre, sino un resplandor apagado y lúgubre, sin reflejos, como si todos sus rayos estuvieran polarizados. Poco antes de hundirse en el henchido mar, su fuego central se extinguió bruscamente, como si un poder inexplicable acabara de apagarlo. Sólo quedó un aro pálido y plateado, sumergiéndose en el insondable mar.

Esperamos en vano la llegada del sexto día; para mí ese día no ha llegado, y para el sueco no llegó jamás. Desde aquel momento quedamos envueltos en profundas tinieblas, al punto que no hubiéramos podido ver nada a veinte pasos del barco. La noche eterna continuó rodeándonos, ni siquiera amenguada por esa brillantez fosfórica del mar a la cual nos habíamos habituado en los trópicos. Observamos además que, si bien la tempestad continuaba con inflexible violencia, no se observaba ya el oleaje espumoso que nos envolvía antes. Alrededor de nosotros todo era horror, profunda oscuridad y un negro desierto de ébano. El espanto supersticioso ganaba poco a poco el espíritu del viejo sueco, y mi alma estaba envuelta en silencioso asombro. Descuidamos toda atención del barco, por considerarla ociosa, y nos aseguramos lo mejor posible en el tocón del palo de mesana, mirando amargamente hacia el inmenso océano. No teníamos manera de calcular el tiempo y era imposible deducir nuestra posición. Advertíamos, sin embargo, que llevábamos navegando hacia el sur una distancia mayor que la recorrida por cualquier navegante, y mucho nos asombró no encontrar los habituales obstáculos de hielo. Entre tanto, cada minuto amenazaba con ser el último de nuestras vidas, y olas grandes como montañas se precipitaban para aniquilarnos. El oleaje sobrepasaba todo lo que yo había creído; sólo por milagro no zozobrábamos a cada instante. Mi compañero aludió a la ligereza de nuestro cargamento, recordándome las excelentes cualidades del barco. Yo no podía dejar de sentir la total inutilidad de la esperanza y me preparaba tristemente a una muerte que, en mi opinión, no podía ya demorarse más de una hora, puesto que a cada nudo que recorríamos el oleaje de aquel horrendo mar tenebroso se volvía más y más violento. Por momentos jadeábamos en procura de aire, remontados a una altura superior a la del albatros; y en otros nos mareaba la velocidad del descenso a un infierno líquido, donde el aire parecía estancado y ningún sonido turbaba el sueño del «kraken».

Nos hallábamos en la profundidad de uno de esos abismos, cuando un súbito clamor de mi compañero se alzó horriblemente en la noche. «¡Mire, mire! –me gritaba al oído–. ¡Dios todopoderoso, mire, mire!»

Mientras hablaba, advertí un apagado resplandor rojizo que corría por los lados del enorme abismo donde nos habíamos hundido, arrojando una incierta lumbre sobre nuestra cubierta. Alzando los ojos, contemplé un espectáculo que me heló la sangre. A una espantosa elevación, inmediatamente por encima de nosotros, y al borde mismo de aquel precipicio líquido, se cernía un gigantesco navío, de quizá cuatro mil toneladas. Aunque en la cresta de una ola tan enorme que lo sobrepasaba cien veces en altura, sus medidas excedían las de cualquier barco de línea o de la Compañía de Indias Orientales. Su enorme casco era de un negro profundo y opaco, y no tenía ninguno de los mascarones o adornos propios de un navío. Por las abiertas portañolas asomaba una sola hilera de cañones de bronce, cuyas relucientes superficies reflejaban las luces de innumerables linternas de combate balanceándose en las jarcias. Pero lo que más me llenó de horror y estupefacción fue ver que el barco tenía todas las velas desplegadas en medio de aquel huracán ingobernable y aquel mar sobrenatural. Cuando lo vimos por primera vez sólo se distinguía su proa, mientras lentamente se alzaba sobre el tenebroso y horrible golfo de donde venía. Durante un segundo de inconcebible espanto se mantuvo inmóvil sobre el vertiginoso pináculo, como si estuviera contemplando su propia sublimidad. Luego tembló, vaciló... y lo vimos precipitarse sobre nosotros.

No sé qué repentino dominio de mí mismo ganó mi espíritu en aquel instante. Retrocediendo todo lo posible esperé sin temor la catástrofe que iba a aniquilarnos. Nuestro barco había renunciado ya a luchar y se estaba hundiendo de proa. El choque de la masa descendente lo alcanzó, pues, en su estructura ya medio sumergida, y como resultado inevitable me lanzó con violencia irresistible sobre el cordaje del nuevo buque.

En el momento en que caí, el barco viró de bordo, y supuse que la confusión reinante me había hecho pasar inadvertido a los ojos de la tripulación. Me abrí camino sin dificultad hasta la escotilla principal, que se hallaba parcialmente abierta, y no tardé en encontrar una oportunidad de esconderme en la cala. No podría explicar la razón de mi conducta. Quizá se debiera al sentimiento de temor que desde el primer momento me habían inspirado los tripulantes de aquel buque, No me atrevía a confiarme a individuos que, después de la rápida ojeada que había podido echarles, me producían tanta extrañeza como duda y aprensión. Me pareció mejor, pues, buscar un escondrijo en la cala. Pronto lo hallé removiendo una pequeña parte de la armazón movible, de manera de asegurarme un lugar adecuado entre las enormes cuadernas del navío.

Apenas había completado mi trabajo, cuando unos pasos en la cala me obligaron a hacer uso del mismo. Desde mi refugio vi venir a un hombre que se movía con pasos débiles e inseguros. No le vi la cara, pero pude observar su apariencia general. En toda su persona se notaban las huellas de una avanzada edad. Le temblaban las rodillas bajo el peso de los años y su cuerpo parecía agobiado por aquella carga. Hablaba consigo mismo, murmurando en voz baja y entrecortada unas palabras de un idioma que no pude comprender, y anduvo tanteando en un rincón entre una pila de singulares instrumentos y viejas cartas de navegación. En su actitud había una extraña mezcla del malhumor de la segunda infancia con la solemne dignidad de un dios. Por fin volvió a subir al puente y no lo vi más.

Un sentimiento para el cual no encuentro nombre se ha posesionado de mi alma; es una sensación que no admite análisis, frente a la cual las lecciones de tiempos pasados no me sirven y cuya clave me temo que no me será dada por el futuro. Para una mente constituida como la mía, esta última consideración es un tormento. Nunca, sé que nunca llegaré a conocer la naturaleza de mis concepciones. Y sin embargo no es de asombrarme que esas concepciones sean indefinidas, puesto que se originan en fuentes tan extraordinariamente nuevas. Un nuevo sentido, una nueva entidad se incorpora a mi alma.

Hace ya mucho que subí por primera vez al puente de este terrible navío y pienso que los rayos de mi destino se están concentrando en un foco. ¡Hombres incomprensibles! Envueltos en meditaciones cuya especie no alcanzo a adivinar, pasan a mi lado sin reparar en mí. Ocultarme es una completa locura, pues esa gente *no quiere ver.* Hace apenas un instante que pasé delante de los ojos del segundo; no hace mucho que me aventuré en el camarote privado del capitán y tomé de allí los materiales con que escribo esto y lo que antecede. De tiempo en tiempo seguiré redactando este diario. Cierto que puedo no encontrar oportunidad de darlo a conocer al mundo, pero no dejaré de intentarlo. En el último momento encerraré el manuscrito en una botella y lo arrojaré al mar.

Un incidente ocurrido me ha dado nuevos motivos de meditación. ¿Ocurren estas cosas por la operación de un azar ingobernado? Había subido a cubierta y estaba tendido, sin llamar la atención, en una pila de frenillos y viejas velas depositadas en el fondo de un bote. Mientras pensaba en la singularidad de mi destino iba pintarrajeando inadvertidamente con un pincel lleno de brea los bordes de un ala de trinquete que aparecía cuidadosamente doblada sobre un barril a mi lado. La vela está ahora tendida y los toques irreflexivos del pincel se despliegan formando la palabra «descubrimiento».

En este último tiempo he hecho muchas observaciones sobre la estructura del navío. Aunque bien armado, no me parece que se trate de un barco de guerra. Sus jarcias, construcción y equipo contradicen una suposición semejante. Puedo percibir fácilmente lo que el barco *no es;* me temo que no puedo decir lo que *es*. No sé cómo, pero al escrutar su extraño modelo y su tipo de mástiles, su enorme tamaño y su extraordinario velamen, su proa severamente sencilla y su anticuada popa, por momentos cruza por mi mente una sensación de cosas familiares; y con esa imprecisa sombra de recuerdo se mezcla siempre una inexplicable remembranza de antiguas crónicas extranjeras y de edades remotas.

Estuve mirando el maderamen del navío. Está construido con un material que desconozco. Hay en la madera algo extraño que me da la impresión de que no se aplica al propósito a que ha sido destinada. Aludo a su extrema *porosidad,* que no tiene nada que ver con los daños causados por los gusanos, lo cual es consecuencia de la navegación en estos mares, y con la podredumbre resultante de su edad. Parecerá quizá que esta observación es excesivamente curiosa, pero dicha madera tendría todas las características del roble español, si el roble español fuera dilatado por medios artificiales.

Al leer la frase que antecede viene a mi recuerdo un extraño dicho de un viejo lobo de mar holandés: «Tan seguro es –afirmaba siempre que alguien ponía en duda su veracidad– como que hay un mar donde los barcos crecen como el cuerpo viviente de un marino».

Hace unas horas me mostré lo bastante osado como para mezclarme con un grupo de tripulantes. No me prestaron la menor atención y, aunque me hallaba en medio de ellos, no dieron ninguna señal de haber reparado en mi presencia. Al igual que el primero que había visto en la cala, todos mostraban señales de una avanzada edad. Sus rodillas achacosas temblaban, sus hombros se doblaban de decrepitud, su piel arrugada temblaba bajo el viento; hablaban con voces bajas, trémulas, quebradas; en sus ojos brillaba el humor de la vejez y sus grises cabellos se agitaban terriblemente en la tempestad. Alrededor, en toda la cubierta, yacían esparcidos instrumentos matemáticos de la más extraña y anticuada construcción.

Mencioné hace algún tiempo que un ala del trinquete había sido izada. Desde ese momento, arrebatado por el viento el navío ha seguido su aterradora carrera hacia el sur, con todo el trapo desplegado desde la punta de los mástiles hasta los botalones inferiores, hundiendo a cada momento los penoles de las vergas del juanete en el más espantoso infierno de agua que imaginación humana alcance a concebir. Acabo de abandonar el puente, donde me es imposible mantenerme de pie aunque la tripulación no parece experimentar inconveniente alguno. Para mí es un milagro de milagros que nuestra enorme masa no sea tragada de una vez y para siempre. Seguramente estamos destinados a rondar continuamente al borde de la eternidad, sin precipitarnos por fin en el abismo. Pasamos a través de olas mil veces más gigantescas que las que he visto jamás, con la facilidad de una gaviota; las colosales aguas alzan sus cabezas sobre nosotros como demonios de la profundidad, pero son demonios limitados a simples amenazas y a quienes se les ha prohibido destruir. Me siento inclinado a atribuir esta continua sobrevivencia a la única causa natural que puede explicar semejante efecto. Supongo que el barco está sometido a la influencia de alguna poderosa corriente, o de una impetuosa resaca.

He visto al capitán cara a cara, en su propia cabina; pero, como lo suponía, no me prestó la menor atención. Aunque para un observador casual nada hay en su apariencia que pueda parecer por encima o por debajo de lo humano, un sentimiento de incontenible reverencia y temor se mezcló al asombro con que lo contemplaba. Tiene casi mi estatura, es decir, cinco pies ocho pulgadas. Su cuerpo es proporcionado y sólido, sin ser especialmente robusto ni destacarse en nada. Mas la singularidad de su expresión, la intensa, la asombrosa, la estremecedora evidencia de una vejez tan grande, tan absoluta, dominó mi espíritu con una sensación, con un sentimiento inefable. Aunque poco arrugada, su frente parece soportar el sello de una miríada de años. Sus cabellos grises son crónicas del pasado, y sus ojos, aún más grises, son sibilas del futuro. El piso del camarote estaba cubierto de extraños infolios con broches de hierro, estropeados instrumentos científicos y viejísimas cartas de navegación fuera de uso. El capitán apoyaba la cabeza en las manos, mientras contemplaba con llameantes e inquietos ojos un papel que tomé por una comisión, y que en todo caso ostentaba la firma de un monarca. Murmuraba para sí mismo, como lo había hecho el primer marinero a quien vi en la cala, palabras confusas y malhumoradas en un idioma extranjero, y, aunque estaba a un paso de mí, su voz parecía llegar a mis oídos desde una milla.

El barco y todo lo que contiene está impregnado por el espíritu de la Vejez. La tripulación se desliza de aquí para allá, como los fantasmas de siglos sepultados; sus ojos reflejan un pensar ansioso e intranquilo; y cuando sus dedos se iluminan bajo el extraño resplandor de las linternas de combate, me siento como no me he sentido jamás, aunque durante toda mi vida me interesaron las antigüedades y me saturé con las sombras de rotas columnas en Baalbek, en Tadmor y en Persépolis, hasta que mi propia alma se convirtió en una ruina.

Al mirar en torno, me avergüenzo de mis anteriores aprensiones. Si temblé ante el huracán que nos ha perseguido hasta ahora, ¿cómo no quedar transido de horror frente al asalto de un viento y un océano para los cuales las palabras tornado y tempestad resultan triviales e ineficaces? En la vecindad inmediata del navío reina la tiniebla de la noche eterna y un caos de agua sin espuma; pero a una legua, a cada lado, alcanzan a verse a intervalos y borrosamente gigantescas murallas de hielo que se alzan hasta el desolado cielo y que parecen las paredes del universo.

Tal como imaginaba, no hay duda de que el navío está en una corriente –si cabe dar semejante nombre a una marea que, aullando y clamando entre las paredes de blanco hielo, corre hacia el sur con la resonancia de un trueno y la velocidad de una catarata cayendo a pico.

Supongo que es absolutamente imposible concebir el horror de mis sensaciones; sin embargo, sobre mi desesperación predomina la curiosidad de penetrar en los misterios de estas horribles regiones, y me reconcilia con la más atroz apariencia de la muerte. Es evidente que nos precipitamos hacia algún apasionante descubrimiento, un secreto incomunicable cuyo conocimiento entraña la destrucción. Quizá esta corriente nos lleva hacia el Polo Sur mismo. Preciso es confesar que una suposición tan desorbitada en apariencia tiene todas las probabilidades a su favor.

La tripulación recorre el puente con pasos inquietos y vacilantes; pero noto en sus fisonomías una expresión donde el ardor de la esperanza sobrepasa la apatía de la desesperación.

El viento sigue, entretanto, de popa, y como llevamos desplegadas todas las velas, hay momentos en que el barco se ve levantado sobre el mar. ¡Oh, horror de horrores! ¡El hielo acaba de abrirse a la derecha y a la izquierda, y estamos girando vertiginosamente, en inmensos círculos concéntricos, bordeando un gigantesco anfiteatro, cuyas paredes se pierden hacia arriba en la oscuridad y la distancia! ¡Pero poco tiempo me queda para pensar en mi destino! Los círculos se están reduciendo rápidamente..., nos precipitarnos en el torbellino... y entre el rugir, el aullar y el tronar del océano y la tempestad el barco se estremece... ¡oh, Dios..., y se hunde!...

NOTA. El «Manuscrito hallado en una botella» se publicó por primera vez en 1831; pasaron muchos años antes de que llegaran a mi conocimiento los mapas de Mercator, en los cuales se representa al océano como precipitándose por cuatro bocas en el golfo Polar (Norte), para ser absorbido por las entrañas de la tierra. El Polo aparece representado por una roca negra, que se eleva a una altura prodigiosa. E. A. P.

EL GATO NEGRO

Comentario de Andrea Maturana

Soy una persona con un gran sentido de la responsabilidad y rara vez olvido cosas a las que me he comprometido. De modo que no puedo evitar preguntarme por qué, teniendo más que suficiente tiempo para hacerlo, olvidé que me había comprometido a escribir la presentación de este cuento hasta que ya tengo el plazo de entrega sobre las narices. Puede ser ruin culpar a alguien que ya no existe, pero me atrevo a aventurar que la culpa la tiene una niña de dieciséis años que se llama igual que yo y que vive en alguna parte de mí. Esa niña se leyó «El gato negro» y se acuerda perfectamente dónde: en Londres, durante un viaje triste en el que estaba muy sola. Se acuerda también de que lo leyó de noche, y de que una vez terminado no pudo cerrar los ojos; de que las imágenes e inflexiones de esta historia la persiguieron una noche tras otra, por mucho tiempo. Se pasó noches alucinando con un relato que rayaba en la locura, en el filo del terror de la realidad *posible*. Esa niña ya escribía cuentos, ya leía mucho, y sabía perfectamente que estaba frente a un maestro del terror.

Es precisamente esa niña la que no quería volver a leer el cuento, ni volver a pasar por las sensaciones por las que pasó, ni volver a tener pesadillas recurrentes con un gato que era mucho más que un gato. Sin embargo, se impuso la adulta responsable y terminé leyendo el cuento, aunque esta vez de día y un poco como de soslayo para no tener que hundirme en él como ya me hundí una vez.

La niña no se equivocaba: Poe es un maestro del terror. Tampoco es primicia decirlo, pero es interesante leerlo con ojo crítico y preguntarse qué es lo que hace de este cuento un cuento estremecedor, terrible y un poco enloquecedor. Porque el cuento tiene elementos que podrían atentar contra la posibilidad de zambullirse en él perdiendo toda objetividad.

El cuento comienza así: «No espero ni pido que alguien crea en el extraño aunque simple relato que me dispongo a escribir. Loco estaría si lo esperara, cuando mis sentidos rechazan su propia existencia».

Este narrador, que inmediatamente resalta porque escribe en primera persona y abre el cuento sembrando la duda sobre lo que va a contar, podría resultar contraproducente. Es un narrador que cada cierto tiempo vuelve a sí mismo con obstinación, interrumpiendo el relato con descripciones de su estado mental que además nombra obsesivamente. Es un narrador que, en cierta medida, «opina» o «nombra de más» cosas a las que podría aludir más indirectamente, o dejar que el lector las dedujera a través de sus acciones, y así quizás involucrarlo más. Dice: «desde la infancia me destaqué por la docilidad y bondad de mi carácter» y luego «mi temperamento y mi carácter se alteraron radicalmente por culpa del demonio». Cosas que fuera de contexto parecen hasta risibles, pero que gracias a la maestría de Poe, el efecto que tienen sobre el lector es que de alguna manera, sin que uno se dé mucha cuenta, lo van arrastrando lentamente hacia la locura del narrador... *junto con* el narrador. Y asimismo, sin notarlo, uno se ve sumergido en el mundo distorsionado y delirante del personaje, con sus miedos, sus paranoias y los extraños sucesos que comienzan a sucederse a su alrededor.

Otro elemento curioso son los énfasis que Poe insiste en incluir como parte del cuento. Una y otra vez destaca ciertas cosas en itálicas, en general palabras o frases cortas, que de nuevo nos recuerdan que hay alguien detrás del cuento, y que este alguien quiere llevar nuestra atención a ciertas palabras, a ciertos sucesos. Esto podría, una vez más, sacarnos de cuajo del cuento, incluso aburrirnos, hacernos sentir que el narrador, o hasta el escritor, vuelven a su protagonismo en desmedro de la historia que están narrando. Sin embargo, esto no sucede. Estos énfasis deliberados se van convirtiendo, sin tener ni que mencionarlo, en las obsesiones del narrador, en señales de los desvaríos de su mente. De alguna manera hasta nos sobresaltan como lo hacían, cuando éramos pequeños, las voces de los niños que, iluminándose la cara de abajo hacia arriba con una linterna, nos contaban historias de terror en medio de un campamento nocturno y de pronto, en medio de un momento tenso, lanzaban un grito o decían una palabra súbitamente y a mucho volumen, y todos saltábamos de nuestros asientos. Sólo que Poe es mucho más sutil, porque pareciera que este cuento está relatado en susurros. Que hasta las palabras destacadas son susurros, sólo que susurros que nos ponen la carne de gallina, que tienen un significado perverso y oculto detrás de palabras simples como «hombre», o «gato». Ese *hombre* y ese *gato* en itálicas, en la primera página, son presentados como elementos mucho más complejos que un hombre y un gato, sin duda, y el que aparezcan destacados sólo suma misterio e incertidumbre a su esencia.

Otra de las muestras de maestría de Poe, al menos en este cuento, es que todas las cosas estremecedoras que suceden, aunque a veces sean algo improbables, son «posibles». No hay monstruos que salen de las alcantarillas ni extrañas conversiones en criaturas inexistentes. Hay un hombre, una mujer, un gato negro. Hay la transformación de un hombre, una atracción estremecedora hacia la maldad y la crueldad sin mayores motivos: por el alcohol, por el simple hecho de enloquecer. Hay morbosidad, pero muy humana; hay violencia innecesaria, muy humana también. A fin de cuentas lo estremecedor de este relato tiene totalmente que ver con las posibilidades de la *perversión,* y esa perversión y crueldad no son más que una opción latente dentro de todos nosotros: una opción más. Todo el tiempo, en cada momento, podríamos elegir tomarla; y las cosas que son así, una opción solamente, nos hacen relacionarnos con la probabilidad de su ocurrencia, con la fragilidad de un estado que hoy nos parece el único posible y, sin embargo, no lo es: el de la salud mental, el de la claridad, el del discernimiento entre lo que está «bien» y lo que está «mal». Y más aún, el narrador/personaje parece arrastrado a su destino *a pesar de* tener claro que está derrapando en el borde de lo insano y lo perverso. No puede evitarlo, es una pulsión más fuerte que su noción de lo que correspondería hacer.

Y luego viene algo que no es sino la ley de la vida y que está explicitado en el relato como «no incurriré en la debilidad de establecer una relación de causa y efecto entre el desastre y mi criminal acción». Si bien el narrador se niega a «incurrir en esa debilidad», los sucesos van ligados con su consecuencia, y los actos de crueldad y violencia desatados del narrador van a tener, a lo largo del cuento, consecuencias nefastas para él, aunque si uno quiere podrían ser considerados simplemente «una cadena de hechos», que es lo que el narrador, fuera del juicio de valor, pretende relatar. Nosotros, como lectores, de todas formas logramos ver una perversa «devolución de mano» de la vida, personificada en un gato negro que, aunque tiene asociados símbolos relacionados con el diablo, la mala suerte y otros, no es más que un animal también, un ser que no incurre en las perversiones de la mente del hombre pero sabe de qué escapar y en qué quedarse. Un gato que se hace a veces noble y a veces abominable y que al final no sabemos ya qué es, porque está cargado con toda la locura de lo que va pasando a su alrededor, en particular en la mente del narrador.

De hecho, el gato hasta podría no existir, porque pasa a representar la conciencia del narrador, de algún modo. Es el espejo que le devuelve la imagen de sus acciones, y el narrador pone en él aquello que lo llevará a pagar por su crimen. El gato lo atormenta y no lo deja dormir de la misma forma en como nos atormenta nuestra propia mente, y sólo la ausencia del animal le permite al personaje conciliar el sueño y llegar a una paz aparente. Pero es sólo aparente: el gato, como la mente, no tiene descanso, ni muerte posible. Cuando pareciera que ha muerto, simplemente se ha transformado en otro, en otra cosa, porque (al igual que la mente) no parará de atormentar al perpetrador hasta delatarlo o enloquecerlo. O ambas cosas. Entonces lo mismo da que creamos o no en la maldad del gato: el cuento es inquietante de todos modos y se nos mete en el sistema sin que nos demos cuenta hasta que estamos totalmente involucrados. A fin de cuentas todos tenemos adentro un gato negro que transmuta y nos recuerda lo que hemos dicho, lo que hemos hecho.

Ya no tengo dieciséis años, y esta vez pude leerlo con distancia y cierta objetividad (y precaución quizás), pero el cuento que una vez me quitó el sueño sigue siendo el mismo cuento. Y tiene la particularidad de que es un relato posible, un relato también «humano». No se necesita ser experta en el género del terror para notar cuán perturbador puede ser este cuento, que en la medida que nos queda tan cerca también podría ocurrir en la casa del lado, o quien sabe si hasta en la nuestra propia: un hombre, una mujer, un gato…

EL GATO NEGRO

No espero ni pido que alguien crea en el extraño aunque simple relato que me dispongo a escribir. Loco estaría si lo esperara, cuando mis sentidos rechazan su propia evidencia. Pero no estoy loco y sé muy bien que esto no es un sueño. Mañana voy a morir y quisiera aliviar hoy mi alma. Mi propósito inmediato consiste en poner de manifiesto, simple, sucintamente y sin comentarios, una serie de episodios domésticos. Las consecuencias de esos episodios me han aterrorizado, me han torturado y, por fin, me han destruido. Pero no intentaré explicarlos. Si para mí han sido horribles, para otros resultarán menos espantosos que *baroques*. Más adelante, tal vez, aparecerá alguien cuya inteligencia reduzca mis fantasmas a lugares comunes; una inteligencia más serena, más lógica y mucho menos excitable que la mía, capaz de ver en las circunstancias que temerosamente describiré, una vulgar sucesión de causas y efectos naturales.

Desde la infancia me destaqué por la docilidad y bondad de mi carácter. La ternura que abrigaba mi corazón era tan grande que llegaba a convertirme en objeto de burla para mis compañeros. Me gustaban especialmente los animales, y mis padres me permitían tener una gran variedad. Pasaba a su lado la mayor parte del tiempo, y jamás me sentía más feliz que cuando les daba de comer y los acariciaba. Este rasgo de mi carácter creció conmigo y, cuando llegué a la virilidad, se convirtió en una de mis principales fuentes de placer. Aquellos que alguna vez han experimentado cariño hacia un perro fiel y sagaz no necesitan que me moleste en explicarles la naturaleza o la intensidad de la retribución que recibía. Hay algo en el generoso y abnegado amor de un animal que llega directamente al corazón de aquel que con frecuencia ha probado la falsa amistad y la frágil fidelidad del *hombre*.

Me casé joven y tuve la alegría de que mi esposa compartiera mis preferencias. Al observar mi gusto por los animales domésticos, no perdía oportunidad de procurarme los más agradables de entre ellos. Teníamos pájaros, peces de colores, un hermoso perro, conejos, un monito y *un gato.*

Este último era un animal de notable tamaño y hermosura, completamente negro y de una sagacidad asombrosa. Al referirse a su inteligencia, mi mujer, que en el fondo era no poco supersticiosa, aludía con frecuencia a la antigua creencia popular de que todos los gatos negros son brujas metamorfoseadas. No quiero decir que lo creyera seriamente, y sólo menciono la cosa porque acabo de recordarla.

Plutón –tal era el nombre del gato– se había convertido en mi favorito y mi camarada. Sólo yo le daba de comer y él me seguía por todas partes en casa. Me costaba mucho impedir que anduviera tras de mí en la calle.

Nuestra amistad duró así varios años, en el curso de los cuales (enrojezco al confesarlo) mi temperamento y mi carácter se alteraron radicalmente por culpa del demonio. Intemperancia. Día a día me fui volviendo más melancólico, irritable e indiferente hacia los sentimientos ajenos. Llegué, incluso, a hablar descomedidamente a mi mujer y terminé por infligirle violencias personales. Mis favoritos, claro está, sintieron igualmente el cambio de mi carácter. No sólo los descuidaba, sino que llegué a hacerles daño. Hacia *Plutón,* sin embargo, conservé suficiente consideración como para abstenerme de maltratarlo, cosa que hacía con los conejos, el mono y hasta el perro cuando, por casualidad o movidos por el afecto, se cruzaban en mi camino. Mi enfermedad, empero, se agravaba –pues, ¿qué enfermedad es comparable al alcohol?–, y finalmente el mismo *Plutón,* que ya estaba viejo y, por tanto, algo enojadizo, empezó a sufrir las consecuencias de mi mal humor.

Una noche en que volvía a casa completamente embriagado, después de una de mis correrías por la ciudad, me pareció que el gato evitaba mi presencia. Lo alcé en brazos, pero, asustado por mi violencia, me mordió ligeramente en la mano. Al punto se apoderó de mí una furia demoniaca y ya no supe lo que hacía. Fue como si la raíz de mi alma se separara de golpe de mi cuerpo; una maldad más que diabólica, alimentada por la ginebra, estremeció cada fibra de mi ser. Sacando del bolsillo del chaleco un cortaplumas, lo abrí mientras sujetaba al pobre animal por el pescuezo y, deliberadamente, le hice saltar un ojo. Enrojezco, me abraso, tiemblo mientras escribo tan condenable atrocidad.

Cuando la razón retornó con la mañana, cuando hube disipado en el sueño los vapores de la orgía nocturna, sentí que el horror se mezclaba con el remordimiento ante el crimen cometido; pero mi sentimiento era débil y ambiguo, no alcanzaba a interesar al alma. Una vez más me hundí en los excesos y muy pronto ahogué en vino los recuerdos de lo sucedido.

El gato, entretanto, mejoraba poco a poco. Cierto que la órbita donde faltaba el ojo presentaba un horrible aspecto, pero el animal no parecía sufrir ya. Se paseaba, como de costumbre, por la casa, aunque, como es de imaginar, huía aterrorizado al verme. Me quedaba aún bastante de mi antigua manera de ser para sentirme agraviado por la evidente antipatía de un animal que alguna vez me ha querido tanto. Pero ese sentimiento no tardó en ceder paso a la irritación. Y entonces, para mi caída final e irrevocable, se presentó el espíritu de la PERVERSIDAD. La filosofía no tiene en cuenta a este espíritu; y, sin embargo, tan seguro estoy de que mi alma existe como de que la perversidad es uno de los impulsos primordiales del corazón humano, una de las facultades primarias indivisibles, uno de esos sentimientos que dirigen el carácter del hombre. ¿Quién no se ha sorprendido a sí mismo cien veces en momentos en que cometía una acción tonta o malvada por la simple razón de que *no debía* cometerla? ¿No hay en nosotros una tendencia permanente, que enfrenta descaradamente al buen sentido, una tendencia a transgredir lo que constituye *la Ley* por el solo hecho de serlo? Este espíritu de perversidad se presentó, como he dicho, en mi caída final. Y el insondable anhelo que tenía mi alma de *vejarse a sí misma,* de violentar su propia naturaleza, de hacer mal por el mal mismo, me incitó a continuar y, finalmente, a consumar el suplicio que había infligido a la inocente bestia. Una mañana, obrando a sangre fría, le pasé un lazo por el pescuezo y lo ahorqué en la rama de un árbol; lo ahorqué mientras las lágrimas manaban de mis ojos y el más amargo remordimiento me apretaba el corazón; lo ahorqué *porque* recordaba que me había querido y *porque* estaba seguro de que no me había dado motivo para matarlo; lo *ahorqué porque* sabía que, al hacerlo, cometía un pecado, un pecado mortal que comprometería mi alma hasta llevarla –si ello fuera posible– más allá del alcance de la infinita misericordia del Dios más misericordioso y más terrible.

La noche de aquel mismo día en que cometí tan cruel acción me despertaron gritos de: «¡Incendio!». Las cortinas de mi cama eran una llama viva y toda la casa estaba ardiendo. Con gran dificultad pudimos escapar de la conflagración mi mujer, un sirviente y yo.

Todo quedó destruido. Mis bienes terrenales se perdieron y desde ese momento tuve que resignarme a la desesperanza.

No incurriré en la debilidad de establecer una relación de causa y efecto entre el desastre y mi criminal acción. Pero estoy detallando una cadena de hechos y no quiero dejar ningún eslabón incompleto. Al día siguiente del incendio acudí a visitar las ruinas. Salvo una, las paredes se habían desplomado. La que quedaba en pie era un tabique divisorio de poco espesor, situado en el centro de la casa, y contra el cual se apoyaba antes la cabecera de mi lecho. El enlucido había quedado a salvo de la acción del fuego, cosa que atribuí a su reciente aplicación. Una densa muchedumbre habíase reunido frente a la pared y varias personas parecían examinar parte de la misma con gran atención y detalle. Las palabras «¡extraño!, ¡curioso!» y otras similares excitaron mi curiosidad. Al aproximarme vi que en la blanca superficie, grabada como un bajorrelieve, aparecía la imagen de un gigantesco *gato*. El contorno tenía una nitidez verdaderamente maravillosa. Había una soga alrededor del pescuezo del animal.

Al descubrir esta aparición –ya que no podía considerarla otra cosa– me sentí dominado por el asombro y el terror. Pero la reflexión vino luego en mi ayuda. Recordé que había ahorcado al gato en un jardín contiguo a la casa. Al producirse la alarma del incendio, la multitud había invadido inmediatamente el jardín: alguien debió de cortar la soga y tirar al gato en mi habitación por la ventana abierta. Sin duda, habían tratado de despertarme en esa forma. Probablemente la caída de las paredes comprimió a la víctima de mi crueldad contra el enlucido recién aplicado, cuya cal, junto con la acción de las llamas y el amoniaco del cadáver, produjo la imagen que acababa de ver.

Si bien en esta forma quedó satisfecha mi razón, ya que no mi conciencia, sobre el extraño episodio, lo ocurrido impresionó profundamente mi imaginación. Durante muchos meses no pude librarme del fantasma del gato, y en todo ese tiempo dominó mi espíritu un sentimiento informe que se parecía, sin serlo, al remordimiento. Llegué al punto de lamentar la pérdida del animal y buscar, en los viles antros que habitualmente frecuentaba, algún otro de la misma especie y apariencia que pudiera ocupar su lugar.

Una noche en que, borracho a medias, me hallaba en una taberna más que infame, reclamó mi atención algo negro posado sobre uno de los enormes toneles de ginebra que constituían el principal moblaje del lugar. Durante algunos minutos había estado mirando dicho tonel y me sorprendió no haber advertido antes la presencia de la mancha negra en lo alto. Me aproximé y la toqué con la mano. Era una gato negro muy grande, tan grande como *Plutón* y absolutamente igual a este, salvo un detalle: *Plutón* no tenía el menor pelo blanco en el cuerpo, mientras este gato mostraba una vasta aunque indefinida mancha blanca que le cubría casi todo el pecho.

Al sentirse acariciado se enderezó prontamente, ronroneando con fuerza, se frotó contra mi mano y pareció encantado de mis atenciones. Acababa, pues, de encontrar el animal que precisamente andaba buscando. De inmediato, propuse su compra al tabernero, pero me contestó que el animal no era suyo y que jamás lo había visto antes ni sabía nada de él.

Continué acariciando al gato y, cuando me disponía a volver a casa, el animal pareció dispuesto a acompañarme. Le permití que lo hiciera, deteniéndome una y otra vez para inclinarme y acariciarlo. Cuando estuvo en casa, se acostumbró a ella de inmediato y se convirtió en el gran favorito de mi mujer.

Por mi parte, pronto sentí nacer en mí una antipatía hacia aquel animal. Era exactamente lo contrario de lo que había anticipado, pero –sin que pueda decir cómo ni por qué– su marcado cariño por mí me disgustaba y me fatigaba. Gradualmente, el sentimiento de disgusto y fatiga creció hasta alcanzar la amargura del odio. Evitaba encontrarme con el animal; un resto de vergüenza y el recuerdo de mi crueldad de antaño me vedaban maltratarlo. Durante algunas semanas me abstuve de pegarle o de hacerle víctima de cualquier violencia; pero gradualmente –muy gradualmente– llegué a mirarlo con inexpresable odio y a huir en silencio de su detestable presencia, como si fuera una emanación de la peste.

Lo que, sin duda, contribuyó a aumentar mi odio fue descubrir, a la mañana siguiente de haberlo traído a casa, que aquel gato, igual que *Plutón,* era tuerto. Esta circunstancia fue precisamente la que le hizo más grato a mi mujer, quien, como ya dije, poseía en alto grado esos sentimientos humanitarios que alguna vez habían sido mi rasgo distintivo y la fuente de mis placeres más simples y más puros.

El cariño del gato por mí parecía aumentar en el mismo grado que mi aversión. Seguía mis pasos con una pertinacia que me costaría hacer entender al lector. Dondequiera que me sentara venía a ovillarse bajo mi silla o saltaba a mis rodillas, prodigándome sus odiosas caricias. Si echaba a caminar, se metía entre mis pies, amenazando con hacerme caer, o bien clavaba sus largas y afiladas uñas en mis ropas, para poder trepar hasta mi pecho. En esos momentos, aunque ansiaba aniquilarlo de un solo golpe, me sentía paralizado por el recuerdo de mi primer crimen, pero sobre todo –quiero confesarlo ahora mismo– por un espantoso *temor* al animal.

Aquel temor no era precisamente miedo de un mal físico y, sin embargo, me sería imposible definirlo de otra manera. Me siento casi avergonzado de reconocer –sí, aún en esta celda de criminales me siento casi avergonzado de reconocer que el terror, el espanto que aquel animal me inspiraba, era intensificado por una de las más insensatas quimeras que sería dado concebir–. Más de una vez mi mujer me había llamado la atención sobre la forma de la mancha blanca de la cual ya he hablado, y que constituía la única diferencia entre el extraño animal y el que yo había matado. El lector recordará que esta mancha, aunque grande, me había parecido al principio de forma indefinida; pero gradualmente, de manera tan imperceptible que mi razón luchó durante largo tiempo por rechazarla como fantástica, la mancha fue asumiendo un contorno de rigurosa precisión. Representaba ahora algo que me estremezco al nombrar, y por ello odiaba, temía y hubiera querido librarme del monstruo *si hubiese sido capaz de atreverme;* representaba, digo, la imagen de una cosa atroz, siniestra..., ¡la imagen del PATÍBULO! ;Oh lúgubre y terrible máquina del horror y del crimen, de la agonía y de la muerte!

Me sentí entonces más miserable que todas las miserias humanas. ¡Pensar que una *bestia,* cuyo semejante había yo destruido desdeñosamente, una *bestia* era capaz de producir tan insoportable angustia en un hombre creado a imagen y semejanza de Dios! ¡Ay, ni de día ni de noche pude ya gozar de la bendición del reposo! De día, aquella criatura no me dejaba un instante solo; de noche, despertaba hora a hora de los más horrorosos sueños, para sentir el ardiente aliento de *la cosa* en mi rostro y su terrible peso –pesadilla encarnada de la que no me era posible desprenderme– apoyado eternamente sobre *mi corazón.*

Bajo el agobio de tormentos semejantes, sucumbió en mí lo poco que me quedaba de bueno. Sólo los malos pensamientos disfrutaban ya de mi intimidad; los más tenebrosos, los más perversos pensamientos. La melancolía habitual de mi humor creció hasta convertirse en aborrecimiento de todo lo que me rodeaba y de la entera humanidad; y mi pobre mujer, que de nada se quejaba, llegó a ser la habitual y paciente víctima de los repentinos y frecuentes arrebatos de ciega cólera a que me abandonaba.

Cierto día, para cumplir una tarea doméstica, me acompañó al sótano de la vieja casa donde nuestra pobreza nos obligaba a vivir. El gato me siguió mientras bajaba la empinada escalera y estuvo a punto de tirarme cabeza abajo, lo cual me exasperó hasta la locura. Alzando un hacha y olvidando en mi rabia los pueriles temores que hasta entonces habían detenido mi mano, descargué un golpe que hubiera matado instantáneamente al animal de haberlo alcanzado. Pero la mano de mi mujer detuvo su trayectoria. Entonces, llevado por su intervención a una rabia más que demoniaca, me zafé de su abrazo y le hundí el hacha en la cabeza. Sin un solo quejido, cayó muerta a mis pies.

Cumplido este espantoso asesinato, me entregué al punto y con toda sangre fría a la tarea de ocultar el cadáver. Sabía que era imposible sacarlo de casa, tanto de día como de noche, sin correr el riesgo de que algún vecino me observara. Diversos proyectos cruzaron mi mente. Por un momento pensé en descuartizar el cuerpo y quemar los pedazos. Luego se me ocurrió cavar una tumba en el piso del sótano. Pensé también si no convenía arrojar el cuerpo al pozo del patio o meterlo en un cajón, como si se tratara de una mercadería común, y llamar a un mozo de cordel para que lo retirara de casa. Pero, al fin, di con lo que me pareció el mejor expediente y decidí emparedar el cadáver en el sótano, tal como se dice que los monjes de la Edad Media emparedaban a sus víctimas.

El sótano se adaptaba bien a este propósito. Sus muros eran de material poco resistente y estaban recién revocados con un mortero ordinario, que la humedad de la atmósfera no había dejado endurecer. Además, en una de las paredes se veía la saliencia de una falsa chimenea, la cual había sido rellenada y tratada de manera semejante al resto del sótano. Sin lugar a dudas, sería muy fácil sacar los ladrillos en esa parte, introducir el cadáver y tapar el agujero como antes, de manera que ninguna mirada pudiese descubrir algo sospechoso.

No me equivocaba en mis cálculos. Fácilmente saqué los ladrillos con ayuda de una palanca y, luego de colocar cuidadosamente el cuerpo contra la pared interna, lo mantuve en esa posición mientras aplicaba de nuevo la mampostería en su forma original. Después de procurarme argamasa, arena y cerda, preparé un enlucido que no se distinguía del anterior, y revoqué cuidadosamente el nuevo enladrillado. Concluida la tarea, me sentí seguro de que todo estaba bien. La pared no mostraba la menor señal de haber sido tocada. Había barrido hasta el menor fragmento de material suelto. Miré en torno, triunfante, y me dije: «Aquí, por lo menos, no he trabajado en vano».

Mi paso siguiente consistió en buscar a la bestia causante de tanta desgracia, pues al final me había decidido a matarla. Si en aquel momento el gato hubiera surgido ante mí, su destino habría quedado sellado, pero, por lo visto, el astuto animal, alarmado por la violencia de mi primer acceso de cólera, se cuidaba de aparecer mientras no cambiara mi humor. Imposible describir o imaginar el profundo, el maravilloso alivio que la ausencia de la detestada criatura trajo a mi pecho. No se presentó aquella noche, y así, por primera vez desde su llegada a la casa, pude dormir profunda y tranquilamente, sí, pude *dormir,* aun con el peso del crimen sobre mi alma.

Pasaron el segundo y el tercer día y mi atormentador no volvía. Una vez más respiré como un hombre libre. ¡Aterrado, el monstruo había huido de casa para siempre! ¡Ya no volvería a contemplarlo! Gozaba de una suprema felicidad, y la culpa de mi negra acción me preocupaba muy poco. Se practicaron algunas averiguaciones, a las que no me costó mucho responder. Incluso hubo una perquisición en la casa; pero, naturalmente, no se descubrió nada. Mi tranquilidad futura me parecía asegurada.

Al cuarto día del asesinato, un grupo de policías se presentó inesperadamente y procedió a una nueva y rigurosa inspección. Convencido de que mi escondrijo era impenetrable, no sentí la más leve inquietud. Los oficiales me pidieron que los acompañara en su examen. No dejaron hueco ni rincón sin revisar. Al final, por tercera o cuarta vez, bajaron al sótano. Los seguí sin que me temblara un solo músculo. Mi corazón latía tranquilamente, como el de aquel que duerme en la inocencia. Me paseé de un lado al otro del sótano. Había cruzado los brazos sobre el pecho y andaba tranquilamente de aquí para allá. Los policías estaban completamente satisfechos y se disponían a marcharse. La alegría de mi corazón era demasiado grande para reprimirla. Ardía en deseos de decirles, por lo menos, una palabra como prueba de triunfo y confirmar doblemente mi inocencia.

–Caballeros –dije, por fin, cuando el grupo subía la escalera–, me alegro mucho de haber disipado sus sospechas. Les deseo felicidad y un poco más de cortesía. Dicho sea de paso, caballeros, esta casa está muy bien construida... (En mi frenético deseo de decir alguna cosa con naturalidad, casi no me daba cuenta de mis palabras.) Repito que es una casa de *excelente* construcción. Estas paredes... ¿ya se marchan ustedes, caballeros?... tienen una gran solidez.

Y entonces, arrastrado por mis propias bravatas, golpeé fuertemente con el bastón que llevaba en la mano sobre la pared del enladrillado tras de la cual se hallaba el cadáver de la esposa de mi corazón.

¡Que Dios me proteja y me libre de las garras del archidemonio! Apenas había cesado el eco de mis golpes cuando una voz respondió desde dentro de la tumba. Un quejido, sordo y entrecortado al comienzo, semejante al sollozar de un niño, que luego creció rápidamente hasta convertirse en un largo, agudo y continuo alarido, anormal, como inhumano, un aullido, un clamor de lamentación, mitad de horror, mitad de triunfo, como sólo puede haber brotado en el infierno de la garganta de los condenados en su agonía y de los demonios exultantes en la condenación.

Hablar de lo que pensé en ese momento sería locura. Presa de vértigo, fui tambaleándome hasta la pared opuesta. Por un instante el grupo de hombres en la escalera quedó paralizado por el terror. Luego, una docena de robustos brazos atacaron la pared, que cayó de una pieza. El cadáver, ya muy corrompido y manchado de sangre coagulada, apareció de pie ante los ojos de los espectadores. Sobre su cabeza, con la roja boca abierta y el único ojo como de fuego, estaba agazapada la horrible bestia cuya astucia me había inducido al asesinato, y cuya voz delatora me entregaba al verdugo. ¡Había emparedado al monstruo en la tumba!

LA VERDAD SOBRE EL CASO DEL SEÑOR VALDEMAR

Comentario de Juan Gabriel Vásquez

Lo peor que le puede pasar a un lector devoto de Edgar Poe es serlo también de Henry James, que famosamente dijo: «el entusiasmo por Poe es la señal de un estado de reflexión decididamente primitivo». Yo siempre me he visto dividido entre esas dos lealtades, y a menudo he querido desterrar a Poe el primitivo en beneficio de James el sofisticado, para luego entender que son también y sobre todo los primitivos –Poe, Melville, Twain– los que han sentado las bases de la mejor ficción contemporánea. A Poe, poeta mediocre, le debemos algunos ensayos magníficos, y se suele decir que le debemos también la invención de un género (el policial, que nace con «Los crímenes de la calle Morgue»). Pero para mí lo que hace que Poe sea Poe no son los razonamientos de Dupin: son los horrores sin fin que nos dejó en cuentos como «Ligeia», «La caída de la casa Usher» y «Berenice». «La verdad sobre el caso del señor Valdemar» pertenece a esta familia. Con este cuento, como con los otros, están hechas las pesadillas de nuestra niñez, que son las que de verdad duran.

El narrador de «La verdad sobre el caso del señor Valdemar» no es distinto de los otros narradores de Poe: estridente, grandilocuente, menos propenso al ensayismo que algunos pero más tendente que otros a los signos de exclamación. Aparte de su entusiasmo por la disciplina de la hipnosis y de la P inicial de su nombre, nuestro hombre no se identifica más que como testigo de unos hechos. No son, por supuesto, unos hechos banales: se trata de la muerte de un hombre y de los experimentos hipnóticos que se llevan a cabo –con su pleno consentimiento– sobre el moribundo. Según el narrador, ha salido a la luz «una versión tan espuria como exagerada que se convirtió en fuente de muchas desagradables tergiversaciones», y es por eso que ahora él se ve obligado a dar a conocer los hechos tal como sucedieron. Es un procedimiento al que Borges, por ejemplo, le tenía mucho cariño: casi todos los relatos de *El informe de Brodie* (que no es precisamente un libro *à la* Poe) están construidos de la misma forma. Pero sobre todo es un procedimiento que neutraliza, convirtiéndola en un caso clínico que se examina con objetividad, la realidad molesta de los cuentos de Poe: que todos esos horrores, en el fondo y literalmente, le ocurrieron a él.

A Poe le gustaba decir que sus cuentos salían de pesadillas diurnas, pero sabemos que la idea romántica de la pesadilla también incluía, en su caso, la resaca alcohólica y el abuso del opio. Vivía con naturalidad en lo macabro: su matrimonio con una niña de trece años, que para colmo era su prima, y que para colmo del colmo sufría de una cierta deficiencia mental, no puede verse como un accidente. La descomposición del señor Valdemar, por esta lógica, sale de la vida de Poe con tanta naturalidad como sus historias de sadismo y necrofilia: es el primer escritor de cuentos góticos que se puedan llamar (sin temor a hacer un mal chiste) autobiográficos. Pero más allá de esos detalles, la historia del hombre que es mantenido vivo más allá de la muerte puede muy bien ser el primer cuento de zombis, así como «Los crímenes» es el primer cuento de detectives, y Poe puede entonces ser el fundador –también– de esa tradición. Y así el señor Valdemar, que vivió siete meses más de lo que debía, se convierte en padre involuntario de los Muertos Vivientes que tanto nos han atribulado desde el cine de serie B o algunas novelas de Stephen King. Quién lo iba a decir.

LA VERDAD SOBRE EL CASO DEL SEÑOR VALDEMAR

De ninguna manera me parece sorprendente que el extraordinario caso del señor Valdemar haya provocado tantas discusiones. Hubiera sido un milagro que ocurriera lo contrario, especialmente en tales circunstancias. Aunque todos los participantes deseábamos mantener el asunto alejado del público –al menos por el momento, o hasta que se nos ofrecieran nuevas oportunidades de investigación–, a pesar de nuestros esfuerzos no tardó en difundirse una versión tan espuria como exagerada que se convirtió en fuente de muchas desagradables tergiversaciones y, como es natural, de profunda incredulidad.

El momento ha llegado de que yo dé a conocer *los hechos* –en la medida en que me es posible comprenderlos–. Helos aquí sucintamente:

Durante los últimos años el estudio del hipnotismo había atraído repetidamente mi atención. Hace unos nueve meses, se me ocurrió súbitamente que en la serie de experimentos efectuados hasta ahora existía una omisión tan curiosa como inexplicable: jamás se había hipnotizado a nadie *in articulo mortis*. Quedaba por verse si, en primer lugar, un paciente en esas condiciones sería susceptible de influencia magnética; segundo, en caso de que lo fuera, si su estado aumentaría o disminuiría dicha susceptibilidad, y tercero, hasta qué punto, o por cuánto tiempo, el proceso hipnótico sería capaz de detener la intrusión de la muerte. Quedaban por aclarar otros puntos, pero estos eran los que más excitaban mi curiosidad, sobre todo el último, dada la inmensa importancia que podían tener sus consecuencias.

Pensando si entre mis relaciones habría algún sujeto que me permitiera verificar esos puntos, me acordé de mi amigo Ernest Valdemar, renombrado compilador de la *Bibliotheca Forensica* y autor (bajo el *nom de plume* de Issachar Marx) de las versiones polacas de *Wallenstein* y *Gargantúa.* El señor Valdemar, residente desde 1839 en Harlem, Nueva York, es (o era) especialmente notable por su extraordinaria delgadez, tanto que sus extremidades inferiores se parecían mucho a las de John Randolph, y también por la blancura de sus patillas, en violento contraste con sus cabellos negros, lo cual llevaba a suponer con frecuencia que usaba peluca. Tenía un temperamento muy nervioso, que le convertía en buen sujeto para experiencias hipnóticas. Dos o tres veces le había adormecido sin gran trabajo, pero me decepcionó no alcanzar otros resultados que su especial constitución me había hecho prever. Su voluntad no quedaba nunca bajo mi entero dominio, y, por lo que respecta a la *clarividencia,* no se podía confiar en nada de lo que había conseguido con él. Atribuía yo aquellos fracasos al mal estado de salud de mi amigo. Unos meses antes de trabar relación con él, los médicos le habían declarado tuberculoso. El señor Valdemar acostumbraba referirse con toda calma a su próximo fin, como algo que no cabe ni evitar ni lamentar.

Cuando las ideas a que he aludido se me ocurrieron por primera vez, lo más natural fue que acudiese a Valdemar. Demasiado bien conocía la serena filosofía de mi amigo para temer algún escrúpulo de su parte; por lo demás, no tenía parientes en América que pudieran intervenir para oponerse. Le hablé francamente del asunto y, para mi sorpresa, noté que se interesaba vivamente. Digo para mi sorpresa, pues si bien hasta entonces se había prestado libremente a mis experimentos, jamás demostró el menor interés por lo que yo hacía. Su enfermedad era de las que permiten un cálculo preciso sobre el momento en que sobrevendrá la muerte. Convinimos, pues, en que me mandaría llamar veinticuatro horas antes del momento fijado por sus médicos para su fallecimiento.

Hace más de siete meses que recibí la siguiente nota, de puño y letra de Valdemar:

Estimado P...:

Ya puede usted venir. D... y F... coinciden en que no pasaré de mañana a medianoche, y me parece que han calculado el tiempo con mucha exactitud.

Valdemar

Recibí el billete media hora después de escrito, y quince minutos más tarde estaba en el dormitorio del moribundo. No le había visto en los últimos diez días y me aterró la espantosa alteración que se había producido en tan breve intervalo. Su rostro tenía un color plomizo, no había el menor brillo en los ojos y, tan terrible era su delgadez, que la piel se había abierto en los pómulos. Expectoraba continuamente y el pulso era casi imperceptible. Conservaba no obstante una notable claridad mental, y cierta fuerza. Me habló con toda claridad, tomó algunos calmantes sin ayuda ajena y, en el momento de entrar en su habitación, le encontré escribiendo unas notas en una libreta. Se mantenía sentado en el lecho con ayuda de varias almohadas, y estaban a su lado los doctores D... y E..

Luego de estrechar la mano de Valdemar, llevé aparte a los médicos y les pedí que me explicaran detalladamente el estado del enfermo. Desde hacía dieciocho meses, el pulmón izquierdo se hallaba en un estado semióseo o cartilaginoso, y, como es natural, no funcionaba en absoluto. En su porción superior el pulmón derecho aparecía parcialmente osificado, mientras la inferior era tan sólo una masa de tubérculos purulentos que se confundían unos con otros. Existían varias dilatadas perforaciones y en un punto se había producido una adherencia permanente a las costillas. Todos estos fenómenos del lóbulo derecho eran de fecha reciente; la osificación se había operado con insólita rapidez, ya que un mes antes no existían señales de la misma y la adherencia sólo había sido comprobable en los últimos tres días. Aparte de la tuberculosis los médicos sospechaban un aneurisma de la aorta, pero los síntomas de osificación volvían sumamente difícil un diagnóstico. Ambos facultativos opinaban que Valdemar moriría hacia la medianoche del día siguiente (un domingo). Eran ahora las siete de la tarde del sábado.

Al abandonar la cabecera del moribundo para conversar conmigo, los doctores D... y F... se habían despedido definitivamente de él. No era su intención volver a verle, pero, a mi pedido, convinieron en examinar al paciente a las diez de la noche del día siguiente.

Una vez que se fueron, hablé francamente con Valdemar sobre su próximo fin, y me referí en detalle al experimento que le había propuesto. Nuevamente se mostró dispuesto, e incluso ansioso por llevarlo a cabo, y me pidió que comenzara de inmediato. Dos enfermeros, un hombre y una mujer, atendían al paciente, pero no me sentí autorizado a llevar a cabo una intervención de tal naturaleza frente a testigos de tan poca responsabilidad en caso de algún accidente repentino. Aplacé, por tanto, el experimento hasta las ocho de la noche del día siguiente, cuando la llegada de un estudiante de medicina de mi conocimiento (el señor Theodore L...l) me libró de toda preocupación. Mi intención inicial había sido la de esperar a los médicos, pero me vi obligado a proceder, primeramente por los urgentes pedidos de Valdemar y luego por mi propia convicción de que no había un minuto que perder, ya que con toda evidencia el fin se acercaba rápidamente.

El señor L...l tuvo la amabilidad de acceder a mi pedido, así como de tomar nota de todo lo que ocurriera. Lo que voy a relatar ahora procede de sus apuntes, ya sea en forma condensada o *verbatim.*

Faltaban cinco minutos para las ocho cuando, después de tomar la mano de Valdemar, le pedí que manifestara con toda la claridad posible, en presencia de L...l, que estaba dispuesto a que yo le hipnotizara en el estado en que se encontraba.

Débil, pero distintamente, el enfermo respondió: «Sí, quiero ser hipnotizado», agregando de inmediato: «Me temo que sea demasiado tarde».

Mientras así decía, empecé a efectuar los pases que en las ocasiones anteriores habían sido más efectivos con él. Sentía indudablemente la influencia del primer movimiento lateral de mi mano por su frente, pero, aunque empleé todos mis poderes, me fue imposible lograr otros efectos hasta algunos minutos después de las diez, cuando llegaron los doctores D... y F..., tal como lo habían prometido. En pocas palabras les expliqué cuál era mi intención, y, como no opusieron inconveniente, considerando que el enfermo se hallaba ya en agonía, continué sin vacilar, cambiando, sin embargo, los pases laterales por otros verticales y concentrando mi mirada en el ojo derecho del sujeto.

A esta altura su pulso era imperceptible y respiraba entre estertores, a intervalos de medio minuto.

Esta situación se mantuvo sin variantes durante un cuarto de hora. Al expirar este período, sin embargo, un suspiro perfectamente natural, aunque muy profundo, escapó del pecho del moribundo, mientras cesaba la respiración estertorosa o, mejor dicho, dejaban de percibirse los estertores; en cuanto a los intervalos de la respiración, siguieron siendo los mismos. Las extremidades del paciente estaban heladas.

A las once menos cinco, advertí inequívocas señales de influencia hipnótica. La vidriosa mirada de los ojos fue reemplazada por esa expresión de intranquilo examen *interior* que jamás se ve sino en casos de hipnotismo, y sobre la cual no cabe engañarse. Mediante unos rápidos pases laterales hice palpitar los párpados, como al acercarse el sueño, y con unos pocos más los cerré por completo. No bastaba esto para satisfacerme, sin embargo, sino que continué vigorosamente mis manipulaciones, poniendo en ellas toda mi voluntad, hasta que hube logrado la completa rigidez de los miembros del durmiente, a quien previamente había colocado en la posición que me pareció más cómoda. Las piernas estaban completamente estiradas; los brazos reposaban en el lecho, a corta distancia de los flancos. La cabeza había sido ligeramente levantada.

Al dar esto por terminado era ya medianoche y pedí a los presentes que examinaran el estado de Valdemar. Luego de unas pocas verificaciones, admitieron que se encontraba en un estado insólitamente perfecto de trance hipnótico. La curiosidad de ambos médicos se había despertado en sumo grado. El doctor D... decidió pasar toda la noche a la cabecera del paciente, mientras el doctor F... se marchaba, con promesa de volver por la mañana temprano. L...l y los enfermeros se quedaron.

Dejamos a Valdemar en completa tranquilidad hasta las tres de la madrugada, hora en que me acerqué y vi que seguía en el mismo estado que al marcharse el doctor F...; vale decir, yacía en la misma posición y su pulso era imperceptible. Respiraba sin esfuerzo, aunque casi no se advertía su aliento, salvo que se aplicara un espejo a los labios. Los ojos estaban cerrados con naturalidad y las piernas tan rígidas y frías como si fueran de mármol. No obstante ello, la apariencia general distaba mucho de la de la muerte.

Al acercarme intenté un ligero esfuerzo para influir sobre el brazo derecho, a fin de que siguiera los movimientos del mío, que movía suavemente sobre su cuerpo. En esta clase de experimento jamás había logrado buen resultado con Valdemar, pero ahora, para mi estupefacción, vi que su brazo, débil pero seguro, seguía todas las direcciones que le señalaba el mío. Me decidí entonces a intentar un breve diálogo.

–Valdemar..., ¿duerme usted? –pregunté.

No me contestó, pero noté que le temblaban los labios, por lo cual repetí varias veces la pregunta. A la tercera vez, todo su cuerpo se agitó con un ligero temblor; los párpados se levantaron lo bastante para mostrar una línea del blanco del ojo; moviéronse lentamente los labios, mientras en un susurro apenas audible brotaban de ellos estas palabras:

–Sí... ahora duermo. ¡No me despierte! ¡Déjeme morir así!

Palpé los miembros, encontrándolos tan rígidos como antes. Volví a interrogar al hipnotizado:

–¿Sigue sintiendo dolor en el pecho, Valdemar?

La respuesta tardó un momento y fue aún menos audible que la anterior:

–No sufro... Me estoy muriendo.

No me pareció aconsejable molestarle más por el momento, y no volví a hablarle hasta la llegada del doctor F..., que arribó poco antes de la salida del sol y se quedó absolutamente estupefacto al encontrar que el paciente se hallaba todavía vivo. Luego de tomarle el pulso y acercar un espejo a sus labios, me pidió que le hablara otra vez, a lo cual accedí.

–Valdemar –dije–. ¿Sigue usted durmiendo?

Como la primera vez, pasaron unos minutos antes de lograr respuesta, y durante el intervalo el moribundo dio la impresión de estar juntando fuerzas para hablar. A la cuarta repetición de la pregunta, y con voz que la debilidad volvía casi inaudible, murmuró:

–Sí... Dormido... Muriéndome.

La opinión o, mejor, el deseo de los médicos era que no se arrancase a Valdemar de su actual estado de aparente tranquilidad hasta que la muerte sobreviniera, cosa que, según consenso general, sólo podía tardar algunos minutos. Decidí, sin embargo, hablarle una vez más, limitándome a repetir mi pregunta anterior.

Mientras lo hacía, un notable cambio se produjo en las facciones del hipnotizado. Los ojos se abrieron lentamente, aunque las pupilas habían girado hacia arriba; la piel adquirió una tonalidad cadavérica, más semejante al papel blanco que al pergamino, y los círculos hécticos, que hasta ese momento se destacaban fuertemente en el centro de cada mejilla, se apagaron bruscamente. Empleo estas palabras porque lo instantáneo de su desaparición trajo a mi memoria la imagen de una bujía que se apaga de un soplo. Al mismo tiempo el labio superior se replegó, dejando al descubierto los dientes que antes cubría completamente, mientras la mandíbula inferior caía con un sacudimiento que todos oímos, dejando la boca abierta de par en par y revelando una lengua hinchada y ennegrecida. Supongo que todos los presentes estaban acostumbrados a los horrores de un lecho de muerte, pero la apariencia de Valdemar era tan espantosa en aquel instante, que se produjo un movimiento general de retroceso.

Comprendo que he llegado ahora a un punto de mi relato en el que el lector se sentirá movido a una absoluta incredulidad. Me veo, sin embargo, obligado a continuarlo.

El más imperceptible signo de vitalidad había cesado en Valdemar; seguros de que estaba muerto lo confiábamos ya a los enfermeros, cuando nos fue dado observar un fuerte movimiento vibratorio de la lengua. La vibración se mantuvo aproximadamente durante un minuto. Al cesar, de aquellas abiertas e inmóviles mandíbulas brotó una voz que sería insensato pretender describir. Es verdad que existen dos o tres epítetos que cabría aplicarle parcialmente: puedo decir, por ejemplo, que su sonido era áspero y quebrado, así como hueco. Pero el todo es indescriptible, por la sencilla razón de que jamás un oído humano ha percibido resonancias semejantes. Dos características, sin embargo –según lo pensé en el momento y lo sigo pensando–, pueden ser señaladas como propias de aquel sonido y dar alguna idea de su calidad extraterrena. En primer término, la voz parecía llegar a nuestros oídos (por lo menos a los míos) desde larga distancia, o desde una caverna en la profundidad de la tierra. Segundo, me produjo la misma sensación (temo que me resultará imposible hacerme entender) que las materias gelatinosas y viscosas producen en el sentido del tacto.

He hablado al mismo tiempo de «sonido» y de «voz». Quiero decir que el sonido consistía en un silabeo clarísimo, de una claridad incluso asombrosa y aterradora. El señor Valdemar *hablaba,* y era evidente que estaba contestando a la interrogación formulada por mí unos minutos antes. Como se recordará, le había preguntado si seguía durmiendo. Y ahora escuché:

–Sí... No... *Estuve* durmiendo... y ahora... ahora... *estoy muerto.*

Ninguno de los presentes pretendió siquiera negar ni reprimir el inexpresable, estremecedor espanto que aquellas pocas palabras, así pronunciadas, tenían que producir. L...l, el estudiante, cayó desvanecido. Los enfermeros escaparon del aposento y fue imposible convencerlos de que volvieran. Por mi parte, no trataré de comunicar mis propias impresiones al lector. Durante una hora, silenciosos, sin pronunciar una palabra, nos esforzamos por reanimar a L...l. Cuando volvió en sí, pudimos dedicarnos a examinar el estado de Valdemar.

Seguía, en todo sentido, como lo he descrito antes, salvo que el espejo no proporcionaba ya pruebas de su respiración. Fue inútil que tratáramos de sangrarlo en el brazo. Debo agregar que este no obedecía ya a mi voluntad. En vano me esforcé por hacerle seguir la dirección de mi mano. La única señal de la influencia hipnótica la constituía ahora el movimiento vibratorio de la lengua cada vez que volvía a hacer una pregunta a Valdemar. Se diría que trataba de contestar, pero que carecía ya de voluntad suficiente. Permanecía insensible a toda pregunta que le formulara cualquiera que no fuese yo, aunque me esforcé por poner a cada uno de los presentes en relación hipnótica con el paciente. Creo que con esto he señalado todo lo necesario para que se comprenda cuál era la condición del hipnotizado en ese momento. Se llamó a nuevos enfermeros, y a las diez de la mañana abandoné la morada en compañía de ambos médicos y de L...l.

Volvimos por la tarde a ver al paciente. Su estado seguía siendo el mismo. Discutimos un rato sobre la conveniencia y posibilidad de despertarlo, pero poco nos costó llegar a la conclusión de que nada bueno se conseguiría con eso. Resultaba evidente que hasta ahora, la muerte (o eso que de costumbre se denomina muerte) había sido detenida por el proceso hipnótico. Parecía claro que, si despertábamos a Valdemar, lo único que lograríamos sería su inmediato o, por lo menos, su rápido fallecimiento.

Desde este momento hasta fines de la semana pasada –vale decir, *casi siete meses*– continuamos acudiendo diariamente a casa de Valdemar, acompañados una y otra vez por médicos y otros amigos. Durante todo este tiempo el hipnotizado se mantuvo *exactamente* como lo he descrito. Los enfermeros le atendían continuamente.

Por fin, el viernes pasado resolvimos hacer el experimento de despertarlo, o tratar de despertarlo: probablemente el lamentable resultado del mismo es el que ha dado lugar a tanta discusión en los círculos privados y a una opinión pública que no puedo dejar de considerar como injustificada.

A efectos de librar del trance hipnótico al paciente, acudí a los pases habituales. De entrada resultaron infructuosos. La primera indicación de un retorno a la vida lo proporcionó el descenso parcial del iris. Como detalle notable se observó que este descenso de la pupila iba acompañado de un abundante flujo de icor amarillento, procedente de debajo de los párpados, que despedía un olor penetrante y fétido. Alguien me sugirió que tratara de influir sobre el brazo del paciente, como al comienzo. Lo intenté, sin resultado. Entonces el doctor F... expresó su deseo de que interrogara al paciente. Así lo hice, con las siguientes palabras:

–Señor Valdemar... ¿puede explicarnos lo que siente y lo que desea?

Instantáneamente reaparecieron los círculos hécticos en las mejillas; la lengua tembló, o, mejor dicho, rodó violentamente en la boca (aunque las mandíbulas y los labios siguieron rígidos como antes), y entonces resonó aquella horrenda voz que he tratado ya de describir:

–¡Por amor de Dios... pronto... pronto... hágame dormir... o despiérteme... pronto... despiérteme! *¡Le digo que estoy muerto!*

Perdí por completo la serenidad y, durante un momento, me quedé sin saber qué hacer. Por fin, intenté calmar otra vez al paciente, pero al fracasar, debido a la total suspensión de la voluntad, cambié el procedimiento y luché con todas mis fuerzas para despertarlo. Pronto me di cuenta de que lo lograría, o, por lo menos, así me lo imaginé; y estoy seguro de que todos los asistentes se hallaban preparados para ver despertar al paciente.

Pero lo que realmente ocurrió fue algo para lo cual ningún ser humano podía estar preparado.

Mientras ejecutaba rápidamente los pases hipnóticos, entre los clamores de: «¡Muerto! ¡Muerto!», que literalmente *explotaban* desde la lengua y no desde los labios del sufriente, bruscamente todo su cuerpo, en el espacio de un minuto, o aún menos, se encogió, se deshizo... *se pudrió* entre mis manos. Sobre el lecho, ante todos los presentes, no quedó más que una masa casi líquida de repugnante, de abominable putrefacción.

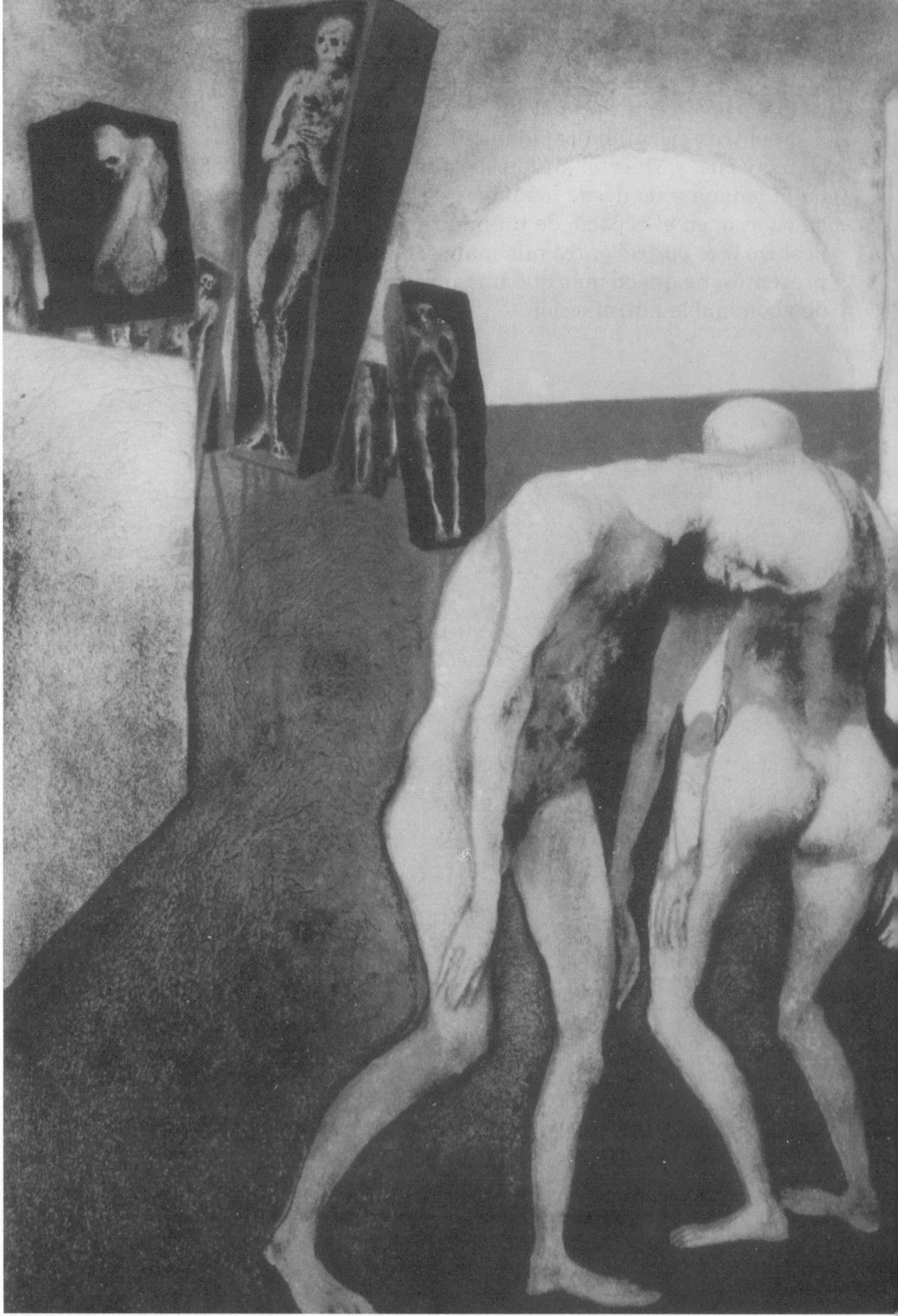

EL RETRATO OVAL

Comentario de Javier Sáez de Ibarra

«The tints (...) were drawn from the cheeks of her». Los tintes... eran *sacados* de las mejillas de ella. Eran *extraídos* de su cuerpo. Toda creación humana arranca de lo real para construir algo nuevo. Aunque en el castillo hay numerosas pinturas de calidad, alcanzar una obra sublime parece exigir un acto de violencia. El artista lo sabe; pero se niega a reconocer el origen de su arte y su devastador efecto. Detenerse para una evaluación ética interrumpiría su trabajo; de manera que continúa ajeno a su esposa agonizante, a los posibles testigos, a sí mismo, que no descansa en su delirio. Sólo ve en su ceguera la obra a la que se ha consagrado; y por la que permanece largo tiempo inmóvil junto a su modelo, sometidos ambos al proceso en que son devorados. De ello deriva una experiencia de terror: presentido por la mujer, asalta al viajero y toca al artista cuando descubre lo sucedido.

Semejante al ejercicio del pintor; también el mundo técnico, productivo, de la modernidad se desarrolla cerrado sobre sí, bajo una implacable tensión y sin otra medida que la exigencia de su crecimiento infinito. Lanzado a la multiplicación de objetos, se ensimisma en una soledad que lo aleja de toda referencia. Esa autonomía que ha conquistado establece su propia cultura como un cerco irrebasable. Donde la imitación o recreación de objetos vivos parece ser hoy su última conquista.

Sin embargo, el pintor se vuelve para mirarla. Necesita buscar, siquiera por un momento, algo que no sea su propia creación. Ese ademán pregunta, aun sin saberlo, por el otro, o el valor absoluto, o el ser, o lo sagrado: aquello que le fue dado, lo indisponible. Sucede entonces que no puede encontrar una respuesta. A la cultura, a la creación que se clausura para tenerse a sí misma como lo único real, ya no le cabe contemplar lo que ha expulsado de sí. Da forma a un óvalo perfecto y autosuficiente.

El viajero realiza un gesto solemne en su simplicidad: retira el candelabro que hunde al retrato en las sombras y el olvido. Su hechizo desaparece con ese movimiento; el cuadro se convierte en mero objeto. Él recupera entonces su libertad, para entregarse al razonamiento y a la palabra –a la lectura–, que le permitan interpretar lo ocurrido: precisamente lo que ni la mujer en su amor incauto ni el pintor embebido en su tarea supieron hacer. Para ello, el viajero tuvo que cerrar los ojos como defensa, con el fin de ganar tiempo y no caer atrapado en el espejismo de la tela. Prevenirse contra sí mismo y sus emociones, concederse un tiempo, contemplar con serenidad el objeto de seducción, recapacitar, consultar el libro que narra la historia; eso lo salva.

¿Cuál es el límite del arte? ¿Y de la cultura moderna? ¿Cómo liberarnos de su poder absoluto?

El arte, en un bárbaro sarcasmo, otorga belleza inmortal a la mujer. Mientras su tiempo vital se ha deshecho en la insensatez del proyecto. Es ese tiempo de medida humana lo que no ha soportado la experiencia del simulacro, de la apariencia de verdad de la producción. Y, sin embargo, ese lapso que marca la fragilidad de la existencia de cada individuo es lo que resiste a la marcha ciega de la historia y señala la contención –pero la riqueza– de la ética.

No obstante, quedamos sabiendo el portento de ese cuadro único... Y también que ya viene el robot que nos mirará a los ojos.

En el cuento se prodiga la mención a las luces: la alegría indefensa de la joven, el rayo cenital que iluminando la obra desmorona la vida, el candelabro que permite leer y discriminar. A qué luz miramos es lo que se nos pregunta.

EL RETRATO OVAL

El castillo al cual mi criado se había atrevido a entrar por la fuerza antes de permitir que, gravemente herido como estaba, pasara yo la noche al aire libre, era una de esas construcciones en las que se mezclan la lobreguez y la grandeza, y que durante largo tiempo se han alzado cejijuntas en los Apeninos, tan ciertas en la realidad como en la imaginación de Mrs. Radcliffe. Según toda apariencia, el castillo había sido recién abandonado, aunque temporariamente. Nos instalamos en uno de los aposentos más pequeños y menos suntuosos. Hallábase en una apartada torre del edificio; sus decoraciones eran ricas, pero ajadas y viejas. Colgaban tapices de las paredes, que engalanaban cantidad y variedad de trofeos heráldicos, así como un número insólitamente grande de vivaces pinturas modernas en marcos con arabescos de oro. Aquellas pinturas, no solamente emplazadas a lo largo de las paredes sino en diversos nichos que la extraña arquitectura del castillo exigía, despertaron profundamente mi interés, quizá a causa de mi incipiente delirio; ordené, por tanto, a Pedro que cerrara las pesadas persianas del aposento –pues era ya de noche–, que encendiera las bujías de un alto candelabro situado a la cabecera de mi lecho y descorriera de par en par las orladas cortinas de terciopelo negro que envolvían la cama. Al hacerlo así deseaba entregarme, si no al sueño, por lo menos a la alternada contemplación de las pinturas y al examen de un pequeño volumen que habíamos encontrado sobre la almohada y que contenía la descripción y la crítica de aquellas.

Mucho, mucho leí... e intensa, intensamente miré. Rápidas y brillantes volaron las horas, hasta llegar la profunda medianoche. La posición del candelabro me molestaba, pero, para no incomodar a mi amodorrado sirviente, alargué con dificultad la mano y lo coloqué de manera que su luz cayera directamente sobre el libro.

El cambio, empero, produjo un efecto por completo inesperado. Los rayos de las numerosas bujías (pues eran muchas) cayeron en un nicho del aposento que una de las columnas del lecho había mantenido hasta ese momento en la más profunda sombra. Pude ver así, vívidamente, una pintura que me había pasado inadvertida. Era el retrato de una joven que empezaba ya a ser mujer. Miré presurosamente su retrato, y cerré los ojos. Al principio no alcancé a comprender por qué lo había hecho. Pero mientras mis párpados continuaban cerrados, cruzó por mi mente la razón de mi conducta. Era un movimiento impulsivo a fin de ganar tiempo para pensar, para asegurarme de que mi visión no me había engañado, para calmar y someter mi fantasía antes de otra contemplación más serena y más segura. Instantes después volví a mirar fijamente la pintura.

Ya no podía ni quería dudar de que estaba viendo bien, puesto que el primer destello de las bujías sobre aquella tela había disipado la soñolienta modorra que pesaba sobre mis sentidos, devolviéndome al punto a la vigilia.

Como ya he dicho, el retrato representaba a una mujer joven. Sólo abarcaba la cabeza y los hombros, pintados de la manera que técnicamente se denomina *vignette,* y que se parece mucho al estilo de las cabezas favoritas de Sully. Los brazos, el seno y hasta los extremos del radiante cabello se mezclaban imperceptiblemente en la vaga pero profunda sombra que formaba el fondo del retrato. El marco era oval, ricamente dorado y afiligranado en estilo morisco. Como objeto de arte, nada podía ser más admirable que aquella pintura. Pero lo que me había emocionado de manera tan súbita y vehemente no era la ejecución de la obra, ni la inmortal belleza del retrato. Menos aún cabía pensar que mi fantasía, arrancada de su semisueño, hubiera confundido aquella cabeza con la de una persona viviente. Inmediatamente vi que las peculiaridades del diseño, de la *vignette* y del marco tenían que haber repelido semejante idea, impidiendo incluso que persistiera un solo instante. Pensando intensamente en todo eso, quédeme tal vez una hora, a medias sentado, a medias reclinado, con los ojos fijos en el retrato. Por fin, satisfecho del verdadero secreto de su efecto, me dejé caer hacia atrás en el lecho. Había descubierto que el hechizo del cuadro residía en una absoluta *posibilidad de vida* en su expresión que, sobresaltándome al comienzo, terminó por confundirme, someterme y aterrarme. Con profundo y reverendo respeto, volví a colocar el candelabro en su posición anterior. Alejada así de mi vista la causa de mi honda agitación, busqué vivamente el volumen que se ocupaba de las pinturas y su historia. Abriéndolo en el número que designaba al retrato oval, leí en él las vagas y extrañas palabras que siguen:

«Era una virgen de singular hermosura, y tan encantadora como alegre. Aciaga la hora en que vio y amó y desposó al pintor. Él, apasionado, estudioso, austero, tenía ya una prometida en el Arte; ella, una virgen de sin igual hermosura y tan encantadora como alegre, toda luz y sonrisas, y traviesa como un cervatillo; amándolo y mimándolo, y odiando tan sólo al Arte, que era su rival; temiendo tan sólo la paleta, los pinceles y los restantes enojosos instrumentos que la privaban de la contemplación de su amante. Así, para la dama, cosa terrible fue oír hablar al pintor de su deseo de retratarla. Pero era humilde y obediente, y durante muchas semanas posó dócilmente en el oscuro y elevado aposento de la torre, donde sólo desde lo alto caía la luz sobre la pálida tela. Mas él, el pintor, gloriábase de su trabajo, que avanzaba hora a hora y día a día. Y era un hombre apasionado, violento y taciturno, que se perdía en sus ensueños; tanto, que *no quería* ver cómo esa luz que entraba lívida, en la torre solitaria, marchitaba la salud y la vivacidad de su esposa, que se consumía a la vista de todos, salvo de la suya. Mas ella seguía sonriendo, sin exhalar queja alguna, pues veía que el pintor, cuya nombradía era alta, trabajaba con un placer fervoroso y ardiente, bregando noche y día para pintar a aquella que tanto le amaba y que, sin embargo, seguía cada vez más desanimada y débil. Y, en verdad, algunos que contemplaban el retrato hablaban en voz baja de su parecido como de una asombrosa maravilla, y una prueba tanto de la excelencia del artista como de su profundo amor por aquella a quien representaba de manera tan insuperable. Pero, a la larga, a medida que el trabajo se acercaba a su conclusión, nadie fue admitido ya en la torre, pues el pintor habíase exaltado en el ardor de su trabajo y apenas si apartaba los ojos de la tela, incluso para mirar el rostro de su esposa. Y *no quería* ver que los tintes que esparcía en la tela eran extraídos de las mejillas de aquella mujer sentada a su lado. Y cuando pasaron muchas semanas y poco quedaba por hacer, salvo una pincelada en la boca y un matiz en los ojos, el espíritu de la dama osciló, vacilante como la llama en el tubo de la lámpara. Y entonces la pincelada fue puesta y aplicado el matiz, y durante un momento el pintor quedó en trance frente a la obra cumplida. Pero, cuando estaba mirándola, púsose pálido y tembló mientras gritaba: "¡Ciertamente, ésta es la *Vida* misma!", y volvióse de improviso para mirar a su amada... *¡Estaba muerta!*»

EL CORAZÓN DELATOR

Comentario de Jacinta Escudos

En 1953, UPA Cartoons produjo una versión animada de «El corazón delator» de Edgar Allan Poe. Fue el primer animado catalogado como «sólo para adultos» en Gran Bretaña por parte del British Board of Film Censors y fue nominado al Óscar de 1954 en la categoría de mejor corto animado. La narración estaba hecha por el actor inglés James Mason.

Más de una década después, los sábados por la tarde, en uno de los canales televisivos de El Salvador, se transmitía un programa que nunca me perdía, *El show de Mr. Magoo.* Y como parte del *show* del hilarante viejito cegatón, presentaban esa animación de «El corazón delator». No sé qué hacía esa historia tan siniestra en medio de lo que era un programa estrictamente para niños. Pero ese fue mi primer contacto con Poe. Y también, la primera vez de una de mis más profundas sensaciones de miedo.

Años después, y precisamente por la inquietud que me produjeron ese animado más algunas películas con Vincent Price y Peter Lorre, basadas en sus cuentos, conseguí la obra completa de Poe. El primer cuento que leí en aquel libro de tapas duras y azules tuvo que ser, por supuesto, el que me había asustado tanto cuando niña. Y desde entonces, hasta el día de hoy, quedé enganchada con toda su escritura.

La alternabilidad entre la razón y la locura, y las situaciones de las que cualquier mortal puede ser capaz cuando pierde el control de sus actos o su percepción de la realidad en los dominios de la sinrazón, es el trasfondo de este cuento, sin duda uno de los más populares en la narrativa de Poe.

En «El corazón delator» el ritmo es veloz, los sucesos de varias horas ocurren y se describen de una manera relativamente rápida (el cuento en su totalidad tiene cinco páginas). Y es precisamente el ritmo el que transmite de manera efectiva al lector el ánimo que debe construir para impactar con las líneas finales.

A pesar de haberlo leído decenas de veces, «El corazón delator» sigue siendo el único texto que, a lo largo de toda mi vida como lectora del género, me ha producido verdadero susto. Cuando se propuso mi participación en esta edición especial, me tocó en suerte, justa y precisamente este cuento.

Como siempre, Poe me sigue dando escalofríos.

EL CORAZÓN DELATOR

¡Es cierto! Siempre he sido nervioso, muy nervioso, terriblemente nervioso. ¿Pero por qué afirman ustedes que estoy loco? La enfermedad había agudizado mis sentidos, en vez de destruirlos o embotarlos. Y mi oído era el más agudo de todos. Oía todo lo que puede oírse en la tierra y en el cielo. Muchas cosas oí en el infierno. ¿Cómo puedo estar loco, entonces? Escuchen... y observen con cuánta cordura, con cuánta tranquilidad les cuento mi historia.

Me es imposible decir cómo aquella idea me entró en la cabeza por primera vez; pero, una vez concebida, me acosó noche y día. Yo no perseguía ningún propósito. Ni tampoco estaba colérico. Quería mucho al viejo. Jamás me había hecho nada malo. Jamás me insultó. Su dinero no me interesaba. Me parece que fue su ojo. ¡Sí, eso fue! Tenía un ojo semejante al de un buitre... Un ojo celeste, y velado por una tela. Cada vez que lo clavaba en mí se me helaba la sangre. Y así, poco a poco, muy gradualmente, me fui decidiendo a matar al viejo y librarme de aquel ojo para siempre.

Presten atención ahora. Ustedes me toman por loco. Pero los locos no saben nada. En cambio... ¡si hubieran podido verme! ¡Si hubieran podido ver con qué habilidad procedí! ¡Con qué cuidado... con qué previsión... con qué disimulo me puse a la obra! Jamás fui más amable con el viejo que la semana antes de matarlo. Todas las noches, hacia las doce, hacía yo girar el picaporte de su puerta y la abría... ¡oh, tan suavemente! Y entonces, cuando la abertura era lo bastante grande para pasar la cabeza, levantaba una linterna sorda, cerrada, completamente cerrada, de manera que no se viera ninguna luz y tras ella pasaba la cabeza. ¡Oh, ustedes se hubieran reído al ver cuán astutamente pasaba la cabeza! La movía lentamente... muy, muy lentamente, a fin de no perturbar el sueño del viejo. Me llevaba una hora entera introducir completamente la cabeza por la abertura de la puerta, hasta verlo tendido en su cama. ¿Eh? ¿Es que un loco hubiera sido tan prudente como yo? Y entonces, cuando tenía la cabeza completamente dentro del cuarto, abría la linterna cautelosamente... ¡oh, tan cautelosamente! Sí, cautelosamente iba abriendo la linterna (pues crujían las bisagras), la iba abriendo lo suficiente para que un solo rayo de luz cayera sobre el ojo de buitre. Y esto lo hice durante siete largas noches... cada noche, a las doce... pero siempre encontré el ojo cerrado, y por eso me era imposible cumplir mi obra, porque no era el viejo quien me irritaba, sino el mal de ojo. Y por la mañana, apenas iniciado el día, entraba sin miedo en su habitación y le hablaba resueltamente, llamándole por su nombre con voz cordial y preguntándole cómo había pasado la noche. Ya ven ustedes que tendría que haber sido un viejo muy astuto para sospechar que todas las noches, justamente a las doce, iba yo a mirarle mientras dormía.

Al llegar la octava noche, procedí con mayor cautela que de costumbre al abrir la puerta. El minutero de un reloj se mueve con más rapidez de lo que se movía mi mano. Jamás, antes de aquella noche, había *sentido* el alcance de mis facultades, de mi sagacidad. Apenas lograba contener mi impresión de triunfo. ¡Pensar que estaba ahí, abriendo poco a poco la puerta, y que él ni siquiera soñaba con mis secretas intenciones o pensamientos! Me reí entre dientes ante esta idea, y quizá me *oyó*, porque le sentí moverse repentinamente en la cama, como si se sobresaltara. Ustedes pensarán que me eché hacia atrás... pero no. Su cuarto estaba tan negro como la pez, ya que el viejo cerraba completamente las persianas por miedo a los ladrones; yo sabía que le era imposible distinguir la abertura de la puerta, y seguí empujando suavemente, suavemente.

Había ya pasado la cabeza y me disponía a abrir la linterna, cuando mi pulgar resbaló en el cierre metálico y el viejo se enderezó en el lecho, gritando:

–¿Quién está ahí?

Permanecí inmóvil, sin decir palabra. Durante una hora entera no moví un solo músculo, y en todo ese tiempo no oí que volviera a tenderse en la cama. Seguía sentado, escuchando... tal como yo lo había hecho, noche tras noche, mientras escuchaba en la pared los taladros cuyo sonido anuncia la muerte.

Oí de pronto un leve quejido, y supe que era el quejido que nace del terror. No expresaba dolor o pena... ¡oh, no! Era el ahogado sonido que brota del fondo del alma cuando el espanto la sobrecoge. Bien conocía yo ese sonido. Muchas noches, justamente a las doce, cuando el mundo entero dormía, surgió de mi pecho, ahondando con su espantoso eco los terrores que me enloquecían. Repito que lo conocía bien. Comprendí lo que estaba sintiendo el viejo y le tuve lástima, aunque me reía en el fondo de mi corazón. Comprendí que había estado despierto desde el primer leve ruido, cuando se movió en la cama. Había tratado de decirse que aquel ruido no era nada, pero sin conseguirlo. Pensaba: «No es más que el viento en la chimenea... o un grillo que chirrió una sola vez». Sí, había tratado de darse ánimo con esas suposiciones, pero todo era en vano. *Todo era en vano,* porque la Muerte se había aproximado a él, deslizándose furtiva y envolvía a su víctima. Y la fúnebre influencia de aquella sombra imperceptible era la que le movía a sentir –aunque no podía verla ni oírla–, a *sentir* la presencia de mi cabeza dentro de la habitación.

Después de haber esperado largo tiempo, con toda paciencia, sin oír que volviera a acostarse, resolví abrir una pequeña, una pequeñísima ranura en la linterna. Así lo hice –no pueden imaginarse ustedes con qué cuidado, con qué inmenso cuidado–, hasta que un fino rayo de luz, semejante al hilo de la araña, brotó de la ranura y cayó de lleno sobre el ojo de buitre.

Estaba abierto, abierto de par en par... y yo empecé a enfurecerme mientras le miraba. Le vi con toda claridad, de un azul apagado y con aquella horrible tela que me helaba hasta el tuétano. Pero no podía ver nada de la cara o del cuerpo del viejo, pues, como movido por un instinto, había orientado el haz de luz exactamente hacia el punto maldito.

¿No les he dicho ya que lo que toman erradamente por locura es sólo una excesiva agudeza de los sentidos? En aquel momento llegó a mis oídos un resonar apagado y presuroso, como el que podría hacer un reloj envuelto en algodón. Aquel sonido *también* me era familiar. Era el latir del corazón del viejo. Aumentó aún más mi furia, tal como el redoblar de un tambor estimula el coraje de un soldado.

Pero, incluso entonces, me contuve y seguí callado. Apenas si respiraba. Sostenía la linterna de modo que no se moviera, tratando de mantener con toda la firmeza posible el haz de luz sobre el ojo. Entretanto, el infernal latir del corazón iba en aumento. Se hacía cada vez más rápido, cada vez más fuerte, momento a momento. El espanto del viejo tenía que ser terrible. ¡Cada vez más fuerte, más fuerte! ¿Me siguen ustedes con atención? Les he dicho que soy nervioso. Sí, lo soy. Y ahora, a medianoche, en el terrible silencio de aquella antigua casa, un resonar tan extraño como aquel me llenó de un horror incontrolable. Sin embargo, me contuve todavía algunos minutos y permanecí inmóvil. ¡Pero el latido crecía cada vez más fuerte, más fuerte! Me pareció que aquel corazón iba a estallar. Y una nueva ansiedad se apoderó de mí... ¡Algún vecino podía escuchar aquel sonido! ¡La hora del viejo había sonado! Lanzando un alarido, abrí del todo la linterna y me precipité en la habitación. El viejo clamó una vez... nada más que una vez. Me bastó un segundo para arrojarle al suelo y echarle encima el pesado colchón. Sonreí alegremente al ver lo fácil que me había resultado todo. Pero, durante varios minutos, el corazón siguió latiendo con un sonido ahogado. Claro que no me preocupaba, pues nadie podría escucharlo a través de las paredes. Cesó, por fin, de latir. El viejo había muerto. Levanté el colchón y examiné el cadáver. Sí, estaba muerto, completamente muerto. Apoyé la mano sobre el corazón y la mantuve así largo tiempo. No se sentía el menor latido. El viejo estaba bien muerto. Su ojo no volvería a molestarme.

Si ustedes continúan tomándome por loco dejarán de hacerlo cuando les describa las astutas precauciones que adopté para esconder el cadáver. La noche avanzaba, mientras yo cumplía mi trabajo con rapidez, pero en silencio. Ante todo descuarticé el cadáver. Le corté la cabeza, brazos y piernas.

Levanté luego tres planchas del piso de la habitación y escondí los restos en el hueco. Volví a colocar los tablones con tanta habilidad que ningún ojo humano –ni siquiera el suyo– hubiera podido advertir la menor diferencia. No había nada que lavar... ninguna mancha... ningún rastro de sangre. Yo era demasiado precavido para eso. Una cuba había recogido todo... ¡ja, ja!

Cuando hube terminado mi tarea eran las cuatro de la madrugada, pero seguía tan oscuro como a medianoche. En momentos en que se oían las campanadas de la hora, golpearon a la puerta de la calle. Acudí a abrir con toda tranquilidad, pues ¿qué podía temer *ahora*?

Hallé a tres caballeros, que se presentaron muy civilmente como oficiales de policía. Durante la noche, un vecino había escuchado un alarido, por lo cual se sospechaba la posibilidad de algún atentado. Al recibir este informe en el puesto de policía, habían comisionado a los tres agentes para que registraran el lugar.

Sonreí, pues... ¿que tenía que temer? Di la bienvenida a los oficiales y les expliqué que yo había lanzado aquel grito durante una pesadilla. Les hice saber que el viejo se había ausentado a la campaña. Llevé a los visitantes a recorrer la casa y los invité a que revisaran, a que revisaran *bien*. Finalmente, acabé conduciéndolos a la habitación del muerto. Les mostré sus caudales intactos y cómo cada cosa se hallaba en su lugar. En el entusiasmo de mis confidencias traje sillas a la habitación y pedí a los tres caballeros que descansaran *allí* de su fatiga, mientras yo mismo, con la audacia de mi perfecto triunfo, colocaba mi silla en el exacto punto bajo el cual reposaba el cadáver de mi víctima.

Los oficiales se sentían satisfechos. Mis modales los habían convencido. Por mi parte, me hallaba perfectamente cómodo. Sentáronse y hablaron de cosas comunes, mientras yo les contestaba con animación. Mas, al cabo de un rato, empecé a notar que me ponía pálido y deseé que se marcharan. Me dolía la cabeza y creía percibir un zumbido en los oídos; pero los policías continuaban sentados y charlando. El zumbido se hizo más intenso; seguía resonando y era cada vez más intenso. Hablé en voz muy alta para librarme de esa sensación, pero continuaba lo mismo y se iba haciendo cada vez más clara... hasta que, al fin, me di cuenta de que aquel sonido no se producía *dentro* de mis oídos.

Sin duda, debí de ponerme muy pálido, pero seguí hablando con creciente soltura y levantando mucho la voz. Empero, el sonido aumentaba... ¿y qué podía yo? Era *un resonar apagado y presuroso..., un sonido como el que podría hacer un reloj envuelto en algodón*. Yo jadeaba, tratando de recobrar el aliento, y, sin embargo, los policías no habían oído nada. Hablé con mayor rapidez, con vehemencia, pero el sonido crecía continuamente. Me puse en pie y discutí sobre insignificancias en voz muy alta y con violentas gesticulaciones; pero el sonido crecía continuamente. ¿Por qué *no se iban*? Anduve de un lado a otro, a grandes pasos, como si las observaciones de aquellos hombres me enfurecieran; pero el sonido crecía continuamente. ¡Oh, Dios! ¿Qué podía *hacer yo*? Lancé espumarajos de rabia... maldije... juré... Balanceando la silla sobre la cual me había sentado, raspé con ella las tablas del piso, pero el sonido sobrepujaba todos los otros y crecía sin cesar. ¡Más alto... más alto... *más alto*! Y entretanto los hombres seguían charlando plácidamente y sonriendo. ¿Era posible que no oyeran? ¡Santo Dios! ¡No, no! ¡Claro que oían y que sospechaban! *¡Sabían...* y se estaban burlando de mi horror! ¡Sí, así lo pensé y así lo pienso hoy! ¡Pero cualquier cosa era preferible a aquella agonía! ¡Cualquier cosa sería más tolerable que aquel escarnio! ¡No podía soportar más tiempo sus sonrisas hipócritas! ¡Sentí que tenía que gritar o morir, y entonces... otra vez... escuchen... más fuerte... más fuerte... más fuerte... *más fuerte*!

–¡Basta ya de fingir, malvados! –aullé–. ¡Confieso que lo maté! ¡Levanten esos tablones! ¡Ahí... ahí! ¡Donde está latiendo su horrible corazón!

UN DESCENSO AL MAELSTRÖM

Comentario de Ismael Grasa

En las costas noruegas, frente a la isla de Moskoe, las mareas y la diferencia de profundidad de las aguas han dado lugar a un fenómeno natural, un remolino que se conoce como el Maelström. Poe tuvo conocimiento –por medio de lecturas, se entiende– de este fenómeno, capaz de arrastrar ballenas o barcos y de hacerlos desaparecer, y construye a partir de él un relato, «Un descenso al Maelström». Poe no es Melville, escribe sus narraciones marineras a partir de relatos ajenos y de la sugestión. Me gusta este relato, tiene eso que tanto se valora en Poe, la capacidad de crear una atmósfera peculiar desde las primeras líneas, pero es, además, un relato raro dentro de la obra de este autor, como si el propio autor se salvase de su propio remolino y de sí mismo. No es uno de los relatos más conocidos del autor, el propio Poe fue crítico con alguna parte de esta narración. Sin embargo, «Un descenso al Maelström» se encuentra entre las piezas preferidas por Jorge Luis Borges.

Se puede decir que «Un descenso al Maelström» es un cuento de paisaje, buena parte de él consiste en la descripción de esos acantilados y aguas negras. Se describe un paisaje marino de carácter romántico, con el narrador del cuento aterrado por esa visión de la naturaleza, tendido y sujeto a la tierra por el vértigo que le producen aquellos abismos. El ruido es tan ensordecedor que el relato, que consiste en una narración dentro del propio relato, es pronunciado al abrigo de una roca, casi al oído del narrador, debido al estruendo que producen las acometidas del agua. De una isla pequeña que queda al fondo se nos dice que, más que verse por sí misma, se hace visible por la espuma violenta que levanta el océano contra ella. Esta imagen es magnífica y, de algún modo, resume todo el relato y toda una literatura.

El remolino es un fenómeno que casa bien con la idea de obsesión y con el cuento moderno al que dieron lugar autores como Poe. Leyendo este relato también me he acordado de las películas de tornados, de ese momento en que un personaje consigue ver el huracán desde dentro de su ojo y alcanza un momento de iluminación. Hay dos protagonistas en este cuento de Poe: el narrador que llega hasta el acantilado y el marinero que le cuenta su historia. Ambos son hombres que tienen miedo, hombres aterrados, y, sin embargo, son héroes en cuanto que no tratan de huir de lo que temen, sino que se enfrentan a ello con una curiosidad empecinada. En realidad, como irá descubriendo el lector, se trata de un relato casi científico, de una investigación. El héroe que aquí se presenta es el que sabe abrir los ojos en medio del pánico, de hacer ciencia mientras cae por el abismo... Y no lo hace para buscar su salvación, aunque, como se sabe, la salvación propia es una cuestión llena de paradojas.

UN DESCENSO AL MAELSTRÖM

«Los caminos de Dios en la naturaleza y en la providencia no son como nuestros caminos; y nuestras obras no pueden compararse en modo alguno con la vastedad, la profundidad y la inescrutabilidad de Sus obras, que contienen en sí mismas una profundidad mayor que la del pozo de Demócrito».

JOSEPH GLANVILL

Habíamos alcanzado la cumbre del despeñadero más elevado. Durante algunos minutos, el anciano pareció demasiado fatigado para hablar.

–Hasta no hace mucho tiempo –dijo, por fin– podría haberlo guiado en este ascenso tan bien como el más joven de mis hijos. Pero, hace unos tres años, me ocurrió algo que jamás le ha ocurrido a otro mortal... o, por lo menos, a alguien que haya alcanzado a sobrevivir para contarlo; y las seis horas de terror mortal que soporté me han destrozado el cuerpo y el alma. Usted ha de creerme muy viejo, pero no lo soy. Bastó algo menos de un día para que estos cabellos, negros como el azabache, se volvieran blancos; debilitáronse mis miembros, y tan frágiles quedaron mis nervios, que tiemblo al menor esfuerzo y me asusto de una sombra. ¿Creerá usted que apenas puedo mirar desde este pequeño acantilado sin sentir vértigo?

El «pequeño acantilado», a cuyo borde se había tendido a descansar con tanta negligencia que la parte más pesada de su cuerpo sobresalía del mismo, mientras se cuidaba de una caída apoyando el codo en la resbalosa arista del borde; el «pequeño acantilado», digo, alzábase formando un precipicio de negra roca reluciente, de mil quinientos o mil seiscientos pies, sobre la multitud de despeñaderos situados más abajo. Nada hubiera podido inducirme a tomar posición a menos de seis yardas de aquel borde. A decir verdad, tanto me impresionó la peligrosa postura de mi compañero que caí en tierra cuan largo era, me aferré a los arbustos que me rodeaban y no me atreví siquiera a mirar hacia el cielo, mientras luchaba por rechazar la idea de que la furia de los vientos amenazaba sacudir los cimientos de aquella montaña. Pasó largo rato antes de que pudiera reunir coraje suficiente para sentarme y mirar a la distancia.

–Debe usted curarse de esas fantasías –dijo el guía–, ya que lo he traído para que tenga desde aquí la mejor vista del lugar donde ocurrió el episodio que mencioné antes... y para contarle toda la historia con su escenario presente.

Nos hallamos –agregó, con la manera minuciosa que lo distinguía–, nos hallamos muy cerca de la costa de Noruega, a los sesenta y ocho grados de latitud, en la gran provincia de Nordland, y en el distrito de Lodofen. La montaña cuya cima acabamos de escalar es Helseggen, la Nebulosa. Enderécese usted un poco... sujetándose a las matas si se siente mareado... ¡Así! Mire ahora, más allá de la cintura de vapor que hay debajo de nosotros, hacia el mar.

Miré, lleno de vértigo, y descubrí una vasta extensión oceánica, cuyas aguas tenían un color tan parecido a la tinta que me recordaron la descripción que hace el geógrafo nubio del *Mare Tenebrarum*. Ninguna imaginación humana podría concebir panorama más lamentablemente desolado. A derecha e izquierda, y hasta donde podía alcanzar la mirada, se tendían, como murallas del mundo cadenas de acantilados horriblemente negros y colgantes, cuyo lúgubre aspecto veíase reforzado por la resaca, que rompía contra ellos su blanca y lívida cresta, aullando y rugiendo eternamente. Opuesta al promontorio sobre cuya cima nos hallábamos, y a unas cinco o seis millas dentro del mar, advertíase una pequeña isla de aspecto desértico; quizá sea más adecuado decir que su posición se adivinaba gracias a las salvajes rompientes que la envolvían. Unas dos millas más cerca alzábase otra isla más pequeña, horriblemente escarpada y estéril, rodeada en varias partes por amontonamientos de oscuras rocas.

En el espacio comprendido entre la mayor de las islas y la costa, el océano presentaba un aspecto completamente fuera de lo común. En aquel momento soplaba un viento tan fuerte en dirección a tierra, que un bergantín que navegaba mar afuera se mantenía a la capa con dos rizos en la vela mayor, mientras la quilla se hundía a cada momento hasta perderse de vista; no obstante, el espacio a que he aludido no mostraba nada que semejara un oleaje embravecido, sino tan sólo un breve, rápido y furioso embate del agua en todas direcciones, tanto frente al viento como hacia otros lados. Tampoco se advertía espuma, salvo en la proximidad inmediata de las rocas.

–La isla más alejada –continuó el anciano– es la que los noruegos llaman Vurrgh. La que se halla a mitad de camino es Moskoe. A una milla al norte verá la de Ambaaren. Más allá se encuentran Islesen, Hotholm, Keildhelm, Suarven y Buckholm. Aún más allá –entre Moskoe y Vurrgh– están Otterholm, Flimen, Sandflesen y Stockholm. Tales son los verdaderos nombres de estos sitios; pero... ¿qué necesidad había de darles nombres? No lo sé, y supongo que usted tampoco... ¿Oye alguna cosa? ¿Nota algún cambio en el agua?

Llevábamos ya unos diez minutos en lo alto del Helseggen, al cual habíamos ascendido viniendo desde el interior de Lofoden, de modo que no habíamos visto ni una sola vez el mar hasta que se presentó de golpe al arribar a la cima. Mientras el anciano me hablaba, percibí un sonido potente y que crecía por momentos, algo como el mugir de un enorme rebaño de búfalos en una pradera americana; y en el mismo momento reparé en que el estado del océano a nuestros pies, que correspondía a lo que los marinos llaman *picado,* se estaba transformando rápidamente en una corriente orientada hacia el este. Mientras la seguía mirando, aquella corriente adquirió una velocidad monstruosa. A cada instante su rapidez y su desatada impetuosidad iban en aumento. Cinco minutos después, todo el mar hasta Vurrgh hervía de cólera incontrolable, pero donde esa rabia alcanzaba su ápice era entre Moskoe y la costa. Allí, la vasta superficie del agua se abría y trazaba en mil canales antagónicos, reventaba bruscamente en una convulsión frenética –encrespándose, hirviendo, silbando– y giraba en gigantescos e innumerables vórtices, y todo aquello se atorbellinaba y corría hacia el este con una rapidez que el agua no adquiere en ninguna otra parte, como no sea el caer en un precipicio.

En pocos minutos más, una nueva y radical alteración apareció en escena. La superficie del agua se fue nivelando un tanto y los remolinos desaparecieron uno tras otro, mientras prodigiosas fajas de espuma surgían allí donde antes no había nada. A la larga, y luego de dispersarse a una gran distancia, aquellas fajas se combinaron unas con otras y adquirieron el movimiento giratorio de los desaparecidos remolinos, como si constituyeran el germen de otro más vasto. De pronto, instantáneamente, todo asumió una realidad clara y definida, formando un círculo cuyo diámetro pasaba de una milla. El borde del remolino estaba representado por una ancha faja de resplandeciente espuma; pero ni la menor partícula de esta resbalaba al interior del espantoso embudo, cuyo tubo, hasta donde la mirada alcanzaba a medirlo, era una pulida, brillante y tenebrosa pared de agua, inclinada en un ángulo de cuarenta y cinco grados con relación al horizonte, y que giraba y giraba vertiginosamente, con un movimiento oscilante y tumultuoso, produciendo un fragor horrible, entre rugido y clamoreo, que ni siquiera la enorme catarata del Niágara lanza al espacio en su tremenda caída.

La montaña temblaba desde sus cimientos y oscilaban las rocas. Me dejé caer boca abajo, aferrándome a los ralos matorrales en el paroxismo de mi agitación nerviosa. Por fin, pude decir a mi compañero:

–¡Esto no puede ser más que el enorme remolino del Maelström!

–Así suelen llamarlo –repuso el viejo–. Nosotros los noruegos le llamamos el Moskoe-ström, a causa de la isla Moskoe.

Las descripciones ordinarias de aquel vórtice no me habían preparado en absoluto para lo que acababa de ver. La de Jonas Ramus, quizá la más detallada, no puede dar la menor noción de la magnificencia o el horror de aquella escena, ni tampoco la perturbadora sensación de *novedad* que confunde al espectador. No sé bien en qué punto de vista estuvo situado el escritor aludido, ni en qué momento; pero no pudo ser en la cima del Helseggen, ni durante una tormenta. He aquí algunos pasajes de su descripción que merecen, sin embargo, citarse por los detalles que contienen, aunque resulten sumamente débiles para comunicar una impresión de aquel espectáculo:

«Entre Lofoden y Moskoe –dice–, la profundidad del agua varía entre treinta y seis y cuarenta brazas; pero del otro lado, en dirección a Ver (Vurrgh), la profundidad disminuye al punto de no permitir el paso de un navío sin el riesgo de que encalle en las rocas, cosa posible aun en plena bonanza. Durante la pleamar, las corrientes se mueven entre Lofoden y Moskoe con turbulenta rapidez, al punto de que el rugido de su impetuoso reflujo hacia el mar apenas podría ser igualado por el de las más sonoras y espantosas cataratas. El sonido se escucha a muchas leguas, y los vórtices o abismos son de tal tamaño y profundidad que si un navío es atraído por ellos se ve tragado irremisiblemente y arrastrado a la profundidad donde se hace pedazos contra las rocas; cuando el agua se sosiega, los pedazos del buque asoman a la superficie. Pero los intervalos de tranquilidad se producen solamente en los momentos del cambio de la marea y con buen tiempo; apenas duran un cuarto de hora antes de que recomience gradualmente su violencia. Cuando la corriente es más turbulenta y una tempestad acrecienta su furia resulta peligroso acercarse a menos de una milla noruega. Botes, yates y navíos han sido tragados por no tomar esa precaución contra su fuerza atractiva. Ocurre asimismo con frecuencia que las ballenas se aproximan demasiado a la corriente y son dominadas por su violencia; imposible resulta entonces describir sus clamores y mugidos mientras luchan inútilmente por escapar. Cierta vez, un oso que trataba de nadar de Lofoden a Moskoe fue atrapado por la corriente y arrastrado a la profundidad, mientras rugía tan terriblemente que se le escuchaba desde la costa. Grandes cantidades de troncos de abetos y pinos, absorbidos por la corriente, vuelven a la superficie rotos y retorcidos a un punto tal que no pasan de ser un montón de astillas. Esto muestra claramente que el fondo consiste en rocas aguzadas contra las cuales son arrastrados y frotados los troncos. Dicha corriente se regula por el flujo y reflujo marino, que se suceden constantemente cada seis horas. En el año 1645, en la mañana del domingo de sexagésima, la furia de la corriente fue tan espantosa que las piedras de las casas de la costa se desplomaban».

Por lo que se refiere a la profundidad del agua, no me explico cómo pudo ser verificada en la vecindad inmediata del vórtice. Las «cuarenta brazas» tienen que referirse indudablemente, a las porciones del canal linderas con la costa, sea de Moskoe o de Lofoden. La profundidad en el centro del Moskoe-ström debe ser inconmensurablemente grande, y la mejor prueba de ello la da la más ligera mirada que se proyecte al abismo del remolino desde la cima del Helseggen. Mientras encaramado en esta cumbre contemplaba el rugiente Flegetón allá abajo, no pude impedirme sonreír de la simplicidad con que el honrado Jonas Ramus consigna –como algo difícil de creer– las anécdotas sobre ballenas y osos, cuando resulta evidente que los más grandes buques actuales, sometidos a la influencia de aquella mortal atracción, serían el equivalente de una pluma frente al huracán y desaparecerían instantáneamente.

Las tentativas de explicar el fenómeno –que, en parte, según recuerdo, me habían parecido suficientemente plausibles a la lectura– presentaban ahora un carácter muy distinto e insatisfactorio. La idea predominante consistía en que el vórtice, al igual que otros tres más pequeños situados entre las islas Feroe, «no tiene otra causa que la colisión de las olas, que se alzan y rompen, en el flujo y reflujo, contra un arrecife de rocas y bancos de arena, el cual encierra las aguas al punto que éstas se precipitan como una catarata; así, cuanto más alta sea la marea, más profunda será la caída, y el resultado es un remolino o vórtice, cuyo prodigioso poder de succión es suficientemente conocido por experimentos hechos en menor escala». Tales son los términos con que se expresa la *Encyclopaedia Britannica.* Kircher y otros imaginan que en el centro del canal del Maelström hay un abismo que penetra en el globo terrestre y que vuelve a salir en alguna región remota (una de las hipótesis nombra concretamente el golfo de Botnia). Esta opinión, bastante gratuita en sí misma, fue la que mi imaginación aceptó con mayor prontitud una vez que hube contemplado la escena. Pero al mencionarla a mi guía me sorprendió oírle decir que, si bien casi todos los noruegos compartían ese punto de vista, él no lo aceptaba. En cuanto a la hipótesis precedente, confesó su incapacidad para comprenderla, y yo le di la razón, pues, aunque sobre el papel pareciera concluyente, resultaba por completo ininteligible e incluso absurda frente al tronar de aquel abismo.

–Ya ha podido ver muy bien el remolino –dijo el anciano–, y si nos colocamos ahora detrás de esa roca al socaire, para que no nos moleste el ruido del agua, le contaré un relato que lo convencerá de que conozco alguna cosa sobre el Moskoe-ström.

Me ubiqué como lo deseaba y comenzó:

–Mis dos hermanos y yo éramos dueños de un queche aparejado como una goleta, de unas setenta toneladas, con el cual pescábamos entre las islas situadas más allá de Moskoe y casi hasta Vurrgh. Aprovechando las oportunidades, siempre hay buena pesca en el mar durante las mareas bravas, si se tiene el coraje de enfrentarlas; de todos los habitantes de la costa de Lofoden, nosotros tres éramos los únicos que navegábamos regularmente en la región de las islas. Las zonas usuales de pesca se hallan mucho más al sur. Allí se puede pescar a cualquier hora, sin demasiado riesgo, y por eso son lugares preferidos. Pero los sitios escogidos que pueden encontrarse aquí, entre las rocas, no sólo ofrecen la variedad más grande, sino una abundancia mucho mayor, de modo que con frecuencia pescábamos en un solo día lo que otros más tímidos conseguían apenas en una semana. La verdad es que hacíamos de esto un lance temerario, cambiando el exceso de trabajo por el riesgo de la vida, y sustituyendo capital por coraje.

»Fondeábamos el queche en una caleta, a unas cinco millas al norte de esta costa, y cuando el tiempo estaba bueno, acostumbrábamos aprovechar los quince minutos de tranquilidad de las aguas para atravesar el canal principal de Moskoe-ström mucho más arriba del remolino y anclar luego en cualquier parte cerca de Otterham o Sandflesen, donde las mareas no son tan violentas. Nos quedábamos allí hasta que faltaba poco para un nuevo intervalo de calma, en que poníamos proa en dirección a nuestro puerto. Jamás iniciábamos una expedición de este género sin tener un buen viento de lado tanto para la ida como para el retorno –un viento del que estuviéramos seguros que no nos abandonaría a la vuelta–, y era raro que nuestros cálculos erraran. Dos veces, en seis años, nos vimos precisados a pasar la noche al ancla a causa de una calma chicha, lo cual es cosa muy rara en estos parajes; y una vez tuvimos que quedarnos cerca de una semana donde estábamos, muriéndonos de inanición, por culpa de una borrasca que se desató poco después de nuestro arribo, y que embraveció el canal en tal forma que era imposible pensar en cruzarlo. En esta ocasión hubiéramos podido ser llevados mar afuera a pesar de nuestros esfuerzos (pues los remolinos nos hacían girar tan violentamente que, al final, largamos el ancla y la dejamos que arrastrara), si no hubiera sido que terminamos entrando en una de esas innumerables corrientes antagónicas que hoy están allí y mañana desaparecen, la cual nos arrastró hasta el refugio de Flimen, donde, por suerte, pudimos detenernos.

»No podría contarle ni la vigésima parte de las dificultades que encontrábamos en nuestro campo de pesca –que es mal sitio para navegar aun con buen tiempo–, pero siempre nos arreglamos para burlar el desafío del Moskoe-ström sin accidentes, aunque muchas veces tuve el corazón en la boca cuando nos atrasábamos o nos adelantábamos en un minuto al momento de calma. En ocasiones, el viento no era tan fuerte como habíamos pensado al zarpar y el queche recorría una distancia menor de lo que deseábamos, sin que pudiéramos gobernarlo a causa de la correntada. Mi hermano mayor tenía un hijo de dieciocho años y yo dos robustos mozalbetes. Todos ellos nos hubieran sido de gran ayuda en esas ocasiones, ya fuera apoyando la marcha con los remos, o pescando; pero, aunque estábamos personalmente dispuestos a correr el riesgo, no nos sentíamos con ánimo de exponer a los jóvenes, pues verdaderamente *había* un peligro horrible, esa es la pura verdad.

»Pronto se cumplirán tres años desde que ocurrió lo que voy a contarle. Era el 10 de julio de 18..., día que las gentes de esta región no olvidarán jamás, porque en él se levantó uno de los huracanes más terribles que hayan caído jamás del cielo. Y, sin embargo, durante toda la mañana, y hasta bien entrada la tarde, había soplado una suave brisa del sudoeste, mientras brillaba el sol, y los más avezados marinos no hubieran podido prever lo que iba a pasar.

»Los tres –mis dos hermanos y yo– cruzamos hacia las islas a las dos de la tarde y no tardamos en llenar el queche con una excelente pesca que, como pudimos observar, era más abundante ese día que en ninguna ocasión anterior. A las siete *–por mi reloj–* levamos anclas y zarpamos, a fin de atravesar lo peor del Ström en el momento de la calma, que según sabíamos iba a producirse a las ocho.

»Partimos con una buena brisa de estribor y al principio navegamos velozmente y sin pensar en el peligro, pues no teníamos el menor motivo para sospechar que existiera. Pero, de pronto, sentimos que se nos oponía un viento procedente de Helseggen. Esto era muy insólito; jamás nos había ocurrido antes, y yo empecé a sentirme intranquilo, sin saber exactamente por qué. Enfilamos la barca contra el viento, pero los remansos no nos dejaban avanzar, e iba a proponer que volviéramos al punto donde habíamos estado anclados cuando, al mirar hacia popa vimos que todo el horizonte estaba cubierto por una extraña nube del color del cobre que se levantaba con la más asombrosa rapidez.

»Entretanto, la brisa que nos había impulsado acababa de amainar por completo y estábamos en una calma total, derivando hacia todos los rumbos. Pero esto no duró bastante como para darnos tiempo a reflexionar. En menos de un minuto nos cayó encima la tormenta, y en menos de dos el cielo quedó cubierto por completo; con esto, y con la espuma de las olas que nos envolvía, todo se puso tan oscuro que no podíamos vernos unos a otros en la cubierta.

»Sería una locura tratar de describir el huracán que siguió. Los más viejos marinos de Noruega jamás conocieron nada parecido. Habíamos soltado todo el trapo antes de que el viento nos alcanzara; pero, a su primer embate, los dos mástiles volaron por la borda como si los hubiesen aserrado..., y uno de los palos se llevó consigo a mi hermano mayor, que se había atado para mayor seguridad.

»Nuestra embarcación se convirtió en la más liviana pluma que jamás flotó en el agua. El queche tenía un puente totalmente cerrado, con sólo una pequeña escotilla cerca de proa, que acostumbrábamos cerrar y asegurar cuando íbamos a cruzar el Ström, por precaución contra el mar picado. De no haber sido por esta circunstancia, hubiéramos zozobrado instantáneamente, pues durante un momento quedamos sumergidos por completo. Cómo escapó a la muerte mi hermano mayor no puedo decirlo, pues jamás se me presentó la oportunidad de averiguarlo. Por mi parte, tan pronto hube soltado el trinquete, me tiré boca abajo en el puente, con los pies contra la estrecha borda de proa y las manos aferrando una armella próxima al pie del palo mayor. El instinto me indujo a obrar así, y fue, indudablemente, lo mejor que podía haber hecho; la verdad es que estaba demasiado aturdido para pensar.

»Durante algunos momentos, como he dicho, quedamos completamente inundados, mientras yo contenía la respiración y me aferraba a la armella. Cuando no pude resistir más, me enderecé sobre las rodillas, sosteniéndome siempre con las manos, y pude así asomar la cabeza. Pronto nuestra pequeña embarcación dio una sacudida, como hace un perro al salir del agua, y con eso se libró en cierta medida de las olas que la tapaban. Por entonces estaba tratando yo de sobreponerme al aturdimiento que me dominaba, recobrar los sentidos para decidir lo que tenía que hacer, cuando sentí que alguien me aferraba del brazo. Era mi hermano mayor, y mi corazón saltó de júbilo, pues estaba seguro de que el mar lo había arrebatado. Mas esa alegría no tardó en transformarse en horror, pues mi hermano acercó la boca a mi oreja, mientras gritaba: *¡Moskoe-ström!*

»Nadie puede imaginar mis sentimientos en aquel instante. Me estremecí de la cabeza a los pies, como si sufriera un violento ataque de calentura. Demasiado bien sabía lo que mi hermano me estaba diciendo con esa simple palabra y lo que quería darme a entender: con el viento que nos arrastraba, nuestra proa apuntaba hacia el remolino del Ström... ¡y nada podía salvarnos!

»Se imaginará usted que, al cruzar el canal del Ström, lo hacíamos siempre mucho más arriba del remolino, incluso con tiempo bonancible, y debíamos esperar y observar cuidadosamente el momento de calma. Pero ahora estábamos navegando directamente hacia el vórtice, envueltos en el más terrible huracán. «Probablemente –pensé– llegaremos allí en un momento de la calma... y eso nos da una esperanza.» Pero, un segundo después, me maldije por ser tan loco como para pensar en esperanza alguna. Sabía muy bien que estábamos condenados y que lo estaríamos igual aunque nos halláramos en un navío cien veces más grande.

»A esta altura la primera furia de la tempestad se había agotado, o quizá no la sentíamos tanto por estar corriendo delante de ella. Pero el mar, que el viento había mantenido aplacado y espumoso al comienzo, se alzaba ahora en gigantescas montañas. Un extraño cambio se había producido en el cielo. Alrededor de nosotros, y en todas direcciones, seguía tan negro como la pez, pero en lo alto, casi encima de donde estábamos, se abrió repentinamente un círculo de cielo despejado –tan despejado como jamás he vuelto a ver–, brillantemente azul, y a través del cual resplandecía la luna llena con un brillo que no le había conocido antes. Iluminaba con sus rayos todo lo que nos rodeaba, con la más grande claridad; pero... ¡Dios mío, qué escena nos mostraba!

»Hice una o dos tentativas para hacerme oír de mi hermano, pero, por razones que no pude comprender, el estruendo había aumentado de manera tal que no alcancé a hacerle entender una sola palabra, pese a que gritaba con todas mis fuerzas en su oreja. Pronto sacudió la cabeza, mortalmente pálido, y levantó un dedo como para decirme: «¡Escucha!».

»Al principio no me di cuenta de lo que quería significar, pero un horrible pensamiento cruzó por mi mente. Extraje mi reloj de la faltriquera. Estaba detenido. Contemplé el cuadrante a la luz de la luna y me eché a llorar, mientras lanzaba el reloj al océano. *¡Se había detenido a las siete! ¡Ya había pasado el momento de calma y el remolino del ström estaba en plena furia!*

»Cuando un barco es de buena construcción, está bien equipado y no lleva mucha carga, al correr con el viento durante una borrasca las olas dan la impresión de resbalar por debajo del casco, lo cual siempre resulta extraño para un hombre de tierra firme; a eso se le llama *cabalgar* en lenguaje marino.

»Hasta ese momento habíamos cabalgado sin dificultad sobre las olas; pero de pronto una gigantesca masa de agua nos alcanzó por la bovedilla y nos alzó con ella... arriba... más arriba... como si ascendiéramos al cielo. Jamás hubiera creído que una ola podía alcanzar semejante altura. Y entonces empezamos a caer, con una carrera, un deslizamiento y una zambullida que me produjeron náuseas y mareo, como si estuviera desplomándome en sueños desde lo alto de una montaña. Pero en el momento en que alcanzamos la cresta, pude lanzar una ojeada alrededor... y lo que vi fue más que suficiente. En un instante comprobé nuestra exacta posición. El vórtice de Moskoe-ström se hallaba a un cuarto de milla adelante; pero ese vórtice se parecía tanto al de todos los días como el que está viendo usted a un remolino en una charca. Si no hubiera sabido dónde estábamos y lo que teníamos que esperar, no hubiese reconocido en absoluto aquel sitio. Tal como lo vi, me obligó a cerrar involuntariamente los ojos de espanto. Mis párpados se apretaron como en un espasmo.

»Apenas habrían pasado otros dos minutos, cuando sentimos que las olas decrecían y nos vimos envueltos por la espuma. La embarcación dio una brusca media vuelta a babor y se precipitó en su nueva dirección como una centella. Al mismo tiempo, el rugido del agua quedó completamente apagado por algo así como un estridente alarido... un sonido que podría usted imaginar formado por miles de barcos de vapor que dejaran escapar al mismo tiempo la presión de sus calderas. Nos hallábamos ahora en el cinturón de la resaca que rodea siempre el remolino, y pensé que un segundo más tarde nos precipitaríamos al abismo, cuyo interior veíamos borrosamente a causa de la asombrosa velocidad con la cual nos movíamos. El queche no daba la impresión de flotar en el agua, sino de flotar como una burbuja sobre la superficie de la resaca. Su banda de estribor daba al remolino, y por babor surgía la inmensidad oceánica de la que acabábamos de salir, y que se alzaba como una enorme pared oscilando entre nosotros y el horizonte.

»Puede parecer extraño, pero ahora, cuando estábamos sumidos en las fauces del abismo, me sentí más tranquilo que cuando veníamos acercándonos a él. Decidido a no abrigar ya ninguna esperanza, me libré de una buena parte del terror que al principio me había privado de mis fuerzas. Creo que fue la desesperación lo que templó mis nervios.

»Tal vez piense usted que me jacto, pero lo que le digo es la verdad: Empecé a reflexionar sobre lo magnífico que era morir de esa manera y lo insensato de preocuparme por algo tan insignificante como mi propia vida frente a una manifestación tan maravillosa del poder de Dios. Creo que enrojecí de vergüenza cuando la idea cruzó por mi mente. Y al cabo de un momento se apoderó de mí la más viva curiosidad acerca del remolino. Sentí *el deseo* de explorar sus profundidades, aun al precio del sacrificio que iba a costarme, y la pena más grande que sentí fue que nunca podría contar a mis viejos camaradas de la costa todos los misterios que vería. No hay duda que eran estas extrañas fantasías en un hombre colocado en semejante situación, y con frecuencia he pensado que la rotación del barco alrededor del vórtice pudo trastornarme un tanto la cabeza.

»Otra circunstancia contribuyó a devolverme la calma, y fue la cesación del viento, que ya no podía llegar hasta nosotros en el lugar donde estábamos, puesto que, como usted mismo ha visto, el cinturón de resaca está sensiblemente más bajo que el nivel general del océano, al que veíamos descollar sobre nosotros como un alto borde montañoso y negro. Si nunca le ha tocado pasar una borrasca en plena mar, no puede hacerse una idea de la confusión mental que produce la combinación del viento y la espuma de las olas. Ambos ciegan, ensordecen y ahogan, suprimiendo toda posibilidad de acción o de reflexión. Pero ahora nos veíamos en gran medida libres de aquellas molestias... así como los criminales condenados a muerte se ven favorecidos con ciertas liberalidades que se les negaban antes de que se pronunciara la sentencia.

»Imposible es decir cuántas veces dimos la vuelta al circuito. Corrimos y corrimos, una hora quizá, volando más que flotando, y entrando cada vez más hacia el centro de la resaca, lo que nos acercaba progresivamente a su horrible borde interior. Durante todo este tiempo no había soltado la armella que me sostenía. Mi hermano estaba en la popa, sujetándose a un pequeño barril vacío, sólidamente atado bajo el compartimiento de la bovedilla, y que era la única cosa a bordo que la borrasca no había precipitado al mar. Cuando ya nos acercábamos al borde del pozo, soltó su asidero y se precipitó hacia la armella de la cual, en la agonía de su terror, trató de desprender mis manos, ya que no era bastante grande para proporcionar a ambos un sostén seguro. Jamás he sentido pena más grande que cuando lo vi hacer eso, aunque comprendí que su proceder era el de un insano, a quien el terror ha vuelto loco furioso. De todos modos, no hice ningún esfuerzo para oponerme. Sabía que ya no importaba quién de los dos se aferrara de la armella, de modo que se la cedí y pasé a popa, donde estaba el barril. No me costó mucho hacerlo, porque el queche corría en círculo con bastante estabilidad, sólo balanceándose bajo las inmensas oscilaciones y conmociones del remolino. Apenas me había afirmado en mi nueva posición, cuando dimos un brusco bandazo a estribor y nos precipitamos de proa en el abismo. Murmuré presurosamente una plegaria a Dios y pensé que todo había terminado.

»Mientras sentía la náusea del vertiginoso descenso, instintivamente me aferré con más fuerza al barril y cerré los ojos. Durante algunos segundos no me atreví a abrirlos, esperando mi aniquilación inmediata y me maravillé de no estar sufriendo ya las agonías de la lucha final con el agua. Pero el tiempo seguía pasando. Y yo estaba vivo. La sensación de caída había cesado y el movimiento de la embarcación se parecía al de antes, cuando estábamos en el cinturón de espuma, salvo que ahora se hallaba más inclinada. Junté coraje y otra vez miré lo que me rodeaba.

»Nunca olvidaré la sensación de pavor, espanto y admiración que sentí al contemplar aquella escena. El queche parecía estar colgando, como por arte de magia, a mitad de camino en el interior de un embudo de vasta circunferencia y prodigiosa profundidad, cuyas paredes, perfectamente lisas, hubieran podido creerse de ébano, a no ser por la asombrosa velocidad con que giraban, y el lívido resplandor que despedían bajo los rayos de la luna, que, en el centro de aquella abertura circular entre las nubes a que he aludido antes, se derramaban en un diluvio gloriosamente áureo a lo largo de las negras paredes y se perdían en las remotas profundidades del abismo.

»Al principio me sentí demasiado confundido para poder observar nada con precisión. Todo lo que alcanzaba era ese estallido general de espantosa grandeza. Pero, al recobrarme un tanto, mis ojos miraron instintivamente hacia abajo. Tenía una vista completa en esa dirección dada la forma en que el queche colgaba de la superficie inclinada del vórtice. Su quilla estaba perfectamente nivelada, vale decir que el puente se hallaba en un plano paralelo al del agua, pero esta última se tendía formando un ángulo de más de cuarenta y cinco grados, de modo que parecía como si estuviésemos ladeados. No pude dejar de observar, sin embargo, que, a pesar de esta situación, no me era mucho más difícil mantenerme aferrado a mi puesto que si el barco hubiese estado a nivel; presumo que se debía a la velocidad con que girábamos.

»Los rayos de la luna parecían querer alcanzar el fondo mismo del profundo abismo, pero aun así no pude ver nada con suficiente claridad a causa de la espesa niebla que lo envolvía todo y sobre la cual se cernía un magnífico arco iris semejante al angosto y bamboleante puente que, según los musulmanes, es el solo paso entre el Tiempo y la Eternidad. Aquella niebla, o rocío, se producía sin duda por el choque de las enormes paredes del embudo cuando se encontraba en el fondo; pero no trataré de describir el aullido que brotaba del abismo para subir hasta el cielo.

»Nuestro primer deslizamiento en el pozo, a partir del cinturón de espumas de la parte superior, nos había hecho descender a gran distancia por la pendiente; sin embargo, la continuación del descenso no guardaba relación con el anterior. Una y otra vez dimos la vuelta, no con un movimiento uniforme sino entre vertiginosos balanceos y sacudidas, que nos lanzaban a veces a unos cuantos centenares de yardas, mientras otras nos hacían completar casi el circuito del remolino. A cada vuelta, y aunque lento, nuestro descenso resultaba perceptible.

»Mirando en torno la inmensa extensión de ébano líquido sobre la cual éramos así llevados, advertí que nuestra embarcación no era el único objeto comprendido en el abrazo del remolino. Tanto por encima como por debajo de nosotros se veían fragmentos de embarcaciones, grandes pedazos de maderamen de construcción y troncos de árboles, así como otras cosas más pequeñas, tales como muebles, cajones rotos, barriles y duelas. He aludido ya a la curiosidad anormal que había reemplazado en mí el terror del comienzo. A medida que me iba acercando a mi horrible destino parecía como si esa curiosidad fuera en aumento. Comencé a observar con extraño interés los numerosos objetos que flotaban cerca de nosotros. *Debo* de haber estado bajo los efectos del delirio, porque hasta busqué *diversión* en el hecho de calcular sus respectivas velocidades en el descenso hacia la espuma del fondo. «Ese abeto –me oí decir en un momento dado– será el que ahora se precipite hacia abajo y desaparezca»; y un momento después me quedé decepcionado al ver que los restos de un navío mercante holandés se le adelantaban y caían antes. Al final, después de haber hecho numerosas conjeturas de esta naturaleza, y haber errado todas, ocurrió que el hecho mismo de equivocarme invariablemente me indujo a una nueva reflexión, y entonces me eché a temblar como antes, y una vez más latió pesadamente mi corazón.

»No era el espanto el que así me afectaba, sino el nacimiento de una nueva y emocionante *esperanza.* Surgía en parte de la memoria y, en parte, de las observaciones que acababa de hacer. Recordé la gran cantidad de restos flotantes que aparecían en la costa de Lofoden y que habían sido tragados y devueltos luego por el Moskoeström. La gran mayoría de estos restos aparecía destrozada de la manera más extraordinaria; estaban como frotados, desgarrados, al punto que daban la impresión de un montón de astillas y esquirlas. Pero al mismo tiempo recordé que *algunos* de esos objetos no estaban desfigurados en absoluto. Me era imposible explicar la razón de esa diferencia, salvo que supusiera que los objetos destrozados eran los que habían sido *completamente absorbidos,* mientras que los otros habían penetrado en el remolino en un período más adelantado de la marea, o bien, por alguna razón, habían descendido tan lentamente luego de ser absorbidos, que no habían alcanzado a tocar el fondo del vórtice antes del cambio del flujo o del reflujo, según fuera el momento. Me pareció posible, en ambos casos, que dichos restos hubieran sido devueltos otra vez al nivel del océano, sin correr el destino de los que habían penetrado antes en el remolino o habían sido tragados más rápidamente.

»Al mismo tiempo hice tres observaciones importantes. La primera fue que, por regla general, los objetos de mayor tamaño descendían más rápidamente. La segunda, que entre dos masas de igual tamaño, una esférica y otra *de cualquier forma,* la mayor velocidad de descenso correspondía a la esfera. La tercera, que entre dos masas de igual tamaño, una de ellas cilíndrica y la otra de cualquier forma, la primera era absorbida con mayor lentitud. Desde que escapé de mi destino he podido hablar muchas veces sobre estos temas con un viejo preceptor del distrito, y gracias a él conozco el uso de las palabras «cilindro» y «esfera». Me explicó –aunque me he olvidado de la explicación– que lo que yo había observado entonces era la consecuencia natural de las formas de los objetos flotantes, y me mostró cómo un cilindro, flotando en un remolino, ofrecía mayor resistencia a su succión y era arrastrado con mucha mayor dificultad que cualquier otro objeto del mismo tamaño, cualquiera fuese su forma[1].

»Había además un detalle sorprendente, que contribuía en gran medida a reformar estas observaciones y me llenaba de deseos de verificarlas: a cada revolución de nuestra barca sobrepasábamos algún

1. Cfr. Arquímedes, *De Incidentibus in Fluido,* lib. 2.

objeto, como puede ser un barril, una verga o un mástil. Ahora bien, muchos de aquellos restos, que al abrir yo por primera vez los ojos para contemplar la maravilla del remolino, se encontraban a nuestro nivel, estaban ahora mucho más arriba y daban la impresión de haberse movido muy poco de su posición inicial.

»No vacilé entonces en lo que debía hacer: resolví asegurarme fuertemente al barril del cual me tenía, soltarlo de la bovedilla y precipitarme con él al agua. Llamé la atención de mi hermano mediante signos, mostrándole los barriles flotantes que pasaban cerca de nosotros, e hice todo lo que estaba en mi poder para que comprendiera lo que me disponía a hacer. Me pareció que al fin entendía mis intenciones, pero fuera así o no, sacudió la cabeza con desesperación, negándose a abandonar su asidero en la armella. Me era imposible llegar hasta él y la situación no admitía pérdida de tiempo. Así fue como, lleno de amargura, lo abandoné a su destino, me até al barril mediante las cuerdas que lo habían sujetado a la bovedilla y me lancé con él al mar sin un segundo de vacilación.

»El resultado fue exactamente el que esperaba. Puesto que yo mismo le estoy haciendo este relato, por lo cual ya sabe usted que escapé sano y salvo, y además está enterado de cómo me las arreglé para escapar, abreviaré el fin de la historia. Habría transcurrido una hora o cosa así desde que hiciera abandono del queche, cuando lo vi, a gran profundidad, girar terriblemente tres o cuatro veces en rápida sucesión y precipitarse en línea recta en el caos de espuma del abismo, llevándose consigo a mi querido hermano. El barril al cual me había atado descendió apenas algo más de la mitad de la distancia entre el fondo del remolino y el lugar desde donde me había tirado al agua, y entonces empezó a producirse un gran cambio en el aspecto del vórtice. La pendiente de los lados del enorme embudo se fue haciendo menos y menos escarpada. Las revoluciones del vórtice disminuyeron gradualmente su violencia. Poco a poco fue desapareciendo la espuma y el arco iris, y pareció como si el fondo del abismo empezara a levantarse suavemente. El cielo estaba despejado, no había viento y la luna llena resplandecía en el oeste, cuando me encontré en la superficie del océano, a plena vista de las costas de Lofoden y en el lugar donde *había estado* el remolino de Moskoe-ström. Era la hora de la calma, pero el mar se encrespaba todavía en gigantescas olas por efectos del huracán. Fui impulsado violentamente al canal del Ström, y pocos minutos más tarde llegaba a la costa, en la zona de los pescadores. Un bote me recogió, exhausto de fatiga, y, ahora que el peligro había pasado, incapaz de hablar a causa del recuerdo de aquellos horrores. Quienes me subieron a bordo eran mis viejos camaradas y compañeros cotidianos, pero no me reconocieron, como si yo fuese un viajero que retornaba del mundo de los espíritus. Mi cabello, negro como ala de cuervo la víspera, estaba tan blanco como lo ve usted ahora. También se dice que la expresión de mi rostro ha cambiado. Les conté mi historia... y no me creyeron. Se la cuento ahora a usted, sin mayor esperanza de que le dé más crédito del que le concedieron los alegres pescadores de Lofoden».

EL TONEL DE AMONTILLADO

Comentario de Luis Felipe Lomelí

Sereno, el niño entra al cuarto de su hermana. Ya sabe lo que tiene que hacer: ha esperado tres días desde que ella lo acusara con su madre. Camina hacia donde están las muñecas. De una bolsita de su pantalón saca una paleta de grosella –su preferida–, la desenvuelve y comienza a chuparla felizmente. De la otra bolsita saca un cuchillo de sierra que tomó de la cocina y con la mano libre, un poco pegajosa de caramelo, levanta a la primera muñeca. Luego las degollará a todas. Acomodará las cabecitas de plástico sobre la cama: tiene que dejar claro cuál es su lugar en la familia, tiene que resarcir su orgullo.

La venganza es un sentimiento simple, presente desde que la persona tiene conciencia de que es persona y, por tanto, tiene orgullo y una idea de cuál es el trato que merece de sus semejantes. Pero la conducción de la venganza tiene aristas y recovecos. Por un lado, es algo íntimo y, en la tradición cristiana, es mal visto: los individuos difícilmente aceptan ser vengativos y rara vez cuentan cómo ejecutan sus castigos. Por otro lado, una venganza llevada a buen término tiene que «castigar con impunidad», como dice el personaje del siguiente cuento. Y, más aún, un agravio «tampoco es reparado si el vengador no es capaz de mostrarse como tal a quien lo ha ofendido».

El niño no puede prever que a su venganza seguirá un castigo ejemplar por parte de su madre. En cambio Edgar Allan Poe, conocedor de los entresijos de la perversidad humana, traza un personaje que desea orquestar una venganza sin mácula. Un personaje resuelto más allá de toda la apariencia amigable que requiere para llevar a cabo sus actos. Más aún, el bueno de Poe no sólo era preciso en el retrato de la condición humana y sus perversiones, sino que también sabía –de él y Shakespeare lo aprendimos– que la mejor forma de contar una historia es trastocarla: hay que elegir los escenarios con cuidado, escoger las situaciones justas y el puntual bagaje de los involucrados, cultivar la belleza y la infamia porque sólo así brillan ambas y, sobre todo, construir la tensión como un relojero para que el lector vaya armando y desechando hipótesis, con tiento, inventando una y descartándola para inventar otra mientras arma las piezas de la historia y se pregunta qué va a pasar, entonces, sólo entonces y sin engaños, viene el desenlace. Así sucederá en «El tonel de amontillado» (un excelente vino, por cierto).

EL TONEL DE AMONTILLADO

Había yo soportado hasta donde me era posible las mil ofensas de que Fortunato me hacía objeto, pero cuando se atrevió a insultarme juré que me vengaría. Vosotros, sin embargo, que conocéis harto bien mi alma, no pensaréis que proferí amenaza alguna. Me vengaría *a la larga;* esto quedaba definitivamente decidido, pero, por lo mismo que era definitivo, excluía toda idea de riesgo. No sólo debía castigar, sino castigar con impunidad. No se repara un agravio cuando el castigo alcanza al reparador, y tampoco es reparado si el vengador no es capaz de mostrarse como tal a quien lo ha ofendido.

Téngase en cuenta que ni mediante hechos ni palabras había yo dado motivo a Fortunato para dudar de mi buena disposición. Tal como me lo había propuesto, seguí sonriente ante él, sin que se diera cuenta de que mi sonrisa procedía, *ahora,* de la idea de su inmolación.

Un punto débil tenía este Fortunato, aunque en otros sentidos era hombre de respetar y aun de temer. Enorgullecíase de ser un *connaisseur* en materia de vinos. Pocos italianos poseen la capacidad del verdadero virtuoso. En su mayor parte, el entusiasmo que fingen se adapta al momento y a la oportunidad, a fin de engañar a los millonarios ingleses y austriacos. En pintura y en alhajas Fortunato era un impostor, como todos sus compatriotas; pero en lo referente a vinos añejos procedía con sinceridad. No era yo diferente de él en este sentido; experto en vendimias italianas, compraba con largueza todos los vinos que podía.

Anochecía ya, una tarde en que la semana de carnaval llegaba a su locura más extrema, cuando encontré a mi amigo. Acercóseme con excesiva cordialidad, pues había estado bebiendo en demasía. Disfrazado de bufón, llevaba un ajustado traje a rayas y lucía en la cabeza el cónico gorro de cascabeles. Me sentí tan contento al verle, que me pareció que no terminaría nunca de estrechar su mano.

–Mi querido Fortunato –le dije–, ¡qué suerte haberte encontrado! ¡Qué buen semblante tienes! Figúrate que acabo de recibir un barril de vino que pasa por amontillado, pero tengo mis dudas.

–¿Cómo?,–exclamó Fortunato–. ¿Amontillado? ¿Un barril? ¡Imposible! ¡Y a mitad de carnaval...!

–Tengo mis dudas –insistí–, pero he sido lo bastante tonto como para pagar su precio sin consultarte antes. No pude dar contigo y tenía miedo de echar a perder un buen negocio.

–¡Amontillado!

–Tengo mis dudas.

–¡Amontillado!

–Y quiero salir de ellas.

–¡Amontillado!

–Como estás ocupado, me voy a buscar a Lucresi. Si hay alguien con sentido crítico, es él. Me dirá que...

–Lucresi es incapaz de distinguir entre amontillado y jerez.

–Y sin embargo no faltan tontos que afirman que su gusto es comparable al tuyo.

–¡Ven! ¡Vamos!

–¿Adónde?

–A tu bodega.

–No, amigo mío. No quiero aprovecharme de tu bondad. Noto que estás ocupado, y Lucresi...

–No tengo nada que hacer; vamos.

–No, amigo mío. No se trata de tus ocupaciones, pero veo que tienes un fuerte catarro. Las criptas son terriblemente húmedas y están cubiertas de salitre.

–Vamos lo mismo. Este catarro no es nada. ¡Amontillado! Te has dejado engañar. En cuanto a Lucresi, es incapaz de distinguir entre jerez y amontillado.

Mientras decía esto, Fortunato me tomó del brazo. Yo me puse un antifaz de seda negra y, ciñéndome una *roquelaure,* dejé que me llevara apresuradamente a mi *palazzo.*

No encontramos sirvientes en mi morada; habíanse escapado para festejar alegremente el carnaval. Como les había dicho que no volvería hasta la mañana siguiente, dándoles órdenes expresas de no moverse de casa, estaba bien seguro de que todos ellos se habían marchado de inmediato apenas les hube vuelto la espalda.

Saqué dos antorchas de sus anillas y, entregando una a Fortunato, le conduje a través de múltiples habitaciones hasta la arcada que daba acceso a las criptas. Descendimos una larga escalera de caracol, mientras yo recomendaba a mi amigo que bajara con precaución. Llegamos por fin al fondo y pisamos juntos el húmedo suelo de las catacumbas de los Montresors.

Mi amigo caminaba tambaleándose, y al moverse tintinearon los cascabeles de su gorro.

–El tonel –dijo.

–Está más delante –contesté–, pero observa las blancas telarañas que brillan en las paredes de estas cavernas.

Se volvió hacía mí y me miró en los ojos con veladas pupilas, que destilaban el flujo de su embriaguez.

–¿Salitre? –preguntó, después de un momento.

–Salitre –repuse–. ¿Desde cuándo tienes esa tos?

El violento acceso impidió a mi pobre amigo contestarme durante varios minutos.

–No es nada –dijo por fin.

–Vamos –declaré con decisión–. Volvámonos; tu salud es preciosa. Eres rico, respetado, admirado, querido; eres feliz como en un tiempo lo fui yo. Tu desaparición sería lamentada, cosa que no ocurriría en mi caso. Volvamos, pues, de lo contrario, te enfermarás y no quiero tener esa responsabilidad. Además está Lucresi, que...

–¡Basta! –dijo Fortunato–. Esta tos no es nada y no me matará. No voy a morir de un acceso de tos.

–Ciertamente que no –repuse–. No quería alarmarte innecesariamente. Un trago de este Medoc nos protegerá de la humedad.

Rompí el cuello de una botella que había extraído de una larga hilera de la misma clase colocada en el suelo.

–Bebe –agregué, presentándole el vino.

Mirándome de soslayo, alzó la botella hasta sus labios. Detúvose y me hizo un gesto familiar, mientras tintineaban sus cascabeles.

–Brindo –dijo– por los enterrados que reposan en torno de nosotros.

–Y yo brindo por que tengas una larga vida.

Otra vez me tomó del brazo y seguimos adelante.

–Estas criptas son enormes –observó Fortunato.

–Los Montresors –repliqué– fueron una distinguida y numerosa familia.

–He olvidado vuestras armas.

–Un gran pie humano de oro en campo de azur; el pie aplasta una serpiente rampante, cuyas garras se hunden en el talón.

–¿Y el lema?

–*Nemo me impune lacessit.*

–¡Muy bien! –dijo Fortunato.

Chispeaba el vino en sus ojos y tintineaban los cascabeles. El Medoc había estimulado también mi fantasía. Dejamos atrás largos muros formados por esqueletos apilados, entre los cuales aparecían también toneles y pipas, hasta llegar a la parte más recóndita de las catacumbas. Me detuve otra vez, atreviéndome ahora a tomar del brazo a Fortunato por encima del codo.

–¡Mira cómo el salitre va en aumento! –dije–. Abunda como el moho en las criptas. Estamos debajo del lecho del río. Las gotas de humedad caen entre los huesos... Ven, volvámonos antes de que sea demasiado tarde. La tos...

–No es nada –dijo Fortunato–. Sigamos adelante, pero bebamos antes otro trago de Medoc.

Rompí el cuello de un frasco de De Grâve y se lo alcancé. Vaciolo de un trago y sus ojos se llenaron de una luz salvaje. Riéndose, lanzó la botella hacia arriba, gesticulando en una forma que no entendí.

Lo miré, sorprendido. Repitió el movimiento, un movimiento grotesco.

–¿No comprendes?

–No –repuse.

–Entonces no eres de la hermandad.

–¿Cómo?

–No eres un masón.

–¡Oh, sí! –exclamé–. ¡Sí lo soy!

–¿Tú, un masón? ¡Imposible!

–Un masón –insistí.

–Haz un signo –dijo él–. Un signo.

–Mira –repuse, extrayendo de entre los pliegues de mi *roquelaure* una pala de albañil.

–Te estás burlando –exclamó Fortunato, retrocediendo algunos pasos–. Pero vamos a ver ese amontillado.

–Puesto que lo quieres –dije, guardando el utensilio y ofreciendo otra vez mi brazo a Fortunato, que se apoyó pesadamente. Continuamos nuestro camino en busca del amontillado. Pasamos bajo una hilera de arcos muy bajos, descendimos, seguimos adelante y, luego de bajar otra vez, llegamos a una profunda cripta, donde el aire estaba tan viciado que nuestras antorchas dejaron de llamear y apenas alumbraban.

En el extremo más alejado de la cripta se veía otra menos espaciosa. Contra sus paredes se habían apilado restos humanos que subían hasta la bóveda, como puede verse en las grandes catacumbas de París. Tres lados de esa cripta interior aparecían ornamentados de esta manera. En el cuarto, los huesos se habían desplomado y yacían dispersos en el suelo, formando en una parte un amontonamiento bastante grande. Dentro del muro así expuesto por la caída de los huesos, vimos otra cripta o nicho interior, cuya profundidad sería de unos cuatro pies, mientras su ancho era de tres y su alto de seis o siete. Parecía haber sido construida sin ningún propósito especial, ya que sólo constituía el intervalo entre dos de los colosales soportes del techo de las catacumbas, y formaba su parte posterior la pared, de sólido granito, que las limitaba.

Fue inútil que Fortunato, alzando su mortecina antorcha, tratara de ver en lo hondo del nicho. La débil luz no permitía adivinar dónde terminaba.

–Continúa –dije–. Allí está el amontillado. En cuanto a Lucresi...

–Es un ignorante –interrumpió mi amigo, mientras avanzaba tambaleándose y yo le seguía pegado a sus talones. En un instante llegó al fondo del nicho y, al ver que la roca interrumpía su marcha, se detuvo como atontado. Un segundo más tarde quedaba encadenado al granito. Había en la roca dos argollas de hierro, separadas horizontalmente por unos dos pies. De una de ellas colgaba una cadena corta; de la otra, un candado. Pasándole la cadena alrededor de la cintura, me bastaron apenas unos segundos para aherrojarlo. Demasiado estupefacto estaba para resistirse. Extraje la llave y salí del nicho.

–Pasa tu mano por la pared –dije– y sentirás el salitre. Te aseguro que hay *mucha* humedad. Una vez más, te *imploro* que volvamos. ¿No quieres? Pues entonces, tendré que dejarte. Pero antes he de ofrecerte todos mis servicios.

–¡El amontillado! –exclamó mi amigo, que no había vuelto aún de su estupefacción.

–Es cierto –repliqué–. El amontillado.

Mientras decía esas palabras, fui hasta el montón de huesos de que ya he hablado. Echándolos a un lado, puse en descubierto una cantidad de bloques de piedra y de mortero. Con estos materiales y con ayuda de mi pala de albañil comencé vigorosamente a cerrar la entrada del nicho.

Apenas había colocado la primera hilera de mampostería, advertí que la embriaguez de Fortunato se había disipado en buena parte. La primera indicación nació de un quejido profundo que venía de lo hondo del nicho. No *era* el grito de un borracho. Siguió un largo y obstinado silencio. Puse la segunda hilera, la tercera y la cuarta; entonces oí la furiosa vibración de la cadena. El ruido duró varios minutos, durante los cuales, y para poder escucharlo con más comodidad, interrumpí mi labor y me senté sobre los huesos. Cuando, por fin, cesó el resonar de la cadena, tomé de nuevo mi pala y terminé sin interrupción la quinta, la sexta y la séptima hilera. La pared me llegaba ahora hasta el pecho. Detúveme nuevamente y, alzando la antorcha sobre la mampostería, proyecté sus débiles rayos sobre la figura allí encerrada.

Una sucesión de agudos y penetrantes alaridos, brotando súbitamente de la garganta de aquella forma encadenada, me hicieron retroceder con violencia. Vacilé un instante y temblé. Desenvainando mi espada, me puse a tantear con ella el interior del nicho, pero me bastó una rápida reflexión para tranquilizarme. Apoyé la mano sobre la sólida muralla de la catacumba y me sentí satisfecho. Volví a acercarme al nicho y contesté con mis alaridos a aquel que clamaba. Fui su eco, lo ayudé, lo sobrepujé en volumen y en fuerza. Sí, así lo hice, y sus gritos acabaron por cesar.

Ya era medianoche y mi tarea llegaba a su término. Había completado la octava, la novena y la décima hilera. Terminé una parte de la undécima y última; sólo quedaba por colocar y fijar una sola piedra. Luché con su peso y la coloqué parcialmente en posición. Pero entonces brotó desde el nicho una risa apagada que hizo erizar mis cabellos. La sucedió una voz lamentable, en la que me costó reconocer la del noble Fortunato.

–¡Ja, ja... ja, ja! ¡Una excelente broma, por cierto... una excelente broma...! ¡Cómo vamos a reírnos en *el palazzo*... ja, ja... mientras bebamos... ja, ja!

–¡El amontillado! –dije.

–¡Ja, ja...! ¡Sí... el amontillado...! Pero... ¿no se está haciendo tarde? ¿No nos estarán esperando en *el palazzo*... mi esposa y los demás? ¡Vámonos!

–Sí–dije–. Vámonos.

–*¡Por el amor de Dios, Montresor!*

–Sí –dije–. Por el amor de Dios.

Esperé en vano la respuesta a mis palabras. Me impacienté y llamé en voz alta:

–¡Fortunato!

Silencio. Llamé otra vez.

–¡Fortunato!

No hubo respuesta. Pasé una antorcha por la abertura y la dejé caer dentro. Sólo me fue devuelto un tintinear de cascabeles. Sentí que una náusea me envolvía; su causa era la humedad de las catacumbas. Me apresuré a terminar mi trabajo. Puse la última piedra en su sitio y la fijé con el mortero. Contra la nueva mampostería volví a alzar la antigua pila de huesos. Durante medio siglo, ningún mortal los ha perturbado. *¡Requiescat in pace!*

LA MÁSCARA DE LA MUERTE ROJA

Comentario de Félix J. Palma

¿Qué sucede si al leer un cuento de terror la víctima te produce más miedo que el monstruo? Eso fue lo que me pregunté cuando terminé de leer el relato «La máscara de la Muerte Roja». Y no sin espanto, pues el niño que yo era entonces enseguida se juzgó anímicamente enfermo: todo apuntaba a que, en su singladura hacia la madurez, el bisoño espíritu que anidaba en su pecho iba a descarrilar, a desviarse del recto camino aventurándose por la senda de la perversión. Por suerte, el tiempo obró en mi descargo y pronto comprendí que habitamos un universo ambiguo, donde las cosas nunca son lo que parecen.

Publicado en 1842, «La máscara de la Muerte Roja» es un relato atípico dentro de la producción de Poe. Contiene casi todos los rasgos que caracterizan su literatura, esos elementos que configuraron su personal visión del goticismo, pero también es cierto que la ausencia de coordenadas espaciotemporales y el uso de una imperturbable tercera persona, entre otros detalles, se alían para convertirlo en una fábula oscura, en una siniestra alegoría. El relato narra cómo una misteriosa plaga asola la comarca del príncipe Próspero quien, ante su devastador e imparable avance, decide cobijarse con su corte en una abadía fortificada. Pero, una vez a salvo, los refugiados no se dedican a contar cuentos, como los protagonistas del *Decamerón* de Boccaccio, que también tuvieron que enclaustrarse para huir de una pandemia, en este caso de la peste bubónica. Mucho menos prudentes, los nobles del relato de Poe parecen descender más bien del cuarteto de adinerados pervertidos que protagonizan *Los 120 días de Sodoma,* la novela inconclusa del Marqués de Sade, confinados voluntariamente en el castillo de Silling con el propósito de perpetrar las más alambicadas depravaciones sexuales. De igual modo, dando la espalda a un mundo irremediablemente condenado, el príncipe Próspero y los suyos se abandonan a un epicureísmo furibundo que desemboca en una fiesta de carnaval, en cuya descripción Poe no escatima elementos simbólicos.

Huelga decir que, a causa de su mencionado aire alegórico, «La máscara de la Muerte Roja» ha suscitado cientos de interpretaciones. La vistosa peste que se cierne sobre el reino de Próspero ha representado a lo largo de los años todos los males posibles, ya sean de naturaleza biológica, como el sida o el ébola, o de carácter ideológico, como el nazismo. Siguiendo el mismo camino, en la figura del impávido príncipe se ha querido ver la encarnación de esos crueles dictadores que jalonan los noticiarios, a cierto gobernante que, al abrigo de sus misiles, contempla con indiferencia cómo los parias asedian sus costas en precarios cayucos mientras el planeta se calienta peligrosamente, o incluso al mismísimo Poe, a quien no es difícil imaginar en la época en que lo escribió queriendo resguardarse de un mundo hostil que intentaba arrebatarle a su Virginia con las pálidas garras de la tuberculosis.

Pero cualquier interpretación es ociosa, pues jamás sabremos qué pretendía el poeta. A los críticos y estudiosos parece gustarles que las nubes tengan una forma determinada, a pesar de que el viento las moldea sin ninguna intención. Quizás Poe, poco amigo de las historias didácticas, sólo intentaba escribir un cuento de hadas que le permitiera descansar de tanto relato analítico, y no pudo evitar tamizarlo por la atormentada oscuridad de su alma. Sea como fuere, su mensaje es claro: nadie puede eludir su destino, nadie puede aislarse del mundo y sus peligros completamente, sobre todo cuando esa amenaza es la muerte, que nunca ha entendido de clases. No importa a qué lado del castillo estemos: todos sabemos igual para los gusanos.

LA MÁSCARA DE LA MUERTE ROJA

La «Muerte Roja» había devastado el país durante largo tiempo. Jamás una peste había sido tan fatal y tan espantosa. La sangre era su encarnación y su sello: el rojo y el horror de la sangre. Comenzaba con agudos dolores, un vértigo repentino, y luego los poros sangraban y sobrevenía la muerte. Las manchas escarlata en el cuerpo y la cara de la víctima eran el bando de la peste, que la aislaba de toda ayuda y de toda simpatía. Y la invasión, progreso y fin de la enfermedad se cumplían en media hora.

Pero el príncipe Próspero era feliz, intrépido y sagaz. Cuando sus dominios quedaron semidespoblados llamó a su lado a mil robustos y desaprensivos amigos de entre los caballeros y damas de su corte, y se retiró con ellos al seguro encierro de una de sus abadías fortificadas. Era esta de amplia y magnífica construcción y había sido creada por el excéntrico aunque majestuoso gusto del príncipe. Una sólida y altísima muralla la circundaba. Las puertas de la muralla eran de hierro. Una vez adentro, los cortesanos trajeron fraguas y pesados martillos y soldaron los cerrojos. Habían resuelto no dejar ninguna vía de ingreso o de salida a los súbitos impulsos de la desesperación o del frenesí. La abadía estaba ampliamente aprovisionada. Con precauciones semejantes, los cortesanos podían desafiar el contagio. Que el mundo exterior se las arreglara por su cuenta; entretanto, era una locura afligirse o meditar. El príncipe había reunido todo lo necesario para los placeres. Había bufones, improvisadores, bailarines y músicos; había hermosura y vino. Todo eso y la seguridad estaban del lado de adentro. Afuera estaba la Muerte Roja.

Al cumplirse el quinto o sexto mes de su reclusión, y cuando la peste hacía los más terribles estragos, el príncipe Próspero ofreció a sus mil amigos un baile de máscaras de la más insólita magnificencia.

Aquella mascarada era un cuadro voluptuoso, pero permitidme que antes os describa los salones donde se celebraba. Eran siete –una serie imperial de estancias–. En la mayoría de los palacios, la sucesión de salones forma una larga galería en línea recta, pues las dobles puertas se abren hasta adosarse a las paredes, permitiendo que la vista alcance la totalidad de la galería. Pero aquí se trataba de algo muy distinto, como cabía esperar del amor del príncipe por lo extraño. Las estancias se hallaban dispuestas con tal irregularidad que la visión no podía abarcar más de una a la vez. Cada veinte o treinta yardas había un brusco recodo, y en cada uno nacía un nuevo efecto. A derecha e izquierda en mitad de la pared, una alta y estrecha ventana gótica daba a un corredor cerrado que seguía el contorno de la serie de salones. Las ventanas tenían vitrales cuya coloración variaba con el tono dominante de la decoración del aposento. Si, por ejemplo, la cámara de la extremidad oriental tenía tapicerías azules, vívidamente azules eran sus ventanas. La segunda estancia ostentaba tapicerías y ornamentos purpúreos, y aquí los vitrales eran púrpura. La tercera era enteramente verde, y lo mismo los cristales. La cuarta había sido decorada e iluminada con tono naranja; la quinta, con blanco; la sexta, con violeta. El séptimo aposento aparecía completamente cubierto de colgaduras de terciopelo negro, que abarcaban el techo y las paredes, cayendo en pesados pliegues sobre una alfombra del mismo material y tonalidad. Pero en esta cámara el color de las ventanas no correspondía a la decoración. Los cristales eran escarlata, tenían un profundo color de sangre.

A pesar de la profusión de ornamentos de oro que aparecían aquí y allá o colgaban de los techos, en aquellas siete estancias no había lámparas ni candelabros. Las cámaras no estaban iluminadas con bujías o arañas. Pero en los corredores paralelos a la galería, y opuestos a cada ventana, se alzaban pesados trípodes que sostenían un ígneo brasero, cuyos rayos proyectábanse a través de los cristales teñidos e iluminaban brillantemente cada estancia. Producían en esa forma multitud de resplandores tan vivos como fantásticos. Pero en la cámara del poniente, la cámara negra, el fuego que, a través de los cristales de color de sangre, se derramaba sobre las sombrías colgaduras, producía un efecto terriblemente siniestro, y daba una coloración tan extraña a los rostros de quienes penetraban en ella, que pocos eran lo bastante audaces para poner allí los pies.

En este aposento, contra la pared del poniente, se apoyaba un gigantesco reloj de ébano. Su péndulo se balanceaba con un resonar sordo, pesado, monótono; y cuando el minutero había completado su circuito y la hora iba a sonar, de las entrañas de bronce del mecanismo nacía un tañido claro y resonante, lleno de música; mas su tono y su énfasis eran tales que, a cada hora, los músicos de la orquesta se veían obligados a interrumpir momentáneamente su ejecución para escuchar el sonido, y las parejas danzantes cesaban por fuerza sus evoluciones; durante un momento, en aquella alegre sociedad reinaba el desconcierto; y, mientras aún resonaban los tañidos del reloj, era posible observar que los más atolondrados palidecían y los de más edad y reflexión se pasaban la mano por la frente, como si se entregaran a una confusa meditación o a un ensueño. Pero apenas los ecos cesaban del todo, livianas risas nacían en la asamblea; los músicos se miraban entre sí, como sonriendo de su insensata nerviosidad, mientras se prometían en voz baja que el siguiente tañido del reloj no provocaría en ellos una emoción semejante. Mas, al cabo de sesenta minutos (que abarcan tres mil seiscientos segundos del Tiempo que huye), el reloj daba otra vez la hora, y otra vez nacían el desconcierto, el temblor y la meditación.

Pese a ello, la fiesta era alegre y magnífica. El príncipe tenía gustos singulares. Sus ojos se mostraban especialmente sensibles a los colores y sus efectos. Desdeñaba los caprichos de la mera moda. Sus planes eran audaces y ardientes, sus concepciones brillaban con bárbaro esplendor. Algunos podrían haber creído que estaba loco. Sus cortesanos sentían que no era así. Era necesario oírlo, verlo y tocarlo para tener la seguridad de que no lo estaba.

El príncipe se había ocupado personalmente de gran parte de la decoración de las siete salas destinadas a la gran fiesta, y su gusto había guiado la elección de los disfraces. Grotescos eran estos, a no dudarlo. Reinaba en ellos el brillo, el esplendor, lo picante y lo fantasmagórico –mucho de eso que más tarde habría de encontrarse en *Hernani*–. Veíanse figuras de arabesco, con siluetas y atuendos incongruentes; veíanse fantasías delirantes, como las que aman los maniacos. Abundaba allí lo hermoso, lo extraño, lo licencioso, y no faltaba lo terrible y lo repelente. En verdad, en aquellas siete cámaras se movía, de un lado a otro, una multitud de sueños. Y aquellos sueños se contorsionaban en todas partes, cambiando de color al pasar por los aposentos, y haciendo que la extraña música de la orquesta pareciera el eco de sus pasos.

Mas otra vez tañe el reloj que se alza en el aposento de terciopelo. Por un momento todo queda inmóvil; todo es silencio, salvo la voz del reloj. Los sueños están helados, rígidos en sus posturas. Pero los ecos del tañido se pierden –apenas han durado un instante–, y una risa ligera, a medias sofocada, flota tras ellos en su fuga. Otra vez crece la música, viven los sueños, contorsionándose de aquí para allá con más alegría que nunca coloreándose al pasar ante las ventanas, por las cuales irrumpen los rayos de los trípodes. Mas en la cámara que da al oeste ninguna máscara se aventura, pues la noche avanza y una luz más roja se filtra por los cristales de color de sangre; aterradora es la tiniebla de las colgaduras negras; y, para aquel cuyo pie se pose en la sombría alfombra, brota del reloj de ébano un ahogado resonar mucho más solemne que los que alcanzan a oír las máscaras entregadas a la lejana alegría de las otras estancias.

Congregábase densa multitud en estas últimas, donde afiebradamente latía el corazón de la vida. Continuaba la fiesta en su torbellino hasta el momento en que comenzaron a oírse los tañidos del reloj anunciando la medianoche. Calló entonces la música, como ya he dicho, y las evoluciones de los que bailaban se interrumpieron; y como antes, se produjo en todo una cesación angustiosa. Mas esta vez el reloj debía tañer doce campanadas, y quizá por eso ocurrió que los pensamientos invadieron en mayor número las meditaciones de aquellos que reflexionaban entre la multitud entregada a la fiesta. Y quizá también por eso ocurrió que, antes de que los últimos ecos del carillón se hubieran hundido en el silencio, muchos de los concurrentes tuvieron tiempo para advertir la presencia de una figura enmascarada que hasta entonces no había llamado la atención de nadie. Y, habiendo corrido en un susurro la noticia de aquella nueva presencia, alzose al final un rumor que expresaba desaprobación, sorpresa y, finalmente, espanto, horror y repugnancia.

En una asamblea de fantasmas como la que acabo de describir es de imaginar que una aparición ordinaria no hubiera provocado semejante conmoción. El desenfreno de aquella mascarada no tenía límites, pero la figura en cuestión lo ultrapasaba e iba, incluso, más allá de lo que el liberal criterio del príncipe toleraba. En el corazón de los más temerarios hay cuerdas que no pueden tocarse sin emoción. Aun el más relajado de los seres, para quien la vida y la muerte son igualmente un juego, sabe que hay cosas con las cuales no se puede jugar. Los concurrentes parecían sentir en lo más hondo que el traje y la apariencia del desconocido no revelaban ni ingenio ni decoro. Su figura, alta y flaca, estaba envuelta de la cabeza a los pies en una mortaja. La máscara que ocultaba el rostro se parecía de tal manera al semblante de un cadáver ya rígido, que el escrutinio más detallado se habría visto en dificultades para descubrir el engaño. Cierto; aquella frenética concurrencia podía tolerar, si no aprobar, semejante disfraz. Pero el enmascarado se había atrevido a asumir las apariencias de la Muerte Roja. Su mortaja estaba salpicada de sangre, y su amplia frente, así como el rostro, aparecían manchados por el horror escarlata.

Cuando los ojos del príncipe Próspero cayeron sobre la espectral imagen (que ahora, con un movimiento lento y solemne como para dar relieve a su papel, se paseaba entre los bailarines), convulsionose en el primer momento con un estremecimiento de terror o de disgusto; pero, al punto, su frente enrojeció de rabia.

–¿Quién se atreve –preguntó, con voz ronca, a los cortesanos que lo rodeaban–, quién se atreve a insultarnos con esta burla blasfematoria? ¡Apoderaos de él y desenmascaradlo, para que sepamos a quién vamos a ahorcar al alba en las almenas!

Al pronunciar estas palabras, el príncipe Próspero se hallaba en el aposento del este, el aposento azul. Sus acentos resonaron alta y claramente en las siete estancias, pues el príncipe era hombre osado y robusto, y la música acababa de cesar a una señal de su mano.

Con un grupo de pálidos cortesanos a su lado hallábase el príncipe en el aposento azul. Apenas hubo hablado, los presentes hicieron un movimiento en dirección al intruso, quien, en ese instante, se hallaba a su alcance y se acercaba al príncipe con paso sereno y deliberado. Mas la indecible aprensión que la insana apariencia del enmascarado había producido en los cortesanos impidió que nadie alzara la mano para detenerlo; y así, sin impedimentos, pasó este a una yarda del príncipe, y, mientras la vasta concurrencia retrocedía en un solo impulso hasta pegarse a las paredes, siguió andando ininterrumpidamente, pero con el mismo solemne y mesurado paso que desde el principio lo había distinguido. Y de la cámara azul pasó a la púrpura, de la púrpura a la verde, de la verde a la anaranjada, desde esta a la blanca y de allí a la violeta antes de que nadie se hubiera decidido a detenerlo. Mas entonces el príncipe Próspero, enloquecido por la rabia y la vergüenza de su momentánea cobardía, se lanzó a la carrera a través de los seis aposentos, sin que nadie lo siguiera por el mortal terror que a todos paralizaba. Puñal en mano, acercose impetuosamente hasta llegar a tres o cuatro pasos de la figura, que seguía alejándose, cuando esta, al alcanzar el extremo del aposento de terciopelo, se volvió de golpe y enfrentó a su perseguidor. Oyose un agudo grito, mientras el puñal caía resplandeciente sobre la negra alfombra y el príncipe Próspero se desplomaba muerto.

Reuniendo el terrible coraje de la desesperación, numerosas máscaras se lanzaron al aposento negro; pero, al apoderarse del desconocido, cuya alta figura permanecía erecta e inmóvil a la sombra del reloj de ébano, retrocedieron con inexpresable horror al descubrir que el sudario y la máscara cadavérica que con tanta rudeza habían aferrado no contenían ninguna forma tangible.

Y entonces reconocieron la presencia de la Muerte Roja. Había venido como un ladrón en la noche. Y uno por uno cayeron los convidados en las salas de orgía manchadas de sangre, y cada uno murió en la desesperada actitud de su caída. Y la vida del reloj de ébano se apagó con la del último de aquellos alegres seres. Y las llamas de los trípodes expiraron. Y las tinieblas, y la corrupción, y la Muerte Roja lo dominaron todo.

UN CUENTO DE LAS MONTAÑAS ESCABROSAS

Comentario de Hipólito G. Navarro

Primero que nada confesaré que presentar este cuento me ha provocado una tremenda incomodidad, la que supone revelar que nunca antes lo había leído. Rendido admirador de los cuentos de Poe desde que era un muchacho, ahora resulta que me quedaban por leer unos cuantos. Eso pasa por leer los libros de cuentos a saltos, atropelladamente. Lo tomaré por el lado bueno: la oportunidad que esta misma edición me brinda de nuevo de rescatar una felicidad lectora ciertamente virginal, a la que ya pensaba que tenía por completo vetado el acceso. Así pues debo confesar también enseguida la alegría que supone que me haya tocado en suerte introducir la lectura de esta pieza. Incomodidad y alegría me ha proporcionado a un tiempo este encargo, contento y desasosiego, los mismos sentimientos simultáneos que provoca siempre la lectura del americano. La peripecia argumental del relato me ha regalado, además, uno de esos pasmosos juegos de azar a los que tan devotos fueron Edgar Allan Poe y Julio Cortázar, aquellos juegos que me ganaron bien temprano para la causa de esta modalidad de cuentos cerrados y redondos, y que no visitaba desde hacía tanto.

«Un cuento de las Montañas Escabrosas» es, apenas se pone uno a leer, un cuento de Poe. No todos los suyos son así. Sus fantasías literario-filosóficas y sobre todo las humorísticas manejan otros registros (un humor desgarrado, pesimista, cruel a veces). Este de las Ragged Mountains es uno de esos cuentos que se pueden y se deben esgrimir como ejemplo de la más genuina concepción inaugural del género. Contiene las maneras y los temas más queridos de Poe: un narrador minucioso ofrece la explicación científica de unos hechos sobrenaturales apoyándose en la razón y el empirismo de la ciencia moderna, la que por entonces despuntaba y que ahora percibimos tan coquetamente primitiva con sus sanguijuelas, su hipnosis, su magnetismo y sus muy generosas dosis de morfina. El plano narrativo principal, que trata del desdoblamiento de la personalidad, lo adereza Poe con una jugosa relación de datos históricos, exóticos y hasta pintorescos, un placer añadido más para la lectura. No conforme con ese despliegue, el relato se acerca por uno de sus costados a otro texto inaugural de la narrativa breve norteamericana: la leyenda de Rip van Winkle que en el cuento de Washington Irving se desarrolla con parecida atmósfera de misterio en las montañas Catskill. Un guiño de Poe, una ironía quizá, para el grupo Knickerbocker. Al fin y al cabo las Catskill y las Ragged Mountains son desgajamientos del macizo de los Appalaches, esa inmensa cordillera trufada de leyendas indias...

Un comentario más todavía (no desvelaré la última vuelta de tuerca del cuento, espero), un poquitín personal: Que me empleara yo un tiempo de corrector tipográfico en un periódico tras abandonar mis estudios de ciencias, ahora lo sé, presagiaba este encuentro feliz con el relato de Poe, esta cita con su pasión científica y con el benéfico humor de la errata final con que se redondea nuestra historia.

UN CUENTO DE LAS MONTAÑAS ESCABROSAS

Durante el otoño del año 1827, mientras residía cerca de Charlottesville (Virginia), trabé relación por casualidad con Mr. Augustus Bedloe. Este joven caballero era notable en todo sentido y despertó en mí un interés y una curiosidad profundos. Me resultaba imposible comprenderlo tanto en lo físico como en lo moral. De su familia no pude obtener informes satisfactorios. Nunca averigüé de dónde venía. Aun en su edad –si bien lo califico de joven caballero– había algo que me desconcertaba no poco. Seguramente *parecía* joven, y se complacía en hablar de su juventud; mas había momentos en que no me hubiera costado mucho atribuirle cien años de edad. Pero nada más peculiar que su apariencia física. Era singularmente alto y delgado, muy encorvado. Tenía miembros excesivamente largos y descarnados, la frente ancha y alta, la tez absolutamente exangüe, la boca grande y flexible, y los dientes más desparejados, aunque sanos, que jamás he visto en una cabeza humana. La expresión de su sonrisa, sin embargo, en modo alguno resultaba desagradable, como podía suponerse; pero era absolutamente invariable. Tenía una profunda melancolía, una tristeza uniforme, constante. Sus ojos eran de tamaño anormal, grandes y redondos, como los del gato. También las pupilas con cualquier aumento o disminución de luz sufrían una contracción o una dilatación como la que se observa en la especie felina. En momentos de excitación le brillaban los ojos hasta un punto casi inconcebible; parecían emitir rayos luminosos, no de una luz reflejada, sino intrínseca, como una bujía, como el sol; pero por lo general tenía un aspecto tan apagado, tan velado y opaco, que evocaban los ojos de un cadáver largo tiempo enterrado.

Estas características físicas parecían causarle mucha molestia y continuamente aludía a ellas en un tono en parte explicativo, en parte de disculpa, que la primera vez me impresionó penosamente. Pronto, sin embargo, me acostumbré a él y mi incomodidad se desvaneció. Parecía proponerse más bien insinuar, sin afirmarlo de modo directo, que su aspecto físico no había sido siempre el de ahora, que una larga serie de ataques neurálgicos lo habían reducido de una belleza mayor de la común a eso que ahora yo contemplaba. Hacía mucho tiempo que le atendía un médico llamado Templeton, un viejo caballero de unos setenta años, a quien conociera en Saratoga y cuyos cuidados le habían proporcionado, o por lo menos así lo pensaba, gran alivio. El resultado fue que Bedloe, hombre rico, había hecho un arreglo con el doctor Templeton, por el cual este último, mediante un generoso pago anual, consintió en consagrar su tiempo y su experiencia médica al cuidado exclusivo del enfermo.

El doctor Templeton había viajado mucho en sus tiempos juveniles, y en París se convirtió, en gran medida, a las doctrinas de Mesmer. Por medio de curas magnéticas había logrado aliviar los agudos dolores de su paciente, que, movido por este éxito, sentía cierto grado natural de confianza en las opiniones en las cuales se fundaba el tratamiento. El doctor, sin embargo, como todos los fanáticos, había luchado encarnizadamente por convertir a su discípulo, y al fin consiguió inducirlo a que se sometiera a numerosos experimentos. Con la frecuente repetición de estos logró un resultado que en los últimos tiempos se ha vulgarizado hasta el punto de llamar poco o nada la atención, pero que en el período al cual me refiero era apenas conocido en América. Quiero decir que entre el doctor Templeton y Bedloe se había establecido poco a poco un *rapport* muy definido y muy intenso, una relación magnética. No estoy en condiciones de asegurar, sin embargo, que este *rapport* se extendiera más allá de los límites del simple poder de provocar sueño; pero el poder en sí mismo había alcanzado gran intensidad. El primer intento de producir somnolencia magnética fue un absoluto fracaso para el mesmerista. El quinto o el sexto tuvo un éxito parcial, conseguido después de largo y continuado esfuerzo. Sólo en el duodécimo el triunfo fue completo. Después de este la voluntad del paciente sucumbió rápidamente a la del médico, de modo que, cuando los conocí, el sueño se producía casi de inmediato por la simple voluntad del operador, aun cuando el enfermo no estuviera enterado de su presencia. Sólo ahora, en el año 1845, cuando se comprueban diariamente miles de milagros similares, me atrevo a referir esta aparente imposibilidad como un hecho tan cierto como probado.

El temperamento de Bedloe era sensitivo, excitable y exaltado en el más alto grado. Su imaginación se mostraba singularmente vigorosa y creadora, y sin duda sacaba fuerzas adicionales del uso habitual de la morfina, que ingería en gran cantidad y sin la cual le hubiera resultado imposible vivir. Era su costumbre tomar una dosis muy grande todas las mañanas inmediatamente después del desayuno, o más bien después de una taza de café cargado, pues no comía nada antes de mediodía, y luego salía, solo o acompañado por un perro, en un largo paseo por la cadena de salvajes y sombrías colinas que se alzan hacia el suroeste de Charlottesville y son honradas con el título de Montañas Escabrosas.

Un día oscuro, caliente, neblinoso de fines de noviembre, durante el extraño interregno de las estaciones que en Norteamérica se llama *verano indio,* Mr. Bedloe partió, como de costumbre, hacia las colinas. Transcurrió el día, y no volvió.

A eso de las ocho de la noche, ya seriamente alarmados por su prolongada ausencia, estábamos a punto de salir en su busca, cuando apareció de improviso, en un estado no peor que el habitual, pero más exaltado que de costumbre. Su relato de la expedición y de los acontecimientos que lo habían detenido fue en verdad singular.

–Recordarán ustedes –dijo– que eran alrededor de las nueve de la mañana cuando salí de Charlottesville. De inmediato dirigí mis pasos hacia las montañas y, a eso de las diez, entré en una garganta completamente nueva para mí. Seguí los recodos de este paso con gran interés. El paisaje que se veía por doquiera, aunque apenas digno de ser llamado imponente, presentaba un indescriptible y para mí delicioso aspecto de lúgubre desolación. La soledad parecía absolutamente virgen. No pude menos de pensar que aquel verde césped y aquellas rocas grises nunca habían sido halladas hasta entonces por pies humanos. Tan absoluto era su apartamiento y en realidad tan inaccesible –salvo por una serie de accidentes– la entrada del barranco, que no es nada imposible que yo haya sido el primer aventurero, el primerísimo y único aventurero que penetró en sus reconditeces.

»La espesa y peculiar niebla o humo que caracteriza al *verano indio* y que ahora flota, pesada, sobre todos los objetos, servía sin duda para ahondar la vaga impresión que esos objetos creaban. Tan densa era esta agradable bruma, que en ningún momento pude ver a más de doce yardas en el sendero que tenía delante. Este sendero era sumamente sinuoso y, como no se podía ver el sol, pronto perdí toda idea de la dirección en que andaba. Entre tanto la morfina obró su efecto acostumbrado: el de dotar a todo el mundo exterior de intenso interés. En el temblor de una hoja, en el matiz de una brizna de hierba, en la forma de un trébol, en el zumbido de una abeja, en el brillo de una gota de rocío, en el soplo del viento, en los suaves olores que salían del bosque había todo un universo de sugestión, una alegre y abigarrada serie de ideas fragmentarias desordenadas.

»Absorto, caminé durante varias horas, durante las cuales la niebla se espesó a mi alrededor hasta tal punto que al fin me vi obligado a buscar a tientas el camino. Y entonces una indescriptible inquietud se adueñó de mí, una especie de vacilación nerviosa, de temblor. Temí caminar, no fuera a precipitarme en algún abismo. Recordaba, además, extrañas historias sobre esas Montañas Escabrosas, sobre una raza extraña y fiera de hombres que ocupaban sus bosquecillos y sus cavernas. Mil fantasías vagas me oprimieron y desconcertaron, fantasías más afligentes por ser vagas. De improviso detuvo mi atención el fuerte redoble de un tambor.

»Mi asombro fue por supuesto extremado. Un tambor en esas colinas era algo desconocido. No podía sorprenderme más el sonido de la trompeta del Arcángel. Pero entonces surgió una fuente de interés y de perplejidad aún más sorprendente. Se oyó un extraño son de cascabel o campanilla, como de un manojo de grandes llaves, y al instante pasó como una exhalación, lanzando un alarido, un hombre semidesnudo de rostro atezado. Pasó tan cerca que sentí su aliento caliente en la cara. Llevaba en una mano un instrumento compuesto por un conjunto de aros de acero, y los sacudía vigorosamente al correr. Apenas había desaparecido en la niebla cuando, jadeando tras él, con la boca abierta y los ojos centelleantes, se precipitó una enorme bestia. No podía equivocarme acerca de su naturaleza. Era una hiena.

»La vista de este monstruo, en vez de aumentar mis terrores los alivió, pues ahora estaba seguro de que soñaba, e intenté despertarme. Di unos pasos hacia adelante con audacia, con vivacidad. Me froté los ojos. Grité. Me pellizqué los brazos. Un pequeño manantial se presentó ante mi vista y entonces, deteniéndome, me mojé las manos, la cabeza y el cuello. Esto pareció disipar las sensaciones equívocas que hasta entonces me perturbaran. Me enderecé, como lo pensaba, convertido en un hombre nuevo y proseguí tranquilo y satisfecho mi desconocido camino.

»Al fin, extenuado por el ejercicio y por cierta opresiva cerrazón de la atmósfera, me senté bajo un árbol. En ese momento llegó un pálido resplandor de sol y la sombra de las hojas del árbol cayó débil pero definida sobre la hierba. Pasmado, contemplé esta sombra durante varios minutos. Su forma me dejó estupefacto. Miré hacia arriba. El árbol era una palmera.

»Entonces me levanté apresuradamente y en un estado de terrible agitación, pues la suposición de que estaba soñando ya no me servía.

Vi, comprendí que era perfectamente dueño de mis sentidos, y estos sentidos brindaban a mi alma un mundo de sensaciones nuevas y singulares. El calor tornose de pronto intolerable. La brisa estaba cargada de un extraño olor. Un murmullo bajo, continuo, como el que surge de un río crecido pero que corre suavemente, llegó a mis oídos, mezclado con el susurro peculiar de múltiples voces humanas.

»Mientras escuchaba en el colmo de un asombro que no necesito describir, una fuerte y breve ráfaga de viento disipó la niebla oprimente como por obra de magia.

»Me encontré al pie de una alta montaña y mirando una vasta llanura por la cual serpeaba un majestuoso río. A orillas de este río había una ciudad de apariencia oriental, como las que conocemos por *Las Mil y una noches,* pero más singular aún que las allí descritas. Desde mi posición, a un nivel mucho más alto que el de la ciudad, podía percibir cada rincón y escondrijo como si estuviera delineado en un mapa. Las calles parecían innumerables y se cruzaban irregularmente en todas direcciones, pero eran más bien pasadizos sinuosos que calles, y bullían de habitantes. Las casas eran extrañamente pintorescas. A cada lado había profusión de balcones, galerías, torrecillas, templetes y minaretes fantásticamente tallados. Abundaban los bazares, y había un despliegue de ricas mercancías en infinita variedad y abundancia: sedas, muselinas, la cuchillería más deslumbrante, las joyas y gemas más espléndidas. Además de estas cosas se veían por todas partes estandartes y palanquines, literas con majestuosas damas rigurosamente veladas, elefantes con gualdrapas suntuosas, ídolos grotescamente tallados, tambores, pendones, gongos, lanzas, mazas doradas y argentinas. Y en medio de la multitud, el clamor, el enredo, la confusión general, en medio del millón de hombres blancos y amarillos con turbantes y túnicas y barbas caudalosas, vagaba una innumerable cantidad de toros sagrados, mientras vastas legiones de asquerosos monos también sagrados trepaban, parloteando y chillando, a las cornisas de las mezquitas, o se colgaban de los minaretes y de las torrecillas. De las hormigueantes calles bajaban a las orillas del río innumerables escaleras que llegaban a los baños, mientras el río mismo parecía abrirse paso con dificultad a través de las grandes flotas de navíos muy cargados que se amontonaban a lo largo y a lo ancho de su superficie. Más allá de los límites de la ciudad se levantaban, en múltiples grupos majestuosos, la palmera y el cocotero, y otros gigantescos y misteriosos árboles añosos, y aquí y allá podía verse un arrozal, alguna choza campesina con techo de paja, un aljibe, un templo perdido, un campamento gitano, o una solitaria y graciosa doncella encaminándose, con un cántaro sobre la cabeza, hacia las orillas del magnifico río. «Ustedes dirán ahora, por supuesto, que yo soñaba; pero no es así. Lo que vi, lo que oí, lo que sentí, lo que pensé, nada tenía de la inequívoca idiosincrasia del sueño. Todo poseía una consistencia rigurosa y propia. Al principio, dudando de estar realmente despierto, inicié una serie de pruebas que pronto me convencieron de que, en efecto, lo estaba. Cuando uno sueña y en el sueño sospecha que sueña, la sospecha *nunca deja de confirmarse* y el durmiente se despierta de inmediato. Por eso Novalis no se equivoca al decir que "estamos próximos a despertar cuando soñamos que soñamos". Si hubiera tenido esta visión tal como la describo, sin sospechar que era un sueño, entonces podía haber sido un sueño; pero habiéndose producido así, y siendo, como lo fue, objeto de sospechas y de pruebas, me veo obligado a clasificarla entre otros fenómenos.»

–En esto no estoy seguro de que se equivoque –observó el doctor Templeton–, pero continúe. Usted se levantó y descendió a la ciudad.

–Me levanté –continuó Bedloe mirando al doctor con un aire de profundo asombro–, me levanté como usted dice y descendí a la ciudad. En el camino encontré una inmensa multitud que atestaba las calles y se dirigía en la misma dirección, dando muestras en todos sus actos de la más intensa excitación. De pronto, y por algún impulso inconcebible, experimenté un fuerte interés personal en lo que estaba sucediendo. Sentía que debía desempeñar un importante papel, sin saber exactamente cuál. La multitud que me rodeaba, sin embargo, me inspiró un profundo sentimiento de animosidad. Me aparté bruscamente, deprisa, por un sendero tortuoso, llegué a la ciudad y entré. Todo era allí tumulto, contienda. Un pequeño grupo de hombres vestidos con ropas semiindias, semieuropeas, y comandado por caballeros de uniforme en parte británico, combatían en desventaja con la bullente chusma de las callejuelas. Me uní a la parte más débil, con las armas de un oficial caído, y luché no sé contra quién, con la nerviosa ferocidad de la desesperación. Pronto fuimos vencidos por el número y buscamos refugio en una especie de quiosco. Allí nos atrincheramos y por un momento estuvimos seguros. Desde una aspillera cerca del pináculo del quiosco vi una vasta multitud, en furiosa agitación, rodeando y asaltando un alegre palacio que dominaba el río. Entonces, desde una ventana superior de ese palacio bajó un personaje, de aspecto afeminado, valiéndose de una cuerda hecha con los turbantes de sus sirvientes. Cerca había un bote, en el cual huyó a la orilla opuesta del río.

»Y entonces un nuevo propósito se apoderó de mi espíritu. Dije unas pocas palabras apresuradas pero enérgicas a mis compañeros y, logrando ganar a algunos para mi causa, hice una frenética salida desde el quiosco. Nos precipitamos entre la multitud que lo rodeaba. Al principio esta se retiró a nuestro paso. Volvió a unirse, luchó enloquecida, se retiró de nuevo. Entretanto nos habíamos alejado del quiosco y nos extraviamos y confundimos en las estrechas calles de casas altas, salientes, en cuyas profundidades el sol nunca había podido brillar. La canalla presionó impetuosa contra nosotros, acosándonos con sus lanzas y abrumándonos a flechazos. Las flechas eran muy curiosas, algo parecidas al sinuoso cris malayo. Imitaban el cuerpo de una serpiente ondulada y eran largas y negras, con púa envenenada. Una de ellas me hirió en la sien derecha. Me tambaleé y caí. Una instantánea y espantosa náusea me invadió. Me debatí, jadeando, hasta morir.

–No puede usted insistir *ahora* –dije, sonriendo– en que toda su aventura no fue un sueño. No se dispondrá a sostener que está muerto, ¿verdad?

Al decir estas palabras esperaba de parte de Bedloe alguna vivaz salida a modo de réplica; pero, para asombro mío, vaciló, tembló, se puso terriblemente pálido y permaneció silencioso. Miré a Templeton. Estaba rígido y erecto en su silla, daba diente con diente y los ojos se le salían de las órbitas.

–¡Continúe! –dijo por fin con voz ronca.

–Durante varios minutos –prosiguió Bedloe– mi único sentimiento, mi única sensación fue de oscuridad, de nada, junto con la conciencia de la muerte. Por fin mi alma pareció sufrir un violento y repentino choque, como de electricidad. Con él apareció la sensación de elasticidad y de luz. Sentí la luz, no la vi. Por un instante me pareció que me levantaba del suelo. Pero no tenía presencia corpórea, ni visible, ni audible, ni palpable. La multitud se había marchado. El tumulto había cesado. La ciudad se hallaba en relativo reposo. Abajo yacía mi cadáver con la flecha en la sien, la cabeza enormemente hinchada y desfigurada. Pero todas estas cosas las sentí, no las vi. Nada me interesaba. El mismo cadáver era como si no fuese cosa mía. Voluntad no tenía ninguna, pero algo parecía impulsarme a moverme y me deslicé flotando fuera de la ciudad, volviendo a recorrer el sendero sinuoso por el cual había entrado. Cuando llegué al punto del barranco en las montañas donde encontrara la hiena, experimenté de nuevo un choque como de batería galvánica; las sensaciones de peso, de voluntad, de sustancia volvieron. Recobré mi ser original y dirigí ansioso mis pasos hacia casa, pero el pasado no había perdido la vivacidad de lo real, y ni siquiera ahora, ni siquiera por un instante, puedo obligar a mi entendimiento a considerarlo como un sueño.

–No lo era –dijo Templeton con un aire de profunda solemnidad–, y sin embargo sería difícil decir de qué otra manera podría llamárselo. Supongamos tan sólo que el alma del hombre actual está al borde de algunos estupendos descubrimientos psíquicos. Contentémonos con esta suposición. En cuanto al resto, tengo alguna explicación que dar. He aquí una acuarela que debería haberle mostrado antes, pero no lo hice porque hasta ahora me lo impidió un inexplicable sentimiento de horror.

Miramos la figura que presentaba. Nada le vi de extraordinario, pero su efecto sobre Bedloe fue prodigioso. Casi se desmayó al verlo. Y sin embargo era tan sólo un retrato, una miniatura de milagrosa exactitud, por cierto, un retrato de sus notables facciones. Por lo menos esto fue lo que pensé al mirarlo.

–Advertirán ustedes –dijo Templeton– la fecha de este retrato. Aquí está, apenas visible, en este ángulo: 1780. En ese año fue hecho el retrato. Pertenece a un amigo muerto, a Mr. Oldeb, de quien fui muy íntimo en Calcuta, durante la administración de Warren Hastings. Entonces tenía yo sólo veinte años. La primera vez que lo vi, Mr. Bedloe, en Saratoga, la milagrosa semejanza existente entre usted y la pintura fue lo que me indujo a hablarle, a buscar su amistad y a llegar a un arreglo por el cual me convertí en su compañero constante. Al hacer esto me urgía en parte, y quizá principalmente, el dolido recuerdo del muerto, pero también, en parte, una curiosidad con respecto a usted, incómoda y no desprovista de horror.

»En los detalles de su visión entre las colinas ha descrito usted con la más minuciosa exactitud la ciudad india de Benarés, sobre el Río Sagrado. Los tumultos, el combate, la matanza fueron los sucesos reales de la insurrección de Cheyte Sing que ocurrió en 1780, cuando la vida de Hastings corrió inminente peligro. El hombre que escapaba por la cuerda de turbantes era el mismo Cheyte Sing. El destacamento del quiosco estaba formado por cipayos y oficiales británicos, comandados por Hastings. Yo formaba parte de ese destacamento e hice todo lo posible para impedir la temeraria y fatal salida del oficial que cayó, en las atestadas callejuelas, herido por la flecha envenenada de un bengalí. Aquel oficial era mi amigo más querido. Era Oldeb. Lo verán ustedes en estos manuscritos –aquí sacó un cuaderno de notas donde había varias páginas que parecían recién escritas–; en el mismo momento en que usted imaginaba esas cosas entre las colinas, yo estaba entregado a la tarea de detallarlas sobre el papel, aquí, en casa.»

Aproximadamente una semana después de esta conversación, en el periódico de Charlottesville aparecieron los siguientes párrafos:

«Tenemos el penoso deber de anunciar la muerte de Mr. AUGUSTUS BEDLO, caballero cuyas amables costumbres y numerosas virtudes le habían ganado el afecto de los ciudadanos de Charlottesville.

»Mr. B. había padecido durante varios años neuralgias que con frecuencia amenazaron con un fin fatal; pero esta no puede ser considerada sino la causa mediata de su deceso. La causa próxima es especialmente singular. En una excursión a las Montañas Escabrosas, hace unos días, Mr. B. tomó un poco de frío y contrajo fiebre acompañada por gran aflujo de sangre a la cabeza. Para aliviar esto, el doctor Templeton recurrió a la sangría local, por medio de sanguijuelas aplicadas a las sienes. En un período terriblemente breve el paciente murió, viéndose entonces que en el recipiente de las sanguijuelas se había introducido por casualidad una de las vermiculares venenosas que de vez en cuando se encuentran en las charcas vecinas. Esta se adhirió a una pequeña arteria de la sien derecha. Su gran semejanza con la sanguijuela medicinal fue causa de que se advirtiera demasiado tarde el error».

NOTA. La sanguijuela venenosa de Charlottesville siempre puede distinguirse de la medicinal por su color negro y especialmente por sus movimientos reptantes o vermiculares, que tienen una semejanza muy estrecha con los de la víbora.

Estaba hablando con el director del diario en cuestión sobre este notable accidente, cuando se me ocurrió preguntar por qué el nombre del difunto figuraba como Bedlo.

–Supongo –dije– que tienen ustedes autoridad suficiente para escribirlo así, pero siempre imaginé que el nombre se escribía con una *e* al final.

–¿Autoridad? No –replicó–. Es un simple error tipográfico. El nombre es Bedloe, con una *e*, y en mi vida he sabido que se escribiera de otro modo.

–Entonces –dije entre dientes mientras me alejaba–, entonces realmente ha sucedido que una verdad es más extraña que cualquier ficción, pues Bedlo, sin la *e*, ¿qué es sino Oldeb, a la inversa? Y este hombre me dice que es un error tipográfico.

EL DEMONIO DE LA PERVERSIDAD

Comentario de Ricardo Menéndez Salmón

«El demonio de la perversidad» es a «El corazón delator» –texto con el que guarda un inconfundible aire de familia– lo que el ensayo a la ficción: un artefacto donde el conflicto, núcleo de toda escritura que se precie, aparece expresado en sus aspectos teóricos.

Publicados con dos años y medio de diferencia (el que nos ocupa en julio de 1845, en *Graham's Magazine*; su *speculum* en enero de 1843, en *The Pioneer*), ambos textos rastrean –bajo la máscara filosófica el primero, en sus aspectos eminentemente dramáticos el segundo– algunos elementos centrales en la cosmovisión de Poe, caso de los impulsos autodestructivos y el sentimiento de culpa.

Este acento ensayístico se plasma en una decidida vocación conceptual, razón por la que, hasta el último tercio del relato, tenemos la sensación de leer un fragmento de literatura médica, pues el drama sólo comienza una vez que Poe nos regala su definición de lo perverso, definición que haría sonreír de ternura a Sade pero que Freud o Bataille suscribirían sin rubor: perverso es aquello hecho porque sentimos que no debería ser hecho.

Más allá de su excelencia estilística, como siempre notoria, el genio de Poe se expresa en «El demonio de la perversidad» con ejemplar contundencia, gracias a su capacidad para encontrar acomodo, en el devenir de un pequeño relato, a semejante anhelo conceptual, máxime cuando ese concepto, paradójicamente, se insinúa como camino hacia el bien. Y es que, en efecto, hacia el bien por la perversidad podría ser el resumen que a este asesino sin nombre, absurdo por sofisticado, corresponde en la hora final de la confesión, una confesión que, huelga decirlo, es marca de la casa, hasta el punto de sentir la tentación de afirmar que, en Poe, ya desde el programático y quizá nunca superado «William Wilson», la confesión es un género en sí mismo, una suerte de *primum mobile* (expresión que el bostoniano acuña para la perversidad en este relato) indisociable de su literatura.

EL DEMONIO DE LA PERVERSIDAD

En la consideración de las facultades e impulsos de los *prima mobilia* del alma humana los frenólogos han olvidado una tendencia que, aunque evidentemente existe como un sentimiento radical, primitivo, irreductible, los moralistas que los precedieron también habían pasado por alto. Con la perfecta arrogancia de la razón, todos la hemos pasado por alto. Hemos permitido que su existencia escapara a nuestro conocimiento tan sólo por falta de creencia, de fe, sea fe en la Revelación o fe en la Cábala. Nunca se nos ha ocurrido pensar en ella, simplemente por su gratuidad. No creímos que esa tendencia tuviera necesidad de un impulso. No podíamos percibir su necesidad. No podíamos entender, es decir, aunque la noción de este *primum mobile* se hubiese introducido por sí misma, no podíamos entender de qué modo era capaz de actuar para mover las cosas humanas, ya temporales, ya eternas. No es posible negar que la frenología, y en gran medida toda la metafísica, han sido elaboradas a priori. El metafísico y el lógico, más que el hombre que piensa o el que observa, se ponen a imaginar designios de Dios, a dictarle propósitos. Habiendo sondeado de esta manera, a gusto, las intenciones de Jehová, construyen sobre estas intenciones sus innumerables sistemas mentales. En materia de frenología, por ejemplo, hemos determinado, primero (por lo demás era bastante natural hacerlo), que entre los designios de la Divinidad se contaba el de que el hombre comiera. Asignamos, pues, a este un órgano de la *alimentividad* para alimentarse, y este órgano es el acicate con el cual la Deidad fuerza al hombre, quieras que no, a comer. En segundo lugar, habiendo decidido que la voluntad de Dios quiere que el hombre propague la especie, descubrimos inmediatamente un órgano de la *amatividad.* Y lo mismo hicimos con la combatividad, la idealidad, la casualidad, la constructividad, en una palabra, con todos los órganos que representaran una tendencia, un sentimiento moral o una facultad del puro intelecto. Y en este ordenamiento de los principios de la acción humana, los spurzheimistas, con razón o sin ella, en parte o en su totalidad, no han hecho sino seguir en principio los pasos de sus predecesores, deduciendo y estableciendo cada cosa a partir del destino preconcebido del hombre y tomando como fundamento los propósitos de su Creador.

Hubiera sido más prudente, hubiera sido más seguro fundar nuestra clasificación (puesto que debemos hacerla) en lo que el hombre habitual u ocasionalmente hace, y en lo que siempre hace ocasionalmente, en cambio de fundarla en la hipótesis de lo que Dios pretende obligarle a hacer. Si no podemos comprender a Dios en sus obras visibles, ¿cómo lo comprenderíamos en los inconcebibles pensamientos que dan vida a sus obras? Si no podemos entenderlo en sus criaturas objetivas, ¿cómo hemos de comprenderlo en sus tendencias esenciales y en las fases de la creación?

La inducción a posteriori hubiera llevado a la frenología a admitir, como principio innato y primitivo de la acción humana, algo paradójico que podemos llamar *perversidad* a falta de un término más característico. En el sentido que le doy es, en realidad, un *móvil* sin motivo, un motivo no motivado. Bajo sus incitaciones actuamos sin objeto comprensible, o, si esto se considera una contradicción en los términos, podemos llegar a modificar la proposición y decir que bajo sus incitaciones actuamos por la razón de que no deberíamos actuar. En teoría ninguna razón puede ser más irrazonable; pero, de hecho, no hay ninguna más fuerte. Para ciertos espíritus, en ciertas condiciones llega a ser absolutamente irresistible. Tan seguro como que respiro sé que en la seguridad de la equivocación o el error de una acción cualquiera reside con frecuencia la *fuerza* irresistible, la única que nos impele a su prosecución. Esta invencible tendencia a hacer el mal por el mal mismo no admitirá análisis o resolución en ulteriores elementos. Es un impulso radical, primitivo, elemental. Se dirá, lo sé, que cuando persistimos en nuestros actos porque sabemos que no deberíamos hacerlo, nuestra conducta no es sino una modificación de la que comúnmente provoca la *combatividad* de la frenología. Pero una mirada mostrará la falacia de esta idea. La *combatividad,* a la cual se refiere la frenología, tiene por esencia la necesidad de autodefensa. Es nuestra salvaguardia contra todo daño. Su principio concierne a nuestro bienestar, y así el deseo de estar bien es excitado al mismo tiempo que su desarrollo. Se sigue que el deseo de estar bien debe ser excitado al mismo tiempo por algún principio que será una simple modificación de la combatividad, pero en el caso de esto que llamamos perversidad el deseo de estar bien no sólo no se manifiesta, sino que existe un sentimiento fuertemente antagónico.

Si se apela al propio corazón, se hallará, después de todo, la mejor réplica a la sofistería que acaba de señalarse. Nadie que consulte con sinceridad su alma y la someta a todas las preguntas estará dispuesto a negar que esa tendencia es absolutamente radical. No es más incomprensible que característica. No hay hombre viviente a quien en algún período no lo haya atormentado, por ejemplo, un vehemente deseo de torturar a su interlocutor con circunloquios. El que habla advierte el desagrado que causa; tiene toda la intención de agradar; por lo demás, es breve, preciso y claro; el lenguaje más lacónico y más luminoso lucha por brotar de su boca; sólo con dificultad refrena su curso; teme y lamenta la cólera de aquel a quien se dirige; sin embargo, se le ocurre la idea de que puede engendrar esa cólera con ciertos incisos y ciertos paréntesis. Este solo pensamiento es suficiente. El impulso crece hasta el deseo, el deseo hasta el anhelo, el anhelo hasta un ansia incontrolable y el ansia (con gran pesar y mortificación del que habla y desafiando todas las consecuencias) es consentida.

Tenemos ante nosotros una tarea que debe ser cumplida velozmente. Sabemos que la demora será ruinosa. La crisis más importante de nuestra vida exige, a grandes voces, energía y acción inmediatas. Ardemos, nos consumimos de ansiedad por comenzar la tarea, y en la anticipación de su magnífico resultado nuestra alma se enardece. Debe, tiene que ser emprendida hoy y, sin embargo, la dejamos para mañana; y ¿por qué? No hay respuesta, salvo que sentimos esa actitud *perversa,* usando la palabra sin comprensión del principio. El día siguiente llega, y con él una ansiedad más impaciente por cumplir con nuestro deber, pero con este verdadero aumento de ansiedad llega también un indecible anhelo de postergación realmente espantosa por lo insondable. Este anhelo cobra fuerzas a medida que pasa el tiempo. La última hora para la acción está al alcance de nuestra mano. Nos estremece la violencia del conflicto interior, de lo definido con lo indefinido, de la sustancia con la sombra. Pero si la contienda ha llegado tan lejos, la sombra es la que vence, luchamos en vano. Suena la hora y doblan a muerto por nuestra felicidad. Al mismo tiempo es el canto del gallo para el fantasma que nos había atemorizado. Vuela, desaparece, somos libres. La antigua energía retorna. Trabajaremos *ahora.* ¡Ay, es *demasiado tarde*!

Estamos al borde de un precipicio. Miramos el abismo, sentimos malestar y vértigo. Nuestro primer impulso es retroceder ante el peligro. Inexplicablemente, nos quedamos. En lenta graduación, nuestro malestar y nuestro vértigo se confunden en una nube de sentimientos inefables. Por grados aún más imperceptibles esta nube cobra forma, como el vapor de la botella de donde surgió el genio en *Las mil y una noches.* Pero en esa nube *nuestra* al borde del precipicio, adquiere consistencia una forma mucho más terrible que cualquier genio o demonio de leyenda, y, sin embargo, es sólo un pensamiento, aunque temible, de esos que hielan hasta la médula de los huesos con la feroz delicia de su horror. Es simplemente la idea de lo que serían nuestras sensaciones durante la veloz caída desde semejante altura. Y esta caída, esta fulminante aniquilación, por la simple razón de que implica la más espantosa y la más abominable entre las más espantosas y abominables imágenes de la muerte y el sufrimiento que jamás se hayan presentado a nuestra imaginación, por esta simple razón la deseamos con más fuerza. Y porque nuestra razón nos aparta violentamente del abismo, *por eso* nos acercamos a él con más ímpetu. No hay en la naturaleza pasión de una impaciencia tan demoniaca como la del que, estremecido al borde de un precipicio, piensa arrojarse en él. Aceptar por un instante cualquier atisbo de pensamiento significa la perdición inevitable, pues la reflexión no hace sino apremiarnos para que no lo hagamos, y justamente por eso, digo, no podemos hacerlo. Si no hay allí un brazo amigo que nos detenga, o si fallamos en el súbito esfuerzo de echarnos atrás, nos arrojamos, nos destruimos.

Examinemos estas acciones y otras similares: encontraremos que resultan sólo del espíritu de *perversidad.* Las perpetramos simplemente porque sentimos que *no deberíamos* hacerlo. Más acá o más allá de esto no hay principio inteligible, y podríamos en verdad considerar su perversidad como una instigación directa del demonio si no supiéramos que a veces actúa en fomento del bien.

He hablado tanto que en cierta medida puedo responder a vuestra pregunta, puedo explicaros por qué estoy aquí, puedo mostraros algo que tendrá por lo menos una débil apariencia de justificación de estos grillos y esta celda de condenado que ocupo. Si no hubiera sido tan prolijo, o no me hubierais comprendido, o, como la chusma, me hubierais considerado loco. Ahora advertiréis fácilmente que soy una de las innumerables víctimas del demonio de la perversidad.

Es imposible que acción alguna haya sido preparada con más perfecta deliberación. Semanas, meses enteros medité en los medios del asesinato. Rechacé mil planes porque su realización implicaba una *chance* de ser descubierto. Por fin, leyendo algunas memorias francesas, encontré el relato de una enfermedad casi fatal sobrevenida a madame Pilau por obra de una vela accidentalmente envenenada. La idea impresionó de inmediato mi imaginación. Sabía que mi víctima tenía la costumbre de leer en la cama. Sabía también que su habitación era pequeña y mal ventilada. Pero no necesito fatigaros con detalles impertinentes. No necesito describir los fáciles artificios mediante los cuales sustituí, en el candelero de su dormitorio, la vela que allí encontré por otra de mi fabricación. A la mañana siguiente lo hallaron muerto en su lecho, y el veredicto del *coroner* fue: «Muerto por la voluntad de Dios».

Heredé su fortuna y todo anduvo bien durante varios años. Ni una sola vez cruzó por mi cerebro la idea de ser descubierto. Yo mismo hice desaparecer los restos de la bujía fatal. No dejé huella de una pista por la cual fuera posible acusarme o siquiera hacerme sospechoso del crimen. Es inconcebible el magnífico sentimiento de satisfacción que nacía en mi pecho cuando reflexionaba en mi absoluta seguridad. Durante un período muy largo me acostumbré a deleitarme en este sentimiento. Me proporcionaba un placer más real que las ventajas simplemente materiales derivadas de mi crimen. Pero le sucedió, por fin, una época en que el sentimiento agradable llegó, en gradación casi imperceptible, a convertirse en una idea obsesiva, torturante. Torturante por lo obsesiva. Apenas podía librarme de ella por momentos. Es harto común que nos fastidie el oído, o más bien la memoria, el machacón estribillo de una canción vulgar o algunos compases triviales de una ópera. El martirio no sería menor si la canción en sí misma fuera buena o el aria de ópera meritoria. Así es como, al fin, me descubría permanentemente pensando en mi seguridad y repitiendo en voz baja la frase: «Estoy a salvo».

Un día, mientras vagabundeaba por las calles, me sorprendí en el momento de murmurar, casi en voz alta, las palabras acostumbradas. En un acceso de petulancia les di esta nueva forma: «Estoy a salvo, estoy a salvo si no soy lo bastante tonto para confesar abiertamente».

No bien pronuncié estas palabras, sentí que un frío de hielo penetraba hasta mi corazón. Tenía ya alguna experiencia de estos accesos de perversidad (cuya naturaleza he explicado no sin cierto esfuerzo) y recordaba que en ningún caso había resistido con éxito sus embates. Y ahora, la casual insinuación de que podía ser lo bastante tonto para confesar el asesinato del cual era culpable se enfrentaba conmigo como la verdadera sombra de mi asesinado y me llamaba a la muerte.

Al principio hice un esfuerzo para sacudir esta pesadilla de mi alma. Caminé vigorosamente, más rápido, cada vez más rápido, para terminar corriendo. Sentía un deseo enloquecedor de gritar con todas mis fuerzas. Cada ola sucesiva de mi pensamiento me abrumaba de terror, pues, ay, yo sabía bien, demasiado bien, que *pensar,* en mi situación, era estar perdido. Aceleré aún más el paso. Salté como un loco por las calles atestadas. Al fin, el populacho se alarmó y me persiguió. Sentí *entonces* la consumación de mi destino. Si hubiera podido arrancarme la lengua, lo habría hecho, pero una voz ruda resonó en mis oídos, una mano más ruda me aferró por el hombro. Me volví, abrí la boca para respirar. Por un momento experimenté todas las angustias del ahogo: estaba ciego, sordo, aturdido; y entonces algún demonio invisible –pensé– me golpeó con su ancha palma en la espalda. El secreto, largo tiempo prisionero, irrumpió de mi alma.

Dicen que hablé con una articulación clara, pero con marcado énfasis y apasionada prisa, como si temiera una interrupción antes de concluir las breves pero densas frases que me entregaban al verdugo y al infierno.

Después de relatar todo lo necesario para la plena acusación judicial, caí por tierra desmayado.

Pero ¿para qué diré más? ¡Hoy tengo estas cadenas y estoy *aquí*! ¡Mañana estaré libre! *Pero ¿dónde?*

EL ENTIERRO PREMATURO

Comentario de Berta Marsé

Según Poe, un cuento puede concebirse como una gran esfera, y los elementos que aparecen al principio de la narración ya contienen y preanuncian su final. «Todo, en una poesía como en un cuento, ha de cooperar al desenlace.» Pero «El entierro prematuro» («The premature burial»), publicado por primera vez el 31 de julio de 1844 en el *Philadelphia Dollar Newspaper*, no es un cuento propiamente dicho. Fue Cortázar quien señaló el carácter periodístico de un relato que tiene «menos de cuento que de artículo», y que gira en torno a la espeluznante posibilidad de ser enterrado vivo; posibilidad que resulta pavorosa por lo que tiene de posible, ya que existe realmente, tiene una patología y un nombre macabro: catalepsia. Se trata de un trastorno biológico según el cual la persona yace inmóvil, rígida y sin signos vitales, como si hubiera fallecido, cuando en realidad está en un estado de vaga consciencia, o incluso viendo y oyendo lo que sucede a su alrededor. En primera persona –para compartir con nosotros, sus lectores, el mismo asombro, el mismo espanto–, el inquieto narrador, aquejado de catalepsia, explica con detallada pasión los casos probados de los que tiene conocimiento, en los que sus desgraciados protagonistas sufren la experiencia de una doble muerte: la primera y en apariencia real, certificada por médicos o testigos, y una segunda y definitiva, presuntamente de terror, solitaria, sobrecogedora, horripilante. Angustiado por el miedo a correr su misma suerte, el narrador vive obsesionado hasta el punto de comprometer a sus amigos, bajo el juramento de que no permitirán que la fatalidad ocurra, e incluso idea una tumba equipada para pedir socorro; pero toda precaución es inútil. Sin embargo, sólo su peor pesadilla podrá liberarle de su obsesión. Y no diré más. Para saber cómo se desarrolla tal paradoja, habrá que leer el cuento.

Por cierto que, leyendo a Poe –ya sean cuentos, poemas, artículos–, el lector sensible se puede sentir agitado por su temperamento apasionado y la fuerza de su imaginación. La mente de Poe urdía grandes planes, como queda de manifiesto en sus cartas, pero la suerte no le acompañó, y sus ambiciones se vieron una y otra vez aplastadas bajo el peso de su triste realidad: pobreza, alcoholismo, soledad, enfermedad. En una carta a un amigo, confesó: «Creo que Dios me dio una chispa de genio, pero la miseria la apagó». Cabe pensar que la angustia física y mental que la pobreza le infligió, la degradación y la deshonra anímica que soportó a lo largo de sus cuarenta años vida, fueron motivo de una frustración tan intensa como lo fue su ambición. Poe bebió a pie firme camino de la muerte, y en el transcurso de los años sin duda se sintió a menudo como un muerto en vida. De ahí que los esplendores que hay al otro lado le atrajesen tanto, y que, de todos los fantasmas malditos y bellos que habitan su narrativa y su profunda poesía, tal vez el más terrible fuera él mismo. Porque, como dijo Oscar Wilde cuando salió de su propio infierno convertido en una sombra, «por horribles que sean los muertos que salen de sus tumbas, los vivos que salen de sus tumbas son aún más horribles».

EL ENTIERRO PREMATURO

Hay ciertos temas de interés absorbente, pero demasiado horribles para ser objeto de una obra de ficción. El mero escritor romántico debe evitarlos si no desea ofender o desagradar. Sólo se los usa con propiedad cuando lo severo y lo majestuoso de la verdad los santifican y los sostienen. Nos estremecemos con el más intenso de los «dolores agradables» ante los relatos del paso del Beresina, del terremoto de Lisboa, de la peste de Londres y de la matanza de san Bartolomé, o la asfixia de los ciento veintitrés prisioneros en el Pozo Negro de Calcuta. Pero en estos relatos lo excitante es el hecho, la realidad, la historia. Como invenciones nos inspirarían simple aversión.

He mencionado algunas de las más destacadas y augustas calamidades que registra la historia; pero en ellas el alcance, no menos que el carácter de la calamidad, es lo que con tanta vivacidad impresiona la imaginación. No necesito recordar al lector que, del largo y horripilante catálogo de miserias humanas, podría haber elegido muchos ejemplos individuales más llenos de sufrimiento esencial que cualquiera de estos vastos desastres generales. La verdadera desgracia, el infortunio por esencia, es particular, no difuso. ¡Agradezcamos a Dios misericordioso que los horribles extremos de agonía sean soportados por el hombre solo y nunca por el hombre en masa!

Ser enterrado vivo es, fuera de toda discusión, el más terrible de los extremos que jamás haya caído en suerte al simple mortal. Que ha caído con frecuencia, con mucha frecuencia, nadie capaz de pensar lo negará. Los límites que separan la Vida de la Muerte son, en el mejor de los casos, vagos e indefinidos. ¿Quién puede decir dónde termina una y dónde empieza la otra? Sabemos que hay enfermedades en las cuales se produce una cesación total de las funciones aparentes de la vida, y, sin embargo, esa cesación es una simple suspensión para darle su justo nombre. Hay tan sólo pausas temporarias en el incomprensible mecanismo. Transcurrido cierto período, algún misterioso principio oculto pone de nuevo en movimiento los mágicos piñones y las ruedas de hechicería. La cuerda de plata no estaba suelta para siempre, ni irreparablemente roto el vaso de oro. Pero, entretanto, ¿dónde se hallaba el alma?

Sin embargo, fuera de la inevitable conclusión a priori de que tales causas deben producir tales efectos, de que los bien conocidos casos de vida en suspenso deben provocar naturalmente, una y otra vez, prematuros entierros, fuera de esta consideración tenemos el testimonio directo de la experiencia médica y vulgar para probar que realmente un gran número de estas inhumaciones se lleva a cabo. Yo podría referir de inmediato, si fuera necesario, cien ejemplos bien probados. Uno de características muy notables, y cuyas circunstancias quizá se conserven frescas todavía en la memoria de algunos de mis lectores, aconteció no hace mucho en la vecina ciudad de Baltimore, donde provocó una penosa, intensa y dilatada conmoción. La mujer de uno de los más respetables ciudadanos –abogado eminente y miembro del Consejo– fue atacada por una súbita e inexplicable enfermedad que burló el ingenio de sus médicos. Después de mucho padecer murió, o se supone que murió. Nadie sospechó, a decir verdad, ni había razón para sospechar, que no estaba realmente muerta. Presentaba todas las apariencias comunes de la muerte. El rostro tenía el habitual contorno contraído, sumido. Los labios mostraban la habitual palidez marmórea. Los ojos carecían de brillo. Faltaba el calor. Las pulsaciones habían cesado. Durante tres días el cuerpo estuvo sin enterrar, y en ese tiempo adquirió una rigidez pétrea. El funeral, en suma, fue apresurado a causa del rápido avance de lo que se supuso era descomposición.

La señora fue depositada en la bóveda familiar, que permaneció cerrada durante los tres años siguientes. Al expirar este plazo fue abierta para la recepción de un sarcófago; mas, ¡ah!, ¡qué espantoso choque aguardaba al marido cuando abrió en persona la puerta! Al empujar los batientes, un objeto vestido de blanco cayó rechinando en sus brazos. Era el esqueleto de su mujer con la mortaja todavía puesta.

Una cuidadosa investigación brindó la evidencia de que había revivido dos días después de su sepultura; que su lucha dentro del ataúd había provocado la caída de este desde un nicho o estante al suelo, y que al romperse el féretro pudo salir de él. Apareció vacía una lámpara que había quedado accidentalmente llena de aceite dentro de la tumba; quizá se hubiera agotado, sin embargo, por evaporación. En el peldaño superior de la escalera que descendía a la espantosa cámara había un gran fragmento del ataúd, con el cual, según las apariencias, la mujer había intentado llamar la atención golpeando la puerta de hierro. Mientras lo hacía, probablemente, se desmayó o quizá murió de puro terror, y al caer, la mortaja se enredó en alguna pieza de hierro que se proyectaba hacia adentro. Allí quedó y así se pudrió, erecta.

En el año 1810 hubo en Francia un caso de inhumación prematura, rodeado de circunstancias que justifican ampliamente el aserto de que la verdad es más extraña que la ficción. La heroína de la historia era mademoiselle Victorine Lafourcade, una joven de ilustre familia, rica y de gran belleza. Entre sus numerosos cortejantes se contaba Julien Bossuet, un pobre *littérateur* o periodista de París. Su talento y su afabilidad general lo habían señalado a la atención de la heredera, quien parecía haberse enamorado realmente de él, pero su orgullo de casta la decidió, por último, a rechazarlo y a casarse con un tal monsieur Renelle, banquero y diplomático de cierta distinción. Después del matrimonio, este caballero descuidó a su mujer y quizá llegó a maltratarla de hecho. Después de pasar juntos algunos años desdichados, ella murió; por lo menos, su estado semejaba tanto la muerte que engañó a todos quienes la vieron. Fue inhumada no en una bóveda, sino en una tumba común, en su aldea natal. Lleno de desesperación, y todavía inflamado por el recuerdo de su profundo cariño, el enamorado viaja de la capital a la remota provincia donde se encuentra la aldea, con el propósito romántico de desenterrar el cuerpo y apoderarse de sus exuberantes trenzas. Llega a la tumba. A medianoche desentierra el ataúd, lo destapa y, en el momento de desprender el cabello, lo detienen los ojos de la amada, que se abren. La mujer había sido enterrada viva. La vitalidad no había desaparecido del todo, y las caricias del enamorado la despertaron del letargo que fuera equivocadamente tomado por la muerte. El joven la llevó frenético a su alojamiento en la aldea. Empleó ciertos poderosos reconstituyentes aconsejados por no pocos conocimientos médicos. Al fin, ella revivió. Reconoció a su salvador. Permaneció con él hasta que, lenta y gradualmente, recobró toda su salud. Su corazón no era empedernido, y esta última lección de amor bastó para ablandarlo. Lo entregó a Bossuet. No volvió más junto a su marido; ocultando su resurrección, huyó con su amante a América. Veinte años después, los dos regresaron a Francia, persuadidos de que el tiempo había cambiado tanto la apariencia de la señora que sus amigos no podrían reconocerla. Pero se equivocaron, pues al primer encuentro monsieur Renelle reconoció, efectivamente, a su mujer y la reclamó. Ella rechazó el reclamo y el tribunal la apoyó, resolviendo que las peculiares circunstancias, junto con el largo lapso transcurrido, habían abolido, no sólo desde el punto de vista de la equidad, sino legalmente la autoridad del marido.

La *Revista de Cirugía* de Leipzig, publicación de gran autoridad y mérito, que algunos libreros americanos harían bien en traducir y editar, relata en uno de los últimos números un suceso muy penoso que presenta las características en cuestión.

Un oficial de artillería, hombre de gigantesca estatura y robusta salud, fue derribado por un caballo indomable, recibiendo una contusión muy fuerte en la cabeza que en seguida le hizo perder el sentido. Tenía una ligera fractura de cráneo, pero sin peligro inmediato. La trepanación se realizó con éxito. Se le practicó una sangría y se adoptaron otros muchos métodos comunes de alivio. Pero cayó gradualmente en un sopor cada vez más grave y, por último, se le dio por muerto.

Hacía calor y lo enterraron con prisa indecorosa en uno de los cementerios públicos. Sus funerales se realizaron un día jueves. El domingo siguiente frecuentaban el cementerio, como de costumbre, numerosos visitantes cuando, alrededor de mediodía, se produjo un gran revuelo provocado por las palabras de un campesino que, habiéndose sentado en la tumba del oficial, sintió claramente una conmoción en la tierra, como si alguien estuviera luchando debajo. Al principio nadie prestó atención a las palabras del hombre, pero su evidente terror y la terca insistencia con que repetía su historia tuvieron, al fin, naturales efectos sobre la multitud. Algunos consiguieron de inmediato unas palas, y la tumba, vergonzosamente superficial, estuvo en pocos minutos tan abierta que dejó ver la cabeza de su ocupante. Daba la impresión de estar muerto, pero aparecía casi sentado dentro del ataúd, cuya tapa, en una furiosa lucha, había levantado parcialmente.

Fue llevado en seguida al hospital más cercano, donde se le declaró vivo, aunque en estado de asfixia. Después de algunas horas reaccionó, reconoció a sus amigos y, con frases entrecortadas, habló de sus angustias en el sepulcro.

A través de su relato resultó claro que la víctima debía haber conservado conciencia de la vida durante más de una hora después de la inhumación, hasta perder el sentido. La fosa había sido llenada descuidadamente con una tierra muy porosa, sin apisonarla, y así le llegó algo de aire. Oyó los pasos de la multitud sobre su cabeza y trató a su vez de hacerse oír. El tumulto en el interior de la tierra, dijo, fue lo que pareció despertarlo de un profundo sueño, pero apenas despierto comprendió el espantoso horror de su estado.

Este paciente, según se dice, iba mejorando y parecía encaminado hacia un restablecimiento definitivo, cuando sucumbió víctima del charlatanismo de la experimentación médica. Se le aplicó la batería galvánica y expiró de pronto en uno de esos paroxismos estáticos que en ocasiones produce.

La mención de la batería galvánica, sin embargo, me trae a la memoria un caso bien conocido y muy extraordinario, donde su acción brindó la manera de volver a la vida a un joven abogado de Londres que estuviera enterrado durante dos días. Esto ocurrió en 1831, y en el momento causó profunda sensación en todas partes donde fue tema de conversación.

El paciente, Mr. Edward Stapleton, había muerto aparentemente de fiebre tifus, acompañada de algunos síntomas anómalos que excitaron la curiosidad de sus médicos. Después de su aparente deceso, se solicitó a los amigos una autorización para un examen *post mórtem,* pero estos se negaron a permitirlo. Como sucede con frecuencia ante tales negativas, los médicos resolvieron desenterrar el cuerpo y disecarlo a gusto, en privado. Se hicieron fáciles arreglos con algunos de los numerosos ladrones de cadáveres que abundan en Londres, y la tercera noche después de la inhumación el supuesto cadáver fue desenterrado de una tumba de ocho pies de profundidad y depositado en la sala operatoria de un hospital privado.

Al practicarse una incisión de cierta longitud en el abdomen, el aspecto fresco e incorrupto del sujeto sugirió la conveniencia de aplicar la batería. Se hicieron sucesivos experimentos con los efectos acostumbrados, sin nada peculiar en ningún sentido, salvo, en una o dos ocasiones, una apariencia de vida mayor que la ordinaria en la acción convulsiva.

Era tarde. Estaba por amanecer y se juzgó oportuno, al fin, proceder de inmediato a la disección. Pero uno de los estudiantes tenía especiales deseos de probar una teoría propia e insistió en la aplicación de la batería a uno de los músculos pectorales. Después de practicar una tosca incisión, se estableció apresuradamente un contacto; entonces el paciente, con un movimiento rápido pero nada convulsivo, se levantó de la mesa, caminó hasta el centro del recinto, miró extrañado a su alrededor unos instantes y entonces... habló. Lo que dijo fue ininteligible, pero pronunció unas palabras; el silabeo era claro. Después de hablar, cayó pesadamente al suelo.

Por un momento todos quedaron paralizados de espanto, pero la urgencia del caso pronto les devolvió la presencia de ánimo. Se vio que Mr. Stapleton estaba vivo, aunque en síncope. Después de administrársele éter revivió y recobró rápidamente la salud, retornando a la sociedad de sus amigos, a quienes se ocultó, sin embargo, toda noticia de su resurrección hasta que ya no hubo peligro de una recaída. Es de imaginar la maravilla de aquellos y su arrobado asombro.

La nota más espeluznante de este incidente se encuentra, sin embargo, en lo que afirma el mismo Mr. Stapleton. Declara que en ningún momento perdió todo el sentido, que de un modo oscuro y confuso percibía lo que le estaba ocurriendo desde el momento en que fuera declarado *muerto* por los médicos hasta aquel en que cayó desmayado sobre el piso del hospital. «Estoy vivo», fueron las palabras incomprensibles que, después de reconocer la sala de disección, había intentado en su apuro proferir.

Sería cosa fácil multiplicar historias como estas, pero me abstengo porque, en realidad, no nos hacen falta para sentar el hecho de que se producen entierros prematuros. Al reflexionar en las muy raras veces en que, por la naturaleza del caso, tenemos la posibilidad de conocerlos, debemos de admitir que han de ocurrir *frecuentemente* sin que lo sepamos. En realidad, rara vez se ha removido con cierta extensión un cementerio, por cualquier motivo, sin que aparecieran esqueletos en posturas que insinúan la más horrible de las sospechas.

¡Horrible, sí, la sospecha, pero más horrible el destino! Puede asegurarse sin vacilación que *ningún* suceso se presta tan terriblemente como la inhumación antes de la muerte para llevar al colmo de la angustia física y mental. La intolerable opresión de los pulmones, las sofocantes emanaciones de la tierra húmeda, las vestiduras fúnebres que se adhieren, el rígido abrazo de la morada estrecha, la negrura de la noche absoluta, el silencio como un mar abrumador, la invisible pero palpable presencia del vencedor gusano, estas cosas, junto con los recuerdos del aire y la hierba que crecen arriba, la memoria de los amigos queridos que volarían a salvarnos si se enteraran de nuestro destino, y la conciencia de que *nunca* podrán enterarse de él, de que nuestra suerte desesperanzada es la de los muertos de verdad, estas consideraciones, digo, llevan al corazón aún palpitante a un grado de espantoso e intolerable horror, ante el cual la imaginación más audaz retrocede. No conocemos nada tan angustioso en la Tierra, no podemos pensar en nada tan horrible en los dominios del más profundo Infierno. Y por eso todos los relatos sobre este tópico tienen un interés profundo; interés que, sin embargo, en el sagrado espanto del tópico mismo, depende justa y específicamente de nuestra creencia en la *verdad* del asunto narrado. Lo que voy a contar ahora es mi propio conocimiento real, mi experiencia efectiva y personal.

Durante varios años sufrí accesos de ese singular trastorno que los médicos se han puesto de acuerdo en llamar catalepsia, a falta de un nombre más definitivo. Aunque tanto las causas inmediatas como las predisposiciones y aun el diagnóstico real de esta enfermedad siguen siendo misteriosos, su carácter evidente y manifiesto es de sobra conocido. Las variaciones parecen serlo especialmente de grado. A veces el paciente yace sólo un día, o un período aún más breve, en una especie de exagerado letargo. Está privado de conocimiento y aparentemente inmóvil, pero las pulsaciones del corazón aún se perciben débilmente, quedan algunas huellas de calor, una ligera coloración se demora en el centro de las mejillas y, aplicando un espejo a los labios, podemos descubrir una torpe, desigual y vacilante actividad de los pulmones. Otras veces el trance dura semanas y aun meses, mientras el examen más minucioso y las más rigurosas pruebas médicas no logran establecer ninguna distinción material entre el estado del paciente y lo que concebimos como muerte absoluta. Muy a menudo lo salvan del entierro prematuro sus amigos, que lo sabían ya atacado de catalepsia, y la consiguiente sospecha, pero sobre todo lo salva su apariencia incorrupta. La enfermedad avanza, por fortuna, gradualmente. Las primeras manifestaciones, aunque marcadas, son inequívocas. Los ataques son cada vez más característicos y cada uno dura más que el anterior. En esto reside la seguridad principal en cuanto a la inhumación. El desdichado cuyo *primer* ataque tuviera el carácter grave que en ocasiones se presenta, sería casi inevitablemente depositado vivo en la tumba.

Mi caso difería en características sin importancia de los mencionados en los libros de medicina. A veces, sin ninguna causa aparente, me sumía poco a poco en un estado de semisíncope, o casi desmayo, y ese estado, sin dolor, sin capacidad para moverme o para hablar o pensar, pero con una confusa conciencia letárgica de vida y de la presencia de aquellos que rodeaban mi lecho, duraba hasta que la crisis de la enfermedad me devolvía, de improviso, el perfecto conocimiento. Otras veces el acceso era rápido, fulminante. Me sentía enfermo, aterido, helado, con vértigo y, de pronto, caía postrado. Entonces todo estaba vacío semanas enteras, y negro, silencioso, y la nada se convertía en el universo. La total aniquilación no podía ser mayor. De estos últimos ataques despertaba, sin embargo, en una lenta gradación comparada con la instantaneidad del acceso. Así como amanece el día para el mendigo sin casa y sin amigos, para el que rueda por las calles en la larga y desolada noche de invierno, así, tan tardía, tan cansada, tan alegre volvía a mí la luz del Alma.

Pero, fuera de la tendencia al síncope, mi salud general parecía buena, y no hubiera advertido que sufría tal enfermedad a menos que una peculiaridad de mi *sueño* pudiera considerarse como provocada por ella. Al despertarme, nunca podía recobrar de inmediato la posesión de mis sentidos y permanecía siempre durante algunos minutos en un estado de extravío y perplejidad, pues las facultades mentales en general y la memoria en especial se hallaban en absoluta suspensión.

En todos mis padecimientos no había sufrimiento físico, sino una infinita angustia moral. Mi imaginación se tornó macabra. Hablaba «de gusanos, de tumbas, de epitafios». Me perdía en ensueños de muerte, y la idea del entierro prematuro poseía permanentemente mi espíritu. El horrible peligro al cual estaba expuesto me obsesionaba día y noche. Durante el primero, la tortura de la meditación era excesiva; durante la segunda, era suprema. Cuando las torvas tinieblas se extendían sobre la Tierra, entonces, presa de los más horrendos pensamientos, temblaba, temblaba como los trémulos penachos de la carroza fúnebre. Cuando mi naturaleza ya no podía soportar la vigilia, luchaba antes de consentir en dormirme, pues me estremecía pensando que, al despertar, podía encontrarme metido en una tumba. Y cuando, al fin, me hundía en el sueño, era sólo para precipitarme de pronto en un mundo de fantasmas sobre el cual se cernía con sus vastas, negras alas tenebrosas, la única, la sepulcral Idea.

De las innumerables imágenes lúgubres que me oprimían en sueños elijo para mi relato una visión solitaria. Soñé que había caído en trance cataléptico de duración y profundidad mayores que las habituales. De pronto una mano helada se posó en mi frente y una voz impaciente, farfullante, susurró en mi oído: «¡Levántate!».

Me senté. La oscuridad era total. No podía ver la figura del que me había despertado. No podía traer a la memoria ni el período durante el cual había caído en trance, ni el lugar donde yacía ahora. Mientras permanecía inmóvil, intentando reunir mis pensamientos, la fría mano me aferró con fuerza de la muñeca, sacudiéndola con petulancia, mientras la voz farfullante decía de nuevo:

–¡Levántate! ¿No te ordené que te levantaras?

–Y tú –pregunté–, ¿quién eres?

–No tengo nombre en las regiones donde habito –replicó la voz, plañidera–. Fui un hombre y soy un demonio. Soy implacable, pero digno de lástima. Tú has de sentir que me estremezco. Me rechinan los dientes mientras hablo y, sin embargo, no es por el frío de la noche, de la noche sin fin. Pero este horror es insoportable. ¿Cómo puedes *tú* dormir tranquilo? No me dejan descansar los gritos de esas grandes agonías. Estos espectáculos son más de lo que puedo soportar. ¡Levántate! Ven conmigo a la noche exterior y deja que te muestre las tumbas. ¿No es este un espectáculo de dolor? ¡Contempla!

Miré, y la figura invisible que seguía aferrándome la muñeca hizo abrir las tumbas de toda la humanidad, y de cada una salían las débiles irradiaciones fosfóricas de la putrefacción, de modo que pude ver en sus más recónditos escondrijos, y el espectáculo de los cuerpos amortajados en su triste y solemne sueño con el gusano. Pero, ¡ay!, los verdaderos durmientes eran menos, entre muchos millones, que aquellos que no dormían, y había una débil lucha, y había un triste desasosiego general, y de las profundidades de los innúmeros pozos salía el melancólico frotar de las vestiduras de los enterrados. Y entre aquellos que parecían reposar tranquilos vi gran número que había cambiado, en mayor o menor grado, la rígida e incómoda posición en que habían sido originariamente sepultos. Y la voz me dijo de nuevo, mientras yo miraba:

–¿No es, acaso, ¡ah!, no es, acaso, un lastimoso espectáculo?

Pero antes de que hallara palabras para replicarle, la figura dejó de aferrarme la muñeca, las luces fosforescentes se extinguieron y las tumbas se cerraron con súbita violencia, mientras de ellas brotaba un tumulto de gritos desesperados que repetían: «¿No es acaso, ¡oh Dios!, no es acaso un espectáculo lastimoso?».

Fantasías como esta se presentaban por la noche y extendían su terrorífica influencia aun a mis horas de vigilia. Mis nervios se trastornaron y fui presa de perpetuo horror. Vacilaba en cabalgar, en caminar o practicar cualquier ejercicio que me apartara de casa. En realidad, ya no me atrevía a confiar en mí mismo fuera de la inmediata presencia de aquellos que conocían mi propensión a la catalepsia, por miedo de que, en uno de mis habituales ataques, me enterraran antes de que se determinara mi verdadero estado. Dudaba del cuidado, de la fidelidad de mis amigos más queridos. Me asustaba pensar que, en un trance más largo de lo acostumbrado, se convencieran de que no tenía remedio. Llegaba a temer que, como les causaba muchas molestias, quizá se alegraran de considerar cualquier ataque muy prolongado como excusa suficiente para librarse de mí definitivamente. En vano trataban de tranquilizarme con las más solemnes promesas. Les exigía, por los juramentos más sagrados, que en ninguna circunstancia me enterraran hasta que la descomposición material estuviera tan avanzada que impidiese toda conservación. Y aun entonces mis terrores mortales no atendían a ninguna razón, no aceptaba consuelo. Comencé una serie de laboriosas precauciones. Entre otras cosas mandé rehacer de tal manera la bóveda familiar, que era posible abrirla fácilmente desde el interior. La más ligera presión de una larga palanca que se extendía dentro de la cripta bastaba para abrir rápidamente los portales de hierro. También estaba prevista la libre admisión de aire y luz, y adecuados receptáculos para alimentos y agua, al alcance del ataúd preparado para recibirme. Este ataúd estaba forrado con un material cálido y suave y provisto de una tapa elaborada según el principio de la puerta de la bóveda, con el añadido de resortes ideados de tal modo que el más débil movimiento del cuerpo hubiera sido suficiente para soltarla. Además de todo esto, del techo de la tumba colgaba una gran campana cuya soga (estaba previsto) entraría por un agujero en el ataúd, siendo atada a una de las manos del cadáver. Mas, ¡ay!, ¿de qué sirve la vigilancia contra el Destino del hombre? ¡Ni siquiera esas bien urdidas seguridades bastaban para librar de las más extremadas angustias de la inhumación en vida a un infeliz destinado a ellas!

Llegó una época –como ya había ocurrido a menudo– en que me encontré a mí mismo emergiendo de una total inconsciencia a la primera sensación débil e indefinida de existencia. Lentamente, con gradación de tortuga, se acercaba el alba gris, pálida, del día psíquico. Un desasosiego aletargado. Una sensación apática de dolor sordo. Ninguna preocupación, ninguna esperanza, ningún esfuerzo. Después de un largo intervalo, un retintín en los oídos; luego, tras un lapso aún más largo, una sensación de hormigueo o comezón en las extremidades; luego, un período aparentemente eterno de placentera quietud, durante el cual las sensaciones que despiertan luchan por convertirse en pensamientos; luego, otra breve zambullida en la nada; luego, un súbito restablecimiento. Al fin, el ligero estremecerse de un párpado, e inmediatamente después, un choque eléctrico de terror, mortal e indefinido, que envía la sangre a torrentes de las sienes al corazón. Y entonces el primer esfuerzo positivo por pensar. Y entonces el primer intento de recordar. Y entonces un éxito parcial y evanescente. Y entonces la memoria ha recobrado tanto su dominio, que en cierta medida tengo conciencia de mi estado. Siento que no estoy despertando de un sueño ordinario. Recuerdo que he padecido de catalepsia. Y entonces, por fin, como si fuera la embestida de un océano, abruma mi alma estremecida el único peligro horrendo, la única idea espectral, siempre dominante.

Durante unos minutos, ya poseído por esta fantasía, permanecí inmóvil. ¿Y por qué? No podía reunir valor para moverme. No me atrevía a hacer el esfuerzo que había de tranquilizarme sobre mi destino, y, sin embargo, algo en el corazón me susurraba que *era seguro.* La desesperación –tal como ninguna otra desdicha produce–, sólo la desesperación me apremió, después de una larga duda, a levantar los pesados párpados. Los levanté. Estaba oscuro, todo oscuro. Supe que el ataque había terminado. Supe que la crisis de mi trastorno había pasado ya. Supe que había recobrado el uso de mis facultades visuales, y, sin embargo, estaba oscuro, todo oscuro, con la intensa y total capacidad de la Noche que dura para siempre.

Intenté gritar, y mis labios y mi lengua reseca se movieron convulsivos, pero ninguna voz brotó de los cavernosos pulmones que, oprimidos como por el peso de una montaña, jadeaban y palpitaban con el corazón en cada inspiración laboriosa y difícil.

El movimiento de las mandíbulas en el esfuerzo por gritar me mostró que estaban atadas, como se hace habitualmente con los muertos. Sentí también que yacía sobre una sustancia áspera y que algo similar, a los costados, me estrechaba. Hasta ese momento no me había atrevido a mover ninguno de los miembros, pero entonces levanté violentamente los brazos que estaban estirados, con las muñecas cruzadas. Golpearon una sustancia sólida, leñosa, que se extendía sobre mi cuerpo a no más de seis pulgadas de mi cara. Ya no pude dudar de que reposaba al fin dentro de un ataúd.

Y entonces, en medio de mi infinita desgracia, vino dulcemente la Esperanza, como un querubín, pues pensé en mis precauciones. Me retorcí y ejecuté espasmódicos conatos para forzar la tapa; no se movía. Me palpé las muñecas en busca de la soga: no la encontré. Y así la Consoladora huyó para siempre y una desesperación aún más vehemente reinó triunfal, pues no podía menos de advertir la ausencia de las almohadillas que había preparado tan cuidadosamente, y entonces llegó de improviso a mis narices el fuerte y peculiar olor de la tierra húmeda. La conclusión era irresistible. No estaba en la bóveda. Había caído en trance fuera de mi casa, entre extraños, dónde y cómo no podía recordarlo, y ellos me habían enterrado como a un perro, metido en un ataúd común claveteado, y arrojado a lo profundo, en lo profundo y para siempre, de alguna *tumba* ordinaria, anónima.

Cuando esta horrible convicción se abrió paso en las más íntimas estancias de mi alma, luché una vez más por gritar. Y este segundo intento tuvo éxito. Un largo, salvaje grito continuo, un alarido de agonía resonó en los ámbitos de la noche subterránea.

–Vamos, vamos, ¿qué es eso? –dijo una voz áspera, en respuesta.

–¿Qué diablos pasa ahora? –dijo un segundo.

–¡Fuera de ahí! –exclamó un tercero.

–¿Por qué aúlla de esa manera, como si fuese un gato montés? –dijo un cuarto.

Y entonces unos individuos muy rústicos me sujetaron y me sacudieron sin ceremonias. No me despertaron de mi sueño, pues estaba bien despierto cuando grité, pero me devolvieron a la plena posesión de mi memoria.

Esta aventura ocurría cerca de Richmond, en Virginia. Acompañado de un amigo me había internado, en una expedición de caza, varias millas abajo a orillas del río James. Se acercaba la noche cuando nos sorprendió una tormenta. La cabina de una pequeña chalupa anclada en la corriente y cargada de tierra vegetal nos brindó el único abrigo disponible. Le sacamos el mayor provecho posible y pasamos la noche a bordo. Me dormí en una de las dos únicas literas; no hace falta describir las literas de una chalupa de sesenta o setenta toneladas. La que yo ocupaba no tenía ropa de cama. Su ancho era de dieciocho pulgadas. La distancia entre el fondo y la cubierta era precisamente la misma. Me resultó dificilísimo introducirme en ella. Sin embargo dormí profundamente y toda mi visión, pues no era sueño ni pesadilla, surgió naturalmente de las circunstancias de mi posición, del giro habitual de mis pensamientos y de la dificultad, a la cual he aludido, de concentrar mis sentidos y especialmente de recobrar la memoria durante largo tiempo después de despertar de un sueño. Los hombres que me sacudieron eran la tripulación de la chalupa y algunos jornaleros contratados para cargarla. De la carga misma procedía el olor a tierra. La venda alrededor de las mandíbulas era un pañuelo de seda con el cual me había atado la cabeza a falta de mi acostumbrado gorro de dormir.

Las torturas sufridas fueron indudablemente iguales en aquel momento a las de la verdadera sepultura. Eran espantosas, de un horror inconcebible; pero del Mal procede el Bien, porque su mismo exceso provocó en mi espíritu una inevitable reacción. Mi alma adquirió vigor, adquirió temple. Viajé al extranjero. Hice vigorosos ejercicios. Respiré el aire libre del cielo. Pensé en otros temas que la muerte. Dejé a un lado mis libros de medicina. Quemé a *Buchan.* No leí más *Pensamientos nocturnos,* ni grandilocuencias sobre cementerios, ni cuentos de miedo *como este.* En poco tiempo me convertí en un hombre nuevo y viví una vida de hombre. Desde aquella noche memorable descarté para siempre mis aprensiones sepulcrales, y con ellas se desvanecieron los trastornos catalépticos, de los cuales fueran, quizá, menos consecuencia que causa.

Hay momentos en que, aun para el sereno ojo de la razón, el mundo de nuestra triste humanidad puede cobrar la apariencia del infierno, pero la imaginación del hombre no es Caratis para explorar con impunidad todas sus cavernas. ¡Ay!, la torva legión de los terrores sepulcrales no puede considerarse totalmente imaginaria, pero, como los Demonios en cuya compañía Afrasiab realizó su viaje por el Oxus, deben dormir o nos devorarán, debemos permitirles el sueño, o pereceremos.

HOP-FROG

Comentario de Manuel Moyano

Haber sido adoptado por una familia acomodada –los Allan– no fue suficiente para que el autor de «Hop-Frog» encontrara su hueco en la joven sociedad norteamericana. Algo fatal abocaba a Poe a la perdición: huyó de su casa, no encajó ni entre los militares ni entre los periodistas, frecuentó el alcohol y el juego, tuvo amores difíciles, vivió la mayor parte de su existencia en la miseria, intentó en vano erigirse en árbitro de la América literaria y murió –joven– sin apenas haber disfrutado de la gloria.

Poe pertenecía por imperativo genético a la categoría de los humillados, de los fracasados, de los inadaptados. Aunque hay quienes pretenden desligar las circunstancias personales del autor de su propia obra, esto resulta especialmente equivocado en su caso. El cuento que nos ocupa es prueba de ello. ¿Quién puede dudar de que su protagonista, el vejado bufón Hop-Frog, es, de algún modo, trasunto del propio Poe? Un detalle en particular nos puede dar una pista, pues la intolerancia al alcohol que sufría el autor es característica también de Hop-Frog, a quien el vino le producía «una especie de locura».

«Hop-Frog» es la historia de una venganza (la del débil contra el poderoso, la del marginado contra lo establecido) que Poe debió contentarse con ejecutar a través de la ficción. Es cierto que este cuento (cuyo título podría traducirse como «Rana Saltarina») no suele incluirse en las antologías de sus narraciones, pero tampoco es una de sus piezas más débiles. En él aparecen algunos de sus elementos característicos, tales como el bufón, el baile de máscaras o, incluso, el orangután... aunque no incurre en lo sobrenatural. El cuento tiene una estructura sencilla y es, en buena medida, previsible; pero quizá sea este hecho –el que intuyamos lo que va a ocurrir, pero no *cómo*– lo que crea la tensión necesaria para leerlo con avidez, una avidez que no se verá defraudada por su truculenta conclusión.

HOP-FROG

Jamás he conocido a nadie tan dispuesto a celebrar una broma como el rey. Parecía vivir tan sólo para las bromas. La manera más segura de ganar sus favores consistía en narrarle un cuento donde abundaran las chuscadas, y narrárselo bien. Ocurría así que sus siete ministros descollaban por su excelencia como bromistas. Todos ellos se parecían al rey por ser corpulentos, robustos y sudorosos, así como bromistas inimitables. Nunca he podido determinar si la gente engorda cuando se dedica a hacer bromas, o si hay algo en la grasa que predispone a las chanzas; pero la verdad es que un bromista flaco resulta una *rara avis in terris.*

Por lo que se refiere a los refinamientos –o, como él los denominaba, los «espíritus» del ingenio–, el rey se preocupaba muy poco. Sentía especial admiración por el *volumen* de una chanza, y con frecuencia era capaz de agregarle gran *amplitud* para completarla. Las delicadezas lo fastidiaban. Hubiera preferido el *Gargantúa* de Rabelais al *Zadig* de Voltaire; de manera general, las bromas de hecho se adaptaban mejor a sus gustos que las verbales.

En los tiempos de mi relato los bufones gozaban todavía del favor de las cortes. Varias «potencias» continentales conservaban aún sus «locos» profesionales, que vestían traje abigarrado y gorro de cascabeles, y que, a cambio de las migajas de la mesa real, debían mantenerse alerta para prodigar su agudo ingenio.

Nuestro rey tenía también su bufón. Le hacía falta una cierta dosis de locura, aunque más no fuera, para contrabalancear la pesada sabiduría de los siete sabios que formaban su ministerio... y la suya propia.

Su «loco», o bufón profesional, no era *tan sólo* un loco. Su valor se triplicaba a ojos del rey por el hecho de que además era enano y cojo. En aquella época los enanos abundaban en las cortes tanto como los bufones, y muchos monarcas no hubieran sabido cómo pasar los días (los días son más largos en la corte que en cualquier otra parte) sin un bufón *con* el cual reírse y un enano *de quien* reírse. Pero, como ya lo he hecho notar, en el noventa y nueve por ciento de los casos los bufones son gordos, redondeados y de movimientos torpes, por lo cual nuestro rey se congratulaba de tener en Hop-Frog (que así se llamaba su bufón) un triple tesoro en una sola persona.

Creo que el nombre de Hop-Frog *no* le fue dado al enano por sus padrinos en el momento del bautismo, sino que recayó en su persona por concurso general de los siete ministros, dado que le era imposible caminar como el resto de los mortales[1]. En efecto, Hop-Frog sólo podía avanzar mediante un movimiento convulsivo –algo entre un brinco y un culebreo–, movimiento que divertía interminablemente al rey y a la vez, claro está, le servía de consuelo, aunque la corte, a pesar del vientre protuberante y el enorme tamaño de la cabeza del rey, lo consideraba un dechado de perfección.

Pero si la deformación de las piernas sólo permitía a Hop-Frog moverse con gran dolor y dificultad en un camino o un salón, la naturaleza parecía haber querido compensar aquella deficiencia de sus miembros inferiores concediéndole una prodigiosa fuerza en los brazos, que le permitía efectuar diversas hazañas de maravillosa destreza, siempre que se tratara de trepar por cuerdas o árboles. Y mientras cumplía tales ejercicios se parecía mucho más a una ardilla o a un mono que a una rana.

No puedo afirmar con precisión de qué país había venido Hop-Frog. Se trataba, sin embargo, de una región bárbara de la que nadie había oído hablar, situada a mucha distancia de la corte de nuestro rey. Tanto Hop-Frog como una jovencita apenas menos enana que él (pero de exquisitas proporciones y admirable bailarina) habían sido arrancados por la fuerza de sus respectivos hogares, situados en provincias adyacentes, y enviados como regalo al rey por uno de sus siempre victoriosos generales.

No hay que sorprenderse, pues, de que en tales circunstancias se creara una gran intimidad entre los dos pequeños cautivos. Muy pronto llegaron a ser amigos entrañables. Hop-Frog, a pesar de sus continuas exhibiciones, no era nada popular, y no podía, por tanto, prestar mayores servicios a Trippetta; pero esta, con su gracia y exquisita belleza –pese a ser una enana–, era admirada y mimada por todos, lo cual le daba mucha influencia y le permitía ejercerla en favor de Hop-Frog, cosa que jamás dejaba de hacer.

1. *Hop*, brinco; *frog*, rana. *(N. del T.)*

En ocasión de una gran solemnidad oficial (no recuerdo cuál) el rey resolvió celebrar un baile de máscaras. Ahora bien, toda vez que en la corte se trataba de mascaradas o fiestas semejantes, se acudía sin falta a Hop-Frog y a Trippetta, para que desplegaran sus habilidades. Hop-Frog, sobre todo, tenía tanta inventiva para montar espectáculos, sugerir nuevos personajes y preparar máscaras para los bailes de disfraz, que se hubiera dicho que nada podía hacerse sin su asistencia.

Llegó la noche de la gran fiesta. Bajo la dirección de Trippetta habíase preparado un resplandeciente salón, ornándolo con todo aquello que pudiera agregar *éclat* a una mascarada. La corte ardía con la fiebre de la expectativa. Por lo que respecta a los trajes y los personajes a representar, es de imaginarse que cada uno se había aprontado convenientemente. Los había que desde semanas antes preparaban sus *rôles,* y nadie mostraba la menor señal de indecisión... salvo el rey y sus siete ministros. Me es imposible explicar por qué precisamente *ellos* vacilaban, salvo que lo hicieran con ánimo de broma. Lo más probable es que, dada su gordura, les resultara difícil decidirse. A todo esto el tiempo transcurría; entonces, como postrer recurso, mandaron llamar a Trippetta y a Hop-Frog.

Cuando los dos pequeños amigos obedecieron al llamado del rey, lo encontraron bebiendo vino con los siete miembros de su Consejo; el monarca, sin embargo, parecía de muy mal humor. No ignoraba que a Hop-Frog le desagradaba el vino, pues producía en el pobre lisiado una especie de locura, y la locura no es una sensación agradable. Pero el rey amaba sus bromas y le pareció divertido obligar a Hop-Frog a beber y (como él decía) «a estar alegre».

–Ven aquí, Hop-Frog –mandó, cuando el bufón y su amiga entraron en la sala–. Bébete esta copa a la salud de tus amigos ausentes... (Hop-Frog suspiró)... y veamos si eres capaz de inventar algo. Necesitamos personajes... *personajes,* ¿entiendes? Algo fuera de lo común, algo raro. Estamos cansados de hacer siempre lo mismo. ¡Ven, bebe! El vino te avivará el ingenio.

Como de costumbre, Hop-Frog trató de contestar con una chanza a las palabras del rey, pero sus esfuerzos fueron inútiles. Sucedió que aquel día era el cumpleaños del pobre enano, y la orden de beber a la salud de «sus amigos ausentes» hizo acudir las lágrimas a sus ojos. Grandes y amargas gotas cayeron en la copa mientras la tomaba, humildemente, de manos del tirano.

–¡Ja, ja, ja! –rió este con todas sus fuerzas–. ¡Ved lo que puede un vaso de buen vino! ¡Si ya le brillan los ojos!

¡Pobre infeliz! Sus grandes *ojos fulguraban* en vez de brillar, pues el efecto del vino en su excitable cerebro era tan potente como instantáneo. Dejando la copa en la mesa con un movimiento nervioso, Hop-Frog contempló a sus amos con una mirada casi insana. Todos ellos parecían divertirse muchísimo con la «broma» del rey.

–Y ahora, ocupémonos de cosas serias –dijo el primer ministro, que era un hombre *muy* gordo.

–Sí –aprobó el rey–. Ven aquí, Hop-Frog, y ayúdanos. Personajes, querido muchacho. Personajes es lo que necesitamos... ¡Ja, ja, ja!

Y como sus palabras pretendían ser una nueva chanza, los siete las celebraron a coro.

También rió Hop-Frog, aunque débilmente y como si estuviera distraído.

–Vamos, vamos –dijo impaciente el rey–. ¿No tienes nada que sugerirnos?

–Estoy tratando de pensar algo *nuevo* –repuso vagamente el enano, a quien el vino había confundido por completo.

–¡Tratando! –gritó furioso el tirano–. ¿Qué quieres decir con eso? ¡Ah, ya entiendo! Estás melancólico y te hace falta más vino. ¡Toma, bebe esto! –y llenando otra copa la alcanzó al lisiado, que no hizo más que mirarla, tratando de recobrar el aliento–. ¡Bebe, te digo –aulló el monstruo–, o por todos los diablos que...!

El enano vaciló, mientras el rey se ponía púrpura de rabia. Los cortesanos sonreían bobamente. Pálida como un cadáver, Trippetta avanzó hasta el sitial del monarca y, cayendo de rodillas, le imploró que dejara en paz a su amigo.

Durante unos instantes el tirano la miró lleno de asombro ante tal audacia. Parecía incapaz de decir o de hacer algo... de expresar adecuadamente su indignación. Por fin, sin pronunciar una sílaba, la rechazó con violencia y le tiró a la cara el contenido de la copa.

La pobre niña se levantó como pudo y, sin atreverse a suspirar siquiera, volvió a su sitio a los pies de la mesa.

Durante casi un minuto reinó un silencio tan mortal que se hubiera escuchado caer una hoja o una pluma. Aquel silencio fue interrumpido por un áspero y prolongado *rechinar,* que parecía venir de todos los ángulos de la sala al mismo tiempo.

–¿Qué... qué es ese ruido que estás haciendo? –preguntó el rey, volviéndose furioso hacia el enano.

Este último parecía haberse recobrado en gran medida de su embriaguez y, mientras miraba fija y tranquilamente al tirano en los ojos, respondió:

–¿Yo? Yo no hago ningún ruido.

–Parecía como si el sonido viniera de afuera –observó uno de los cortesanos–. Se me ocurre que es el loro de la ventana, que se frotaba el pico contra los barrotes de la jaula.

–Eso ha de ser –afirmó el monarca, como si la sugestión lo aliviara grandemente–. Pero hubiera jurado por el honor de un caballero que el ruido lo hacía este imbécil con los dientes.

Al oír tales palabras el enano se echó a reír (y el rey era un bromista demasiado empedernido para oponerse a la risa ajena), mientras dejaba ver unos enormes, poderosos y repulsivos dientes. Lo que es más, declaró que estaba dispuesto a beber todo el vino que quisiera su majestad, con lo cual este se calmó en seguida. Y luego de apurar otra copa sin efectos demasiado perceptibles, Hop-Frog comenzó a exponer vivamente sus planes para la mascarada.

–No puedo explicarme la asociación de ideas –dijo tranquilamente y como si jamás en su vida hubiese bebido vino–, pero *apenas* vuestra majestad empujó a esa niña y le arrojó el vino a la cara, *apenas* hubo hecho eso, y en momentos en que el loro producía ese extraño ruido en la ventana, se me ocurrió una diversión extraordinaria... una de las extravagancias que se hacen en mi país, y que con frecuencia se llevan a cabo en nuestras mascaradas. Aquí será completamente nuevo. Lo malo es que hace falta un grupo de ocho personas, y...

–¡Pues aquí estamos! –exclamó el rey, riendo ante su agudo descubrimiento de la coincidencia–. ¡Justamente ocho: yo y mis ministros! ¡Veamos! ¿En qué consiste esa diversión?

–La llamamos –repuso el enano– los Ocho Orangutanes Encadenados, y si se la representa bien, resulta extraordinaria.

–*Nosotros* la representaremos bien –observó el rey, enderezándose y alzando las cejas.

–Lo divertido de la cosa –continuó Hop-Frog– está en el espanto que produce entre las mujeres.

–¡Magnífico! –gritaron a coro el monarca y su Consejo.

–*Yo* os disfrazaré de orangutanes –continuó el enano–. Dejadlo todo por mi cuenta. El parecido será tan grande, que los asistentes a la mascarada os tomarán por bestias de verdad... y, como es natural, sentirán tanto terror como asombro.

–¡Exquisito! –exclamó el rey–. ¡Hop-Frog, yo haré un hombre de ti!

–Usaremos cadenas para que su ruido aumente la confusión. Haremos correr el rumor de que os habéis escapado *en masse* de vuestras jaulas. Vuestra majestad no puede imaginar el efecto que en un baile de máscaras causan ocho orangutanes encadenados, los que todos toman por verdaderos, y que se lanzan con gritos salvajes entre damas y caballeros delicada y lujosamente ataviados. El contraste es inimitable.

–¡Así *debe* ser! –declaró el rey, mientras el Consejo se levantaba precipitadamente (se hacía tarde) para poner en ejecución el plan de Hop-Frog.

La forma en que procedió este a fin de convertir a sus amos en orangutanes era muy sencilla, pero suficientemente eficaz para lo que se proponía. En la época en que se desarrolla mi relato los orangutanes eran poco conocidos en el mundo civilizado, y como las imitaciones preparadas por el enano resultaban suficientemente bestiales y más que suficientemente horrorosas, nadie pondría en duda que se trataba de una exacta reproducción de la naturaleza.

Ante todo, el rey y sus ministros vistieron ropa interior de tejido elástico y sumamente ajustado. Se procedió inmediatamente a untarlos con brea. Alguien del grupo sugirió cubrirse de plumas, pero esta idea fue rechazada al punto por el enano, quien no tardó en convencer a los ocho bromistas, mediante demostración práctica, que el pelo de orangután puede imitarse mucho mejor con *lino*. Una espesa capa de este último fue por tanto aplicada sobre la brea. Buscóse luego una larga cadena. Hop-Frog la pasó por la cintura del rey y *la aseguró;* en seguida hizo lo propio con otro del grupo, y luego con el resto. Completados los preparativos, los integrantes se apartaron lo más posible unos de otros, hasta formar un círculo, y, para dar a la cosa su apariencia más natural, Hop-Frog tendió el sobrante de la cadena formando dos diámetros en el círculo, cruzados en ángulo recto, tal como lo hacen en la actualidad los cazadores de chimpancés y otros grandes monos en Borneo.

El vasto salón donde iba a celebrarse el baile de máscaras era una estancia circular, de techo muy elevado y que sólo recibía luz del sol a través de una claraboya situada en su punto más alto. De noche (momento para el cual había sido especialmente concebido dicho salón) se lo iluminaba por medio de un gran lustro que colgaba de una cadena procedente del centro del tragaluz, y que se hacía subir y bajar por medio de un contrapeso, según el sistema corriente; sólo que, para que dicho contrapeso no se viera, hallábase instalado del otro lado de la cúpula, sobre el techo.

El arreglo del salón había sido confiado a la dirección de Trippetta; pero, por lo visto, esta se había dejado guiar en ciertos detalles por el más sereno discernimiento de su amigo el enano. De acuerdo con sus indicaciones, el lustro fue retirado. Las gotas de cera de las bujías (que en esos días calurosos resultaba imposible evitar) hubiera estropeado las ricas vestiduras de los invitados, quienes, debido a la multitud que llenaría el salón, no podrían mantenerse alejados del centro, o sea debajo del lustro. En su reemplazo se instalaron candelabros adicionales en diversas partes del salón, de modo que no molestaran, a la vez que se fijaban antorchas que despedían agradable perfume en la mano derecha de cada una de las cariátides que se erguían contra las paredes, y que sumaban entre cincuenta y sesenta.

Siguiendo el consejo de Hop-Frog, los ocho orangutanes esperaron pacientemente hasta medianoche, hora en que el salón estaba repleto de máscaras, para hacer su entrada. Tan pronto se hubo apagado la última campanada del reloj, precipitáronse –o, mejor, rodaron juntos, ya que la cadena que trababa sus movimientos hacía caer a la mayoría y trastrabillar a todos mientras entraban en el salón.

El revuelo producido en la asistencia fue prodigioso y llenó de júbilo el corazón del rey. Tal como se había anticipado, no pocos invitados creyeron que aquellas criaturas de feroz aspecto eran, si no orangutanes, por lo menos verdaderas bestias de alguna otra especie. Muchas damas se desmayaron de terror, y si el rey no hubiera tenido la precaución de prohibir toda portación de armas en la sala, la alegre banda no habría tardado en expiar sangrientamente su extravagancia. A falta de medios de defensa, produjose una carrera general hacia las puertas; pero el rey había ordenado que fueran cerradas inmediatamente después de su entrada, y, siguiendo una sugestión del enano, las llaves le habían sido confiadas *a él*.

Mientras el tumulto llegaba a su apogeo y cada máscara se ocupaba tan sólo de su seguridad personal (pues ahora había verdadero peligro a causa del apretujamiento de la excitada multitud), hubiera podido advertirse que la cadena de la cual colgaba habitualmente el lustro, y que había sido remontada al prescindirse de aquel, descendía gradualmente hasta que el gancho de su extremidad quedó a unos tres pies del suelo.

Poco después el rey y sus siete amigos, que habían recorrido haciendo eses todo el salón, terminaron por encontrarse en su centro y, como es natural, en contacto con la cadena. Mientras se hallaban allí, el enano, que no se apartaba de ellos y los incitaba a continuar la broma, se apoderó de la cadena de los orangutanes en el punto de intersección de los dos diámetros que cruzaban el círculo en ángulo recto. Con la rapidez del rayo insertó allí el gancho del cual colgaba antes el lustro; en un instante, y por obra de una intervención desconocida, la cadena del lustro subió lo bastante para dejar el gancho fuera del alcance de toda mano y, como consecuencia inevitable, arrastró a los orangutanes unos contra otros y cara a cara.

A esta altura, los invitados iban recobrándose en parte de su alarma y comenzaban a considerar todo aquello como una estupenda broma, por lo cual estallaron risas estentóreas al ver la desgarbada situación en que se encontraban los monos.

–¡Dejádmelos *a mí*! –gritó entonces Hop-Frog, cuya voz penetrante se hacía escuchar fácilmente en medio del estrépito–, ¡Dejádmelos a mí! ¡Me parece que los conozco! ¡Si solamente pudiera mirarlos más de cerca, pronto podría deciros *quiénes* son!

Trepando por sobre las cabezas de la multitud, consiguió llegar hasta la pared, donde se apoderó de una de las antorchas que empuñaban las cariátides. En un instante estuvo de vuelta en el centro del salón y, saltando con agilidad de simio sobre la cabeza del rey, encaramose unos cuantos pies por la cadena, mientras bajaba la antorcha para examinar el grupo de orangutanes y gritaba una vez más:

–¡Pronto podré deciros *quiénes* son!

Y entonces, mientras todos los presentes (incluidos los monos) se retorcían de risa, el bufón lanzó un agudo silbido; instantáneamente, la cadena remontó con violencia a una altura de treinta pies, arrastrando consigo a los aterrados orangutanes, que luchaban por soltarse, y los dejó suspendidos en el aire, a media altura entre la claraboya y el suelo. Aferrado a la cadena, Hop-Frog seguía en la misma posición, por encima de los ocho disfrazados, y, como si nada hubiese ocurrido, continuaba acercando su antorcha fingiendo averiguar de quiénes se trataba.

Tan estupefacta quedó la asamblea ante esta ascensión, que se produjo un profundo silencio. Duraba ya un minuto, cuando fue roto por un áspero y profundo *rechinar,* semejante al que había llamado la atención del rey y sus consejeros después que aquél hubo arrojado el vino a la cara de Trippetta. Pero en esta ocasión no cabía dudar de *dónde* procedía el sonido. Venía de los dientes del enano, semejantes a colmillos de fiera; rechinaban, mientras de su boca brotaba la espuma, y sus ojos, como los de un loco furioso, se clavaban en los rostros del rey y sus siete compañeros.

–¡Ah, ya veo! –gritó, por fin, el enfurecido bufón–. ¡Ya veo quiénes son!

Y entonces, fingiendo mirar más de cerca al rey, aplicó la antorcha a la capa de lino que lo envolvía y que instantáneamente se llenó de lívidas llamaradas. En menos de medio minuto los ocho orangutanes ardían horriblemente entre los alaridos de la multitud, que los miraba desde abajo, aterrada, y que nada podía hacer para prestarles ayuda.

Por fin, creciendo en su violencia, las llamas obligaron al bufón a encaramarse por la cadena para escapar a su alcance; al ver sus movimientos, la multitud volvió a guardar silencio. El enano aprovechó la oportunidad para hablar una vez más:

–Ahora veo *claramente* quiénes son esos hombres –dijo–. Son un gran rey y sus siete consejeros privados. Un rey que no tiene escrúpulos en golpear a una niña indefensa, y sus siete consejeros, que consienten ese ultraje. En cuanto a mí, no soy nada más que Hop-Frog, el bufón... y *esta es mi última bufonada.*

A causa de la alta combustibilidad del lino y la brea, la obra de venganza quedó cumplida apenas el enano hubo terminado de pronunciar estas palabras. Los ocho cadáveres colgaban de sus cadenas en una masa irreconocible, fétida, negruzca, repugnante. El bufón arrojó su antorcha sobre ellos y luego, trepando tranquilamente hasta el techo, desapareció a través de la claraboya.

Se supone que Trippetta, instalada en el tejado del salón, fue cómplice de su amigo en su ígnea venganza, y que ambos escaparon juntamente a su país, ya que jamás se los volvió a ver.

METZENGERSTEIN

Comentario de Leonardo Valencia

Poe abre el ejemplar del *Saturday Courier* de Filadelfia y ve su primer cuento publicado. Tiene veintitrés años. Lo revisa no una, sino varias veces: allí están el demoníaco caballo y el barón que lo monta en medio del fuego. El asombro y la alegría del escritor inédito duran poco. Sospecha que pudo escribirlo mejor.

Cuatro años después, en 1836, lo vuelve a publicar en el *Southern Literary Messenger* y añade un subtítulo al solitario y sonoro nombre del protagonista: «Metzengerstein. A Tale in Imitation of the German». Eso remarca la intención de su cuento y, a la vez, lo disfraza. Pero no sólo añade, también descarta: en la versión final ha eliminado unas líneas dedicadas a la madre de Metzengerstein, donde se explica su muerte, por tuberculosis, tal como había ocurrido con la madre de Poe. Por estas fisuras, y recuperando el fragmento omitido, acaso podremos entrar en la mente del escritor.

«Metzengerstein» está marcado por la lejanía y el deseo de ocultamiento. Su autor elige un escenario doblemente remoto para un lector norteamericano –no sólo en un país centroeuropeo sino «en el interior de Hungría» y lo fundamenta en una doctrina turbia: la trasmigración de las almas. Trasmigración que también se podría percibir en algo menos místico: la transposición imaginaria de un hecho biográfico. El joven barón del cuento es un huérfano como Poe. El fragmento que el escritor termina por eliminar revelaba demasiado. Entendamos sus razones, sobre todo el énfasis de tres signos de exclamación que lo delatan. Cito la edición de Lea and Blanchard de 1840:

«The beautiful Lady Mary! How could she die? –and of consumption!–. But it is a path I have prayed to follow. I would wish all

I love to perish of that gentle disease. How glorious! to depart in the heyday of the young blood –the heart all passion– the imagination all fire –amid the remembrances of happier days– in the fall of the year –and so be buried up forever in the gorgeous autumnal leaves!–.

»Thus died the Lady Mary. The young Baron Frederick stood without a living relative by the coffin of his dead mother. He placed his hand upon her placid forehead. No shudder came over his delicate frame –no sigh from his flinty bosom–. Heartless, self-willed and impetuous from his childhood, he had reached the age of which I speak through a career of unfeeling, wanton, and reckless dissipation; and a barrier had long since arisen in the channel of all holy thoughts and gentle recollections».

Una vez borrados esos dos párrafos, la distancia aumenta en el narrador. Habla en primera persona pero su discurso deja de ser protagonista y, conforme avanza, desaparece. La trama tampoco es firme: la peripecia se diluye, nada se puede vincular sin recurrir a la sospecha de la metempsicosis, no sabemos a ciencia cierta quién media en la figura del endemoniado caballo que atraviesa el cuento. La elipsis exime al autor de dar más datos y, a la vez, permite que el lector se aferre a la conjetura insinuada. Finalmente se está relatando el rumor de una leyenda y de una doctrina, como dijimos, turbia.

Pero el tono es firme, y la atmósfera gótica no da tregua. El lector termina por ver el cuento desde afuera, quizá como lo intuyó el mismo Poe, y tal como lo hace la muchedumbre al final, «envuelta en silencioso y patético asombro». Nadie conoce las razones del héroe huérfano y solitario, condenado a una maldición que no entiende. Sólo podemos ver a un caballo desbocado, sobre el que cabalga la mente del escritor.

METZENGERSTEIN

«Pestis eram vivus-moriens tua mors ero».
MARTÍN LUTERO

El horror y la fatalidad han estado al acecho en todas las edades. ¿Para qué, entonces, atribuir una fecha a la historia que he de contar? Baste decir que en la época de que hablo existía en el interior de Hungría una firme aunque oculta creencia en las doctrinas de la metempsicosis. Nada diré de las doctrinas mismas, de su falsedad o su probabilidad. Afirmo, sin embargo, que mucha de nuestra incredulidad (como lo dice La Bruyère de nuestra infelicidad) *vient de ne pouvoir être seuls*[1].

Pero, en algunos puntos, la superstición húngara se aproximaba mucho a lo absurdo. Diferían en esto por completo de sus autoridades orientales. He aquí un ejemplo: *El alma* –afirmaban (según lo hace notar un agudo e inteligente parisiense)– *ne demeure qu'une seule fois dans un corps sensible: au reste, un cheval, un chien, un homme même, n'est que la ressemblance peu tangible de ces animaux.*

Las familias de Berlifitzing y Metzengerstein hallábanse enemistadas desde hacía siglos. Jamás hubo dos casas tan ilustres separadas por una hostilidad tan letal. El origen de aquel odio parecía residir en las palabras de una antigua profecía: «Un augusto nombre sufrirá una terrible caída cuando, como el jinete en su caballo, la mortalidad de Metzengerstein triunfe sobre la inmortalidad de Berlifitzing».

Las palabras en sí significaban poco o nada. Pero causas aún más triviales han tenido –y no hace mucho– consecuencias memorables.

1. En *L'an deux mille quatre cents quarante,* Mercier defiende seriamente la doctrina de la metempsicosis, y J. d'Israeli afirma que «no hay ningún sistema tan sencillo y que repugne menos a la inteligencia». Se dice asimismo que el coronel Ethan Allen, «el muchacho de las Montañas Verdes», era asimismo un firme convencido de la metempsicosis.

Además, los dominios de las casas rivales eran contiguos y ejercían desde hacía mucho una influencia rival en los negocios del Gobierno. Los vecinos inmediatos son pocas veces amigos, y los habitantes del castillo de Berlifitzing podían contemplar desde sus encumbrados contrafuertes las ventanas del palacio de Metzengerstein. La más que feudal magnificencia de este último se prestaba muy poco a mitigar los irritables sentimientos de los Berlifitzing, menos antiguos y menos acaudalados. ¿Cómo maravillarse entonces de que las tontas palabras de una profecía lograran hacer estallar y mantener vivo el antagonismo entre dos familias ya predispuestas a querellarse por todas las razones de un orgullo hereditario? La profecía parecía entrañar –si entrañaba alguna cosa– el triunfo final de la casa más poderosa, y los más débiles y menos influyentes la recordaban con amargo resentimiento.

Wilhelm, conde de Berlifitzing, aunque de augusta ascendencia, era, en el tiempo de nuestra narración, un anciano inválido y chocho que sólo se hacía notar por una excesiva cuanto inveterada antipatía personal hacia la familia de su rival, y por un amor apasionado hacia la equitación y la caza, a cuyos peligros ni sus achaques corporales ni su incapacidad mental le impedían dedicarse diariamente.

Frederick, barón de Metzengerstein, no había llegado, en cambio, a la mayoría de edad. Su padre, el ministro G..., había muerto joven, y su madre, lady Mary, lo siguió muy pronto. En aquellos días, Frederick tenía dieciocho años. No es esta mucha edad en las ciudades; pero en una soledad, y en una soledad tan magnífica como la de aquel antiguo principado, el péndulo vibra con un sentido más profundo.

Debido a las peculiares circunstancias que rodeaban la administración de su padre, el joven barón heredó sus vastas posesiones inmediatamente después de muerto aquel. Pocas veces se había visto a un noble húngaro dueño de semejantes bienes. Sus castillos eran incontables. El más esplendoroso, el más amplio era el palacio Metzengerstein. La línea limítrofe de sus dominios no había sido trazada nunca claramente, pero su parque principal comprendía un circuito de cincuenta millas.

En un hombre tan joven, cuyo carácter era ya de sobra conocido, semejante herencia permitía prever fácilmente su conducta venidera. En efecto, durante los tres primeros días, el comportamiento del heredero sobrepasó todo lo imaginable y excedió las esperanzas de sus más entusiastas admiradores. Vergonzosas orgías, flagrantes traiciones, atrocidades inauditas, hicieron comprender rápidamente a sus temblorosos vasallos que ninguna sumisión servil de su parte y ningún resto de conciencia por parte del amo proporcionarían en adelante garantía alguna contra las garras despiadadas de aquel pequeño Calígula. Durante la noche del cuarto día estalló un incendio en las caballerizas del castillo de Berlifitzing, y la opinión unánime agregó la acusación de incendiario a la ya horrorosa lista de los delitos y enormidades del barón.

Empero, durante el tumulto ocasionado por lo sucedido, el joven aristócrata hallábase aparentemente sumergido en la meditación en un vasto y desolado aposento del palacio solariego de Metzengerstein. Las ricas aunque desvaídas colgaduras que cubrían lúgubremente las paredes representaban imágenes sombrías y majestuosas de mil ilustres antepasados. Aquí, sacerdotes de manto de armiño y dignatarios pontificios, familiarmente sentados junto al autócrata y al soberano, oponían su veto a los deseos de un rey temporal, o contenían con el *fiat* de la supremacía papal el cetro rebelde del archienemigo. Allí, las atezadas y gigantescas figuras de los príncipes de Metzengerstein, montados en robustos corceles de guerra, que pisoteaban al enemigo caído, hacían sobresaltar al más sereno contemplador con su expresión vigorosa; y otra vez aquí, las figuras voluptuosas, como de cisnes, de las damas de antaño, flotaban en el laberinto de una danza irreal, al compás de una imaginaria melodía.

Pero mientras el barón escuchaba o fingía escuchar el creciente tumulto en las caballerizas de Berlifitzing –y quizá meditaba algún nuevo acto, aún más audaz–, sus ojos se volvían distraídamente hacia la imagen de un enorme caballo, pintado con un color que no era natural, y que aparecía en las tapicerías como perteneciente a un sarraceno, antecesor de la familia de su rival. En el fondo de la escena, el caballo permanecía inmóvil y estatuario, mientras aún más lejos su derribado jinete perecía bajo el puñal de un Metzengerstein.

En los labios de Frederick se dibujó una diabólica sonrisa, al darse cuenta de lo que sus ojos habían estado contemplando inconscientemente. No pudo, sin embargo, apartarlos de allí. Antes bien, una ansiedad inexplicable pareció caer como un velo fúnebre sobre sus sentidos. Le resultaba difícil conciliar sus soñolientas e incoherentes sensaciones con la certidumbre de estar despierto. Cuanto más miraba, más absorbente se hacía aquel encantamiento y más imposible parecía que alguna vez pudiera alejar sus ojos de la fascinación de aquella tapicería. Pero como afuera el tumulto era cada vez más violento, logró, por fin, concentrar penosamente su atención en los rojizos resplandores que las incendiadas caballerizas proyectaban sobre las ventanas del aposento.

Con todo, su nueva actitud no duró mucho y sus ojos volvieron a posarse mecánicamente en el muro. Para su indescriptible horror y asombro, la cabeza del gigantesco corcel parecía haber cambiado, entretanto, de posición. El cuello del animal, antes arqueado como si la compasión lo hiciera inclinarse sobre el postrado cuerpo de su amo, tendíase ahora en dirección al barón. Los ojos, antes invisibles, mostraban una expresión enérgica y humana, brillando con un extraño resplandor rojizo como de fuego; y los abiertos belfos de aquel caballo, aparentemente enfurecido, dejaban a la vista sus sepulcrales y repugnantes dientes.

Estupefacto de terror, el joven aristócrata se encaminó, tambaleante, hacia la puerta. En el momento de abrirla, un destello de luz roja, inundando el aposento, proyectó claramente su sombra contra la temblorosa tapicería, y Frederick se estremeció al percibir que aquella sombra (mientras él permanecía titubeando en el umbral) asumía la exacta posición y llenaba completamente el contorno del triunfante matador del sarraceno Berlifitzing.

Para calmar la depresión de su espíritu, el barón corrió al aire libre. En la puerta principal del palacio encontró a tres escuderos. Con gran dificultad, y a riesgo de sus vidas, los hombres trataban de calmar los convulsivos saltos de un gigantesco caballo de color de fuego.

–¿De quién es este caballo? ¿Dónde lo encontrasteis? –demandó el joven, con voz tan sombría como colérica, al darse cuenta de que el misterioso corcel de la tapicería era la réplica exacta del furioso animal que estaba contemplando.

–Es vuestro, sire –repuso uno de los escuderos–, o, por lo menos, no sabemos que nadie lo reclame. Lo atrapamos cuando huía, echando humo y espumante de rabia, de las caballerizas incendiadas del conde de Berlifitzing. Suponiendo que era uno de los caballos extranjeros del conde, fuimos a devolverlo a sus hombres. Pero estos negaron haber visto nunca al animal, lo cual es raro, pues bien se ve que escapó por muy poco de perecer en las llamas.

–Las letras W. V. B. están claramente marcadas en su frente –interrumpió otro escudero–. Como es natural, pensamos que eran las iniciales de Wilhelm von Berlifitzing, pero en el castillo insisten en negar que el caballo les pertenezca.

–¡Extraño, muy extraño! –dijo el joven barón con aire pensativo, y sin cuidarse, al parecer, del sentido de sus palabras–. En efecto, es un caballo notable, un caballo prodigioso... aunque, como observáis justamente, tan peligroso como intratable... Pues bien, dejádmelo –agregó, luego de una pausa–. Quizá un jinete como Frederick de Metzengerstein sepa domar hasta el diablo de las caballerizas de Berlifitzing.

–Os engañáis, señor; este caballo, como creo haberos dicho, *no* proviene de las caballadas del conde. Si tal hubiera sido el caso, conocemos demasiado bien nuestro deber para traerlo a presencia de alguien de vuestra familia.

–¡Cierto! –observó secamente el barón.

En ese mismo instante, uno de los pajes de su antecámara vino corriendo desde el palacio, con el rostro empurpurado. Habló al oído de su amo para informarle de la repentina desaparición de una pequeña parte de las tapicerías en cierto aposento, y agregó numerosos detalles tan precisos como completos. Como hablaba en voz muy baja, la excitada curiosidad de los escuderos quedó insatisfecha.

Mientras duró el relato del paje, el joven Frederick pareció agitado por encontradas emociones. Pronto, sin embargo, recobró la compostura, y mientras se difundía en su rostro una expresión de resuelta malignidad, dio perentorias órdenes para que el aposento en cuestión fuera inmediatamente cerrado y se le entregara al punto la llave.

–¿Habéis oído la noticia de la lamentable muerte del viejo cazador Berlifitzing? –dijo uno de sus vasallos al barón, quien después de la partida del paje seguía mirando los botes y las arremetidas del enorme caballo que acababa de adoptar como suyo, y que redoblaba su furia mientras lo llevaban por la larga avenida que unía el palacio con las caballerizas de los Metzengerstein.

–¡No! –exclamó el barón, volviéndose bruscamente hacia el que había hablado–. ¿Muerto, dices?

–Por cierto que sí, sire, y pienso que para el noble que ostenta vuestro nombre no será una noticia desagradable.

Una rápida sonrisa pasó por el rostro del barón.

–¿Cómo murió?

–Entre las llamas, esforzándose por salvar una parte de sus caballos de caza favoritos.

–¡Re... al... mente! –exclamó el barón, pronunciando cada sílaba como si una apasionante idea se apoderara en ese momento de él.

–¡Realmente! –repitió el vasallo.

–¡Terrible! –dijo serenamente el joven, y se volvió en silencio al palacio.

Desde aquel día, una notable alteración se manifestó en la conducta exterior del disoluto barón Frederick de Metzengerstein. Su comportamiento decepcionó todas las expectativas, y se mostró en completo desacuerdo con las esperanzas de muchas damas, madres de hijas casaderas; al mismo tiempo, sus hábitos y manera de ser siguieron diferenciándose más que nunca de los de la aristocracia circundante.

Jamás se le veía fuera de los límites de sus dominios, y en aquellas vastas extensiones parecía andar sin un solo amigo –a menos que aquel extraño, impetuoso corcel de ígneo color, que montaba continuamente, tuviera algún misterioso derecho a ser considerado como su amigo–.

Durante largo tiempo, empero, llegaron a palacio las invitaciones de los nobles vinculados con su casa. «¿Honrará el barón nuestras fiestas con su presencia?» «¿Vendrá el barón a cazar con nosotros el jabalí?» Las altaneras y lacónicas respuestas eran siempre: «Metzengerstein no irá a la caza», o «Metzengerstein no concurrirá».

Aquellos repetidos insultos no podían ser tolerados por una aristocracia igualmente altiva. Las invitaciones se hicieron menos cordiales y frecuentes, hasta que cesaron por completo. Incluso se oyó a la viuda del infortunado conde Berlifitzing expresar la esperanza de que «el barón tuviera que quedarse en su casa cuando no deseara estar en ella, ya que desdeñaba la sociedad de sus pares, y que cabalgara cuando no quisiera cabalgar, puesto que prefería la compañía de un caballo». Aquellas palabras eran sólo el estallido de un rencor hereditario, y servían apenas para probar el poco sentido que tienen nuestras frases cuando queremos que sean especialmente enérgicas.

Los más caritativos, sin embargo, atribuían aquel cambio en la conducta del joven noble a la natural tristeza de un hijo por la prematura pérdida de sus padres; ni que decir que echaban al olvido su odiosa y desatada conducta en el breve período inmediato a aquellas muertes. No faltaban quienes presumían en el barón un concepto excesivamente altanero de la dignidad. Otros –entre los cuales cabe mencionar al médico de la familia– no vacilaban en hablar de una melancolía morbosa y mala salud hereditaria; mientras la multitud hacía correr oscuros rumores de naturaleza aún más equívoca.

Por cierto que el obstinado afecto del joven hacia aquel caballo de reciente adquisición –afecto que parecía acendrarse a cada nueva prueba que daba el animal de sus feroces y demoniacas tendencias– terminó por parecer tan odioso como anormal a ojos de todos los hombres de buen sentido. Bajo el resplandor del mediodía, en la oscuridad nocturna, enfermo o sano, con buen tiempo o en plena tempestad, el joven Metzengerstein parecía clavado en la montura del colosal caballo, cuya intratable fiereza se acordaba tan bien con su propia manera de ser.

Agregábanse además ciertas circunstancias que, unidas a los últimos sucesos, conferían un carácter extraterreno y portentoso a la manía del jinete y a las posibilidades del caballo. Habíase medido cuidadosamente la longitud de alguno de sus saltos, que excedían de manera asombrosa las más descabelladas conjeturas. El barón no había dado ningún *nombre* a su caballo, a pesar de que todos los otros de su propiedad los tenían. Su caballeriza, además, fue instalada lejos de las otras, y sólo su amo osaba penetrar allí y acercarse al animal para darle de comer y ocuparse de su cuidado. Era asimismo de observar que, aunque los tres escuderos que se habían apoderado del caballo cuando escapaba del incendio en la casa de los Berlifitzing lo habían contenido por medio de una cadena y un lazo, ninguno podía afirmar con certeza que en el curso de la peligrosa lucha, o en algún momento más tarde, hubiera apoyado la mano en el cuerpo de la bestia. Si bien los casos de inteligencia extraordinaria en la conducta de un caballo lleno de bríos no tienen por qué provocar una atención fuera de lo común, ciertas circunstancias se imponían por la fuerza aun a los más escépticos y flemáticos; se afirmó incluso que en ciertas ocasiones la boquiabierta multitud que contemplaba a aquel animal había retrocedido horrorizada ante el profundo e impresionante significado de la terrible apariencia del corcel; ciertas ocasiones en que aun el joven Metzengerstein palidecía y se echaba atrás, evitando la viva, la interrogante mirada de aquellos ojos que parecían humanos.

Empero, en el séquito del barón nadie ponía en duda el ardoroso y extraordinario efecto que las fogosas características de su caballo provocaban en el joven aristócrata; nadie, a menos que mencionemos a un insignificante pajecillo contrahecho, que interponía su fealdad en todas partes y cuyas opiniones carecían por completo de importancia. Este paje (si vale la pena mencionarlo) tenía el descaro de afirmar que su amo jamás se instalaba en la montura sin un estremecimiento tan imperceptible como inexplicable, y que al volver de sus largas y habituales cabalgatas, cada rasgo de su rostro aparecía deformado por una expresión de triunfante malignidad.

Una noche tempestuosa, al despertar de un pesado sueño, Metzengerstein bajó como un maniaco de su aposento y, montando a caballo con extraordinaria prisa, se lanzó a las profundidades de la floresta. Una conducta tan habitual en él no llamó especialmente la atención, pero sus domésticos esperaron con intensa ansiedad su retorno cuando, después de algunas horas de ausencia, las murallas del magnífico y suntuoso palacio de los Metzengerstein comenzaron a agrietarse y a temblar hasta sus cimientos, envueltas en la furia ingobernable de un incendio.

Aquellas lívidas y densas llamaradas fueron descubiertas demasiado tarde; tan terrible era su avance que, comprendiendo la imposibilidad de salvar la menor parte del edificio, la muchedumbre se concentró cerca del mismo, envuelta en silencioso y patético asombro. Pero pronto un nuevo y espantoso suceso reclamó el interés de la multitud, probando cuánto más intensa es la excitación que provoca la contemplación del sufrimiento humano, que los más espantosos espectáculos que pueda proporcionar la materia inanimada.

Por la larga avenida de antiguos robles que llegaba desde la floresta a la entrada principal del palacio se vio venir un caballo dando enormes saltos, semejante al verdadero Demonio de la Tempestad, y sobre el cual había un jinete sin sombrero y con las ropas revueltas.

Veíase claramente que aquella carrera no dependía de la voluntad del caballero. La agonía que se reflejaba en su rostro, la convulsiva lucha de todo su cuerpo, daban pruebas de sus esfuerzos sobrehumanos; pero ningún sonido, salvo un solo alarido, escapó de sus lacerados labios, que se había mordido una y otra vez en la intensidad de su terror. Transcurrió un instante, y el resonar de los cascos se oyó clara y agudamente sobre el rugir de las llamas y el aullar de los vientos; pasó otro instante y, con un solo salto que le hizo franquear el portón y el foso, el corcel penetró en la escalinata del palacio llevando siempre a su jinete y desapareciendo en el torbellino de aquel caótico fuego.

La furia de la tempestad cesó de inmediato, siendo sucedida por una profunda y sorda calma. Blancas llamas envolvían aún el palacio como una mortaja, mientras en la serena atmósfera brillaba un resplandor sobrenatural que llegaba hasta muy lejos; entonces una nube de humo se posó pesadamente sobre las murallas, mostrando distintamente la colosal figura de... *un caballo.*

LA CAJA OBLONGA

Comentario de Juan Carlos Botero

Una de las mayores virtudes de «La caja oblonga» es que se trata de un relato clásico del autor. Es decir, cuando Poe lo publicó en 1844, cinco años antes de su muerte, estaba en plena madurez como artista, y poseía un estilo narrativo claro y un arsenal de temas predilectos. Por eso, al leer este cuento, saboreamos las mejores cualidades de uno de los mejores escritores del siglo XIX.

La historia no es del todo compleja. Y ahí radica parte de su encanto. En medio de una aparente normalidad, el narrador evoca lo que le sucedió en el mes de junio, hace varios años, al emprender un viaje en el paquebote *Independence*, desde Carolina del Sur hasta Nueva York. Para su grata sorpresa, entre los pasajeros descubre algunos conocidos, como su entrañable amigo, el pintor Wyatt, quien viaja con su esposa y dos hermanas. Curioso por conocer a la mujer (su amigo le había asegurado que era una belleza sublime), se siente defraudado, pues la señora le parece de poca gracia y vulgar. No obstante, lo más raro es la gran caja que Wyatt lleva a bordo. A pesar del nauseabundo olor que despide la brea con que está escrito el remitente en la tapa, el pintor la guarda en su camarote en vez de enviarla a la bodega. Entonces el narrador se empecina en averiguar el contenido de esa extraña caja.

Poe utiliza el recurso de la primera persona con eficacia: el narrador no lo sabe todo (a diferencia de un narrador omnisciente) sino lo que le consta o sospecha, y así su conocimiento tiene límites. De tal modo, el lector se entera de los hechos (y los vive o padece) al mismo tiempo que el personaje los recuerda. Por suerte, como el narrador posee la curiosidad de un detective, se entera de detalles que un viajero desprevenido no percibiría. Entonces compartimos sus experiencias y también sus perplejidades, su confusión y asombro ante la macabra realidad que se perfila, lentamente, hasta que al final se hace evidente y nos golpea como una bofetada. Con la destreza de un maestro, Poe introduce en esa situación de engañosa normalidad elementos a cuentagotas, datos que sólo suenan fuera de lugar, pero después se tornan curiosos, luego siniestros, y por último desembocan en un desenlace atroz.

En este cuento Poe despliega su vasto talento. Narrado con precisión, atento a los detalles, punteado de bellas imágenes, situaciones que brillan y palpitan por su realismo (como el naufragio del paquebote), unido a la sagaz intuición en la psicología de los personajes, y, en el fondo, a lo largo de la historia, una cierta incomodidad, una inquietud que va creciendo, como si algo perverso respirara bajo la superficie de las palabras.

De otro lado, en este relato sobresale la exquisitez de su prosa. Algunos dirán que el cuento está algo fechado, pero en eso también reside parte de su encanto. El personaje narra su vivencia con la elegancia de un caballero, y a través de su mirada peculiar vemos las costumbres de entonces: los pasajeros adinerados viajando con un *valet*, su forma de hablar y los atuendos que delatan su clase social; vemos cómo transcurre la vida en cubierta, cómo el narrador devela la doble vida de su amigo, cómo la mente de este resbala en los predios atroces de la locura, y también el dramático hundimiento del barco.

Uno de los objetivos de Poe era mantener en vilo al lector, deleitarlo con una historia de miedo o suspenso, y ofrecerle las delicias del terror. Y aquí sentimos su placer al erizarnos los vellos de la piel mientras nos brinda una de sus máximas: el tema fundamental del arte es la muerte de la mujer hermosa. Quizás Faulkner tuvo presente este cuento al escribir su relato magistral, «Una rosa para Emily». En cualquier caso, en «La caja oblonga» paladeamos lo mejor de Poe: sus temas clásicos y su escritura inconfundible. Y hay pocos placeres más gratos que ese.

LA CAJA OBLONGA

Hace años, a fin de viajar de Charleston, en la Carolina del Sur, a Nueva York, reservé pasaje a bordo del excelente paquebote *Independence,* al mando del capitán Hardy. Si el tiempo lo permitía, zarparíamos el 15 de aquel mes (junio); el día anterior, o sea, el 14, subí a bordo para disponer algunas cosas en mi camarote.

Descubrí así que tendríamos a bordo gran número de pasajeros, incluyendo una cantidad de damas superior a la habitual. Noté que en la lista figuraban varios conocidos y, entre otros nombres, me alegré de encontrar el de Mr. Cornelius Wyatt, joven artista que me inspiraba un marcado sentimiento amistoso. Habíamos sido condiscípulos en la Universidad de C... y solíamos andar siempre juntos. Su temperamento era el de todo hombre de talento y consistía en una mezcla de misantropía, sensibilidad y entusiasmo. A esas características unía el corazón más ardiente y sincero que jamás haya latido en un pecho humano.

Observé que el nombre de mi amigo aparecía colocado en las puertas de *tres* camarotes, y luego de recorrer otra vez la lista de pasajeros, vi que había sacado pasaje para sus dos hermanas, su esposa y él mismo. Los camarotes eran suficientemente amplios y tenían dos literas, una sobre la otra. Excesivamente estrechas, las literas no podían recibir a más de una persona; de todos modos no alcancé a comprender por qué, para cuatro pasajeros, se habían reservado *tres* camarotes. En esa época me hallaba justamente en uno de esos estados de melancolía espiritual que inducen a un hombre a mostrarse anormalmente inquisitivo sobre meras nimiedades; confieso avergonzado, pues, que me entregué a una serie de conjeturas tan enfermizas como absurdas sobre aquel camarote de más. No era asunto de mi incumbencia, claro está, pero lo mismo me dediqué pertinazmente a reflexionar sobre la solución del enigma. Por fin llegué a una conclusión que me asombró no haber columbrado antes: «Se trata de una criada, por supuesto –me dije–. ¡Se precisa ser tonto para no pensar antes en algo tan obvio!».

Miré nuevamente la lista de pasajeros, descubriendo entonces que ninguna criada habría de embarcarse con la familia, aunque por lo visto tal había sido en principio la intención, ya que luego de escribir: «y criada», habían tachado las palabras. «Pues entonces se trata de un exceso de equipaje –me dije–, algo que Wyatt no quiere hacer bajar a la cala y prefiere tener a mano... ¡Ah, ya veo: un cuadro! Por eso es que ha andado tratando con Nicolino, el judío italiano.»

La suposición me satisfizo y por el momento dejé de lado mi curiosidad.

Conocía muy bien a las dos hermanas de Wyatt, jóvenes tan amables como inteligentes. En cuanto a su esposa, como aquel llevaba poco tiempo de casado, aún no había podido verla. Wyatt había hablado muchas veces de ella en mi presencia, con su estilo habitual lleno de entusiasmo. La describía como de espléndida belleza, llena de ingenio y cualidades. De ahí que me sintiera muy ansioso por conocerla.

El día en que visité el barco (el 14), el capitán me informó que también Wyatt y los suyos acudirían a bordo, por lo cual me quedé una hora con la esperanza de ser presentado a la joven esposa. Pero al fin se me informó que «la señora Wyatt se hallaba indispuesta y que no acudiría a bordo hasta el día siguiente, a la hora de zarpar».

Llegó el momento, y me encaminaba de mi hotel al embarcadero cuando encontré al capitán Hardy, quien me dijo que, «debido a las circunstancias» (frase tan estúpida como conveniente), el *Independence* no se haría a la mar hasta uno o dos días después, y que, cuando todo estuviera listo, me mandaría avisar para que me embarcara.

Encontré esto bastante extraño, ya que soplaba una sostenida brisa del Sur, pero como «las circunstancias» no salían a luz, pese a que indagué todo lo posible al respecto, no tuve más remedio que volverme al hotel y devorar a solas mi impaciencia.

Pasó casi una semana sin que llegara el esperado aviso del capitán. Lo recibí por fin y me embarqué de inmediato. El barco estaba atestado de pasajeros y había la confusión habitual en el momento de izar velas. El grupo de Wyatt llegó unos diez minutos después que yo. Estaban allí las dos hermanas, la esposa y el artista –este último en uno de sus habituales accesos de melancólica misantropía–. Demasiado conocía su humor, sin embargo, para prestarle especial atención. Ni siquiera se molestó en presentarme a su esposa, quedando este deber de cortesía a cargo de su hermana Marian, tan amable como inteligente, quien con breves y presurosas palabras nos presentó el uno a la otra.

La señora Wyatt se cubría con un espeso velo y, cuando lo levantó para contestar a mi saludo, debo reconocer que me quedé profundamente asombrado. Pero mucho más me hubiera asombrado de no tener ya el hábito de aceptar a beneficio de inventario las entusiastas descripciones de mi amigo, toda vez que se explayaba sobre la hermosura femenina. Cuando la belleza constituía su tema, sabía de sobra con qué facilidad se remontaba a las regiones del puro ideal.

La verdad es que no pude dejar de advertir que la señora Wyatt era una mujer decididamente vulgar. Si no fea del todo, me temo que no le andaba muy lejos. Vestía, sin embargo, con exquisito gusto, y no dudé de que había cautivado el corazón de mi amigo con las gracias más perdurables del intelecto y del alma. Pronunció muy pocas palabras, e inmediatamente entró en el camarote en compañía de su esposo.

Mi anterior curiosidad volvió a dominarme. No *había* ninguna criada, y de eso no cabía duda. Me puse a observar en busca del equipaje extra. Luego de alguna demora, llegó al embarcadero un carro conteniendo una caja oblonga de pino, que al parecer era lo único que se esperaba. Apenas a bordo la caja, levamos ancla, y poco después de cruzar felizmente la barra enfrentamos el mar abierto.

He dicho que la caja en cuestión era oblonga. Tendría unos seis pies de largo por dos y medio de ancho. La observé atentamente, y además me gusta ser preciso. Ahora bien, su forma era *peculiar* y, tan pronto la hube contemplado en detalle, me felicité por lo acertado de mis conjeturas. Se recordará que, de acuerdo con estas, el equipaje extra de mi amigo el artista debía consistir en cuadros, o por lo menos en un cuadro. No ignoraba que durante varias semanas, Wyatt había mantenido conversaciones con Nicolino, y ahora veía a bordo una caja que, a juzgar por su forma, sólo podía servir para guardar una copia de *La última cena* de Leonardo; no ignoraba, además, que una copia de esa pintura, ejecutada en Florencia por Rubini el joven, había estado cierto tiempo en posesión de Nicolino. Me pareció, pues, que la cuestión quedaba suficientemente resuelta. Me reí, quizá demasiado, pensando en mi perspicacia. Era la primera vez que, hasta donde podía saberlo, Wyatt me ocultaba alguno de sus secretos artísticos; pero no cabía duda de que en esta ocasión trataba de hacerme una treta y pasar de contrabando a Nueva York una magnífica pintura, confiando en que no me daría cuenta de nada. Resolví tomarme un buen desquite, sin esperar mucho.

Había no obstante algo que me fastidiaba. La caja *no fue* colocada en el camarote sobrante, sino depositada en el de Wyatt, donde ocupaba casi por completo el piso para evidente incomodidad del artista y de su esposa, acrecentada además porque la brea o la pintura con la cual se habían trazado grandes letras emitía un olor muy fuerte, desagradable y, para *mí,* especialmente repugnante. Sobre la tapa aparecían estas palabras: «Sra. Adelaide Curtis, Albany, Nueva York. Envío de Cornelius Wyatt, Esq. Este lado hacia arriba. Trátese con cuidado».

Estaba yo enterado de que la señora Adelaide Curtis, de Albany, era la suegra del artista, pero consideré que este había hecho estampar su nombre a fin de mistificarme mejor. Me sentía seguro de que la caja y su contenido no seguirían viaje a Albany, sino que quedarían en el estudio de mi misantrópico amigo, en Chambers Street, Nueva York.

Durante los primeros tres o cuatro días tuvimos un tiempo excelente a pesar del viento de proa –pues había virado al Norte apenas hubimos perdido de vista la costa–. Por consiguiente, los pasajeros estaban de muy buen humor y dispuestos a la sociabilidad. Tengo que exceptuar, sin embargo, a Wyatt y a sus hermanas, que se mostraban reservados y fríos, en forma que no pude menos de considerar descortés hacia el resto del pasaje. De la conducta de Wyatt no me preocupaba mucho. Estaba melancólico más allá de lo acostumbrado en él; incluso diré que se mostraba *lúgubre,* pero no podía extrañarme dadas sus excentricidades. En cambio me resultaba imposible excusar a sus hermanas. Se encerraban en su camarote la mayor parte del día, negándose terminantemente, a pesar de mi insistencia, a alternar con nadie a bordo.

La señora Wyatt era, en cambio, mucho más agradable. Vale decir que era *parlanchina,* y esto tiene mucha importancia en un viaje por mar. Pronto se mostró *excesivamente* familiar con la mayoría de las señoras y, para mi profunda estupefacción, mostró una tendencia poco disimulada a coquetear con los hombres. A todos nos divertía muchísimo.

Digo «divertía», pero apenas si sé cómo explicarme. La verdad es que muy pronto advertí que la gente se reía más *de* ella que *por* ella. Los caballeros reservaban sus opiniones, pero las damas no tardaron en declararla «una excelente mujer, nada bonita, sin la menor educación y decididamente vulgar». Lo que asombraba a todos era cómo Wyatt había podido caer en la trampa de semejante matrimonio. Se pensaba, claro está, en razones de fortuna, pero yo sabía que la solución no residía en eso, pues Wyatt me había informado de que su esposa no aportaba un solo centavo al matrimonio, ni tenía la menor esperanza de heredar. Se había casado con ella –según me dijo– por amor y solamente por amor, pues su esposa era más que merecedora de cariño.

Pensando en estas frases de mi amigo me sentí perplejo más allá de toda descripción. ¿Podía ser que estuviera perdiendo la razón?

¿Qué otra cosa podía pensar? *Él,* tan refinado, tan intelectual, tan exquisito, con una percepción finísima de todo lo imperfecto, con tan aguda apreciación de la belleza. A decir verdad, la dama parecía muy enamorada de él –especialmente en su ausencia–, y se ponía en ridículo al citar repetidamente lo que había dicho «su adorado esposo, el señor Wyatt». La palabra «esposo» parecía siempre –para usar una de sus delicadas expresiones– «en la punta de su lengua». Pero entretanto todos advirtieron que él la evitaba de la manera más evidente y que prefería encerrarse solo en su camarote, donde bien podía decirse que vivía, dejando plena libertad a su esposa para que se divirtiera a gusto en las reuniones del salón.

De lo que había visto y oído extraje la conclusión de que el artista, movido por algún inexplicable capricho del destino, o presa quizá de un acceso de pasión tan entusiasta como fantástico, se había unido a una persona por completo inferior a él, y que no había tardado en sucumbir a la consecuencia natural, o sea, a la más viva repugnancia. Me apiadé de él desde lo más profundo de mi corazón, pero no por ello pude perdonarle el secreto que había mantenido sobre el embarque de *La última cena.* Continué, pues, resuelto a saborear mi venganza.

Un día subió Wyatt al puente y, luego de tomarlo del brazo como era mi antigua costumbre, echamos a andar de un lado a otro. Su melancolía (que yo encontraba muy natural dadas las circunstancias) continuaba invariable. Habló poco, con tono malhumorado y haciendo un gran esfuerzo. Aventuré una broma y vi que luchaba penosamente por sonreír. ¡Pobre diablo! Pensando en *su esposa,* me maravillaba que fuera incluso capaz de aparentar alegría. Pero, finalmente, me determiné a sondearlo a fondo, comenzando una serie de veladas insinuaciones sobre la caja oblonga, a fin de que, poco a poco, se diera cuenta de que yo no era para nada víctima de su pequeña mistificación. Con tal propósito, y a fin de descubrir mis baterías, dije algo sobre la «curiosa forma de esa caja»; y al pronunciar estas palabras le hice una sonrisa de inteligencia, le guiñé un ojo, todo esto mientras le daba suavemente con el dedo en las costillas.

La manera con que Wyatt recibió tan inocente broma me convenció al punto de que se había vuelto loco. Primeramente me miró como si le resultara imposible comprender el ingenio de mi observación; pero, a medida que mis palabras iban abriéndose lentamente paso en su cerebro, los ojos parecieron querer salírsele de las órbitas. Su rostro se puso escarlata, luego palideció espantosamente y, como si lo que yo había insinuado le divirtiera muchísimo, estalló en carcajadas que, para mi estupefacción, se prolongaron cada vez con más fuerza durante largos minutos. Finalmente se desplomó pesadamente sobre cubierta; mientras me esforzaba por levantarle, tuve la impresión de que había muerto.

Pedí auxilio y, con mucho trabajo, le hicimos volver en sí. Apenas reaccionó se puso a hablar incoherentemente, hasta que le sangramos y le metimos en cama. A la mañana siguiente se había recobrado del todo, por lo menos en lo que se refiere a la salud física. De su mente prefiero no decir nada. Evité encontrarme con él durante el resto del viaje, siguiendo el consejo del capitán, quien parecía coincidir plenamente conmigo en que Wyatt estaba loco, pero me pidió que no dijese nada a los restantes pasajeros.

Inmediatamente después de la crisis de mi amigo ocurrieron varias cosas que exaltaron todavía más la curiosidad que me poseía. Entre otras, señalaré la siguiente: me sentía nervioso por haber bebido demasiado té verde, y dormía mal, tanto que durante dos noches no pude pegar ojo. Mi camarote daba al salón principal, o salón comedor, como todos los camarotes ocupados por hombres solos. Las tres cabinas de Wyatt comunicaban con el salón posterior, el cual estaba separado del principal por una liviana puerta corrediza que no se cerraba nunca, ni siquiera de noche. Como seguíamos navegando con viento en contra, el barco escoraba acentuadamente a sotavento y, cada vez que el lado de estribor se inclinaba en ese sentido, la puerta divisoria se corría y quedaba en esa posición, sin que nadie se molestara en levantarse y cerrarla. Mi camarote hallábase en una posición tal que, cuando tenía abierta la puerta (lo que ocurría siempre, a causa del calor), podía ver con toda claridad el salón posterior, e incluso esa parte adonde daban los camarotes de Wyatt. Pues bien, durante dos noches (*no* consecutivas), en que me hallaba despierto, vi que, a eso de las once, la señora Wyatt salía cautelosamente del camarote de su esposo y entraba en el camarote sobrante, donde permanecía hasta la madrugada, hora en que Wyatt iba a buscarla y la hacía entrar nuevamente en su cabina. Resultaba claro, pues, que el matrimonio estaba separado. Ocupaban habitaciones aparte, sin duda a la espera de un divorcio más absoluto; y pensé que en eso residía, después de todo, el misterio del camarote suplementario.

Mucho me interesó, además, otra circunstancia. Durante las dos noches de insomnio a que he aludido, e inmediatamente después que la señora Wyatt hubo entrado en el tercer camarote, atrajeron mi atención ciertos singulares sonidos ahogados que brotaban del de su esposo. Tras de escuchar un tiempo, logré explicarme perfectamente su significado. Aquellos ruidos los producía el artista al abrir la caja oblonga mediante un escoplo y una maza, esta última envuelta en alguna materia algodonosa o de lana que amortiguaba los golpes.

A fuerza de escuchar me pareció que podía distinguir el preciso momento en que Wyatt levantaba la tapa, y también cuando la retiraba a fin de depositarla en la litera superior de su cabina. Me di cuenta de esto último a causa de los golpecitos que daba la tapa contra los tabiques de madera del camarote, mientras que Wyatt trataba de depositarla con toda suavidad en la litera, por no haber espacio en el suelo. A eso seguía un profundo silencio, sin que volviera a escuchar nada hasta el amanecer, como no fuera, si cabe mencionarlo, un leve sonido semejante a sollozos o suspiros, tan sofocados que resultaban casi inaudibles –a menos que se tratara de un producto de mi imaginación–. He dicho que aquello hacía pensar en sollozos o suspiros, pero muy bien podía tratarse de otra cosa; más bien cabía pensar en una ilusión auditiva. Sin duda, de acuerdo con sus hábitos, Wyatt se entregaba a uno de sus caprichos, dejándose llevar por un arrebato de entusiasmo artístico, y abría la caja oblonga a fin de regalar sus ojos con el tesoro pictórico que encerraba. Por supuesto, nada había en esto que justificara un rumor de *sollozos;* repito, pues, que debía tratarse de una alucinación de mi mente, excitada por el té verde del excelente capitán Hardy. En las dos noches de que he hablado, poco antes del alba oí cómo Wyatt volvía a colocar la tapa sobre la caja oblonga, introduciendo los clavos en sus agujeros por medio de la maza envuelta en trapos. Hecho esto salía de su camarote completamente vestido e iba en busca de la señora Wyatt, que se hallaba en la otra cabina.

Llevábamos siete días en el mar y habíamos pasado ya el cabo Hatteras, cuando nos asaltó un fortísimo viento del sudoeste. Como el tiempo se había mostrado amenazante, no nos tomó desprevenidos. Todo a bordo estaba bien aparejado y, cuando el viento se hizo más intenso, nos dejamos llevar con dos rizos de la mesana cangreja y el trinquete.

Con este velamen navegamos sin mayor peligro durante cuarenta y ocho horas, ya que el barco resultó ser muy marino y no hacía agua. Pero, al cumplirse este tiempo, el viento se transformó en huracán y la mesana cangreja se hizo pedazos, con lo cual quedamos de tal modo a merced de los elementos que de inmediato nos barrieron varias olas enormes, en rápida sucesión. Este accidente nos hizo perder tres hombres, aparte de quedar destrozadas las amuradas de babor y la cocina. Apenas habíamos recobrado algo de calma cuando el trinquete voló en jirones, lo que nos obligó a izar una vela de estay, pudiendo así resistir algunas horas, pues el barco capeaba el temporal con mayor estabilidad que antes.

Pero el huracán mantenía toda su fuerza, sin dar señales de amainar. Pronto se vio que la enjarciadura estaba en mal estado, soportando una excesiva tensión; al tercer día de la tempestad, a las cinco de la tarde, un terrible bandazo a barlovento mandó por la borda nuestro palo de mesana. Durante más de una hora luchamos por terminar de desprenderlo del buque, a causa del terrible rolido; antes de lograrlo, el carpintero subió a anunciarnos que había cuatro pies de agua en la sentina. Para colmo de males descubrimos que las bombas estaban atascadas y que apenas servían.

Todo era ahora confusión y angustia, pero continuamos luchando para aligerar el buque, tirando por la borda la mayor parte del cargamento y cortando los dos mástiles que quedaban. Todo esto se llevó a cabo, pero las bombas seguían inutilizables y la vía de agua continuaba inundando la cala.

A la puesta del sol el huracán había amainado sensiblemente y, como el mar se calmara, abrigábamos todavía esperanzas de salvarnos en los botes. A las ocho de la noche las nubes se abrieron a barlovento y tuvimos la ventaja de que nos iluminara la luna llena, lo cual devolvió el ánimo a nuestros abatidos espíritus.

Después de una increíble labor pudimos por fin botar al agua la chalupa y embarcamos en ella a la totalidad de la tripulación y a la mayor parte de los pasajeros. Alejose la chalupa y, al cabo de muchísimos sufrimientos, llegó finalmente sana y salva a Ocracoke Inlet, tres días después del naufragio.

Catorce pasajeros quedamos a bordo con el capitán, resueltos a intentar fortuna en el botequín de popa. Lo botamos sin dificultad, aunque sólo por milagro no se volcó al tocar el agua, y embarcaron en él el capitán y su esposa, Wyatt y su familia, un oficial mexicano con su esposa y sus cuatro hijos, y yo con mi criado de color.

Como es natural, no había allí espacio para otra cosa que unos pocos instrumentos imprescindibles, provisiones y las ropas que llevábamos puestas. Nadie había pensado siquiera en salvar otros bienes. ¡Cuál no sería nuestra estupefacción cuando, apenas alejados del barco, vimos a Wyatt que se ponía de pie en la popa del bote y, fríamente, pedía al capitán Hardy que nos acercáramos otra vez al barco para embarcar su caja oblonga!

–Siéntese usted, señor Wyatt –replicó el capitán con alguna severidad–. Terminará por hacer zozobrar el bote si no se está quieto. ¿No ve que la borda está al ras del agua?

–¡La caja! –vociferó Wyatt, siempre de pie–. ¡La caja, le digo! Capitán Hardy, no puede usted rehusarme lo que le pido... ¡No, no puede! ¡No pesa casi nada.... apenas una nada! ¡Por la madre que le dio a luz, por el amor del cielo, por lo que más quiera... le imploro que volvamos a buscar la caja!

Durante un momento el capitán pareció conmovido por las súplicas, pero no tardó en recobrar su aire adusto y replicó:

–Señor Wyatt, usted está *loco*, y no lo escucharé. ¡Siéntese le digo, o hará zozobrar el bote! ¡Vosotros, sujetadlo... pronto... o saltará al agua...! ¡Ah... demasiado tarde!

En efecto, al decir el capitán estas palabras, Wyatt se había arrojado al agua y, como todavía estábamos al socaire del buque, logró, tras un sobrehumano esfuerzo, sujetarse de una cuerda que colgaba a proa. Un instante después trepaba a cubierta y corría frenéticamente hacia la escotilla que llevaba a los camarotes.

Entretanto habíamos sido llevados hacia la popa del barco y, sin la protección de su casco, quedamos inmediatamente a merced del terrible oleaje. Nos esforzamos por acercarnos otra vez, pero nuestro pequeño bote era como una pluma en el soplo de la tempestad. Nos bastó una ojeada para comprender que el destino del infortunado artista estaba sellado.

A medida que aumentaba nuestra distancia del buque casi sumergido, vimos que el loco (ya que sólo podíamos considerarlo como tal) aparecía otra vez en cubierta y, con fuerzas que parecían las de un gigante, arrastraba consigo la caja oblonga. Mientras lo contemplábamos en el colmo de la estupefacción, vimos que arrollaba rápidamente una cuerda a la caja y la pasaba luego varias veces por su cuerpo. Un instante después ambos caían al mar, desapareciendo instantáneamente y para siempre.

Por un momento detuvimos el movimiento de los remos, clavados los ojos en el lugar del drama. Por fin reanudamos nuestros esfuerzos, y pasó una hora sin que nadie dijera una palabra. Yo me atreví, por fin, a insinuar una observación.

–¿Reparó usted, capitán, en cómo se hundieron de golpe? ¿No es sumamente curioso? Confieso que, por un momento, tuve una débil esperanza de que Wyatt se salvaría, al ver que se ataba a la caja y se confiaba así al mar.

–Por supuesto que se hundieron, y con la rapidez de una bala de plomo –repuso el capitán–. Sin embargo volverán a subir a la superficie... pero *no antes de que la sal se disuelva.*

–¡La sal! –exclamé.

–¡Sh...! –dijo el capitán, señalándome a la esposa y hermanas del muerto–. Ya hablaremos de esas cosas en un momento más oportuno.

Mucho sufrimos, y escapamos por muy poco de la muerte, pero la fortuna nos favoreció al igual que a nuestros camaradas de la chalupa. Más muertos que vivos, después de cuatro días de horrible angustia, tocamos tierra en la playa opuesta a Roanoke Island. Permanecimos allí una semana, pues los raqueros no nos trataron mal, y finalmente hallamos la manera de llegar a Nueva York.

Un mes después de la pérdida del *Independence,* me encontré casualmente en Broadway con el capitán Hardy. Como es natural, nuestra conversación versó sobre el naufragio y, en especial, sobre el triste destino del pobre Wyatt. En esa ocasión me enteré de los detalles siguientes:

El artista había tomado pasaje para él, su esposa, sus dos hermanas y una criada. Tal como él la había descrito, su esposa era la más encantadora y cultivada de las mujeres. En la mañana del 14 de junio (día en que visité por primera vez el barco), la señora Wyatt enfermó repentinamente y murió. El joven esposo estaba enloquecido de dolor, pero las circunstancias le impedían aplazar su viaje a Nueva York. Era necesario que llevara a su madre el cuerpo de la esposa adorada, aunque, por otra parte, no ignoraba que un prejuicio universal le impediría hacerlo abiertamente. De cada diez pasajeros, nueve habrían abandonado el barco antes de hacerse a la mar en compañía de un cadáver.

En este dilema, el capitán Hardy consintió en que el cuerpo, parcialmente embalsamado y colocado entre espesas capas de sal en una caja de dimensiones adecuadas, fuera subido a bordo como si se tratara de una mercancía. Nada se diría sobre el fallecimiento de la dama; mas, como ya era sabido que Wyatt había tomado pasaje para él y su esposa, fue preciso encontrar a alguien que desempeñara el papel de esta última durante el viaje. La doncella de la difunta aceptó ese papel voluntariamente. El camarote sobrante, que en principio había sido tomado para la criada, fue, naturalmente, conservado. Allí dormía aquella, como se supondrá, todas las noches. De día representaba, en la medida de sus posibilidades, el papel de ama –cuya persona era totalmente desconocida para los pasajeros de a bordo, como se tuvo buen cuidado de verificar previamente–.

En cuanto a mi engaño, nació de un temperamento demasiado negligente, inquisidor e impulsivo. Pero, desde entonces, es muy raro que duerma bien de noche. De cualquier lado que me vuelva, hay siempre un rostro que me hostiga. Y una risa histérica resonará para siempre en mis oídos.

EL HOMBRE DE LA MULTITUD

Comentario de Juan Carlos Méndez Guédez

Poe era un mago de la tensión. Sabía crearla, prolongarla hasta el punto máximo de su eficacia y virtuosismo. Ya el título de este cuento, «El hombre de la multitud», contiene dos fuerzas contrarias que expanden las palabras en antagónicas direcciones. Hombre y multitud. Singularidad y masa. Individualidad de un rostro y muro de indescifrables siluetas.

Todo converge en la provocación de este título. Y dijo alguien (¿Anderson Imbert?) que la primera palabra de un cuento es la frase o la(s) palabra(s) con la que lo titulamos. Apertura del relato, puerta, anzuelo, inicial seducción. La narración se abre frente a nuestros ojos con la potencia de una imagen doble que a un mismo tiempo parece combatirse y alimentarse. Título que evoca de manera oblicua la violencia y la complicidad de un acto amoroso («en el amor, un cuerpo se nutre contra otro», dice el poeta Rafael Cadenas), y que por lo tanto logra conquistarnos con su promesa de fuerzas encontradas, vibrantes.

El texto se abre aludiendo a lo que es una de las claves de toda intención narrativa: la presencia del secreto. Poe expone lo que se encuentra en el principio creativo de cada escritor: la necesidad absoluta del secreto; la seducción de lo que se desconoce y de lo que se oculta. La imagen fundamental de todo relato es ese punto de penumbra que lo inaugura. Una luna negra, que en las narraciones brillantes se disipa, se ilumina parcialmente, pero que da paso a un nuevo punto de penumbra que permite que lo narrado nunca se cierre del todo.

Poe nos introduce en esa atmósfera y luego de anunciar tan llamativas señales ralentiza el cuento, lo estira, lo mueve con pasos breves que se sostienen en una detenida contemplación. Luego retoma la presencia del horror que se oculta en las presencias más obvias. Y el relato se acelera, no sin esbozar para mí ciertas técnicas fundamentales del oficio de escritor: el espionaje; la perplejidad; la persecución. Una frase incisiva queda retumbando en nuestros ojos: «Qué extraordinaria historia está escrita en ese pecho». Ese murmullo del narrador nos remite a lo que es la mirada de quien vive a través de las historias de los otros: el mundo como acumulación de signos que pueden y deben ser descifrados.

El cuento es así no sólo la superficie más obvia de su anécdota, sino la posibilidad de descifrar el profundo misterio que insinúan sus primeras palabras.

EL HOMBRE DE LA MULTITUD

«Ce grand malheur de ne pouvoir être seul».
LA BRUYÈRE

Bien se ha dicho de cierto libro alemán que *er lässt sich nicht lesen* –no se deja leer–. Hay ciertos secretos que no se dejan expresar. Hay hombres que mueren de noche en sus lechos, estrechando convulsivamente las manos de espectrales confesores, mirándolos lastimosamente en los ojos; mueren con el corazón desesperado y apretada la garganta a causa de esos misterios que *no permiten* que se los revele. Una y otra vez, ¡ay!, la conciencia del hombre soporta una carga tan pesada de horror que sólo puede arrojarla a la tumba. Y así la esencia de todo crimen queda inexpresada.

No hace mucho tiempo, en un atardecer de otoño, hallábame sentado junto a la gran ventana que sirve de mirador al café D..., en Londres. Después de varios meses de enfermedad, me sentía convaleciente y con el retorno de mis fuerzas, notaba esa agradable disposición que es el reverso exacto del *ennui;* disposición llena de apetencia, en la que se desvanecen los vapores de la visión interior –ἀχλὺς ἣ πρὶν ἐπῆεν– y el intelecto electrizado sobrepasa su nivel cotidiano, así como la vívida aunque ingenua razón de Leibniz sobrepasa la alocada y endeble retórica de Gorgias. El solo hecho de respirar era un goce, e incluso de muchas fuentes legítimas del dolor extraía yo un placer. Sentía un interés sereno, pero inquisitivo, hacia todo lo que me rodeaba. Con un cigarro en los labios y un periódico en las rodillas, me había entretenido gran parte de la tarde, ya leyendo los anuncios, ya contemplando la variada concurrencia del salón, cuando no mirando hacia la calle a través de los cristales velados por el humo.

Dicha calle es una de las principales avenidas de la ciudad, y durante todo el día había transitado por ella una densa multitud. Al acercarse la noche, la afluencia aumentó, y cuando se encendieron las lámparas pudo verse una doble y continua corriente de transeúntes pasando presurosos ante la puerta. Nunca me había hallado a esa hora en el café, y el tumultuoso mar de cabezas humanas me llenó de una emoción deliciosamente nueva. Terminé por despreocuparme de lo que ocurría adentro y me absorbí en la contemplación de la escena exterior.

Al principio, mis observaciones tomaron un giro abstracto y general. Miraba a los viandantes en masa y pensaba en ellos desde el punto de vista de su relación colectiva. Pronto, sin embargo, pasé a los detalles, examinando con minucioso interés las innumerables variedades de figuras, vestimentas, apariencias, actitudes, rostros y expresiones.

La gran mayoría de los que iban pasando tenían un aire tan serio como satisfecho, y sólo parecían pensar en la manera de abrirse paso en el apiñamiento. Fruncían las cejas y giraban vivamente los ojos; cuando otros transeúntes los empujaban, no daban ninguna señal de impaciencia, sino que se alisaban la ropa y continuaban presurosos. Otros, también en gran número, se movían incansables, rojos los rostros, hablando y gesticulando consigo mismos como si la densidad de la masa que los rodeaba los hiciera sentirse solos. Cuando hallaban un obstáculo a su paso cesaban bruscamente de mascullar pero redoblaban sus gesticulaciones, esperando con sonrisa forzada y ausente que los demás les abrieran camino. Cuando los empujaban, se deshacían en saludos hacia los responsables, y parecían llenos de confusión. Pero, fuera de lo que he señalado, no se advertía nada distintivo en esas dos clases tan numerosas. Sus ropas pertenecían a la categoría tan agudamente denominada decente. Se trataba fuera de duda de gentileshombres, comerciantes, abogados, traficantes y agiotistas; de los eupátridas y la gente ordinaria de la sociedad; de hombres dueños de su tiempo, y hombres activamente ocupados en sus asuntos personales, que dirigían negocios bajo su responsabilidad. Ninguno de ellos llamó mayormente mi atención.

El grupo de los amanuenses era muy evidente, y en él discerní dos notables divisiones. Estaban los empleados menores de las casas ostentosas, jóvenes de ajustadas chaquetas, zapatos relucientes, cabellos con pomada y bocas desdeñosas. Dejando de lado una cierta apostura que, a falta de mejor palabra, cabría denominar *oficinesca,* el aire de dichas personas me parecía el exacto facsímil de lo que un año o año y medio antes había constituido la perfección del *bon ton.* Afectaban las maneras ya desechadas por la clase media –y esto, creo, da la mejor definición posible de su clase–.

La división formada por los empleados superiores de las firmas sólidas, los «viejos tranquilos», era inconfundible. Se los reconocía por sus chaquetas y pantalones negros o castaños, cortados con vistas a la comodidad; las corbatas y chalecos, blancos; los zapatos, anchos y sólidos, y las polainas o los calcetines, espesos y abrigados. Todos ellos mostraban señales de calvicie, y la oreja derecha, habituada a sostener desde hacía mucho un lapicero, aparecía extrañamente separada. Noté que siempre se quitaban o ponían el sombrero con ambas manos y que llevaban relojes con cortas cadenas de oro de maciza y antigua forma. Era la suya la afectación de respetabilidad, si es que puede existir una afectación tan honorable.

Había aquí y allá numerosos individuos de brillante apariencia, que fácilmente reconocí como pertenecientes a esa especie de carteristas elegantes que infesta todas las grandes ciudades. Miré a dicho personaje con suma detención y me resultó difícil concebir cómo los caballeros podían confundirlos con sus semejantes. Lo exagerado del puño de sus camisas y su aire de excesiva franqueza los traicionaba inmediatamente.

Los jugadores profesionales –y había no pocos– eran aún más fácilmente reconocibles. Vestían toda clase de trajes, desde el pequeño tahúr de feria, con su chaleco de terciopelo, corbatín de fantasía, cadena dorada y botones de filigrana, hasta el pillo, vestido con escrupulosa y clerical sencillez, que en modo alguno se presta a despertar sospechas. Sin embargo, todos ellos se distinguían por el color terroso y atezado de la piel, la mirada vaga y perdida y los labios pálidos y apretados. Había, además, otros dos rasgos que me permitían identificarlos siempre; un tono reservadamente bajo al conversar, y la extensión más que ordinaria del pulgar, que se abría en ángulo recto con los dedos. Junto a estos tahúres observé muchas veces a hombres vestidos de manera algo diferente, sin dejar de ser pájaros del mismo plumaje. Cabría definirlos como caballeros que viven de su ingenio. Parecen precipitarse sobre el público en dos batallones: el de los dandis y el de los militares. En el primer grupo, los rasgos característicos son los cabellos largos y las sonrisas; en el segundo, los levitones y el aire cejijunto.

Bajando por la escala de lo que da en llamarse superioridad social, encontré temas de especulación más sombríos y profundos. Vi buhoneros judíos, con ojos de halcón brillando en rostros cuyas restantes facciones sólo expresaban abyecta humildad; empedernidos mendigos callejeros profesionales, rechazando con violencia a otros mendigos de mejor estampa, a quienes sólo la desesperación había arrojado a la calle a pedir limosna; débiles y espectrales inválidos, sobre los cuales la muerte apoyaba una firme mano y que avanzaban vacilantes entre la muchedumbre, mirando cada rostro con aire de imploración, como si buscaran un consuelo casual o alguna perdida esperanza; modestas jóvenes que volvían tarde de su penosa labor y se encaminaban a sus fríos hogares, retrayéndose más afligidas que indignadas ante las ojeadas de los rufianes, cuyo contacto directo no les era posible evitar; rameras de toda clase y edad, con la inequívoca belleza en la plenitud de su feminidad, que llevaba a pensar en la estatua de Luciano, por fuera de mármol de Paros y por dentro llena de basura; la horrible leprosa harapienta, en el último grado de la ruina; el vejestorio lleno de arrugas, joyas y cosméticos, que hace un último esfuerzo para salvar la juventud; la niña de formas apenas núbiles, pero a quien una larga costumbre inclina a las horribles coqueterías de su profesión, mientras arde en el devorador deseo de igualarse con sus mayores en el vicio; innumerables e indescriptibles borrachos, algunos harapientos y remendados, tambaleándose, incapaces de articular palabra, amoratado el rostro y opacos los ojos; otros con ropas enteras aunque sucias, el aire provocador pero vacilante, gruesos labios sensuales y rostros rubicundos y abiertos; otros vestidos con trajes que alguna vez fueron buenos y que todavía están cepillados cuidadosamente, hombres que caminan con paso más firme y más vivo que el natural, pero cuyos rostros se ven espantosamente pálidos, los ojos inyectados en sangre, y que mientras avanzan a través de la multitud se toman con dedos temblorosos todos los objetos a su alcance; y, junto a ellos, pasteleros, mozos de cordel, acarreadores de carbón, deshollinadores, organilleros, exhibidores de monos amaestrados, cantores callejeros, los que venden mientras los otros cantan, artesanos desastrados, obreros de todas clases, vencidos por la fatiga, y todo ese conjunto estaba lleno de una ruidosa y desordenada vivacidad, que resonaba discordante en los oídos y creaba en los ojos una sensación dolorosa.

A medida que la noche se hacía más profunda, también era más profundo mi interés por la escena; no sólo el aspecto general de la multitud cambiaba materialmente (pues sus rasgos más agradables desaparecían a medida que el sector ordenado de la población se retiraba y los más ásperos se reforzaban con el surgir de todas las especies de infamia arrancadas a sus guaridas por lo avanzado de la hora), sino que los resplandores del gas, débiles al comienzo de la lucha contra el día, ganaban por fin ascendiente y esparcían en derredor una luz agitada y deslumbrante. Todo era negro y, sin embargo, espléndido, como el ébano con el cual fue comparado el estilo de Tertuliano.

Los extraños efectos de la luz me obligaron a examinar individualmente las caras de la gente y, aunque la rapidez con que aquel mundo pasaba delante de la ventana me impedía lanzar más de una ojeada a cada rostro, me pareció que, en mi singular disposición de ánimo, era capaz de leer la historia de muchos años en el breve intervalo de una mirada.

Pegada la frente a los cristales, ocupábame en observar la multitud, cuando de pronto se me hizo visible un rostro (el de un anciano decrépito de unos sesenta y cinco o setenta años) que detuvo y absorbió al punto toda mi atención, a causa de la absoluta singularidad de su expresión. Jamás había visto nada que se pareciese remotamente a esa expresión. Me acuerdo de que, al contemplarla, mi primer pensamiento fue que, si Retzch la hubiera visto, la hubiera preferido a sus propias encarnaciones pictóricas del demonio. Mientras procuraba, en el breve instante de mi observación, analizar el sentido de lo que había experimentado, crecieron confusa y paradójicamente en mi Cerebro las ideas de enorme capacidad mental, cautela, penuria, avaricia, frialdad, malicia, sed de sangre, triunfo, alborozo, terror excesivo, y de intensa, suprema desesperación. «¡Qué extraordinaria historia está escrita en ese pecho!», me dije. Nacía en mí un ardiente deseo de no perder de vista a aquel hombre, de saber más sobre él. Poniéndome rápidamente el abrigo y tomando sombrero y bastón, salí a la calle y me abrí paso entre la multitud en la dirección que le había visto tomar, pues ya había desaparecido. Después de algunas dificultades terminé por verlo otra vez; acercándome, lo seguí de cerca, aunque cautelosamente, a fin de no llamar su atención. Tenía ahora una buena oportunidad para examinarlo. Era de escasa estatura, flaco y aparentemente muy débil. Vestía ropas tan sucias como harapientas; pero, cuando la luz de un farol lo alumbraba de lleno, pude advertir que su camisa, aunque sucia, era de excelente tela, y, si mis ojos no se engañaban, a través de un desgarrón del abrigo de segunda mano que lo envolvía apretadamente alcancé a ver el resplandor de un diamante y de un puñal. Estas observaciones enardecieron mi curiosidad y resolví seguir al desconocido a dondequiera que fuese.

Era ya noche cerrada y la espesa niebla húmeda que envolvía la ciudad no tardó en convertirse en copiosa lluvia. El cambio de tiempo produjo un extraño efecto en la multitud, que volvió a agitarse y se cobijó bajo un mundo de paraguas. La ondulación, los empujones y el rumor se hicieron diez veces más intensos. Por mi parte la lluvia no me importaba mucho; en mi organismo se escondía una antigua fiebre para la cual la humedad era un placer peligrosamente voluptuoso. Me puse un pañuelo sobre la boca y seguí andando. Durante media hora el viejo se abrió camino dificultosamente a lo largo de la gran avenida, y yo seguía pegado a él por miedo a perderlo de vista. Como jamás se volvía, no me vio. Entramos al fin en una calle transversal que, aunque muy concurrida, no lo estaba tanto como la que acabábamos de abandonar. Inmediatamente advertí un cambio en su actitud. Caminaba más despacio, de manera menos decidida que antes, y parecía vacilar. Cruzó repetidas veces a un lado y otro de la calle, sin propósito aparente; la multitud era todavía tan densa que me veía obligado a seguirlo de cerca. La calle era angosta y larga y la caminata duró casi una hora, durante la cual los viandantes fueron disminuyendo hasta reducirse al número que habitualmente puede verse a mediodía en Broadway, cerca del parque (pues tanta es la diferencia entre una muchedumbre londinense y la de la ciudad norteamericana más populosa). Un nuevo cambio de dirección nos llevó a una plaza brillantemente iluminada y rebosante de vida. El desconocido recobró al punto su actitud primitiva. Dejó caer el mentón sobre el pecho, mientras sus ojos giraban extrañamente bajo el entrecejo fruncido, mirando en todas direcciones hacia los que le rodeaban. Se abría camino con firmeza y perseverancia. Me sorprendió, sin embargo, advertir que, luego de completar la vuelta a la plaza, volvía sobre sus pasos. Y mucho más me asombró verlo repetir varias veces el mismo camino, en una de cuyas ocasiones estuvo a punto de descubrirme cuando se volvió bruscamente.

Otra hora transcurrió en esta forma, al fin de la cual los transeúntes habían disminuido sensiblemente. Seguía lloviendo con fuerza, hacía fresco y la gente se retiraba a sus casas. Con un gesto de impaciencia el errabundo entró en una calle lateral comparativamente desierta. Durante cerca de un cuarto de milla anduvo por ella con una agilidad que jamás hubiera soñado en una persona de tanta edad, y me obligó a gastar mis fuerzas para poder seguirlo. En pocos minutos llegamos a una feria muy grande y concurrida, cuya disposición parecía ser familiar al desconocido. Inmediatamente recobró su actitud anterior, mientras se abría paso a un lado y otro, sin propósito alguno, mezclado con la muchedumbre de compradores y vendedores.

Durante la hora y media aproximadamente que pasamos en el lugar debí obrar con suma cautela para mantenerme cerca sin ser descubierto. Afortunadamente llevaba chanclos que me permitían andar sin hacer el menor ruido. En ningún momento notó el viejo que lo espiaba. Entró de tienda en tienda, sin informarse de nada, sin decir palabra y mirando las mercancías con ojos ausentes y extraviados.

A esta altura me sentía lleno de asombro ante su conducta, y estaba resuelto a no perderle pisada hasta satisfacer mi curiosidad. Un reloj dio sonoramente las once, y los concurrentes empezaron a abandonar la feria. Al cerrar un postigo, uno de los tenderos empujó al viejo, e instantáneamente vi que corría por su cuerpo un estremecimiento. Lanzose a la calle, mirando ansiosamente en todas direcciones, y corrió con increíble velocidad por varias callejuelas sinuosas y abandonadas, hasta volver a salir a la gran avenida de donde habíamos partido, la calle del hotel D... Pero el aspecto del lugar había cambiado. Las luces de gas brillaban todavía, mas la lluvia redoblaba su fuerza y sólo alcanzaban a verse contadas personas. El desconocido palideció. Con aire apesadumbrado anduvo algunos pasos por la avenida antes tan populosa, y luego, con un profundo suspiro, giró en dirección al río y, sumergiéndose en una complicada serie de atajos y callejas, llegó finalmente ante uno de los más grandes teatros de la ciudad. Ya cerraban sus puertas y la multitud salía a la calle. Vi que el viejo jadeaba como si buscara aire fresco en el momento en que se lanzaba a la multitud, pero me pareció que el intenso tormento que antes mostraba su rostro se había calmado un tanto. Otra vez cayó su cabeza sobre el pecho; estaba tal como lo había visto al comienzo. Noté que seguía el camino que tomaba el grueso del público, pero me era imposible comprender lo misterioso de sus acciones.

Mientras andábamos los grupos se hicieron menos compactos y la inquietud y vacilación del viejo volvieron a manifestarse. Durante un rato siguió de cerca a una ruidosa banda formada por diez o doce personas; pero poco a poco sus integrantes se fueron separando, hasta que sólo tres de ellos quedaron juntos en una calleja angosta y sombría, casi desierta. El desconocido se detuvo y por un momento pareció perdido en sus pensamientos; luego, lleno de agitación, siguió rápidamente una ruta que nos llevó a los límites de la ciudad y a zonas muy diferentes de las que habíamos atravesado hasta entonces. Era el barrio más ruidoso de Londres, donde cada cosa ostentaba los peores estigmas de la pobreza y del crimen. A la débil luz de uno de los escasos faroles se veían altos, antiguos y carcomidos edificios de madera, peligrosamente inclinados de manera tan rara y caprichosa que apenas sí podía discernirse entre ellos algo así como un pasaje. Las piedras del pavimento estaban sembradas al azar, arrancadas de sus lechos por la cizaña. La más horrible inmundicia se acumulaba en las cunetas. Toda la atmósfera estaba bañada en desolación. Sin embargo, a medida que avanzábamos los sonidos de la vida humana crecían gradualmente y al final nos encontramos entre grupos del más vil populacho de Londres, que se paseaban tambaleantes de un lado a otro. Otra vez pareció reanimarse el viejo, como una lámpara cuyo aceite está a punto de extinguirse. Otra vez echó a andar con elásticos pasos. Doblamos bruscamente en una esquina, nos envolvió una luz brillante y nos vimos frente a uno de los enormes templos suburbanos de la Intemperancia, uno de los palacios del demonio Ginebra.

Faltaba ya poco para el amanecer, pero gran cantidad de miserables borrachos entraban y salían todavía por la ostentosa puerta. Con un sofocado grito de alegría el viejo se abrió paso hasta el interior, adoptó al punto su actitud primitiva y anduvo de un lado a otro entre la multitud, sin motivo aparente. No llevaba mucho tiempo así, cuando un súbito movimiento general hacia la puerta reveló que la casa estaba a punto de ser cerrada. Algo aún más intenso que la desesperación se pintó entonces en las facciones del extraño ser a quien venía observando con tanta pertinacia. No vaciló, sin embargo, en su carrera, sino que con una energía de maniaco volvió sobre sus pasos hasta el corazón de la enorme Londres. Corrió rápidamente y durante largo tiempo, mientras yo lo seguía, en el colmo del asombro, resuelto a no abandonar algo que me interesaba más que cualquier otra cosa. Salió el sol mientras seguíamos andando y, cuando llegamos de nuevo a ese punto donde se concentra la actividad comercial de la populosa ciudad, a la calle del hotel D..., la vimos casi tan llena de gente y de actividad como la tarde anterior. Y aquí, largamente, entre la confusión que crecía por momentos, me obstiné en mi persecución del extranjero. Pero, como siempre, andando de un lado a otro, y durante todo el día no se alejó del torbellino de aquella calle. Y cuando llegaron las sombras de la segunda noche, y yo me sentía cansado a morir, enfrenté al errabundo y me detuve, mirándolo fijamente en la cara. Sin reparar en mí, reanudó su solemne paseo, mientras yo, cesando de perseguirlo, me quedaba sumido en su contemplación.

–Este viejo –dije por fin– representa el arquetipo y el genio del profundo crimen. Se niega a estar solo. *Es el hombre de la multitud.* Sería vano seguirlo, pues nada más aprenderé sobre él y sus acciones. El peor corazón del mundo es un libro más repelente que el *Hortulus Animae*[1], y quizá sea una de las grandes mercedes de Dios el que *er lässt sich nicht lesen.*

1. El *Hortulus Animae cum Oratiunculis Aliquibis Superadditis,* de Grünninger.

LA CITA

Comentario de Carlos Castán

«La cita», por la inverosimilitud de su argumento y la desmedida pulsión poética de su forma, es un relato atípico dentro de la obra de Poe. Puede entenderse como el arrebato romántico de un esteta para quien, por esta vez, prima la atmósfera sobre la peripecia, y la oscuridad en la que transcurren los hechos (esa oscuridad veneciana de aguas negras y palacios engullidos por las sombras de la noche) es comparable a la de la historia que se nos cuenta en elipsis.

El cuento está dividido en dos partes, y el autor recurre a la voz narradora de un testigo (el cual ignora, como el lector, las claves ocultas que mueven y explican la historia) para servirnos unos pocos datos y un gran despliegue descriptivo. En la primera parte, la que sucede en el canal, la tragedia que se masca contrasta con una aparente detención del tiempo, la angustia de una búsqueda contrarreloj a vida o muerte queda convertida en una escena estática en la que Poe parece haber querido plasmar una serie de estampas, teatrales y oníricas, como la fantasmal escultura de la marquesa de Mentoni, ligeramente despeinada, descalza sobre el mármol con su túnica blanca o el desconocido que emerge de la oscuridad y se lanza al agua desde lo alto envuelto en una capa. Y todo discurre a cámara lenta, cada segundo adquiere un espesor propio de ese mundo de las pesadillas en el que Hoffmann, ya antes, había mojado su pluma. En la segunda parte asistimos al intento de describir el alma de un personaje a través de la decoración ecléctica de su morada, el templo secreto de un excéntrico donde los valiosos adornos y obras de arte se abigarran a contracorriente de las modas.

En cuanto a la estructura, hay que decir que es uno de los tres cuentos (los otros dos son «Ligeia», su preferido, y «La caída de la

Casa Usher») en los que Poe se atreve a incluir un poema, cuyo título, que no aparece en el relato, es «To One in Paradise» (A alguien en el Paraíso)[1]. Y quizás también llamar la atención sobre el contraste que se produce entre la morosidad de las descripciones y la rapidez con la que la historia se precipita hacia su desenlace.

Con ser una historia atípica dentro de la producción de Poe, encontramos en «La cita» algunos elementos que nos devuelven, una vez más, a su desmedida biografía. Está el amor imposible, idealizado, la pasión por esa escultura inalcanzable que fue Helen Stanard, la mujer cuya sombra, tras morir loca cuando el escritor no tenía más que dieciséis años, le acompañó siempre desde «el frío valle», al igual que su propia madre biológica. Y esa intuición oscura, tan de Poe, de que la muerte no era sólo el terror de los cementerios góticos y las noches surcadas por alas negras, sino la patria, a la par luminosa y tétrica, de todos cuantos alguna vez le habían dado o inspirado amor, y donde durante toda su vida le cupo la esperanza de encontrar más de un par de labios entreabiertos esperando su beso.

1. Una traducción más ajustada la podemos encontrar en *Poesía completa* (edición de María Condor y Gustavo Falaquera, Madrid, Hiperión, 2000), aunque con una estrofa menos (la final), tal como aparecía en la edición de *The Raven and other poems*, de 1845.

LA CITA

Venecia

«¡Espérame allá! Yo iré a encontrarte en el profundo valle».
HENRY KING, obispo de Chichester,
Funerales en la muerte de su esposa

¡Hombre misterioso, de aciago destino! ¡Exaltado por la brillantez de tu imaginación, ardido en las llamas de tu juventud! ¡Otra vez, en mi fantasía, vuelvo a contemplarte! De nuevo se alza ante mí tu figura... ¡No, no como eres ahora, en el frío valle, en la sombra!, sino como *debiste de ser,* derrochando una vida de magnífica meditación en aquella ciudad de confusas visiones, tu Venecia, Elíseo del mar, amada de las estrellas, cuyos amplios balcones de los palacios de Palladio contemplan con profundo y amargo conocimiento los secretos de sus silentes aguas. ¡Sí, lo repito: como *debiste de ser*! Sin duda hay otros mundos fuera de este, otros pensamientos que los de la multitud, otras especulaciones que las del sofista. ¿Quién, entonces, podría poner en tela de juicio tu conducta? ¿Quién te reprocharía tus horas visionarias, o denunciaría tu modo de vivir como un despilfarro, cuando no era más que la sobreabundancia de tus inagotables energías?

Fue en Venecia, bajo la arcada cubierta que llaman el *Ponte dei Sospiri,* donde encontré por tercera o cuarta vez a la persona de quien hablo. Las circunstancias de aquel encuentro acuden confusamente a mi recuerdo. Y, sin embargo, veo... ¡ah, cómo olvidar!... la profunda medianoche, el Puente de los Suspiros, la belleza femenina y el genio del romance que erraba por el angosto canal.

Venecia estaba extrañamente oscura. El gran reloj de la Piazza había dado la quinta hora de la noche italiana. La plaza del Campanile se mostraba silenciosa y vacía, mientras las luces del viejo

Palacio Ducal extinguíanse una tras otra. Volvía a casa desde la Piazzetta, siguiendo el Gran Canal. Cuando mi góndola llegó ante la boca del canal de san Marcos, oí desde sus profundidades una voz de mujer, que exhalaba en la noche un alarido prolongado, histérico y terrible. Me incorporé sobresaltado, mientras el gondolero dejaba resbalar su único remo y lo perdía en la profunda oscuridad, sin que le fuera posible recobrarlo. Quedamos así a merced de la corriente, que en ese punto se mueve desde el canal mayor hacia el pequeño. Semejantes a un pesado cóndor de negras alas nos deslizábamos blandamente en dirección al Puente de los Suspiros, cuando mil antorchas, llameando desde las ventanas y las escalinatas del Palacio Ducal, convirtieron instantáneamente aquella profunda oscuridad en un lívido día preternatural.

Escapando de los brazos de su madre, un niño acababa de caer desde una de las ventanas superiores del elevado edificio a las profundas y oscuras aguas del canal, que se habían cerrado silenciosas sobre su víctima. Aunque mi góndola era la única a la vista, muchos arriesgados nadadores habíanse precipitado ya a la corriente y buscaban vanamente en su superficie el tesoro que, ¡ay!, sólo habría de encontrarse en el abismo. En las grandes losas de mármol negro que daban entrada al palacio, apenas a unos pocos peldaños sobre el agua, veíase una figura que nadie ha podido olvidar jamás después de contemplarla. Era la marquesa Afrodita, la adoración de toda Venecia, la más alegre y hermosa de las mujeres –allí donde todas eran bellas–, la joven esposa del viejo e intrigante Mentoni y madre del hermoso niño, su primer y único vástago que, sumido en las profundidades del agua lóbrega, estaría recordando amargamente las dulces caricias de su madre y agotando su débil vida en los esfuerzos por llamarla.

La marquesa permanecía sola. Sus diminutos y plateados pies desnudos resplandecían en el negro espejo de mármol que pisaba. Su cabello, que conservaba a medias el peinado del baile, rodeaba entre una lluvia de diamantes su clásica cabeza, llena de bucles parecidos al jacinto joven. Una túnica alba como la nieve y semejante a la gasa parecía ser la única protección de sus delicadas formas; pero el aire estival de aquella medianoche era caliente, denso, estático, y aquella imagen estatuaria tampoco hacía el menor movimiento que alterara los pliegues de la vestidura como de vapor que la envolvía, tal como el pesado mármol envuelve la imagen de Niobe. Y, sin embargo, ¡cosa extraña!, sus grandes y brillantes ojos no miraban hacia abajo, en dirección a la tumba donde su mejor esperanza había sido sepultada, sino que aparecían como clavados en una dirección por completo diferente. La prisión de la antigua República es, según creo, el edificio más majestuoso de Venecia; pero ¿cómo podía aquella dama contemplarlo tan fijamente, mientras allí abajo se estaba ahogando su único hijo? Un negro, lúgubre nicho hallábase situado exactamente frente a la ventana del aposento de la marquesa. *¿Qué* podía haber, pues, en sus sombras, en su arquitectura, en sus solemnes cornisas cubiertas de hiedra, que la dama no hubiera contemplado mil veces antes? ¡Oh, desatino! ¿Quién no recuerda que, en momentos como ese, la mirada, semejante a un espejo trizado, multiplica las imágenes de su desolación y ve en innumerables lugares lejanos la pena más cercana?

Varios escalones más arriba que la marquesa y dentro del arco de la compuerta se veía a Mentoni, todavía con su traje de fiesta, semejante a un sátiro. Ocupábase por momentos de rasguear las cuerdas de una guitarra y parecía *ennuyé* en extremo, mientras, de cuando en cuando, daba instrucciones para el salvamento de su hijo. Estupefacto y despavorido, no había podido moverme de la posición en que me colocara al escuchar el grito; seguía de pie y debí de presentar a ojos del agitado grupo una apariencia ominosa y espectral, mientras pasaba, pálido y rígido, en aquella fúnebre góndola.

Todos los esfuerzos parecían vanos. Los más decididos en la búsqueda empezaban a cansarse y se entregaban a una profunda tristeza. Poca esperanza quedaba ya de salvar al niño (¡y cuánto más desesperada estaría la madre!). Pero entonces, desde el interior de aquel oscuro nicho que he mencionado como parte integrante de la prisión de la antigua República –y que quedaba frente a las ventanas de la marquesa–, una silueta embozada avanzó hasta las luces y, luego de hacer una pausa al borde del abismo líquido, zambullóse de cabeza en el canal. Un minuto después, al emerger llevando en sus brazos al niño que aún respiraba y alzarse en los peldaños de mármol del lado de la marquesa, la empapada capa se soltó de sus hombros y, cayendo a sus pies, mostró a los estupefactos espectadores la graciosa figura de un hombre joven, cuyo nombre resonaba entonces en toda Europa.

Ni una palabra pronunció el salvador. Pero la marquesa... ¡Ah, ya iba a recibir a su hijo! ¡Ya iba a estrechar en sus brazos el pequeño cuerpo y reanimarlo con sus caricias! Mas, ¡ay!, los brazos de *otro* lo alzaban, los brazos de *otro* se lo llevaban, lo introducían en el palacio. ¿Y la marquesa?... Sus labios, sus hermosos labios temblaban; las lágrimas se arracimaban en sus ojos, esos ojos que, como el acanto de Plinio, eran «suaves y casi líquidos». Sí, las lágrimas se agolpaban en sus ojos, y de pronto todo el cuerpo de aquella mujer se estremeció con un temblor que le venía del alma... ¡Y la estatua recobró vida! Vi súbitamente cómo la palidez marmórea de sus facciones, el alentar de su seno y la pureza de sus blancos pies se anegaban en una incontenible marea carmesí. Y un leve temblor agitó su delicado cuerpo, como la brisa gentil de Nápoles agita los plateados lirios en el campo.

¿Por qué se sonrojaba la dama? No hay respuesta a tal pregunta. Verdad es que, al abandonar, con el apresuramiento y el terror de un corazón materno la intimidad de su *boudoir*, la marquesa había olvidado aprisionar sus menudos pies en chinelas y cubrir sus hombros venecianos con el manto que les correspondía... ¿Qué otra razón podía tener para sonrojarse así? ¿Y la mirada de esos ojos que imploraban desesperadamente? ¿Y el tumulto del agitado seno? ¿Y la convulsiva presión de aquella mano temblorosa que, en momentos en que Mentoni retornaba al palacio, se posó accidentalmente sobre la mano del desconocido? ¿Y qué razón podía haber para aquellas palabras en voz baja, en voz tan extrañamente baja, aquellas palabras sin sentido que la dama murmuró presurosamente en el instante de despedirlo?

–Has vencido –dijo, a menos que el murmullo del agua me engañara–. Has vencido... Una hora después de la salida del sol... ¡Así sea!

El tumulto se había apaciguado, murieron las luces en el interior del palacio y el desconocido, a quien yo, sin embargo, había reconocido, permanecía solo en la escalinata. Estremeciose con inconcebible agitación y sus ojos miraron en todas direcciones buscando una góndola. No podía menos de ofrecerle la mía, y la aceptó. Luego de obtener un remo en una compuerta, continuamos juntos hasta su residencia, mientras mi huésped recobraba rápidamente el dominio de sí mismo y se refería a nuestra superficial relación en términos de gran cordialidad.

Frente a ciertos temas, me gusta ser minucioso. La persona del desconocido –permitidme llamarlo así, ya que lo era todavía para el mundo entero–, la persona del desconocido constituye uno de esos temas. Su estatura era algo inferior a la mediana, aunque en momentos de intensa pasión su cuerpo *crecía* como para desmentir esa afirmación. La liviana y esbelta simetría de su figura antes anunciaba la vivaz actividad demostrada en el Puente de los Suspiros, que la hercúlea fuerza que, en ocasiones de mayor peligro, había desplegado sin aparente esfuerzo. Su boca y mentón eran los de una deidad; los ojos, singulares, ardientes, enormes, líquidos, de una tonalidad fluctuando entre el puro castaño y el más intenso y brillante azabache; una profusión de cabello negro y rizado, bajo el cual se destacaba una frente de no común anchura, que por momentos resplandecía como marfil iluminado; tales eran sus rasgos, tan clásicamente regulares que jamás he visto otros semejantes, salvo, quizá, en las imágenes del emperador Cómodo. Y, sin embargo, su rostro era de esos que todo hombre ha visto en algún momento de su vida, pero que no ha vuelto a encontrar nunca más. No tenía nada peculiar, ninguna expresión predominante que fijar en la memoria; un rostro visto e instantáneamente olvidado, pero olvidado con un vago y continuo deseo de recordarlo otra vez. Y no porque el espíritu de cada rápida pasión no dejara de imprimir su propia y clara imagen en el espejo de aquel rostro; pero el espejo, al igual que todos los espejos, perdía todo vestigio de la pasión apenas desaparecía.

Al despedirnos la noche de aquella aventura me pidió, de una manera que me pareció urgente, que no dejara de visitarlo *muy* temprano por la mañana. Poco después de la salida del sol llegué a su Palazzo, uno de aquellos enormes edificios de sombría y fantástica pompa que se alzan sobre las aguas del Gran Canal, en la vecindad del Rialto. Fui conducido por una ancha escalinata de mosaico hasta un aposento cuyo incomparable esplendor irrumpía por las puertas abiertas, con lujo tal que me cegó y me confundió.

No ignoraba que mi conocido era rico. Los rumores circulantes se referían a sus bienes en términos que yo me había atrevido a calificar de ridículas exageraciones. Pero, cuando miré en torno, no pude creer que la riqueza de un europeo hubiese sido capaz de proporcionar la principesca magnificencia que ardía y brillaba en todas partes.

Aunque, como ya he dicho, ya había salido el sol, el aposento seguía profusamente iluminado. Juzgué por esta circunstancia, así como por la expresión de fatiga del rostro de mi amigo, que no se había acostado en toda la noche.

Tanto la arquitectura como la ornamentación de la cámara tenían por finalidad evidente la de deslumbrar y confundir. Poca atención se había prestado a lo que técnicamente se denomina *armonía,* o a las características nacionales. La mirada erraba de objeto en objeto, sin detenerse en ninguno, fueran los *grotesques* de los pintores griegos, las esculturas de las mejores épocas italianas, o las pesadas tallas del rústico Egipto. Ricas colgaduras, en todos los ángulos del aposento, vibraban bajo los acentos de una suave y melancólica música cuyo origen era imposible adivinar. Los sentidos quedaban oprimidos por la mezcla de diversos perfumes que brotaban de extraños incensarios convolutos, junto con múltiples lenguas oscilantes y resplandecientes de fuegos violeta y esmeralda. Los rayos del sol que apenas asomaban caían sobre aquel conjunto a través de ventanas formadas por un solo cristal carmesí. Saltando de un lado a otro, en mil refracciones, desde las cortinas que bajaban de sus cornisas como cataratas de plata fundida, los rayos del astro rey se mezclaban por fin con la luz artificial y caían en masas vencidas y temblorosas sobre una alfombra tejida con riquísimo oro de Chile, que daba la impresión de líquido.

–¡Ja, ja, ja! –rió el señor de aquel palacio, ofreciéndome asiento y tendiéndose en una otomana–. Bien veo –agregó al advertir que no alcanzaba a adaptarme inmediatamente a la *bienséance* de un recibimiento tan singular–, bien veo que está usted asombrado de mi cámara, mis estatuas, mis pinturas, la originalidad de mi concepción en materia de arquitectura y tapicería... ¿Verdad que se siente como embriagado frente a mi magnificencia? Pero, perdóneme usted, querido señor –y aquí el tono de su voz descendió hasta tocar el espíritu mismo de la cordialidad–, perdóneme mi poco caritativa risa. ¡Parecía usted tan *completamente* asombrado! Por lo demás, ciertas cosas son a tal punto cómicas, que uno tiene que reír o morirse. ¡Morirse de risa debe ser el más glorioso de todos los fines! Sir Thomas More..., ¡y qué hombre era sir Thomas More!..., murió riéndose, como usted sabe. En los *Absurdos* de Ravisius Textor hay una larga lista de personajes que terminaron de la misma magnífica manera. Y ha de saber usted –continuó, pensativo– que en Esparta (que se llama ahora Palaeochori), hacia el oeste de la ciudadela, entre un caos de ruinas apenas visibles, existe una especie de *socle,* en el cual todavía son legibles las letras ΛΑΣΜ. Indudablemente, forman parte de ΙΕΛΑΣΜΑ. Ahora bien, en Esparta se alzaban mil templos y altares dedicados a mil divinidades distintas. ¡Qué extraordinariamente raro que el altar de la Risa sea el único que ha sobrevivido a los demás! Pero en este momento –agregó, mientras su voz y su actitud variaban extrañamente– no tengo derecho de estar alegre a expensas de usted. Y no me extraña que se haya quedado estupefacto al entrar. Europa no es capaz de producir nada tan hermoso como mi pequeño gabinete real. El resto de las habitaciones no se le parecen para nada; son simples *ultras* de insipidez a la moda. Pero esto es mejor que la moda, ¿no le parece? Y, sin embargo, bastaría que vieran este aposento para que se iniciara la moda más furiosa... entre aquellos, claro está, que pudieran pagarla al precio de su entero patrimonio. Pero me he cuidado de semejante profanación. Salvo una persona, es usted el único ser humano, fuera de mí y de mi *valet,* que ha sido admitido en los misterios de estos aposentos reales desde el día en que fueron adornados como puede verlo...

Me incliné en señal de agradecimiento, ya que aquel lujo sobrecogedor, los perfumes, la música y la inesperada excentricidad del tono y la actitud de mi huésped me impedían expresar con palabras lo que de otra manera hubieran constituido un elogio.

–Aquí –dijo él, levantándose y apoyándose en mi brazo, mientras íbamos de un lado a otro de la estancia–, aquí hay pinturas desde los griegos hasta Cimabue, y de Cimabue hasta la hora actual. Muchas han sido escogidas, como puede usted ver, con muy poco respeto por las opiniones de los entendidos. Y, sin embargo, constituyen una decoración adecuada para un aposento como este. Hay asimismo algunos *chefs d'oeuvre* de grandes desconocidos... y aquí figuran dibujos inconclusos de hombres que fueron celebrados en su día y cuyos nombres han quedado reservados al silencio y a mí, gracias a la perspicacia de las academias. ¿Qué piensa usted –dijo, volviéndose bruscamente mientras hablaba– de esta *Madonna della Pietà*?

–¡Es la obra de Guido! –exclamé con todo el entusiasmo de mi espíritu, pues había estado contemplando intensamente su incomparable hermosura–. ¡Es la obra de Guido! ¿Cómo pudo usted obtenerla? ¡No cabe duda de que es en pintura lo que la Venus en escultura...!

–¡Ah! –dijo pensativamente–. Venus... la hermosa Venus... ¿La Venus de Médicis? ¿La de la pequeña cabeza y el resplandeciente cabello? Parte del brazo izquierdo –aquí su voz se tornó tan baja que me costó oírla– y todo el derecho han sido restaurados; pienso que en la coquetería de ese brazo derecho reside la quintaesencia de la afectación. ¡Para mí, la Venus de Canova! El mismo Apolo es una copia... no cabe la menor duda... ¡Oh, estúpido y ciego que soy, incapaz de alcanzar la tan mentada inspiración del Apolo! Perdóneme usted, pero no puedo evitar..., ¡téngame lástima!..., una preferencia por el Antinoo. ¿No fue Sócrates quien afirmó que el escultor encuentra su estatua en el bloque de mármol? En ese caso, Miguel Ángel no se mostró nada original en sus versos:

Non ha l'ottimo artista alcun concetto
Che un marmo solo in sè non circonscriva.

Se ha afirmado –o debería afirmarse– que en la actitud del verdadero *gentleman* cabe advertir siempre una diferencia con el comportamiento del hombre vulgar, sin que en el instante pueda precisarse en qué consiste. Suponiendo que dicha observación se aplicara con toda su fuerza a la conducta exterior de mi amigo, aquella memorable mañana sentí que correspondía referirla aún más a su temperamento moral y a su carácter. Para definir esa peculiaridad de espíritu que parecía apartarlo esencialmente del resto de los seres humanos, la llamaré un *hábito* de intenso y continuo pensamiento, que invadía incluso sus acciones más triviales, penetraba en sus momentos de gozo y se entrelazaba con sus estallidos de alegría, como los áspides que surgen de los ojos de las máscaras sonrientes en las cornisas de los templos de Persépolis.

No pude menos de observar, sin embargo, que, a pesar del tono alternado de liviandad y solemnidad que mi huésped adoptaba para referirse a cuestiones de menuda importancia, había en él una cierta vacilación, algo como un *fervor* nervioso en la acción y la palabra, una inquieta excitabilidad de conducta que en todo momento me pareció inexplicable y que a ratos llegó a alarmarme. Con frecuencia, deteniéndose a mitad de una frase cuyo comienzo había aparentemente olvidado, quedábase escuchando con la más profunda atención, tal como si esperara la llegada de un visitante u oyera sonidos que sólo existían en su imaginación.

Ocurrió que, durante una de esas ensoñaciones o pausas de aparente abstracción, me puse a hojear la hermosa tragedia del poeta y humanista Poliziano, *Orfeo* –la primera tragedia italiana–, que había encontrado a mi alcance sobre una otomana. Al hacerlo, descubrí un pasaje subrayado con lápiz. Correspondía al final del tercer acto, y era un fragmento apasionadamente emocionante un pasaje que, aunque manchado de impurezas, no podría ser leído por hombre alguno sin despertar en él nuevos estremecimientos y hacer suspirar a las mujeres. Aquella página estaba borrosa de lágrimas recién vertidas y, en la parte en blanco del folio opuesto, leí los siguientes versos en inglés, escritos con una letra tan diferente de la muy singular de mi amigo, que al principio me costó darme cuenta de que era la misma:

Tú fuiste para mí, oh amor,
todo lo que mi espíritu anhelaba,
isla verde en el mar,
fuente y santuario,
con guirnaldas de frutas y de flores,
oh amor, que fueron mías.

¡Ah hermoso sueño, por hermoso efímero!
¡Ah estrellada Esperanza que surgiste
para pronto morir!
Una voz del futuro me reclama:
–¡Adelante!¡Adelante!–. Mas se cierne

sobre el pasado (¡negro abismo!) mi alma
medrosa, inmóvil, muda.

¡Ay, ya no está conmigo
la luz de mi existencia!
«Ya nunca... nunca... nunca»
(así murmura el mar solemne
a las arenas de la playa),
ya nunca el árbol roto dará flores
ni el águila muriente alzará su vuelo.
Hoy mis días son vanos
y mis nocturnos sueños
andan allá donde tus ojos grises
miran, donde pisan tus plantas,
¡oh, en qué danzas etéreas, a la orilla
de itálicos arroyos!

¡Ay, en qué aciago día
por el mar te llevaron
robándote al amor, para entregarte
a caducos blasones mancillados!
¡Robándote a mi amor, a nuestra tierra
donde lloran los sauces en la niebla!

Que aquellos versos hubieran sido escritos en inglés –idioma con el cual no creía familiarizado a mi huésped– me sorprendió poco. Demasiado sabía la extensión de sus conocimientos y el singular placer que experimentaba en ocultarlos a los demás. Pero el lugar donde estaba fechado el poema me causó, debo admitirlo, no poca confusión. La palabra original era *Londres,* y, aunque aparecía cuidadosamente tachada, podía, sin embargo, ser descifrada por un ojo escrutador. He dicho que me causó no poca confusión, pues bien recordaba una conversación anterior con mi amigo durante la cual le preguntara si alguna vez había conocido en Londres a la marquesa de Mentoni (la cual residía en aquella capital antes de su matrimonio); si no me equivoco, su respuesta me dio a entender que jamás había pisado la metrópoli inglesa. Bien puedo mencionar de paso que muchas veces había oído decir (sin dar crédito a un rumor, al parecer, tan improbable) que el hombre de quien hablo era no sólo por su nacimiento, sino por su educación, *inglés*.

–Hay una pintura –dijo él, sin advertir que yo había estado leyendo la tragedia– que todavía no ha visto usted.

Y, apartando una colgadura, descubrió un retrato de tamaño natural de la marquesa Afrodita.

El arte humano no podía haber hecho más en el trazado de su belleza sobrehumana. La misma etérea figura que se alzaba ante mí la noche anterior en la escalinata del Palacio Ducal volvía a ofrecerse a mis ojos. Pero en la expresión de su rostro, que resplandecía sonriente, se insinuaba –¡incomprensible anomalía!– esa incierta mácula de melancolía, que siempre será inseparable de la perfección de la hermosura.

El brazo derecho de la marquesa aparecía doblado sobre el seno. Con el izquierdo mostraba, en la parte inferior del cuadro, un vaso de extraña factura. Un diminuto pie como de hada, apenas visible, parecía rozar la tierra; y, apenas discernible en la brillante atmósfera que parecía circundar y envolver su belleza, flotaba un par de alas de la más delicada concepción.

Mis ojos pasaron de la pintura a la figura de mi amigo, y las vigorosas palabras del *Bussy d'Ambois* de Chapman subieron instintivamente a mis labios:

Está erguido
Como una estatua romana. ¡Y así permanecerá
Hasta que la muerte lo haya vuelto mármol!

–¡Vamos! –exclamó por fin, volviéndose hacia una mesa de plata maciza, ricamente esmaltada, sobre la cual aparecían algunas copas fantásticamente coloreadas, juntamente con dos grandes vasos etruscos, semejantes en su factura al extraordinario modelo que aparecía en la parte inferior del retrato, y llenos de lo que me pareció ser Johannisberger.

–¡Vamos! –repitió bruscamente–. Es muy temprano, pero lo mismo beberemos. Sí, ciertamente *es temprano* –continuó pensativo, en momentos en que un querubín descargaba su pesado martillo de oro, haciendo resonar la estancia con la primera hora posterior a la salida del sol–. ¡Oh, sí, es temprano! Pero ¿qué importa? ¡Bebamos! ¡Brindemos como ofrenda a ese solemne sol que nuestras brillantes lámparas e incensarios se obstinan en someter!

Y, después de brindar conmigo, bebió sucesivamente varias copas de vino.

–Soñar –continuó, recobrando el tono de su inconexa conversación–, soñar ha constituido el fin de mi vida. Por eso he construido, como ve usted, este lugar para los sueños. ¿Podría haber creado uno mejor en pleno corazón de Venecia? Cierto que lo que se percibe es una mezcla de ornamentaciones arquitectónicas. La castidad jónica se ve ofendida por las formas antediluvianas, y las esfinges egipcias se tienden sobre alfombras de oro. Sin embargo, el efecto sólo resulta incongruente para un espíritu tímido. Las unidades, las convenciones de lugar y, sobre todo, de tiempo, son los espantajos que aterran a la humanidad y la apartan de la contemplación de las magnificencias. Yo mismo profesé en un tiempo ese rigor, pero semejante sublimación de la locura acabó por estragar mi alma. Lo que ahora me rodea es lo más adecuado a mi propósito. Como esos incensarios de arabescos, mi espíritu se retuerce en el fuego, y el delirio de esta escena me prepara a las visiones más exaltadas de esa tierra de sueños reales hacia donde voy a partir en seguida.

Detúvose bruscamente, dejó caer la cabeza sobre el pecho y pareció escuchar un sonido que mis oídos no percibían. Por fin, enderezándose, miró hacia arriba y prorrumpió en los versos del obispo de Chichester:

¡Espérame allá! Yo iré a encontrarte
En el profundo valle.

Un instante después, cediendo a la fuerza del vino, se dejó caer cuan largo era sobre una otomana.

Oyéronse pasos presurosos en la escalera y resonaron pesados golpes en la puerta. Me disponía a impedir que volvieran a molestarnos cuando un paje de la casa de Mentoni irrumpió en el aposento y gritó, con palabras que la emoción ahogaba y volvía incoherentes:

–¡Mi señora... mi señora... envenenada... envenenada...! ¡Oh la hermosa... la hermosa Afrodita!

Estupefacto, me precipité a la otomana y traté de que el durmiente recobrara el uso de los sentidos. Pero sus miembros estaban rígidos, lívidos los labios, y aquellos ojos brillantes aparecían ahora fijos para siempre por *la muerte.* Retrocedí tambaleándome hasta la mesa y mi mano cayó sobre una copa rota y ennegrecida. Y la conciencia de la entera, de la terrible verdad, se abrió paso como un rayo en mi alma.

SOMBRA

Comentario de Tryno Maldonado

A diferencia de su contemporáneo Hawthorne, Edgar Allan Poe se pronunciaba abierta y enérgicamente en contra de la metáfora y la alegoría. Apostaba, en cambio, por la palabra directa que enuncia, que narra, grabada «con un estilete de hierro», aunque no exenta de arabescos. No hay, de tal suerte, con su preeminencia del raciocinio, espacio en la obra de Poe para los sesgos morales o para las parábolas didácticas que él tanto le reprochó en su tiempo a Wordsworth. Es por ello que un cuento como «Sombra» –una parábola, ni más ni menos– resulta doblemente atípico en el universo de Poe. La elección de la forma griega clásica que pretende derivar una enseñanza no explícita para fines de didactismo –en la que los personajes deben pasar por un trance moral o espiritual para sufrir luego las consecuencias de sus elecciones–, así como la disposición de ambientes temporal y geográficamente lejanos para generar una atmósfera de misterio y exotismo, no dejan de parecer en manos de Poe sino insinuaciones de pastiche irónico y boicot al propio género en que está escrita.

Si bien «Sombra» no es uno de los relatos *estelares* de Poe, tampoco vale engañarse por su brevedad. La contundencia y eficacia técnicas de Poe están presentes, conjugadas esta vez con una riqueza metatextual y una voluntad de manifiesta seudoerudición que adoptaría el propio Borges un siglo más tarde.

Una relectura contemporánea de este cuento breve se vuelve más atractiva por los triples paralelismos entre: a) la época que evoca, b) el tiempo en el que fue escrito y c) los días que hoy corren. El relato está ambientado dentro de lo que se vislumbra como un gran imperio entrado en decadencia –la Grecia antigua–, por mor de sus propios excesos y un consecuente castigo supraterreno materializado en forma de plaga. El narrador es parte de un grupo de nobles, sobrevivientes posapocalípticos, reunidos en un palacio, dedicados a nada más que escanciar el vino y a sobrellevar una orgía, ajenos a la peste que asola al imperio y ajenos incluso al cadáver amortajado de un amigo, en cuyo honor parece haberse instalado la bacanal. El terror, la amenaza de lo extraño, de lo desconocido, han quedado allá fuera, pues las ostentosas puertas de bronce protegen su aposento. Esto sólo hasta que esa misma amenaza exterior –una metáfora de la peste o hasta de clase, si nos aventuramos un poco– logra al fin escabullirse en el palacio, atraída por el tufo de la muerte.

Para un lector contemporáneo no resultaría tan descabellado trasladar ese encierro y ese imperio decadente a la actualidad: una reducción de lo que hoy en día hace el imperio estadounidense, espoleado por la psicosis colectiva y retraído en sus fronteras por la lógica del terror instaurada a partir del 11 de septiembre, con todo y sus cadáveres pudriéndose en el armario. No hay que olvidar tampoco que al momento en que Poe escribía «Sombra», el pánico provocado por un lustro de recesión financiera detonada en 1837 permanecía en el imaginario norteamericano, y que se vivían aún la inestabilidad y la resaca de aquella crisis. Algo muy similar ocurre en el instante en que escribo esto: lo que algunos comienzan a calificar ya como la peor recesión económica del imperio estadounidense desde la Gran Depresión de 1939. Quizá mi relectura de «Sombra» esté influida y viciada por todos estos factores. Y tal vez por ello esta parábola metafísica me haya estremecido más que en la primera ocasión en que pude leerla.

SOMBRA

Parábola

«Sí, aunque marcho por el valle de la Sombra».
Salmo de David, XXIII

Vosotros los que leéis aún estáis entre los vivos; pero yo, el que escribe, habré entrado hace mucho en la región de las sombras. Pues en verdad ocurrirán muchas cosas, y se sabrán cosas secretas, y pasarán muchos siglos antes de que los hombres vean este escrito. Y, cuando lo hayan visto, habrá quienes no crean en él, y otros dudarán, mas unos pocos habrá que encuentren razones para meditar frente a los caracteres aquí grabados con un estilo de hierro.

El año había sido un año de terror y de sentimientos más intensos que el terror, para los cuales no hay nombre sobre la tierra. Pues habían ocurrido muchos prodigios y señales, y a lo lejos y en todas partes, sobre el mar y la tierra, se cernían las negras alas de la peste. Para aquellos versados en la ciencia de las estrellas, los cielos revelaban una faz siniestra; y para mí, el griego Oinos, entre otros, era evidente que ya había llegado la alternación de aquel año 794, en el cual, a la entrada de Aries, el planeta Júpiter queda en conjunción con el anillo rojo del terrible Saturno. Si mucho no me equivoco, el especial espíritu del cielo no sólo se manifestaba en el globo físico de la tierra, sino en las almas, en la imaginación y en las meditaciones de la humanidad.

En una sombría ciudad llamada Ptolemáis, en un noble palacio, nos hallábamos una noche siete de nosotros frente a los frascos del rojo vino de Chíos. Y no había otra entrada a nuestra cámara que una alta puerta de bronce; y aquella puerta había sido fundida por el artesano Corinnos, y, por ser de raro mérito, se la aseguraba desde dentro. En el sombrío aposento, negras colgaduras alejaban de nuestra vista la luna, las cárdenas estrellas y las desiertas calles; pero el presagio y el recuerdo del Mal no podían ser excluidos. Estábamos rodeados por cosas que no logro explicar distintamente; cosas materiales y espirituales, la pesadez de la atmósfera, un sentimiento de sofocación, de ansiedad; y por, sobre todo, ese terrible estado de la existencia que alcanzan los seres nerviosos cuando los sentidos están agudamente vivos y despiertos, mientras las facultades yacen amodorradas. Un peso muerto nos agobiaba. Caía sobre los cuerpos, los muebles, los vasos en que bebíamos; todo lo que nos rodeaba cedía a la depresión y se hundía; todo menos las llamas de las siete lámparas de hierro que iluminaban nuestra orgía. Alzándose en altas y esbeltas líneas de luz, continuaban ardiendo, pálidas e inmóviles; y en el espejo que su brillo engendraba en la redonda mesa de ébano a la cual nos sentábamos, cada uno veía la palidez de su propio rostro y el inquieto resplandor en las abatidas miradas de sus compañeros. Y, sin embargo, reíamos y nos alegrábamos a nuestro modo –lleno de histeria–, y cantábamos las canciones de Anacreonte –llenas de locura–, y bebíamos copiosamente, aunque el purpúreo vino nos recordaba la sangre. Porque en aquella cámara había otro de nosotros en la persona del joven Zoilo. Muerto y amortajado yacía tendido cuan largo era, genio y demonio de la escena. ¡Ay, no participaba de nuestro regocijo! Pero su rostro, convulsionado por la plaga, y sus ojos, donde la muerte sólo había apagado a medias el fuego de la pestilencia, parecían interesarse en nuestra alegría, como quizá los muertos se interesan en la alegría de los que van a morir. Mas aunque yo, Oinos, sentía que los ojos del muerto estaban fijos en mí, me obligaba a no percibir la amargura de su expresión, y mientras contemplaba fijamente las profundidades del espejo de ébano, cantaba en voz alta y sonora las canciones del hijo de Teos.

Poco a poco, sin embargo, mis canciones fueron callando y sus ecos, perdiéndose entre las tenebrosas colgaduras de la cámara, se debilitaron hasta volverse inaudibles y se apagaron del todo. Y he aquí que de aquellas tenebrosas colgaduras, donde se perdían los sonidos de la canción, se desprendió una profunda e indefinida sombra, una sombra como la que la luna, cuando está baja, podría extraer del cuerpo de un hombre; pero esta no era la sombra de un hombre o de un dios, ni de ninguna cosa familiar. Y, después de temblar un instante, entre las colgaduras del aposento, quedó, por fin, a plena vista sobre la superficie de la puerta de bronce. Mas la sombra era vaga e informe, indefinida, y no era la sombra de un hombre o de un dios, ni un dios de Grecia, ni un dios de Caldea, ni un dios egipcio. Y la sombra se detuvo en la entrada de bronce, bajo el arco del entablamento de la puerta, y sin moverse, sin decir una palabra, permaneció inmóvil. Y la puerta donde estaba la sombra, si recuerdo bien, se alzaba frente a los pies del joven Zoilo amortajado. Mas nosotros, los siete allí congregados, al ver cómo la sombra avanzaba desde las colgaduras, no nos atrevimos a contemplarla de lleno, sino que bajamos los ojos y miramos fijamente las profundidades del espejo de ébano. Y al final yo, Oinos, hablando en voz muy baja, pregunté a la sombra cuál era su morada y su nombre. Y la sombra contestó: «Yo soy SOMBRA, y mi morada está al lado de las catacumbas de Ptolemáis, y cerca de las oscuras planicies de Clíseo, que bordean el impuro canal de Caronte».

Y entonces los siete nos levantamos llenos de horror y permanecimos de pie temblando, estremecidos, pálidos; porque el tono de la voz de la sombra no era el tono de un solo ser, sino el de una multitud de seres, y, variando en sus cadencias de una sílaba a otra, penetraba oscuramente en nuestros oídos con los acentos familiares y harto recordados de mil y mil amigos muertos.

ELEONORA

Comentario de Patricia Esteban Erlés

Después de leer «Eleonora» no queda la menor duda acerca de lo alargada que llega a ser la sombra de Virginia Clemm en algunas de las páginas firmadas por Poe. La prima del autor, convertida en su esposa a los trece años y muerta de tuberculosis con apenas veinte, es el fantasma emboscado tras un nombre de mujer que le lleva a fabular, entre otros, este cuento de linajes condenados, de paraísos perdidos y promesas que no se cumplen. Desde el presente, con esa locura propia del que sabe lo que es sobrevivir al ser amado, el narrador, trasunto exacto de Poe, señala el día de la muerte de su querida prima Eleonora como el fin de un mundo perfecto al que ya no es posible retornar. Exiliado, vuelve la vista a ese tiempo de la felicidad pura, añorando el edén secreto, umbrío a la manera de un lienzo prerrafaelita, que Eleonora y él habitaron desde niños, tutelados siempre por la figura benefactora de la madre de ella.

Comprende ahora que ese *locus amoenus* alegórico, un laberinto de árboles, lirios escarlatas y peces de oro, contenía para él todos los tesoros de una existencia idílica, pero también su propia sentencia de muerte. Nada permanece ajeno al correr de los días, ni siquiera los asfódelos rojos que acaban marchitándose y dejan su lugar en el jardín derruido a violetas de luto. Eleonora es evocada como una niña sin tiempo que nunca debió crecer ni traspasar el umbral de sus quince años, porque al acercar las puntas de sus dedos al amor pulsó también las cuerdas de la muerte. El atormentado Poe, que asistió impotente a la agonía real de Virginia, sin disponer del dinero necesario para comprar una manta o las medicinas que hubieran podido aliviarla, le presta su voz al viudo de Eleonora y ambos encuentran así motivo de consuelo: la muerte consigue salvar a la amada del pecado y la corrupción, libera a Eleonora (y, por extensión, a Virginia), de su condición de mujer y la convierte en ángel.

Pero en «Eleonora» puede leerse, además de un texto consolatorio, la historia de una confesión. Decía María Zambrano en su ya clásico trabajo sobre este género que la raíz misma de las confesiones es el arrepentimiento, la necesidad de perdón que sacude al narrador en el presente y le lleva a viajar al pasado que le atormenta, a instalarse en él y relatar el hecho terrible que le impide vivir en paz. Así sucede en «Eleonora». Su compañero de juegos en la niñez y adolescencia, el mismo que yació a los pies de su lecho de muerte jurándole que no volvería a enamorarse de otra mujer, descubre con el paso de los meses lo difíciles que son de cumplir algunas promesas, y, sobre todo, el abismo insalvable que separa el mundo de los vivos y de los muertos. De poco o ningún consuelo le sirve al narrador saber que Eleonora sí cumple su parte del trato y que su presencia fantasmal le acompaña siempre en su peregrinaje; su nueva vida en una ciudad llena de fastos y la aparición de una doncella de carne y hueso, la seductora Ermengarda, le llevan poco a poco a olvidar su juramento. Como el propio Poe, quien llevado por su naturaleza enamoradiza volvió a sentirse fascinado por otras mujeres poco después de la muerte de Virginia Clemm, y sufría delirios alucinatorios en los que aseguraba que el fantasma de su esposa se le aparecía, el amado desleal de Eleonora cree escuchar de nuevo su voz, concediéndole un perdón en el que resuenan ecos de la sentencia de Ramon Llull que encabeza el relato, «Bajo la conservación de una forma específica el alma está a salvo» y que tiene, paradójicamente, algo de suave amenaza, de cita en el trasmundo a la que él, por mucho que se resista, no podrá dejar de acudir.

ELEONORA

«Sub conservatione formæ specificæ salva anima».
RAMON LLULL

Vengo de una raza notable por la fuerza de la imaginación y el ardor de las pasiones. Los hombres me han llamado loco; pero todavía no se ha resuelto la cuestión de si la locura es o no la forma más elevada de la inteligencia, si mucho de lo glorioso, si todo lo profundo, no surgen de una enfermedad del pensamiento, de *estados de ánimo* exaltados a expensas del intelecto general. Aquellos que sueñan de día conocen muchas cosas que escapan a los que sueñan sólo de noche. En sus grises visiones obtienen atisbos de eternidad y se estremecen, al despertar, descubriendo que han estado al borde del gran secreto. De un modo fragmentario aprenden algo de la sabiduría propia y mucho más del mero conocimiento propio del mal. Penetran, aunque sin timón ni brújula, en el vasto océano de la «luz inefable», y otra vez, como los aventureros del geógrafo nubio, «agressi sunt mare tenebrarum quid in eo esset exploraturi».

Diremos, pues, que estoy loco. Concedo, por lo menos, que hay dos estados distintos en mi existencia mental: el estado de razón lúcida, que no puede discutirse y pertenece a la memoria de los sucesos de la primera época de mi vida, y un estado de sombra y duda, que pertenece al presente y a los recuerdos que constituyen la segunda era de mi existencia. Por eso, creed lo que contaré del primer período, y, a lo que pueda relatar del último, conceded tan sólo el crédito que merezca; o dudad resueltamente, y, si no podéis dudar, haced lo que Edipo ante el enigma.

La amada de mi juventud, de quien recibo ahora, con calma, claramente, estos recuerdos, era la única hija de la hermana de mi madre, que había muerto hacía largo tiempo. Mi prima se llamaba Eleonora. Siempre habíamos vivido juntos, bajo un sol tropical, en el Valle de la Hierba Irisada. Nadie llegó jamás sin guía a aquel valle, pues quedaba muy apartado entre una cadena de gigantescas colinas que lo rodeaban con sus promontorios, impidiendo que entrara la luz en sus más bellos escondrijos. No había sendero hollado en su vecindad, y para llegar a nuestra feliz morada era preciso apartar con fuerza el follaje de miles de árboles forestales y pisotear el esplendor de millones de flores fragantes. Así era como vivíamos solos, sin saber nada del mundo fuera del valle, yo, mi prima y su madre.

Desde las confusas regiones más allá de las montañas, en el extremo más alto de nuestro circundado dominio, se deslizaba un estrecho y profundo río, y no había nada más brillante, salvo los ojos de Eleonora; y serpeando furtivo en su sinuosa carrera, pasaba, al fin, a través de una sombría garganta, entre colinas aún más oscuras que aquellas de donde saliera. Lo llamábamos el «Río de Silencio», porque parecía haber una influencia enmudecedora en su corriente. No brotaba ningún murmullo de su lecho y se deslizaba tan suavemente que los aljofarados guijarros que nos encantaba contemplar en lo hondo de su seno no se movían, en quieto contentamiento, cada uno en su antigua posición, brillando gloriosamente para siempre.

Las márgenes del río y de los numerosos arroyos deslumbrantes que se deslizaban por caminos sinuosos hasta su cauce, así como los espacios que se extendían desde las márgenes descendiendo a las profundidades de las corrientes hasta tocar el lecho de guijarros en el fondo, esos lugares, no menos que la superficie entera del valle, desde el río hasta las montañas que lo circundaban, estaban todos alfombrados por una hierba suave y verde, espesa, corta, perfectamente uniforme y perfumada de vainilla, pero tan salpicada de amarillos ranúnculos, margaritas blancas, purpúreas violetas y asfódelos rojo rubí, que su excesiva belleza hablaba a nuestros corazones, con altas voces, del amor y la gloria de Dios.

Y aquí y allá, en bosquecillos entre la hierba, como selvas de sueño, brotaban fantásticos árboles cuyos altos y esbeltos troncos no eran rectos, mas se inclinaban graciosamente hacia la luz que asomaba a mediodía en el centro del valle. Las manchas de sus cortezas alternaban el vívido esplendor del ébano y la plata, y no había nada más suave, salvo las mejillas de Eleonora; de modo que, de no ser por el verde vivo de las enormes hojas que se derramaban desde sus cimas en largas líneas trémulas, retozando con los céfiros, podría habérselos creído gigantescas serpientes de Siria rindiendo homenaje a su soberano, el Sol.

Tomados de la mano, durante quince años, erramos Eleonora y yo por ese valle antes de que el amor entrara en nuestros corazones. Ocurrió una tarde, al terminar el tercer lustro de su vida y el cuarto de la mía, abrazados junto a los árboles serpentinos, mirando nuestras imágenes en las aguas del Río de Silencio. No dijimos una palabra durante el resto de aquel dulce día, y aun al siguiente nuestras palabras fueron temblorosas, escasas. Habíamos arrancado al dios Eros de aquellas ondas y ahora sentíamos que había encendido dentro de nosotros las ígneas almas de nuestros antepasados. Las pasiones que durante siglos habían distinguido a nuestra raza llegaron en tropel con las fantasías por las cuales también era famosa, y juntos respiramos una dicha delirante en el Valle de la Hierba Irisada. Un cambio sobrevino en todas las cosas. Extrañas, brillantes flores estrelladas brotaron en los árboles donde nunca se vieran flores. Los matices de la alfombra verde se ahondaron, y mientras una por una desaparecían las blancas margaritas, brotaban, en su lugar, de a diez, los asfódelos rojo rubí. Y la vida surgía en nuestros senderos, pues altos flamencos hasta entonces nunca vistos, y todos los pájaros gayos, resplandecientes, desplegaron su plumaje escarlata ante nosotros. Peces de oro y plata frecuentaron el río, de cuyo seno brotaba, poco a poco, un murmullo que culminó al fin en una arrulladora melodía más divina que la del arpa eólica, y no había nada más dulce, salvo la voz de Eleonora. Y una nube voluminosa que habíamos observado largo tiempo en las regiones del Héspero flotaba en su magnificencia de oro y carmesí y, difundiendo paz sobre nosotros, descendía cada vez más, día a día, hasta que sus bordes descansaron en las cimas de las montañas, convirtiendo toda su oscuridad en esplendor y encerrándonos como para siempre en una mágica casa-prisión de grandeza y de gloria.

La belleza de Eleonora era la de los serafines, pero era una doncella natural e inocente, como la breve vida que había llevado entre las flores. Ningún artificio disimulaba el fervoroso amor que animaba su corazón, y examinaba conmigo los escondrijos más recónditos mientras caminábamos juntos por el Valle de la Hierba Irisada y discurríamos sobre los grandes cambios que se habían producido en los últimos tiempos.

Por fin, habiendo hablado un día, entre lágrimas, del último y triste camino que debe sufrir el hombre, en adelante se demoró Eleonora en este único tema doloroso, vinculándolo con todas nuestras conversaciones, así como en los cantos del bardo de Schiraz las mismas imágenes se encuentran una y otra vez en cada grandiosa variación de la frase.

Vio el dedo de la muerte posado en su pecho, y supo que, como la efímera, había sido creada perfecta en su hermosura sólo para morir;

pero, para ella, los terrenos de tumba se reducían a una consideración que me reveló una tarde, a la hora del crepúsculo, a orillas del Río de Silencio. Le dolía pensar que, una vez sepulta en el Valle de la Hierba Irisada, yo abandonaría para siempre aquellos felices lugares, transfiriendo el amor entonces tan apasionadamente suyo a otra doncella del mundo exterior y cotidiano. Y entonces, allí, me arrojé precipitadamente a los pies de Eleonora y juré, ante ella y ante el cielo, que nunca me uniría en matrimonio con ninguna hija de la Tierra, que en modo alguno me mostraría desleal a su querida memoria, o a la memoria del abnegado cariño cuya bendición había yo recibido. Y apelé al poderoso amo del Universo como testigo de la piadosa solemnidad de mi juramento. Y la maldición de Él o de ella, santa en el Elíseo, que invoqué si traicionaba aquella promesa, implicaba un castigo tan horrendo que no puedo mentarlo. Y los brillantes ojos de Eleonora brillaron aún más al oír mis palabras, y suspiró como si le hubieran quitado del pecho una carga mortal, y tembló y lloró amargamente, pero aceptó el juramento (pues ¿qué era sino una niña?) y el juramento la alivió en su lecho de muerte. Y me dijo, pocos días después, en tranquila agonía, que, en pago de lo que yo había hecho para confortación de su alma, velaría por mí en espíritu después de su partida y, si le era permitido, volvería en forma visible durante la vigilia nocturna; pero, si ello estaba fuera del poder de las almas en el Paraíso, por lo menos me daría frecuentes indicios de su presencia, suspirando sobre mí en los vientos vesperales, o colmando el aire que yo respirara con el perfume de los incensarios angélicos. Y con estas palabras en sus labios sucumbió su inocente vida, poniendo fin a la primera época de la mía.

Hasta aquí he hablado con exactitud. Pero cuando cruzo la barrera que en la senda del Tiempo formó la muerte de mi amada y comienzo con la segunda era de mi existencia, siento que una sombra se espesa en mi cerebro y duda de la perfecta cordura de mi relato. Mas dejadme seguir. Los años se arrastraban lentos y yo continuaba viviendo en el Valle de la Hierba Irisada; pero un segundo cambio había sobrevenido en todas las cosas. Las flores estrelladas desaparecieron de los troncos de los árboles y no brotaron más. Los matices de la alfombra verde se desvanecieron, y uno por uno fueron marchitándose los asfódelos rojo rubí, y en lugar de ellos brotaron de a diez oscuras violetas como ojos, que se retorcían desasosegadas y estaban siempre llenas de rocío. Y la Vida se retiraba de nuestros senderos, pues el alto flamenco ya no desplegaba su plumaje escarlata ante nosotros, mas voló tristemente del valle a las colinas, con todos los gayos pájaros brillantes que habían llegado en su compañía. Y los peces de oro y plata nadaron a través de la garganta hasta el confín más hondo de su dominio y nunca más adornaron el dulce río. Y la arrulladora melodía, más suave que el arpa eólica y más divina que todo, salvo la voz de Eleonora, fue muriendo poco a poco, en murmullos cada vez más sordos, hasta que la corriente tornó, al fin, a toda la solemnidad de su silencio originario. Y por último, la voluminosa nube se levantó y, abandonando los picos de las montañas a la antigua oscuridad, retornó a las regiones del Héspero y se llevó sus múltiples resplandores dorados y magníficos del Valle de la Hierba Irisada.

Pero las promesas de Eleonora no cayeron en el olvido, pues escuché el balanceo de los incensarios angélicos, y las olas de un perfume sagrado flotaban siempre en el valle, y en las horas solitarias, cuando mi corazón latía pesadamente, los vientos que bañaban mi frente me llegaban cargados de suaves suspiros, y murmullos confusos llenaban a menudo el aire nocturno, y una vez –¡ah, pero sólo una vez!– me despertó de un sueño, como el sueño de la muerte, la presión de unos labios espirituales sobre los míos.

Pero, aun así, rehusaba llenarse el vacío de mi corazón. Ansiaba el amor que antes lo colmara hasta derramarse. Al fin el valle *me dolía* por los recuerdos de Eleonora, y lo abandoné para siempre en busca de las vanidades y los turbulentos triunfos del mundo.

Me encontré en una extraña ciudad, donde todas las cosas podían haber servido para borrar del recuerdo los dulces sueños que tanto duraran en el Valle de la Hierba Irisada. El fasto y la pompa de una corte soberbia y el loco estrépito de las armas y la radiante belleza de la mujer extraviaron e intoxicaron mi mente. Pero, aun entonces, mi alma fue fiel a su juramento, y las indicaciones de la presencia de Eleonora todavía me llegaban en las silenciosas horas de la noche. De pronto, cesaron estas manifestaciones y el mundo se oscureció ante mis ojos y quedé aterrado ante los abrasadores pensamientos que me poseyeron, ante las terribles tentaciones que me acosaron, pues llegó de alguna lejana, lejanísima tierra desconocida, a la alegre corte del rey a quien yo servía, una doncella ante cuya belleza mi corazón desleal se doblegó en seguida, a cuyos pies me incliné sin una lucha, con la más ardiente, con la más abyecta adoración amorosa. ¿Qué era, en verdad, mi pasión por la jovencita del valle, en comparación con el ardor y el delirio y el arrebatado éxtasis de adoración con que vertía toda mi alma en lágrimas a los pies de la etérea Ermengarda? ¡Ah, brillante serafín, Ermengarda! Y sabiéndolo, no me quedaba lugar para ninguna otra. ¡Ah, divino ángel, Ermengarda! Y al mirar en las profundidades de sus ojos, donde moraba el recuerdo, sólo pensé en ellos, y *en ella.*

Me casé; no temí la maldición que había invocado, y su amargura no me visitó. Y una vez, pero sólo una vez en el silencio de la noche, llegaron a través de la celosía los suaves suspiros que me habían abandonado, y adoptaron la voz dulce, familiar, para decir:

«¡Duerme en paz! Pues el espíritu del Amor reina y gobierna y, abriendo tu apasionado corazón a Ermengarda, estás libre, por razones que conocerás en el Cielo, de tus juramentos a Eleonora».

MORELLA

Comentario de Edmundo Paz Soldán

Hay muchas maneras de contar la historia de una familia o la de un gran amor; pocas tan perversas como la de «Morella». El narrador del cuento está enamorado de Morella, pero una frase contundente nos advierte en el primer párrafo que no se trata de un amor normal: «el fuego no era de Eros». En este relato gótico, la felicidad de la pareja se trastoca pronto: el narrador termina deseando la muerte de su amada ante el «misterio» de su naturaleza. Si los relatos sobrenaturales del siglo XIX abundan en mujeres muertas, Morella es, quizás, su paradigma: su «frágil espíritu» termina escapándose de la «envoltura de arcilla». Con el nacimiento de la hija en el parto en que muere Morella, el amor extraño dará paso al relato de la familia incompleta.

Lo que Poe se pregunta en «Morella» tiene connotaciones tanto materiales como espirituales: ¿qué pasa con el ser humano después de su muerte? Ha habido muchas respuestas filosóficas y teológicas a este interrogante; la de Poe, literaria, no da lugar a ambigüedades y sugiere que el cuerpo puede desaparecer, pero el espíritu no. También se puede leer este cuento como una versión espectral de la persistencia de la literatura: si la realidad es una «envoltura», en «Morella» son los libros místicos, primero, los que la penetran, y es luego el relato mismo el que da cuenta de esa realidad de huesos desvanecidos.

Abundan en «Morella» los efectos especiales del cuento gótico: hay «espíritus malignos», pilas bautismales usadas para ahuyentar el Mal, dedos y frentes pálidas llenas de venas azules, libros místicos y cementerios. No hay una Morella, sino dos: ¿o son una las dos? Más allá de la conclusión del relato, queda la sensación de que para Poe la identidad del ser humano es un misterio.

MORELLA

«El mismo, sólo por sí mismo, eternamente Uno y único».
PLATÓN, *El banquete*

Un sentimiento de profundo pero singularísimo afecto me inspiraba mi amiga Morella. Llegué a conocerla por casualidad hace muchos años, y desde nuestro primer encuentro mi alma ardió con fuego hasta entonces desconocido; pero el fuego no era de Eros, y amarga y torturadora para mi espíritu fue la convicción gradual de que en modo alguno podía definir su carácter insólito o regular su vaga intensidad. Sin embargo, nos conocimos y el destino nos unió ante el altar, y nunca hablé de pasión, ni pensé en el amor. Ella, no obstante, huyó de la sociedad y, apegándose tan sólo a mí, me hizo feliz. Es una felicidad maravillarse, es una felicidad soñar.

La erudición de Morella era profunda. Tan cierto como que estoy vivo, sé que sus aptitudes no eran de índole común; el poder de su espíritu era gigantesco. Yo lo sentía y en muchos puntos fui su discípulo. Pronto descubrí, sin embargo, que quizá a causa de su educación en Presburgo exponía a mi consideración cantidad de esos escritos místicos que se juzgan habitualmente la escoria de la primitiva literatura alemana. Eran, no puedo imaginar por qué razón, objeto de su estudio favorito y constante, y, si con el tiempo llegaron a serlo para mí, ello debe atribuirse a la simple pero eficaz influencia del hábito y el ejemplo.

En todo esto, si no me equivoco, mi razón poco participaba. Mis opiniones, a menos que me desconozca a mí mismo, en modo alguno estaban influidas por el ideal, ni era perceptible ningún matiz del misticismo de mis lecturas, a menos que me equivoque mucho, ni en mis actos ni en mis pensamientos. Convencido de ello, me abandoné sin reservas a la dirección de mi esposa y penetré con ánimo resuelto en el laberinto de sus estudios. Y entonces, entonces, cuando escudriñando páginas prohibidas sentía que un espíritu aborrecible se encendía dentro de mí, Morella posaba su fría mano sobre la mía y sacaba de las cenizas de una filosofía muerta algunas palabras hondas, singulares, cuyo extraño sentido se grababa en mi memoria. Y entonces, hora tras hora, me demoraba a su lado, sumido en la música de su voz, hasta que al fin su melodía se inficionaba de terror y una sombra caía sobre mi alma y yo palidecía y temblaba interiormente ante aquellas entonaciones sobrenaturales. Y así la alegría se desvanecía súbitamente en el horror y lo más hondo se convertía en lo más horrible, como el Hinnom se convirtió en la Gehenna.

Es innecesario explicar el carácter exacto de aquellas disquisiciones que, surgidas de los volúmenes que he mencionado, constituyeron durante tanto tiempo casi el único tema de conversación entre Morella y yo. Los entendidos en lo que puede designarse moral teológica lo comprenderán rápidamente, y los profanos, en todo caso, poco entenderán. El impetuoso panteísmo de Fichte, la παλιγγενεσία modificada de los pitagóricos y, sobre todo, las doctrinas de la *identidad* preconizadas por Schelling, eran generalmente los puntos de discusión más llenos de belleza para la imaginativa Morella. Esta identidad denominada personal creo que ha sido definida exactamente por Locke como la permanencia del ser racional. Y puesto que por persona entendemos una esencia inteligente dotada de razón, y el pensar siempre va acompañado por una conciencia, ella es la que nos hace ser eso que llamamos *nosotros mismos,* distinguiéndonos, en consecuencia, de los otros seres que piensan y confiriéndonos nuestra identidad personal. Pero el *principium individuationis,* la noción de esa identidad que *con la muerte se pierde o no para siempre,* fue para mí, en todo tiempo, un tema de intenso interés, no tanto por la perturbadora y excitante índole de sus consecuencias, como por la insistencia y la agitación con que Morella los mencionaba.

Mas en verdad llegó el momento en que el misterio de la naturaleza de mi mujer me oprimió como un maleficio. Ya no podía soportar el contacto de su dedos pálidos, ni el tono profundo de su palabra musical, ni el brillo de sus ojos melancólicos. Y ella lo sabía, pero no me lo reprochaba; parecía consciente de mi debilidad o de mi locura y, sonriendo, le daba el nombre de Destino. También parecía tener conciencia de la causa, para mí desconocida, del gradual desapego de mi actitud, pero no me insinuó ni me explicó su índole. Sin embargo, era mujer y languidecía evidentemente. Con el tiempo la mancha carmesí se fijó definitivamente en sus mejillas y las venas azules de su pálida frente se acentuaron; si por un momento me ablandaba la compasión, al siguiente encontraba el fulgor de sus ojos pensativos, y entonces mi alma se sentía enferma y experimentaba el vértigo de quien hunde la mirada en algún abismo lúgubre, insondable.

¿Diré entonces que anhelaba con ansia, con un deseo voraz, el momento de la muerte de Morella? Así fue; mas el frágil espíritu se aferró a su envoltura de arcilla durante muchos días, durante muchas semanas y meses de tedio, hasta que mis nervios torturados dominaron mi razón y me enfurecí por la demora, y con el corazón de un demonio maldije los días y las horas y los amargos momentos que parecían prolongarse, mientras su noble vida declinaba como las sombras en la agonía del día.

Pero, una tarde de otoño, cuando los vientos se aquietaban en el cielo, Morella me llamó a su cabecera. Una espesa niebla cubría la tierra, y subía un cálido resplandor desde las aguas, y entre el rico follaje de octubre había caído del firmamento un arco iris.

–Este es el día entre los días –dijo cuando me acerqué–, el día entre los días para vivir o para morir. Es un hermoso día para los hijos de la tierra y de la vida... ¡ah, más hermoso para las hijas del cielo y de la muerte!

Besé su frente, y continuó:

–Me muero, y sin embargo viviré.

–¡Morella!

–Nunca existieron los días en que hubieras podido amarme; pero aquella a quien en vida aborreciste, será adorada por ti en la muerte.

–¡Morella!

–Repito que me muero. Pero hay dentro de mí una prenda de ese afecto –¡ah, cuán pequeño!– que sentiste por mí, por Morella. Y cuando mi espíritu parta, el hijo vivirá, tu hijo y el mío, el de Morella. Pero tus días serán días de dolor, ese dolor que es la más perdurable de las impresiones, como el ciprés es el más resistente de los árboles. Porque las horas de tu dicha han terminado, y la alegría no se cosecha dos veces en la vida, como las rosas de Pestum dos veces en el año. Ya no jugarás con el tiempo como el poeta de Teos, mas, ignorante del mirto y de la viña, llevarás encima, por toda la tierra, tu sudario, como el musulmán en la Meca.

–¡Morella! –exclamé–. ¡Morella! ¿Cómo lo sabes?

Pero volvió su cabeza sobre la almohada; un ligero estremecimiento recorrió sus miembros y murió; y no oí más su voz.

Sin embargo, como lo había predicho, su hija –a quien diera a luz al morir y que no respiró hasta que su madre dejó de alentar–, su hija, una niña, vivió. Y creció extrañamente en talla e inteligencia, y era de una semejanza perfecta con la desaparecida, y la amé con amor más perfecto del que hubiera creído posible sentir por ningún habitante de la tierra.

Pero antes de mucho se oscureció el cielo de este puro afecto, y la tristeza, el horror, la aflicción lo recorrieron con sus nubes. He dicho que la niña crecía extrañamente en talla e inteligencia. Extraño, en verdad, era el rápido crecimiento de su cuerpo, pero terribles, ah, terribles eran los tumultuosos pensamientos que se agolpaban en mí mientras observaba el desarrollo de su inteligencia. ¿Cómo no había de ser así si descubría diariamente en las ideas de la niña el poder del adulto y las aptitudes de la mujer; si las lecciones de la experiencia caían de los labios de la infancia; si yo encontraba a cada instante la sabiduría o las pasiones de la madurez centelleando en sus ojos profundos y pensativos? Cuando todo esto, digo, llegó a ser evidente para mis espantados sentidos, cuando ya no pude ocultarlo a mi alma ni apartarla de estas evidencias que la estremecían, ¿es de sorprenderse que sospechas de carácter terrible y perturbador se insinuaran en mi espíritu, o que mis pensamientos recayeran con horror en las insensatas historias y en las sobrecogedoras teorías de la difunta Morella? Arrebaté a la curiosidad del mundo un ser cuyo destino me obligaba a adorarlo, y en la rigurosa soledad de mi hogar vigilé con mortal ansiedad todo lo concerniente a la criatura amada.

Y a medida que pasaban los años y yo contemplaba día tras día su rostro puro, suave, elocuente, y vigilaba la maduración de sus formas, día tras día iba descubriendo nuevos puntos de semejanza entre la niña y su madre, la melancólica, la muerta. Y por instantes se espesaban esas sombras de parecido y su aspecto era más pleno, más definido, más perturbador y más espantosamente terrible. Pues que su sonrisa fuera como la de su madre, eso podía soportarlo, pero entonces me estremecía ante una *identidad* demasiado perfecta; que sus ojos fueran como los de Morella, eso podía sobrellevarlo, pero es que también se sumían con harta frecuencia en las profundidades de mi alma con la intención intensa, desconcertante, de los de Morella. Y en el contorno de la frente elevada, y en los rizos del sedoso cabello, y en los pálidos dedos que se hundían en él, en el tono triste, musical de su voz, y sobre todo –¡ah, sobre todo!– en las frases y expresiones de la muerta en labios de la amada, de la viviente, encontraba alimento para una idea voraz y horrible, para un gusano que no *quería* morir.

Así pasaron dos lustros de su vida, y mi hija seguía sin nombre sobre la tierra. «Hija mía» y «querida» eran los apelativos habituales dictados por un afecto paternal, y el rígido apartamiento de su vida excluía toda otra relación. El nombre de Morella había muerto con ella. De la madre nunca había hablado a la hija; era imposible hablar. A decir verdad, durante el breve período de su existencia esta última no había recibido impresiones del mundo exterior, salvo las que podían brindarle los estrechos límites de su retiro. Pero, al fin, la ceremonia del bautismo se presentó a mi espíritu, en su estado de nerviosidad e inquietud, como una afortunada liberación del terror de mi destino. Y, ante la pila bautismal, vacilé al elegir el nombre. Y muchos epítetos de la sabiduría y la belleza, de viejos y modernos tiempos, de mi tierra y de tierras extrañas, acudieron a mis labios, y muchos, muchos epítetos de la gracia, la dicha, la bondad. ¿Qué me impulsó entonces a agitar el recuerdo de la muerta? ¿Qué demonio me incitó a musitar aquel sonido cuyo simple recuerdo solía hacer afluir torrentes de sangre purpúrea de las sienes al corazón? ¿Qué espíritu maligno habló desde lo más recóndito de mi alma cuando, en aquella bóveda oscura, en el silencio de la noche, susurré al oído del santo varón el nombre de Morella? ¿Quién sino un espíritu maligno convulsionó las facciones de mi hija y las cubrió con el matiz de la muerte cuando, sobresaltada por esa palabra apenas perceptible, volvió sus ojos límpidos del suelo al firmamento y, cayendo de rodillas en las losas negras de nuestra cripta familiar, respondió «¡Aquí estoy!»?

Precisas, fríamente, tranquilamente precisas, cayeron estas simples palabras en mi oído y de allí, como plomo derretido, rodaron silbando a mi cerebro. ¡Los años, los años pueden pasar, pero el recuerdo de aquel momento, nunca! No ignoraba yo las flores y la viña, pero el acónito y el ciprés me cubrieron con su sombra noche y día. Y perdí toda noción de tiempo y espacio, y las estrellas de mi sino se apagaron en el cielo, y desde entonces la tierra se entenebreció y sus figuras pasaron a mi lado como sombras fugitivas, y entre ellas sólo veía una: Morella. Los vientos musitaban una sola palabra en mis oídos, y las ondas del mar murmuraban incesantes: «¡Morella!». Pero ella murió, y con mis propias manos la llevé a la tumba; y lancé una larga y amarga carcajada al no hallar huellas de la primera Morella en el sepulcro donde deposité a la segunda.

BERENICE
Eduardo Berti

Escrito alrededor de 1834, «Berenice» presenta elementos típicos de Poe: la necrofilia (como en «El entierro prematuro»), la mujer-niña, la tensión entre salud y enfermedad o entre «realidad» y «mundo de los sueños», la sombra del opio (más explícita en «Ligeia»), el horror y lo que por pereza podría llamarse sadismo.

El episodio más violento no es mostrado (queda, casi literalmente, bajo tierra); el narrador es poco fiable, no porque mienta sino porque la razón suele ser débil en el mundo de Poe («el sufrimiento ha debilitado mi memoria», leemos en «Ligeia») y en este caso las «pesadillas diurnas» imponen una visión parcial que se completa, sólo lo indispensable, con la irrupción del criado que señala objetos y detalles «no triviales» que dan sentido a los hechos.

El narrador vive en una biblioteca y en su relato no faltan citas. Una de ellas pertenece a la bailarina Marie Salle (1714-1756), revolucionaria de la danza, pero la clave está sin duda en el epígrafe que reaparece en el texto. No hay acuerdo acerca de su autor. ¿Existió Ibn Zaiat? En una vieja antología figura como «no identificable»; en una suerte de *Diccionario Poe*, como historiador árabe; para otros fue un político y poeta del siglo XIII. El epígrafe reza: «Mis camaradas me han dicho que, si visitara la tumba de mi amada, mis preocupaciones podrían aliviarse». En algunas ediciones se lee, erróneamente, «aliquartulum».

La primera versión de «Berenice» (*Southern Literary Messenger*, marzo de 1835) no traía esta frase como epígrafe; sí en el texto, con traducción al pie de Poe, luego eliminada. Aquella versión fue algo distinta. Muchos lectores del *Messenger* reaccionaron espantados ante la violencia del desenlace. Al volver a publicar el cuento en 1845 (en su *Broadway Journal*), Poe introdujo variantes.

En 1840, fugazmente, Poe llegó a llamar este mismo relato «The teeth» (Los dientes). La fascinación por los dientes aparece en otros textos suyos como «Metzengerstein». Lecturas psicoanalíticas han visto connotaciones sexuales (Freud y arrancar dientes como emblema de castración; Marie Bonaparte y la «vagina dentada»), pero conviene no descartar otras claves: desde el color blanco lunar compartido con los fantasmas arquetípicos, hasta el significado que tenía en tiempos remotos soñar con dientes: «Representan a la familia o a la esposa», señala Ibn Sirin en un tratado de oniromancia que quizá leyera Ibn Zaiat. Y Berenice lo es todo: familia de sangre (prima) y futura esposa.

Es probable que Poe escogiera el nombre Berenice no tanto por su etimología («portadora de la victoria») como por la obra teatral de Racine, que presentaba un amor imposible. He leído por allí que Berenice solía rimarse, en tiempos de Poe, con «very spicy». No he leído, en cambio, que suena casi como «very nice».

En cuanto a Egaeus, es uno de los pocos narradores de Poe que nos revela su nombre. Y es acaso el primero de una serie de personajes aquejados de alguna «monomanía», por no decir obsesión.

BERENICE

«Dicebant mihi sodales, si sepulchrum amicae visitarem, curas meas aliquantulum fore levatas».
EBN ZAIAT

La desdicha es diversa. La desgracia cunde multiforme sobre la tierra. Desplegada sobre el ancho horizonte como el arco iris, sus colores son tan variados como los de este y también tan distintos y tan íntimamente unidos. ¡Desplegada sobre el ancho horizonte como el arco iris! ¿Cómo es que de la belleza he derivado un tipo de fealdad; de la alianza y la paz, un símil del dolor? Pero así como en la ética el mal es una consecuencia del bien, así, en realidad, de la alegría nace la pena. O la memoria de la pasada beatitud es la angustia de hoy, o las agonías que *son* se originan en los éxtasis que *pudieron haber sido.*

Mi nombre de pila es Egaeus; no mencionaré mi apellido. Sin embargo, no hay en mi país torres más venerables que mi melancólica y gris heredad. Nuestro linaje ha sido llamado raza de visionarios, y en muchos detalles sorprendentes, en el carácter de la mansión familiar, en los frescos del salón principal, en las colgaduras de los dormitorios, en los relieves de algunos pilares de la sala de armas, pero especialmente en la galería de cuadros antiguos, en el estilo de la biblioteca y, por último, en la peculiarísima naturaleza de sus libros, hay elementos más que suficientes para justificar esta creencia.

Los recuerdos de mis primeros años se relacionan con este aposento y con sus volúmenes, de los cuales no volveré a hablar. Allí murió mi madre. Allí nací yo. Pero es simplemente ocioso decir que no había vivido antes, que el alma no tiene una existencia previa. ¿Lo negáis? No discutiremos el punto. Yo estoy convencido, pero no trato de convencer. Hay, sin embargo, un recuerdo de formas aéreas, de ojos espirituales y expresivos, de sonidos musicales, aunque tristes, un recuerdo que no será excluido, una memoria como una sombra, vaga, variable, indefinida, insegura, y como una sombra también en la imposibilidad de librarme de ella mientras brille el sol de mi razón.

En ese aposento nací. Al despertar de improviso de la larga noche de eso que parecía, sin serlo, la no existencia, a regiones de hadas, a un palacio de imaginación, a los extraños dominios del pensamiento y la erudición monásticos, no es raro que mirara a mi alrededor con ojos asombrados y ardientes, que malgastara mi infancia entre libros y disipara mi juventud en ensoñaciones; pero sí *es* raro que transcurrieran los años y el cenit de la virilidad me encontrara aún en la mansión de mis padres; sí, es asombrosa la paralización que subyugó las fuentes de mi vida, asombrosa la inversión total que se produjo en el carácter de mis pensamientos más comunes. Las realidades terrenales me afectaban como visiones, y sólo como visiones, mientras las extrañas ideas del mundo de los sueños se tornaron, en cambio, no en pasto de mi existencia cotidiana, sino realmente en mi sola y entera existencia.

Berenice y yo éramos primos y crecimos juntos en la heredad paterna. Pero crecimos de distinta manera: yo, enfermizo, envuelto en melancolía; ella, ágil, graciosa, desbordante de fuerzas; suyos eran los paseos por la colina; míos, los estudios del claustro; yo, viviendo encerrado en mí mismo y entregado en cuerpo y alma a la intensa y penosa meditación; ella, vagando despreocupadamente por la vida, sin pensar en las sombras del camino o en la huida silenciosa de las horas de alas negras.

¡Berenice! Invoco su nombre... ¡Berenice! Y de las grises ruinas de la memoria mil tumultuosos recuerdos se conmueven a este sonido. ¡Ah, vívida acude ahora su imagen ante mí, como en los primeros días de su alegría y de su dicha! ¡Ah, espléndida y, sin embargo, fantástica belleza! ¡Oh sílfide entre los arbustos de Arnheim! ¡Oh náyade entre sus fuentes! Y entonces, entonces todo es misterio y terror, y una historia que no debe ser relatada. La enfermedad –una enfermedad fatal– cayó sobre ella como el simún, y mientras yo la observaba, el espíritu de la transformación la arrasó, penetrando en su mente, en sus hábitos y en su carácter, y de la manera más sutil y terrible llegó a perturbar su identidad. ¡Ay! El destructor iba y venía, y la víctima, ¿dónde estaba? Yo no la conocía o, por lo menos, ya no la reconocía como Berenice.

Entre la numerosa serie de enfermedades provocadas por la primera y fatal, que ocasionó una revolución tan horrible en el ser moral y físico de mi prima, debe mencionarse como la más afligente y obstinada una especie de epilepsia que terminaba no rara vez en *catalepsia,* estado muy semejante a la disolución efectiva y de la cual su manera de recobrarse era, en muchos casos, brusca y repentina. Entretanto, mi propia enfermedad –pues me han dicho que no debo darle otro nombre–, mi propia enfermedad, digo, crecía rápidamente, asumiendo, por último, un carácter monomaniaco de una especie nueva y extraordinaria, que ganaba cada vez más vigor y, al fin obtuvo sobre mí un incomprensible ascendiente. Esta monomanía, si así debo llamarla, consistía en una irritabilidad morbosa de esas propiedades de la mente que la ciencia psicológica designa con la palabra *atención*. Es más que probable que no se me entienda; pero temo, en verdad, que no haya manera posible de proporcionar a la inteligencia del lector corriente una idea adecuada de esa nerviosa *intensidad del interés* con que en mi caso las facultades de meditación (por no emplear términos técnicos) actuaban y se sumían en la contemplación de los objetos del universo, aun de los más comunes.

Reflexionar largas horas, infatigable, con la atención clavada en alguna nota trivial, al margen de un libro o en su tipografía; pasar la mayor parte de un día de verano absorto en una sombra extraña que caía oblicuamente sobre el tapiz o sobre la puerta; perderme durante toda una noche en la observación de la tranquila llama de una lámpara o los rescoldos del fuego; soñar días enteros con el perfume de una flor; repetir monótonamente alguna palabra común hasta que el sonido, por obra de la frecuente repetición, dejaba de suscitar idea alguna en la mente; perder todo sentido de movimiento o de existencia física gracias a una absoluta y obstinada quietud, largo tiempo prolongada; tales eran algunas de las extravagancias más comunes y menos perniciosas provocadas por un estado de las facultades mentales, no único, por cierto, pero sí capaz de desafiar todo análisis o explicación.

Mas no se me entienda mal. La excesiva, intensa y mórbida atención así excitada por objetos triviales en sí mismos no debe confundirse con la tendencia a la meditación, común a todos los hombres, y que se da especialmente en las personas de imaginación ardiente. Tampoco era, como pudo suponerse al principio, un estado agudo o una exageración de esa tendencia, sino primaria y esencialmente distinta, diferente. En un caso, el soñador o el fanático, interesado en un objeto habitualmente *no* trivial, lo pierde de vista poco a poco en una multitud de deducciones y sugerencias que de él proceden, hasta que, al final de un ensueño *colmado a menudo de voluptuosidad,* el *incitamentum* o primera causa de sus meditaciones desaparece en un completo olvido. En mi caso, el objeto primario era *invariablemente trivial,* aunque asumiera, a través del intermedio de mi visión perturbada, una importancia refleja, irreal. Pocas deducciones, si es que aparecía alguna, surgían, y esas pocas retornaban tercamente al objeto original como a su centro. Las meditaciones *nunca* eran placenteras, y al cabo del ensueño, la primera causa, lejos de estar fuera de vista, había alcanzado ese interés sobrenaturalmente exagerado que constituía el rasgo dominante del mal. En una palabra: las facultades mentales más ejercidas en mi caso eran, como ya lo he dicho, las de la *atención,* mientras en el soñador son las de la *especulación.*

Mis libros, en esa época, si no servían en realidad para irritar el trastorno, participaban ampliamente, como se comprenderá, por su naturaleza imaginativa e inconexa, de las características peculiares del trastorno mismo. Puedo recordar, entre otros, el tratado del noble italiano Coelius Secundus Curio *De Amplitudine Beati Regni dei,* la gran obra de san Agustín *La ciudad de Dios, y* la de Tertuliano, *De Carne Christi,* cuya paradójica sentencia: *Mortuus est Deifilius; credibili est quia ineptum est: et sepultas resurrexit; certum est quia impossibili est,* ocupó mi tiempo íntegro durante muchas semanas de laboriosa e inútil investigación.

Se verá, pues, que, arrancada de su equilibrio sólo por cosas triviales, mi razón semejaba a ese risco marino del cual habla Ptolomeo Hefestión, que resistía firme los ataques de la violencia humana y la feroz furia de las aguas y los vientos, pero temblaba al contacto de la flor llamada asfódelo. Y aunque para un observador descuidado pueda parecer fuera de duda que la alteración producida en la condición *moral* de Berenice por su desventurada enfermedad me brindaría muchos objetos para el ejercicio de esa intensa y anormal meditación, cuya naturaleza me ha costado cierto trabajo explicar, en modo alguno era este el caso. En los intervalos lúcidos de mi mal, su calamidad me daba pena, y, muy conmovido por la ruina total de su hermosa y dulce vida, no dejaba de meditar con frecuencia, amargamente, en los prodigiosos medios por los cuales había llegado a producirse una revolución tan súbita y extraña. Pero estas reflexiones no participaban de la idiosincrasia de mi enfermedad, y eran semejantes a las que, en similares circunstancias, podían presentarse en el común de los hombres. Fiel a su propio carácter, mi trastorno se gozaba en los cambios menos importantes, pero más llamativos, operados en la constitución *física* de Berenice, en la singular y espantosa distorsión de su identidad personal.

En los días más brillantes de su belleza incomparable, seguramente no la amé. En la extraña anomalía de mi existencia, los sentimientos en mí *nunca venían* del corazón, y las pasiones *siempre venían* de la inteligencia. A través del alba gris, en las sombras entrelazadas del bosque a mediodía y en el silencio de mi biblioteca por la noche, su imagen había flotado ante mis ojos y yo la había visto, no como una Berenice viva, palpitante, sino como la Berenice de un sueño; no como una moradora de la tierra, terrenal, sino como su abstracción; no como una cosa para admirar, sino para analizar; no como un objeto de amor, sino como el tema de una especulación tan abstrusa cuanto inconexa. Y *ahora,* ahora temblaba en su presencia y palidecía cuando se acercaba; sin embargo, lamentando amargamente su decadencia y su ruina, recordé que me había amado largo tiempo, y, en un mal momento, le hablé de matrimonio.

Y al fin se acercaba la fecha de nuestras nupcias cuando, una tarde de invierno –en uno de estos días intempestivamente cálidos, serenos y brumosos que son la nodriza de la hermosa Alción[1]–, me senté, creyéndome solo, en el gabinete interior de la biblioteca. Pero alzando los ojos vi, ante mí, a Berenice.

¿Fue mi imaginación excitada, la influencia de la atmósfera brumosa, la luz incierta, crepuscular del aposento, o los grises vestidos que envolvían su figura, los que le dieron un contorno tan vacilante e indefinido? No sabría decirlo. No profirió una palabra y yo por nada del mundo hubiera sido capaz de pronunciar una sílaba. Un escalofrío helado recorrió mi cuerpo; me oprimió una sensación de intolerable ansiedad; una curiosidad devoradora invadió mi alma y, reclinándome en el asiento, permanecí un instante sin respirar, inmóvil, con los ojos clavados en su persona. ¡Ay! Su delgadez era excesiva, y ni un vestigio del ser primitivo asomaba en una sola línea del contorno. Mis ardorosas miradas cayeron, por fin, en su rostro. La frente era alta, muy pálida, singularmente plácida; y el que en un tiempo fuera cabello de azabache caía parcialmente sobre ella sombreando las hundidas sienes con innumerables rizos, ahora de un rubio reluciente, que por su matiz fantástico discordaban por completo con la melancolía dominante de su rostro. Sus ojos no tenían vida ni brillo y parecían sin pupilas, y esquivé involuntariamente su mirada vidriosa para contemplar los labios, finos y contraídos. Se entreabrieron, y en una sonrisa de expresión peculiar *los dientes* de la cambiada Berenice se revelaron lentamente a mis ojos. ¡Ojalá nunca los hubiera visto o, después de verlos, hubiese muerto!

El golpe de una puerta al cerrarse me distrajo y, alzando la vista, vi que mi prima había salido del aposento. Pero del desordenado

1. Pues como Júpiter, durante el invierno, da por dos veces siete días de calor, los hombres han llamado a este tiempo clemente y templado, la nodriza de la hermosa Alción *(Simónides).*

aposento de mi mente, ¡ay!, no había salido ni se apartaría el blanco y horrible *espectro* de los dientes. Ni un punto en su superficie, ni una sombra en el esmalte, ni una melladura en el borde hubo en esa pasajera sonrisa que no se grabara a fuego en mi memoria. Los vi *entonces* con más claridad que *un momento antes.* ¡Los dientes! ¡Los dientes! Estaban aquí y allí y en todas partes, visibles y palpables, ante mí; largos, estrechos, blanquísimos, con los pálidos labios contrayéndose a su alrededor, como en el momento mismo en que habían empezado a distenderse. Entonces sobrevino toda la furia de mi *monomanía* y luché en vano contra su extraña e irresistible influencia. Entre los múltiples objetos del mundo exterior no tenía pensamientos sino para los dientes. Los ansiaba con un deseo frenético. Todos los otros asuntos y todos los diferentes intereses se absorbieron en una sola contemplación. Ellos, ellos eran los únicos presentes a mi mirada mental, y en su insustituible individualidad llegaron a ser la esencia de mi vida intelectual.

Los observé a todas las luces. Les hice adoptar todas las actitudes. Examiné sus características. Estudié sus peculiaridades. Medité sobre su conformación. Reflexioné sobre el cambio de su naturaleza. Me estremecía al asignarles en imaginación un poder sensible y consciente, y aun, sin la ayuda de los labios, una capacidad de expresión moral. Se ha dicho bien de mademoiselle Sallé *que tous ses pas étaient des sentiments,* y de Berenice yo creía con la mayor seriedad *que toutes ses dents étaient des idées. Des idées!* ¡Ah, este fue el insensato pensamiento que me destruyó! Des *idées!* ¡Ah, *por eso* era que los codiciaba tan locamente! Sentí que sólo su posesión podía devolverme la paz, restituyéndome a la razón.

Y la tarde cayó sobre mí, y vino la oscuridad, duró y se fue, y amaneció el nuevo día, y las brumas de una segunda noche se acumularon y yo seguía inmóvil, sentado en aquel aposento solitario; y seguí sumido en la meditación, y *el fantasma* de los dientes mantenía su terrible ascendiente como si, con la claridad más viva y más espantosa, flotara entre las cambiantes luces y sombras del recinto. Al fin, irrumpió en mis sueños un grito como de horror y consternación, y luego, tras una pausa, el sonido de turbadas voces, mezcladas con sordos lamentos de dolor y pena. Me levanté de mi asiento y, abriendo de par en par una de las puertas de la biblioteca, vi en la antecámara a una criada deshecha en lágrimas, quien me dijo que Berenice ya no existía. Había tenido un acceso de epilepsia por la mañana temprano, y ahora, al caer la noche, la tumba estaba dispuesta para su ocupante y terminados los preparativos del entierro.

Me encontré sentado en la biblioteca y de nuevo solo. Me parecía que acababa de despertar de un sueño confuso y excitante. Sabía que era medianoche y que desde la puesta del sol Berenice estaba enterrada. Pero del melancólico período intermedio no tenía conocimiento real o, por lo menos, definido. Sin embargo, su recuerdo estaba repleto de horror, horror más horrible por lo vago, terror más terrible por su ambigüedad. Era una página atroz en la historia de mi existencia, escrita toda con recuerdos oscuros, espantosos, ininteligibles. Luché por descifrarlos, pero en vano, mientras una y otra vez, como el espíritu de un sonido ausente, un agudo y penetrante grito de mujer parecía sonar en mis oídos. Yo había hecho algo. ¿Qué era? Me lo pregunté a mí mismo en voz alta, y los susurrantes ecos del aposento me respondieron: *¿Qué era?*

En la mesa, a mi lado, ardía una lámpara, y había junto a ella una cajita. No tenía nada de notable, y la había visto a menudo, pues era propiedad del médico de la familia. Pero ¿cómo había llegado *allí,* a mi mesa, y por qué me estremecí al mirarla? Eran cosas que no merecían ser tenidas en cuenta, y mis ojos cayeron, al fin, en las abiertas páginas de un libro y en una frase subrayada: *Dicebant mihi sedales si sepulchrum amicae visitarem, curas meas aliquantulum fore levatas.* ¿Por qué, pues, al leerlas se me erizaron los cabellos y la sangre se congeló en mis venas?

Entonces sonó un ligero golpe en la puerta de la biblioteca y, pálido como un habitante de la tumba, entró un criado de puntillas. Había en sus ojos un violento terror y me habló con voz trémula, ronca, ahogada. ¿Qué dijo? Oí algunas frases entrecortadas. Hablaba de un salvaje grito que había turbado el silencio de la noche, de la servidumbre reunida para buscar el origen del sonido, y su voz cobró un tono espeluznante, nítido, cuando me habló, susurrando, de una tumba violada, de un cadáver desfigurado, sin mortaja y que aún respiraba, aún palpitaba, aún vivía.

Señaló mis ropas: estaban manchadas de barro, de sangre coagulada. No dije nada; me tomó suavemente la mano: tenía manchas de uñas humanas. Dirigió mi atención a un objeto que había contra la pared; lo miré durante unos minutos: era una pala. Con un alarido salté hasta la mesa y me apoderé de la caja. Pero no pude abrirla, y en mi temblor se me deslizó de la mano, y cayó pesadamente, y se hizo añicos; y de entre ellos, entrechocándose, rodaron algunos instrumentos de cirugía dental, mezclados con treinta y dos objetos pequeños, blancos, marfilinos, que se desparramaron por el piso.

LIGEIA

Comentario de Gustavo Nielsen

Ligeia es la amada que vuelve.

Pobrecito este Poe que cuenta la historia en primera persona: se le mueren dos minas. A la morocha, lady Ligeia, la quería mucho, aunque no le conocía el apellido. La conocía de contemplarla como a un paisaje y de escucharla tanto. Y sabemos que la acariciaba, y que se la garchó. Era algo así como su esposa, habla con ella de todos los saberes posibles de este mundo, comparte el lecho matrimonial con entusiasmo, pero jamás le ha preguntado su apellido. Le habrá resultado un detalle traído por los pelos.

Ligeia es tan blanca que a veces es transparente.

Cuando ella está muy enferma, le insiste a Poe para que le recite algo horrible, en lugar de pedirle palabras de aliento a la existencia. Él lo hace con gusto. En el deprimente poema, los ángeles terminan ponderando al Vencedor Gusano. Ligeia y Poe son entusiastas de las necrológicas. Se divierten en criptas jugando con huesitos. A ella le han hecho tan bien esas palabras finales que no duda en preguntarse si no se podrá vencer, alguna vez, a la Pelada. Después se muere.

Pero la muerte para Ligeia no es definitiva.

Poe llora, Poe está desesperado, Poe se va a vivir a una abadía que compró con guita de la muerta. Y se casa de nuevo, esta vez con una rubia de tremendo apellido: Rowena Trevanion de Tremaine. Digamos que tiene apellido por las dos, por ella y por Ligeia. La cámara nupcial es *gore*: hay ataúdes, cortinas pesadillescas que se mueven solas, ruidos de ultratumba. Poe se rasca un poco las pulgas acerca de la decoración excesiva, pero sabemos que la ha preparado bien. Eso lo excita. Aunque a la rubia la deprime el terror. Entonces se bajonea y también se le muere. La rubita hubiera preferido escuchar poemas de amor.

Con el cadáver de Rowena en el cuarto, Poe sigue extrañando a Ligeia.

¡Cómo somos los hombres! Uno está con la nueva pero para excitarse se acuerda de la anterior. No importa si la nueva es más linda o más fea, más inteligente o más tonta; los hombres hacemos el amor con el pasado. Está lleno de casos en que las segundas esposas se parecen a las primeras, a veces tanto que diríamos que las resucitamos de alguna parte. Que el tipo cavó en el ayer y la trajo.

Afortunado este Poe al que la muerte le devolvió una novia. Aunque se la devuelva desde el cuerpo de otra, durante el mismísimo velorio de la otra. Aunque pueda haber venido del más allá con vicios nuevos, extrañas podredumbres en las que el cuento no reparará. Aunque en la transposición de cuerpos hubiera incorporado genes de doble apellido a su simpleza nominal. Para nosotros, a los que nos gustan las cosas turbias, Poe es y será afortunado. Imagino la primera pregunta que le hubiera hecho Cortázar, al verla otra vez de pie:

–¿Cómo es, Lige?

Poe no. Poe, simplemente, se habría contentado con cogerse a la Ligeia que regresó para él. A Poe le gustan las minas bizarras, fantasmales, reencarnadas, con un poco de olor a momia, desnudas debajo de las vendas, adentro de cuartos sepulcrales que a cualquiera le meterían miedo.

Como un Gardel lóbrego, puede cantarle su mejor tango a la vera de las seis manijas.

LIGEIA

«Y allí dentro está la voluntad que no muere. ¿Quién conoce los misterios de la voluntad y su fuerza? Pues Dios no es sino una gran voluntad que penetra las cosas todas por obra de su intensidad. El hambre no se doblega a los ángeles, ni cede por entero a la muerte, como no sea por la flaqueza de su débil voluntad».

JOSEPH GLANVILL

Juro por mi alma que no puedo recordar cómo, cuándo ni siquiera dónde conocí a lady Ligeia. Largos años han transcurrido desde entonces y el sufrimiento ha debilitado mi memoria. O quizá no puedo rememorar *ahora* aquellas cosas porque, a decir verdad, el carácter de mi amada, su raro saber, su belleza singular y, sin embargo, plácida, y la penetrante y cautivadora elocuencia de su voz profunda y musical, se abrieron camino en mi corazón con pasos tan constantes, tan cautelosos, que me pasaron inadvertidos e ignorados. No obstante, creo haberla conocido y visto, las más de las veces, en una vasta, ruinosa ciudad cerca del Rin. Seguramente le oí hablar de su familia. No cabe duda de que su estirpe era remota. ¡Ligeia, Ligeia! Sumido en estudios que, por su índole, pueden como ninguno amortiguar las impresiones del mundo exterior, sólo por esta dulce palabra, Ligeia, acude a los ojos de mi fantasía la imagen de aquella que ya no existe. Y ahora, mientras escribo, me asalta como un rayo el recuerdo de que *nunca supe* el apellido de quien fuera mi amiga y prometida, luego compañera de estudios y, por último, la esposa de mi corazón. ¿Fue por una amable orden de parte de mi Ligeia o para poner a prueba la fuerza de mi afecto, que me estaba vedado indagar sobre ese punto? ¿O fue más bien un capricho mío, una loca y romántica ofrenda en el altar de la devoción más apasionada? Sólo recuerdo confusamente el hecho. ¿Es de extrañarse que haya olvidado por completo las circunstancias que lo originaron o lo acompañaron? Y en verdad, si alguna vez ese espíritu al que llaman *Romance, si* alguna vez la pálida *Ashtophet* del Egipto idólatra, con sus alas tenebrosas, han presidido, como dicen, los matrimonios fatídicos, seguramente presidieron el mío.

Hay un punto muy caro en el cual, sin embargo, mi memoria no falla. Es la *persona* de Ligeia. Era de alta estatura, un poco delgada y, en sus últimos tiempos, casi descarnada. Sería vano intentar la descripción de su majestad, la tranquila soltura de su porte o la inconcebible ligereza y elasticidad de su paso. Entraba y salía como una sombra. Nunca advertía yo su aparición en mi cerrado gabinete de trabajo de no ser por la amada música de su voz dulce, profunda, cuando posaba su mano marmórea sobre mi hombro. Ninguna mujer igualó la belleza de su rostro. Era el esplendor de un sueño de opio, una visión aérea y arrebatadora, más extrañamente divina que las fantasías que revoloteaban en las almas adormecidas de las hijas de Delos. Sin embargo, sus facciones no tenían esa regularidad que falsamente nos han enseñado a adorar en las obras clásicas del paganismo. «No hay belleza exquisita –dice Bacon, lord Verulam, refiriéndose con justeza a todas las formas *y genera* de la hermosura– sin algo de *extraño* en las proporciones.» No obstante, aunque yo veía que las facciones de Ligeia no eran de una regularidad clásica, aunque sentía que su hermosura era, en verdad, «exquisita» y percibía mucho de «extraño» en ella, en vano intenté descubrir la irregularidad y rastrear el origen de mi percepción de lo «extraño». Examiné el contorno de su frente alta, pálida: era impecable –¡qué fría en verdad esta palabra aplicada a una majestad tan divina!– por la piel, que rivalizaba con el marfil más puro, por la imponente amplitud y la calma, la noble prominencia de las regiones superciliares; y luego los cabellos, como ala de cuervo, lustrosos, exuberantes y naturalmente rizados que demostraban toda la fuerza del epíteto homérico: «cabellera de jacinto». Miraba el delicado diseño de la nariz y sólo en los graciosos medallones de los hebreos he visto una perfección semejante. Tenía la misma superficie plena y suave, la misma tendencia casi imperceptible a ser aguileña, las mismas aletas armoniosamente curvas, que revelaban un espíritu libre. Contemplaba la dulce boca. Allí estaba en verdad el triunfo de todas las cosas celestiales: la magnífica sinuosidad del breve labio superior, la suave, voluptuosa calma del inferior, los hoyuelos juguetones y el color expresivo; los dientes, que reflejaban con un brillo casi sorprendente los rayos de la luz bendita que caían sobre ellos en la más serena y plácida y, sin embargo, radiante, triunfal de todas las sonrisas. Analizaba la forma del mentón y también aquí encontraba la noble amplitud, la suavidad y la majestad, la plenitud y la espiritualidad de los griegos, el contorno que el dios Apolo reveló tan sólo en sueños a Cleomenes, el hijo del ateniense. Y entonces me asomaba a los grandes ojos de Ligeia.

Para los ojos no tenemos modelos en la remota antigüedad. Quizá fuera, también, que en los de mi amada yacía el secreto al cual alude lord Verulam. Eran, creo, más grandes que los ojos comunes de nuestra raza, más que los de las gacelas de la tribu del valle de Nourjahad. Pero sólo por instantes –en los momentos de intensa excitación– se hacía más notable esta peculiaridad de Ligeia. Y en tales ocasiones su belleza –quizá la veía así mi imaginación ferviente– era la de los seres que están por encima o fuera de la tierra, la belleza de la fabulosa hurí de los turcos. Los ojos eran del negro más brillante, velados por oscuras y largas pestañas. Las cejas, de diseño levemente irregular, eran del mismo color. Sin embargo, lo «extraño» que encontraba en sus ojos era independiente de su forma, del color, del brillo, y debía atribuirse, al cabo, a la *expresión*. ¡Ah, palabra sin sentido tras cuya vasta latitud de simple sonido se atrinchera nuestra ignorancia de lo espiritual! La expresión de los ojos de Ligeia... ¡Cuántas horas medité sobre ella! ¡Cuántas noches de verano luché por sondearla! ¿Qué era aquello, más profundo que el pozo de Demócrito que yacía en el fondo de las pupilas de mi amada? ¿Qué *era*? Me poseía la pasión de descubrirlo. ¡Aquellos ojos! ¡Aquellas grandes, aquellas brillantes, aquellas divinas pupilas! Llegaron a ser para mí las estrellas gemelas de Leda, y yo era para ellas el más fervoroso de los astrólogos.

No hay, entre las muchas anomalías incomprensibles de la ciencia psicológica, punto más atrayente, más excitante que el hecho –nunca, creo, mencionado por las escuelas– de que en nuestros intentos por traer a la memoria algo largo tiempo olvidado, con frecuencia llegamos a encontrarnos *al borde mismo* del recuerdo, sin poder, al fin, asirlo. Y así cuántas veces, en mi intenso examen de los ojos de Ligeia, sentí que me acercaba al conocimiento cabal de su expresión, me acercaba, aún no era mío, y al fin desaparecía por completo. Y (¡extraño, ah, el más extraño de los misterios!) encontraba en los objetos más comunes del universo un círculo de analogías con esa expresión. Quiero decir que, después del período en que la belleza de Ligeia penetró en mi espíritu, donde moraba como en un altar, yo extraía de muchos objetos del mundo material un sentimiento semejante al que provocaban, dentro de mí, sus grandes y luminosas pupilas. Pero no por ello puedo definir mejor ese sentimiento, ni analizarlo, ni siquiera percibirlo con calma. Lo he reconocido a veces, repito, en una viña que crecía rápidamente, en la contemplación de una falena, de una mariposa, de una crisálida, de un veloz curso de agua. Lo he sentido en el océano, en la caída de un meteoro. Lo he sentido en la mirada de gentes muy viejas. Y hay una o dos estrellas en el cielo (especialmente una, de sexta magnitud, doble y cambiante, que puede verse cerca de la gran estrella de Lira) que, miradas con el telescopio, me han inspirado el mismo sentimiento. Me ha colmado al escuchar ciertos sones de instrumentos de cuerda, y no pocas veces al leer pasajes de determinados libros. Entre innumerables ejemplos, recuerdo bien algo de un volumen de Joseph Glanvill que (quizá simplemente por lo insólito, ¿quién sabe?) nunca ha dejado de inspirarme ese sentimiento: «Y allí dentro está la voluntad que no muere. ¿Quién conoce los misterios de la voluntad y su fuerza? Pues Dios no es sino una gran voluntad que penetra las cosas todas por obra de su intensidad. El hombre no se doblega a los ángeles, ni cede por entero a la muerte, como no sea por la flaqueza de su débil voluntad».

Los años transcurridos y las reflexiones consiguientes me han permitido rastrear cierta remota conexión entre este pasaje del moralista inglés y un aspecto del carácter de Ligeia. La *intensidad* de pensamiento, de acción, de palabra, era posiblemente en ella un resultado, o por lo menos un índice, de esa gigantesca voluntad que durante nuestras largas relaciones no dejó de dar otras pruebas más numerosas y evidentes de su existencia. De todas las mujeres que jamás he conocido, la exteriormente tranquila, la siempre plácida Ligeia, era presa con más violencia que nadie de los tumultuosos buitres de la dura pasión. Y no podía yo medir esa pasión como no fuese por el milagroso dilatarse de los ojos que me deleitaban y aterraban al mismo tiempo, por la melodía casi mágica, la modulación, la claridad y la placidez de su voz tan profunda, y por la salvaje energía (doblemente efectiva por contraste con su manera de pronunciarlas) con que profería habitualmente sus extrañas palabras.

He hablado del saber de Ligeia: era inmenso, como nunca lo hallé en una mujer. Su conocimiento de las lenguas clásicas era profundo, y, en la medida de mis nociones sobre los modernos dialectos de Europa, nunca la descubrí en falta. A decir verdad, en cualquier tema de la alabada erudición académica, admirada simplemente por abstrusa, ¿descubrí *alguna vez* a Ligeia en falta? ¡De qué modo singular y penetrante este punto de la naturaleza de mi esposa atrajo, tan sólo en el último período, mi atención! Dije que sus conocimientos eran tales que jamás los hallé en otra mujer, pero ¿dónde está el hombre que ha cruzado, y con éxito, *toda* la amplia extensión de las ciencias morales, físicas y metafísicas? No vi entonces lo que ahora advierto claramente: que las adquisiciones de Ligeia eran gigantescas, eran asombrosas; sin embargo tenía suficiente conciencia de su infinita superioridad para someterme con infantil confianza a su guía en el caótico mundo de la investigación metafísica, a la cual me entregué activamente durante los primeros años de nuestro matrimonio. ¡Con qué amplio sentimiento de triunfo, con qué vivo deleite, con qué etérea esperanza *sentía yo* –cuando ella se entregaba conmigo a estudios poco frecuentes, poco conocidos– esa deliciosa perspectiva que se agrandaba en lenta gradación ante mí, por cuya larga y magnífica senda no hollada podía al fin alcanzar la meta de una sabiduría demasiado premiosa, demasiado divina para no ser prohibida!

¡Así, con qué punzante dolor habré visto, después de algunos años, emprender vuelo a mis bien fundadas esperanzas y desaparecer! Sin Ligeia era yo un niño a tientas en la oscuridad. Sólo su presencia, sus lecturas, podían arrojar vívida luz sobre los muchos misterios del trascendentalismo en los cuales vivíamos inmersos. Privadas del radiante brillo de sus ojos, esas páginas, leves y doradas, tornáronse más opacas que el plomo saturnino. Y aquellos ojos brillaron cada vez con menos frecuencia sobre las páginas que yo escrutaba. Ligeia cayó enferma. Los extraños ojos brillaron con un fulgor demasiado, demasiado magnífico; los pálidos dedos adquirieron la transparencia cerúlea de la tumba y las venas azules de su alta frente latieron impetuosamente en las alternativas de la más ligera emoción. Vi que iba a morir y luché desesperadamente en espíritu con el torvo Azrael. Y las luchas de la apasionada esposa eran, para mi asombro, aún más enérgicas que las mías. Muchos rasgos de su adusto carácter me habían convencido de que para ella la muerte llegaría sin sus terrores; pero no fue así. Las palabras son impotentes para dar una idea de la fiera resistencia que opuso a la Sombra. Gemí de angustia ante el lamentable espectáculo. Yo hubiera querido calmar, hubiera querido razonar; pero en la intensidad de su salvaje deseo de vivir, vivir, *sólo* vivir, el consuelo y la razón eran el colmo de la locura. Sin embargo, hasta el último momento, en las convulsiones más violentas de su espíritu indómito, no se conmovió la placidez exterior de su actitud. Su voz se tornó más suave; más profunda, pero yo no quería demorarme en el extraño significado de las palabras pronunciadas con calma. Mi mente vacilaba al escuchar fascinada una melodía sobrehumana, conjeturas y aspiraciones que la humanidad no había conocido hasta entonces.

De su amor no podía dudar, y me era fácil comprender que, en un pecho como el suyo, el amor no reinaba como una pasión ordinaria. Pero sólo en la muerte medí toda la fuerza de su afecto. Durante largas horas, reteniendo mi mano, desplegaba ante mí los excesos de un corazón cuya devoción más que apasionada llegaba a la idolatría. ¿Cómo había merecido yo la bendición de semejantes confesiones? ¿Cómo había merecido la condena de que mi amada me fuese arrebatada en el momento en que me las hacía? Pero no puedo soportar el extenderme sobre este punto. Sólo diré que en el abandono más que femenino de Ligeia al amor, ay, inmerecido, otorgado sin ser yo digno, reconocí el principio de su ansioso, de su ardiente deseo de vida, esa vida que huía ahora tan velozmente. Soy incapaz de describir, no tengo palabras para expresar esa ansia salvaje, esa anhelante vehemencia de vivir, *sólo* vivir.

La medianoche en que murió me llamó perentoriamente a su lado, pidiéndome que repitiera ciertos versos que había compuesto pocos días antes. La obedecí. Helos aquí:

¡Vedla! ¡Es noche de gala
en los últimos años solitarios!
La multitud de ángeles alados,
con sus velos, en lágrimas bañados,
son público de un teatro que contempla
un drama de esperanzas y temores,
mientras toca la orquesta, indefinida,
la música sinfín de las esferas.

Imágenes del Dios que está en lo alto,
allí los mimos gruñen y mascullan,
corren aquí y allá; y los apremian
vastas cosas informes
que el escenario alteran de continuo,
vertiendo de sus alas desplegadas,
un invisible, largo Sufrimiento.

¡Este múltiple drama ya jamás,
jamás será olvidado!
Con su Fantasma siempre perseguido
por una multitud que no lo alcanza,
en un círculo siempre de retorno
al lugar primitivo,
y mucho de Locura, y más Pecado,
y más Horror –el alma de la intriga–.

¡Ah, ved: entre los mimos en tumulto
una forma reptante se insinúa!
¡Roja como la sangre se retuerce

en la escena desnuda!
¡Se retuerce y retuerce! Ven tormentos
los mimos son su presa,
y sus fauces destilan sangre humana,
y los ángeles lloran.

¡Apáganse las luces, todas, todas!
Y sobre cada forma estremecida
cae el telón, cortina funeraria,
con fragor de tormenta.
Y los ángeles pálidos y exangües,
ya de pie, ya sin velos, manifiestan
que el drama es el del «Hombre», y que es su héroe
el Vencedor Gusano.

–¡Oh, Dios! –gritó casi Ligeia, incorporándose de un salto y tendiendo sus brazos al cielo con un movimiento espasmódico, al terminar yo estos versos–. ¡Oh Dios! ¡Oh, Padre Celestial! ¿Estas cosas ocurrirán irremisiblemente? ¿El Vencedor no será alguna vez vencido? ¿No somos una parte, una parcela de Ti? ¿Quién, quién conoce los misterios de la voluntad y su fuerza? El hambre no se doblega a los ángeles, *ni cede por entero a la muerte,* como no sea por la flaqueza de su débil voluntad.

Y entonces, como agotada por la emoción, dejó caer los blancos brazos y volvió solemnemente a su lecho de muerte. Y mientras lanzaba los últimos suspiros, mezclado con ellos brotó un suave murmullo de sus labios. Acerqué mi oído y distinguí de nuevo las palabras finales del pasaje de Glanvill: *«El hombre no se doblega a los ángeles, ni cede por entero a la muerte, como no sea por la flaqueza de su débil voluntad».*

Murió; y yo, deshecho, pulverizado por el dolor, no pude soportar más la solitaria desolación de mi morada, y la sombría y ruinosa ciudad a orillas del Rin. No me faltaba lo que el mundo llama fortuna. Ligeia me había legado más, mucho más, de lo que por lo común cae en suerte a los mortales. Entonces, después de unos meses de vagabundeo tedioso, sin rumbo, adquirí y reparé en parte una abadía cuyo nombre no diré, en una de las más incultas y menos frecuentadas regiones de la hermosa Inglaterra. La sombría y triste vastedad del edificio, el aspecto casi salvaje del dominio, los numerosos recuerdos melancólicos y venerables vinculados con ambos, tenían mucho en común con los sentimientos de abandono total que me habían conducido a esa remota y huraña región del país. Sin embargo, aunque el exterior de la abadía, ruinoso, invadido de musgo, sufrió pocos cambios, me dediqué con infantil perversidad, y quizá con la débil esperanza de aliviar mis penas, a desplegar en su interior magnificencias más que reales. Siempre, aun en la infancia, había sentido gusto por esas extravagancias, y entonces volvieron como una compensación del dolor. ¡Ay, ahora sé cuánto de incipiente locura podía descubrirse en los suntuosos y fantásticos tapices, en las solemnes esculturas de Egipto, en las extrañas cornisas, en los moblajes, en los vesánicos diseños de las alfombras de oro recamado! Me había convertido en un esclavo preso en las redes del opio, y mis trabajos y mis planes cobraron el color de mis sueños. Pero no me detendré en el detalle de estos absurdos. Hablaré tan sólo de ese aposento por siempre maldito, donde en un momento de enajenación conduje al altar –como sucesora de la inolvidable Ligeia– a lady Rowena Trevanion, de Tremaine, la de rubios cabellos y ojos azules.

No hay una sola partícula de la arquitectura y la decoración de aquella cámara nupcial que no se presente ahora ante mis ojos. ¿Dónde tenía el corazón la altiva familia de la novia para permitir, movida por su sed de oro, que una doncella, una hija tan querida, pasara el umbral de un aposento *tan* adornado? He dicho que recuerdo minuciosamente los detalles de la cámara –yo, que tristemente olvido cosas de profunda importancia– y, sin embargo, no había orden, no había armonía en aquel lujo fantástico, que se impusieran a mi memoria. La habitación estaba en una alta torrecilla de la abadía fortificada, era de forma pentagonal y de vastas dimensiones. Ocupaba todo el lado sur del pentágono la única ventana, un inmenso cristal de Venecia de una sola pieza y de matiz plomizo, de suerte que los rayos del sol o de la luna, al atravesarlo, caían con brillo horrible sobre los objetos. En lo alto de la inmensa ventana se extendía el entejado de una añosa vid que trepaba por los macizos muros de la torre. El techo, de sombrío roble, era altísimo, abovedado y decorosamente decorado con los motivos más extraños, más grotescos, de un estilo semigótico, semidruídico. Del centro mismo de esa melancólica bóveda colgaba, de una sola cadena de oro de largos eslabones, un inmenso incensario del mismo metal, en estilo sarraceno, con múltiples perforaciones dispuestas de tal manera que a través de ellas, como dotadas de la vitalidad de una serpiente, veíanse las contorsiones continuas de llamas multicolores.

Había algunas otomanas y candelabros de oro de forma oriental, y también el lecho, el lecho nupcial, de modelo indio, bajo, esculpido en ébano macizo, con baldaquino como una colgadura fúnebre. En cada uno de los ángulos del aposento había un gigantesco sarcófago de granito negro proveniente de las tumbas reales erigidas frente a Luxor, con sus antiguas tapas cubiertas de inmemoriales relieves. Pero en las colgaduras del aposento se hallaba, ay, la fantasía más importante. Los elevados muros, de gigantesca altura –al punto de ser desproporcionados–, estaban cubiertos de arriba abajo, en vastos pliegues, por una pesada y espesa tapicería, tapicería de un material semejante al de la alfombra del piso, la cubierta de las otomanas y el lecho de ébano, del baldaquino y de las suntuosas volutas de los cortinajes que velaban parcialmente la ventana. Este material era el más rico tejido de oro, cubierto íntegramente, con intervalos irregulares, por arabescos en realce, de un pie de diámetro, de un negro azabache. Pero estas figuras sólo participaban de la condición de arabescos cuando se las miraba desde un determinado ángulo. Por un procedimiento hoy común, que puede en verdad rastrearse en períodos muy remotos de la antigüedad, cambiaban de aspecto. Para el que entraba en la habitación tenían la apariencia de simples monstruosidades; pero, al acercarse, esta apariencia desaparecía gradualmente y, paso a paso, a medida que el visitante cambiaba de posición en el recinto, se veía rodeado por una infinita serie de formas horribles pertenecientes a la superstición de los normandos o nacidas en los sueños culpables de los monjes. El efecto fantasmagórico era grandemente intensificado por la introducción artificial de una fuerte y continua corriente de aire detrás de los tapices, la cual daba una horrenda e inquietante animación al conjunto.

Entre esos muros, en esa cámara nupcial, pasé con lady de Tremaine las impías horas del primer mes de nuestro matrimonio, y las pasé sin demasiada inquietud. Que mi esposa temiera la índole hosca de mi carácter, que me huyera y me amara muy poco, no podía yo pasarlo por alto; pero me causaba más placer que otra cosa. Mi memoria volaba (¡ah, con qué intensa nostalgia!) hacia Ligeia, la amada, la augusta, la hermosa, la enterrada. Me embriagaba con los recuerdos de su pureza, de su sabiduría, de su naturaleza elevada, etérea, de su amor apasionado, idólatra. Ahora mi espíritu ardía plena y libremente, con más intensidad que el suyo. En la excitación de mis sueños de opio (pues me hallaba habitualmente aherrojado por los grilletes de la droga) gritaba su nombre en el silencio de la noche, o durante el día, en los sombreados retiros de los valles, como si con esa salvaje vehemencia, con la solemne pasión, con el fuego devorador de mi deseo por la desaparecida, pudiera restituirla a la senda que había abandonado –ah, *¿era posible* que fuese para siempre?– en la tierra.

Al comenzar el segundo mes de nuestro matrimonio, lady Rowena cayó súbitamente enferma y se repuso lentamente. La fiebre que la consumía perturbaba sus noches, y en su inquieto semisueño hablaba de sonidos, de movimientos que se producían en la cámara de la torre, cuyo origen atribuí a los extravíos de su imaginación o quizá a la fantasmagórica influencia de la cámara misma. Llegó, al fin, la convalecencia y, por último, el restablecimiento total. Sin embargo, había transcurrido un breve período cuando un segundo trastorno más violento la arrojó a su lecho de dolor; y de este ataque, su constitución, que siempre fuera débil, nunca se repuso del todo. Su mal, desde entonces, tuvo un carácter alarmante y una recurrencia que lo era aún más, y desafiaba el conocimiento y los grandes esfuerzos de los médicos. Con la intensificación de su mal crónico –el cual parecía haber invadido de tal modo su constitución que era imposible desarraigarlo por medios humanos–, no pude menos de observar un aumento similar en su irritabilidad nerviosa y en su excitabilidad para el miedo motivado por causas triviales. De nuevo hablaba, y ahora con más frecuencia e insistencia, de los sonidos, de los leves sonidos y de los movimientos insólitos en las colgaduras, a los cuales aludiera en un comienzo.

Una noche, próximo el fin de septiembre, impuso a mi atención este penoso tema con más insistencia que de costumbre. Acababa de despertar de un sueño inquieto, y yo había estado observando, con un sentimiento en parte de ansiedad, en parte de vago terror, los gestos de su semblante descarnado. Me senté junto a su lecho de ébano, en una de las otomanas de la India. Se incorporó a medias y habló, con un susurro ansioso, bajo, de los sonidos que *estaba oyendo* y yo no podía oír, de los movimientos que *estaba viendo* y yo no podía percibir. El viento corría velozmente detrás de los tapices y quise mostrarle (cosa en la cual, debo decirlo, no creía yo *del todo*) que aquellos suspiros casi inarticulados y aquellas levísimas variaciones de las figuras de la pared eran tan sólo los naturales efectos de la habitual corriente de aire. Pero la palidez mortal que se extendió por su rostro me probó que mis esfuerzos por tranquilizarla serían infructuosos. Pareció desvanecerse y no había criados a quien recurrir. Recordé el lugar donde había un frasco de vino ligero que le habían prescrito los médicos, y crucé presuroso el aposento en su busca. Pero, al llegar bajo la luz del incensario, dos circunstancias de índole sorprendente llamaron mi atención. Sentí que un objeto palpable, aunque invisible, rozaba levemente mi persona, y vi que en la alfombra dorada, en el centro mismo del rico resplandor que arrojaba el incensario, había una sombra, una sombra leve, indefinida, de aspecto angélico, como cabe imaginar la sombra de una sombra. Pero yo estaba perturbado por la excitación de una inmoderada dosis de opio; poco caso hice a estas cosas y no las mencioné a Rowena. Encontré el vino, crucé nuevamente la cámara y llené un vaso, que llevé a los labios de la desvanecida. Ya se había recobrado un tanto, sin embargo, y tomó el vaso en sus manos, mientras yo me dejaba caer en la otomana que tenía cerca, con los ojos fijos en su persona. Fue entonces cuando percibí claramente un paso suave en la alfombra, cerca del lecho, y un segundo después, mientras Rowena alzaba la copa de vino hasta sus labios, vi o quizá soñé que veía caer dentro del vaso, como surgida de un invisible surtidor en la atmósfera del aposento, tres o cuatro grandes gotas de fluido brillante, del color del rubí. Si yo lo vi, no ocurrió lo mismo con Rowena. Bebió el vino sin vacilar y me abstuve de hablarle de una circunstancia que, según pensé, debía considerarse como sugestión de una imaginación excitada, cuya actividad mórbida aumentaban el terror de mi mujer, el opio y la hora.

Sin embargo, no pude dejar de percibir que, inmediatamente después de la caída de las gotas color rubí, se producía una rápida agravación en el mal de mi esposa, de suerte que la tercera noche las manos de sus doncellas la prepararon para la tumba, y la cuarta la pasé solo, con su cuerpo amortajado, en aquella fantástica cámara que la recibiera recién casada. Extrañas visiones engendradas por el opio revoloteaban como sombras delante de mí. Observé con ojos inquietos los sarcófagos en los ángulos de la habitación, las cambiantes figuras de los tapices, las contorsiones de las llamas multicolores en el incensario suspendido. Mis ojos cayeron entonces, mientras trataba de recordar las circunstancias de una noche anterior, en el lugar donde, bajo el resplandor del incensario, había visto las débiles huellas de la sombra. Pero ya no estaba allí, y, respirando con más libertad, volví la mirada a la pálida y rígida figura tendida en el lecho. Entonces me asaltaron mil recuerdos de Ligeia, y cayó sobre mi corazón, con la turbulenta violencia de una marea, todo el indecible dolor con que había mirado su cuerpo amortajado. La noche avanzaba, y con el pecho lleno de amargos pensamientos, cuyo objeto era mi único, mi supremo amor, permanecí contemplando el cuerpo de Rowena.

Quizá fuera media noche, tal vez más temprano o más tarde, pues no tenía conciencia del tiempo, cuando un sollozo sofocado, suave, pero muy claro, me sacó bruscamente de mi ensueño. *Sentí* que venía del lecho de ébano, del lecho de muerte. Presté atención en una agonía de terror supersticioso, pero el sonido no se repitió. Esforcé la vista para descubrir algún movimiento del cadáver mas no advertí nada. Sin embargo, no podía haberme equivocado. *Había* oído el ruido, aunque débil, y mi espíritu estaba despierto. Mantuve con decisión, con perseverancia, la atención clavada en el cuerpo. Transcurrieron algunos minutos sin que ninguna circunstancia arrojara luz sobre el misterio. Por fin, fue evidente que un color ligero, muy débil y apenas perceptible se difundía bajo las mejillas y a lo largo de las hundidas venas de los párpados. Con una especie de horror, de espanto indecible, que no tiene en el lenguaje humano expresión suficientemente enérgica, sentí que mi corazón dejaba de latir, que mis miembros se ponían rígidos. Sin embargo, el sentimiento del deber me devolvió la presencia de ánimo. Ya no podía dudar de que nos habíamos apresurado en los preparativos, de que Rowena aún vivía. Era necesario hacer algo inmediatamente; pero la torre estaba muy apartada de las dependencias de la servidumbre, no había nadie cerca, yo no tenía modo de llamar en mi ayuda sin abandonar la habitación unos minutos, y no podía aventurarme a salir. Luché solo, pues, en mi intento de volver a la vida el espíritu aún vacilante. Pero, al cabo de un breve período, fue evidente la recaída, el color desapareció de los párpados y las mejillas, dejándolos más pálidos que el mármol; los labios estaban doblemente apretados y contraídos en la espectral expresión de la muerte; una viscosidad y un frío repulsivos cubrieron rápidamente la superficie del cuerpo, y la habitual rigidez cadavérica sobrevino de inmediato. Volví a desplomarme con un estremecimiento en el diván de donde me levantara tan bruscamente y de nuevo me entregué a mis apasionadas visiones de Ligeia.

Así transcurrió una hora cuando (¿era posible?) advertí por segunda vez un vago sonido procedente de la región del lecho. Presté atención en el colmo del horror. El sonido se repitió: era un suspiro. Precipitándome hacia el cadáver, vi –claramente– temblar los labios. Un minuto después se entreabrían, descubriendo una brillante línea de dientes nacarados. La estupefacción luchaba ahora en mi pecho con el profundo espanto que hasta entonces reinara solo. Sentí que mi vista se oscurecía, que mi razón se extraviaba, y sólo por un violento esfuerzo logré al fin cobrar ánimos para ponerme a la tarea que mi deber me señalaba una vez más. Había ahora cierto color en la frente, en las mejillas y en la garganta; un calor perceptible invadía todo el cuerpo; hasta se sentía latir levemente el corazón. Mi esposa *vivía, y* con redoblado ardor me entregué a la tarea de resucitarla. Froté y friccioné las sienes y las manos, y utilicé todos los expedientes que la experiencia y no pocas lecturas médicas me aconsejaban. Pero en vano. De pronto, el color huyó, las pulsaciones cesaron, los labios recobraron la expresión de la muerte y, un instante después, el cuerpo todo adquiría el frío de hielo, el color lívido, la intensa rigidez; el aspecto consumido y todas las horrendas características de quien ha sido, por muchos días, habitante de la tumba.

Y de nuevo me sumí en las visiones de Ligeia, y de nuevo (¿y quién ha de sorprenderse de que me estremezca al escribirlo?), *de nuevo* llegó a mis oídos un sollozo ahogado que venía de la zona del lecho de ébano. Mas ¿a qué detallar el inenarrable horror de aquella noche? ¿A qué detenerme a relatar cómo, hasta acercarse el momento del alba gris, se repitió este horrible drama de resurrección; cómo cada espantosa recaída terminaba en una muerte más rígida y aparentemente más irremediable; cómo cada agonía cobraba el aspecto de una lucha con algún enemigo invisible, y cómo cada lucha era sucedida por no sé qué extraño cambio en el aspecto del cuerpo? Permitidme que me apresure a concluir.

La mayor parte de la espantosa noche había transcurrido, y la que estuviera muerta se movió de nuevo ahora con más fuerza que antes, aunque despertase de una disolución más horrenda y más irreparable. Yo había cesado hacía rato de luchar o de moverme, y permanecía rígido sentado en la otomana, presa indefensa de un torbellino de violentas emociones, de todas las cuales el pavor era quizá la menos terrible, la menos devoradora. El cadáver, repito, se movía, y ahora con más fuerza que antes. Los colores de la vida cubrieron con inusitada energía el semblante, los miembros se relajaron y, de no ser por los párpados aún apretados y por las vendas y paños que daban un aspecto sepulcral a la figura, podía haber soñado que Rowena había sacudido por completo las cadenas de la muerte. Pero si entonces no acepté del todo esta idea, por lo menos pude salir de dudas cuando, levantándose del lecho, a tientas, con débiles pasos, con los ojos cerrados y la manera peculiar de quien se ha extraviado en un sueño, aquel ser amortajado avanzó osadamente, palpablemente, hasta el centro del aposento.

No temblé, no me moví, pues una multitud de ideas inexpresables vinculadas con el aire, la estatura, el porte de la figura cruzaron velozmente por mi cerebro, paralizándome, convirtiéndome en fría piedra. No me moví, pero contemplé la aparición. Reinaba un loco desorden en mis pensamientos, un tumulto incontenible. ¿Podía ser, realmente, Rowena viva la figura que tenía delante? ¿Podía ser realmente Rowena, lady Rowena Trevanion de Tremaine, la de los cabellos rubios y los ojos azules? ¿Por qué, *por qué* lo dudaba? El vendaje ceñía la boca, pero ¿podía no ser la boca de lady de Tremaine? Y las mejillas –con rosas como en la plenitud de su vida–, sí podían ser en verdad las hermosas mejillas de la viviente lady de Tremaine. Y el mentón, con sus hoyuelos, como cuando estaba sana, ¿podía no ser el suyo? *Pero entonces, ¿había crecido ella durante su enfermedad?* ¿Qué inenarrable locura me invadió al pensarlo? De un salto llegué a sus pies. Estremeciéndose a mi contacto, dejó caer de la cabeza, sueltas, las horribles vendas que la envolvían, y entonces, en la atmósfera sacudida del aposento, se desplomó una enorme masa de cabellos desordenados: *¡eran más negros que las alas de cuervo de la medianoche!* Y lentamente se abrieron *los ojos* de la figura que estaba ante mí. «¡En esto, por lo menos –grité–, nunca, nunca podré equivocarme! ¡Estos son los grandes ojos, los ojos negros, los extraños ojos de mi perdido amor, los de lady... los de LADY LIGEIA!»

LA CAÍDA DE LA CASA USHER

Comentario de Álvaro Bisama

1) «La caída de la Casa Usher» es un cuento sobre literatura: en su mejor momento –aquel clímax brillante que ya se quisiera cualquier cinta de *j-terror*– un libro lo destruye al mundo.

2) Una idea: pensar en el Julio Cortázar –en su rol de traductor total– como alguien que prefigura al Peter Cushing de *Torture garden* (1967, escrita por Robert Bloch, aquel amigo de Lovecraft al que Hitchcock le robó *Psycho* para devolvérselo en celuloide y desfigurado), aquel coleccionista que tiene a Poe resucitado y secuestrado en alguna habitación secreta de su casa.

3) ¿Habrá visto Cortázar *Torture garden*?

4) Por supuesto, está el hecho de que esta traducción de Cortázar funciona como el pago de una deuda ancestral o una maldición filial. No en vano, «Casa tomada» trata de casi lo mismo: la narración que detalla la asfixia de toda intimidad, dos hermanos bordeando lo incestuoso, la transformación de lo cotidiano en una zona dibujada por el pavor de lo impronunciable.

5) Lo más inquietante de «La caída de la Casa Usher» yace en el hecho de que involucra, al lado de una cantidad interesante de clichés góticos, el *morbus melancholicus* de un héroe contaminado por la literatura, devorado por la farsa de las ficciones y enfermo terminal de poesía: Roderick Usher, que es un Quijote defectuoso y un lector deforme y contaminado por sus libros. Un poeta para el cual toda epifanía se basa en la devastación, en las sutiles versiones de lo corrupto, en el tedio vital de creerse el fraseo final de una genealogía que termina de extinguirse.

6) La culpa la tienen los malos libros. Siempre. En «La caída de la Casa Usher» brilla un detalle más que ridículo: *Mad triste*, el volu-

men de Lancelot Canning que Usher lee y que desencadena el fin de todo, le parece insoportable al narrador quien sostiene que «poco había en su prolijidad tosca, sin imaginación, que pudiera interesar a la elevada e ideal espiritualidad de mi amigo». Poe introduce ahí una broma o una sugerencia para las generaciones posteriores: el horror debe desatarse desde lo fútil, desde la nimiedad de una literatura olvidable, desde la lógica bizca de una tradición menor.

7) Y si aquello también vale para Cortázar, también para todos nosotros. *Ad eternum*.

8) «La caída de la Casa Usher»: el *misreading* de Harold Bloom como un modo terminal del horror.

9) Una cuestión práctica: la relectura de cualquier relato de Poe siempre supera al recuerdo de Poe, cosa que no podemos sostener con Lovecraft. Como modelo de artista torturado, mejor Usher que Pickman. Brilla en él una elegancia avasalladora y una contemplación de la ruina como la sublimación de la belleza.

10) Roderick Usher es, en el fondo, un mediocre. Si viviera ahora, practicaría rigurosamente la automutilación, se llenaría el cuerpo de pírsines de todo tipo, leería a Anne Rice y poseería una suscripción prémium a suicidegirls.com.

11) Si Roderick Usher fuera nuestro contemporáneo, su hermana Madeline sería una *suicide girl* tan cataléptica como tatuada.

12) Pero Poe y Usher viven en el pasado. Los leemos –a ambos: uno como la máscara deformada del otro y viceversa– con el respeto reverencial que le otorgamos a un ancestro perdido o un padre ausente. Porque leemos a Poe y luego crecemos y llegamos a Cortázar y nos olvidamos de Poe y luego Cortázar nos deja de interesar (porque nos parece demasiado juguetón, demasiado juvenil, demasiado perfecto, demasiado serio o tan poco serio) y volvemos a Poe y nos enganchamos de nuevo para darnos cuenta de que siempre estuvo ahí, de que nunca salimos de ningún modo de su casa.

13) Inevitablemente, como un desastre o un milagro exquisito, esa casa siempre es la de Usher.

LA CAÍDA DE LA CASA USHER

«Son coeur est un luth suspendu;
Sitôt qu'on le touche, il résonne».
DE BÈRANGER

Durante todo un día de otoño, triste, oscuro, silencioso, cuando las nubes se cernían bajas y pesadas en el cielo, crucé solo, a caballo, una región singularmente lúgubre del país; y, al fin, al acercarse las sombras de la noche, me encontré a la vista de la melancólica Casa Usher. No sé cómo fue, pero a la primera mirada que eché al edificio invadió mi espíritu un sentimiento de insoportable tristeza. Digo insoportable porque no lo atemperaba ninguno de esos sentimientos semiagradables por ser poéticos, con los cuales recibe el espíritu aun las más austeras imágenes naturales de lo desolado o lo terrible. Miré el escenario que tenía delante –la casa y el sencillo paisaje del dominio, las paredes desnudas, las ventanas como ojos vacíos, los ralos y siniestros juncos, y los escasos troncos de árboles agostados– con una fuerte depresión de ánimo únicamente comparable, como sensación terrena, al despertar del fumador de opio, la amarga caída en la existencia cotidiana, el horrible descorrerse del velo. Era una frialdad, un abatimiento, un malestar del corazón, una irremediable tristeza mental que ningún acicate de la imaginación podía desviar hacia forma alguna de lo sublime. ¿Qué era –me detuve a pensar–, qué era lo que así me desalentaba en la contemplación de la Casa Usher? Misterio insoluble; y yo no podía luchar con los sombríos pensamientos que se congregaban a mi alrededor mientras reflexionaba. Me vi obligado a incurrir en la insatisfactoria conclusión de que mientras *hay,* fuera de toda duda, combinaciones de simplísimos objetos naturales que tienen el poder de afectarnos así, el análisis de este poder se encuentra aún entre las consideraciones que están más allá de nuestro alcance. Era posible, reflexioné, que una simple disposición diferente de los elementos de la escena, de los detalles del cuadro, fuera suficiente para modificar o quizá anular su poder de impresión dolorosa; y, procediendo de acuerdo con esta idea, empujé mi caballo a la escarpada orilla de un estanque negro y fantástico que extendía su brillo tranquilo junto a la mansión; pero con un estremecimiento aún más sobrecogedor que antes contemplé la imagen reflejada e invertida de los juncos grises, y los espectrales troncos, y las vacías ventanas como ojos.

En esa mansión de melancolía, sin embargo, proyectaba pasar algunas semanas. Su propietario, Roderick Usher, había sido uno de mis alegres compañeros de adolescencia, pero muchos años habían transcurrido desde nuestro último encuentro. Sin embargo, acababa de recibir una carta en una región distinta del país –una carta suya–, la cual, por su tono exasperadamente apremiante, no admitía otra respuesta que la presencia personal. La escritura denotaba agitación nerviosa. El autor hablaba de una enfermedad física aguda, de un desorden mental que le oprimía y de un intenso deseo de verme por ser su mejor y, en realidad, su único amigo personal, con el propósito de lograr, gracias a la jovialidad de mi compañía, algún alivio a su mal. La manera en que se decía esto y mucho más, este pedido hecho de todo *corazón,* no me permitieron vacilar y, en consecuencia, obedecí de inmediato al que, no obstante, consideraba un requerimiento singularísimo.

Aunque de muchachos habíamos sido camaradas íntimos en realidad poco sabía de mi amigo. Siempre se había mostrado excesivamente reservado. Yo sabía, sin embargo, que su antiquísima familia se había destacado desde tiempos inmemoriales por una peculiar sensibilidad de temperamento desplegada, a lo largo de muchos años, en numerosas y elevadas concepciones artísticas y manifestada, recientemente, en repetidas obras de caridad generosas, aunque discretas, así como en una apasionada devoción a las dificultades más que a las bellezas ortodoxas y fácilmente reconocibles de la ciencia musical. Conocía también el hecho notabilísimo de que la estirpe de los Usher, siempre venerable, no había producido, en ningún período, una rama duradera; en otras palabras, que toda la familia se limitaba a la línea de descendencia directa y siempre, con insignificantes y transitorias variaciones, había sido así. Esta ausencia, pensé, mientras revisaba mentalmente el perfecto acuerdo del carácter de la propiedad con el que distinguía a sus habitantes, reflexionando sobre la posible influencia que la primera, a lo largo de tantos siglos, podía haber ejercido sobre los segundos, esta ausencia, quizá, de ramas colaterales, y la consiguiente transmisión constante de padre a hijo, del patrimonio junto con el nombre, era la que, al fin, identificaba tanto a los dos, hasta el punto de fundir el título originario del dominio en el extraño y equívoco nombre de Casa Usher, nombre que parecía incluir, entre los campesinos que lo usaban, la familia y la mansión familiar.

He dicho que el solo efecto de mi experimento un tanto infantil –el de mirar en el estanque– había ahondado la primera y singular impresión. No cabe duda de que la conciencia del rápido crecimiento de mi superstición –pues, ¿por qué no he de darle este nombre?– servía especialmente para acelerar su crecimiento mismo. Tal es, lo sé de antiguo, la paradójica ley de todos los sentimientos que tienen como base el terror. Y debe de haber sido por esta sola razón que cuando de nuevo alcé los ojos hacia la casa desde su imagen en el estanque, surgió en mi mente una extraña fantasía, fantasía tan ridícula, en verdad, que sólo la menciono para mostrar la vívida fuerza de las sensaciones que me oprimían. Mi imaginación estaba excitada al punto de convencerme de que se cernía sobre toda la casa y el dominio una atmósfera propia de ambos y de su inmediata vecindad, una atmósfera sin afinidad con el aire del cielo, exhalada por los árboles marchitos, por los muros grises, por el estanque silencioso, un vapor pestilente y místico, opaco, pesado, apenas perceptible, de color plomizo.

Sacudiendo de mi espíritu esa que *tenía que ser* un sueño, examiné más de cerca el verdadero aspecto del edificio. Su rasgo dominante parecía ser una excesiva antigüedad. Grande era la decoloración producida por el tiempo. Menudos hongos se extendían por toda la superficie, suspendidos desde el alero en una fina y enmarañada tela de araña. Pero esto nada tenía que ver con ninguna forma de destrucción. No había caído parte alguna de la mampostería, y parecía haber una extraña incongruencia entre la perfecta adaptación de las partes y la disgregación de cada piedra. Esto me recordaba mucho la aparente integridad de ciertos maderajes que se han podrido largo tiempo en alguna cripta descuidada, sin que intervenga el soplo del aire exterior. Aparte de este indicio de ruina general la fábrica daba pocas señales de inestabilidad. Quizá el ojo de un observador minucioso hubiera podido descubrir una fisura apenas perceptible que, extendiéndose desde el tejado del edificio, en el frente, se abría camino pared abajo, en zigzag, hasta perderse en las sombrías aguas del estanque.

Mientras observaba estas cosas cabalgué por una breve calzada hasta la casa. Un sirviente que aguardaba tomó mi caballo, y entré en la bóveda gótica del vestíbulo. Un criado de paso furtivo me condujo desde allí, en silencio, a través de varios pasadizos oscuros e intrincados, hacia el gabinete de su amo. Mucho de lo que encontré en el camino contribuyó, no sé cómo, a avivar los vagos sentimientos de los cuales he hablado ya. Mientras los objetos circundantes –los relieves de los cielorrasos, los oscuros tapices de las paredes, el ébano negro de los pisos y los fantasmagóricos trofeos heráldicos que rechinaban a mi paso– eran cosas a las cuales, a sus semejantes, estaba acostumbrado desde la infancia, mientras no cavilaba en reconocer lo familiar que era todo aquello, me asombraban por lo insólitas las fantasías que esas imágenes habituales provocaban en mí. En una de las escaleras encontré al médico de la familia. La expresión de su rostro, pensé, era una mezcla de baja astucia y de perplejidad. El criado abrió entonces una puerta y me dejó en presencia de su amo.

La habitación donde me hallaba era muy amplia y alta. Tenía ventanas largas, estrechas y puntiagudas, y a distancia tan grande del piso de roble negro, que resultaban absolutamente inaccesibles desde dentro. Débiles fulgores de luz carmesí se abrían paso a través de los cristales enrejados y servían para diferenciar suficientemente los principales objetos; los ojos, sin embargo, luchaban en vano para alcanzar los más remotos ángulos del aposento a los huecos del techo abovedado y esculpido. Oscuros tapices colgaban de las paredes. El moblaje general era profuso, incómodo, antiguo y destartalado. Había muchos libros e instrumentos musicales en desorden, que no lograban dar ninguna vitalidad a la escena. Sentí que respiraba una atmósfera de dolor. Un aire de dura, profunda e irremediable melancolía lo envolvía y penetraba todo.

A mi entrada, Usher se incorporó de un sofá donde estaba tendido cuan largo era y me recibió con calurosa vivacidad, que mucho tenía, pensé al principio, de cordialidad excesiva, del esfuerzo obligado del hombre de mundo *ennuyé*. Pero una mirada a su semblante me convenció de su perfecta sinceridad. Nos sentamos y, durante unos instantes, mientras no hablaba, lo observé con un sentimiento en parte de compasión, en parte de espanto. ¡Seguramente hombre alguno hasta entonces había cambiado tan terriblemente, en un período tan breve, como Roderick Usher! A duras penas pude llegar a admitir la identidad del ser exangüe que tenía ante mí, con el compañero de mi adolescencia. Sin embargo, el carácter de su rostro había sido siempre notable. La tez cadavérica; los ojos, grandes, líquidos, incomparablemente luminosos; los labios, un tanto finos y muy pálidos, pero de una curva extraordinariamente hermosa; la nariz, de delicado tipo hebreo, pero de ventanillas más abiertas de lo que es habitual en ellas; el mentón, finamente modelado, revelador, en su falta de prominencia, de una falta de energía moral; los cabellos, más suaves y más tenues que tela de araña: estos rasgos y el excesivo desarrollo de la región frontal constituían una fisonomía difícil de olvidar. Y ahora la simple exageración del carácter dominante de esas facciones y de su expresión habitual revelaban un cambio tan grande, que dudé de la persona con quien estaba hablando. La palidez espectral de la piel, el brillo milagroso de los ojos, por sobre todas las cosas me sobresaltaron y aun me aterraron. El sedoso cabello, además, había crecido al descuido y, como en su desordenada textura de telaraña flotaba más que caía alrededor del rostro, me era imposible, aun haciendo un esfuerzo, relacionar su enmarañada apariencia con idea alguna de simple humanidad.

En las maneras de mi amigo me sorprendió encontrar incoherencia, inconsistencia, y pronto descubrí que era motivada por una serie de débiles y fútiles intentos de vencer un azoramiento habitual, una excesiva agitación nerviosa. A decir verdad, ya estaba preparado para algo de esta naturaleza, no menos por su carta que por reminiscencias de ciertos rasgos juveniles y por las conclusiones deducidas de su peculiar conformación física y su temperamento. Sus gestos eran alternativamente vivaces y lentos. Su voz pasaba de una indecisión trémula (cuando su espíritu vital parecía en completa latencia) a esa especie de concisión enérgica, esa manera de hablar abrupta, pesada, lenta, hueca; a esa pronunciación gutural, densa, equilibrada, perfectamente modulada que puede observarse en el borracho perdido o en el opiómano incorregible durante los períodos de mayor excitación.

Así me habló del objeto de mi visita, de su vehemente deseo de verme y del solaz que aguardaba de mí. Abordó con cierta extensión lo que él consideraba la naturaleza de su enfermedad. Era, dijo, un mal constitucional y familiar, y desesperaba de hallarle remedio; una simple afección nerviosa, añadió de inmediato, que indudablemente pasaría pronto. Se manifestaba en una multitud de sensaciones anormales. Algunas de ellas, cuando las detalló, me interesaron y me desconcertaron, aunque sin duda tuvieron importancia los términos y el estilo general del relato. Padecía mucho de una acuidad mórbida de los sentidos; apenas soportaba los alimentos más insípidos; no podía vestir sino ropas de cierta textura; los perfumes de todas las flores le eran opresivos; aun la luz más débil torturaba sus ojos, y sólo pocos sonidos peculiares, y estos de instrumentos de cuerda, no le inspiraban horror.

Vi que era un esclavo sometido a una suerte anormal de terror. «Moriré –dijo–, *tengo* que morir de esta deplorable locura. Así, así y no de otro modo me perderé. Temo los sucesos del futuro, no por sí mismos, sino por sus resultados. Me estremezco pensando en cualquier incidente, aun el más trivial, que pueda actuar sobre esta intolerable agitación. No aborrezco el peligro, como no sea por su efecto absoluto: el terror. En este desaliento, en esta lamentable condición, siento que tarde o temprano llegará el período en que deba abandonar vida y razón a un tiempo, en alguna lucha con el torvo fantasma: *el miedo.*»

Conocí además por intervalos, y a través de insinuaciones interrumpidas y ambiguas, otro rasgo singular de su condición mental. Estaba dominado por ciertas impresiones supersticiosas relativas a la morada que ocupaba y de donde, durante muchos años, nunca se había aventurado a salir, supersticiones relativas a una influencia cuya supuesta energía fue descrita en términos demasiado sombríos para repetirlos aquí; influencia que algunas peculiaridades de la simple forma y material de la casa familiar habían ejercido sobre su espíritu, decía, a fuerza de soportarlas largo tiempo; efecto que el *aspecto físico* de los muros y las torrecillas grises y el oscuro estanque en el cual estos se miraban había producido, a la larga, en la *moral* de su existencia.

Admitía, sin embargo, aunque con vacilación, que podía buscarse un origen más natural y más palpable a mucho de la peculiar melancolía que así lo afectaba: la cruel y prolongada enfermedad, la disolución evidentemente próxima de una hermana tiernamente querida, su única compañía durante muchos años, su último y solo pariente sobre la tierra. «Su muerte –decía con una amargura que nunca podré olvidar– hará de mí (de mí, el desesperado, el frágil) el último de la antigua raza de los Usher.» Mientras hablaba, lady Madeline (que así se llamaba) pasó lentamente por un lugar apartado del aposento y, sin notar mi presencia, desapareció. La miré con extremado asombro, no desprovisto de temor, y sin embargo me es imposible explicar estos sentimientos. Una sensación de estupor me oprimió, mientras seguía con la mirada sus pasos que se alejaban. Cuando por fin una puerta se cerró tras ella, mis ojos buscaron instintiva y ansiosamente el semblante del hermano, pero este había hundido la cara entre las manos y sólo pude percibir que una palidez mayor que la habitual se extendía en los dedos descarnados, por entre los cuales se filtraban apasionadas lágrimas.

La enfermedad de lady Madeline había burlado durante mucho tiempo la ciencia de sus médicos. Una apatía permanente, un agotamiento gradual de su persona y frecuentes aunque transitorios accesos de carácter parcialmente cataléptico eran el diagnóstico insólito. Hasta entonces había soportado con firmeza la carga de su enfermedad, negándose a guardar cama; pero, al caer la tarde de mi llegada a la casa, sucumbió (como me lo dijo esa noche su hermano con inexpresable agitación) al poder aplastante del destructor, y supe que la breve visión que yo había tenido de su persona sería probablemente la última para mí, que nunca más vería a lady Madeline, por lo menos en vida.

En los varios días posteriores, ni Usher ni yo mencionamos su nombre, y durante este período me entregué a vehementes esfuerzos para aliviar la melancolía de mi amigo. Pintábamos y leíamos juntos; o yo escuchaba, como en un sueño, las extrañas improvisaciones de su elocuente guitarra. Y así a medida que una intimidad cada vez más estrecha me introducía sin reserva en lo más recóndito de su alma, iba advirtiendo con amargura la futileza de todo intento de alegrar un espíritu cuya oscuridad, como una cualidad positiva, inherente, se derramaba sobre todos los objetos del universo físico y moral, en una incesante irradiación de tinieblas.

Siempre tendré presente el recuerdo de las muchas horas solemnes que pasé a solas con el amo de la Casa Usher. Sin embargo, fracasaría en todo intento de dar una idea sobre el exacto carácter de los estudios o las ocupaciones a los cuales me inducía o cuyo camino me mostraba. Una idealidad exaltada, enfermiza, arrojaba un fulgor sulfúreo sobre todas las cosas. Sus largos e improvisados cantos fúnebres resonarán eternamente en mis oídos. Entre otras cosas, conservo dolorosamente en la memoria cierta singular perversión y amplificación del extraño aire del último vals de Von Weber. De las pinturas que nutría su laboriosa imaginación y cuya vaguedad crecía a cada pincelada, vaguedad que me causaba un estremecimiento tanto más penetrante, cuanto que ignoraba su causa; de esas pinturas (tan vívidas que aún tengo sus imágenes ante mí) sería inútil mi intento de presentar algo más que la pequeña porción comprendida en los límites de las meras palabras escritas. Por su extremada simplicidad, por la desnudez de sus diseños, atraían la atención y la subyugaban. Si jamás un mortal pintó una idea, ese mortal fue Roderick Usher. Para mí al menos –en las circunstancias que entonces me rodeaban–, surgía de las puras abstracciones que el hipocondríaco lograba proyectar en la tela, una intensidad de intolerable espanto, cuya sombra nunca he sentido, ni siquiera en la contemplación de las fantasías de Fuseli, resplandecientes, por cierto, pero demasiado concretas.

Una de las fantasmagóricas concepciones de mi amigo, que no participaba con tanto rigor del espíritu de abstracción, puede ser vagamente esbozada, aunque de una manera indecisa, débil, en palabras. El pequeño cuadro representaba el interior de una bóveda o túnel inmensamente largo, rectangular, con paredes bajas, lisas, blancas, sin interrupción ni adorno alguno. Ciertos elementos accesorios del diseño servían para dar la idea de que esa excavación se hallaba a mucha profundidad bajo la superficie de la tierra. No se observaba ninguna saliencia en toda la vasta extensión, ni se discernía una antorcha o cualquier otra fuente artificial de luz; sin embargo, flotaba por todo el espacio una ola de intensos rayos que bañaban el conjunto con un esplendor inadecuado y espectral.

He hablado ya de ese estado mórbido del nervio auditivo que hacía intolerable al paciente toda música, con excepción de ciertos efectos de instrumentos de cuerda. Quizá los estrechos límites en los cuales se había confinado con la guitarra fueron los que originaron, en gran medida, el carácter fantástico de sus obras. Pero no es posible explicar de la misma manera la *fogosa facilidad* de sus *impromptus.* Debían de ser –y lo eran, tanto las notas como las palabras de sus extrañas fantasías (pues no pocas veces se acompañaba con improvisaciones verbales rimadas)–, debían de ser los resultados de ese intenso recogimiento y concentración mental a los cuales he aludido antes y que eran observables sólo en ciertos momentos de la más alta excitación mental. Recuerdo fácilmente las palabras de una de esas rapsodias. Quizá fue la que me impresionó con más fuerza cuando la dijo, porque en la corriente interna o mística de su sentido creí percibir, y por primera vez, una acabada conciencia por parte de Usher de que su encumbrada razón vacilaba sobre su trono. Los versos, que él tituló *El palacio encantado,* decían poco más o menos así:

En el más verde de los valles
que habitan ángeles benéficos,
erguíase un palacio lleno
de majestad y hermosura.
¡Dominio del rey Pensamiento,
allí se alzaba!
Y nunca un serafín batió sus alas
sobre cosa tan bella.

Amarillos pendones, sobre el techo
flotaban, áureos y gloriosos
(todo eso fue hace mucho,
en los más viejos tiempos);
y con la brisa que jugaba
en tan gozosos días,
por las almenas se expandía
una fragancia alada.

Y los que erraban en el valle,
por dos ventanas luminosas
a los espíritus veían
danzar al ritmo de laúdes,
en torno al trono donde
(¡porfirogéneto!)
envuelto en merecida pompa,
sentábase el señor del reino.

Y de rubíes y de perlas
era la puerta del palacio,
de donde como un río fluían,
fluían centelleando,
los Ecos, de gentil tarea:
la de cantar con altas voces
el genio y el ingenio
de su rey soberano.

Mas criaturas malignas invadieron,
vestidas de tristeza, aquel dominio.
(¡Ah, duelo y luto! ¡Nunca más
nacerá otra alborada!)
Y en torno del palacio, la hermosura
que antaño florecía entre rubores,
es sólo una olvidada historia
sepulta en viejos tiempos.

Y los viajeros, desde el valle,
por las ventanas ahora rojas,
ven vastas formas que se mueven
en fantasmales discordancias,
mientras, cual espectral torrente,
por la pálida puerta
sale una horrenda multitud que ríe...
pues la sonrisa ha muerto.

Recuerdo bien que las sugestiones nacidas de esta balada nos lanzaron a una corriente de pensamientos donde se manifestó una opinión de Usher que menciono, no por su novedad (pues otros hombres[1]

1. Watson, el doctor Percival, Spallanzani y, especialmente, el obispo de Landaff. Véanse los *Ensayos químicos*, tomo V.

han pensado así), sino para explicar la obstinación con que la defendió. En líneas generales afirmaba la sensibilidad de todos los seres vegetales. Pero en su desordenada fantasía la idea había asumido un carácter más audaz e invadía, bajo ciertas condiciones, el reino de lo inorgánico. Me faltan palabras para expresar todo el alcance, o el vehemente *abandono* de su persuasión. La creencia, sin embargo, se vinculaba (como ya lo he insinuado) con las piedras grises de la casa de sus antepasados. Las condiciones de la sensibilidad habían sido satisfechas, imaginaba él, por el método de colocación de esas piedras, por el orden en que estaban dispuestas, así como por los numerosos *hongos* que las cubrían y los marchitos árboles circundantes, pero, sobre todo, por la prolongación inmodificada de este orden y su duplicación en las quietas aguas del estanque. Su evidencia –la evidencia de esa sensibilidad– podía comprobarse, dijo (y al oírlo me estremecí), en la gradual pero segura condensación de una atmósfera propia en torno a las aguas y a los muros. El resultado era discernible, añadió, en esa silenciosa, mas importuna y terrible influencia que durante siglos había modelado los destinos de la familia, haciendo de *él* eso que ahora estaba yo viendo, eso que él era. Tales opiniones no necesitan comentario, y no haré ninguno.

Nuestros libros –los libros que durante años constituyeran no pequeña parte de la existencia intelectual del enfermo– estaban, como puede suponerse, en estricto acuerdo con este carácter espectral. Estudiábamos juntos obras tales como el *Vever et Chartreuse,* de Gresset, el *Belfegor,* de Maquiavelo; *Del Cielo y del Infierno,* de Swedenborg; el *Viaje subterráneo de Nicolás Klim,* de Holberg; la *Quiromancia,* de Robert Flud, Jean d'Indaginé y De la Chambre; el *Viaje a la distancia azul,* de Tieck; y la *Ciudad del Sol,* de Campanella. Nuestro libro favorito era un pequeño volumen en octavo del *Directorium Inquisitorium,* del dominico Eymeric de Gironne, y había pasajes de Pomponius Mela sobre los viejos sátiros africanos y egibanos, con los cuales Usher soñaba horas enteras. Pero encontraba su principal deleite en la lectura cuidadosa de un rarísimo y curioso libro gótico en cuarto –el manual de una iglesia olvidada–, las *Vigiliæ Mortuorum Chorum Eclesiæ Maguntiæ.*

No podía dejar de pensar en el extraño ritual de esa obra y en su probable influencia sobre el hipocondríaco cuando una noche, tras informarme bruscamente de que lady Madeline había dejado de existir, declaró su intención de preservar su cuerpo durante quince días (antes de su inhumación definitiva) en una de las numerosas criptas del edificio. El humano motivo que alegaba para justificar esta singular conducta no me dejó en libertad de discutir. El hermano había llegado a esta decisión (así me dijo) considerando el carácter insólito de la enfermedad de la difunta, ciertas importunas y ansiosas averiguaciones por parte de sus médicos, la remota y expuesta situación del cementerio familiar. No he de negar que, cuando evoqué el siniestro aspecto de la persona con quien me cruzara en la escalera el día de mi llegada a la casa, no tuve deseo de oponerme a lo que consideré una precaución inofensiva y en modo alguno extraña.

A pedido de Usher, lo ayudé personalmente en los preparativos de la sepultura temporaria. Ya en el ataúd, los dos solos llevamos el cuerpo a su lugar de descanso. La cripta donde lo depositamos (por tanto tiempo clausurada que las antorchas casi se apagaron en su atmósfera opresiva, dándonos poca oportunidad para examinarla) era pequeña, húmeda y desprovista de toda fuente de luz; estaba a gran profundidad, justamente bajo la parte de la casa que ocupaba mi dormitorio. Evidentemente había desempeñado, en remotos tiempos feudales, el siniestro oficio de mazmorra, y en los últimos tiempos el de depósito de pólvora o alguna otra sustancia combustible, pues una parte del piso y todo el interior del largo pasillo abovedado que nos llevara hasta allí estaban cuidadosamente revestidos de cobre. La puerta, de hierro macizo, tenía una protección semejante. Su inmenso peso, al moverse sobre los goznes, producía un chirrido agudo, insólito.

Una vez depositada la fúnebre carga sobre los caballetes, en aquella región de horror, retiramos parcialmente hacia un lado la tapa todavía suelta del ataúd, y miramos la cara de su ocupante. Un sorprendente parecido entre el hermano y la hermana fue lo primero que atrajo mi atención, y Usher, adivinando quizá mis pensamientos, murmuró algunas palabras, por las cuales supe que la muerta y él eran mellizos y que entre ambos habían existido siempre simpatías casi inexplicables. Nuestros ojos, sin embargo, no se detuvieron mucho en la muerta, porque no podíamos mirarla sin espanto. El mal que llevara a lady Madeline a la tumba en la fuerza de la juventud había dejado, como es frecuente en todas las enfermedades de naturaleza estrictamente cataléptica, la ironía de un débil rubor en el pecho y la cara, y esa sonrisa suspicaz, lánguida, que es tan terrible en la muerte. Volvimos la tapa a su sitio, la atornillamos y, asegurada la puerta de hierro, emprendimos camino, con fatiga, hacia los aposentos apenas menos lúgubres de la parte superior de la casa.

Y entonces, transcurridos algunos días de amarga pena, sobrevino un cambio visible en las características del desorden mental de mi amigo. Sus maneras habituales habían desaparecido. Descuidaba u olvidaba sus ocupaciones comunes. Erraba de aposento en aposento con paso presuroso, desigual, sin rumbo. La palidez de su semblante había adquirido, si era posible tal cosa, un tinte más espectral, pero la luminosidad de sus ojos había desaparecido por completo. El tono a veces ronco de su voz ya no se oía, y una vacilación trémula como en el colmo del terror, caracterizaba ahora su pronunciación. Por momentos, en verdad, pensé que algún secreto opresivo dominaba su mente agitada sin descanso, y que luchaba por conseguir valor suficiente para divulgarlo. Otras veces, en cambio, me veía obligado a reducirlo todo a las meras e inexplicables divagaciones de la locura, pues lo veía contemplar el vacío horas enteras, en actitud de profundísima atención, como si escuchara algún sonido imaginario. No es de extrañarse que su estado me aterrara, que me inficionara. Sentía que a mi alrededor, a pasos lentos pero seguros, se deslizaban las extrañas influencias de sus supersticiones fantásticas y contagiosas.

Al retirarme a mi dormitorio la noche del séptimo u octavo día después de que Lady Madeline fuera depositada en la mazmorra, y siendo ya muy tarde, experimenté de manera especial y con toda su fuerza esos sentimientos. El sueño *no* se acercaba a mi lecho y las horas pasaban y pasaban. Luché por racionalizar la nerviosidad que me dominaba. Traté de convencerme de que mucho, si no todo lo que sentía, era causado por la desconcertante influencia del lúgubre moblaje de la habitación, de los tapices oscuros y raídos que, atormentados por el soplo de una tempestad incipiente, se balanceaban espasmódicos de aquí para allá sobre los muros y crujían desagradablemente alrededor de los adornos del lecho. Pero mis esfuerzos eran infructuosos. Un temblor incontenible fue invadiendo gradualmente mi cuerpo, y al fin se instaló sobre mi propio corazón un íncubo, el peso de una alarma por completo inmotivada. Lo sacudí, jadeando, luchando, me incorporé sobre las almohadas y, mientras miraba ansiosamente en la intensa oscuridad del aposento, presté atención –ignoro por qué, salvo que me impulsó una fuerza instintiva– a ciertos sonidos ahogados, indefinidos, que llegaban en las pausas de la tormenta, con largos intervalos, no sé de dónde. Dominado por un intenso sentimiento de horror, inexplicable pero insoportable, me vestí aprisa (pues sabía que no iba a dormir más durante la noche) e intenté salir de la lamentable condición en que había caído, recorriendo rápidamente la habitación de un extremo al otro.

Había dado unas pocas vueltas, cuando un ligero paso en una escalera contigua atrajo mi atención. Reconocí entonces el paso de Usher. Un instante después llamaba con un toque suave a mi puerta y entraba con una lámpara. Su semblante tenía, como de costumbre, una palidez cadavérica, pero además había en sus ojos una especie de loca hilaridad, una *hysteria* evidentemente reprimida en toda su actitud. Su aire me espantó, pero todo era preferible a la soledad que había soportado tanto tiempo, y hasta acogí su presencia con alivio.

–¿No lo has visto? –dijo bruscamente, después de echar una mirada a su alrededor, en silencio–. ¿No lo has visto? Pues aguarda, lo verás –y diciendo esto protegió cuidadosamente la lámpara, se precipitó a una de las ventanas y la abrió de par en par a la tormenta.

La ráfaga entró con furia tan impetuosa que estuvo a punto de levantarnos del suelo. Era, en verdad, una noche tempestuosa, pero de una belleza severa, extrañamente singular en su terror y en su hermosura. Al parecer un torbellino desplegaba su fuerza en nuestra vecindad, pues había frecuentes y violentos cambios en la dirección del viento; y la excesiva densidad de las nubes (tan bajas que oprimían casi las torrecillas de la casa) no nos impedía advertir la viviente velocidad con que acudían de todos los puntos, mezclándose unas con otras sin alejarse. Digo que aun su excesiva densidad no nos impedía advertirlo, y sin embargo no nos llegaba ni un atisbo de la luna o de las estrellas, ni se veía el brillo de un relámpago. Pero las superficies inferiores de las grandes masas de agitado vapor, así como todos los objetos terrestres que nos rodeaban, resplandecían en la luz extranatural de una exhalación gaseosa, apenas luminosa y claramente visible, que se cernía sobre la casa y la amortajaba.

–¡No debes mirar, no mirarás eso! –dije, estremeciéndome, mientras con suave violencia apartaba a Usher de la ventana para conducirlo a un asiento–. Estos espectáculos, que te confunden, son simples fenómenos eléctricos nada extraños, o quizá tengan su horrible origen en el miasma corrupto del estanque. Cerremos esta ventana; el aire está frío y es peligroso para tu salud. Aquí tienes una de tus novelas favoritas. Yo leeré y me escucharás, y así pasaremos juntos esta noche terrible.

El antiguo volumen que había tomado era *Mad Trist,* de sir Launcelot Canning; pero lo había calificado de favorito de Usher más por triste broma que en serio, pues poco había en su prolijidad tosca, sin imaginación, que pudiera interesar a la elevada e ideal espiritualidad de mi amigo. Pero era el único libro que tenía a mano, y alimenté la vaga esperanza de que la excitación que en ese momento agitaba al hipocondríaco pudiera hallar alivio (pues la historia de los trastornos mentales está llena de anomalías semejantes) aun en la exageración de la locura que yo iba a leerle. De haber juzgado, a decir verdad, por la extraña y tensa vivacidad con que escuchaba o parecía escuchar las palabras de la historia, me hubiera felicitado por el éxito de mi idea.

Había llegado a esa parte bien conocida de la historia en que Ethelred, el héroe del *Trist,* después de sus vanos intentos de introducirse por las buenas en la morada del eremita, procede a entrar por la fuerza. Aquí, se recordará, las palabras del relator son las siguientes:

«Y Ethelred, que era por naturaleza un corazón valeroso, y fortalecido, además, gracias al poder del vino que había bebido, no aguardó el momento de parlamentar con el eremita, quien, en realidad, era de índole obstinada y maligna; mas sintiendo la lluvia sobre sus hombros, y temiendo el estallido de la tempestad, alzó resueltamente su maza y a golpes abrió un rápido camino en las tablas de la puerta para su mano con guantelete, y, tirando con fuerza hacia sí, rajó, rompió, lo destrozó todo en tal forma que el ruido de la madera seca y hueca retumbó en el bosque y lo llenó de alarma».

Al terminar esta frase me sobresalté y por un momento me detuve, pues me pareció (aunque en seguida concluí que mi excitada imaginación me había engañado), me pareció que, de alguna remotísima parte de la mansión, llegaba confusamente a mis oídos algo que podía ser, por su exacta similitud, el eco (aunque sofocado y sordo, por cierto) del mismo ruido de rotura, de destrozo que sir Launcelot había descrito con tanto detalle. Fue, sin duda alguna, la coincidencia lo que atrajo mi atención pues entre el crujir de los bastidores de las ventanas y los mezclados ruidos habituales de la tormenta creciente, el sonido en sí mismo nada tenía, a buen seguro, que pudiera interesarme o distraerme. Continué el relato:

«Pero el buen campeón Ethelred pasó la puerta y quedó muy furioso y sorprendido al no percibir señales del maligno eremita y encontrar, en cambio, un dragón prodigioso, cubierto de escamas, con lengua de fuego, sentado en guardia delante de un palacio de oro con piso de plata, y del muro colgaba un escudo de bronce reluciente con esta leyenda:

Quien entre aquí, conquistador será;
Quien mate al dragón, el escudo ganará.

»Y Ethelred levantó su maza y golpeó la cabeza del dragón, que cayó a sus pies y lanzó su apestado aliento con un rugido tan hórrido y bronco y además tan penetrante que Ethelred se tapó de buena gana los oídos con las manos para no escuchar el horrible ruido, tal como jamás se había oído hasta entonces».

Aquí me detuve otra vez bruscamente, y ahora con un sentimiento de violento asombro, pues no podía dudar de que en esta oportunidad había escuchado realmente (aunque me resultaba imposible decir de qué dirección procedía) un grito insólito, un sonido chirriante, sofocado y aparentemente lejano, pero áspero, prolongado, la exacta réplica de lo que mi imaginación atribuyera al extranatural alarido del dragón, tal como lo describía el novelista.

Oprimido, como por cierto lo estaba desde la segunda y más extraordinaria coincidencia, por mil sensaciones contradictorias, en las cuales predominaban el asombro y un extremado terror, conservé, sin embargo, suficiente presencia de ánimo para no excitar con ninguna observación la sensibilidad nerviosa de mi compañero. No era nada seguro que hubiese advertido los sonidos en cuestión, aunque se había producido durante los últimos minutos una evidente y extraña alteración en su apariencia. Desde su posición frente a mí había hecho girar gradualmente su silla, de modo que estaba sentado mirando hacia la puerta de la habitación, y así sólo en parte podía ver yo sus facciones, aunque percibía sus labios temblorosos, como si murmuraran algo inaudible. Tenía la cabeza caída sobre el pecho, pero supe que no estaba dormido por los ojos muy abiertos, fijos, que vi al echarle una mirada de perfil. El movimiento del cuerpo contradecía también esta idea, pues se mecía de un lado a otro con un balanceo suave, pero constante y uniforme. Luego de advertir rápidamente todo esto, proseguí el relato de sir Launcelot, que decía así:

«Y entonces el campeón, después de escapar a la terrible furia del dragón, se acordó del escudo de bronce y del encantamiento roto, apartó el cuerpo muerto de su camino y avanzó valerosamente sobre el argentado pavimento del castillo hasta donde colgaba del muro el escudo, el cual, entonces, no esperó su llegada, sino que cayó a sus pies sobre el piso de plata con grandísimo y terrible fragor».

Apenas habían salido de mis labios estas palabras, cuando –como si realmente un escudo de bronce, en ese momento, hubiera caído con todo su peso sobre un pavimento de plata– percibí un eco claro, profundo, metálico y resonante, aunque en apariencia sofocado. Incapaz de dominar mis nervios, me puse en pie de un salto, pero el acompasado movimiento de Usher no se interrumpió. Me precipité al sillón donde estaba sentado. Sus ojos miraban fijos hacia adelante y dominaba su persona una rigidez pétrea. Pero, cuando posé mi mano sobre su hombro, un fuerte estremecimiento recorrió su cuerpo; una sonrisa malsana tembló en sus labios, y vi que hablaba con un murmullo bajo, apresurado, ininteligible, como si no advirtiera mi presencia. Inclinándome sobre él, muy cerca, bebí, por fin, el horrible significado de sus palabras:

–¿No lo oyes? Sí, yo lo oigo y lo *he* oído. Mucho, mucho, mucho tiempo... muchos minutos, muchas horas, muchos días lo he oído, pero no me atrevía... ¡Ah, compadéceme, mísero de mí, desventurado! ¡No me atrevía... no me *atrevía* a hablar! *¡La encerramos viva en la tumba!* ¿No dije que mis sentidos eran agudos? *Ahora* te digo que oí sus primeros movimientos, débiles, en el fondo del ataúd. Los oí hace muchos, muchos días, y no me atreví, *¡no me atrevía hablar!* ¡Y ahora, esta noche, Ethelred, ja, ja! ¡La puerta rota del eremita, y el grito de muerte del dragón, y el estruendo del escudo! ... ¡Di, mejor, el ruido del ataúd al rajarse, y el chirriar de los férreos goznes de su prisión, y sus luchas dentro de la cripta, por el pasillo abovedado, revestido de cobre! ¡Oh! ¿Adónde huiré? ¿No estará aquí pronto? ¿No se precipita a reprocharme mi prisa? ¿No he oído sus pasos en la escalera? ¿No distingo el pesado y horrible latido de su corazón? ¡INSENSATO! –y aquí, furioso, de un salto, se puso de pie y gritó estas palabras, como si en ese esfuerzo entregara su alma–: ¡INSENSATO! ¡TE DIGO QUE ESTÁ DEL OTRO LADO DE LA PUERTA!

Como si la sobrehumana energía de su voz tuviera la fuerza de un sortilegio, los enormes y antiguos batientes que Usher señalaba abrieron lentamente, en ese momento, sus pesadas mandíbulas de ébano. Era obra de la violenta ráfaga, pero allí, del otro lado de la puerta, ESTABA la alta y amortajada figura de lady Madeline Usher. Había sangre en sus ropas blancas, y huellas de acerba lucha en cada parte de su descarnada persona. Por un momento permaneció temblorosa, tambaleándose en el umbral; luego, con un lamento sofocado, cayó pesadamente hacia adentro, sobre el cuerpo de su hermano, y en su violenta agonía final lo arrastró al suelo, muerto, víctima de los terrores que había anticipado.

De aquel aposento, de aquella mansión hui aterrado. Afuera seguía la tormenta en toda su ira cuando me encontré cruzando la vieja avenida. De pronto surgió en el sendero una luz extraña y me volví para ver de dónde podía salir fulgor tan insólito, pues la vasta casa y sus sombras quedaban solas a mis espaldas. El resplandor venía de la luna llena, roja como la sangre, que brillaba ahora a través de aquella fisura casi imperceptible dibujada en zigzag desde el tejado del edificio hasta la base. Mientras la contemplaba, la fisura se ensanchó rápidamente, pasó un furioso soplo del torbellino, todo el disco del satélite irrumpió de pronto ante mis ojos y mi espíritu vaciló al ver desmoronarse los poderosos muros, y hubo un largo y tumultuoso clamor como la voz de mil torrentes, y a mis pies el profundo y corrompido estanque se cerró sombrío, silencioso, sobre los restos de la Casa Usher.

REVELACIÓN MESMÉRICA

Comentario de Care Santos

Entre 1766 y 1785 el médico alemán Franz Anton Mesmer vivió sus mejores años, los que mediaron entre la publicación de su tesis, titulada *De planetarum influxu in corpus Humanum,* y su huida precipitada de Viena a causa de un escándalo. Entre una y otra fecha, Mesmer arrojó sobre sus desconcertados contemporáneos un puñado de teorías estrambóticas acerca de cómo la Luna y los planetas influían en sus cuerpos o de qué modo el contacto de sus manos, ciertos pases con los brazos y un acompañamiento musical adecuado podían inducir lúcidos estados de inconsciencia. Teorías que le concedieron la fama, la riqueza y la admiración de una sociedad siempre dispuesta a comulgar con la extravagancia. Tal vez sus investigaciones no le llevaron demasiado lejos –aunque nadie sabe muy bien adónde fue después de su huida de Viena– pero hoy se le considera el inspirador de la hipnosis moderna, y en su tiempo supo despertar interés en un abanico de seguidores que incluye nombres tan notables como Mozart –de quien fue protector– o Edgar Allan Poe.

Poe se interesó por Mesmer igual que lo hizo por otros avances científicos de su tiempo, convirtiéndolo en materia prima literaria. Al público le agradaban este tipo de asuntos, y Poe era muy hábil olfateando esos intereses y complaciéndolos, mientras hacía literatura de altos vuelos e iba arrojando las semillas de grandes géneros literarios por venir. Si «El escarabajo de oro» o «Los crímenes de la calle Morgue» son unánimemente aceptados como textos fundacionales del relato policial, esta «Revelación mesmérica» se cree con toda justicia una de las primeras piedras de otra gran catedral genérica: la ficción científica, tan apegada a los postulados de la ciencia como imaginativa en sus peripecias argumentales. En este texto, Poe comprueba la consistencia de una materia prima que en el futuro habrá de darle para mucho. No es el único texto que tiene las tesis de Mesmer como columna vertebral, pero sí el primero. Con los mismos mimbres, ya más depurados, habría de construir poco después uno de sus mejores cuentos, «La verdad sobre el caso del señor Valdemar». Lo mismo ocurre con el ensayo *Eureka*, sobre el que la sombra del mesmerismo también se proyecta.

He aquí, pues, el mayor interés de un texto que Poe construye, sobre todo, con su obsesión. La misma que el 2 de julio de 1844 le lleva a escribir una carta al crítico literario James R. Lowell explicándole su postura acerca del mesmerismo, y lo hace con casi idénticos términos a los que en su relato puso en boca del hipnotizado Vankirk[1]: «No tengo ninguna fe en la espiritualidad. Creo que la palabra no es sino eso, mera palabra. Nadie tiene realmente una concepción clara del espíritu. No podemos imaginar lo que no es. Nos engañamos mediante la idea de una materia infinitamente rarificada. La materia escapa paso a paso a los sentidos: una piedra, un metal, un líquido, la atmósfera, un gas, el éter luminiscente. Más allá de esto hay incluso otras modificaciones más raras si cabe, pero a todo ello atribuimos la noción de una constitución que amalgama partículas, una composición atómica»[2].

La obsesión es una excelente materia prima literaria. Aunque a veces conlleva consecuencias imprevistas, como esa extraña posteridad que le sobrevino al doctor Mesmer.

---

1. «Revelación mesmérica» había sido terminado poco antes, pero permanecía inédito. Se publicaría en agosto de ese mismo año en la revista *Columbian Lady's and Gentleman's Magazine*.
2. Poe, Edgard Allan: *Cartas de un poeta (1826-1849)*, Grijalbo Mondadori: Barcelona, 1995.

REVELACIÓN MESMÉRICA

Aunque la *teoría* del mesmerismo esté aún envuelta en dudas, sus sobrecogedoras *realidades* son ya casi universalmente admitidas. Los que dudan de estas pertenecen a la casta inútil y despreciable de los que dudan por pura profesión. No hay mejor manera de perder el tiempo que proponerse probar en la actualidad que el hombre, por el simple ejercicio de su voluntad, puede impresionar a su semejante al punto de sumirlo en un estado anormal cuyas manifestaciones se parecen estrechamente a las de la muerte, o por lo menos en mayor grado que cualquier otro fenómeno conocido en condiciones normales; que, en ese estado, la persona así influida utiliza sólo con esfuerzo y en consecuencia débilmente los órganos exteriores de los sentidos y, sin embargo, percibe con agudeza y refinamiento, y por vías presuntamente desconocidas, cosas que están más allá del alcance de los órganos físicos; que, además, sus facultades intelectuales se hallan en un maravilloso estado de exaltación y fuerza; que las simpatías con la persona que así influye sobre ella son profundas, y, finalmente, que su *susceptibilidad* de impresión va en aumento gradual, al tiempo que, en la misma proporción, se extienden y *acentúan* cada vez más los peculiares fenómenos producidos.

Digo que sería superfluo demostrar las leyes del mesmerismo en sus rasgos generales; tampoco infligiré a mis lectores una demostración hoy tan innecesaria. Mi propósito es, en verdad, muy otro. Me siento impelido, aun enfrentándome de esta manera con un mundo de prejuicios, a detallar sin comentarios el notabilísimo diálogo que sostuve con un hipnotizado.

Hacía mucho tiempo que tenía la costumbre de hipnotizar a la persona en cuestión (Mr. Vankirk), en quien se habían manifestado la aguda susceptibilidad y la exaltación habituales en la percepción mesmérica. Desde varios meses atrás, Mr. Vankirk padecía una tisis declarada y mis pases habían aliviado sus efectos más penosos; la noche del miércoles 15 del mes actual fui llamado a su cabecera.

El enfermo sufría un dolor agudo en la región cordial y respiraba con gran dificultad, presentando todos los síntomas comunes del asma. En espasmos como aquel generalmente le proporcionaba alivio la aplicación de mostaza en los centros nerviosos, pero esa noche el recurso había resultado inútil.

Cuando entré en su habitación me recibió con una sonrisa jovial, y aunque evidentemente sus dolores físicos eran grandes, su ánimo parecía muy tranquilo.

–Lo mandé buscar esta noche –dijo– no tanto para que mitigara mi dolencia como para que me explicara ciertas impresiones psíquicas que últimamente me han causado gran ansiedad y sorpresa. No necesito decirle cuán escéptico he sido hasta hoy con respecto a la inmortalidad del alma. No puedo negar que siempre ha existido, quizá en esa misma alma que he negado, una especie de vago sentimiento de su propia existencia. Pero esta especie de sentimiento no llegó en ningún instante a la convicción. Era cosa que nada tenía que ver con la razón. Todas las tentativas de investigación lógica me dejaban, a decir verdad, más escéptico que antes. Me aconsejaron que estudiara a Cousin. Lo estudié en sus obras, así como en sus repercusiones europeas y americanas. El *Charles Elwood* de Mr. Brownson, por ejemplo, cayó en mis manos. Lo leí con profunda atención. Lo encontré lógico de una punta a la otra, pero las partes que no eran *simplemente* lógicas constituían, desgraciadamente, los argumentos iniciales del incrédulo héroe del libro. En sus conclusiones me pareció evidente que el razonador no había logrado siquiera convencerse a sí mismo. El final había olvidado por completo el principio, como el gobierno de Trínculo. En una palabra: no tardé en advertir que, si el hombre ha de persuadirse intelectualmente de su propia inmortalidad, nunca lo logrará por las meras abstracciones que durante tanto tiempo han constituido el método de los moralistas de Inglaterra, Francia y Alemania. Las abstracciones pueden ser una diversión y un ejercicio, pero no se posesionan de la mente. Aquí, en la tierra por lo menos, la filosofía, estoy convencido, siempre nos pedirá en vano que consideremos las cualidades como cosas. La voluntad puede asentir; el alma, el intelecto, nunca.

»Repito, pues, que sólo había sentido a medias, pero nunca creí intelectualmente. Mas en los últimos tiempos el sentimiento se ha ahondado hasta parecerse tanto a la aquiescencia de la razón, que me resulta difícil distinguirlos. Creo también poder atribuir este efecto simplemente a la influencia mesmérica. No sé explicar mejor mi pensamiento que por la hipótesis de que la exaltación mesmérica me capacita para percibir una serie de razonamientos que en mi existencia normal son convincentes, pero que, en total acuerdo con los fenómenos mesméricos, no se extienden, salvo en su *efecto,* a mi estado normal. En el estado hipnótico, el razonamiento y la conclusión, la causa y el efecto están presentes a un tiempo. En mi estado natural, la causa se desvanece; únicamente el efecto, y quizá sólo en parte, permanece.

»Estas consideraciones me han llevado a pensar que podrían obtenerse algunos buenos resultados dirigiéndome, mientras estoy mesmerizado, una serie de preguntas bien encaminadas. Usted ha observado a menudo el profundo conocimiento de sí mismo que demuestra el hipnotizado, el amplio saber que despliega sobre todo lo concerniente al estado mesmérico, y de este conocimiento de sí mismo pueden deducirse indicaciones para la adecuada confección de un cuestionario.

Accedí, claro está, a realizar este experimento. Unos pocos pases sumieron a Mr. Vankirk en el sueño mesmérico. Su respiración se hizo inmediatamente más fácil y parecía no padecer ninguna incomodidad física. Entonces se produjo la siguiente conversación (en el diálogo, V. representa al paciente y P. soy yo):

P.– ¿Duerme usted?

V.– Sí..., no; preferiría dormir más profundamente.

P.– *(Después de algunos pases.)* ¿Duerme ahora?

V.– Sí.

P.– ¿Cómo cree que terminará su enfermedad?

V.– *(Después de una larga vacilación y hablando como con esfuerzo.)* Moriré.

P.– ¿Le aflige la idea de la muerte?

V.– *(Muy rápido.)* ¡No..., no!

P.– ¿Le desagrada esta perspectiva?

V.– Si estuviera despierto me gustaría morir, pero ahora no tiene importancia. El estado mesmérico se avecina lo bastante a la muerte como para satisfacerme.

P.– Me gustaría que se explicara, Mr. Vankirk.

V.– Quisiera hacerlo, pero requiere más esfuerzo del que me siento capaz. Usted no me interroga correctamente.

P.– Entonces, ¿qué debo preguntarle?

V.– Debe comenzar por el principio.

P.– ¡El principio! Pero ¿dónde está el principio?

V.– Usted sabe que el principio es Dios. *(Esto fue dicho en tono bajo, vacilante, y con todas las señales de la más profunda veneración.)*

P.– Pero ¿qué es Dios?

V.– *(Vacilando durante varios minutos.)* No puedo decirlo.

P.– Dios ¿no es espíritu?

V.– Mientras estaba despierto, yo sabía lo que usted quiere decir con «espíritu», pero ahora me parece sólo una palabra, tal como, por ejemplo, verdad, belleza; una cualidad, quiero decir.

P.– Dios, ¿no es inmaterial?

V.– No hay inmaterialidad; esta es una simple palabra. Lo que no es materia no es nada, a menos que las cualidades sean cosas.

P.– Entonces, ¿Dios es material?

V.– No. *(Esta respuesta me sobrecogió.)*

P.– ¿Y qué es?

V.– *(Después de una larga pausa, entre dientes.)* Lo veo... pero es una cosa difícil de decir. *(Otra larga pausa.)* No es espíritu, pues existe. Tampoco es materia, *como usted la entiende.* Pero hay gradaciones de la materia de las que el hombre nada sabe, en que la más basta impulsa a la más sutil, la más sutil invade la más basta. La atmósfera, por ejemplo, impulsa el principio eléctrico, mientras el principio eléctrico penetra la atmósfera. Estas gradaciones de la materia crecen en tenuidad o sutileza hasta que llegamos a una materia *indivisa* –sin partículas–, indivisible *–una–,* y aquí la ley de la impulsión y de la penetración se modifica. La materia última o indivisa no sólo penetra todas las cosas, sino que las impulsa, y de esta manera *es* todas las cosas en sí misma. Esta materia es Dios. Lo que el hombre intenta formular con la palabra «pensamiento» es esta materia en movimiento.

P.– Los metafísicos sostienen que toda acción es reductible a movimiento y pensamiento, y que el último es el origen del primero.

V.– Sí, y ahora veo la confusión de la idea. El movimiento es la acción de la *mente,* no *del pensamiento.* La materia indivisa o Dios, en reposo, es (en la medida en que podemos concebirlo) lo que los hombres llaman mente. Y el poder de automovimiento (equivalente en efecto a la volición humana) es, en la materia indivisa, el resultado de su unidad y de su omnipredominancia; *cómo,* no lo sé, y ahora veo claramente que nunca lo sabré. Pero la materia indivisa, puesta en movimiento por una ley o cualidad existente en sí misma, es el pensamiento.

P.– ¿No puede darme una idea más precisa de lo que usted designa materia indivisa?

V.– Las materias que el hombre conoce escapan gradualmente a los sentidos. Tenemos, por ejemplo, un metal, un trozo de madera, una gota de agua, la atmósfera, el gas, el calor, la electricidad, el éter luminoso. Ahora bien, llamamos materia a todas esas cosas, y abarcamos toda la materia en una definición general; sin embargo, no puede haber dos ideas más esencialmente distintas que la que referimos a un metal y la que referimos al éter luminoso. Cuando llegamos al último, sentimos una inclinación casi irresistible a clasificarlo con el espíritu o con la nada. La única consideración que nos detiene es nuestra idea de su constitución atómica, y aun aquí debemos pedir ayuda a nuestra noción de átomo como algo infinitamente pequeño, sólido, palpable, pesado. Destruyamos la idea de la constitución atómica y ya no seremos capaces de considerar el éter como una entidad o, por lo menos, como materia. A falta de una palabra mejor podríamos designarlo espíritu. Demos ahora un paso más allá del éter luminoso, concibamos una materia mucho más sutil que el éter, así como el éter es más sutil que el metal, y llegamos en seguida (a pesar de todos los dogmas escolásticos) a una masa única, a una materia indivisa. Pues, aunque admitamos una infinita pequeñez en los átomos mismos, la infinita pequeñez de los espacios interatómicos es un absurdo. Habrá un punto, habrá un grado de sutileza en el cual, si los átomos son suficientemente numerosos, los interespacios desaparecerán y la masa será absolutamente una. Pero al dejar de lado ahora la idea de la constitución atómica, la naturaleza de la masa se deslizará inevitablemente a nuestra concepción del espíritu. Está claro, sin embargo, que es tan materia como antes. La verdad es que resulta imposible concebir el espíritu, puesto que es imposible imaginar lo que no es. Cuando nos jactamos de haber llegado a concebirlo, hemos engañado simplemente nuestro entendimiento con la consideración de una materia infinitamente rarificada.

P.– Me parece que hay una objeción insuperable a la idea de la absoluta unidad, y ella es la ligerísima resistencia experimentada por los cuerpos celestes en sus revoluciones a través del espacio, resistencia que ahora sabemos, es verdad, existe en *cierto* grado, pero que, sin embargo, es tan ligera que aun la sagacidad de Newton la pasó por alto. Sabemos que la resistencia de los cuerpos es principalmente proporcionada a su densidad. La unidad absoluta es la densidad absoluta. Donde no hay interespacios no puede haber paso. Un éter absolutamente denso detendría de una manera infinitamente más efectiva la marcha de una estrella que un éter de diamante o de acero.

V.– Su objeción se contesta con una facilidad que está casi en proporción con su aparente irrefutabilidad. Con respecto a la marcha de una estrella, no puede haber diferencia entre que la estrella pase a través del éter o el éter *a través de esta.* No hay error astronómico más inexplicable que el que relaciona el conocido retardo de los cometas con la idea de su paso a través del éter, pues por sutil que se suponga ese éter detendría toda revolución sideral en un período mucho más breve que el admitido por esos astrónomos, quienes han intentado suprimir un punto que consideraban imposible de entender. El retardo experimentado es, por el contrario, aproximadamente el mismo que puede esperarse de la *fricción* del éter en el pasaje instantáneo a través del astro. En un caso, la fuerza de retardo es momentánea y completa en sí misma; en el otro, es infinitamente acumulativa.

P.– Pero en todo esto, en esta identificación de la simple materia con Dios, ¿no hay nada de irreverencia? *(Me vi obligado a repetir esta pregunta antes de que el hipnotizado comprendiera cabalmente su sentido.)*

V.– ¿Puede usted decir *por qué la* materia ha de ser menos reverenciada que la mente? Usted olvida que la materia de la cual hablo es, en todo sentido, la verdadera «mente» o «espíritu» de las escuelas, sobre todo en lo que concierne a sus elevadas propiedades, y es, al mismo tiempo, la «materia» para estas escuelas. Dios, con todos los poderes atribuidos al espíritu, es tan sólo la perfección de la materia.

P.– ¿Afirma usted, entonces, que la materia indivisa, en movimiento, es pensamiento?

V.– En general, el movimiento es el pensamiento universal de la mente universal. Este pensamiento crea. Todas las cosas creadas no son sino los pensamientos de Dios.

P.– Usted dice «en general».

V.– Sí. La mente universal es Dios. Para las nuevas individualidades es necesaria la *materia.*

P.– Pero usted habla ahora de «mente» y de «materia» como lo hacen los metafísicos.

V.– Sí, para evitar la confusión. Cuando digo «mente» me refiero a la materia indivisa o última; cuando digo «materia» me refiero a todo lo demás.

P.– Usted decía que «para las nuevas individualidades es necesaria la materia».

V.– Sí, pues la mente, en su existencia incorpórea, es simplemente Dios. Para crear los seres individuales, pensantes, era necesario encarnar porciones de la mente divina. Así es individualizado el hombre. Despojado de su envoltura corporal sería Dios. El movimiento particular de las porciones encarnadas de la materia indivisa es el pensamiento del hombre, así como el movimiento del todo es el de Dios.

P.– ¿Dice usted que despojado de su envoltura corporal el hombre sería Dios?

V.– *(Después de mucho vacilar.) No* pude haber dicho eso, es un absurdo.

P.– *(Recurriendo a mis notas.)* Usted dijo que «despojado de su envoltura corporal el hombre sería Dios».

V.– Y es verdad. El hombre así despojado *sería* Dios, sería desindividualizado. Pero no puede despojarse jamás de esa manera –por lo menos nunca podrá–, a menos que imaginemos una acción de Dios que vuelve sobre sí misma, una acción inútil, sin finalidad. El hombre es una criatura. Las criaturas son pensamientos de Dios. Está en la naturaleza del pensamiento ser irrevocable.

P.– No comprendo. ¿Usted dice que el hombre nunca podrá desprenderse de su cuerpo?

V.– Digo que nunca será incorpóreo.

P.– Explíquese.

V.– Hay dos cuerpos: el rudimentario y el completo, que corresponden a las dos condiciones de la crisálida y la mariposa. Lo que llamamos «muerte» es tan sólo la penosa metamorfosis. Nuestra presente encarnación es progresiva, preparatoria, temporaria. Nuestro futuro es perfecto, definitivo, inmortal. La vida definitiva constituye la finalidad absoluta.

P.– Pero de la metamorfosis de la crisálida tenemos un conocimiento palpable.

V.– Nosotros sí, pero la crisálida no. La materia que compone nuestro cuerpo rudimentario está al alcance de los órganos de este cuerpo, o, más claramente, nuestros órganos rudimentarios se adaptan a la materia que forma el cuerpo rudimentario, pero no al que compone el cuerpo definitivo. Este escapa así a nuestros sentidos rudimentarios, y sólo percibimos la envoltura que cae al morir, desprendiéndose de la forma interior, no esa misma forma interior; pero esta última, así como la envoltura, es apreciable para los que ya han adquirido la vida definitiva.

P.– Usted ha dicho a menudo que el estado mesmérico se asemeja estrechamente a la muerte. ¿Cómo es eso?

V.– Cuando digo que se parece a la muerte, aludo a que se asemeja a la vida definitiva, pues cuando estoy en trance los sentidos de mi vida rudimentaria quedan en suspenso y percibo las cosas exteriores directamente, sin órganos, a través de un intermediario que emplearé en la vida definitiva, inorganizada.

P.– ¿Inorganizada?

V.– Sí; los órganos son mecanismos mediante los cuales el individuo se pone en relación sensible con clases y formas particulares de materia, con exclusión de otras clases y formas. Los órganos del hombre están adaptados a esta condición rudimentaria y sólo a esta; siendo inorganizada su condición última, su comprensión es ilimitada en todos los órdenes, salvo en uno: la naturaleza de la voluntad de Dios, es decir, el movimiento de la materia indivisa. Usted tendrá una idea clara del cuerpo definitivo concibiéndolo como si fuera todo cerebro. No es eso; pero una concepción de esta naturaleza lo acercará a la comprensión de su ser. Un cuerpo luminoso imparte vibración al éter. Las vibraciones engendran otras similares dentro de la retina; estas comunican otras al nervio óptico. El nervio envía otras al cerebro, y el cerebro otras a la materia indivisa que lo penetra. El movimiento de esta última es el pensamiento, cuya primera ondulación es la percepción. De esta manera la mente de la vida rudimentaria se comunica con el mundo exterior, y este mundo exterior está limitado para la vida rudimentaria, por la idiosincrasia de sus órganos. Pero en la vida definitiva, inorganizada, el mundo exterior llega al cuerpo entero (que es de una sustancia afín al cerebro, como he dicho), sin otra intervención que la de un éter infinitamente más sutil que el luminoso; y todo el cuerpo vibra al unísono con este éter, poniendo en movimiento la materia indivisa que lo penetra. A la ausencia de órganos especiales debemos atribuir, además, la casi ilimitada percepción propia de la vida definitiva. En los seres rudimentarios los órganos son las jaulas necesarias para encerrarlos hasta que tengan alas.

P.– Usted habla de «seres» rudimentarios. ¿Hay otros seres pensantes rudimentarios además del hombre?

V.– Las numerosas acumulaciones de materia sutil en nebulosas, planetas, soles y otros cuerpos que no son ni nebulosas, ni soles, ni planetas tienen la única finalidad de dar pábulo a los distintos órganos de infinidad de seres rudimentarios. De no ser por la necesidad de la vida rudimentaria, previa a la definitiva, no hubiera habido cuerpos como estos. Cada uno de ellos es ocupado por una variedad distinta de criaturas orgánicas, rudimentarias, pensantes. En todas los órganos varían según los caracteres del lugar ocupado. A la muerte o metamorfosis, estas criaturas que gozan de la vida definitiva –la inmortalidad– y conocen todos los secretos, salvo *uno,* actúan y se mueven en todas partes por simple volición; habitan, no en las estrellas, que nosotros consideramos las únicas cosas palpables para cuya distribución ciegamente juzgamos creado el espacio, sino el *espacio* mismo, ese infinito cuya inmensidad verdaderamente sustancial se traga las estrellas al igual que sombras, borrándolas como no entidades de la percepción de los ángeles.

P.– Usted dice que, «de no ser por la *necesidad* de la vida rudimentaria», no hubiera habido estrellas. Pero ¿por qué esta necesidad?

V.– En la vida inorgánica, así como generalmente en la materia inorgánica, no hay nada que impida la acción de una *única y* simple ley, la Divina Volición. La vida orgánica y la materia (complejas, sustanciales y sometidas a leyes) fueron creadas con el propósito de producir un impedimento.

P.– Pero de nuevo, ¿qué necesidad había de producir ese impedimento?

V.– El resultado de la ley inviolada es perfección, justicia, felicidad negativa. El resultado de la ley violada es imperfección, injusticia, dolor positivo. Por medio de los impedimentos que brindan el número, la complejidad y la sustancialidad de las leyes de la vida orgánica y de la materia, la violación de la ley resulta, hasta cierto punto, practicable. Así el dolor, que es imposible en la vida inorgánica, es posible en la orgánica.

P.– Pero ¿cuál es el propósito benéfico que justifica la existencia del dolor?

V.– Todas las cosas son buenas o malas por comparación. Un análisis suficiente mostrará que el placer, en todos los casos, es tan sólo el reverso del dolor. El placer *positivo* es una simple idea. Para ser felices hasta cierto punto, debemos haber padecido hasta ese mismo punto. No sufrir nunca sería no haber sido nunca dichoso. Pero se ha demostrado que en la vida inorgánica no puede existir dolor; de ahí su necesidad en la orgánica. El dolor de la vida primitiva en la tierra es la única garantía de beatitud para la vida definitiva en el cielo.

P.– Todavía hay una de sus expresiones que me resulta imposible comprender: «la inmensidad verdaderamente sustancial» del infinito.

V.– Ello es quizá porque no tiene usted una noción suficientemente genérica del término «sustancia». No debemos considerarla una cualidad, sino un sentimiento: es la percepción, en los seres pensantes, de la adaptación de la materia a su organización. Hay muchas cosas en la tierra que nada serían para los habitantes de Venus, muchas cosas visibles y tangibles en Venus cuya existencia seríamos incapaces de apreciar. Pero, para los seres inorgánicos, para los ángeles, la totalidad de la materia indivisa es sustancia, es decir, la totalidad de lo que designamos «espacio» es para ellos la sustancialidad más verdadera; al mismo tiempo las estrellas, en lo que consideramos su materialidad, escapan al sentido angélico, de la misma manera que la materia indivisa, en lo que consideramos su inmaterialidad, se evade de lo orgánico.

Mientras el hipnotizado pronunciaba estas últimas palabras con voz débil, observé en su fisonomía una singular expresión que me alarmó un poco y me indujo a despertarlo en seguida. No bien lo hube hecho, con una brillante sonrisa que iluminó todas sus facciones cayó de espaldas sobre la almohada y expiró. Observé que, menos de un minuto después, su cuerpo tenía toda la severa rigidez de la piedra. Su frente estaba fría como el hielo. Parecía haber sufrido una larga presión de la mano de Azrael. El hipnotizado, durante la última parte de su discurso, ¿se había dirigido a mí desde la región de las sombras?

EL PODER DE LAS PALABRAS

Comentario de Enrique del Risco

No esperes encontrar al viejo Poe, el de las atmósferas macabras, los misterios, las ironías terribles. «El poder de las palabras» no parece un cuento y, si no lo lees con cuidado, no detectarás cuándo ese diálogo metafísico entre dos espíritus que vuelan (literalmente) por el cosmos se convierte en «otra cosa». Ni los personajes ni el diálogo parecen dirigirse a ninguna parte. Se conducen como si la tarea de acarrear una historia les fuera demasiado pesada hasta que el drama emerge, casi por descuido, hacia el final. Aprovechando la circunstancia de no tener cuerpo, estos espíritus con nombres griegos –Oinos y Agathos– hablan de temas como los límites del conocimiento o el alcance (y la responsabilidad) de la Creación. O sea, la clase de asuntos que sólo parecen apropiados cuando la muerte ya no importa o lo hace de un modo muy distinto al habitual; o cuando se pertenece a algún gremio dotado con subvenciones abundantes. El texto fue inspirado por una frase de Carlyle: «Nada muere, nada puede morir. Las palabras más ociosas que pronunciéis no son sino una semilla lanzada al Tiempo que crecerá por toda la eternidad». Poe –no lo olvides– era un poeta y, al decir de un paisano suyo y contemporáneo nuestro, un verdadero poeta es aquel que no se conforma con el vocabulario heredado. Un ser, lo diré de otro modo, para quien no existen palabras gratuitas y sufre como pocos la urgencia de renovarles el sentido. En «El poder de las palabras», Poe intenta materializar esa convicción, darle cuerpo –con lo irónico que te pueda parecer– donde no existen más que espíritus. Como en el evangelio de san Juan («En el principio era el Verbo...», ¿recuerdas?) aquí se iguala Palabra a Creación pero, entrando de lleno en la herejía –así lo advertirá con temor el novato Oinos–, se negará al Creador toda responsabilidad sobre lo creado más allá de su impulso inicial, ese gesto con que hizo estallar la Nada en infinitos trozos de realidad. De acuerdo con Agathos, espíritu veterano, el Universo no es resultado de ese impulso sino apenas reverberación, un eco muy modificado del Verbo primigenio. Ten en cuenta que la literatura no agotaba las inquietudes de Edgar Allan Poe: en un escrito posterior al que nos ocupa, se adelantó en ochenta años a la teoría del *Big Bang* sobre el origen del universo (su método era intuitivo pero no arbitrario: estaba bien informado sobre los estudios de Kepler y Newton). Así que «El poder de las palabras» puede leerse de manera alternativa como un anticipo poético de sus conjeturas científicas. Pero no te dejes distraer. A Poe no le interesa especular sobre teología, y la física de la Creación no es más que una subtrama en este cuento. Lo que le importa es darle a las palabras –con esa convicción que sólo los grandes románticos parecían tener– un sentido netamente físico y, por tanto, una imprevisible libertad. Del mismo modo en que lo ha hecho el universo respecto a su origen, las palabras, una vez pronunciadas, no hacen otra cosa que distanciarse de su sentido original para retornar luego a él sólo como alegoría o metáfora. Si relees «El poder de las palabras» –algo tan aconsejable como su lectura–, comprobarás por ti mismo esa luminosa sospecha.

EL PODER DE LAS PALABRAS

Oinos.– Perdona, Agathos, la flaqueza de un espíritu al que acaban de brotarle las alas de la inmortalidad.

Agathos.– Nada has dicho, Oinos mío, que requiera ser perdonado. Ni siquiera aquí el conocimiento es cosa de intuición. En cuanto a la sabiduría, pide sin reserva a los ángeles que te sea concedida.

Oinos.– Pero yo imaginé que en esta existencia todo me sería dado a conocer al mismo tiempo, y que alcanzaría así la felicidad por conocerlo todo.

Agathos.– ¡*Ah,* la felicidad no está en el conocimiento, sino en su adquisición! La beatitud eterna consiste en saber más y más; pero saberlo todo sería la maldición de un demonio.

Oinos.– El Altísimo ¿no lo sabe todo?

Agathos.– *Eso* (puesto que es el Muy Bienaventurado) debe ser aún la *única* cosa desconocida hasta para Él.

Oinos.– Sin embargo, puesto que nuestro saber aumenta de hora en hora, ¿no llegarán *por fin* a ser conocidas todas las cosas?

Agathos.– ¡Contempla las distancias abismales! Trata de hacer llegar tu mirada a la múltiple perspectiva de las estrellas, mientras erramos lentamente entre ellas... ¡Más allá, siempre más allá! Aun la visión espiritual ¿no se ve detenida por las continuas paredes de oro del universo, las paredes constituidas por las miríadas de esos resplandecientes cuerpos que el mero número parece amalgamar en una unidad?

Oinos.– Claramente percibo que la infinitud de la materia no es un sueño.

Agathos.– *No hay* sueños en el Aidenn[1], pero se susurra aquí que la única finalidad de esta infinitud de materia es la de proporcionar

1. *Edén,* en una forma caprichosa propia de Poe. *(N. del T.)*

infinitas fuentes donde el alma pueda calmar la sed *de saber* que jamás se agotará en ella, ya que agotarla sería extinguir el alma misma. Interrógame, pues, Oinos mío, libremente y sin temor. ¡Ven!, dejaremos a nuestra izquierda la intensa armonía de las Pléyades, lanzándonos más allá del trono a las estrelladas praderas allende Orión, donde, en lugar de violetas, pensamientos y trinitarias, hallaremos macizos de soles triples y tricolores.

Oinos.– Y ahora, Agathos, mientras avanzamos, instrúyeme. ¡Háblame con los acentos familiares de la tierra! No he comprendido lo que acabas de insinuar sobre los modos o los procedimientos de aquello que, mientras éramos mortales, estábamos habituados a llamar Creación. ¿Quieres decir que el Creador no es Dios?

Agathos.– Quiero decir que la Deidad no crea.

Oinos.– ¡Explícate!

Agathos.– *Solamente* creó en el comienzo. Las aparentes criaturas que en el universo surgen ahora perpetuamente a la existencia sólo pueden ser consideradas como el resultado mediato o indirecto, no como el resultado directo o inmediato del poder creador divino.

Oinos.– Entre los hombres, Agathos mío, esta idea sería considerada altamente herética.

Agathos.– Entre los ángeles, Oinos mío, se sabe que es sencillamente la verdad.

Oinos.– Alcanzo a comprenderte hasta este punto: que ciertas operaciones de lo que denominamos Naturaleza o leyes naturales darán lugar, bajo ciertas condiciones, a aquello que tiene todas las *apariencias* de creación. Muy poco antes de la destrucción final de la tierra recuerdo que se habían efectuado afortunados experimentos, que algunos filósofos denominaron torpemente creación de animálculos.

Agathos.– Los casos de que hablas fueron ejemplos de creación secundaria, de la *única* especie de creación que hubo jamás desde que la primera palabra dio existencia a la primera ley.

Oinos.– Los mundos estrellados que surgen hora a hora en los cielos, procedentes de los abismos del no ser, ¿no son, Agathos, la obra inmediata de la mano del Rey?

Agathos.– Permíteme, Oinos, que trate de llevarte paso a paso a la concepción a que aludo. Bien sabes que, así como ningún pensamiento perece, todo acto determina infinitos resultados. Movíamos las manos, por ejemplo, cuando éramos moradores de la tierra, y al hacerlo hacíamos vibrar la atmósfera que las rodeaba. La vibración se extendía indefinidamente hasta impulsar cada partícula del aire de la tierra, que desde entonces *y para siempre* era animado por aquel único movimiento de la mano. Los matemáticos de nuestro globo conocían bien este hecho. Sometieron a cálculos exactos los efectos producidos por el fluido por impulsos especiales, hasta que les fue fácil determinar en qué preciso período un impulso de determinada extensión rodearía el globo, influyendo (para siempre) en cada átomo de la atmósfera circundante. Retrogradando, no tuvieron dificultad en determinar el valor del impulso original partiendo de un efecto dado bajo condiciones determinadas. Ahora bien, los matemáticos que vieron que los resultados de cualquier impulso dado eran interminables, y que una parte de dichos resultados podía medirse gracias al análisis algebraico, así como que la retrogradación no ofrecía dificultad, vieron al mismo tiempo que este análisis poseía en sí mismo la capacidad de un avance indefinido; que no existían límites concebibles a su avance y aplicabilidad, salvo en el intelecto de aquel que lo hacía avanzar o lo aplicaba. Pero en este punto nuestros matemáticos se detuvieron.

Oinos.– ¿Y por qué, Agathos, hubieran debido continuar?

Agathos.– Porque había, más allá, consideraciones del más profundo interés. De lo que sabían era posible deducir que un ser de una inteligencia infinita, para quien *la perfección* del análisis algebraico no guardara secretos, podría seguir sin dificultad cada impulso dado al aire, y al éter a través del aire, hasta sus remotas consecuencias en las épocas más infinitamente remotas. Puede, ciertamente, demostrarse que cada uno de estos impulsos *dados al aire* influyen sobre cada cosa individual existente *en el universo,* y ese ser de infinita inteligencia que hemos imaginado, podría seguir las remotas ondulaciones del impulso, seguirlo hacia arriba y adelante en sus influencias sobre todas las partículas de toda la materia, hacia arriba y adelante, para siempre en sus modificaciones de las formas antiguas; o, en otras palabras, en sus *nuevas creaciones...* hasta que lo encontrara, regresando como un reflejo, después de haber chocado –pero esta vez sin influir– en el trono de la Divinidad. Y no sólo podría hacer eso un ser semejante, sino que en cualquier época, dado un cierto resultado (supongamos que se ofreciera a su análisis uno de esos innumerables cometas), no tendría dificultad en determinar, por retrogradación analítica, a qué impulso original se debía. Este poder de retrogradación en su plenitud y perfección absolutas, esta facultad de relacionar en *cualquier* época, *cualquier* efecto a *cualquier* causa, es por supuesto prerrogativa única de la Divinidad; pero en sus restantes y múltiples grados, inferiores a la perfección absoluta, ese mismo poder es ejercido por todas las huestes de las inteligencias angélicas.

Oinos.– Pero tú hablas tan sólo de impulsos en el aire.

Agathos.– Al hablar del aire me refería meramente a la tierra, pero mi afirmación general se refiere a los impulsos en el éter, que, al penetrar, y ser el único que penetra todo el espacio, es así el gran medio de la *creación*.

Oinos.– Entonces, ¿todo movimiento, de cualquier naturaleza, crea?

Agathos.– Así debe ser; pero una filosofía verdadera ha enseñado hace mucho que la fuente de todo movimiento es el pensamiento, y que la fuente de todo pensamiento es...

Oinos.– Dios.

Agathos.– Te he hablado, Oinos, como a una criatura de la hermosa tierra que pereció hace poco, de impulsos sobre la atmósfera de esa tierra.

Oinos.– Sí.

Agathos.– Y mientras así hablaba, ¿no cruzó por tu mente algún pensamiento sobre el *poder físico de las palabras*? Cada palabra ¿no es un impulso en el aire?

Oinos.– Pero ¿por qué lloras, Agathos... y por qué, por qué tus alas se pliegan mientras nos cernimos sobre esa hermosa estrella, la más verde y, sin embargo, la más terrible que hemos encontrado en nuestro vuelo? Sus brillantes flores parecen un sueño de hadas... pero sus fieros volcanes semejan las pasiones de un turbulento corazón.

Agathos.– ¡Y así *es*... así *es*! Esta estrella tan extraña... hace tres siglos que, juntas las manos y arrasados los ojos, a los pies de mi amada, la hice nacer con mis frases apasionadas. ¡Sus brillantes flores *son* mis más queridos sueños no realizados, y sus furiosos volcanes *son* las pasiones del más turbulento e impío corazón!

LA CONVERSACIÓN DE EIROS Y CHARMION

Comentario de Álvaro Enrigue

«La conversación de Eiros y Charmion» está afincado en la poderosa tradición de los relatos de ultratumba, que han dado más de un clásico. Del oscurísimo «Sueño de la muerte» de Quevedo a *Pedro Páramo* de Rulfo, pasando por las *Memorias póstumas de Blas Cubas* de Machado de Assis y hasta *Sunset Boulevard* de Billy Wilder, todas las obras de este tipo parten de la premisa de que sólo los muertos pueden dar testimonio de la muerte y contienen la peculiaridad de ser historias que suponen la inexistencia de su propio manuscrito. Los muertos se aparecen, hacen ruidos, hablan durante los sueños humanos, pero nunca dejan una nota. Son relatos que, por ello, impostan un espíritu de oralidad. Así como Juan Preciado pena en su cajón contando su descenso al pueblo de los Páramo o el escritor fracasado Joe Gillis se confiesa contemplando su propio cadáver en la alberca de la ruinosa casa de la avenida Sunset, Eiros, el narrador de «La conversación de Eiros y Charmion», dialoga con Charmion, que ha muerto una década atrás, sobre el último día del Mundo.

Edgar Poe, que descubrió que el relato tradicional tenía que hacer consistentes forma, contenido y lenguaje para apelar a los lectores modernos de revistas, impone dos nombres de resonancias helénicas a sus personajes y los despliega en la forma platónica del diálogo. Esto le permite, además, distanciar a sus criaturas de sus antiguos atributos humanos: antes tuvieron otro nombre, relaciones familiares, un género; cuando se vuelven a encontrar en estado escatológico, lo han perdido todo salvo la memoria. Lamentablemente para los lectores de habla hispana, Cortázar se permitió hacer de Eiros y Charmion un hombre y una mujer, distorsionando más allá del deber la naturaleza angélica de ambos personajes. No importa: dijo bien Borges que la buena literatura cruza el fuego de las malas traducciones.

«La conversación de Eiros y Charmion» fue publicado en 1839 por *Burton's Gentlemen's Magazine* –una revista deportiva que duplicó y triplicó sus tirajes cuando Poe empezó a publicar cuentos en sus páginas– y data de los tiempos en que el autor ya era socio de la publicación y, por tanto, tenía que producir un número de planas mensuales para rellenarla. Un año más tarde, el propio Poe recopiló el cuento en *Tales of the Grotesque and Arabesque*. Tal vez su fe en un relato tan excéntrico estribara en que era una historia de tremenda actualidad, que ponía en movimiento una angustia real de los estadounidenses del periodo: la secta de los milleristas –hoy adventistas y derivados– había hecho popular su pronóstico de que el mundo se terminaría por fuego el 21 de marzo de 1843. Para 1839 ya circulaba profusamente un libelo editado en Filadelfia que incluía las conferencias del predicador William Miller bajo el título de *Evidencias bíblicas e históricas del segundo Adviento de Cristo*.

Si Edgar Poe definitivamente no fue adventista –por entonces un mal de sureños–, tampoco era un hombre sustraído de los problemas propios de la metafísica. Tanto *Eureka* como *Aventuras de Arthur Gordon Pym* –dos de sus obras más personales– terminan en una delirante profesión de fe panteísta, en la que un todo dividido y oscuro se integra en una última –tal vez aterradora– unidad blanca. «La conversación de Eiros y Charmion» representa una traducción de las visiones apocalípticas de William Miller a la sensibilidad espiritual de Poe –más bien apegada al pensamiento utópico baconiano– y una puesta en escena invertida de sus angustias metafísicas: en lugar de arribar los personajes a la divinidad blanca, conversan desde ahí sobre la hora final de la oscuridad y lo diverso. Al mezclar sus propias supersticiones con las de Miller, el autor inventó también la ciencia ficción.

La pertinencia editorial del relato, sin embargo, no es sólo antropológica o histórica: el poder lírico del puñado de frases que describen el Apocalipsis según Poe no tiene igual en su obra.

LA CONVERSACIÓN DE EIROS Y CHARMION

«Te traeré el fuego».
EURÍPIDES, *Andrómaca*

Eiros.– ¿Por qué me llamas Eiros?

Charmion.– Así te llamarás desde ahora y para siempre. A tu vez, debes olvidar mi nombre terreno y llamarme Charmion.

Eiros.– ¡Esto no es un sueño!

Charmion.– Ya no hay sueños entre nosotros; pero dejemos para después estos misterios. Me alegro de verte dueño de tu razón, y tal como si estuvieras vivo. El velo de la sombra se ha apartado ya de tus ojos. Ten ánimo y nada temas. Los días de sopor que te estaban asignados se han cumplido, y mañana te introduciré yo mismo en las alegrías y las maravillas de tu nueva existencia.

Eiros.– Es verdad, el sopor ha pasado. El extraño vértigo y la terrible oscuridad me han abandonado, y ya no oigo ese sonido enloquecedor, turbulento, horrible, semejante a «la voz de muchas aguas». Y sin embargo, Charmion, mis sentidos están perturbados por esta penetrante percepción de *lo nuevo*.

Charmion.– Eso cesará en pocos días, pero comprendo muy bien lo que sientes. Hace ya diez años terrestres que pasé por lo que pasas tú y, sin embargo, su recuerdo no me abandona. Empero ya has sufrido todo el dolor que sufrirás en Aidenn[1].

Eiros.– ¿En Aidenn?

Charmion.– En Aidenn.

Eiros.– ¡Oh, Dios! ¡Charmion, apiádate de mí! Me siento agobiado por la majestad de todas las cosas... de lo desconocido de pronto revelado... del Futuro, una conjetura fundida en el augusto y cierto Presente.

---

1. El Edén. *(N. del T.)*

Charmion.– No te empeñes por ahora en pensar de esa manera. Mañana hablaremos de ello. Tu mente vacila, y encontrará alivio a su agitación en el ejercicio de los simples recuerdos. No mires alrededor, ni hacia adelante; mira hacia atrás. Ardo de ansiedad por conocer los detalles del prodigioso acontecer que te ha traído entre nosotros. Cuéntame. Hablemos de cosas familiares, en el viejo lenguaje familiar del mundo que tan espantosamente ha perecido.

Eiros.– ¡Oh, sí, espantosamente! ¡Esto no es un sueño!

Charmion.– No hay más sueños. Eiros mío, ¿fui muy llorada?

Eiros.– ¿Llorada, Charmion? ¡Oh, cuán llorada! Hasta aquella última hora cerniose sobre tu casa una nube de profunda pena y devota tristeza.

Charmion.– Y esa última hora... háblame de ella. Recuerda que, fuera del hecho en sí de la catástrofe, nada sé. Cuando abandoné la humanidad, entrando en la Noche a través de la Tumba, en ese período, si recuerdo bien, la calamidad que os abrumó era por completo insospechada. Cierto es que poco conocía yo la filosofía especulativa de entonces.

Eiros.– Como has dicho, aquella calamidad era enteramente insospechada, pero desgracias análogas habían dado a los astrónomos motivo de discusión. Apenas necesito decirte, amiga mía, que ya cuando nos dejaste los hombres coincidían en interpretar los pasajes de las muy santas escrituras que hablan de la destrucción final de todas las cosas por el fuego, como referidos solamente al globo terráqueo. Las especulaciones, empero, sobre la causa inmediata del fin, no llegaban a ninguna conclusión desde la época en que la ciencia astronómica había despojado a los cometas del terrible carácter incendiario que antes se les atribuía. Bien establecida se hallaba la escasa densidad de aquellos cuerpos celestes. Se los había observado pasar entre los satélites de Júpiter, sin que produjeran ninguna alteración sensible en las masas o las órbitas de aquellos planetas secundarios. Hacía mucho que considerábamos a esos errabundos como creaciones vaporosas de inconcebible tenuidad, incapaces de dañar nuestro macizo globo aun en el caso de un choque directo. No sentíamos temor alguno de un contacto, pues los elementos de todos los cometas eran perfectamente conocidos. Hacía muchos años que se consideraba inadmisible buscar entre *ellos* al agente de la destrucción por el fuego. Pero en aquellos días finales las conjeturas y las extravagantes fantasías abundaban singularmente entre los hombres, y aunque el temor sólo asaltaba a unos pocos ignorantes, el anuncio de un *nuevo* cometa formulado por los astrónomos fue recibido con no sé qué agitación y desconfianza generales.

»Los elementos del extraño astro fueron inmediatamente calculados, y todos los observadores coincidieron en que su paso, en el perihelio, lo aproximaría mucho a la tierra. Dos o tres astrónomos de renombre secundario sostuvieron resueltamente que el choque era inevitable. Imposible expresar el efecto de esta noticia en las gentes. Durante unos pocos días no quisieron creer en una afirmación que su inteligencia, tanto tiempo aplicada a consideraciones mundanas, no podía aprehender de ninguna manera. Pero la verdad de un hecho de importancia vital se abre paso en el entendimiento del más estólido. Los hombres comprendieron finalmente que los astrónomos no mentían, y esperaron el cometa. Al principio su acercamiento no parecía muy rápido, y nada de insólito había en su aspecto. Era de un rojo oscuro, con una cola apenas perceptible. Durante siete u ocho días no advertimos ningún aumento en su diámetro aparente, y su color cambió muy poco. Entretanto los negocios ordinarios de la humanidad habían sido suspendidos y todos los intereses se concentraban en las discusiones científicas referentes a la naturaleza del cometa. Aun los más ignorantes forzaban sus indolentes inteligencias para entenderlas. Y los sabios consagraron *entonces* su intelecto, su alma, no ya a aliviar los temores o a sostener sus amadas teorías, sino a buscar la verdad, a buscarla desesperadamente. Gemían en procura del conocimiento perfecto. La *verdad* se alzó en toda la pureza de su fuerza y de su excelsa majestad, y los sensatos se inclinaron y adoraron.

»La opinión según la cual nuestro globo o sus habitantes sufrirían daños materiales de resultas del temible contacto, perdía diariamente fuerza entre los sabios, y a estos les era dado ahora gobernar la razón y la fantasía de la multitud. Se demostró que la densidad del núcleo del cometa era mucho menor que la de nuestro gas más raro; el inofensivo pasaje de un visitante similar entre los satélites de Júpiter era argüido como un ejemplo convincente, capaz de calmar los temores. Los teólogos, con un celo inflamado por el miedo, insistían en la profecía bíblica, explicándola al pueblo con una precisión y una simplicidad que jamás se había visto antes. La destrucción final de la tierra se operaría por intervención del fuego; así lo enseñaban con un brío que imponía convicción por doquier; y el que los cometas no fueran de naturaleza ígnea (como todos sabían ahora) constituía una verdad que liberaba en gran medida de las aprensiones sobre la gran calamidad predicha. Es de hacer notar que los prejuicios populares y los errores del vulgo concernientes a las pestes y a las guerras –errores que antes prevalecían a cada aparición de un cometa– eran ahora completamente desconocidos.

»Como naciendo de un súbito movimiento convulsivo, la razón había destronado de golpe a la superstición. La más débil de las inteligencias extraía vigor del exceso de interés.

»Los daños menores que pudieran resultar del contacto con el cometa eran tema de minuciosas discusiones. Los entendidos hablaban de ligeras perturbaciones geológicas, de probables alteraciones del clima y, por consiguiente, de la vegetación, aludiendo también a posibles influencias magnéticas y eléctricas. Muchos sostenían que los efectos no serían visibles ni apreciables. Y mientras las discusiones proseguían, su objeto se aproximaba gradualmente, aumentaba su diámetro y más brillante se volvía su color. La humanidad palidecía al verlo acercarse. Todas las actividades humanas estaban suspendidas.

»La evolución de los sentimientos generales llegó a su culminación cuando el cometa hubo alcanzado por fin un tamaño que sobrepasaba toda aparición anterior. Desechando las últimas esperanzas de que los astrónomos se hubieran equivocado, los hombres sintieron la certidumbre del mal. Todo lo quimérico de sus terrores había desaparecido. El corazón de los más valientes de nuestra raza latía precipitadamente en su pecho. Y sin embargo bastaron pocos días para que aun esos sentimientos se fundieran en otros todavía más insoportables. Ya no podíamos aplicar a aquel extraño astro ninguna idea *ordinaria*. Sus atributos *históricos* habían desaparecido. Nos oprimía con una emoción espantosamente *nueva*. No lo veíamos como un fenómeno astronómico de los cielos, sino como un íncubo sobre nuestros corazones y una sombra sobre nuestros cerebros. Con inconcebible rapidez había tomado la apariencia de un gigantesco manto de llamas muy tenues extendido de un horizonte al otro.

»Pasó otro día, y los hombres respiraron con mayor libertad. No cabía duda de que nos hallábamos bajo la influencia del cometa, y sin embargo vivíamos. Hasta sentimos una insólita agilidad corporal y mental. La extraordinaria tenuidad del objeto de nuestro terror era ya aparente, pues todos los cuerpos celestes se percibían a través de él. Entretanto nuestra vegetación se había alterado sensiblemente y, como ello nos había sido pronosticado, cobramos aún más fe en la previsión de los sabios. Un follaje lujurioso, completamente desconocido hasta entonces, se desató en todos los vegetales.

»Pasó otro día más... y la calamidad no nos había dominado todavía. Era evidente que el núcleo del cometa chocaría con la tierra. Un espantoso cambio se había operado en los hombres, y la primera sensación de *dolor* fue la terrible señal para las lamentaciones y el espanto. Aquella primera sensación de dolor consistía en una rigurosa constricción del pecho y los pulmones, y una insoportable sequedad de la piel. Imposible negar que nuestra atmósfera estaba radicalmente afectada; su composición y las posibles modificaciones a que podía verse sujeta constituían ahora el tema de discusión. El resultado del examen produjo un estremecimiento eléctrico de terror en el corazón universal del hombre.

»Se sabía desde hacía mucho que el aire que nos circundaba era un compuesto de oxígeno y nitrógeno, en proporción respectiva de veintiuno y setenta y nueve por ciento. El oxígeno, principio de la combustión y vehículo del calor, era absolutamente necesario para la vida animal, y constituía el agente más poderoso y enérgico en la naturaleza. El nitrógeno, por el contrario, era incapaz de mantener la vida animal y la combustión. Un exceso anómalo de oxígeno produciría, según estaba probado, una exaltación de los espíritus animales, tal como la habíamos sentido en esos días. Lo que provocaba el espanto era la extensión de esta idea hasta su límite. ¿Cuál sería el resultado de *una extracción total del nitrógeno?* Una combustión irresistible, devoradora, todopoderosa, inmediata: el cumplimiento total, en sus minuciosos y terribles detalles, de las llameantes y aterradoras anunciaciones de las profecías del Santo Libro.

»¿Necesito pintarte, Charmion, el desencadenado frenesí de la humanidad? Aquella tenuidad del cometa que nos había inspirado previamente una esperanza era ahora la fuente de la más amarga desesperación. En su impalpable, gaseosa naturaleza percibíamos claramente la consumación del Destino. Y entretanto pasó otro día, llevándose con él la última sombra de la Esperanza. Jadeábamos en aquel aire rápidamente modificado. La sangre arterial batía tumultuosamente en sus estrechos canales. Un delirio furioso se había posesionado de todos los hombres y, con los brazos rígidamente tendidos hacia los cielos amenazantes, temblaban y clamaban. Pero el núcleo del destructor llegaba ya a nosotros; aun aquí, en el Aidenn, me estremezco al hablar. Déjame ser breve... breve como la destrucción que nos asoló. Durante un momento vimos una terrible, cárdena luz que penetraba en todas las cosas. Entonces... ¡inclinémonos Charmion, ante la sublime majestad de Dios el grande!, entonces se alzó un clamoroso y penetrante sonido, tal como si brotara de Su boca, y toda la masa de éter, dentro de la cual existíamos, reventó instantáneamente en algo como una intensa llama roja, cuya insuperable brillantez y abrasante calor no tienen nombre, ni siquiera entre los ángeles del alto cielo del conocimiento puro. Así acabó todo.

EL COLOQUIO DE MONOS Y UNA

Comentario de Carlos Cortés

«El coloquio de Monos y Una» es el diálogo filosófico más conocido de su autor y, genéricamente, puede interpretarse como una fábula metafísica sobre el sentido de la inmortalidad, lo que para Poe es el absoluto «no ser» y el camino para alcanzar la belleza perfecta. El relato llamó la atención por su extrañeza desde que se publicó en *Graham's Magazine*, en agosto de 1841, y Baudelaire lo admiró sin reservas y a menudo lo mencionó en sus ensayos. El escritor pasa revista a los tópicos de la literatura romántica que le son caros y lleva al extremo, como ningún otro escritor del siglo XIX, su convicción de que el verdadero destino humano sólo puede realizarse en el «más allá», una vez que se ha logrado la liberación de la existencia, «esa enfermedad». Por medio de una conversación inmemorial entre una pareja de enamorados muertos en la Grecia clásica, Monos y Una, en la que el sueño parece ser la única certeza, transcribe una apasionada defensa del amor infinito, capaz de atravesar el tiempo y el espacio. La pasión terrenal es el preludio del «amor –el verdadero y divino Eros–, el amor uranio, distinto de la Venus Dionea..., sin disputa el más puro y verdadero de todos los temas poéticos» –dice en *El principio poético*–. En *Filosofía de la composición*, añade que «la muerte de una mujer hermosa es, sin duda, el tema más poético del mundo». Como sabemos, la vida imita a la literatura en la trágica biografía de los escritores románticos, especialmente en la de Poe. Es casi innecesario recordar que esta es la obsesión de sus poemas más famosos –si exceptuamos «El cuervo»–, «Ulalume» y «Annabel Lee», pero también de «A alguien en el paraíso» y «Para Annie», ambos en íntima conexión con el «coloquio». «Para Annie», una sublimación de la muerte de su esposa Virginia Clemm, dedicado a su amor platónico Annie Richmond, recrea la misma situación del relato y se dirige a una mujer que podría ser Una: «¡Alabemos al Eterno!... / el mal ha cesado ya / y la fiebre del "vivir" / está ahora vencida». La muerte se ve como la purificación definitiva en las «aguas del paraíso». En el párrafo inicial del «coloquio», Cortázar traduce «resucitado» y otras versiones al castellano prefieren «renacido» o «nacido de nuevo» –*born again*–, que quizá exprese mejor la idea de la «eternidad temporal», no desprovista de la morbidez y el regusto por el mundo sobrenatural de sus narraciones más célebres. Por supuesto, no se trata de la concepción cristiana de la vida eterna, contraria a los sentidos terrenales, sino una conciencia sensorial total, de la vida y de la muerte, física y sensual, desencadenada de la moral burguesa y del conocimiento empírico. El ser humano se divide en inteligencia, conciencia y alma; esta última es la sustancia inmortal que prevalece, por encima de la búsqueda de la verdad y del deber, con el propósito de develar la belleza en analogías «a través de la poesía y de la música». Su rechazo de la ciencia y de la civilización tecnocrática expresa el espíritu de su época: «La Razón un instante me tuvo dudando de su Intento: arruinar las Verdades Sagradas, convirtiéndolas en Fábulas y Vieja Canción», como expresó el metafísico inglés Andrew Marvell. Esto le confiere una sorprendente actualidad al anticiparse a los posmodernos contemporáneos y criticar la idea de progreso, la filosofía occidental logocéntrica y la democracia igualitarista estadounidense. En 1987, la pintora surrealista Leonor Fini ilustró el relato y lo tiñó de una inconfundible opresión de ultratumba. Una es un fulgor evanescente contra el éter gaseoso en el que Monos yace sin esperanza.

EL COLOQUIO DE MONOS Y UNA

Μελλοντα ταυτα

«Cosas del futuro inmediato».
SÓFOCLES, *Antígona*

Una.– *¿Resucitado?*

Monos.– Sí, hermosa y muy amada Una, «resucitado». Esta era la palabra sobre cuyo místico sentido medité tanto tiempo, rechazando la explicación sacerdotal, hasta que la muerte misma me develó el secreto.

Una.– ¡La muerte!

Monos.– ¡De qué extraña manera, dulce Una, repites mis palabras! Observo que tu paso vacila y que hay una jubilosa inquietud en tus ojos. Te sientes confundida, oprimida por la majestuosa novedad de la vida eterna. Sí, nombré a la muerte. Y aquí... ¡cuán singularmente suena esa palabra que antes llevaba el terror a todos los corazones, que manchaba todos los placeres!

Una.– ¡Ah, muerte, espectro presente en todas las fiestas! ¡Cuántas veces, Monos, nos perdimos en especulaciones sobre su naturaleza! ¡Cuán misteriosa se erguía como un límite a la beatitud humana... diciéndole: «Hasta aquí, y no más»! Aquel profundo amor recíproco, Monos, que ardía en nuestro pecho... ¡cuán vanamente nos jactamos, en la felicidad de sus primeras palpitaciones, de que nuestra felicidad se fortalecería en la suya! ¡Ay, a medida que crecía aumentaba también en nuestros corazones el temor de aquella hora aciaga que acudía precipitada a separarnos! Y así, con el tiempo, el amor se nos hizo penoso. Y el odio hubiera sido una misericordia.

Monos.– No hables aquí de aquellas penas, querida Una... ¡ahora para siempre, para siempre mía!

Una.– Pero el recuerdo del dolor pasado, ¿no es alegría presente? Mucho tengo que decir aún de las cosas que fueron. Ardo sobre todo por conocer los incidentes de tu pasaje a través del oscuro Valle y de la Sombra.

Monos.– ¿Y cuándo la radiante Una pidió en vano alguna cosa a su Monos? Todo te lo narraré en detalle... Pero ¿dónde habrá de empezar el sobrecogedor relato?

Una.– ¿Dónde?

Monos.– Sí.

Una.– Te comprendo. En la muerte hemos aprendido ambos la propensión del hombre a definir lo indefinible. No te diré, pues, que comiences por el momento en que cesó tu vida, sino en aquel triste, triste instante cuando, habiéndote abandonado la fiebre, te hundiste en un sopor sin aliento ni movimiento y yo te cerré los pálidos párpados con los apasionados dedos del amor.

Monos.– Permíteme decir algo, Una, acerca de la condición general de los hombres en aquella época. Recordarás que uno o dos sabios entre nuestros antecesores –sabios de verdad, aunque no gozaran de la estimación del mundo– se habían atrevido a poner en duda la propiedad de la palabra «progreso» aplicada al avance de nuestra civilización. En cada uno de los cinco o seis siglos que precedieron nuestra disolución, hubo momentos en los cuales surgió algún intelecto vigoroso que contendía audazmente por aquellos principios cuya verdad parece ahora tan evidente a nuestra razón despojada de sus franquicias; principios que deberían haber enseñado a nuestra raza a someterse a la guía de las leyes naturales, en vez de pretender dirigirlas. Muy de tiempo en tiempo aparecían mentes geniales que consideraban cada avance de la ciencia práctica como un retroceso con respecto a la verdadera utilidad. En ocasiones, la inteligencia poética –esa inteligencia que, ahora lo sabemos, era la más excelsa de todas, pues aquellas verdades de imperecedera importancia para nosotros sólo podían ser alcanzadas por la *analogía,* que habla irrebatiblemente a la sola imaginación y que no pesa en la razón aislada–, esa inteligencia poética se adelantó en ocasiones a la evolución de la vaga concepción filosófica y halló en la mística parábola que habla del árbol de la ciencia y de su fruto prohibido y letal, un claro indicio de que el conocimiento no era bueno para el hombre en esa etapa aún infantil de su alma. Y aquellos poetas, que vivieron y murieron despreciados por los «utilitaristas» –zafios pedantes que se arrogaban un título que sólo merecían los despreciados por ellos–, aquellos poetas evocaron dolorosa, pero sabiamente, los días de antaño, cuando nuestras necesidades eran tan simples como penetrantes nuestros gozos, días en que el *regocijo* era una palabra desconocida, tan profundamente solemne era la felicidad; santos, augustos y beatos días en que los ríos azules corrían sin diques entre colinas intactas, penetrando en las soledades de las florestas primitivas, fragantes e inexploradas.

»Y, sin embargo, aquellas nobles excepciones a la falsa regla general sólo servían para reforzarla por contraste. ¡Ay, habíamos llegado a los más aciagos de nuestros aciagos días! El gran «movimiento» –tal era la jerigonza que se empleaba– seguía adelante; era una perturbación mórbida, tanto moral como física. El arte –en sus diversas formas– erguíase supremo, y, una vez entronizado, encadenaba al intelecto que lo había elevado al poder. Como el hombre no podía dejar de reconocer la majestad de la Naturaleza, incurría en pueriles entusiasmos por su creciente dominio sobre los elementos de aquella. Mientras se pavoneaba como un dios en su propia fantasía, lo dominaba una imbecilidad infantil. Tal como era de suponer por el origen de su trastorno, sufrió la infección de los sistemas y de la abstracción. Se envolvió en generalidades. Entre otras ideas extrañas, la de la igualdad universal ganó terreno, y aun frente a la analogía y a Dios, a pesar de las claras advertencias de las leyes de *gradación* que tan visiblemente dominan todas las cosas en la tierra y en el cielo, se empeñó obstinado en lograr una democracia que imperara por doquier.

»Y, sin embargo, este mal surgía necesariamente del mal principal, el Conocimiento. El hombre no podía al mismo tiempo conocer y someterse. Entretanto, se alzaron enormes e innumerables ciudades humeantes. Las verdes hojas se arrugaban ante el ardiente aliento de los hornos. El bello rostro de la Naturaleza se deformó como si lo arrasara alguna horrorosa enfermedad. Y pienso, dulce Una, que nuestro sentido de lo que es forzado y artificial, aun a medias dormido, podría habernos detenido en ese punto. Pero habíamos preparado el camino de la destrucción al pervertir nuestro *gusto* o más bien al descuidar ciegamente su cultivo en las escuelas. Pues en verdad, frente a aquella crisis, tan sólo el gusto –esa facultad que, ocupando una situación intermedia entre el intelecto puro y el sentido moral, jamás podía ser descuidada sin peligro– habría podido devolvernos dulcemente a la Belleza, a la Naturaleza y a la Vida, ¡ay del espíritu puramente contemplativo y la magna intuición de Platón! ¡Ay de la (μουσική, que aquel sabio consideraba con justicia educación suficiente para el alma! ¡Ay de él y de ella! ¡Cuando más desesperadamente se los necesitaba, más olvidados o despreciados estaban![1].

1. «Difícil será descubrir un mejor (método de educación) que el descubierto ya por la experiencia de tantas edades; puede resumírselo en gimnasia para el cuerpo y *música* para el alma» (*República*, lib. 2). «Por esta razón la música es una educación esencial, pues hace que el Ritmo

»Pascal, un filósofo que tú y yo amamos, ¡cuán verdaderamente ha dicho que *tout notre misonnement se réduit à ceder au sentiment*! Y no es imposible que el sentimiento de lo natural, de haberlo permitido el tiempo, hubiese recobrado su antiguo ascendiente sobre la dura razón matemática de las escuelas. Pero ello no pudo ser. Prematuramente descarriada por la intemperancia del conocimiento, la vejez del mundo se acentuó. La masa de la humanidad no lo advertía, o bien, viviendo depravadamente, aunque sin felicidad, pretendía no advertirlo. En cuanto a mí, los documentos de la tierra me habían enseñado que las ruinas más grandes son el precio de las más altas civilizaciones. Había adquirido una presciencia de nuestro destino por comparación con China, la simple y duradera; con Asiria, la arquitecta; con Egipto, el astrólogo; con Nubia, más sutil que ninguna, madre turbulenta de todas las artes. En la historia[2] de aquellas regiones atisbé un rayo del futuro. Las artificialidades individuales de las tres últimas nombradas eran enfermedades locales de la tierra, y en sus caídas individuales habíamos visto la aplicación de remedios locales; pero en la infección general del mundo yo no podía anticipar regeneración alguna, salvo en la muerte. Para que el hombre no se extinguiera como raza, comprendí que era necesario que *resucitara*.

»Y entonces, muy hermosa y muy amada, diariamente envolvimos en sueños nuestros espíritus. Y entonces, al atardecer, discurrimos sobre los días que vendrían, cuando la superficie de la tierra, llena de cicatrices del Arte, después de sufrir la única purificación[3] que borraría sus obscenidades rectangulares, volviera a vestirse con el verdor, las colinas y las sonrientes aguas del Paraíso, y se convirtiera, por fin, en la morada conveniente para el hombre; para el hombre purgado por la Muerte, para el hombre en cuyo sublimado intelecto el conocimiento dejaría de ser un veneno... para el hombre redimido, regenerado, venturoso y ahora inmortal, aunque *material* siempre.

Una.– Bien recuerdo aquellas conversaciones, querido Monos; pero la época de la ígnea destrucción no estaba tan cercana como creíamos, como la corrupción de que has hablado nos permitía con

---

y la Armonía penetren íntimamente en el alma, afirmándose en ella, llenándola de *belleza* y embelleciendo la mente humana... Alabará y admirará *lo hermoso*; lo recibirá con alegría en su alma, se alimentará de él e *identificará con él su propia condición*» (íd. lib. 3). La música, μουσική, tenía entre los atenienses una significación muchísimo más amplia que entre nosotros. No sólo abarcaba las armonías de tiempo y melodía, sino la dicción poética, el sentimiento y la creación, todos ellos en un sentido más amplio. En Atenas el estudio de la *música* consistía en el cultivo general del gusto –ese gusto que reconoce lo hermoso– distinguiéndolo claramente de la razón, que sólo atiende a lo verdadero.

2. «Historia», de ἱστρεῖν, contemplar.

3. *Purificación* parece emplearse aquí con referencia a su raíz griega πῦρ, fuego.

tanta seguridad creer. Los hombres vivían y luego morían individualmente. También tú enfermaste y descendiste a la tumba, y allí te siguió pronto tu fiel Una. Y aunque el siglo transcurrido desde entonces, y cuya conclusión nos ha reunido nuevamente, no torturó nuestros adormilados sentidos con la impaciencia del tiempo, de todas maneras, Monos mío, fue un siglo.

Monos.– Di más bien que fue un punto en el vago infinito. Mi muerte se produjo, es verdad, durante la decrepitud de la tierra. Cansado mi corazón por las angustias que nacían de aquel tumulto y corrupción generales, sucumbí víctima de una terrible fiebre. Tras algunos días de dolor y muchos de un delirio soñoliento colmado de éxtasis, cuyas manifestaciones tomaste por sufrimientos sin que yo pudiera comunicarte la verdad... después de unos días, como has dicho, me invadió un sopor que me privó del aliento y del movimiento, y aquellos que me rodeaban lo llamaron *Muerte*.

»Las palabras son cosas vagas. Mi estado no me privaba de sensibilidad. Parecíame semejante a la quietud de aquel que, después de dormir larga y profundamente, inmóvil y postrado en un día estival, empieza a recobrar lentamente la conciencia, por agotamiento natural de su sueño, y sin que ninguna perturbación exterior lo despierte.

»No respiraba. El pulso estaba detenido. El corazón había cesado de latir. La voluntad permanecía, pero era impotente. Mis sentidos se mostraban insólitamente activos, aunque caprichosos, usurpándose al azar sus funciones. El gusto y el olfato estaban inextricablemente confundidos, constituyendo un solo sentido anormal e intenso. El agua de rosas con la cual tu ternura había humedecido mis labios hasta el fin provocaba en mí bellísimas fantasías florales; flores fantásticas, mucho más hermosas que las de la vieja tierra, pero cuyos prototipos vemos florecer ahora en torno de nosotros. Los párpados, transparentes y exangües, no se oponían completamente a la visión. Como la voluntad se hallaba suspendida, las pupilas no podían girar en las órbitas, pero veía con mayor o menor claridad todos los objetos al alcance del hemisferio visual; los rayos que caían sobre la parte externa de la retina o en el ángulo del ojo producían un efecto más vívido que aquellos que incidían en la superficie frontal o anterior. Empero, en el primer caso, este efecto era tan anómalo que sólo lo aprehendía como *sonido* –dulce o discordante, según que los objetos presentes a mi lado fueran claros u oscuros, curvos o angulosos–. El oído, aunque mucho más sensible, no tenía nada de irregular en su acción y apreciaba los sonidos reales con una precisión y una sensibilidad exageradísimas. El tacto había sufrido una alteración más extraña. Recibía con retardo las impresiones, pero las retenía pertinazmente, produciéndose siempre el más grande de los placeres físicos. Así, la presión de tus dulces dedos sobre mis párpados, sólo reconocidos al principio por la visión, llenaron más tarde todo mi ser de una inconmensurable delicia sensual. Sí, de una delicia sensual. *Todas* mis percepciones eran puramente sensuales. Los elementos proporcionados por los sentidos al pasivo cerebro no eran elaborados en absoluto por aquella inteligencia muerta. Poco dolor sentía y mucho placer; pero ningún dolor o placer morales. Así, tus desgarradores sollozos flotaban en mi oído con todas sus dolorosas cadencias y eran apreciados por aquel en cada una de sus tristes variaciones; pero eran tan sólo suaves sonidos musicales; no provocaban en la extinta razón la sospecha de las angustias de donde nacían, y así también las copiosas y continuas lágrimas que caían sobre mi rostro, y que para todos los asistentes eran testimonio de un corazón destrozado, estremecían de éxtasis cada fibra de mi ser. Y esa era la *Muerte,* de la cual los presentes hablaban reverentemente, susurrando, y tú, dulce Una, entre sollozos y gritos.

»Me prepararon para el ataúd –tres o cuatro figuras sombrías que iban continuamente de un lado a otro–. Cuando atravesaban la línea directa de mi visión, las sentía como *formas,* pero al colocarse a mi lado sus imágenes me impresionaban con la idea de alaridos, gemidos y otras atroces expresiones del horror y la desesperación. Sólo tú, vestida de blanco, pasabas musicalmente para mí en todas direcciones.

»Transcurrió el día y, a medida que la luz se degradaba, me sentí poseído por un vago malestar, una ansiedad como la que experimenta el durmiente cuando llegan a su oído constantes y tristes sones, lejanas y profundas campanadas solemnes, a intervalos prolongados, pero iguales, y entremezclándose con sueños melancólicos. Anocheció y con la sombra vino una pesada aflicción. Oprimía mi cuerpo como si pesara sobre él, y era palpable. Oíase asimismo una lamentación, semejante al lejano fragor de la resaca, pero más continuo, y que, nacido con el crepúsculo, había ganado en fuerza a medida que crecía la oscuridad. De pronto, la habitación se llenó de luces y aquel fragor se cambió en frecuentes estallidos desiguales del mismo sonido, pero menos lóbrego y menos distinto. La penosa opresión que me agobiaba disminuyó mucho y, emanando de la llama de cada lámpara –pues había varias–, fluyó hasta mis oídos un canto continuo de melodiosa monotonía. Y cuando tú, querida Una, acercándote al lecho donde yacía yo tendido, te sentaste gentilmente a mi lado, perfumándome con tus dulces labios, y los posaste en mi frente, surgió entonces en mi pecho, trémulo, mezclándose con las sensaciones meramente físicas que las circunstancias engendraban, algo que se parecía al sentimiento, un sentir que en parte aprehendí, y en parte respondía a tu profundo amor y a tu tristeza; pero aquel sentir no tenía sus raíces en el inmóvil corazón, y más parecía una sombra que una realidad; pronto se desvaneció, primero en un profundo reposo, y luego en un placer puramente sensual como antes.

»Y entonces, del naufragio y el caos de los sentidos usuales pareció nacer en mí un sexto sentido, absolutamente perfecto. Hallé en su ejercicio una extraña delicia, que seguía siendo una delicia física en cuanto el entendimiento no participaba de ella. En el ser animal todo movimiento había cesado. No se estremecía ningún músculo, no vibraba ningún nervio, no latía ninguna arteria. Pero en mi cerebro parecía haber surgido *eso* para lo cual no hay palabras que puedan dar una concepción aun borrosa a la inteligencia meramente humana. Permíteme denominarlo una pulsación pendular mental. Era la encarnación moral de la idea humana abstracta del *Tiempo*. La absoluta coordinación de este movimiento o de alguno equivalente había regulado los cielos de los globos celestes. Por él medía ahora las irregularidades del reloj colocado sobre la chimenea y de los relojes de los presentes. Sus latidos llegaban sonoros a mis oídos. La más ligera desviación de la medida exacta (y esas desviaciones prevalecían en todos ellos) me afectaban del mismo modo que las violaciones de la verdad abstracta afectan en la tierra el sentido moral. Aunque ninguno de los relojes en la habitación coincidía con otro en marcar exactamente los segundos, no me costaba, sin embargo, retener el tono y los errores momentáneos de cada uno. Y este penetrante, perfecto sentimiento de *duración* existente por sí mismo, este sentimiento existente (como el hombre no podría haber imaginado que existiera) con independencia de toda sucesión de eventos, esta idea, este sexto sentido, brotando de las cenizas de todo el resto, fue el primer evidente y seguro paso del alma intemporal en los umbrales de la Eternidad temporal.

»Era ya media noche y tú seguías a mi lado. Los demás habíanse marchado de la cámara mortuoria. Descansaba yo en el ataúd. Las lámparas ardían intermitentemente, pues así me lo indicaba lo trémulo de las monótonas melodías. Súbitamente aquellos cantos perdieron claridad y volumen, hasta cesar del todo. El perfume dejó de impresionar mi olfato. Las formas no afectaban ya mi visión. El peso de la Tiniebla se alzó por sí mismo de mi pecho. Un choque apagado, como una descarga eléctrica, recorrió mi cuerpo y fue seguido por una pérdida total de la idea de contacto. Todo aquello que el hombre llama sentidos se sumió en la sola conciencia de entidad y en el sentimiento de duración único que perduraba. El cuerpo mortal había sido al fin golpeado por la mano de la letal *Corrupción.*

»Y, sin embargo, no toda sensibilidad se había apagado, pues la conciencia y el sentimiento remanentes cumplían algunas de sus funciones a través de una letárgica intuición. Apreciaba el espantoso cambio que se estaba operando en mi carne, y tal como el soñador advierte a voces la presencia corporal de aquel que se inclina sobre su lecho, así, dulce Una, sentía yo que aún seguías a mi lado. Y cuando llegó el segundo mediodía, tampoco dejé de tener conciencia de los movimientos que te alejaron de mi lado, me encerraron en el ataúd, llevándome a la carroza fúnebre, me transportaron hasta la tumba, bajándome a ella, amontonando pesadamente la tierra sobre mí, dejándome en la tiniebla y en la corrupción, entregado a mi triste y solemne sueño en compañía de los gusanos.

»Y aquí, en la prisión que pocos secretos tiene para revelar, pasaron los días, y las semanas, y los meses, y el alma observaba atentamente el vuelo de cada segundo, registrándolo sin esfuerzo; sin esfuerzo y sin objeto.

»Pasó un año. La conciencia de *ser* se había vuelto de hora en hora más indistinta, y la de mera *situación* había usurpado en gran medida su puesto. La idea de entidad estaba confundiéndose con la de *lugar*. El angosto espacio que rodeaba lo que había sido el cuerpo iba a ser ahora el cuerpo mismo. Por fin, como ocurre con frecuencia al durmiente (sólo el sueño y su mundo permiten figurar la *Muerte*), tal como a veces ocurría en la tierra al que estaba sumido en profundo sueño, cuando algún resplandor lo despertaba a medias, dejándolo empero envuelto en ensoñaciones, así, a mí, ceñido en el abrazo de la *Sombra,* me llegó aquella única luz capaz de sobresaltarme... la luz del *Amor* duradero. Los hombres acudieron a cavar en la tumba donde yacía oscuramente. Levantaron la húmeda tierra. Sobre el polvo de mis huesos bajó el ataúd de Una.

»Y otra vez todo fue vacío. La nebulosa se había extinguido. El débil estremecimiento habíase apagado en reposo. Muchos lustros transcurrieron. El polvo tornó al polvo. No había ya alimento para el gusano. El sentimiento de ser había desaparecido por completo y en su lugar, en lugar de todas las cosas, dominantes y perpetuos, reinaban autocráticamente el *Lugar* y el *Tiempo.* Para *eso* que *no era,* para eso que no tenía forma, para eso que no tenía pensamiento, para eso que no tenía sensibilidad, para eso que no tenía alma, para eso que no tenía materia, para toda esa nada y, sin embargo, para toda esa inmortalidad, la tumba era todavía una morada, y las corrosivas horas, compañeras.

SILENCIO

Comentario de Màrius Serra

Esta fábula me deja helado. El Demonio describe un lugar donde no hay ni calma ni silencio. Una lúgubre región de Libia a orillas del río Zaire, que es tanto como decir una región donde se cruzan dos paralelas. En este no lugar geográfico la naturaleza es desabrida, como las olas en las Hébridas, y la lluvia muta en sangre. Sus correlatos morales son tan flagrantes que el inquietante *low underwood* que Poe agita sin viento en los límites del reino deviene maleza en la traducción de Cortázar. Maleza de mal, claro. En este mundo suspendido, una simple frase activa la estampa: era de noche y llovía. Ah. La lluvia en el Zaire es un puro desaire, ¿no? Pues tras esta constatación meteorológica de unas tinieblas sin corazón es lógico que se sucedan algunos hechos. Dos hombres observadores habitan el no lugar. Uno entre nenúfares espía a otro que, a su vez, otea el horizonte encaramado a una roca, observador observado. La vida animal en tan demoníaco relato –«átale, demoníaco Caín o me delata», como palindrómicamente escribiría Cortázar en «Satarsa»– se completará con hipopótamos y *behemots*, unos herbívoros de grandes dimensiones que competirían con el leviatán en un hipotético concurso para escoger a los animales más poderosos de la creación. El oyente del Demonio asistirá, con creciente desazón, al efecto que este mundo desolado provoca en ese observador a quien observa como si escrutase un espejo. Cuando se levanta la luna, su luz espectral ilumina una asombrosa transformación verbal que lo explica todo. La roca gris en la que se halla el observador observado tiene unos caracteres grabados en la piedra. El rojo intenso con el que brilla la luna revela que esos caracteres forman la palabra DESOLACIÓN. De pronto, la inscripción muta de DESOLACIÓN a SILENCIO. En la traducción de Cortázar, siete de las ocho letras de SILENCIO emanan directamente de DESOLACIÓN, más incluso de las que Poe imaginó al descuartizar DESOLATION para transformarlo en SILENCE. En plena naturaleza, cuando todo es amenaza, la verdadera desolación capaz de acallar todos los murmullos hasta imponer el silencio proviene de la escritura. La lectura de esta fábula me deja helado.

SILENCIO

Fábula

«Εὔδουσιν δ᾽ὀρέων κορυφαὶ τε καὶ φάραγγες
Πρώονες τε καὶ χαράδραι»
(Las crestas montañosas duermen;
los valles, los riscos y las grutas están en silencio).
ALCMÁN [60 (10), 646]

Escúchame –dijo el Demonio, apoyando la mano en mi cabeza–. La región de que hablo es una lúgubre región en Libia, a orillas del río Zaire. Y allá no hay ni calma ni silencio.

Las aguas del río están teñidas de un matiz azafranado y enfermizo, y no fluyen hacia el mar, sino que palpitan por siempre bajo el ojo purpúreo del sol, con un movimiento tumultuoso y convulsivo. A lo largo de muchas millas, a ambos lados del legamoso lecho del río, se tiende un pálido desierto de gigantescos nenúfares. Suspiran entre sí en esa soledad y tienden hacia el cielo sus largos y pálidos cuellos, mientras inclinan a un lado y otro sus cabezas sempiternas. Y un rumor indistinto se levanta de ellos, como el correr del agua subterránea. Y suspiran entre sí.

Pero su reino tiene un límite, el límite de la oscura, horrible, majestuosa floresta. Allí, como las olas en las Hébridas, la maleza se agita continuamente. Pero ningún viento surca el cielo. Y los altos árboles primitivos oscilan eternamente de un lado a otro con un potente resonar. Y de sus altas copas se filtran, gota a gota, rocíos eternos. Y en sus raíces se retuercen, en un inquieto sueño, extrañas flores venenosas. Y en lo alto, con un agudo sonido susurrante, las nubes grises corren por siempre hacia el oeste, hasta rodar en cataratas sobre las ígneas paredes del horizonte. Pero ningún viento surca el cielo. Y en las orillas del río Zaire no hay ni calma ni silencio.

Era de noche y llovía, y al caer era lluvia, pero después de caída era sangre. Y yo estaba en la marisma entre los altos nenúfares, y la lluvia caía en mi cabeza, y los nenúfares suspiraban entre sí en la solemnidad de su desolación.

Y de improviso levantose la luna a través de la fina niebla espectral y su color era carmesí. Y mis ojos se posaron en una enorme roca gris que se alzaba a la orilla del río, iluminada por la luz de la luna. Y la roca era gris, y espectral, y alta; y la roca era gris. En su faz había caracteres grabados en la piedra, y yo anduve por la marisma de nenúfares hasta acercarme a la orilla, para leer los caracteres en la piedra. Pero no pude descifrarlos. Y me volvía a la marisma cuando la luna brilló con un rojo más intenso, y al volverme y mirar otra vez hacia la roca y los caracteres vi que los caracteres decían DESOLACIÓN.

Y miré hacia arriba y en lo alto de la roca había un hombre, y me oculté entre los nenúfares para observar lo que hacía aquel hombre. Y el hombre era alto y majestuoso y estaba cubierto desde los hombros a los pies con la toga de la antigua Roma. Y su silueta era indistinta, pero sus facciones eran las facciones de una deidad, porque el palio de la noche, y la luna, y la niebla, y el rocío, habían dejado al descubierto las facciones de su cara. Y su frente era alta y pensativa, y sus ojos brillaban de preocupación; y en las escasas arrugas de sus mejillas leí las fábulas de la tristeza, del cansancio, del disgusto de la humanidad, y el anhelo de estar solo.

Y el hombre se sentó en la roca, apoyó la cabeza en la mano y contempló la desolación. Miró los inquietos matorrales, y los altos árboles primitivos, y más arriba el susurrante cielo, y la luna carmesí. Y yo me mantuve al abrigo de los nenúfares, observando las acciones de aquel hombre. Y el hombre tembló en la soledad, pero la noche transcurría, y él continuaba sentado en la roca.

Y el hombre distrajo su atención del cielo y miró hacia el melancólico río Zaire y las amarillas, siniestras aguas y las pálidas legiones de nenúfares. Y el hombre escuchó los suspiros de los nenúfares y el murmullo que nacía de ellos. Y yo me mantenía oculto y observaba las acciones de aquel hombre. Y el hombre tembló en la soledad; pero la noche transcurría y él continuaba sentado en la roca.

Entonces me sumí en las profundidades de la marisma, vadeando a través de la soledad de los nenúfares, y llamé a los hipopótamos que moran entre los pantanos en las profundidades de la marisma. Y los hipopótamos oyeron mi llamada y vinieron con los *behemots* al pie de la roca y rugieron sonora y terriblemente bajo la luna. Y yo me mantenía oculto y observaba las acciones de aquel hombre. Y el hombre tembló en la soledad; pero la noche transcurría y él continuaba sentado en la roca.

Entonces maldije los elementos con la maldición del tumulto, y una espantosa tempestad se congregó en el cielo, donde antes no había viento. Y el cielo se tornó lívido con la violencia de la tempestad, y la lluvia azotó la cabeza del hombre, y las aguas del río se desbordaron, y el río atormentado se cubría de espuma, y los nenúfares alzaban clamores, y la floresta se desmoronaba ante el viento, y rodaba el trueno, y caía el rayo, y la roca vacilaba en sus cimientos. Y yo me mantenía oculto y observaba las acciones de aquel hombre. Y el hombre tembló en la soledad; pero la noche transcurría y él continuaba sentado.

Entonces me encolericé y maldije, con la maldición del *silencio,* el río y los nenúfares y el viento y la floresta y el cielo y el trueno y los suspiros de los nenúfares. Y quedaron malditos y *se callaron.* Y la luna cesó de trepar hacia el cielo, y el trueno murió, y el rayo no tuvo ya luz, y las nubes se suspendieron inmóviles, y las aguas bajaron a su nivel y se estacionaron, y los árboles dejaron de balancearse, y los nenúfares ya no suspiraron y no se oyó más el murmullo que nacía de ellos, ni la menor sombra de sonido en todo el vasto desierto ilimitado. Y miré los caracteres de la roca, y habían cambiado; y los caracteres decían: SILENCIO.

Y mis ojos cayeron sobre el rostro de aquel hombre, y su rostro estaba pálido. Y bruscamente alzó la cabeza, que apoyaba en la mano y, poniéndose de pie en la roca, escuchó. Pero no se oía ninguna voz en todo el vasto desierto ilimitado, y los caracteres sobre la roca decían: SILENCIO. Y el hombre se estremeció y, desviando el rostro, huyó a toda carrera, al punto que cesé de verlo.

Pues bien, hay muy hermosos relatos en los libros de los Magos, en los melancólicos libros de los Magos, encuadernados en hierro. Allí, digo, hay admirables historias del cielo y de la tierra, y del potente mar, y de los Genios que gobiernan el mar, y la tierra, y el majestuoso cielo. También había mucho saber en las palabras que pronunciaban las Sibilas, y santas, santas cosas fueron oídas antaño por las sombrías hojas que temblaban en torno a Dodona. Pero, tan cierto como que Alá vive, digo que la fábula que me contó el Demonio, que se sentaba a mi lado a la sombra de la tumba, es la más asombrosa de todas. Y cuando el Demonio concluyó su historia, se dejó caer, en la cavidad de la tumba y rió. Y yo no pude reírme con él, y me maldijo porque no reía. Y el lince que eternamente mora en la tumba salió de ella y se tendió a los pies del Demonio, y lo miró fijamente a la cara.

EL ESCARABAJO DE ORO

Comentario de Eloy Tizón

Los mejores cuentos de Poe son canciones paranoicas.

«The Gold Bug» fue escrito en 1843, el mismo año que «El corazón delator» y «El gato negro», por citar sólo dos de sus piezas mayores dentro de una larga genealogía de títulos mórbidos, truculentos y tan alegres como ponerse a picar cebolla a la vuelta de un funeral.

El cuento que nos ocupa, no tan sombrío, apareció publicado por primera vez en el número de junio del *Philadelphia Dollar Newspaper*, tras ganar un concurso de relatos convocado por la propia revista, por el que Poe recibió una remuneración de cien dólares.

Ambientado en la isla de Sullivan, en Carolina del Sur, donde Poe había servido como artillero de segunda en su etapa de cadete de West Point, «El escarabajo de oro» constituye una buena muestra del Poe lógico y cartesiano, alejado de sus delirios necrófilos, y centrado en su faceta detectivesca de investigador de misterios y esclarecedor de acertijos.

Para narrar esta fábula clásica, apta para todos los públicos, Poe recurre como otras veces a la figura de un narrador opaco, del que nada conocemos, excepto su función de acompañante y testigo dedicado a levantar acta en primera persona de las elucubraciones de una inteligencia superior al borde de la genialidad o la demencia.

Poe juega a introducir método en la locura (o locura en el método, tanto da). Sabemos que el autor fue un maniático de la criptografía y el desciframiento de mensajes ocultos. Para un romántico como Poe, el mundo entero es un pergamino que hay que descodificar, un libro compuesto en un lenguaje encriptado, reacio a la interpretación. Todo en este universo, los días de sol, la nieve, el ala de un cuervo, la tos de Virginia Clemm, son páginas en clave, cartas que el destino nos envía para ponernos a prueba, acompañadas de insectos y calaveras.

El cuento es el lugar, entonces, en el que se deposita un secreto misterioso, o una larva, o un tesoro, que los ojos del lector repiten, línea por línea. La lectura es el proceso de reconstrucción de un crimen.

Escrito con técnica de ajedrecista, el resultado es fiel a su propia teoría de la composición, en que todo el cuento debe estar orientado hacia la apoteosis del efecto final, concebido y ejecutado al revés, de atrás hacia delante. El cuento, en Poe, se narra a contracorriente, en un orden temporal inverso, de modo que ya está escrito antes de haber sido escrito.

Quizá sea justo ese fetichismo por el desenlace perfecto, el artefacto bien rematado y el broche de oro, lo que nos hace dudar un poco de su aureola de precursor del relato moderno, un territorio que creemos que él vislumbra pero no llega a conquistar, hazaña reservada para otras mentes de un generación posterior como Henry James o Antón Chéjov. Entiendo por relato moderno aquel en que el texto no sólo cuenta, sino que también «se cuenta». No sólo muestra, sino que también «se muestra». No sólo dice, sino que también «se dice», en un intenso arco de producción de sentido y desvelo, a través del cual el creador tira de la alfombra y el texto tiene el coraje de poner en entredicho sus propios mecanismos de representación.

La distancia que media entre la literatura premoderna y la literatura moderna es la misma que media entre el escarabajo de Poe y el escarabajo de Kafka. Siendo el mismo insecto, no pueden ser más dispares. El primero es un objeto tornasolado y brillante, chapado en oro, lujoso. Samsa, en cambio, es un monstruo oxidado que cojea en los pasillos. Mitigar ese brillo y renunciar a ese lujo ha sido una de las preocupaciones de la literatura más inquieta y menos complaciente. Esto no implica juicio de valor alguno, sino la constatación de una quiebra. Poe hizo cuanto pudo, y lo que pudo es mucho. Sembró el suelo de estrellas fértiles, pero no esperó a ver crecerlas. Su herencia se diluye en un sinfín de imitadores que no alcanzan su horror de enterrado vivo en el panteón de la literatura. Tantos años más tarde, y aún sigue poniendo un grito en nuestra mesilla de noche.

EL ESCARABAJO DE ORO

«¡Hola, hola! ¡Este hombre baila como un loco!
Lo ha picado la tarántula».
Todo al revés

Hace muchos años trabé íntima amistad con un caballero llamado William Legrand. Descendía de una antigua familia protestante y en un tiempo había disfrutado de gran fortuna, hasta que una serie de desgracias lo redujeron a la pobreza. Para evitar el bochorno que sigue a tales desastres, abandonó Nueva Orleans, la ciudad de sus abuelos, y se instaló en la isla de Sullivan, cerca de Charleston, en la Carolina del Sur.

Esta isla es muy curiosa. La forma casi por completo la arena del mar y tiene unas tres millas de largo. Su ancho no excede en ningún punto de un cuarto de milla. Se encuentra separada de tierra firme por un arroyo apenas perceptible, que se insinúa en una desolada zona de juncos y limo, residencia favorita de las fojas. Como cabe suponer, la vegetación es escasa o alcanza muy poca altura. No se ven árboles grandes o pequeños. Hacia el extremo occidental, donde se halla el fuerte Moultrie y se alzan algunas miserables construcciones habitadas en verano por los que huyen del polvo y la fiebre de Charleston, puede advertirse la presencia del erizado palmito; pero, a excepción de la punta oeste y una franja de playa blanca y dura en la costa, la isla entera se halla cubierta por una densa maleza de arrayán, planta que tanto aprecian los horticultores de Gran Bretaña. Este arbusto alcanza con frecuencia quince o veinte pies de altura y forma un soto casi impenetrable, a la vez que impregna el aire con su fragancia.

En las más hondas profundidades de este soto, no lejos de la extremidad oriental y más alejada de la isla, Legrand había construido una pequeña choza, en la cual vivía, y fue allí donde, por mera coincidencia, trabé relación con él. Pronto llegamos a intimar, pues la manera de ser de aquel exiliado inspiraba interés y estima. Descubrí que poseía una excelente educación y una inteligencia fuera de lo común, pero que lo dominaba la misantropía y estaba sujeto a lamentables alternativas de entusiasmo y melancolía. Era dueño de muchos libros, aunque raras veces los leía. Sus principales diversiones consistían en la caza y la pesca, o en errar por la playa y los sotos de arrayán buscando conchas o ejemplares entomológicos; su colección de estos últimos hubiera suscitado la envidia de un Swammerdamm.

Por lo regular lo acompañaba en sus excursiones un viejo negro llamado Júpiter, quien había sido manumitido por la familia Legrand antes de que empezaran sus reveses, pero que se negó, a pesar de amenazas y promesas, a abandonar lo que consideraba su deber, es decir, cuidar celosamente de su joven *massa Will.* Y no es difícil que los parientes de Legrand, considerando a este un tanto desequilibrado, hubieran hecho lo necesario para fomentar esa obstinación en Júpiter, a fin de asegurar la vigilancia y el cuidado de aquel errabundo.

En la latitud de la isla de Sullivan los inviernos son rara vez crudos, y se considera que encender fuego en otoño es todo un acontecimiento. Hacia mediados de octubre de 18... hubo, sin embargo, un día notablemente fresco. Poco antes de ponerse el sol me abrí paso por los sotos hasta llegar a la choza de mi amigo, a quien no había visitado desde hacía varias semanas; en aquel entonces vivía yo en Charleston, situado a nueve millas de la isla, y las facilidades de transporte eran mucho menores que las actuales. Al llegar a la cabaña golpeé a la puerta según mi costumbre y, como no obtuviera respuesta, busqué la llave donde sabía que estaba escondida, abrí la puerta y entré. Un magnífico fuego ardía en el hogar. Era aquella una novedad y no desagradable por cierto. Me quité el abrigo, me instalé en un sillón cerca de los chispeantes troncos y esperé pacientemente el regreso de mis huéspedes.

Poco después de anochecido llegaron a la choza y me saludaron con gran cordialidad. Sonriendo de oreja a oreja, Júpiter se afanó en preparar algunas fojas para la cena. Legrand se hallaba en uno de sus accesos –¿qué otro nombre podía darles?– de entusiasmo. Había encontrado un bivalvo desconocido, que constituía un nuevo género, y, lo que es más, había perseguido y cazado con ayuda de Júpiter un *scarabœus* que, en su opinión, no era todavía conocido, y sobre el cual deseaba conocer mi punto de vista a la mañana siguiente.

–¿Y por qué no esta noche misma? –pregunté, frotándome las manos ante las llamas, mientras mentalmente enviaba al demonio la entera tribu de los *scarabœi.*

–¡Ah, si hubiera sabido que usted estaba aquí! –dijo Legrand–. Pero hemos pasado un tiempo sin vernos... ¿Cómo podía adivinar que vendría a visitarme justamente esta noche? Mientras volvía a casa me encontré con el teniente G..., del fuerte, y cometí la tontería de prestarle el escarabajo; de manera que hasta mañana por la mañana no podrá usted verlo. Quédese a pasar la noche; Jup irá a buscarlo al amanecer. ¡Es la cosa más encantadora de la creación!

–¿Qué? ¿El amanecer?

–¡No, hombre, no! ¡El escarabajo! Su color es de oro brillante, y tiene el tamaño de una gran nuez de nogal, con dos manchas de negro azabache en un extremo del dorso, y otras dos, algo más grandes, en el otro. Las *antennœ* son...

–¡No tiene nada de estaño, massa Will! –interrumpió Júpiter[1]–. Ya le dije mil veces que el bicho es de oro, todo de oro, cada pedazo de oro, afuera y adentro, menos las alas... Nunca vi un bicho más pesado en mi vida.

–Pongamos que así sea, Jup –replicó Legrand con mayor vivacidad de lo que a mi entender merecía la cosa–. ¿Es esa una razón para que dejes quemarse las aves? El color –agregó, volviéndose a mí– sería suficiente para que la opinión de Júpiter no pareciera descabellada. Nunca se ha visto un brillo metálico semejante al que emiten los élitros... pero ya juzgará por usted mismo mañana. Por el momento, trataré de darle una idea de su forma.

Mientras decía esto fue a sentarse a una mesita, donde había pluma y tinta, pero no papel. Buscó en un cajón, sin encontrarlo.

–No importa –dijo al fin–. Esto servirá.

Y extrajo del bolsillo del chaleco un pedazo de lo que me pareció un pergamino sumamente sucio, sobre el cual procedió a trazar un tosco croquis a pluma. Mientras tanto yo seguía en mi asiento junto al fuego, porque aún me duraba el frío de afuera. Terminado el dibujo, Legrand me lo alcanzó sin levantarse. En momentos en que lo recibía oyose un sonoro ladrido, mientras unas patas arañaban la puerta. Abriola Júpiter y un gran terranova, propiedad de Legrand, entró a la carrera, me saltó a los hombros y me cubrió de caricias, retribuyendo lo mucho que yo lo había mimado en mis anteriores visitas. Cuando hubieron terminado sus cabriolas, miré el papel y, a

1. Júpiter confunde *antennœ* con *tin,* estaño. Resulta imposible traducir adecuadamente la jerga con que se expresa Júpiter, y que es propia de los negros del sur de los Estados Unidos. *(N. del T.)*

decir verdad, me quedé no poco asombrado de lo que mi amigo acababa de diseñar.

–¡Vaya! –dije, luego de examinarlo unos minutos–. Debo reconocer que el escarabajo *es* realmente extraño. Jamás vi nada parecido a este animal... como no sea una calavera, a la cual se asemeja más que a cualquier otra cosa.

–¡Una calavera! –repitió Legrand–. ¡Oh, sí...! En fin, no hay duda de que el dibujo puede tener algún parecido con ella. Las dos manchas negras superiores dan la impresión de ojos, ¿no es verdad?, y las más grandes de la parte inferior forman como una boca..., sin contar que la forma general es ovalada.

–Puede ser –dije–, pero temo que usted no sea muy artista, Legrand. Tendré que esperar a ver personalmente el escarabajo, para darme una idea de su aspecto.

–Tal vez –replicó él, un tanto picado–. Dibujo pasablemente... o por lo menos debía ser así, ya que tuve buenos maestros, y me jacto de no ser un estúpido.

–Pues en ese caso, querido amigo, está usted bromeando –declaré–. Esto representa bastante bien *un cráneo,* y hasta me atrevería a decir que es un *excelente* cráneo, conforme a las nociones vulgares sobre esa región anatómica, y si su escarabajo se le parece, ha de ser el escarabajo más raro del mundo. Incluso podríamos dar origen a una pequeña superstición llena de atractivo, aprovechando el parecido. Me imagino que usted denominará a su insecto *scarabœus caput hominis,* o algo parecido... No faltan nombres semejantes en la historia natural. ¿Pero dónde están las antenas de que hablaba usted?

–¡Las antenas! –exclamó Legrand, que parecía inexplicablemente acalorado–. ¡No puede ser que no distinga las antenas! Las dibujé con tanta claridad como puede vérselas en el insecto mismo, y supongo que con eso basta.

–Muy bien, muy bien –repuse–. Admitamos que así lo haya hecho, pero, de todos modos, no las veo.

Y le tendí el papel sin más comentarios, para no excitarlo. Me sentía sorprendido por el giro que había tomado nuestro diálogo, y el malhumor de Legrand me dejaba perplejo; en cuanto al croquis del insecto, estaba bien seguro de que no tenía antenas y que el conjunto mostraba marcadísima semejanza con la forma general de una calavera.

Legrand tomó el papel con aire sumamente malhumorado y se disponía a estrujarlo, sin duda con intención de arrojarlo al fuego, cuando una ojeada casual al dibujo pareció reclamar intensamente su atención. Su rostro se puso muy rojo, para pasar un momento más tarde a una extrema palidez. Sin moverse de donde estaba sentado siguió escrutando atentamente el dibujo durante algunos segundos. Levantose por fin y, tomando una bujía de la mesa, fue a sentarse en un cofre situado en el rincón más alejado del cuarto. Allí volvió a examinar ansiosamente el papel, dándole vueltas en todas direcciones. No dijo nada, empero, y su conducta me dejó estupefacto, aunque juzgué prudente no acrecentar su malhumor con algún comentario. Poco después extrajo su cartera del bolsillo de la chaqueta, guardó cuidadosamente el papel y metió todo en un pupitre que cerró con llave. Su actitud se había serenado, pero sin que le quedara nada de su primitivo entusiasmo. Parecía, con todo, más absorto que enfurruñado. A medida que transcurría la velada se fue perdiendo más y más en su ensoñación, sin que nada de lo que dije lo arrancara de ella. Era mi intención pasar la noche en la cabaña, mas, al ver el estado de ánimo de mi huésped, juzgué preferible marcharme. Legrand no trató de retenerme, pero, al despedirse de mí, me estrechó la mano con una cordialidad aún más viva que de costumbre.

Había transcurrido un mes, sin que en ese intervalo volviera a ver a Legrand, cuando su sirviente Júpiter se presentó en Charleston para hablar conmigo. Jamás había visto al viejo y excelente negro tan desanimado, y temí que mi amigo hubiese sido víctima de alguna desgracia.

–Pues bien, Jup –le dije–, ¿qué ocurre? ¿Cómo está tu amo?

–A decir verdad, massa, no está tan bien como debería estar.

–¿De veras? ¡Cuánto lo siento! ¿Y de qué se queja?

–¡Ah! ¡Esa es la cosa! No se queja de nada... pero está muy enfermo.

–¿*Muy* enfermo, Júpiter? ¿Por qué no me lo dijiste en seguida? ¿Está en cama?

–¡No, no está! ¡No está en ninguna parte! ¡Eso es lo que me da mala espina, massa! ¡Estoy muy, muy inquieto por el pobre massa Will!

–Júpiter, quisiera entender lo que me estás contando. Dices que tu amo está enfermo. ¿No te ha confiado lo que tiene?

–¡Oh, massa, es inútil romperse la cabeza! Massa Will no dice lo que le pasa... pero entonces, ¿por qué anda así, de un lado a otro, con la cabeza baja y los hombros levantados y blanco como las plumas de un ganso? ¿Y por qué está siempre haciendo números y más números, y...?

–¿Qué dices que hace, Júpiter?

–Números, massa, y figuras... en una pizarra. Las figuras más raras que he visto. Estoy empezando a asustarme. No le puedo sacar los ojos de encima ni un minuto, pero lo mismo el otro día se me escapó antes de la salida del sol y se pasó afuera el día entero... Ya había cortado un buen garrote para darle una paliza a la vuelta, pero no tuve coraje de hacerlo cuando lo vi volver... ¡Tenía un aire tan triste!

–¿Eh? ¿Cómo? ¡Ah, sí! Mira, Júpiter, creo que no debes mostrarte demasiado severo con el pobre muchacho. No lo azotes, porque no podría soportarlo. Pero dime, ¿no tienes idea de lo que le ha producido esta enfermedad, o más bien este cambio de conducta? ¿Ocurrió algo desagradable después de mi visita?

–No, massa, no pasó nada desagradable *desde* entonces..; Me temo que eso pasó *antes*... el mismo día que usted estuvo allá.

–¿Cómo? ¿Qué quieres decir?

–Massa... me refiero al bicho... nada más que eso.

–¿El bicho?

–Sí, massa. Estoy seguro de que el bicho de oro ha debido picar a massa Will en la cabeza.

–¿Y qué razones encuentras, Júpiter, para semejante suposición?

–Tiene bastantes pinzas para eso, massa... y también boca. Nunca en mi vida vi un bicho más endiablado... Pateaba y mordía todo lo que encontraba cerca. Massa Will lo atrapó el primero, pero tuvo que soltarlo en seguida... Seguramente fue en ese momento cuando lo picó. Tampoco a mí me gustaba la boca de ese bicho, y por nada quería agarrarlo con los dedos... Por eso lo envolví con un papel que encontré, y además le puse un pedacito de papel en la boca... Así hice.

–¿Y piensas realmente que tu amo fue mordido por el escarabajo, y que eso lo tiene enfermo?

–Yo no pienso nada, massa... Yo sé. ¿Por qué sueña tanto con oro, si no es por la picadura del bicho de oro? Yo he oído hablar de esos bichos antes de ahora.

–Pero ¿cómo sabes que sueña con oro?

–¿Que cómo sé, massa? Pues porque habla en sueños... por eso sé.

–En fin, Jup, puede que tengas razón, pero... ¿a qué afortunada circunstancia debo el honor de tu visita?

–¿Cómo, massa?

–¿Me traes algún mensaje del señor Legrand?

–No, massa. Traigo esta carta –dijo Júpiter, alcanzándome una nota que decía:

Querido...:

¿Por qué hace tanto tiempo que no lo veo? Supongo que no habrá cometido la tontería de ofenderse por alguna pequeña *brusquerie* de mi parte. Pero no, es demasiado improbable.

Desde la última vez que nos vimos he tenido sobrados motivos de inquietud. Hay algo que quiero decirle, pero no sé cómo, y ni siquiera estoy seguro de si debo decírselo.

En los últimos días no me he sentido bien, y el bueno de Jup me fastidia hasta más no poder con sus bien intencionadas atenciones.

¿Querrá usted creerlo? El otro día preparó un garrote para castigarme por habérmele escapado y pasado el día solo en las colinas de tierra firme. Estoy convencido de que solamente mi rostro demacrado me salvó de una paliza.

No he agregado nada nuevo a mi colección desde nuestro último encuentro.

Si no le ocasiona demasiados inconvenientes, le ruego que venga con Júpiter. Por favor, *venga.* Quiero verlo *esta noche,* por un asunto importante. Le aseguro que es *de la más alta importancia.*

Con todo afecto,

William Legrand

Había algo en el tono de la carta que me llenó de inquietud. Su estilo difería por completo del de Legrand. ¿En qué estaría soñando? ¿Qué nueva excentricidad se había posesionado de su excitable cerebro? ¿Qué asunto «de la más alta importancia» podía tener entre manos? Las noticias que de él me daba Júpiter no auguraban nada bueno. Temí que el continuo peso del infortunio hubiera terminado por desequilibrar del todo la razón de mi amigo. Por eso, sin un segundo de vacilación, me preparé para acompañar al negro.

Llegados al muelle vi que en el fondo del bote donde embarcaríamos había una guadaña y tres palas, todas ellas nuevas.

–¿Qué significa esto, Jup? –pregunté.

–Eso, massa, es una guadaña y tres palas.

–Evidentemente. Pero ¿qué hacen aquí?

–Son la guadaña y las palas que massa Will me hizo comprar en la ciudad, y maldito si no han costado una cantidad de dinero.

–Pero, dime, en nombre de todos los misterios: ¿qué es lo que va a hacer tu massa Will con guadañas y palas?

–No me pregunte lo que no sé, massa, pero que el diablo me lleve si massa Will sabe más que yo. Todo esto es por culpa del bicho.

Comprendiendo que no lograría ninguna explicación de Júpiter, cuyo pensamiento parecía absorbido por «el bicho», salté al bote e icé la vela. Aprovechando una brisa favorable, pronto llegamos a la pequeña caleta situada al norte del fuerte Moultrie, y una caminata de dos millas nos dejó en la cabaña. Serían las tres de la tarde cuando llegamos. Legrand nos había estado esperando con ansiosa expectativa. Estrechó mi mano con un *expressement* nervioso que me alarmó y me hizo temer todavía más lo que venía sospechando. Mi amigo estaba pálido, hasta parecer un espectro, y sus profundos ojos brillaban con un resplandor anormal. Después de indagar acerca de su salud, y sin saber qué decir, le pregunté si el teniente G... le había devuelto el escarabajo.

–¡Oh, sí! –me respondió, ruborizándose violentamente–. Lo recuperé a la mañana siguiente. Nada podría separarme de ese escarabajo. ¿Sabe usted que Júpiter tenía razón acerca de él?

–¿En qué sentido? –pregunté, con un penoso presentimiento.

–Al suponer que era un escarabajo de *oro verdadero.*

Dijo estas palabras con profunda seriedad, cosa que me apenó indeciblemente.

–Este insecto está destinado a hacer mi fortuna –continuó mi amigo con una sonrisa triunfante–, y devolverme las posesiones de mi familia. ¿Le extraña, entonces, que lo considere tan valioso? Puesto que la Fortuna ha decidido concedérmelo, no me queda más que usarlo adecuadamente, y así llegaré hasta el oro del cual él es índice. ¡Júpiter, tráeme el escarabajo!

–¿Qué? ¿El bicho, massa? Prefiero no tener nada que ver con ese bicho... Mejor que vaya a buscarlo usted mismo.

Legrand se levantó con aire grave y me trajo el insecto, que se hallaba depositado en una caja de cristal. Era un hermoso *scarabœus,* desconocido para los naturalistas de aquella época y sumamente precioso desde un punto de vista científico. En una extremidad del dorso tenía dos manchas negras y redondas, y una mancha larga en el otro extremo. Poseía élitros extremadamente duros y relucientes, con toda la apariencia del oro bruñido. El peso del insecto era realmente notable, por lo cual, todo bien considerado, no podía reprochar a Júpiter su opinión al respecto; pero que Legrand compartiera ese parecer era más de lo que alcanzaba a explicarme.

–Lo he mandado llamar –me dijo con tono grandilocuente y apenas hube terminado de examinar el insecto– para gozar de su consejo y su ayuda en el cumplimiento de las decisiones del Destino y del escarabajo...

–Mi querido Legrand –exclamé, interrumpiéndolo–, evidentemente usted no está bien, y sería mejor que tomara algunas precauciones. Le ruego que se acueste, mientras yo me quedo acompañándolo unos días, hasta su completa mejoría. Está afiebrado y...

–Tómeme el pulso –me dijo.

Así lo hice y, a decir verdad, no advertí la menor indicación de fiebre.

–Es posible estar enfermo y no tener fiebre –insistí–. Permítame, por esta vez, ser su médico. Ante todo, vaya a acostarse. Y luego...

–Se equivoca usted –dijo Legrand–. Me siento tan bien como es posible estarlo con la excitación que me domina. Si realmente desea mi bien, ayúdeme a terminar con ella.

–¿Y cómo es posible?

–Muy sencillamente. Júpiter y yo partimos a una expedición a las colinas, en tierra firme, y nos hace falta la ayuda de una persona en quien podamos confiar. Usted es esa persona. Triunfemos o no, la excitación que ahora me domina cesará igualmente.

–Tengo el mayor deseo de serle útil –repuse–, pero... ¿quiere usted dar a entender que este infernal escarabajo se relaciona con nuestra expedición a las colinas?

–Por supuesto.

–Entonces, Legrand, no tomaré parte en tan absurda empresa.

–Lo siento... lo siento muchísimo... porque tendremos que arreglárnoslas solos.

–¡Solos! ¡Ah, seguramente este hombre se ha vuelto loco! ¡Espere! ¿Cuánto tiempo durará su ausencia?

–Probablemente toda la noche. Saldremos en seguida y, pase lo que pase, estaremos de vuelta a la salida del sol.

–¿Me promete usted, por su honor que una vez acabado este capricho suyo, y liquidado el asunto del insecto (¡santo Dios!), volverá a casa y seguirá al pie de la letra mis prescripciones y las de su médico?

–Sí, lo prometo. Y ahora vámonos, porque no hay tiempo que perder.

Profundamente deprimido, acompañé a mi amigo. A eso de las cuatro, Legrand, Júpiter y yo nos pusimos en marcha, llevando también al perro. Júpiter se encargó de la guadaña y las palas e insistió en acarrear con todo, creo que más por miedo de que alguno de esos implementos quedara en manos de su amo que por exceso de complacencia. Estaba muy malhumorado, y «maldito bicho» fueron las únicas palabras que brotaron de sus labios durante todo el viaje. Por mi parte, me habían confiado un par de linternas sordas, mientras Legrand se contentaba con el escarabajo, que había atado al extremo de un hilo y hacia girar a su alrededor mientras andaba, con aire de prestidigitador. Cuando reparé en esta última y clara prueba de la demencia de mi amigo, apenas pude contener las lágrimas. Me pareció, sin embargo, preferible seguirle la corriente, al menos por el momento, hasta que pudiese adoptar medidas más enérgicas con garantías de buen resultado. Inútilmente traté de sondearlo sobre los propósitos de la expedición. Una vez que hubo logrado convencerme de que lo acompañara, no parecía dispuesto a mantener conversación sobre ningún tema menudo, y a todas mis preguntas respondía invariablemente: «¡Ya veremos!».

Por medio de un esquife cruzamos el arroyo en la punta de la isla y, remontando las onduladas colinas de la orilla opuesta, nos encaminamos hacia el noroeste, atravesando una región tan salvaje como desolada, donde era imposible descubrir la menor huella de pie humano. Legrand rompía la marcha con gran decisión, deteniéndose aquí y allá para consultar ciertas indicaciones en el terreno, que supuse había hecho él mismo en una ocasión anterior.

De esta manera avanzamos durante unas dos horas, y el sol se ponía cuando entramos en una zona muchísimo más desolada de lo que habíamos visto hasta entonces. Era una especie de meseta, cerca de la cima de un monte casi inaccesible, cuyas laderas aparecían densamente arboladas y sembradas de enormes peñascos que daban la impresión de estar sueltos en el suelo, y a los que sólo el soporte de los troncos impedía rodar a los valles inferiores. Profundos precipicios en distintas direcciones daban a aquel escenario un aire todavía más grande de solemnidad.

La plataforma natural a la que habíamos trepado estaba cubierta de espesas zarzas, a través de las cuales hubiera sido imposible pasar de no tener con nosotros la guadaña. Bajo las órdenes de su amo, Júpiter empezó a abrir un camino en dirección a un gigantesco tulípero, que se alzaba allí en unión de unos ocho o diez robles, sobrepasándolos a todos (como hubiera sobrepasado a cualquier otro árbol) por la belleza de su follaje, su forma, la enorme extensión de las ramas y su majestuosa apariencia.

Una vez llegados al pie del tulípero, Legrand se volvió a Júpiter y le preguntó si se animaba a trepar a la copa. El buen viejo se quedó un tanto aturdido y no contestó al principio. Acercose por fin al enorme árbol, dio lentamente la vuelta, examinándolo minuciosamente. Terminado el escrutinio, se limitó a decir:

–Sí, massa. Júpiter puede treparse a cualquier árbol del mundo.

–Pues arriba entonces, y lo antes posible, porque está oscureciendo y pronto no veremos nada.

–¿Cuánto tengo que subir, massa? –inquirió Júpiter.

–Empieza por el tronco, y ya te diré qué camino tienes que tomar... ¡Espera un momento! Llévate el escarabajo contigo.

–¿El bicho, massa Will? ¿El bicho de oro? –gritó el negro–. ¿Que trepe con él? ¡Maldito si lo hago...!

–Si tienes miedo, Jup, un negro tan grande y fuerte como tú, de llevar en la mano un pequeño escarabajo muerto e inofensivo... ¡Mira, si puedes tenerlo de la punta del hilo! De todas maneras, si no subes con él en una forma u otra me veré en la necesidad de romperte la cabeza con esta pala.

–¿Por qué se pone así, massa? –se quejó Jup, evidentemente avergonzado y dispuesto a someterse–. ¡Siempre anda buscando camorra a su pobre negro! Si solamente bromeaba... ¿Yo tener miedo del bicho? ¿Qué me importa a mí el bicho?

Y tomando con todo cuidado el extremo del hilo, para mantener al insecto lo más alejado posible de su persona, se dispuso a trepar al árbol.

El tulípero –*Liriodendron Tulipiferum*–, el más magnífico de los árboles americanos, tiene cuando es joven un tronco particularmente liso, que con frecuencia se alza a gran altura sin ninguna rama lateral; pero al envejecer la corteza se vuelve irregular y nudosa, a la vez que surgen en el tronco diversas ramas cortas. Por eso, en el presente caso, la dificultad de trepar era más aparente que real. Abrazando como mejor podía, con brazos y rodillas, el enorme cilindro, buscando con las manos algunas saliencias y apoyando en otras sus pies descalzos, Júpiter logró encaramarse, por fin, hasta la primera bifurcación, después de estar a punto de caerse una o dos veces, y pareció considerar que su tarea terminaba allí. En realidad, el peligro mayor de la empresa había pasado, aunque el peligro se hallaba a unos sesenta o setenta pies de altura.

–¿Para dónde tengo que ir ahora, massa Will? –preguntó.

–Sigue la rama más gruesa... la de este lado –indicó Legrand.

El negro le obedeció prontamente y, al parecer, con poco trabajo; trepó cada vez más alto, hasta que dejamos de ver su figura rampante entre el denso follaje que la envolvía. Pero su voz no tardó en llegarnos desde lo alto:

–¿Cuánto más tengo que subir?

–¿A qué altura estás? –preguntó Legrand.

–Tan alto, tan alto, que puedo ver el cielo entre las hojas del árbol.

–No te ocupes del cielo, pero escucha bien lo que te digo. Mira hacia abajo y cuenta las ramas que hay debajo de ti, de este lado. ¿Cuántas ramas pasaste?

–Una, dos, tres, cuatro, cinco... Pasé cinco grandes ramas, massa, de este lado.

–Entonces sube una más.

Pocos minutos más tarde oímos otra vez la voz de Júpiter, anunciando que había llegado a la séptima rama.

–¡Ahora escucha, Jup! –gritó Legrand, evidentemente muy excitado–. Quiero que avances lo más que puedas por esa rama. Si ves algo raro, avísame.

A esta altura, las pocas dudas que aún podía tener sobre la demencia de mi pobre amigo se habían disipado. No quedaba otro remedio que declararlo insano, y empecé a preocuparme seriamente sobre la forma de llevarlo a casa. Mientras reflexionaba se oyó nuevamente la voz de Júpiter:

–Tengo mucho miedo de seguir por esta rama... Es una rama muerta, massa.

–¿Dijiste que es una rama *muerta,* Júpiter? –gritó Legrand con voz temblorosa.

–Sí, massa, muerta y bien muerta... Terminada para siempre, la pobre...

–En nombre del cielo, ¿qué voy a hacer? –exclamó Legrand, sumido en la más grande desesperación.

–¿Qué va a hacer? –dije, aprovechando la posibilidad de intercalar una frase–. ¡Pues... volver a casa y acostarse! ¡Vamos, ahora mismo! Se está haciendo tarde y, además, no se olvide de su promesa.

–¡Júpiter! –gritó él, sin prestarme la menor atención–. ¿Me oyes?

–Sí, massa Will, lo oigo muy bien.

–Prueba la madera con tu cuchillo y fíjate si está *muy* podrida.

–Está podrida, massa, eso es seguro –repuso el negro después de un momento–. Pero no tan podrida que no pueda aventurarme un poquitín más por la rama, si voy solo.

–¡Si vas solo! ¿Qué quieres decir?

–Quiero decir el bicho de oro. Es un bicho *muy* pesado. Pongamos que lo dejo caer, y entonces la rama aguantará muy bien el paso de un negro sólo.

–¡Maldito bribón! –gritó Legrand, que parecía muy aliviado–. ¿Qué clase de disparates estás diciendo? ¡Si llegas a soltar ese escarabajo te retuerzo el pescuezo! ¡Júpiter! ¿Me oyes?

–Sí, massa, no hay que hablar de ese modo a un pobre negro.

–¡Bueno, escucha! Si te aventuras lo más que puedas por la rama y no dejas caer el insecto, tan pronto hayas bajado te regalaré un dólar de plata.

–¡Ya estoy andando, massa Will! –replicó el negro con gran prontitud–. ¡Ya llegué casi a la punta!

–*¡Casi a la punta!* –aulló Legrand–. ¿Quieres decir que estás en la punta de esa rama?

–Pronto voy a llegar, massa... ¡Ooooh...! ¡Dios me proteja...! ¿Qué es esto que hay en el árbol?

–¡Y bien! –gritó Legrand, en el colmo del júbilo– ¿Qué es lo que hay?

–¡Es... es una calavera! Alguien dejó su cabeza en el árbol y los cuervos se comieron toda la carne.

–¿Una calavera, dices? ¡Perfecto! ¿Cómo está sujeta a la rama?

–Voy a ver, massa... Pues es muy curioso, sí, señor; muy curioso... Hay un gran clavo en la calavera, que la tiene sujeta al árbol.

–Bueno, Júpiter, ahora haz exactamente lo que voy a decirte. ¿Me oyes?

–Sí, massa.

–Presta atención entonces. Primero busca el ojo izquierdo del cráneo.

–¡Hum...! ¡Vaya...! ¡Esto sí que es curioso! ¡No tiene ojo izquierdo!

–¡Maldita sea tu estupidez! ¡El agujero donde estaba el ojo! ¡Oye! ¿Sabes distinguir tu mano derecha de la izquierda?

–¡Oh, sí, massa! Lo sé muy bien. La mano izquierda es la que uso para hachar la leña.

–Perfecto: ya sé que eres zurdo. Pues tu ojo izquierdo está del mismo lado que tu mano izquierda. Supongo que ahora sabrás encontrar el ojo izquierdo del cráneo o el sitio donde estuvo el ojo. ¿Ya lo tienes?

Siguió una larga pausa, tras de la cual dijo, por fin, el negro:

–¿El ojo izquierdo de la calavera está del mismo lado que la mano izquierda de la calavera? Pero la calavera no tiene mano izquierda... ¡Bueno, no importa! Ya tengo el ojo izquierdo... ¡Aquí está! ¿Qué hago ahora?

–Pasa el escarabajo por él y déjalo caer hasta donde alcance el hilo... pero ten cuidado de no soltar el extremo.

–¡Ya está, massa Will! Es muy fácil pasar el bicho por el agujero. ¡Mírelo cómo baja!

Durante este diálogo no podía verse porción alguna de Júpiter; pero ahora, al descender, el escarabajo apareció en el extremo del hilo y brilló como un globo de oro puro bajo los últimos rayos del sol poniente, que aún alcanzaban a iluminar la eminencia donde estábamos. El escarabajo colgaba por debajo del nivel de las ramas y, si Júpiter lo hubiese soltado, habría caído a nuestros pies. Legrand se apoderó al punto de la guadaña y despejó un espacio circular de unas tres o cuatro yardas de diámetro, exactamente debajo del insecto, hecho esto, ordenó a Júpiter que soltara el hilo y que bajara del árbol.

Clavando con todo cuidado una estaca en el suelo, exactamente en el lugar donde había caído el escarabajo, mi amigo extrajo del bolsillo una cinta métrica. Fijó un extremo de la parte del tronco del árbol más cercana a la estaca y la desenrolló hasta alcanzar el punto donde estaba esta; siguió luego desenrollando la cinta, siguiendo la dirección ya establecida por los dos puntos, hasta una distancia de cincuenta pies, mientras Júpiter limpiaba de zarzas el lugar con ayuda de la guadaña. En el sitio así alcanzado, Legrand fijó otra clavija y, tomándola por centro, trazó un tosco círculo de unos cuatro pies de diámetro. Empuñando una pala y dándonos las otras se puso a cavar con toda la rapidez posible.

A decir verdad, jamás he tenido mucha inclinación hacia semejante tarea, y en este caso habría renunciado con gusto a ella, porque la noche se acercaba y la caminata me había fatigado mucho. Pero no había escapatoria y temí turbar con mi negativa la serenidad de mi amigo. Si hubiera podido contar con la ayuda de Júpiter no habría vacilado en arrastrar por la fuerza al lunático y devolverlo a su casa; pero conocía demasiado bien la manera de ser del viejo negro para esperar que se pusiera a mi lado, bajo cualesquier circunstancias, en una lucha personal contra su amo. No cabía duda de que este se había dejado atrapar por una de las innumerables supersticiones sureñas acerca de tesoros enterrados, y que su fantasía se había exacerbado con el hallazgo del escarabajo, o quizá por la obstinación de Júpiter al sostener que se trataba de «un bicho de oro verdadero». Una mente con tendencia a la insania está pronta a dejarse arrastrar por semejantes sugestiones –especialmente si coinciden con ideas preconcebidas–. Me acordé también de la frase del pobre hombre acerca de que el insecto sería «el índice de su fortuna». Me sentía profundamente afectado y perplejo, pero decidí finalmente tomar las cosas lo mejor posible, cavar con mi mejor voluntad y convencer lo antes posible al visionario, por comprobación ocular, de la falacia de sus ensueños.

Una vez encendidas las linternas, nos pusimos a trabajar con un tesón digno de motivo más racional; y a medida que la luz caía sobre uno u otro, no podía dejar de pensar en el pintoresco grupo que formábamos y cuán extrañas y sospechosas habrían parecido nuestras actividades a cualquier intruso que pasara por casualidad cerca de allí.

Durante dos horas cavamos de firme. No hablábamos gran cosa y nuestra mayor preocupación eran los ladridos del perro, que se mostraba sumamente interesado por nuestro trabajo. A la larga se volvió tan fastidioso, que temimos diese la alarma a quienes vagaran por las inmediaciones; aunque, en realidad, era Legrand quien se inquietaba más, pues yo me hubiera sentido bien contento de cualquier interrupción que me ayudase a hacer volver a mi amigo a su casa. Júpiter se encargó finalmente de acallar el estrépito; saliendo del pozo con aire de gran resolución, convirtió en bozal sus tirantes, y, luego de cerrar así la boca del animal, volvió con una grave sonrisa a su trabajo.

Terminadas las dos horas, estábamos ya a una profundidad de cinco pies, sin que apareciera la menor señal de tesoro. Siguió un momento de descanso y comencé a esperar que la farsa terminaría allí. Legrand, sin embargo, aunque evidentemente desconcertado, se secó la frente con aire pensativo y reanudó el trabajo. Habíamos excavado por completo el círculo de cuatro pies de diámetro; ampliamos un poco más el límite y ahondamos otros dos pies. Nada apareció. El buscador de oro, que me inspiraba la más sincera lástima, saltó, por fin, del pozo con la más amarga decepción impresa en cada uno de sus rasgos y comenzó lentamente a ponerse la chaqueta que se había quitado al iniciar su labor. Yo no hice la menor observación. A una señal de su amo, Júpiter recogió los utensilios. Hecho esto, y luego de quitar el bozal al perro, iniciamos en profundo silencio el regreso a casa.

Habríamos caminado apenas unos doce pasos, cuando Legrand soltó un juramento, corrió hacia Júpiter y lo sujetó por el cuello. El estupefacto negro abrió enormemente los ojos y la boca, soltó las palas y se puso de rodillas.

–¡Tunante! –gritó Legrand, haciendo silbar la palabra entre sus dientes–. ¡Negro infernal, maldito pícaro! ¡Habla, te digo! ¡Contéstame ahora mismo y, sobre todo, no vayas a soltar un embuste! ¿Cuál... cuál es tu ojo izquierdo?

–¡Oh, Dios mío, massa Will...! ¿No es este mi ojo izquierdo? –clamó el aterrado Júpiter, tapándose con la mano el ojo *derecho* y manteniéndola allí con desesperada obstinación, como si temiera que su amo fuese a arrancárselo.

–¡Me lo imaginé! ¡Pero, claro! ¡Hurra! –vociferó Legrand, soltando al negro y ejecutando una serie de cabriolas y saltos, con no poco asombro de su criado, quien, ya de pie, nos miraba una y otra vez alternativamente.

–¡Vamos! ¡Volvamos allá! –dijo Legrand–. ¡La caza no ha terminado!

Y se encaminó resueltamente en dirección al tulípero.

–Júpiter, ven aquí –ordenó cuando llegamos al pie del árbol–. Dime, ¿estaba el cráneo clavado a la rama con la cara para afuera o con la cara contra la rama?

–Con la cara para afuera, massa, para que los cuervos pudieran llegarle a los ojos sin ningún trabajo.

–Muy bien. ¿Y fue por este ojo o por este otro que dejaste pasar el escarabajo? –insistió Legrand, tocando alternativamente los ojos de Júpiter.

–Por este, massa... por el izquierdo... como usted me mandó –y de nuevo el negro se tocaba el ojo derecho.

–Bueno, basta con eso. Hay que recomenzar.

Y mi amigo, en cuya locura yo veía ahora o me imaginaba que veía ciertos indicios de método, retiró la estaca que señalaba el lugar donde había caído el escarabajo y la fijó unas tres pulgadas hacia el oeste de su anterior posición. Colocando la cinta métrica como antes, a partir del punto más próximo del tronco del árbol hasta la estaca, continuó la línea hasta una distancia de cincuenta pies, señalando allí un lugar que quedaba a varias yardas de distancia del sitio donde habíamos estado cavando.

Legrand trazó un círculo en torno a este nuevo punto, haciéndolo algo mayor que el anterior, y otra vez nos pusimos a trabajar con las palas. Yo estaba terriblemente cansado; pero, sin darme cuenta de lo que había alterado el curso de mis pensamientos, dejé de sentir aversión por la labor que me imponían. Inexplicablemente me sentía lleno de interés... de excitación. Quizá hubiera algo en la extravagante conducta de Legrand, algo de premonición o de seguridad, que me impresionaba. Cavé tesoneramente y más de una vez me sorprendí pensando –con algo que tenía mucho de esperanza– en el tesoro imaginario cuya visión había enloquecido a mi infortunado compañero. En el momento en que esas fantasías me dominaban con mayor violencia, y cuando llevábamos más de una hora trabajando, los violentos ladridos del perro volvieron a interrumpirnos. La primera vez su conducta había nacido de un caprichoso deseo de jugar, pero ahora advertimos en sus ladridos un tono de profunda inquietud. Cuando Júpiter trató de embozalarlo nuevamente opuso una furiosa resistencia y, saltando al agujero, cavó frenéticamente la tierra con sus patas. Segundos más tarde ponía en descubierto una masa de huesos humanos que formaban dos esqueletos completos, entre los cuales se advertían varios botones metálicos y aparentes restos de lana podrida. Uno o dos golpes de pala sacaron a la superficie un ancho cuchillo español; seguimos cavando y descubrimos tres o cuatro monedas de oro y de plata.

A la vista de estas últimas, la alegría de Júpiter pudo apenas contenerse, pero el rostro de su amo expresó la más profunda decepción. Nos pidió, sin embargo, que siguiéramos cavando y, apenas había pronunciado las palabras, cuando tropecé y caí hacia adelante, enganchada la punta de mi bota en un gran anillo de hierro que yacía semienterrado en la tierra removida.

Reanudamos el trabajo con renovado ardor y jamás viví diez minutos de mayor excitación. Nos bastó ese tiempo para desenterrar a medias un cofre oblongo de madera que, a juzgar por su perfecto estado de conservación y dureza de su material, debía de haber sufrido algún proceso de mineralización –probablemente con ayuda del bicloruro de mercurio–. La caja tenía tres pies y medio de largo, tres de ancho y dos y medio de profundidad. Estaba firmemente asegurada por bandas remachadas de hierro forjado, que hacían una especie de enrejado sobre todo el cofre. A cada lado, cerca de la parte superior, se veían tres anillos de hierro, seis en total, mediante los cuales el cofre podía ser cómodamente transportado por otros tantos hombres. Nuestros esfuerzos combinados sólo sirvieron para mover ligeramente el cofre en su lecho de tierra. Inmediatamente comprendimos la imposibilidad de mover semejante peso. Por fortuna, la tapa no estaba sujeta más que por dos pasadores. Los corrimos temblando, jadeando de ansiedad. Un instante más tarde brillaba ante nosotros un tesoro de incalculable valor. Los rayos de la linterna cayeron sobre él, haciendo brotar de un confuso montón de oro y plata fulgores y reflejos que literalmente nos cegaron.

No pretenderé describir los sentimientos que me dominaron al contemplar aquello. La estupefacción, claro está, predominaba. Legrand parecía agotado por la excitación y sólo habló unas pocas palabras. Durante algunos minutos, el rostro de Júpiter se puso todo lo pálido que la naturaleza permite a la cara de un negro. Parecía atónito, fulminado. Pero pronto cayó de rodillas en el pozo y, hundiendo los desnudos brazos hasta los codos en el oro, los dejó así como si estuviera gozando de las delicias de un baño. Por fin, con un suspiro, exclamó como si hablara consigo mismo:

–¡Y todo esto viene del bicho de oro! ¡Del precioso bicho de oro, del pobre bicho de oro, que yo traté con tanta brutalidad! ¿No estás avergonzado de ti mismo, negro? ¡Contesta!

Fue necesario, finalmente, que hiciera notar a amo y criado la necesidad de transportar el tesoro. Ya era tarde y no poco trabajo tendríamos hasta haber depositado todo en la cabaña antes del amanecer. Resultaba difícil decidir el mejor procedimiento, y pasamos largo rato deliberando; tan confusas eran nuestras ideas. Por fin, retiramos dos tercios del contenido del cofre y con gran trabajo pudimos levantarlo a la superficie. Los objetos que habíamos retirado fueron depositados entre las zarzas y dejamos al perro que los cuidara, con órdenes estrictas de Júpiter de que no se moviera para nada del lugar ni abriera la boca hasta nuestro regreso. Llevando el cofre, emprendimos apresuradamente el retorno a casa, adonde llegamos sanos y salvos, aunque agotados, a la una de la mañana. Exhaustos como estábamos, era humanamente imposible proseguir. Descansamos, pues, hasta las dos y cenamos, para volver inmediatamente a las colinas provistos de tres sólidos sacos que por fortuna había en la cabaña. Llegamos al pozo poco antes de las cuatro, dividimos el remanente del botín entre los tres y, sin tapar el pozo, retornamos a casa, adonde arribamos con nuestras áureas cargas en momentos en que las primeras luces del alba comenzaban a asomar en el este sobre las cimas de los árboles.

Estábamos completamente agotados, pero la intensa excitación que nos dominaba no nos permitía descansar. Luego de un sueño intranquilo de tres o cuatro horas nos levantamos como de común acuerdo para examinar nuestro tesoro.

El cofre había estado lleno hasta los bordes, y pasamos todo el día y gran parte de la noche siguiente haciendo el inventario de su contenido. No había en él la menor señal de orden. Las cosas estaban mezcladas y revueltas. Luego de separarlas con cuidado, descubrimos que éramos dueños de una fortuna aún mayor de lo que habíamos supuesto. Nada más que en monedas su valor excedía de cuatrocientos cincuenta mil dólares –calculando lo mejor posible el valor de las monedas con arreglo a las tablas de la época–. No había una sola partícula de plata. Todo era oro, de antigua data y gran variedad, dinero francés, español y alemán, junto con unas pocas guineas inglesas y algunas fichas, de las cuales nunca habíamos visto ningún ejemplar. Descubrimos varias monedas tan grandes como pesadas, pero las inscripciones eran indescifrables por el uso. No encontramos monedas americanas.

Más difícil era calcular el valor de las joyas. Los diamantes (algunos de ellos extraordinariamente grandes y hermosos) sumaban en total ciento diez, sin que hubiera uno solo pequeño; dieciocho rubíes de notable transparencia; trescientas diez esmeraldas, todas muy hermosas; veintiún zafiros y un ópalo. Las piedras habían sido arrancadas de su montura y arrojadas en montón al cofre. Encontramos también las monturas mezcladas con el resto del oro; parecían haber sido aplastadas a martillazos, a fin de impedir que se las identificara. Aparte de esto había cantidad de joyas y objetos de oro macizo: casi doscientos anillos y aros, ricas cadenas –unas treinta, si recuerdo bien–, ochenta y tres grandes y pesados crucifijos, y cinco incensarios de gran valor; una prodigiosa copa para *punch,* ornamentada con pámpanos ricamente cincelados, y figuras báquicas; dos puños de espada exquisitamente trabajados, y multitud de objetos más pequeños que no recuerdo. El peso total de estas joyas pasaba de trescientas cincuenta libras, y en este cálculo no he contado ciento noventa y siete magníficos relojes de oro, de los cuales tres valían quinientos dólares cada uno. Muchos eran antiquísimos y sin valor como relojes, ya que la máquina había sufrido por la corrosión, pero todos estaban ricamente ornados de pedrerías y tenían estuches de grandísimo valor. Aquella noche calculamos que el contenido total del cofre valía un millón y medio de dólares; pero, cuando más tarde procedimos a liquidar los dijes y las joyas (guardando unas pocas para nuestro uso personal), descubrimos que las habíamos estimado muy por debajo de la realidad.

Cuando acabó, por fin, nuestro inventario y la intensa exaltación del momento disminuyó un tanto, Legrand advirtió que yo me moría de impaciencia por la solución de tan extraordinario enigma y procedió a proporcionarme todos los detalles vinculados con el mismo.

–Recordará usted –empezó– la noche en que le alcancé el tosco dibujo que acababa de hacer del *scarabœus*. También recordará que me chocó muchísimo su insistencia en que mi diseño hacía pensar en una calavera. La primera vez que me lo dijo creí que se estaba burlando, pero luego recordé las curiosas manchas en el dorso del insecto y reconocí que su observación tenía algún fundamento. No obstante, sus referencias irónicas a mis aptitudes gráficas me irritaron, ya que se me consideraba un buen artista; por eso, cuando me devolvió el trozo de pergamino, me dispuse a arrugarlo y tirarlo al fuego.

–Se refiere usted al trozo de papel –dije.

–No. Se parecía bastante al papel y por un momento creí que lo era, pero cuando me puse a dibujar descubrí que se trataba de un trozo de pergamino sumamente delgado. Recordará usted que estaba muy sucio. Pues bien, iba a estrujarlo, cuando mis ojos cayeron sobre el croquis que usted había estado mirando, y puede imaginarse mi estupefacción al advertir que, verdaderamente, en el lugar donde yo había trazado el diseño del escarabajo había una calavera. Por un momento me quedé tan sorprendido que no pude pensar distintamente. Sabía muy bien que mi dibujo difería por completo de aquel en sus detalles, aunque, en líneas generales, hubiera cierta semejanza. Tomando una bujía me fui al otro extremo del salón para estudiar de cerca el pergamino. Al volverlo vi en él mi croquis, tal como lo había hecho. Mi primera idea fue pensar en lo curioso de aquella similaridad de diseño, en la extraña coincidencia de que, sin saber, del otro lado del pergamino hubiese un cráneo exactamente debajo de mi croquis del escarabajo, y que dicho cráneo se le parecía tanto en la figura como en el tamaño. Admito que la singularidad de esta coincidencia me dejó completamente estupefacto por un momento. Tal es el efecto usual de las coincidencias. La inteligencia lucha por establecer una conexión, un enlace de causa y efecto, y, al no conseguirlo, queda momentáneamente como paralizada. Pero, al recobrarme del estupor, gradualmente empezó a surgir en mí una noción que me sorprendió todavía más que la coincidencia. Comencé a recordar positiva y claramente que en el pergamino *no había* ningún dibujo cuando trazara el del escarabajo. Estaba completamente seguro, porque me acordaba de haberlo vuelto en uno y otro sentido, buscando la parte más limpia. Si el cráneo hubiese estado allí, no podía habérseme escapado. Indudablemente estaba en presencia de un misterio que me resultaba imposible explicar; pero, incluso en aquel momento, me pareció que en lo más hondo y secreto de mi inteligencia se iluminaba algo así como una luciérnaga mental, una noción de esa verdad que nuestra aventura de anoche demostró tan magníficamente. Me levanté en seguida y, guardando el pergamino en lugar seguro, dejé todas las reflexiones para el momento en que me quedara solo.

»Una vez que usted se hubo marchado y Júpiter dormía profundamente, me puse a investigar el asunto con mayor método. En primer término consideré la forma en que el pergamino había llegado a mis manos. El lugar donde encontramos el escarabajo queda en la costa del continente, aproximadamente una milla al este de la isla y a poca distancia del nivel de la marea alta. Cuando lo atrapé, me mordió con fuerza, obligándome a soltarlo. Júpiter, procediendo con su prudencia acostumbrada, miró alrededor en busca de una hoja o de algo que le permitiera apoderarse con seguridad del insecto, que había volado en su dirección. Fue entonces cuando sus ojos y los míos cayeron sobre el trozo de pergamino, que en el momento me pareció papel. Aparecía enterrado a medias en la arena y sólo una punta sobresalía. Cerca del lugar donde lo encontramos reparé en los restos de la quilla de una embarcación que debió ser la chalupa de un barco. Aquellos restos daban la impresión de hallarse allí desde hacía mucho, porque apenas podía reconocerse la forma primitiva de las maderas.

»Júpiter recogió el pergamino, envolvió en él el escarabajo y me lo dio. Poco más tarde desandamos el camino y me encontré con el teniente G... Al mostrarle el insecto me pidió que se lo prestara para llevarlo al fuerte. Acepté, y se lo puso en el bolsillo del chaleco, sin el pergamino en que había estado envuelto y que yo conservaba en la mano durante la inspección. Quizá el teniente temió que yo cambiara de opinión y pensó que era preferible asegurarse en seguida... Ya sabe usted cuán entusiasta es en todo lo que se refiere a la historia natural. Al mismo tiempo, y sin tener idea de lo que hacía, yo debí de guardarme el pergamino en el bolsillo.

»Recordará usted que, cuando me senté a la mesa con intención de dibujarle el escarabajo, no encontré papel donde suele estar. Miré en el cajón sin verlo. Revisé mis bolsillos en busca de alguna vieja carta, cuando mis dedos tocaron el pergamino. Si le doy todos estos detalles sobre la forma en que ese papel llegó a mi posesión se debe a que lo ocurrido me impresionó profundamente.

»No dudo que usted me tachará de fantasioso, pero había establecido ya una especie de conexión. Dos eslabones de una gran cadena se juntaban. Había un bote en una playa, y no lejos del bote había un pergamino –no un papel– con una calavera pintada. Usted me preguntará cuál puede ser la conexión. Le contesto que la calavera es el bien conocido emblema de los piratas. En todos los combates se iza la bandera con el cráneo de muerto.

»Dije que aquel trozo era de pergamino y no de papel. El pergamino es durable, casi indestructible. Las cuestiones de poca importancia se consignan rara vez en pergamino, ya que no se presta como el papel para las finalidades ordinarias de la escritura o el dibujo. Esta reflexión sugería que aquel cráneo tenía un sentido... y un sentido importante. Tampoco dejé de observar, de paso, la *forma* del pergamino. Aunque algún accidente había destruido una de sus puntas, podía verse que la forma original era oblonga. Justamente el tipo y la forma adecuados para consignar un documento importante, algo que debía ser cuidadosamente preservado y largamente recordado.

–Un momento –interrumpí–. Dijo usted que al dibujar el escarabajo el cráneo *no estaba* en el pergamino. ¿Cómo puede establecer, entonces, una conexión entre el bote y el cráneo, puesto que este último debió de ser dibujado (¡Dios sabe cómo y por quién!) después que usted hubo trazado el diseño del escarabajo?

–¡Ah, todo el misterio está ahí! Y eso que, por comparación, no me costó mucho resolverlo. Mis pasos eran seguros y no podían llevarme más que a una solución. He aquí, por ejemplo, cómo razoné. Al dibujar el escarabajo no había ningún cráneo en el pergamino. Al completar mi croquis se lo pasé a usted, y no dejé de observarlo de cerca hasta que me lo devolvió. *Usted* por tanto, no podía haber dibujado la calavera, y no había nadie más capaz de hacerlo. Vale decir que aquel dibujo no nacía de una intervención humana. Y sin embargo... estaba ahí.

»A esta altura de mis reflexiones traté de recordar, y *recordé* con toda claridad, los incidentes acaecidos durante el período en cuestión. El tiempo era frío (¡oh raro y feliz accidente!) y ardía un fuego en el hogar. Como mi caminata me había hecho entrar en calor, me senté cerca de la mesa. Pero usted acercó su silla a la chimenea. Justamente cuando le alcanzaba el pergamino y usted se disponía a inspeccionarlo, apareció Lobo, mi terranova, y le saltó a los hombros. Usted lo acarició y lo mantuvo a distancia con la mano izquierda, mientras la derecha, que sostenía el pergamino, colgaba entre sus rodillas muy cerca del fuego. En un momento dado pensé que las llamas iban a alcanzarlo, y me disponía a prevenírselo, pero antes de que pudiera hablar retiró usted el pergamino y se absorbió en su examen. Considerando todos estos detalles, no dudé un instante de que *el calor* era el agente que había hecho surgir en la superficie del pergamino el cráneo que encontré dibujado en él. Bien sabe usted que siempre han existido preparaciones químicas mediante las cuales se puede escribir sobre papel o pergamino, de modo que los caracteres resultan invisibles mientras no se los someta a la acción del fuego.

Suele emplearse el zafre disuelto en *aqua regia* y diluido en cuatro veces su peso en agua; resulta de ello una coloración verde. El régulo de cobalto disuelto en esencia de salitre produce un color rojo. Estos colores desaparecen en un tiempo más o menos largo después de la escritura pero vuelven a ser visibles cuando se los expone al calor.

»Me puse, pues, a examinar con cuidado el cráneo. Sus contornos exteriores, es decir, las líneas más próximas al borde del pergamino eran mucho más *precisos* que los otros. No cabía duda de que la acción del calor había sido desigual e imperfecta. Encendí inmediatamente un fuego y sometí cada porción del pergamino al máximo de calor. Al principio, lo único que noté fue que las líneas más pálidas del dibujo se reforzaban; pero, continuando el experimento, vi aparecer en un rincón, opuesto diagonalmente a aquel donde se encontraba el cráneo, el dibujo de algo que al principio me pareció una cabra. Examinándolo con más detalle terminé por reconocer que se trataba de un cabrito.

–¡Vamos, vamos! –exclamé–. Bien sé que no tengo derecho a reírme de usted, ya que un millón y medio de dólares es demasiado dinero para ninguna broma... Pero no irá usted a agregar un tercer eslabón a su cadena; no irá a buscar una relación especial entre sus piratas y una cabra. Bien se sabe que los piratas no tienen nada que ver con las cabras. Solamente los granjeros se interesan por ellas.

–Ya le he dicho que el dibujo no representaba una cabra.

–Un cabrito, entonces... pero es casi la misma cosa.

–Casi..., aunque no enteramente –dijo Legrand–. Quizá haya oído hablar de un tal capitán Kidd. Por mi parte, consideré inmediatamente que el dibujo equivalía a una especie de firma jeroglífica o simbólica[2]. Si digo firma es porque su posición en el pergamino sugería esta idea. Del mismo modo, el cráneo colocado en el ángulo diagonalmente opuesto producía el efecto de un sello, de un símbolo estampado. Pero lo que me desconcertó profundamente fue la ausencia de toda otra cosa: faltaba el cuerpo de mi imaginado documento... el texto mismo.

–Supongo que esperaba usted descubrir una carta entre el sello y la firma.

–Algo así, en efecto. Debo confesar que me sentía invadido por un presentimiento de buena fortuna inminente. Apenas si puedo decir por qué... Supongo que era un deseo más que una verdadera seguridad, pero... ¿creerá usted que las tontas palabras de Júpiter sobre el escarabajo, cuando afirmó que era de oro verdadero, tuvieron un

2. *Kid,* cabrito. *(N. del T.)*

gran efecto sobre mi fantasía? Y luego, la serie de accidentes y coincidencias... tan extraordinarias. ¿Se da usted cuenta de lo accidental que resulta que todos esos acontecimientos tuvieran lugar el *único* día del año en que el frío fue lo bastante intenso para requerir fuego, y que sin aquel fuego, o sin la intervención del perro en el preciso momento en que se produjo, yo no habría llegado jamás a ver el cráneo y no estaría en posesión del tesoro?

–Prosiga usted... ardo de impaciencia.

–Pues bien, no creo que ignore las muchas historias que se cuentan y los mil vagos rumores sobre tesoros enterrados por Kidd y sus compañeros en las costas atlánticas. Sin duda tales rumores deben de tener algún fundamento. Y el hecho de que hayan continuado tanto tiempo y en forma ininterrumpida me llevó a pensar que el tesoro *seguía* enterrado. Si Kidd hubiese escondido por un tiempo el fruto de sus pillajes, para recobrarlo más tarde, es difícil que los rumores hubieran llegado a nosotros sin mayores variantes. Observará usted que las historias que se cuentan aluden siempre a buscadores de tesoros y no a los que los encuentran. Si el pirata hubiera recobrado su dinero, la cuestión estaría terminada. Se me ocurrió que algún accidente –digamos la pérdida del documento indicador del sitio exacto– le había impedido recobrar su tesoro, y que dicho accidente llegó a conocimiento de sus compañeros, que de otra manera no hubieran oído hablar jamás de tesoro alguno; en su afán por descubrirlo a su turno, sin resultado, aquellos habrían dado origen a los rumores que con el tiempo llegaron a ser generales y corrientes. ¿Oyó usted hablar alguna vez de que en esta costa se encontrara algún tesoro importante?

–Jamás.

–Y sin embargo es bien sabido que Kidd llegó a acumular inmensas riquezas. Consideré, pues, como cosa segura que la tierra guardaba aún su tesoro, y no le sorprenderá si le digo que tuve la esperanza, por no hablar de certeza, de que aquel pergamino hallado de manera tan rara contenía las informaciones concernientes al lugar donde se encontraba el botín.

–Pero ¿cómo procedió usted?

–Volví a acercar el pergamino al fuego, luego de avivar el calor, pero nada apareció. Pensé entonces que la capa de suciedad que lo cubría era responsable del fracaso, por lo cual limpié cuidadosamente el pergamino con agua caliente. Hecho esto, lo coloqué en el fondo de una olla de estaño, con el cráneo hacia abajo, y puse la olla sobre brasas de carbón. Pocos minutos después, cuando el fondo se hubo recalentado, retiré el pergamino y, para mi inexpresable júbilo, lo encontré manchado en varias partes, por lo que parecían ser números trazados en hilera. Volví a colocarlo en el fondo de la olla, dejándolo así un minuto más. Cuando lo saqué presentaba el aspecto que va usted a ver.

Y luego de recalentar el pergamino, Legrand lo sometió a mi inspección. Toscamente trazados en rojo, entre la calavera y el cabrito, aparecían los siguientes signos:

53‡‡ +305))6*;4826)4‡ .)4‡);806*;48+8¬60))85;1‡ (;:‡ *8+83
(88)5*+;46(;88*96*?;8)*‡ (;485);5*+2:*‡ (;4956*2(5*–4)8¬8*;
4069285);)6+8)4‡‡;1(‡9;48081;8:8‡1;48+85;4)485+528806*81
(‡9;48;(88;4(‡?34;48)4‡ ;161;:188;‡?;

–Pues bien –declaré, devolviéndole el pergamino–, por mi parte me quedo tan a oscuras como antes. Si todas las joyas de Golconda dependieran de la solución de este enigma, estoy seguro de que no llegaría a conseguirlas.

–Sin embargo –repuso Legrand– la solución no es tan difícil como parece desprenderse de una primera mirada a los caracteres. Bien ve usted que los mismos constituyen una cifra, es decir, que encierran un sentido; pero, teniendo en cuenta lo que se sabe de Kidd, no podía imaginarlo capaz de emplear los criptogramas más difíciles. Decidí inmediatamente que se trataba de una cifra de la especie más sencilla, pero que para la torpe inteligencia del marino resultaba absolutamente indescifrable sin la clave.

–¿Y la descifró usted?

–Muy fácilmente. He resuelto otras que eran mil veces más difíciles. Las circunstancias y cierta tendencia personal me han llevado a interesarme siempre por estos enigmas, y considero muy dudoso que una inteligencia humana sea capaz de crear un enigma de este tipo, que otra inteligencia humana no llegue a resolver si se aplica adecuadamente. Es decir, que apenas hube fijado en forma ordenada y legible aquellos caracteres, poco me preocupó la dificultad de descifrarlos.

»En este caso –y en todos los casos de escritura secreta– la primera cuestión se refiere al idioma de la cifra, ya que los principios para lograr la solución –sobre todo en el caso de las cifras más sencillas– dependen de las características de cada idioma. En general, no queda otro recurso que ensayar, basándose en las probabilidades, todos los idiomas conocidos por el investigador, hasta coincidir con el que corresponde. Pero en nuestro caso las dificultades se veían suprimidas por la firma. El juego de palabras acerca de «Kidd» sólo tiene valor en inglés. De no mediar esta consideración, hubiera empezado mis búsquedas en español y en francés, considerando que un secreto de tal naturaleza no podía haber sido escrito en otros idiomas, tratándose de un pirata de los mares españoles. Pero, en vista de lo anterior, estimé que el criptograma estaba trazado en inglés.

»Notará usted que entre las palabras no hay espacios. De no ser así, el trabajo hubiera resultado comparativamente sencillo. Me hubiese bastado empezar por un cotejo y un análisis de las palabras más breves; apenas hallada una palabra de una sola letra, como ser *a* o *I* (uno, yo), habría considerado obtenida la solución. Pero como no había división, mi primera tarea consistió en establecer las letras predominantes, así como las más raras. Luego de contarlas, preparé la siguiente tabla

El signo					
El	signo	8	aparece	33	veces
»	»	;	»	26	»
»	»	4	»	19	»
»	»	‡ y)	»	16	»
»	»	*	»	13	»
»	»	5	»	12	»
»	»	6	»	11	»
»	»	(	»	10	»
»	»	+ y 1	»	8	»
»	»	0	»	6	»
»	»	9 y 2	»	5	»
»	»	: y 3	»	4	»
»	»	?	»	3	»
»	»	┐	»	2	»
»	»	– y .	»	1	»

»Ahora bien, la letra que aparece con mayor frecuencia en inglés es e. Las restantes letras se suceden en el siguiente orden: a o i d h n r s t u y c f g l m w b k p q x z. La e predomina de tal manera, que es raro encontrar una frase de cualquier extensión donde no figure como letra dominante.

»Tenemos, pues, algo más que una mera suposición como base para comenzar. El uso general que puede darse a esta tabla resulta evidente, pero en esta cifra sólo la usaremos en parte. Puesto que el signo predominante es 8, empezaremos por suponer que se trata de la e del alfabeto natural. Para verificar esta suposición repararemos en que el 8 aparece con frecuencia en parejas, ya que la e se dobla muchas veces en inglés: vayan como ejemplo las palabras meet, fleet, speed, seen, been, agree, etc. En nuestra cifra vemos que no aparece doblada menos de cinco veces, a pesar de que se trata de un criptograma breve.

»Consideremos, pues, que el 8 es la e. Ahora bien, de todas las palabras inglesas, «the» es la más usual; fijémonos entonces si no existen repeticiones de tres signos colocados en el mismo orden, el último de los cuales sea 8. Si descubrimos repeticiones de este tipo, lo más probable es que representen la palabra «the». Basta mirar el pergamino para reparar en que hay no menos de siete de estas series: los signos son ;48. Cabe, pues, suponer que ; representa la t, 4 la h y 8 la e, confirmándose así el valor de este último signo. De tal manera, hemos dado un gran paso adelante.

»Sólo hemos determinado una palabra, pero esto nos permite fijar algo muy importante, es decir, el comienzo y las terminaciones de varias otras palabras. Tomemos por ejemplo la combinación ;48 en su penúltima aparición, casi al final de la cifra. Sabemos que el signo ;, que aparece de inmediato, representa el comienzo de una palabra, y además conocemos cinco de los signos que aparecen después de «the». Escribamos, pues, las equivalencias que conocemos, dejando un espacio para lo que ignoramos:

t eeth.

»Por lo pronto podemos afirmar que la porción th no constituye una parte de la palabra que empieza con la primera t, ya que luego de probar todo el alfabeto a fin de adaptar una letra al espacio libre, convenimos en que es imposible formar una palabra de la cual dicho th sea una parte. Nos quedamos, pues, con

t ee,

y, ensayando otra vez el alfabeto, llegamos a la palabra *tree* (árbol) como única posibilidad. Ganamos así otra letra, la r, representada por (, y dos palabras yuxtapuestas, «the tree».

»Si miramos algo después de estas palabras, volvemos a encontrar la combinación ;48, que empleamos como terminación de lo que precede inmediatamente. Tenemos así:

the tree ;4(‡?34 the,

o, sustituyendo los signos por las letras correspondientes que conocemos:

the tree thr ‡ ?3h the.

»Si ahora, en el lugar de los signos desconocidos, dejamos espacios o puntos suspensivos, leeremos:

the tree thr... the,

y la palabra *through* (por, a través), se pone de manifiesto por sí misma. Pero este descubrimiento nos proporciona tres nuevas letras, o, u y g, representadas por ‡, ? y 3.

»Examinando con cuidado el manuscrito para buscar combinaciones de caracteres ya conocidos, encontramos no lejos del comienzo la siguiente serie:

83(88, o sea, egree

que, evidentemente, es la conclusión de la palabra *degree* (grado), y que nos da otra letra, d, representada por +.

»Cuatro letras después de la palabra «degree» vemos la combinación

;46(;88*.

»Traduciendo los caracteres conocidos, y representando por puntos los desconocidos, tenemos:

th rtee,

combinación que sugiere inmediatamente la palabra *thirteen* (trece), y que nos da dos nuevos caracteres: i y n, representados por 6 y *.

»Observando ahora el comienzo del criptograma, vemos la combinación

53‡‡ +.

»Traducida nos da

5good,

lo cual nos asegura de que la primera letra es A, y que las dos primeras palabras deben leerse :«A good». (un buen, una buena).

»Ya es tiempo de que pongamos nuestra clave en forma de tabla para evitar confusión. Hasta donde la conocemos, es la siguiente:

5	significa	a
+	»	d
8	»	e
3	»	g
4	»	h
6	»	i
*	»	n
‡	»	o
(	»	r
;	»	t

»Tenemos, pues, las equivalencias de diez de las letras más importantes, y resulta innecesario dar a usted más detalles de la solución. Creo haberle dicho lo bastante para convencerlo de que las cifras de esta clase son fácilmente descifrables y mostrarle algo del análisis racional que conduce a ese desciframiento. Tenga en cuenta, sin embargo, que el ejemplo ante nosotros pertenece a una de las formas más sencillas de la criptografía. Sólo me resta proporcionarle la traducción completa de los signos del pergamino. Hela aquí:

Un buen vidrio en el hotel del obispo en la silla del diablo cuarenta y un grados trece minutos y nornordeste tronco principal séptima rama lado este tirad del ojo izquierdo de la cabeza del muerto una línea de abeja del árbol a través del tiro cincuenta pies afuera.

–Por lo que veo –exclamé–, el enigma no parece aclarado en absoluto. ¿Qué sentido puede extraerse de toda esa jerga sobre «silla del diablo», «cabeza del muerto», y «hotel del obispo»?

–Admito –repuso Legrand– que el asunto se presenta sumamente difícil a primera vista. Mis esfuerzos iniciales consistieron en dividir la frase conforme a la división natural que debió tener en cuenta el criptógrafo.

–¿Puntuarla, quiere usted decir?

–Algo así, en efecto.

–Pero ¿cómo es posible?

–Pensé que el autor de la cifra había decidido escribir deliberadamente las palabras sin separación, a fin de que resultara más difícil descifrarlas. Ahora bien, al hacer esto, un hombre de inteligencia rústica tenderá con toda seguridad a exagerar; es decir, que cuando en el curso de su redacción llegue a un lugar que requiera una separación o un punto, se apresurará a amontonar los signos, poniéndolos más juntos que en otras partes. Si examina usted el manuscrito, podrá advertir cinco lugares donde ese amontonamiento es fácilmente visible. Partiendo de esta noción, dividí el texto en la siguiente forma:

Un buen vidrio en el hotel del obispo en la silla del diablo / cuarenta y un grados trece minutos / nornordeste / tronco principal séptima rama lado este / tirad del ojo izquierdo de la cabeza del muerto / una línea de abeja del árbol a través del tiro cincuenta pies afuera.

–Incluso esta división me deja a oscuras –confesé.

–También a mí durante algunos días –dijo Legrand– mientras indagaba activamente en las vecindades de la isla de Sullivan, en busca de algún edificio conocido por el «hotel del obispo». Como no obtuviera informaciones al respecto, me disponía a extender mi esfera de acción y a proceder de manera más sistemática cuando una mañana me acordé repentinamente de que este «hotel del obispo» podía referirse a una antigua familia llamada Bessop que, desde tiempos inmemoriales, posee una casa solariega a unas cuatro millas de las plantaciones. Reanudando mis averiguaciones en el norte de la isla, me encaminé hacia allá para hablar con los negros más viejos de las plantaciones. Por fin, una mujer de mucha edad me dijo haber oído hablar de un sitio denominado Bessop's Castle (castillo de Bessop), y que creía poder guiarme hasta allá, pero que no se trataba de ningún castillo ni posada, sino de una elevada roca.

»Ofrecí pagarle bien por su trabajo y, después de dudar un poco, consintió en acompañarme. No le costó mucho encontrar el sitio, que me puse a examinar luego de despedir a mi guía. El «castillo» consistía en un amontonamiento irregular de acantilados y rocas, una de las cuales se destacaba notablemente, tanto por su tamaño como por su aspecto artificial y aislado. Trepé a su cima y, una vez allí, me sentí profundamente desconcertado y sin saber qué hacer.

»Mientras reflexionaba mis ojos se posaron en una estrecha saliente en la cara oriental de la roca, a una yarda más o menos por debajo de la eminencia en que me hallaba. Esta saliente tendría unas dieciocho pulgadas de largo y apenas un pie de ancho; un hueco del acantilado, exactamente encima de ella, le daba un tosco parecido con una de las sillas de respaldo cóncavo usadas por nuestros antepasados. No me cupo duda de que allí estaba «la silla del diablo» mencionada en el manuscrito, y me pareció que acababa de penetrar en el secreto del enigma.

»Sabía bien que el «buen vidrio» sólo podía referirse a un catalejo, ya que los marinos de habla inglesa sólo usan la palabra «glass», vidrio, para referirse a dicho instrumento. Comprendí que se trataba de aplicar un catalejo desde un lugar definido y que no admitía variación. Tampoco dudé de que las expresiones «cuarenta y un grados trece minutos» y «nornordeste» constituían las indicaciones para la orientación del catalejo. Grandemente excitado por estos descubrimientos, volví en seguida a casa, me proporcioné un catalejo y retorné a la roca.

»Deslizándome sobre la cornisa vi que sólo en una posición era posible mantenerme sentado. Este hecho confirmaba mis suposiciones. Me dispuse entonces a servirme del catalejo. Por supuesto, los «cuarenta y un grados trece minutos» sólo podían referirse a la elevación sobre el horizonte visible, ya que la dirección horizontal quedaba claramente indicada por la palabra «nornordeste». Establecí este rumbo mediante una brújula de bolsillo, y luego, apuntando el catalejo en un ángulo de elevación lo más próximo posible a cuarenta y un grados, lo moví con todo cuidado hacia arriba y abajo, hasta que me llamó la atención un orificio o apertura en el follaje de un gran árbol que sobrepujaba a todos los otros a la distancia. Noté que en el centro de dicho agujero se veía una mancha blanca, pero al principio no logré distinguir lo que era. Por fin, ajustando mejor el catalejo, volví a mirar y comprobé que se trataba de un cráneo humano.

»Este descubrimiento me llenó de tal entusiasmo que consideré resuelto el enigma, ya que la frase «tronco principal, séptima rama, lado este», sólo podía referirse a la posición del cráneo en el árbol, mientras «tirad del ojo izquierdo de la cabeza del muerto» no admitía a su turno más que una interpretación, vinculada a la búsqueda de un tesoro escondido. Comprendí que se trataba de dejar caer una bala o un peso cualquiera desde el ojo izquierdo del cráneo, y que una «línea de abeja» o, en otras palabras, una línea recta, debía ser tendida desde el punto más cercano del tronco a través «del tiro», o sea el lugar donde cayera la bala, y extendida desde allí a una distancia de cincuenta pies, donde indicaría un punto preciso; debajo de dicho punto era por lo menos posible encontrar algún depósito valioso.

–Todo esto es sumamente claro –dije– y muy sencillo y explícito, a pesar del ingenio que encierra. ¿Qué hizo usted al abandonar el hotel del obispo?

–Pues bien, una vez que me hube asegurado exactamente de la ubicación del árbol, me volví a casa. Apenas hube abandonado la «silla del diablo», el agujero circular se desvaneció; desde cualquier sitio que mirara me fue imposible volver a descubrirlo. Esto es lo que me parece una obra maestra de ingenio (y conste que lo he verificado tras muchos experimentos): el orificio circular sólo es visible desde un punto de mira, el que ofrece la angosta saliente en el flanco de la roca.

»En esta expedición al «hotel del obispo» fui acompañado por Júpiter, quien sin duda venía observando desde hacía algunas semanas la distracción que me dominaba, y tenía buen cuidado de no dejarme solo. Pero al siguiente día me levanté muy temprano y me las arreglé para escaparme solo, marchándome a las colinas en busca del árbol. Después de mucho trabajo di con él; pero, cuando regresé por la noche a casa, mi criado tenía toda la intención de darme una paliza. En cuanto al resto de la aventura, la conoce usted tanto como yo.

–Supongo –dije– que la primera tentativa falló a causa de la tontería de Júpiter, que dejó caer el escarabajo desde el ojo derecho y no el izquierdo del cráneo.

–Precisamente. Este error produjo una diferencia de unas dos pulgadas y media en el «tiro», vale decir en la posición de la estaca más cercana al árbol; si el tesoro hubiese estado debajo del «tiro», la cosa no hubiera tenido consecuencias; pero el «tiro», conjuntamente con el lugar más cercano del tronco del árbol, sólo constituían dos puntos para fijar una línea de dirección. El error, insignificante en sí, fue aumentando a medida que trazábamos la línea, y al llegar a los cincuenta pies nos habíamos alejado por completo del buen lugar. De no haber estado tan absolutamente convencido de que realmente había allí un tesoro escondido, todos nuestros esfuerzos habrían terminado en la nada.

–Pero su grandilocuencia, Legrand, y esa manera de balancear el escarabajo... ¡cuán extraño era todo eso! Llegué a convencerme de que se había vuelto loco. ¿Y por qué insistió en hacer descender el escarabajo, y no una bala u otro peso?

–Para serle franco, me sentía un tanto picado por sus sospechas concernientes a mi salud mental y decidí castigarlo a mi manera, con un poquitín de mistificación en frío. Por eso balanceaba el escarabajo, y también por eso lo hice bajar desde el cráneo. Una observación suya sobre lo mucho que pesaba el insecto me decidió a adoptar este último procedimiento.

–¡Ah, ya entiendo! Y ahora sólo queda un punto por aclarar. ¿Qué deduciremos de los esqueletos que encontramos en el agujero?

–He aquí una cuestión que ni usted ni yo podríamos contestar. Sólo se me ocurre una explicación plausible... y, sin embargo, cuesta creer una atrocidad como la que mi sugestión implica. Me parece evidente que Kidd (si fue él mismo quien escondió el tesoro, cosa que por mi parte no dudo) necesitó ayuda en su trabajo. Pero, una vez terminado este, debió considerar la conveniencia de eliminar a todos los que participaban de su secreto. Quizá le bastó un par de azadonazos mientras sus ayudantes estaban ocupados en el pozo; tal vez hizo falta una docena... ¿Quién podría decirlo?

LOS CRÍMENES DE LA CALLE MORGUE

Comentario de Espido Freire

Edgard Allan Poe mató a muchas mujeres, de maneras muy diversas, pero con ninguna se ensañó tanto como con madame L'Espanaye y su hija Camille. A las dos las condenó a una muerte sangrienta, brutal, y a una vida sin belleza ni gracia, a ser un mero interrogante para una inteligencia inquieta, la que realmente interesaba al autor y hacia la que nos guía con mano firme: el horror del asesinato pierde fuerza ante la fascinación del enigma, y la manera en la que Dupin enlaza datos. Ya nada puede hacerse, ni tampoco hay parientes que lloren o reclamen la muerte de las dos mujeres. Sus vecinos temen únicamente por ellos mismos. Desvalidas ante la sociedad, polichinelas desmembrados, sirven al menos para el entretenimiento de los perspicaces.

Sin embargo, hay algo en ellas que las hermana con Dupin y su amigo, el narrador: como copias grotescas de los varones que las investigan, también ellas vivían juntas, en paz y armonía tras una puerta cerrada. La misma oscuridad que les ha cerrado los ojos es la que buscan los dos jóvenes, una noche prematura y artificial que imitan con velas y cortinas. En París, en sus muchas calles, aguardan las aventuras: pero no siempre salen al encuentro de quienes las buscan. La lógica habría dictado que los dos petimetres estudiosos, algo confiados, muy esnobs, se cruzaran con la muerte. En otra ocasión. Quizás en la siguiente esquina.

Poe olvida aquí todo elemento fantástico. No hay presentimientos, ni fantasmas que ululan. La pobre Camille, encajada en el hueco de la chimenea, no fingirá estar muerta, ni padecerá de catalepsia: como una muñeca rusa, está en una caja de piedra dentro de otra caja, la habitación cerrada, en la que todo lo que queda es sangre y destrozos. El modo en el que Dupin inspecciona la vida ajena nos lo presenta arrugando ligeramente la nariz ante la ineficacia ajena, pero con una impudicia curiosa en la que no se dedica una palabra delicada, una mirada humana a lo que ha ocurrido.

No sabemos, quizás no sabremos nunca, qué penosas circunstancias condujeron a este jovencito de alta cuna a la situación en la que se encuentra. Se nos dice que sus fuerzas no son bastantes para que recupere su fortuna, ni su ambición otra que la de pasar decentemente, sin más antojos que sus libros y un amigo con el que ejercitar su mente y sus teorías. Testigo constante, pero sin coraje como para actuar en su favor o el de los otros, Dupin continuará abrigado por las tinieblas, al acecho de un misterio nuevo que resolver que aparte su atención de su pasado no resuelto. Sin sus deducciones se encuentra solo en un mundo incomprensible, que tolera que, de pronto, *madames* y *mademoiselles* aparezcan destrozadas en habitaciones selladas. Y cualquier cosa (deducciones, adivinaciones, intuiciones, líneas concatenadas de acontecimientos) es preferible a esa certeza.

LOS CRÍMENES DE LA CALLE MORGUE

> «La canción que cantaban las sirenas, o el nombre que adoptó Aquiles cuando se escondió entre las mujeres, son cuestiones enigmáticas, pero que no se hallan más allá de toda conjetura».
>
> SIR THOMAS BROWNE

Las características de la inteligencia que suelen calificarse de analíticas son en sí mismas poco susceptibles de análisis. Sólo las apreciamos a través de sus resultados. Entre otras cosas sabemos que, para aquel que las posee en alto grado, son fuente del más vivo goce. Así como el hombre robusto se complace en su destreza física y se deleita con aquellos ejercicios que reclaman la acción de sus músculos, así el analista halla su placer en esa actividad del espíritu consistente en *desenredar.* Goza incluso con las ocupaciones más triviales, siempre que pongan en juego su talento. Le encantan los enigmas, los acertijos, los jeroglíficos, y al solucionarlos muestra un grado de perspicacia que, para la mente ordinaria, parece sobrenatural. Sus resultados, frutos del método en su forma más esencial y profunda, tienen todo el aire de una intuición. La facultad de resolución se ve posiblemente muy vigorizada por el estudio de las matemáticas, y en especial por su rama más alta, que, injustamente y tan sólo a causa de sus operaciones retrógradas, se denomina análisis, como si se tratara del análisis *par excellence.* Calcular, sin embargo, no es en sí mismo analizar. Un jugador de ajedrez, por ejemplo, efectúa lo primero sin esforzarse en lo segundo. De ahí se sigue que el ajedrez, por lo que concierne a sus efectos sobre la naturaleza de la inteligencia, es apreciado erróneamente. No he de escribir aquí un tratado, sino que me limito a prologar un relato un tanto singular, con algunas observaciones pasajeras; aprovecharé por eso la oportunidad para afirmar que el máximo grado de la reflexión se ve puesto a prueba por el modesto juego de damas en forma más intensa y beneficiosa que por toda la estudiada frivolidad del ajedrez. En este último, donde las piezas tienen movimientos diferentes y singulares, con varios y variables valores, lo que sólo resulta complejo es equivocadamente confundido (error nada insólito) con lo profundo. Aquí se trata, sobre todo, de la *atención*. Si esta cede un solo instante, se comete un descuido que da por resultado una pérdida o la derrota. Como los movimientos posibles no sólo son múltiples sino intrincados, las posibilidades de descuido se multiplican y, en nueve casos de cada diez, triunfa el jugador concentrado y no el más penetrante. En las damas, por el contrario, donde hay un solo movimiento y las variaciones son mínimas, las probabilidades de inadvertencia disminuyen, lo cual deja un tanto de lado a la atención, y las ventajas obtenidas por cada uno de los adversarios provienen de una perspicacia superior.

Para hablar menos abstractamente, supongamos una partida de damas en la que las piezas se reducen a cuatro y donde, como es natural, no cabe esperar el menor descuido. Obvio resulta que (si los jugadores tienen fuerza pareja) sólo puede decidir la victoria algún movimiento sutil, resultado de un penetrante esfuerzo intelectual. Desprovisto de los recursos ordinarios, el analista penetra en el espíritu de su oponente, se identifica con él y con frecuencia alcanza a ver de una sola ojeada el único método (a veces absurdamente sencillo) por el cual puede provocar un error o precipitar a un falso cálculo.

Hace mucho que se ha reparado en el *whist* por su influencia sobre lo que da en llamarse la facultad del cálculo, y hombres del más excelso intelecto se han complacido en él de manera indescriptible, dejando de lado, por frívolo, al ajedrez. Sin duda alguna, nada existe en ese orden que ponga de tal modo a prueba la facultad analítica. El mejor ajedrecista de la cristiandad no puede ser otra cosa que el mejor ajedrecista, pero la eficiencia en el *whist* implica la capacidad para triunfar en todas aquellas empresas más importantes donde la mente se enfrenta con la mente. Cuando digo eficiencia, aludo a esa perfección en el juego que incluye la aprehensión de *todas* las posibilidades mediante las cuales se puede obtener legítima ventaja. Estas últimas no sólo son múltiples sino multiformes, y con frecuencia yacen en capas tan profundas del pensar que el entendimiento ordinario es incapaz de alcanzarlas. Observar con atención equivale a recordar con claridad; en ese sentido, el ajedrecista concentrado jugará bien al *whist*, en tanto que las reglas de Hoyle (basadas en el mero mecanismo del juego) son comprensibles de manera general y satisfactoria. Por tanto, el hecho de tener una memoria retentiva y guiarse por «el libro» son las condiciones que por regla general se consideran como la suma del buen jugar. Pero la habilidad del analista se manifiesta en cuestiones que exceden los límites de las meras reglas. Silencioso, procede a acumular cantidad de observaciones y deducciones. Quizá sus compañeros hacen lo mismo, y la mayor o menor proporción de informaciones así obtenidas no reside tanto en la validez de la deducción como en la calidad de la observación. Lo necesario consiste en saber *qué* se debe observar. Nuestro jugador no se encierra en sí mismo; ni tampoco, dado que su objetivo es el juego, rechaza deducciones procedentes de elementos externos a este. Examina el semblante de su compañero, comparándolo cuidadosamente con el de cada uno de sus oponentes. Considera el modo con que cada uno ordena las cartas en su mano; a menudo cuenta las cartas ganadoras y las adicionales por la manera con que sus tenedores las contemplan. Advierte cada variación de fisonomía a medida que avanza el juego, reuniendo un capital de ideas nacidas de las diferencias de expresión correspondientes a la seguridad, la sorpresa, el triunfo o la contrariedad. Por la manera de levantar una baza juzga si la persona que la recoge será capaz de repetirla en el mismo palo. Reconoce la jugada fingida por la manera con que se arrojan las cartas sobre el tapete. Una palabra casual o descuidada, la caída o vuelta accidental de una carta, con la consiguiente ansiedad o negligencia en el acto de ocultarla, la cuenta de las bazas, con el orden de su disposición, el embarazo, la vacilación, el apuro o el temor... todo ello proporciona a su percepción, aparentemente intuitiva, indicaciones sobre la realidad del juego. Jugadas dos o tres manos, conoce perfectamente las cartas de cada uno, y desde ese momento utiliza las propias con tanta precisión como si los otros jugadores hubieran dado vuelta a las suyas.

El poder analítico no debe confundirse con el mero ingenio, ya que si el analista es por necesidad ingenioso, con frecuencia el hombre ingenioso se muestra notablemente incapaz de analizar. La facultad constructiva o combinatoria por la cual se manifiesta habitualmente el ingenio, y a la que los frenólogos (erróneamente, a mi juicio) han asignado un órgano aparte, considerándola una facultad primordial, ha sido observada con tanta frecuencia en personas cuyo intelecto lindaba con la idiotez, que ha provocado las observaciones de los estudiosos del carácter. Entre el ingenio y la aptitud analítica existe una diferencia mucho mayor que entre la fantasía y la imaginación, pero de naturaleza estrictamente análoga. En efecto, cabe observar que los ingeniosos poseen siempre mucha fantasía mientras que el hombre *verdaderamente* imaginativo es siempre un analista.

El relato siguiente representará para el lector algo así como un comentario de las afirmaciones que anteceden.

Mientras residía en París, durante la primavera y parte del verano de 18..., me relacioné con un cierto C. Auguste Dupin. Este joven caballero procedía de una familia excelente –y hasta ilustre–, pero una serie de desdichadas circunstancias lo habían reducido a tal pobreza que la energía de su carácter sucumbió ante la desgracia, llevándolo a alejarse del mundo y a no preocuparse por recuperar su fortuna. Gracias a la cortesía de sus acreedores le quedó una pequeña parte del patrimonio, y la renta que le producía bastaba, mediante una rigurosa economía, para subvenir a sus necesidades, sin preocuparse de lo superfluo. Los libros constituían su solo lujo, y en París es fácil procurárselos.

Nuestro primer encuentro tuvo lugar en una oscura librería de la rue Montmartre, donde la casualidad de que ambos anduviéramos en busca de un mismo libro –tan raro como notable– sirvió para aproximarnos. Volvimos a encontrarnos una y otra vez. Me sentí profundamente interesado por la menuda historia de familia que Dupin me contaba detalladamente, con todo ese candor a que se abandona un francés cuando se trata de su propia persona. Me quedé asombrado, al mismo tiempo, por la extraordinaria amplitud de su cultura; pero, sobre todo, sentí encenderse mi alma ante el exaltado fervor y la vívida frescura de su imaginación. Dado lo que yo buscaba en ese entonces en París, sentí que la compañía de un hombre semejante me resultaría un tesoro inestimable, y no vacilé en decírselo. Quedó por fin decidido que viviríamos juntos durante mi permanencia en la ciudad, y, como mi situación financiera era algo menos comprometida que la suya, logré que quedara a mi cargo alquilar y amueblar –en un estilo que armonizaba con la melancolía un tanto fantástica de nuestro carácter– una decrépita y grotesca mansión abandonada a causa de supersticiones sobre las cuales no inquirimos, y que se acercaba a su ruina en una parte aislada y solitaria del Faubourg Saint-Germain.

Si nuestra manera de vivir en esa casa hubiera llegado al conocimiento del mundo, este nos hubiera considerado como locos –aunque probablemente como locos inofensivos–. Nuestro aislamiento era perfecto. No admitíamos visitantes. El lugar de nuestro retiro era un secreto celosamente guardado para mis antiguos amigos; en cuanto a Dupin, hacía muchos años que había dejado de ver gentes o de ser conocido en París. Sólo vivíamos para nosotros.

Una rareza de mi amigo (¿qué otro nombre darle?) consistía en amar la noche por la noche misma; a esta *bizarrerie,* como a todas las otras, me abandoné a mi vez sin esfuerzo, entregándome a sus extraños caprichos con perfecto abandono. La negra divinidad no podía permanecer siempre con nosotros, pero nos era dado imitarla. A las primeras luces del alba, cerrábamos las pesadas persianas de nuestra vieja casa y encendíamos un par de bujías que, fuertemente perfumadas, sólo lanzaban débiles y mortecinos rayos. Con ayuda de ellas ocupábamos nuestros espíritus en soñar, leyendo, escribiendo o conversando, hasta que el reloj nos advertía la llegada de la verdadera oscuridad. Salíamos entonces a la calle tomados del brazo, continuando la conversación del día o vagando al azar hasta muy tarde, mientras buscábamos entre las luces y las sombras de la populosa ciudad esa infinidad de excitantes espirituales que puede proporcionar la observación silenciosa.

En esas oportunidades, no dejaba yo de reparar y admirar (aunque dada su profunda idealidad cabía esperarlo) una peculiar aptitud analítica de Dupin. Parecía complacerse especialmente en ejercitarla –ya que no en exhibirla– y no vacilaba en confesar el placer que le producía. Se jactaba, con una risita discreta, de que frente a él la mayoría de los hombres tenían como una ventana por la cual podía verse su corazón y estaba pronto a demostrar sus afirmaciones con pruebas tan directas como sorprendentes del íntimo conocimiento que de mí tenía. En aquellos momentos su actitud era fría y abstraída; sus ojos miraban como sin ver, mientras su voz, habitualmente de un rico registro de tenor, subía a un falsete que hubiera parecido petulante de no mediar lo deliberado y lo preciso de sus palabras. Al observarlo en esos casos, me ocurría muchas veces pensar en la antigua filosofía del *alma doble,* y me divertía con la idea de un doble Dupin: el creador y el analista.

No se suponga, por lo que llevo dicho, que estoy circunstanciando algún misterio o escribiendo una novela. Lo que he referido de mi amigo francés era tan sólo el producto de una inteligencia excitada o quizá enferma. Pero el carácter de sus observaciones en el curso de esos períodos se apreciará con más claridad mediante un ejemplo.

Errábamos una noche por una larga y sucia calle, en la vecindad del Palais Royal. Sumergidos en nuestras meditaciones, no habíamos pronunciado una sola sílaba durante un cuarto de hora por lo menos. Bruscamente, Dupin pronunció estas palabras:

–Sí, es un hombrecillo muy pequeño, y estaría mejor en el Théâtre des Variétés.

–No cabe duda –repuse inconscientemente, sin advertir (pues tan absorto había estado en mis reflexiones) la extraordinaria forma en que Dupin coincidía con mis pensamientos. Pero, un instante después, me di cuenta y me sentí profundamente asombrado.

–Dupin –dije gravemente–, esto va más allá de mi comprensión. Le confieso sin rodeos que estoy atónito y que apenas puedo dar crédito a mis sentidos. ¿Cómo es posible que haya sabido que yo estaba pensando en...?

Aquí me detuve, para asegurarme sin lugar a dudas de si realmente sabía en quién estaba yo pensando.

–En Chantilly –dijo Dupin–. ¿Por qué se interrumpe? Estaba usted diciéndose que su pequeña estatura le veda los papeles trágicos.

Tal era, exactamente, el tema de mis reflexiones. Chantilly era un ex remendón de la rue Saint-Denis que, apasionado por el teatro, había encarnado el papel de Jerjes en la tragedia homónima de Crébillon, logrando tan sólo que la gente se burlara de él.

–En nombre del cielo –exclamé–, dígame cuál es el método... si es que hay un método... que le ha permitido leer en lo más profundo de mí.

En realidad, me sentía aún más asombrado de lo que estaba dispuesto a reconocer.

–El frutero –replicó mi amigo– fue quien lo llevó a la conclusión de que el remendón de suelas no tenía estatura suficiente para Jerjes *et id genus omne*.

–¡El frutero! ¡Me asombra usted! No conozco ningún frutero.

–El hombre que tropezó con usted cuando entrábamos en esta calle... hará un cuarto de hora.

Recordé entonces que un frutero, que llevaba sobre la cabeza una gran cesta de manzanas, había estado a punto de derribarme accidentalmente cuando pasábamos de la rue C... a la que recorríamos ahora. Pero me era imposible comprender qué tenía eso que ver con Chantilly.

–Se lo explicaré –me dijo Dupin, en quien no había la menor partícula de *charlatanerie*– y, para que pueda comprender claramente, remontaremos primero el curso de sus reflexiones desde el momento en que le hablé hasta el de su choque con el frutero en cuestión. Los eslabones principales de la cadena son los siguientes: Chantilly, Orión, el doctor Nichols, Epicuro, la estereotomía, el pavimento, el frutero.

Pocas personas hay que, en algún momento de su vida, no se hayan entretenido en remontar el curso de las ideas mediante las cuales han llegado a alguna conclusión. Con frecuencia, esta tarea está llena de interés, y aquel que la emprende se queda asombrado por la distancia aparentemente ilimitada e inconexa entre el punto de partida y el de llegada.

¡Cuál habrá sido entonces mi asombro al oír las palabras que acababa de pronunciar Dupin y reconocer que correspondían a la verdad!

–Si no me equivoco –continuó él–, habíamos estado hablando de caballos justamente al abandonar la rue C... Este fue nuestro último tema de conversación. Cuando cruzábamos hacia esta calle, un frutero que traía una gran canasta en la cabeza pasó rápidamente a nuestro lado y le empaló a usted contra una pila de adoquines correspondiente a un pedazo de la calle en reparación. Usted pisó una de las piedras sueltas, resbaló, torciéndose ligeramente el tobillo; mostró enojo o malhumor, murmuró algunas palabras, se volvió para mirar la pila de adoquines y siguió andando en silencio. Yo no estaba especialmente atento a sus actos, pero en los últimos tiempos la observación se ha convertido para mí en una necesidad.

»Mantuvo usted los ojos clavados en el suelo, observando con aire quisquilloso los agujeros y los surcos del pavimento (por lo cual comprendí que seguía pensando en las piedras), hasta que llegamos al pequeño pasaje llamado Lamartine, que con fines experimentales ha sido pavimentado con bloques ensamblados y remachados. Aquí su rostro se animó y, al notar que sus labios se movían, no tuve dudas de que murmuraba la palabra «estereotomía», término que se ha aplicado pretenciosamente a esta clase de pavimento. Sabía que para usted sería imposible decir «estereotomía» sin verse llevado a pensar en átomos y pasar de ahí a las teorías de Epicuro; ahora bien, cuando discutimos no hace mucho este tema, recuerdo haberle hecho notar de qué curiosa manera –por lo demás desconocida– las vagas conjeturas de aquel noble griego se han visto confirmadas en la reciente cosmogonía de las nebulosas; comprendí, por tanto, que usted no dejaría de alzar los ojos hacia la gran nebulosa de Orión, y estaba seguro de que lo haría. Efectivamente, miró usted hacia lo alto y me sentí seguro de haber seguido correctamente sus pasos hasta ese momento. Pero en la amarga crítica a Chantilly que apareció en el *Musée* de ayer, el escritor satírico hace algunas penosas alusiones al cambio de nombre del remendón antes de calzar los coturnos, y cita un verso latino sobre el cual hemos hablado muchas veces. Me refiero al verso:

Perdidit antiquum litera prima sonum.

»Le dije a usted que se refería a Orión, que en un tiempo se escribió Urión; y dada cierta acritud que se mezcló en aquella discusión, estaba seguro de que usted no la había olvidado. Era claro, pues, que no dejaría de combinar las dos ideas de Orión y Chantilly. Que así lo hizo, lo supe por la sonrisa que pasó por sus labios. Pensaba usted en la inmolación del pobre zapatero. Hasta ese momento había caminado algo encorvado, pero de pronto le vi erguirse en toda su estatura. Me sentí seguro de que estaba pensando en la diminuta figura de Chantilly. Y en este punto interrumpí sus meditaciones para hacerle notar que, en efecto, el tal Chantilly era muy pequeño y que estaría mejor en el Théâtre des Variétés.

Poco tiempo después de este episodio, leíamos una edición nocturna de la *Gazette des Tribunaux* cuando los siguientes párrafos atrajeron nuestra atención:

«EXTRAÑOS ASESINATOS.– Esta mañana, hacia las tres, los habitantes del *quartier* Saint-Roch fueron arrancados de su sueño por los espantosos alaridos procedentes del cuarto piso de una casa situada en la rue Morgue, ocupada por madame L'Espanaye y su hija, mademoiselle Camille L'Espanaye. Como fuera imposible lograr el acceso a la casa, después de perder algún tiempo, se forzó finalmente la puerta con una ganzúa y ocho o diez vecinos penetraron en compañía de dos gendarmes. Por ese entonces los gritos habían cesado, pero cuando el grupo remontaba el primer tramo de la escalera se oyeron dos o más voces que discutían violentamente y que parecían proceder de la parte superior de la casa. Al llegar al segundo piso, las voces callaron a su vez, reinando una profunda calma. Los vecinos se separaron y empezaron a recorrer las habitaciones una por una. Al llegar a una gran cámara situada en la parte posterior del cuarto piso (cuya puerta, cerrada por dentro con llave, debió ser forzada), se vieron en presencia de un espectáculo que les produjo tanto horror como estupefacción.

»El aposento se hallaba en el mayor desorden: los muebles, rotos, habían sido lanzados en todas direcciones. El colchón del único lecho aparecía tirado en mitad del piso. Sobre una silla había una navaja manchada de sangre. Sobre la chimenea aparecían dos o tres largos y espesos mechones de cabello humano igualmente empapados en sangre y que daban la impresión de haber sido arrancados de raíz. Se encontraron en el piso cuatro napoleones, un aro de topacio, tres cucharas grandes de plata, tres más pequeñas de *métal d'Alger,* y dos sacos que contenían casi cuatro mil francos en oro. Los cajones de una cómoda situada en un ángulo habían sido abiertos y aparentemente saqueados, aunque quedaban en ellos numerosas prendas. Descubriose una pequeña caja fuerte de hierro debajo de la *cama* (y no del colchón). Estaba abierta y con la llave en la cerradura. No contenía nada, aparte de unas viejas cartas y papeles igualmente sin importancia.

»No se veía huella alguna de madame L'Espanaye, pero al notarse la presencia de una insólita cantidad de hollín al pie de la chimenea se procedió a registrarla, encontrándose (¡cosa horrible de describir!) el cadáver de su hija, cabeza abajo, el cual había sido metido a la fuerza en la estrecha abertura y considerablemente empujado hacia arriba. El cuerpo estaba aún caliente. Al examinarlo se advirtieron en él numerosas excoriaciones, producidas, sin duda, por la violencia con que fuera introducido y por la que requirió arrancarlo de allí. Veíanse profundos arañazos en el rostro, y en la garganta aparecían contusiones negruzcas y profundas huellas de uñas, como si la víctima hubiera sido estrangulada.

»Luego de una cuidadosa búsqueda en cada porción de la casa, sin que apareciera nada nuevo, los vecinos se introdujeron en un pequeño patio pavimentado de la parte posterior del edificio y encontraron el cadáver de la anciana señora, la cual había sido degollada tan salvajemente que, al tratar de levantar el cuerpo, la cabeza se desprendió del tronco. Horribles mutilaciones aparecían en la cabeza y en el cuerpo, y este último apenas presentaba forma humana.

»Hasta el momento no se ha encontrado la menor clave que permita solucionar tan horrible misterio.

La edición del día siguiente contenía los siguientes detalles adicionales:

«*La tragedia de la rue Morgue.*–Diversas personas han sido interrogadas con relación a este terrible y extraordinario suceso, pero nada ha trascendido que pueda arrojar alguna luz sobre él. Damos a continuación las declaraciones obtenidas:

»*Pauline Dubourg,* lavandera, manifiesta que conocía desde hacía tres años a las dos víctimas, de cuya ropa se ocupaba. La anciana y su hija parecían hallarse en buenos términos y se mostraban sumamente cariñosas entre sí. Pagaban muy bien. No sabía nada sobre su modo de vida y sus medios de subsistencia. Creía que madame L. decía la buenaventura. Pasaba por tener dinero guardado. Nunca encontró a otras personas en la casa cuando iba a buscar la ropa o la devolvía. Estaba segura de que no tenían ningún criado o criada. Opinaba que en la casa no había ningún mueble, salvo en el cuarto piso.

»*Pierre Moreau,* vendedor de tabaco, declara que desde hace cuatro años vendía regularmente pequeñas cantidades de tabaco y de rapé a madame L'Espanaye. Nació en la vecindad y ha residido siempre en ella. La extinta y su hija ocupaban desde hacía más de seis años la casa donde se encontraron los cadáveres. Anteriormente vivía en ella un joyero, que alquilaba las habitaciones superiores a diversas personas. La casa era de propiedad de madame L., quien se sintió disgustada por los abusos que cometía su inquilino y ocupó personalmente la casa, negándose a alquilar parte alguna. La anciana señora daba señales de senilidad. El testigo vio a su hija unas cinco o seis veces durante esos seis años. Ambas llevaban una vida muy retirada y pasaban por tener dinero. Había oído decir a los vecinos que madame L. decía la buenaventura, pero no lo creía. Nunca vio entrar a nadie, salvo a la anciana y su hija, a un mozo de servicio que estuvo allí una o dos veces, y a un médico que hizo ocho o diez visitas.

»Muchos otros vecinos han proporcionado testimonios coincidentes. No se ha hablado de nadie que frecuentara la casa. Se ignora si madame L. y su hija tenían parientes vivos. Pocas veces se abrían las persianas de las ventanas delanteras. Las de la parte posterior estaban siempre cerradas, salvo las de la gran habitación en la parte trasera del cuarto piso. La casa se hallaba en excelente estado y no era muy antigua.

»*Isidore Muset,* gendarme, declara que fue llamado hacia las tres de la mañana y que, al llegar a la casa, encontró a unas veinte o treinta personas reunidas que se esforzaban por entrar. Violentó finalmente la entrada (con una bayoneta y no con una ganzúa). No le costó mucho abrirla, pues se trataba de una puerta de dos batientes que no tenía pasadores ni arriba ni abajo. Los alaridos continuaron hasta que se abrió la puerta, cesando luego de golpe. Parecían gritos de persona (o personas) que sufrieran los más agudos dolores; eran gritos agudos y prolongados, no breves y precipitados. El testigo trepó el primero las escaleras. Al llegar al primer descanso oyó dos voces que discutían con fuerza y agriamente; una de ellas era ruda y la otra mucho más aguda y muy extraña. Pudo entender algunas palabras provenientes de la primera voz, que correspondía a un francés. Estaba seguro de que no se trataba de una voz de mujer. Pudo distinguir las palabras *sacré* y *diable.* La voz más aguda era de un extranjero. No podría asegurar si se trataba de un hombre o una mujer. No entendió lo que decía, pero tenía la impresión de que hablaba en español. El estado de la habitación y de los cadáveres fue descrito por el testigo en la misma forma que lo hicimos ayer.

»*Henri Duval,* vecino, de profesión platero, declara que formaba parte del primer grupo que entró en la casa. Corrobora en general la declaración de Muset. Tan pronto forzaron la puerta, volvieron a cerrarla para mantener alejada a la muchedumbre, que, pese a lo avanzado de la hora, se estaba reuniendo rápidamente. El testigo piensa que la voz más aguda pertenecía a un italiano. Está seguro de que no se trataba de un francés. No puede asegurar que se tratara de una voz masculina. Pudo ser la de una mujer. No está familiarizado con la lengua italiana. No alcanzó a distinguir las palabras, pero por la entonación está convencido de que quien hablaba era italiano. Conocía a madame L. y a su hija. Había conversado frecuentemente con ellas. Estaba seguro de que la voz aguda no pertenecía a ninguna de las difuntas.

»*Odenheimer, restaurateur.* Este testigo se ofreció voluntariamente a declarar. Como no habla francés, testimonió mediante un intérprete. Es originario de Amsterdam. Pasaba frente a la casa cuando se oyeron los gritos. Duraron varios minutos, probablemente diez. Eran prolongados y agudos, tan horribles como penosos de oír. El testigo fue uno de los que entraron en el edificio. Corroboró las declaraciones anteriores en todos sus detalles, salvo uno. Estaba seguro de que la voz más aguda pertenecía a un hombre y que se trataba de un francés. No pudo distinguir las palabras pronunciadas. Eran fuertes y precipitadas, desiguales y pronunciadas aparentemente con tanto miedo como cólera. La voz era áspera; no tanto aguda como áspera. El testigo no la calificaría de aguda. La voz más gruesa dijo varias veces: *sacré, diable,* y una vez *Mon Dieu!*

»*Jules Mignaud,* banquero, de la firma Mignaud e hijos, en la calle Deloraine. Es el mayor de los Mignaud. Madame L'Espanaye poseía algunos bienes. Había abierto una cuenta en su banco durante la primavera del año 18... (ocho años antes). Hacía frecuentes depósitos de pequeñas sumas. No había retirado nada hasta tres días antes de su muerte, en que personalmente extrajo la suma de 4.000 francos. La suma le fue pagada en oro y un empleado la llevó a su domicilio.

»*Adolphe Lebon,* empleado de Mignaud e hijos, declara que el día en cuestión acompañó hasta su residencia a madame L'Espanaye, llevando los 4.000 francos en dos sacos. Una vez abierta la puerta, mademoiselle L. vino a tomar uno de los sacos, mientras la anciana señora se encargaba del otro. Por su parte, el testigo saludó y se retiró. No vio a persona alguna en la calle en ese momento. Se trata de una calle poco importante, muy solitaria.

»*William Bird,* sastre, declara que formaba parte del grupo que entró en la casa. Es de nacionalidad inglesa. Lleva dos años de residencia en París. Fue uno de los primeros en subir las escaleras. Oyó voces que disputaban. La más ruda era la de un francés. Pudo distinguir varias palabras, pero ya no las recuerda todas. Oyó claramente:

sacré y *mon Dieu.* En ese momento se oía un ruido como si varias personas estuvieran luchando, era un sonido de forcejeo, como si algo fuese arrastrado. La voz aguda era muy fuerte, mucho más que la voz ruda. Está seguro de que no se trataba de la voz de un inglés. Parecía la de un alemán. Podía ser una voz de mujer. El testigo no comprende el alemán.

»Cuatro de los testigos nombrados más arriba fueron nuevamente interrogados, declarando que la puerta del aposento donde se encontró el cadáver de mademoiselle L. estaba cerrada por dentro cuando llegaron hasta ella. Reinaba un profundo silencio; no se escuchaban quejidos ni rumores de ninguna especie. No se vio a nadie en el momento de forzar la puerta. Las ventanas, tanto de la habitación del frente como de la trasera, estaban cerradas y firmemente aseguradas por dentro. Entre ambas habitaciones había una puerta cerrada, pero la llave no estaba echada. La puerta que comunicaba la habitación del frente con el corredor había sido cerrada con llave por dentro. Un cuarto pequeño situado en el frente del cuarto piso, al comienzo del corredor, apareció abierto, con la puerta entornada. La habitación estaba llena de camas viejas, cajones y objetos por el estilo. Se procedió a revisarlos uno por uno, no se dejó sin examinar una sola pulgada de la casa. Se enviaron deshollinadores para que exploraran las chimeneas. La casa tiene cuatro pisos, con *mansardes.* Una trampa que da al techo estaba firmemente asegurada con clavos y no parece haber sido abierta durante años. Los testigos no están de acuerdo sobre el tiempo transcurrido entre el momento en que escucharon las voces que disputaban y la apertura de la puerta de la habitación. Algunos sostienen que transcurrieron tres minutos; otros calculan cinco. Costó mucho violentar la puerta.

»*Alfonso Garcio,* empresario de pompas fúnebres, habita en la rue Morgue. Es de nacionalidad española. Formaba parte del grupo que entró en la casa. No subió las escaleras. Tiene los nervios delicados y teme las consecuencias de toda agitación. Oyó las voces que disputaban. La más ruda pertenecía a un francés. No pudo comprender lo que decía. La voz aguda era la de un inglés; está seguro de esto. No comprende el inglés, pero juzga basándose en la entonación.

»Alberto Montani, confitero, declara que fue de los primeros en subir las escaleras. Oyó las voces en cuestión. la voz ruda era la de un francés. Pudo distinguir varias palabras. El que hablaba parecía reprochar alguna cosa. No pudo comprender las palabras dichas por la voz más aguda, que hablaba rápida y desigualmente. Piensa que se trata de un ruso. Corrobora los testimonios restantes. Es de nacionalidad italiana. Nunca habló con un nativo de Rusia.

»Nuevamente interrogados, varios testigos certificaron que las chimeneas de todas las habitaciones eran demasiado angostas para admitir el paso de un ser humano. Se pasaron «deshollinadores» –cepillos cilíndricos como los que usan los que limpian chimeneas– por todos los tubos existentes en la casa. No existe ningún pasaje en los fondos por el cual alguien hubiera podido descender mientras el grupo subía las escaleras. El cuerpo de mademoiselle L'Espanaye estaba tan firmemente encajado en la chimenea, que no pudo ser extraído hasta que cuatro o cinco personas unieron sus esfuerzos.

»*Paul Dumas,* médico, declara que fue llamado al amanecer para examinar los cadáveres de las víctimas. Los mismos habían sido colocados sobre el colchón del lecho correspondiente a la habitación donde se encontró a mademoiselle L. El cuerpo de la joven aparecía lleno de contusiones y excoriaciones. El hecho de que hubiese sido metido en la chimenea bastaba para explicar tales marcas. La garganta estaba enormemente excoriada. Varios profundos arañazos aparecían debajo del mentón, conjuntamente con una serie de manchas lívidas resultantes, con toda evidencia, de la presión de unos dedos. El rostro estaba horriblemente pálido y los ojos se salían de las órbitas. La lengua aparecía a medias cortada. En la región del estómago se descubrió una gran contusión, producida, aparentemente, por la presión de una rodilla. Según opinión del doctor Dumas, mademoiselle L'Espanaye había sido estrangulada por una o varias personas.

»El cuerpo de la madre estaba horriblemente mutilado. Todos los huesos de la pierna y el brazo derechos se hallaban fracturados en mayor o menor grado. La tibia izquierda había quedado reducida a astillas, así como todas las costillas del lado izquierdo. El cuerpo aparecía cubierto de contusiones y estaba descolorido. Resultaba imposible precisar el arma con que se habían inferido tales heridas. Un pesado garrote de mano, o una ancha barra de hierro, quizá una silla, cualquier arma grande, pesada y contundente, en manos de un hombre sumamente robusto, podía haber producido esos resultados. Imposible que una mujer pudiera infligir tales heridas con cualquier arma que fuese. La cabeza de la difunta aparecía separada del cuerpo y, al igual que el resto, terriblemente contusa. Era evidente que la garganta había sido seccionada con un instrumento muy afilado, probablemente una navaja.

»*Alexandre Etienne,* cirujano, fue llamado al mismo tiempo que el doctor Dumas para examinar los cuerpos. Confirmó el testimonio y las opiniones de este último.

»No se ha obtenido ningún otro dato de importancia, a pesar de haberse interrogado a varias otras personas. Jamás se ha cometido en París un asesinato tan misterioso y tan enigmático en sus detalles... si es que en realidad se trata de un asesinato. La policía está perpleja, lo cual no es frecuente en asuntos de esta naturaleza. Pero resulta imposible hallar la más pequeña clave del misterio.»

La edición vespertina del diario declaraba que en el *quartier* Saint-Roch reinaba una intensa excitación, que se había practicado un nuevo y minucioso examen del lugar del hecho, mientras se interrogaba a nuevos testigos, pero que no se sabía nada nuevo. Un párrafo final agregaba, sin embargo, que un tal Adolphe Lebon acababa de ser arrestado y encarcelado, aunque nada parecía acusarlo, a juzgar por los hechos detallados.

Dupin se mostraba singularmente interesado en el desarrollo del asunto; o por lo menos así me pareció por sus maneras, pues no hizo el menor comentario. Tan sólo después de haberse anunciado el arresto de Lebon me pidió mi parecer acerca de los asesinatos.

No pude sino sumarme al de todo París y declarar que los consideraba un misterio insoluble. No veía modo alguno de seguir el rastro al asesino.

–No debemos pensar en los modos posibles que surgen de una investigación tan rudimentaria –dijo Dupin–. La policía parisiense, tan alabada por su penetración, es muy astuta pero nada más. No procede con método, salvo el del momento. Toma muchas disposiciones ostentosas, pero con frecuencia estas se hallan tan mal adaptadas a su objetivo que recuerdan a Monsieur Jourdain, que pedía *sa robe de chambre... pour mieux entendre la musique*. Los resultados obtenidos son con frecuencia sorprendentes, pero en su mayoría se logran por simple diligencia y actividad. Cuando estas son insuficientes, todos sus planes fracasan. Vidocq, por ejemplo, era hombre de excelentes conjeturas y perseverante. Pero como su pensamiento carecía de suficiente educación, erraba continuamente por el excesivo ardor de sus investigaciones. Dañaba su visión por mirar el objeto desde demasiado cerca. Quizá alcanzaba a ver uno o dos puntos con singular acuidad, pero procediendo así perdía el conjunto de la cuestión. En el fondo se trataba de un exceso de profundidad, y la verdad no siempre está dentro de un pozo. Por el contrario, creo que, en lo que se refiere al conocimiento más importante, es invariablemente superficial. La profundidad corresponde a los valles, donde la buscamos, y no a las cimas montañosas, donde se la encuentra. Las formas y fuentes de este tipo de error se ejemplifican muy bien en la contemplación de los cuerpos celestes. Si se observa una estrella de una ojeada, oblicuamente, volviendo hacia ella la porción exterior de la retina (mucho más sensible a las impresiones luminosas débiles que la parte interior), se verá la estrella con claridad y se apreciará plenamente su brillo, el cual se empaña apenas la contemplamos *de lleno*. Es verdad que en este último caso llegan a nuestros ojos mayor cantidad de rayos, pero la porción exterior posee una capacidad de recepción mucho más refinada. Por causa de una indebida profundidad confundimos y debilitamos el pensamiento, y Venus misma puede llegar a borrarse del firmamento si la escrutamos de manera demasiado sostenida, demasiado concentrada o directa.

»En cuanto a esos asesinatos, procedamos personalmente a un examen antes de formarnos una opinión. La encuesta nos servirá de entretenimiento (me pareció que el término era extraño, aplicado al caso, pero no dije nada). Además, Lebon me prestó cierta vez un servicio por el cual le estoy agradecido. Iremos a estudiar el terreno con nuestros propios ojos. Conozco a G..., el prefecto de policía, y no habrá dificultad en obtener el permiso necesario.

La autorización fue acordada, y nos encaminamos inmediatamente a la rue Morgue. Se trata de uno de esos míseros pasajes que corren entre la rue Richelieu y la rue Saint-Roch. Atardecía cuando llegamos, pues el barrio estaba considerablemente distanciado del de nuestra residencia. Encontramos fácilmente la casa, ya que aún había varias personas mirando las persianas cerradas desde la acera opuesta. Era una típica casa parisiense, con una puerta de entrada y una casilla de cristales con ventana corrediza, correspondiente a la *loge du concierge*. Antes de entrar recorrimos la calle, doblamos por un pasaje y, volviendo a doblar, pasamos por la parte trasera del edificio, mientras Dupin examinaba la entera vecindad, así como la casa, con una atención minuciosa cuyo objeto me resultaba imposible de adivinar.

Volviendo sobre nuestros pasos retornamos a la parte delantera y, luego de llamar y mostrar nuestras credenciales, fuimos admitidos por los agentes de guardia. Subimos las escaleras, hasta llegar a la habitación donde se había encontrado el cuerpo de mademoiselle L'Espanaye y donde aún yacían ambas víctimas. Como es natural, el desorden del aposento había sido respetado. No vi nada que no estuviese detallado en la *Gazette des Tribunaux*. Dupin lo inspeccionaba todo, sin exceptuar los cuerpos de las víctimas. Pasamos luego a las otras habitaciones y al patio; un gendarme nos acompañaba a todas partes. El examen nos tuvo ocupados hasta que oscureció, y era de noche cuando salimos. En el camino de vuelta, mi amigo se detuvo algunos minutos en las oficinas de uno de los diarios parisienses.

He dicho ya que sus caprichos eran muchos y variados, y que *je les ménageais* (pues no hay traducción posible de la frase). En esta oportunidad Dupin rehusó toda conversación vinculada con los asesinatos, hasta el día siguiente a mediodía. Entonces, súbitamente, me preguntó si había observado alguna cosa *peculiar* en el escenario de aquellas atrocidades.

Algo había en su manera de acentuar la palabra, que me hizo estremecer sin que pudiera decir por qué.

–No, nada peculiar –dije–. Por lo menos, nada que no hayamos encontrado ya referido en el diario.

–Me temo –repuso Dupin– que la *Gazette* no haya penetrado en el insólito horror de este asunto. Pero dejemos de lado las vanas opiniones de ese diario. Tengo la impresión de que se considera insoluble este misterio por las mismísimas razones que deberían inducir a considerarlo fácilmente solucionable; me refiero a lo excesivo, a lo *outré* de sus características. La policía se muestra confundida por la aparente falta de móvil, y no por el asesinato en sí, sino por su atrocidad. Está asimismo perpleja por la aparente imposibilidad de conciliar las voces que se oyeron disputando, con el hecho de que en lo alto sólo se encontró a la difunta mademoiselle L'Espanaye, aparte de que era imposible escapar de la casa sin que el grupo que ascendía la escalera lo notara. El salvaje desorden del aposento; el cadáver metido, cabeza abajo, en la chimenea; la espantosa mutilación del cuerpo de la anciana, son elementos que, junto con los ya mencionados y otros que no necesito mencionar, han bastado para paralizar la acción de los investigadores policiales y confundir por completo su tan alabada perspicacia. Han caído en el grueso pero común error de confundir lo insólito con lo abstruso. Pero, justamente a través de esas desviaciones del plano ordinario de las cosas, la razón se abrirá paso, si ello es posible, en la búsqueda de la verdad. En investigaciones como la que ahora efectuamos no debería preguntarse tanto «qué ha ocurrido», como «qué hay en lo ocurrido que no se parezca a nada ocurrido anteriormente». En una palabra, la facilidad con la cual llegaré o he llegado a la solución de este misterio se halla en razón directa de su aparente insolubilidad a ojos de la policía.

Me quedé mirando a mi amigo con silenciosa estupefacción.

–Estoy esperando ahora –continuó Dupin, mirando hacia la puerta de nuestra habitación– a alguien que, si bien no es el perpetrador de esas carnicerías, debe de haberse visto envuelto de alguna manera en su ejecución. Es probable que sea inocente de la parte más horrible de los crímenes. Confío en que mi suposición sea acertada, pues en ella se apoya toda mi esperanza de descifrar completamente el enigma. Espero la llegada de ese hombre en cualquier momento... y en esta habitación. Cierto que puede no venir, pero lo más probable es que llegue. Si así fuera, habrá que retenerlo. He ahí unas pistolas; los dos sabemos lo que se puede hacer con ellas cuando la ocasión se presenta.

Tomé las pistolas, sabiendo apenas lo que hacía y, sin poder creer lo que estaba oyendo, mientras Dupin, como si monologara, continuaba sus reflexiones. Ya he mencionado su actitud abstraída en esos momentos. Sus palabras se dirigían a mí, pero su voz, aunque no era forzada, tenía esa entonación que se emplea habitualmente para dirigirse a alguien que se halla muy lejos. Sus ojos, privados de expresión, sólo miraban la pared.

–Las voces que disputaban y fueron oídas por el grupo que trepaba la escalera –dijo– no eran las de las dos mujeres, como ha sido bien probado por los testigos. Con esto queda eliminada toda posibilidad de que la anciana señora haya matado a su hija, suicidándose posteriormente. Menciono esto por razones metódicas, ya que la fuerza de madame de L'Espanaye hubiera sido por completo insuficiente para introducir el cuerpo de su hija en la chimenea, tal como fue encontrado, amén de que la naturaleza de las heridas observadas en su cadáver excluye toda idea de suicidio. El asesinato, pues, fue cometido por terceros, y a estos pertenecían las voces que se escucharon mientras disputaban. Permítame ahora llamarle la atención, no sobre las declaraciones referentes a dichas voces, sino a *algo peculiar* en esas declaraciones. ¿No lo advirtió usted?

Hice notar que, mientras todos los testigos coincidían en que la voz más ruda debía ser la de un francés, existían grandes desacuerdos sobre la voz más aguda o –como la calificó uno de ellos– la voz áspera.

–Tal es el testimonio en sí –dijo Dupin–, pero no su peculiaridad. Usted no ha observado nada característico. Y, sin embargo, *había algo* que observar. Como bien ha dicho, los testigos coinciden sobre la voz ruda. Pero, con respecto a la voz aguda, la peculiaridad no consiste en que estén en desacuerdo, sino en que un italiano, un inglés, un español, un holandés y un francés han tratado de describirla, y cada uno de ellos se ha referido a una voz *extranjera*. Cada uno de ellos está seguro de que no se trata de la voz de un compatriota. Cada uno la vincula, no a la voz de una persona perteneciente a una nación cuyo idioma conoce, sino a la inversa. El francés supone que es la voz de un español, y agrega que «podría haber distinguido algunas palabras si *hubiera sabido español*». El holandés sostiene que se trata de un francés, pero nos enteramos de que *como no habla francés, testimonió mediante un intérprete.* El inglés piensa que se trata de la voz de un alemán, pero el testigo *no comprende el alemán.* El español «está seguro» de que se trata de un inglés, pero «juzga basándose en la entonación», ya que *no comprende el inglés.* El italiano cree que es la voz de un ruso, pero *nunca habló con un nativo de Rusia.* Un segundo testigo francés difiere del primero y está seguro de que se trata de la voz de un italiano. No *está familiarizado con la lengua italiana,* pero al igual que el español, «está convencido por la entonación». Ahora bien: ¡cuán extrañamente insólita tiene que haber sido esa voz para que pudieran reunirse semejantes testimonios! ¡Una voz en cuyos *tonos* los ciudadanos de las cinco grandes divisiones de Europa no pudieran reconocer nada familiar! Me dirá usted que podía tratarse de la voz de un asiático o un africano. Ni unos ni otros abundan en París, pero, sin negar esa posibilidad, me limitaré a llamarle la atención sobre tres puntos. Un testigo califica la voz de «áspera, más que aguda». Otros dos señalan que era «precipitada y desigual». Ninguno de los testigos se refirió a palabras reconocibles, a sonidos que parecieran palabras.

»No sé –continuó Dupin– la impresión que pudo haber causado hasta ahora en su entendimiento, pero no vacilo en decir que cabe extraer deducciones legítimas de esta parte del testimonio –la que se refiere a las voces ruda y aguda–, suficientes para crear una sospecha que debe de orientar todos los pasos futuros de la investigación del misterio. Digo «deducciones legítimas», sin expresar plenamente lo que pienso. Quiero dar a entender que las deducciones son las *únicas* que corresponden, y que la sospecha surge *inevitablemente* como resultado de las mismas. No le diré todavía cuál es esta sospecha. Pero tenga presente que, por lo que a mí se refiere, bastó para dar forma definida y tendencia determinada a mis investigaciones en el lugar del hecho.

«Transportémonos ahora con la fantasía a esa habitación. ¿Qué buscaremos en primer lugar? Los medios de evasión empleados por los asesinos. Supongo que bien puedo decir que ninguno de los dos cree en acontecimientos sobrenaturales. Madame y mademoiselle L'Espanaye no fueron asesinadas por espíritus. Los autores del hecho eran de carne y hueso, y escaparon por medios materiales. ¿Cómo, pues? Afortunadamente, sólo hay una manera de razonar sobre este punto, y esa manera *debe* conducirnos a una conclusión definida. Examinemos uno por uno los posibles medios de escape. Resulta evidente que los asesinos se hallaban en el cuarto donde se encontró a mademoiselle L'Espanaye, o por lo menos en la pieza contigua, en momentos en que el grupo subía las escaleras. Vale decir que debemos buscar las salidas en esos dos aposentos. La policía ha levantado los pisos, los techos y la mampostería de las paredes en todas direcciones. Ninguna salida *secreta* pudo escapar a sus observaciones. Pero como no me fío de *sus* ojos, miré el lugar con los míos. Efectivamente, no había salidas secretas. Las dos puertas que comunican las habitaciones con el corredor estaban bien cerradas, con las llaves por dentro. Veamos ahora las chimeneas. Aunque de diámetro ordinario en los primeros ocho o diez pies por encima de los hogares, los tubos no permitirían más arriba el paso del cuerpo de un gato grande. Quedando así establecida la total imposibilidad de escape por las vías mencionadas nos vemos reducidos a las ventanas. Nadie podría haber huido por la del cuarto delantero, ya que la muchedumbre reunida lo hubiese visto. Los asesinos *tienen* que haber pasado, pues, por las de la pieza trasera. Llevados a esta conclusión de manera tan inequívoca, no nos corresponde, en nuestra calidad de razonadores, rechazarla por su aparente imposibilidad. Lo único que cabe hacer es probar que esas aparentes «imposibilidades» no son tales en realidad.

»Hay dos ventanas en el aposento. Contra una de ellas no hay ningún mueble que la obstruya, y es claramente visible. La porción inferior de la otra queda oculta por la cabecera del pesado lecho, que ha sido arrimado a ella. La primera ventana apareció firmemente asegurada desde dentro. Resistió los más violentos esfuerzos de quienes trataron de levantarla. En el marco, a la izquierda, había una gran perforación de barreno, y en ella un solidísimo clavo hundido casi hasta la cabeza. Al examinar la otra ventana se vio que había un clavo colocado en forma similar; todos los esfuerzos por levantarla fueron igualmente inútiles. La policía, pues, se sintió plenamente segura de que la huida no se había producido por ese lado. Y, *por tanto,* consideró superfluo extraer los clavos y abrir las ventanas.

»Mi examen fue algo más detallado, y eso por la razón que acabo de darle: allí era el caso de probar que todas las aparentes imposibilidades no eran tales en realidad.

«Seguí razonando en la siguiente forma... *a posteriori*. Los asesinos escaparon *desde una de esas ventanas.* Por tanto, no pudieron asegurar nuevamente los marcos desde el interior, tal como fueron encontrados (consideración que, dado lo obvio de su carácter, interrumpió la búsqueda de la policía en ese terreno). Los marcos estaban asegurados. *Es necesario,* pues, que tengan una manera de asegurarse por sí mismos. La conclusión no admitía escapatoria. Me acerqué a la ventana que tenía libre acceso, extraje con alguna dificultad el clavo y traté de levantar el marco. Tal como lo había anticipado, resistió a todos mis esfuerzos. Comprendí entonces que debía de haber algún resorte oculto, y la corroboración de esta idea me convenció de que por lo menos mis premisas eran correctas, aunque el detalle referente a los clavos continuara siendo misterioso. Un examen detallado no tardó en revelarme el resorte secreto. Lo oprimí y, satisfecho de mi descubrimiento, me abstuve de levantar el marco.

»Volví a poner el clavo en su sitio y lo observé atentamente. Una persona que escapa por la ventana podía haberla cerrado nuevamente, y el resorte habría asegurado el marco. Pero, ¿cómo reponer el clavo? La conclusión era evidente y estrechaba una vez más el campo de mis investigaciones. Los asesinos *tenían* que haber escapado por la otra ventana. Suponiendo, pues, que los resortes fueran idénticos en las dos ventanas, como parecía probable, *necesariamente* tenía que haber una diferencia entre los clavos, o por lo menos en su manera de estar colocados. Trepando al armazón de la cama, miré minuciosamente el marco de sostén de la segunda ventana. Pasé la mano por la parte posterior, descubriendo en seguida el resorte que, tal como había supuesto, era idéntico a su vecino. Miré luego el clavo. Era tan sólido como el otro y aparentemente estaba fijo de la misma manera y hundido casi hasta la cabeza.

»Pensará usted que me sentí perplejo, pero si así fuera no ha comprendido la naturaleza de mis inducciones. Para usar una frase deportiva, hasta entonces no había cometido falta. No había perdido la pista un solo instante. Los eslabones de la cadena no tenían ninguna falla. Había perseguido el secreto hasta su última conclusión: y esa conclusión *era el clavo.* Ya he dicho que tenía todas las apariencias de su vecino de la otra ventana; pero el hecho, por más concluyente que pareciera, resultaba de una absoluta nulidad comparado con la consideración de que allí, en ese punto, se acababa el hilo conductor. «*Tiene* que haber algo defectuoso en el clavo», pensé. Al tocarlo, su cabeza quedó entre mis dedos juntamente con un cuarto de pulgada de la espiga. El resto de la espiga se hallaba dentro del agujero, donde se había roto. La fractura era muy antigua, pues los bordes aparecían herrumbrados, y parecía haber sido hecho de un martillazo, que había hundido parcialmente la cabeza del clavo en el marco inferior de la ventana. Volví a colocar cuidadosamente la parte de la cabeza en el lugar de donde la había sacado, y vi que el clavo daba la exacta impresión de estar entero; la fisura resultaba invisible. Apretando el resorte, levanté ligeramente el marco; la cabeza del clavo subió con él, sin moverse de su lecho. Cerré la ventana, y el clavo dio otra vez la impresión de estar dentro.

»Hasta ahora, el enigma quedaba explicado. El asesino había huido por la ventana que daba a la cabecera del lecho. Cerrándose por sí misma (o quizá ex profeso) la ventana había quedado asegurada por su resorte. Y la resistencia ofrecida por este había inducido a la policía a suponer que se trataba del clavo, dejando así de lado toda investigación suplementaria.

»La segunda cuestión consiste en el modo del descenso. Mi paseo con usted por la parte trasera de la casa me satisfizo al respecto. A unos cinco pies y medio de la ventana en cuestión corre una varilla de pararrayos. Desde esa varilla hubiera resultado imposible alcanzar la ventana, y mucho menos introducirse por ella. Observé, sin embargo, que las persianas del cuarto piso pertenecen a esa curiosa especie que los carpinteros parisienses denominan *ferrades;* es un tipo rara vez empleado en la actualidad, pero que se ve con frecuencia en casas muy viejas de Lyon y Bordeaux. Se las fabrica como una puerta ordinaria (de una sola hoja, y no de doble batiente), con la diferencia de que la parte inferior tiene celosías o tablillas que ofrecen excelente asidero para las manos. En este caso las persianas alcanzan un ancho de tres pies y medio. Cuando las vimos desde la parte posterior de la casa, ambas estaban entornadas, es decir, en ángulo recto con relación a la pared. Es probable que también los policías hayan examinado los fondos del edificio; pero, si así lo hicieron, miraron las *ferrades* en el ángulo indicado, sin darse cuenta de su gran anchura; por lo menos no la tomaron en cuenta. Sin duda, seguros de que por esa parte era imposible toda fuga, se limitaron a un examen muy sumario. Para mí, sin embargo, era claro que si se abría del todo la persiana correspondiente a la ventana situada sobre el lecho, su borde quedaría a unos dos pies de la varilla del pararrayos. También era evidente que, desplegando tanta agilidad como coraje, se podía llegar hasta la ventana trepando por la varilla. Estirándose hasta una distancia de dos pies y medio (ya que suponemos la persiana enteramente abierta), un ladrón habría podido sujetarse firmemente de las tablillas de la celosía. Abandonando entonces su sostén en la varilla, afirmando los pies en la pared y lanzándose vigorosamente hacia adelante habría podido hacer girar la persiana hasta que se cerrara; si suponemos que la ventana estaba abierta en este momento, habría logrado entrar así en la habitación.

»Le pido que tenga especialmente en cuenta que me refiero a un insólito grado de vigor, capaz de llevar a cabo una hazaña tan azarosa y difícil. Mi intención consiste en demostrarle, primeramente, que el hecho pudo ser llevado a cabo; pero, en segundo lugar, y *muy espe-*

cialmente, insisto en llamar su atención sobre el carácter *extraordinario,* casi sobrenatural, de ese vigor capaz de cosa semejante.

»Usando términos judiciales, usted me dirá sin duda que para «redondear mi caso» debería subestimar y no poner de tal modo en evidencia la agilidad que se requiere para dicha proeza. Pero la práctica de los tribunales no es la de la razón. Mi objetivo final es tan sólo la verdad. Y mi propósito inmediato consiste en inducirlo a que yuxtaponga la *insólita agilidad* que he mencionado a esa voz *tan extrañamente aguda* (o áspera) y *desigual* sobre cuya nacionalidad no pudieron ponerse de acuerdo los testigos y en cuyos acentos no se logró distinguir ningún vocablo articulado.

Al oír estas palabras pasó por mi mente una vaga e informe concepción de lo que quería significar Dupin. Me pareció estar a punto de entender, pero sin llegar a la comprensión, así como a veces nos hallamos a punto de recordar algo que finalmente no se concreta. Pero mi amigo seguía hablando.

–Habrá notado usted –dijo– que he pasado de la cuestión de la salida de la casa a la del modo de entrar en ella. Era mi intención mostrar que ambas cosas se cumplieron en la misma forma y en el mismo lugar. Volvamos ahora al interior del cuarto y examinemos lo que allí aparece. Se ha dicho que los cajones de la cómoda habían sido saqueados, aunque quedaron en ellos numerosas prendas. Esta conclusión es absurda. No pasa de una simple conjetura, bastante tonta por lo demás. ¿Cómo podemos asegurar que las ropas halladas en los cajones no eran las que estos contenían habitualmente? Madame L'Espanaye y su hija llevaban una vida muy retirada, no veían a nadie, salían raras veces, y pocas ocasiones se les presentaban de cambiar de tocado. Lo que se encontró en los cajones era de tan buena calidad como cualquiera de los efectos que poseían las damas. Si un ladrón se llevó una parte, ¿por qué no tomó lo mejor... por qué no se llevó todo? En una palabra: ¿por qué abandonó cuatro mil francos en oro, para cargarse con un hato de ropa? El *oro fue* abandonado. La suma mencionada por monsieur Mignaud, el banquero, apareció en su casi totalidad en los sacos tirados por el suelo. Le pido, por tanto, que descarte de sus pensamientos la desatinada idea de un *móvil,* nacida en el cerebro de los policías por esa parte del testimonio que se refiere al dinero entregado en la puerta de la casa. Coincidencias diez veces más notables que esta (la entrega del dinero y el asesinato de sus poseedores tres días más tarde) ocurren a cada hora de nuestras vidas sin que nos preocupemos por ellas. En general, las coincidencias son grandes obstáculos en el camino de esos pensadores que todo lo ignoran de la teoría de las probabilidades, esa teoría a la cual los objetivos más eminentes de la investigación humana deben los más altos ejemplos. En esta instancia, si el oro hubiese sido robado, el hecho de que la suma hubiese sido entregada tres días antes habría constituido algo más que una coincidencia. Antes bien, hubiera corroborado la noción de un móvil. Pero, dadas las verdaderas circunstancias del caso, si hemos de suponer que el oro era el móvil del crimen, tenemos entonces que admitir que su perpetrador era lo bastante indeciso y lo bastante estúpido como para olvidar el oro y el móvil al mismo tiempo.

»Teniendo, pues, presentes los puntos sobre los cuales he llamado su atención –la voz singular, la insólita agilidad y la sorprendente falta de móvil en un asesinato tan atroz como este–, echemos una ojeada a la carnicería en sí. Estamos ante una mujer estrangulada por la presión de unas manos e introducida en el cañón de la chimenea con la cabeza hacia abajo. Los asesinos ordinarios no emplean semejantes métodos. Y mucho menos esconden al asesinado en esa forma. En el hecho de introducir el cadáver en la chimenea admitirá usted que hay algo *excesivamente* inmoderado, algo por completo inconciliable con nuestras nociones sobre los actos humanos, incluso si suponemos que su autor es el más depravado de los hombres. Piense, asimismo, en la fuerza prodigiosa que hizo falta para introducir el cuerpo *hacia arriba,* cuando para hacerlo descender fue necesario el concurso de varias personas.

»Volvámonos ahora a las restantes señales que pudo dejar ese maravilloso vigor. En el hogar de la chimenea se hallaron espesos (muy espesos) mechones de cabello humano canoso. Habían sido arrancados de raíz. Bien sabe usted la fuerza que se requiere para arrancar en esa forma veinte o treinta cabellos. Y además vio los mechones en cuestión tan bien como yo. Sus raíces (cosa horrible) mostraban pedazos del cuero cabelludo, prueba evidente de la prodigiosa fuerza ejercida para arrancar quizá medio millón de cabellos de un tirón. La garganta de la anciana señora no solamente estaba cortada, sino que la cabeza había quedado completamente separada del cuerpo; el instrumento era una simple navaja. Lo invito a considerar la *brutal* ferocidad de estas acciones. No diré nada de las contusiones que presentaba el cuerpo de Madame L'Espanaye. Monsieur Dumas y su valioso ayudante, monsieur Etienne, han decidido que fueron producidas por un instrumento contundente, y hasta ahí la opinión de dichos caballeros es muy correcta. El instrumento contundente fue evidentemente el pavimento de piedra del patio, sobre el cual cayó la víctima desde la ventana que da sobre la cama. Por simple que sea, esto escapó a la policía por la misma razón que se les escapó el ancho de las persianas: frente a la presencia de clavos se quedaron ciegos ante la posibilidad de que las ventanas hubieran sido abiertas alguna vez.

»Si ahora, en adición a estas cosas, ha reflexionado usted adecuadamente sobre el extraño desorden del aposento, hemos llegado al punto de poder combinar las nociones de una asombrosa agilidad, una fuerza sobrehumana, una ferocidad brutal, una carnicería sin motivo, una *grotesquerie* en el horror por completo ajeno a lo humano, y una voz de tono extranjero para los oídos de hombres de distintas nacionalidades y privada de todo silabeo inteligible. ¿Qué resultado obtenemos? ¿Qué impresión he producido en su imaginación?

Al escuchar las preguntas de Dupin sentí que un estremecimiento recorría mi cuerpo.

–Un maníaco es el autor del crimen –dije–. Un loco furioso escapado de alguna *maison de santé* de la vecindad.

–En cierto sentido –dijo Dupin–, su idea no es inaplicable. Pero, aun en sus más salvajes paroxismos, las voces de los locos jamás coinciden con esa extraña voz escuchada en lo alto. Los locos pertenecen a alguna nación, y, por más incoherentes que sean sus palabras, tienen, sin embargo, la coherencia del silabeo. Además, el cabello de un loco no es como el que ahora tengo en la mano. Arranqué este pequeño mechón de entre los dedos rígidamente apretados de madame L'Espanaye. ¿Puede decirme qué piensa de ellos?

–¡Dupin... este cabello es absolutamente extraordinario...! ¡No es cabello *humano!* –grité, trastornado por completo.

–No he dicho que lo fuera –repuso mi amigo–. Pero antes de que resolvamos este punto, le ruego que mire el bosquejo que he trazado en este papel. Es un facsímil de lo que en una parte de las declaraciones de los testigos se describió como «contusiones negruzcas, y profundas huellas de uñas» en la garganta de mademoiselle L'Espanaye, y en otra (declaración de los señores Dumas y Etienne) como «una serie de manchas lívidas que, evidentemente, resultaban de la presión de unos dedos».

«Notará usted –continuó mi amigo, mientras desplegaba el papel– que este diseño indica una presión firme y fija. No hay señal alguna de *deslizamiento.* Cada dedo mantuvo (probablemente hasta la muerte de la víctima) su terrible presión en el sitio donde se hundió primero. Le ruego ahora que trate de colocar todos sus dedos a la vez en las respectivas impresiones, tal como aparecen en el dibujo.

Lo intenté sin el menor resultado.

–Quizá no estemos procediendo debidamente –dijo Dupin–. El papel es una superficie plana, mientras que la garganta humana es cilíndrica. He aquí un rodillo de madera, cuya circunferencia es aproximadamente la de una garganta. Envuélvala con el dibujo y repita el experimento.

Así lo hice, pero las dificultades eran aún mayores.

–Esta marca –dije– no es la de una mano humana.

–Lea ahora –replicó Dupin– este pasaje de Cuvier.

Era una minuciosa descripción anatómica y descriptiva del gran orangután leonado de las islas de la India oriental. La gigantesca estatura, la prodigiosa fuerza y agilidad, la terrible ferocidad y las tendencias imitativas de estos mamíferos son bien conocidas. Instantáneamente comprendí todo el horror del asesinato.

–La descripción de los dedos –dije al terminar la lectura–concuerda exactamente con este dibujo. Sólo un orangután, entre todos los animales existentes, es capaz de producir las marcas que aparecen en su diseño. Y el mechón de pelo coincide en un todo con el pelaje de la bestia descrita por Cuvier. De todas maneras, no alcanzo a comprender los detalles de este aterrador misterio. Además, se escucharon *dos* voces que disputaban y una de ellas era, sin duda, la de un francés.

–Cierto, Y recordará usted que, casi unánimemente, los testigos declararon haber oído decir a esa voz las palabras: *Mon Dieu!* Dadas las circunstancias, uno de los testigos (Montani, el confitero) acertó al sostener que la exclamación tenía un tono de reproche o reconvención. Sobre esas dos palabras, pues, he apoyado todas mis esperanzas de una solución total del enigma. Un francés estuvo al tanto del asesinato. Es posible –e incluso muy probable– que fuera inocente de toda participación en el sangriento episodio. El orangután pudo habérsele escapado. Quizá siguió sus huellas hasta la habitación; pero, dadas las terribles circunstancias que se sucedieron, le fue imposible capturarlo otra vez. El animal anda todavía suelto. No continuaré con estas conjeturas (pues no tengo derecho a darles otro nombre), ya que las sombras de reflexión que les sirven de base poseen apenas suficiente profundidad para ser alcanzadas por mi intelecto, y no pretenderé mostrarlas con claridad a la inteligencia de otra persona. Las llamaremos conjeturas, pues, y nos referiremos a ellas como tales. Si el francés en cuestión es, como lo supongo, inocente de tal atrocidad, este aviso que deje anoche cuando volvíamos a casa en las oficinas de *Le Monde* (un diario consagrado a cuestiones marítimas y muy leído por los navegantes) lo hará acudir a nuestra casa.

Me alcanzó un papel, donde leí:

CAPTURADO.– *En el Bois de Boulogne, en la mañana del... (la mañana del asesinato), se ha capturado un gran orangután leonado de la especie de Bor-*

neo. Su dueño (de quien se sabe que es un marinero perteneciente a un barco maltés) puede reclamarlo, previa identificación satisfactoria y pago de los gastos resultantes de su captura y cuidado. Presentarse al número... calle... Faubourg Saint-Germain... tercer piso.

–Pero, ¿cómo es posible –pregunté– que sepa usted que el hombre es un marinero y que pertenece a un barco maltés?

–No lo sé –dijo Dupin– y no estoy seguro de ello. Pero he aquí un trocito de cinta que, a juzgar por su forma y su grasienta condición, debió de ser usado para atar el pelo en una de esas largas *queues* de que tan orgullosos se muestran los marineros. Además, el nudo pertenece a esa clase que pocas personas son capaces de hacer, salvo los marinos, y es característico de los malteses. Encontré esta cinta al pie de la varilla del pararrayos. Imposible que perteneciera a una de las víctimas. De todos modos, si me equivoco al deducir de la cinta que el francés era un marinero perteneciente a un barco maltés, no he causado ningún daño al estamparlo en el aviso. Si me equivoco, el hombre pensará que me he confundido por alguna razón que no se tomará el trabajo de averiguar. Pero si estoy en lo cierto, hay mucho de ganado. Conocedor, aunque inocente de los asesinatos, el francés vacilará, como es natural, antes de responder al aviso y reclamar el orangután. He aquí cómo razonará: «Soy inocente y pobre; mi orangután es muy valioso y para un hombre como yo representa una verdadera fortuna. ¿Por qué perderlo a causa de una tonta aprensión? Está ahí, a mi alcance. Lo han encontrado en el Bois de Boulogne, a mucha distancia de la escena del crimen. ¿Cómo podría sospechar alguien que ese animal es el culpable? La policía está desorientada y no ha podido encontrar la más pequeña huella. Si llegaran a seguir la pista del mono, les será imposible probar que supe algo de los crímenes o echarme alguna culpa como testigo de ellos. Además, *soy conocido.* El redactor del aviso me designa como dueño del animal. Ignoro hasta dónde llega su conocimiento. Si renuncio a reclamar algo de tanto valor, que se sabe de mi pertenencia, las sospechas recaerán, por lo menos, sobre el animal. Contestaré al aviso, recobraré el orangután y lo tendré encerrado hasta que no se hable más del asunto».

En ese momento oímos pasos en la escalera.

–Prepare las pistolas –dijo Dupin–, pero no las use ni las exhiba hasta que le haga una seña.

La puerta de entrada de la casa había quedado abierta y el visitante había entrado sin llamar, subiendo algunos peldaños de la escalera. Pero, de pronto, pareció vacilar y lo oímos bajar. Dupin corría ya a la puerta cuando advertimos que volvía a subir. Esta vez no vaciló, sino que, luego de trepar decididamente la escalera, golpeó en nuestra puerta.

–¡Adelante! –dijo Dupin con voz cordial y alegre.

El hombre que entró era, con toda evidencia, un marino, alto, robusto y musculoso, con un semblante en el que cierta expresión audaz no resultaba desagradable. Su rostro, muy atezado, aparecía en gran parte oculto por las patillas y los bigotes. Traía consigo un grueso bastón de roble, pero al parecer esa era su única arma. Inclinose torpemente, dándonos las buenas noches en francés; a pesar de un cierto acento suizo de Neufchatel, se veía que era de origen parisiense.

–Siéntese usted, amigo mío –dijo Dupin–. Supongo que viene en busca del orangután. Palabra, se lo envidio un poco; es un magnífico animal, que presumo debe de tener gran valor. ¿Qué edad le calcula usted?

El marinero respiró profundamente, con el aire de quien se siente aliviado de un peso intolerable, y contestó con tono reposado:

–No podría decirlo, pero no tiene más de cuatro o cinco años. ¿Lo guarda usted aquí?

–¡Oh, no! Carecemos de lugar adecuado. Está en una caballeriza de la rue Dubourg, cerca de aquí. Podría usted llevárselo mañana por la mañana. Supongo que estará en condiciones de probar su derecho de propiedad.

–Por supuesto que sí, señor.

–Lamentaré separarme de él –dijo Dupin.

–No quisiera que usted se hubiese molestado por nada –declaró el marinero–. Estoy dispuesto a pagar una recompensa por el hallazgo del animal. Una suma razonable, se entiende.

–Pues bien –repuso mi amigo–, eso me parece muy justo. Déjeme pensar: ¿qué le pediré? ¡Ah, ya sé! He aquí cuál será mi recompensa: me contará usted todo lo que sabe sobre esos crímenes en la rue Morgue.

Dupin pronunció las últimas palabras en voz muy baja y con gran tranquilidad. Después, con igual calma, fue hacia la puerta, la cerró y guardó la llave en el bolsillo. Sacando luego una pistola, la puso sin la menor prisa sobre la mesa.

El rostro del marinero enrojeció como si un acceso de sofocación se hubiera apoderado de él. Levantándose, aferró su bastón, pero un segundo después se dejó caer de nuevo en el asiento, temblando violentamente y pálido como la muerte. No dijo una palabra. Lo compadecí desde lo más profundo de mi corazón.

–Amigo mío, se está usted alarmando sin necesidad –dijo cordialmente Dupin–. Le aseguro que no tenemos intención de causarle el menor daño. Lejos de nosotros querer perjudicarlo: le doy mi palabra de caballero y de francés. Estoy perfectamente enterado de que es usted inocente de las atrocidades de la rue Morgue. Pero sería inútil negar que, en cierto modo, se halla implicado en ellas. Fundándose en lo que le he dicho, supondrá que poseo medios de información sobre este asunto, medios que le sería imposible imaginar. El caso se plantea de la siguiente manera: usted no ha cometido nada que no debiera haber cometido, nada que lo haga culpable. Ni siquiera se le puede acusar de robo, cosa que pudo llevar a cabo impunemente. No tiene nada que ocultar ni razón para hacerlo. Por otra parte, el honor más elemental lo obliga a confesar todo lo que sabe. Hay un hombre inocente en la cárcel, acusado de un crimen cuyo perpetrador puede usted denunciar.

Mientras Dupin pronunciaba estas palabras, el marinero había recobrado en buena parte su compostura, aunque su aire decidido del comienzo habíase desvanecido por completo.

–¡Dios venga en mi ayuda! –dijo, después de una pausa–. Sí, le diré todo lo que sé sobre este asunto, aunque no espero que crea ni la mitad de lo que voy a contarle... ¡Estaría loco si pensara que van a creerme! Y, sin embargo, *soy* inocente, y lo confesaré todo aunque me cueste la vida.

En sustancia, lo que nos dijo fue lo siguiente: Poco tiempo atrás, había hecho un viaje al archipiélago índico. Un grupo del que formaba parte desembarcó en Borneo y penetró en el interior a fin de hacer una excursión placentera. Entre él y un compañero capturaron al orangután. Como su compañero falleciera, quedó dueño único del animal. Después de considerables dificultades, ocasionadas por la indomable ferocidad de su cautivo durante el viaje de vuelta, logró finalmente encerrarlo en su casa de París, donde, para aislarlo de la incómoda curiosidad de sus vecinos, lo mantenía cuidadosamente recluido, mientras el animal curaba de una herida en la pata que se había hecho con una astilla a bordo del buque. Una vez curado, el marinero estaba dispuesto a venderlo.

Una noche, o más bien una madrugada, en que volvía de una pequeña juerga de marineros, nuestro hombre se encontró con que el orangután había penetrado en su dormitorio, luego de escaparse de la habitación contigua donde su captor había creído tenerlo sólidamente encerrado. Navaja en mano y embadurnado de jabón, habíase sentado frente a un espejo y trataba de afeitarse, tal como, sin duda, había visto hacer a su amo espiándolo por el ojo de la cerradura. Aterrado al ver arma tan peligrosa en manos de un animal que, en su ferocidad, era harto capaz de utilizarla, el marinero se quedó un instante sin saber qué hacer. Por lo regular, lograba contener al animal, aun en sus arrebatos más terribles, con ayuda de un látigo, y pensó acudir otra vez a ese recurso. Pero al verlo, el orangután se lanzó de un salto a la puerta, bajó las escaleras y, desde ellas, saltando por una ventana que desgraciadamente estaba abierta, se dejó caer a la calle.

Desesperado, el francés se precipitó en su seguimiento. Navaja en mano, el mono se detenía para mirar y hacer muecas a su perseguidor, dejándolo acercarse casi hasta su lado. Entonces echaba a correr otra vez. Siguió así la caza durante largo tiempo. Las calles estaban profundamente tranquilas, pues eran casi las tres de la madrugada. Al atravesar el pasaje de los fondos de la rue Morgue, la atención del fugitivo se vio atraída por la luz que salía de la ventana abierta del aposento de madame L'Espanaye, en el cuarto piso de su casa. Precipitándose hacia el edificio, descubrió la varilla del pararrayos, trepó por ella con inconcebible agilidad, aferró la persiana que se hallaba completamente abierta y pegada a la pared, y en esta forma se lanzó hacia adelante hasta caer sobre la cabecera de la cama. Todo esto había ocurrido en menos de un minuto. Al saltar en la habitación, las patas del orangután rechazaron nuevamente la persiana, la cual quedó abierta.

El marinero, a todo esto, se sentía tranquilo y preocupado al mismo tiempo. Renacían sus esperanzas de volver a capturar a la bestia, ya que le sería difícil escapar de la trampa en que acababa de meterse, salvo que bajara otra vez por el pararrayos, ocasión en que sería posible atraparlo. Por otra parte, se sentía ansioso al pensar en lo que podría estar haciendo en la casa. Esta última reflexión indujo al hombre a seguir al fugitivo. Para un marinero no hay dificultad en trepar por una varilla de pararrayos; pero, cuando hubo llegado a la altura de la ventana, que quedaba muy alejada a su izquierda, no pudo seguir adelante; lo más que alcanzó fue a echarse a un lado para observar el interior del aposento. Apenas hubo mirado, estuvo a punto de caer a causa del horror que lo sobrecogió. Fue en ese momento cuando empezaron los espantosos alaridos que arrancaron de su sueño a los vecinos de la rue Morgue. Madame L'Espanaye y su hija, vestidas con sus camisones de dormir, habían estado aparentemente ocupadas en arreglar algunos papeles en la caja fuerte ya mencionada, la cual había sido corrida al centro del cuarto. Hallábase abierta, y a su lado, en el suelo, los papeles que contenía. Las víctimas debían de haber estado sentadas dando la espalda a la ventana, y, a juzgar por el tiempo transcurrido entre la entrada de la bestia y los gritos, parecía probable que en un primer momento no hubieran advertido su presencia. El golpear de la persiana pudo ser atribuido por ellas al viento.

En el momento en que el marinero miró hacia el interior del cuarto, el gigantesco animal había aferrado a madame L'Espanaye por el cabello (que la dama tenía suelto, como si se hubiera estado peinando) y agitaba la navaja cerca de su cara imitando los movimientos de un barbero. La hija yacía postrada e inmóvil, víctima de un desmayo. Los gritos y los esfuerzos de la anciana señora, durante los cuales le fueron arrancados los mechones de la cabeza, tuvieron por efecto convertir los propósitos probablemente pacíficos del orangután en otros llenos de furor. Con un solo golpe de su musculoso brazo separó casi completamente la cabeza del cuerpo de la víctima. La vista de la sangre transformó su cólera en frenesí. Rechinando los dientes y echando fuego por los ojos, saltó sobre el cuerpo de la joven y, hundiéndole las terribles garras en la garganta, las mantuvo así hasta que hubo expirado. Las furiosas miradas de la bestia cayeron entonces sobre la cabecera del lecho, sobre el cual el rostro de su amo, paralizado por el horror, alcanzaba apenas a divisarse. La furia del orangután, que, sin duda, no olvidaba el temido látigo, se cambió instantáneamente en miedo. Seguro de haber merecido un castigo, pareció deseoso de ocultar sus sangrientas acciones, y se lanzó por el cuarto lleno de nerviosa agitación, echando abajo y rompiendo los muebles a cada salto y arrancando el lecho de su bastidor. Finalmente se apoderó del cadáver de mademoiselle L'Espanaye y lo metió en el cañón de la chimenea, tal como fue encontrado luego, tomó luego el de la anciana y lo tiró de cabeza por la ventana.

En momentos en que el mono se acercaba a la ventana con su mutilada carga, el marinero se echó aterrorizado hacia atrás y, deslizándose sin precaución alguna hasta el suelo, corrió inmediatamente a su casa, temeroso de las consecuencias de semejante atrocidad y olvidando en su terror toda preocupación por la suerte del orangután. Las palabras que los testigos oyeron en la escalera fueron las exclamaciones de espanto del francés, mezcladas con los diabólicos sonidos que profería la bestia.

Poco me queda por agregar. El orangután debió de escapar por la varilla del pararrayos un segundo antes de que la puerta fuera forzada. Sin duda, cerró la ventana a su paso. Más tarde fue capturado por su mismo dueño, quien lo vendió al *Jardin des Plantes* en una elevada suma.

Lebon fue puesto en libertad inmediatamente después que hubimos narrado todas las circunstancias del caso –con algunos comentarios por parte de Dupin– en el *bureau* del prefecto de policía. Este funcionario, aunque muy bien dispuesto hacia mi amigo, no pudo ocultar del todo el fastidio que le producía el giro que había tomado el asunto, y deslizó uno o dos sarcasmos sobre la conveniencia de que cada uno se ocupara de sus propios asuntos.

–Déjelo usted hablar –me dijo Dupin, que no se había molestado en replicarle–. Deje que se desahogue; eso aliviará su conciencia. Me doy por satisfecho con haberlo derrotado en su propio terreno. De todos modos, el hecho de que haya fracasado en la solución del misterio no es ninguna razón para asombrarse; en verdad, nuestro amigo el prefecto es demasiado astuto para ser profundo. No hay fibra en su ciencia: mucha cabeza y nada de cuerpo, como las imágenes de la diosa Laverna, o, a lo sumo, mucha cabeza y lomos, como un bacalao. Pero después de todo es un buen hombre. Lo estimo especialmente por cierta forma maestra de gazmoñería, a la cual debe su reputación. Me refiero a la manera que tiene de *nier ce qui est, et d' expliquer ce qui n'est pas*[1].

---

1. Rousseau, *Nouvelle Héloïse.* (E. A. P.)

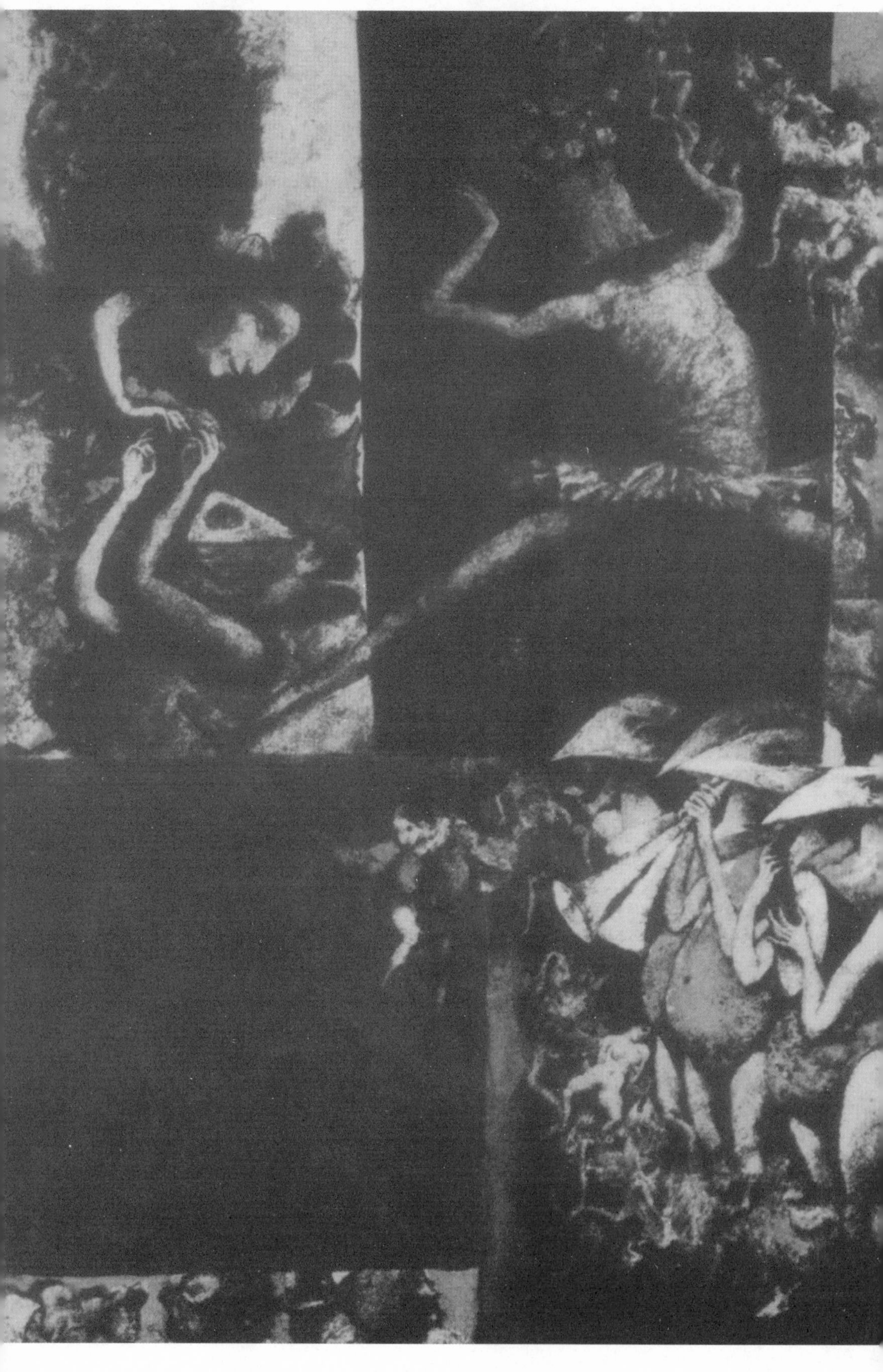

EL MISTERIO DE MARIE ROGÊT

Comentario de Irene Jiménez

Al escribir «El misterio de Marie Rogêt» su autor consiguió algo inverosímil, incluso inalcanzable para otros grandes narradores que han cultivado la intriga: que algunos le echaran a él la culpa de la trágica muerte de su protagonista. En justicia no puede decirse que Poe asesinara a la hermosa perfumista parisina del cuento, teniendo en cuenta que esta no vivió nunca; de lo que no podemos estar seguros, aunque parezca poco probable, es de que el escritor no acabara con Mary Cecilia Rogers, una joven cigarrera cuyo cuerpo sin vida apareció en las aguas del río Hudson y de la que, reconocidamente, Marie Rogêt se convirtió en trasunto.

Meses después del asesinato real de Rogers, Poe trasladó a las páginas de una revista femenina los espeluznantes hechos que habían conmocionado en 1841 a la población de Nueva York. Por delicadeza, situó la historia a orillas del Sena. Por decoro, mudó el nombre y el oficio de la difunta. Fueron respetados, sin embargo, multitud de detalles: el lector nunca olvidará esa enagua con la que se acallan los gritos de la víctima, ni la sombrilla de la dama abandonada entre unas piedras del bosque. El sagaz personaje Auguste Dupin, que ya había arrojado luz sobre los crímenes de la calle Morgue, vuelve a aparecer en el relato para revolver algunas de sus claves. Lo más original de su método de investigación es que, esta vez, Dupin se servirá tan sólo de recortes de periódico para elucubrar sobre el asunto. No visitará los posibles escenarios del crimen, ni se entrevistará con los sospechosos. No tendrá que recuperar personalmente ninguna carta robada. Sus agudos razonamientos provienen, tan sólo, de la lectura crítica de las noticias diarias: nos hallamos ante un juego de detectives distante y más intelectual que nunca.

Pero es verdad que los esforzados intentos de Dupin por descubrir al culpable se quiebran en el último segundo, dando así lugar a un final abierto en demasía para el género. Cuando se publicó «El misterio de Marie Rogêt», la policía de Nueva York no había conseguido esclarecer aún los hechos, y el relato firmado por Poe tampoco cerró el caso, aunque proporcionó numerosas pistas a los responsables del mismo. Fue precisamente el contraste entre la familiaridad con la que el autor describe los pormenores del crimen y la ausencia de un definitivo asesino en su relato lo que dio lugar a que se levantaran las sospechas sobre el propio Edgar Allan Poe, tan melancólico y oscuro. ¿Pudo ser él mismo quien forzó, mató y abandonó en el agua a la desafortunada Mary Cecilia? ¿Era ese el secreto de la fingida perspicacia de Dupin, de su soltura? Al parecer, no resultaba descabellado creer que el escritor y la atractiva joven se hubieran conocido años antes del asesinato. Aunque posiblemente estas estremecedoras suposiciones se deban, sobre todo, a que los diarios que se conforman con la opinión general no logran los sufragios de la multitud, como lamenta Dupin, y a que la masa sólo considera profundo aquello que está en abierta contradicción con las nociones generales. A que la sospecha vuelve aún más inquietante al inquietante Poe y a que esa incertidumbre nos embriaga..., aunque creer que el de Boston asesinó a Mary Cecilia sea, cuando menos, como esperar la repetición de un seis al lanzar por tercera vez los dados.

EL MISTERIO DE MARIE ROGÊT[1]
(Continuación de «Los crímenes de la calle Morgue»)

«Es giebt eine Reihe idealischer Begebenheiten, die der Wirklichkeit parallel läuft. Selten fallen sie zusammen. Menschen und Zufälle modificiren gewöhnlich die idealische Begebenheit, so dass sie unvollkommen ercheint, und ihre Folgen gleichfalls unvollkommen sind. So bei der Reformation; statt des Protestantismus kam das Lutherthum hervor». (Hay series ideales de acaecimientos que corren paralelos a los reales. Rara vez coinciden; por lo general, los hombres y las circunstancias modifican la serie ideal perfecta, y sus consecuencias son por lo tanto igualmente imperfectas. Tal ocurrió con la Reforma: en vez del protestantismo tuvimos el luteranismo).

NOVALIS, *Moral Ansichten*

Aun entre los pensadores más sosegados, pocos hay que alguna vez no se hayan sorprendido al comprobar que creían a medias en lo sobrenatural –de manera vaga pero sobrecogedora–, basándose para

1. En ocasión de la publicación original de *Marie Rogêt,* las notas que ahora se agregan al pie fueron consideradas innecesarias; pero los varios años transcurridos desde la tragedia en la cual se funda este relato obligan a incorporarlas, así como a decir en pocas palabras el propósito general del presente escrito. Una joven llamada *Mary Cecilia Rogers* fue asesinada en las cercanías de Nueva York y, aunque su muerte produjo intensa y duradera conmoción, el misterio que la rodeaba seguía sin resolverse cuando este relato fue escrito y publicado (noviembre de 1842). Fingiendo narrar el destino de *una grisette* parisiense, el autor siguió con todo detalle los hechos esenciales (parafraseando los menos importantes) del verdadero asesinato de Mary Rogers. Así, todos los argumentos de la ficción se aplican a la verdad, pues su objeto era la investigación de esa verdad.
El misterio de Marie Rogêt fue escrito lejos de la escena del asesinato y sin otros medios de investigación que los datos de los periódicos. EL autor careció, por tanto, de muchos elementos que habría obtenido de hallarse en el lugar y haber podido recorrer las vecindades. De todos modos no está de más recordar que la confesión de *dos personas* (una de ellas la madame Deluc del relato), efectuadas en distintos momentos y muy posteriores a la publicación, confirmaron plenamente no sólo la conclusión general, sino *todos* los detalles hipotéticos principales por los cuales dicha conclusión había sido alcanzada.

ello en *coincidencias* de naturaleza tan asombrosa que, en cuanto *meras coincidencias,* el intelecto no ha alcanzado a aprehender. Tales sentimientos (ya que las creencias a medias de que hablo no logran la plena fuerza *del pensamiento)* nunca se borran del todo hasta que se los explica por la doctrina de las posibilidades. Ahora bien, este cálculo es puramente matemático en esencia, y así nos encontramos con la anomalía de que la ciencia más rígida y exacta se aplica a las sombras y vaguedades de la especulación más intangible.

Los extraordinarios detalles que me toca dar a conocer constituyen, por lo que se refiere al tiempo, la rama principal de una serie de *coincidencias* apenas comprensibles, cuya rama secundaria o final reconocerán todos los lectores en el reciente asesinato de *Mary Cecilia Rogers,* en Nueva York.

Cuando en un relato titulado «Los crímenes de la calle Morgue», publicado hace un año, traté de poner de manifiesto algunas notables características de la mentalidad de mi amigo, el *chevalier C.* Auguste Dupin, no se me ocurrió que volvería jamás a ocuparme del tema. Era mi intención describir esas características, y su objeto fue plenamente logrado dentro de la terrible serie de circunstancias que pusieron de manifiesto el modo de ser de Dupin. Podría haber aducido otros ejemplos, pero no hubieran resultado más probatorios. Los recientes sucesos, sin embargo, con su sorprendente desarrollo, me obligan a proporcionar nuevos detalles que tendrán la apariencia de una confesión forzada. Pero, luego de lo que he oído en estos últimos tiempos, sería verdaderamente extraño que guardara silencio sobre lo que vi y oí hace mucho.

Una vez resuelta la tragedia de la muerte de madame L'Espanaye y su hija, Dupin se despreocupó inmediatamente del asunto y recayó en sus viejos hábitos de melancólica ensoñación. Por mi parte, inclinado como soy a la abstracción, no dejé de acompañarlo en su humor; seguíamos ocupando las mismas habitaciones en el Faubourg Saint-Germain, y abandonamos toda preocupación por el futuro para sumergirnos plácidamente en el presente, reduciendo a sueños el mortecino mundo que nos rodeaba.

Estos sueños, sin embargo, solían interrumpirse. Fácilmente se imaginará que el papel desempeñado por mi amigo en el drama de la rue Morgue no había dejado de impresionar a la policía parisiense. El nombre de Dupin se había vuelto familiar a todos sus miembros. La sencilla naturaleza de aquellas inducciones por la cuales había desenredado el misterio no fue nunca explicado por Dupin a nadie, fuera de mí –ni siquiera al prefecto–, por lo cual no sorprenderá que su intervención se considerara poco menos que milagrosa, o que las aptitudes analíticas del *chevalier* le valieran fama de intuitivo. Su franqueza lo hubiera llevado a desengañar a todos los que creyeran esto último, pero su humor indolente lo alejaba de la reiteración de un tópico que había dejado de interesarle hacía mucho. Fue así como Dupin se convirtió en el blanco de las miradas de la policía, y en no pocos casos la prefectura trató de contratar sus servicios. Uno de los ejemplos más notables lo proporcionó el asesinato de una joven llamada Marie Rogêt.

El hecho ocurrió unos dos años después de las atrocidades de la rue Morgue. Marie, cuyo nombre y apellido llamarán inmediatamente la atención por su parecido con los de la infortunada vendedora de cigarros de Nueva York, era hija única de la viuda Estelle Rogêt. Su padre había muerto cuando Marie era muy pequeña, y desde entonces hasta unos dieciocho meses antes del asesinato que nos ocupa, madre e hija habían vivido juntas en la rue Pavee Saint André[2], donde la señora Rogêt, ayudada por la joven, dirigía una pensión. Las cosas siguieron así hasta que Marie cumplió veintidós años, y su gran belleza atrajo la atención de un perfumista que ocupaba uno de los negocios en la galería del Palais Royal, cuya clientela principal la constituían los peligrosos aventureros que infestaban la vecindad. Monsieur Le Blanc[3] no ignoraba las ventajas de que la bella Marie atendiera la perfumería, y su generosa propuesta fue prontamente aceptada por la joven, aunque su madre no dejó de mostrar alguna vacilación.

Las previsiones del comerciante se cumplieron, y sus salones no tardaron en hacerse famosos gracias a los encantos de la vivaz *grisette*. Un año llevaba esta en su empleo, cuando sus admiradores quedaron confundidos por su brusca desaparición. Monsieur Le Blanc no se explicaba su ausencia, y madame Rogêt estaba llena de ansiedad y terror. Los periódicos se ocuparon inmediatamente del asunto y la policía empezaba a efectuar investigaciones cuando, una semana después de su desaparición, Marie se presentó otra vez en la perfumería y reanudó sus tareas, dando la impresión de hallarse perfectamente bien, aunque su expresión reflejaba cierta tristeza. Como es natural, toda indagación fue inmediatamente suspendida, salvo las de carácter privado. Monsieur Le Blanc se mostró imperturbable y no dijo una palabra. A todas las preguntas formuladas, tanto Marie como su madre respondieron que la primera había pasado la semana con parientes que vivían en el campo. La cosa acabó ahí y fue bien pronto olvidada, sobre todo porque la joven, deseosa de evitar las impertinencias de la

2. Nassau Street.
3. Anderson.

curiosidad, no tardó en despedirse definitivamente del perfumista y buscó refugio en casa de su madre, en la rue Pavee Saint André.

Habrían pasado cinco meses de su retorno al hogar, cuando alarmó a sus amigos una segunda y no menos brusca desaparición. Pasaron tres días sin que se tuviera noticia alguna. Al cuarto día, el cadáver apareció flotando en el Sena[4], cerca de la orilla opuesta al barrio de la rue Saint André, en un punto no muy alejado de la aislada vecindad de la Barrière du Roule[5].

La atrocidad del crimen (pues desde un principio fue evidente que se trataba de un crimen), la juventud y hermosura de la víctima y, sobre todo, su pasada notoriedad, conspiraron para producir una intensa conmoción en los espíritus de los sensibles parisienses. No recuerdo ningún caso similar que haya provocado efecto tan general y profundo. Durante varias semanas la discusión del absorbente tema hizo incluso olvidar los temas políticos del momento. El prefecto desplegó una insólita actividad y, como es natural, los recursos de la policía de París fueron empleados en su totalidad.

Al descubrirse el cadáver, nadie supuso que el asesino evadiría por mucho tiempo la investigación inmediatamente iniciada. Sólo al cumplirse la primera semana se estimó necesario ofrecer una recompensa, y aun así quedó limitada a la suma de mil francos. Entretanto la indagación procedía con vigor, ya que no siempre con tino, y numerosas personas fueron interrogadas en vano, mientras la excitación popular iba en aumento al advertir que no se daba con la menor clave que develara el misterio. Al cumplirse el décimo día se creyó conveniente doblar la suma ofrecida. Transcurrió la segunda semana sin llegar a ningún descubrimiento, y como la animosidad siempre existente en París contra la policía se manifestara en una serie de graves disturbios, el prefecto asumió personalmente la responsabilidad de ofrecer la suma de veinte mil francos «por la denuncia del asesino» o, en caso de que se tratara de más de uno, «por la denuncia de cualquiera de los asesinos». En la proclamación de esta recompensa se prometía completo perdón a cualquier cómplice que se presentara a declarar contra el autor del hecho; al pie del cartel se agregó un segundo, por el cual un comité de ciudadanos ofrecía otros diez mil francos de recompensa. La suma total alcanzaba, pues, a treinta mil francos, lo cual debe considerarse extraordinario teniendo en cuenta la humilde condición de la víctima y la gran frecuencia con que en las grandes ciudades acontecen atrocidades de este género.

---

4. El Hudson.
5. Weehawken.

Nadie dudó entonces de que el misterioso asesinato sería inmediatamente esclarecido. Pero, aunque se efectuaron uno o dos arrestos que prometían buenos resultados, nada pudo aclararse que comprometiera a las personas en cuestión, las cuales recobraron la libertad. Por más raro que parezca, habían transcurrido tres semanas desde el descubrimiento del cuerpo sin que surgiera la menor luz reveladora, antes de que el rumor de los acontecimientos que tanto agitaban la opinión pública llegara a oídos de Dupin y de mí. Sumidos en investigaciones que reclamaban toda nuestra atención, hacía más de un mes que ninguno de los dos salía a la calle, recibía visitas o leía los diarios, aparte de una ojeada a los editoriales políticos. La primera noticia del asesinato nos fue traída por G... en persona. Se presentó en la tarde del 13 de julio de 18... y permaneció con nosotros hasta muy entrada la noche. Se sentía picado ante el fracaso de todos sus esfuerzos por atrapar a los asesinos. Su reputación –según declaró con un aire típicamente parisiense– estaba comprometida. Incluso su honor se veía mancillado. Los ojos de la sociedad estaban clavados en él y no había sacrificio que no estuviese dispuesto a realizar para que el misterio quedara aclarado. Terminó su curiosa perorata con un cumplido sobre lo que denominaba el *tacto* de Dupin, y le hizo una proposición tan directa como generosa, cuya naturaleza precisa no estoy en condiciones de declarar, pero que no tiene relación directa con el tema fundamental de mi relato.

Mi amigo rechazó el cumplido lo mejor que pudo, pero aceptó inmediatamente la proposición, aunque sus ventajas eran momentáneas. Arreglado este punto, el prefecto procedió a ofrecernos sus explicaciones del asunto, mezcladas con largos comentarios sobre los testimonios recogidos (que no conocíamos aún). Habló largo tiempo, indudablemente con mucha sapiencia, mientras yo insinuaba una que otra sugestión y la noche avanzaba con interminable lentitud. Dupin, cómodamente instalado en su sillón habitual, era la encarnación misma de la atención respetuosa. No se quitó en ningún momento los anteojos, y una ojeada ocasional que lancé por detrás de los cristales verdes bastó para convencerme de que dormía tan profunda como silenciosamente, a lo largo de las siete u ocho pesadísimas horas que precedieron la partida del prefecto.

A la mañana siguiente me procuré en la prefectura un informe completo de todos los testimonios obtenidos y, en las oficinas de los diarios, un ejemplar de cada edición en la cual se hubieran publicado noticias importantes sobre el triste caso. Libres de todo lo que cabía rechazar de plano, el total de las informaciones era el siguiente:

Marie Rogêt abandonó la casa de su madre en la rue Pavee Saint André hacia las nueve de la mañana del domingo 22 de junio de 18... Al salir informó a un señor Jacques St. Eustache[6] –y solamente a él– que tenía intención de pasar el día en casa de una tía que habitaba en la rue des Drômes. Esta calle, angosta y breve pero muy populosa, no está lejos de la orilla del río y queda a unas dos millas –siguiendo la línea más directa posible– de la pensión de madame Rogêt. St. Eustache era el novio oficial de Marie, y vivía en la pensión donde asimismo almorzaba y cenaba. Quedó convenido que iría a buscar a su prometida al anochecer, para acompañarla de regreso. Aquella tarde, empero, se puso a llover copiosamente y, al suponer que Marie se quedaría en casa de su tía (como lo había hecho en circunstancias similares), su novio no creyó necesario mantener su promesa. A medida que avanzaba la noche, oyóse decir a madame Rogêt (que era una anciana achacosa, de setenta años) «que no volvería a ver nunca más a Marie»; pero en el momento nadie tomó en cuenta su observación.

El lunes se supo con certeza que la muchacha no había estado en la rue des Drômes, y cuando transcurrió el día sin noticias de ella se inició una tardía búsqueda en distintos puntos de la ciudad y alrededores. Pero sólo al cuarto día de la desaparición se tuvieron las primeras noticias concretas. Ese día (miércoles, 25 de junio), un señor Beauvais[7], que en unión de un amigo había estado haciendo indagaciones sobre Marie cerca de la Barrière du Roule, en la orilla del Sena opuesta a la rue Pavee Saint André, fue informado de que unos pescadores acababan de extraer y llevar a la orilla un cadáver que había aparecido flotando en el río. En presencia del cuerpo, y luego de alguna vacilación, Beauvais lo identificó como el de la muchacha de la perfumería. Su amigo la reconoció antes que él.

El rostro estaba cubierto de sangre coagulada, parte de la cual salía de la boca. No se advertía ninguna espuma, como ocurre con los ahogados. Los tejidos celulares no estaban decolorados. Alrededor de la garganta se advertían magulladuras y huellas de dedos. Los brazos estaban doblados sobre el pecho y rígidos. La mano derecha aparecía cerrada; la izquierda, abierta en parte. En la muñeca izquierda había dos excoriaciones circulares, aparentemente causadas por cuerdas o por una cuerda pasada dos veces. Parte de la muñeca derecha aparecía también muy excoriada, lo mismo que toda la espalda y en especial los omoplatos. Al traer el cuerpo a la orilla los pescadores lo

6. Payne.
7. Crommelin.

habían atado con una soga, pero ninguna de las excoriaciones había sido producida por esta. El cuello aparecía sumamente hinchado. No se veía ninguna herida, ni contusiones que provinieran de golpes. Alrededor del cuello se encontró un cordón atado con tanta fuerza que no se alcanzaba a distinguirlo, de tal modo estaba incrustado en la carne; había sido asegurado con un nudo situado exactamente debajo de la oreja izquierda. Esto solo hubiera bastado para provocar la muerte. El testimonio médico dejó expresamente establecida la virtud de la difunta, expresando que había sido sometida a una brutal violencia. Al ser encontrado el cuerpo se hallaba en un estado que no impedía su identificación por parte de sus conocidos.

Las ropas de la víctima aparecían llenas de desgarrones y en desorden. Una tira de un pie de ancho había sido arrancada del vestido, desde el ruedo de la falda hasta la cintura, pero no desprendida por completo. Aparecía arrollada tres veces en la cintura y asegurada mediante una especie de ligadura en la espalda. La bata que Marie llevaba debajo del vestido era de fina muselina; una tira de dieciocho pulgadas de ancho había sido arrancada por completo de esta prenda, de manera muy cuidadosa y regular. Dicha tira apareció alrededor del cuello, pero no apretada, aunque había sido asegurada con un nudo firmísimo. Sobre la tira de muselina y el cordón había un lazo procedente de una cofia, que aún colgaba de él. Dicho lazo estaba asegurado con un nudo de marinero, y no con el que emplean las señoras.

Luego de identificado, el cadáver no fue conducido a la morgue, como se acostumbraba, ya que la formalidad parecía superflua, sino enterrado presurosamente no lejos del lugar donde fuera extraído del agua. Gracias a los esfuerzos de Beauvais, el asunto se mantuvo cuidadosamente en secreto y transcurrieron varios días antes de que el interés público despertara. Un semanario, sin embargo[8], se ocupó por fin del tema; exhumóse el cadáver, procediéndose a un nuevo examen del mismo, pero nada se agregó a lo anteriormente conocido. Mas esta vez se mostraron las ropas a la madre y amigos de Marie, quienes las identificaron como las que vestía la muchacha al abandonar su casa.

La agitación, entre tanto, aumentaba de hora en hora. Numerosas personas fueron arrestadas y puestas nuevamente en libertad. St. Eustache, en especial, provocaba vivas sospechas, pues en un comienzo fue incapaz de explicar satisfactoriamente sus movimientos a lo largo del domingo en que Marie salió de su casa. Más tarde, empero,

8. El *Mercury,* de Nueva York.

presentó a monsieur G... testimonios escritos que daban cuenta clara de cada hora del día en cuestión. A medida que transcurría el tiempo sin que se hiciera el menor descubrimiento, empezaron a circular mil rumores contradictorios, y los periodistas se entregaron a la tarea de proponer *sugestiones.* Entre ellas, la que más llamó la atención fue la de que Marie Rogêt estaba todavía viva, y que el cuerpo hallado en el Sena correspondía a alguna otra desventurada mujer. Creo oportuno someter al lector los pasajes que contienen la sugestión aludida. Son transcripción literal de artículos aparecidos en *L'Etoile*[9], periódico redactado habitualmente con mucha competencia.

«Mademoiselle Rogêt abandonó la casa de su madre en la mañana del domingo 22 de junio, con el ostensible propósito de visitar a su tía o a algún otro pariente en la rue des Drômes. Desde esa hora, nadie parece haber vuelto a verla. No hay la menor huella ni noticia. Hasta la fecha, por lo menos, no se ha presentado nadie que la haya visto una vez que salió de la casa materna. Ahora bien, aunque carecemos de testimonios de que Marie Rogêt se hallaba aún entre los vivos después de las nueve de la mañana del domingo 22 de junio, hay pruebas de que lo estaba hasta esa hora. El miércoles, a mediodía, un cuerpo de mujer fue descubierto a flote cerca de la orilla de la Barrière du Roule. Aun presumiendo que Marie Rogêt fuera arrojada al río dentro de las tres horas siguientes a la salida de su casa, esto significa un término de tres días, hora más o menos, desde el momento en que abandonó su hogar. Pero sería absurdo suponer que el asesinato (si se trata de un asesinato) pudo ser consumado lo bastante pronto para permitir a los perpetradores arrojar el cuerpo al río antes de medianoche. Quienes cometen tan horribles crímenes prefieren la oscuridad a la luz... Vemos así que, si el cuerpo hallado en el río *era el de Marie Rogêt,* sólo pudo estar en el agua dos días y medio, o tres como máximo. Las experiencias han demostrado que los cuerpos de los ahogados, o de los arrojados al agua inmediatamente después de una muerte violenta, requieren de seis a diez días para que la descomposición esté lo bastante avanzada como para devolverlos a la superficie. Incluso si se dispara un cañonazo sobre el lugar donde hay un cadáver, y este sube a la superficie antes de una inmersión de cinco o seis días, volverá a hundirse si no se lo amarra. Preguntamos ahora: ¿qué pudo determinar semejante alteración en el curso natural de las cosas? Si el cuerpo, maltratado como estaba, hubiera permanecido en tierra hasta la noche del martes, no habría dejado de aparecer en la costa alguna huella de los asesinos. Asimis-

9. *Brother Jonathan,* de Nueva York, dirigido por H. Hastings Weld, Esq.

mo, resulta dudoso que el cuerpo hubiera subido tan pronto a flote, aun lanzado al agua después de dos días de producida la muerte. Y, lo que es más, parece altamente improbable que los miserables capaces de semejante crimen hayan arrojado el cadáver al agua sin atarle algún peso para mantenerlo sumergido, cosa que no ofrecía la menor dificultad.»

El articulista continúa arguyendo que el cuerpo debió de estar en el agua «no solamente tres días, sino, por lo menos, cinco veces ese tiempo», pues aparecía tan descompuesto que Beauvais tuvo gran dificultad para identificarlo. Este último punto, empero, fue plenamente refutado. Continúo traduciendo:

«¿En qué se basa, pues, monsieur Beauvais para afirmar que no duda de que el cuerpo es el de Marie Rogêt? Sabemos que procedió a desgarrar la manga del vestido y que afirmó que había advertido en el brazo marcas que probaban su identidad. El público habrá pensado que se trataba de alguna cicatriz o cicatrices. Pero monsieur Beauvais se limitó a frotar el brazo y comprobar que tenía *vello,* lo cual es el detalle menos concluyente que nos sea dado imaginar y tan poco probatorio como encontrar el brazo dentro de la manga. Monsieur Beauvais no regresó esa noche, pero hizo saber a madame Rogêt, a las siete de la tarde del miércoles, que se continuaba la investigación referente a su hija. Si concedemos que, dada su edad y su aflicción, madame Rogêt no podía identificar personalmente el cuerpo (lo cual es conceder mucho), cabe suponer que bien podía haber alguna otra persona o personas que consideraran necesario hacerse presentes y seguir de cerca la investigación si creían que el cadáver era el de Marie. Pero nadie se presentó. No se dijo ni se oyó una sola palabra sobre el asunto en la rue Pavee Saint André, nada que llegara a conocimiento de los ocupantes de la misma casa. Monsieur St. Eustache, el prometido de Marie, que habitaba en la pensión de su madre, declara que no supo nada del descubrimiento del cuerpo de su novia hasta que, a la mañana siguiente, monsieur Beauvais entró en su habitación y le comunicó la noticia. Se diría que semejante noticia fue recibida con suma frialdad».

De esta manera, el articulista se esforzaba por crear la impresión de una cierta apatía por parte de los parientes de Marie, contradictoria con la suposición de que dichos parientes creían que el cadáver era el de la joven. Las insinuaciones pueden reducirse a lo siguiente: Marie, con la complicidad de sus amigos, se había ausentado de la ciudad por razones que implicaban un cargo contra su castidad. Al aparecer en el Sena un cuerpo que se parecía algo al de la muchacha, sus parientes habían aprovechado la oportunidad para impresionar al público con el convencimiento de su muerte. Pero *L'Etoile* volvía a apresurarse. Probóse claramente que la aludida apatía no era tal; que la madre de Marie estaba muy débil y tan afligida que era incapaz de ocuparse de nada; que St. Eustache, lejos de haber recibido fríamente la noticia, hallábase en tal estado de desesperación y se conducía de una manera tan extraviada, que monsieur Beauvais debió pedir a un amigo y pariente que no se separara de su lado y le impidiera presenciar la exhumación del cadáver. *L'Etoile* afirmaba, además, que el cuerpo había sido nuevamente enterrado a costa del municipio, que la familia había rechazado de plano una ventajosa oferta de sepultura privada, y que en la ceremonia no había estado presente ningún miembro de la familia. Pero todo eso, publicado a fin de reforzar la impresión que el periódico buscaba producir, fue satisfactoriamente refutado. Un número posterior del mismo diario trataba de arrojar sospechas sobre el mismo Beauvais. El redactor manifestaba:

«Se ha producido una novedad en este asunto. Nos informan que, en ocasión de una visita de cierta madame B... a la casa de madame Rogêt, monsieur Beauvais, que se disponía a salir, dijo a la primera nombrada que no tardaría en venir un gendarme, pero que no debía decir una sola palabra hasta su regreso, pues él mismo se ocuparía del asunto. En el estado actual de cosas, monsieur Beauvais parece ser quien tiene todos los hilos en la mano. Es imposible dar el menor paso sin tropezar en seguida con su persona. Por alguna razón este caballero ha decidido que nadie fuera de él se ocupara de las actuaciones, y se las ha compuesto para dejar de lado a los parientes masculinos de la difunta, procediendo en forma harto singular. Parece, además, haberse mostrado muy refractario a que los parientes de la víctima vieran el cadáver.»

Un hecho posterior contribuyó a dar alguna consistencia a las sospechas así arrojadas sobre Beauvais. Días antes de la desaparición de la joven, una persona que acudió a la oficina de aquel, en ausencia de su ocupante, observó que en la cerradura de la puerta había *una rosa*, y que en una pizarra colgada al lado aparecía el nombre *Marie*.

Hasta donde podíamos deducirlo por la lectura de los diarios, la impresión general era que la muchacha había sido víctima de una banda de criminales, quienes la habían arrastrado cerca del río, maltratado y, finalmente, asesinado. *Le Commerciel*[10] periódico de gran influencia, combatía, sin embargo, vigorosamente esta opinión popular. Cito uno o dos pasajes de sus columnas:

10. *Journal of Commerce*, Nueva York.

«Estamos persuadidos de que, al encaminarse hacia la Barrière du Roule, la indagación ha seguido hasta ahora un camino equivocado. Es imposible que una persona tan popularmente conocida como la joven víctima hubiera podido caminar tres cuadras sin que la viera alguien, y cualquiera que la hubiese visto la recordaría, porque su figura interesaba a todo el mundo. Las calles estaban llenas de gente cuando Marie salió. Imposible que haya llegado a la Barrière du Roule o a la rue des Drômes sin ser reconocida por una docena de testigos. Y, sin embargo, no se ha presentado nadie que la haya visto fuera de la casa de su madre; aparte del testimonio que se refiere *a las intenciones* expresadas por Marie, no existe prueba alguna de que realmente haya salido de su casa.

»El traje de la víctima había sido desgarrado, arrollado a su cintura y atado; el propósito era llevar el cadáver como se lleva un envoltorio. Si el asesinato hubiera sido cometido en la Barrière du Roule no habría habido la menor necesidad de semejante cosa. El hecho de que el cuerpo haya sido encontrado flotando cerca de la Barrière no prueba el lugar donde fue arrojado al agua... Un trozo de una de las enaguas de la infortunada muchacha, de dos pies de largo por uno de ancho, le fue aplicado bajo el mentón y atado detrás de la cabeza, probablemente para ahogar sus gritos. Los individuos que hicieron esto no tenían pañuelo en el bolsillo».

Uno o dos días antes de que el prefecto nos visitara, la policía recibió importantes informaciones que parecieron invalidar los argumentos esenciales de *Le Commerciel.* Dos niños, hijos de cierta madame Deluc, que vagabundeaban por los bosques próximos a la Barrière du Roule, entraron casualmente en un espeso soto, donde había tres o cuatro grandes piedras que formaban una especie de asiento con respaldo y escabel. Sobre la piedra superior aparecían unas enaguas blancas; en la segunda, una chalina de seda. También encontraron una sombrilla, guantes y un pañuelo de bolsillo. Este último ostentaba el nombre «Marie Rogêt». En las zarzas circundantes aparecieron jirones de vestido. La tierra estaba removida, rotos los arbustos y no cabía duda de que una lucha había tenido lugar. Entre el soto y el río se descubrió que los vallados habían sido derribados y la tierra mostraba señales de que se había arrastrado una pesada carga.

Un semanario, *Le Soleil*[11], contenía el siguiente comentario del descubrimiento, comentario que era como el eco de la prensa parisiense:

---

11. *Saturday Evening Post,* de Filadelfia, dirigido por C. I. Peterson, Esq.

«Con toda evidencia, los objetos hallados llevaban en el lugar tres o cuatro semanas, por lo menos; aparecían estropeados y enmohecidos por la acción de las lluvias; el moho los había pegado entre sí. El pasto había crecido en torno y encima de algunos de ellos. La seda de la sombrilla era muy fuerte, pero sus fibras se habían adherido unas a otras por dentro. La parte superior, de tela doble y plegada, estaba enmohecida por la acción de la intemperie y se rompió al querer abrirla. Los jirones del vestido en las zarzas tenían unas tres pulgadas de ancho por seis de largo. Uno de ellos correspondía al dobladillo del vestido y había sido remendado; otro trozo era parte de la falda, pero no del dobladillo. Daban la impresión de ser pedazos arrancados y se hallaban en la zarza espinosa, a un pie del suelo... No cabe ninguna duda, pues, de que se ha descubierto el escenario de tan espantoso atentado.»

Otros testimonios surgieron a consecuencia del descubrimiento. Madame Deluc declaró ser la dueña de una posada situada sobre el camino, no lejos de la orilla del río, en la parte opuesta a la Barrière du Roule. Esta región es particularmente solitaria y constituye el habitual lugar de esparcimiento de los pájaros de cuenta de París, que cruzan el río en bote. Hacia las tres de la tarde del domingo en cuestión llegó a la posada una muchacha a quien acompañaba un hombre joven y moreno. Ambos permanecieron algún tiempo en la casa. Al partir se encaminaron rumbo a los espesos bosques de la vecindad. Madame Deluc había observado con atención el tocado de la muchacha, pues le recordaba mucho uno que había tenido una parienta suya fallecida. Reparó, sobre todo, en la chalina. Poco después de la partida de la pareja se presentó una pandilla de malandrines, quienes se condujeron escandalosamente, comieron y bebieron sin pagar, siguieron luego la ruta que habían tomado los dos jóvenes y regresaron a la posada al anochecer, volviendo a cruzar el río como si tuvieran mucha prisa.

Poco después de oscurecer, aquella misma tarde, madame Deluc y su hijo mayor oyeron los gritos de una mujer en la vecindad de la posada. Los gritos eran violentos, pero duraron poco. Madame D. no solamente reconoció la chalina hallada en el soto, sino el vestido que tenía el cadáver. Un conductor de ómnibus, Valence[12], testimonió asimismo haber visto a Marie Rogêt cuando cruzaba en un *ferry* el Sena, el domingo en cuestión, acompañada por un joven moreno. Valence conocía a la muchacha y estaba seguro de su identidad. Los

12. Adam.

efectos encontrados en el soto fueron reconocidos sin lugar a dudas por los parientes de la víctima.

Los distintos testimonios e informaciones recogidos por mí a pedido de Dupin contenían tan sólo un punto más, pero, al parecer, de gran importancia. Inmediatamente después del descubrimiento de las ropas que acaban de describirse encontróse el cuerpo de St. Eustache, el prometido de Marie, quien yacía moribundo en la vecindad de la que todos suponían la escena del atentado. Un frasco con la inscripción *láudano* apareció vacío a su lado. El aliento del agonizante revelaba la presencia del veneno. St. Eustache murió sin decir una palabra. En sus ropas se halló una carta donde brevemente reiteraba su amor por Marie y su intención de suicidarse.

–Apenas necesito decirle –declaró Dupin al finalizar el examen de mis notas– que este caso es mucho más intrincado que el de la rue Morgue, del cual difiere en un importante aspecto. Estamos aquí en presencia de un crimen *ordinario,* por más atroz que sea. No hay nada particularmente excesivo, *outré,* en sus características. Observará usted que por esta razón se consideró que el misterio era sencillo, cuando, en realidad, y por la misma razón, debía considerárselo muy difícil. Al principio, por ejemplo, no se creyó necesario ofrecer una recompensa. Los agentes de G... fueron capaces de comprender inmediatamente cómo y por qué *podía haberse cometido* esa atrocidad. Se representaron imaginariamente un modo –muchos modos– y un móvil –muchos móviles–. Y como no era imposible que cualquiera de tan numerosos modos y móviles pudiera haber sido el verdadero, descontaron que uno de ellos *tenía* que ser el verdadero. Pero la facilidad con que nacieron tan diversas fantasías y lo plausible de cada una deberían haber indicado las dificultades del caso antes que su facilidad. Ya le he hecho notar que la razón se abre camino por encima del nivel ordinario, si es que ha de encontrar la verdad, y que la verdadera pregunta en casos como estos no es tanto: «¿Qué ha ocurrido?», sino: «¿Qué hay en lo ocurrido, que no se parece a nada de lo ocurrido anteriormente?» En las investigaciones en casa de madame L'Espanaye[13], los agentes de G... quedaron confundidos y descorazonados por lo *insólito,* lo infrecuente del caso que, para un intelecto debidamente ordenado, hubiese significado el más seguro augurio de buen éxito; mientras ese mismo intelecto podría desesperarse ante el carácter ordinario de todas las apariencias en el caso de la muchacha de la perfumería, que para los funcionarios de la prefectura eran signos de un fácil triunfo.

---

13. Véase *Los crímenes de la calle Morgue.*

»En el caso de madame L'Espanaye y su hija, desde el principio de nuestra investigación no cupo duda alguna de que se había cometido un crimen. La idea de suicidio fue inmediatamente excluida. También aquí, desde el comienzo, podemos eliminar toda suposición en ese sentido. El cuerpo hallado en la Barrière du Roule se hallaba en un estado que elimina toda vacilación sobre punto tan importante. Pero se ha sugerido que el cadáver hallado no es el de Marie Rogêt; y la recompensa ofrecida se refiere a la denuncia del asesino o asesinos de esta, y lo mismo el acuerdo a que hemos llegado con el prefecto. Bien conocemos a este caballero y no debemos confiar demasiado en él. Si iniciamos nuestras investigaciones a partir del cadáver hallado y seguimos la huella del asesino hasta descubrir que el cadáver pertenece a otra persona, o bien si partimos de la suposición de que Marie está viva y verificamos que, efectivamente, esa es la verdad, en ambos casos perdemos el precio de nuestras fatigas, ya que tenemos que entendernos con monsieur G... Vale decir que nuestro primer objetivo –si pensamos en nosotros tanto como en la justicia– debe consistir en dejar bien establecido que el cadáver hallado pertenece a la Marie Rogêt desaparecida.

»Los argumentos de *L'Etoile* han tenido gran repercusión entre el público, y el periódico mismo está tan convencido de su importancia que comienza así uno de sus comentarios sobre el tema: «Varios diarios de la mañana, en su edición de hoy, aluden al *concluyente* artículo de *L'Etoile* del domingo». Para mí el tal artículo no es nada concluyente y sólo demuestra el celo de su redactor. Debemos tener en cuenta que, en general, nuestros periódicos se proponen fines sensacionalistas y triunfos personales mucho más que servir la causa de la verdad. Este último objetivo solamente es perseguido cuando coincide con los anteriores. El diario que se conforma con la opinión general (por bien fundada que esté) no logra los sufragios de la multitud. La masa popular sólo considera profundo aquello que está en *abierta contradicción* con las nociones generales. Tanto en el raciocinio como en la literatura, el *epigrama* obtiene la aprobación inmediata y universal. Y en ambos casos se halla en lo más bajo de la escala de méritos.

»Quiero decir que la mezcla de epigrama y melodrama que hay en la idea de que Marie Rogêt está todavía viva vale más para *L'Etoile* que lo que pueda haber de plausible en esa sugestión, y le ha ganado la favorable acogida del público. Examinemos lo principal de los argumentos del diario, tratando de evitar la incoherencia con la cual han sido expuestos.

»El primer propósito del redactor consiste en mostrar, basándose en lo breve del intervalo entre la desaparición de Marie y el hallazgo del cuerpo en el río, que este último no puede ser el de Marie. De inmediato, el redactor trata de reducir dicho intervalo a sus menores proporciones. En la ansiosa persecución de este objetivo, no vacila en abandonarse a meras suposiciones. «Sería absurdo suponer –declara– que el asesinato (si se trata de un asesinato) pudo ser consumado lo bastante pronto para permitir a los perpetradores arrojar el cuerpo al río antes de media noche.» Con toda naturalidad pregunto: *¿por qué?* ¿Por qué es absurdo suponer que el crimen podo ser cometido *cinco minutos* después de que la muchacha salió de casa de su madre? ¿Por qué es absurdo suponer que el crimen fue cometido en cualquier momento de ese día? Ha habido asesinatos a todas horas. Pero si el crimen hubiese tenido lugar en cualquier momento entre las nueve de la mañana del domingo y un cuarto de hora antes de media noche, siempre habría habido tiempo suficiente «para arrojar el cuerpo al río antes de media noche». La suposición, pues, se reduce a esto: el asesinato no fue cometido el día domingo. Pero si permitimos a *L'Etoile* suponer eso, bien podemos permitirle todas las libertades. El párrafo que comienza: «Sería absurdo suponer que el asesino, etcétera», debió haber sido concebido por el redactor en la forma siguiente: «Sería absurdo suponer que el asesinato (si se trata de un asesinato) pudo ser consumado lo bastante pronto para permitir a los perpetradores arrojar el cuerpo al río antes de media noche; es absurdo, decimos, suponer tal cosa, y a la vez (como estamos resueltos a suponer) que el cuerpo *no fue* tirado al río hasta *después* de medianoche...». Frase bastante inconsistente en sí, pero no tan ridícula como la impresa.

»Si mi propósito –continuó Dupin– se limitara meramente a impugnar este pasaje del argumento de *L'Etoile*, podría dejar la cosa así. Pero no tenemos que habérnoslas con *L'Etoile,* sino con la verdad. Tal como aparece, la frase en cuestión sólo tiene un sentido, pero resulta importantísimo que vayamos más allá de las meras palabras, en busca de la idea que estas trataron obviamente de expresar sin conseguirlo. La intención del periodista era hacer notar que en cualquier momento del día o de la noche del domingo en que se hubiera cometido el crimen, resultaba improbable que los asesinos hubieran osado transportar el cuerpo al río antes de media noche. Y es aquí donde reside la suposición contra la cual me rebelo. Se da por supuesto que el asesinato fue cometido en un lugar y en tales circunstancias que hacían necesario *transportar* el cadáver. Ahora bien, el asesinato pudo producirse a la orilla del río o en el río mismo;

vale decir que el acto de arrojar el cadáver al río pudo ocurrir en cualquier momento del día o de la noche, como la forma de ocultamiento más inmediata y más obvia. Comprenderá que no sugiero nada de esto como probable o como coincidente con mi propia opinión. Hasta ahora, mis intenciones no se refieren a los *hechos* del caso. Simplemente deseo prevenirlo contra el tono de esa sugestión de *L'Etoile,* mostrándole desde un comienzo su carácter.

»Luego de fijar un límite adecuado a sus nociones preconcebidas y de suponer que, de tratarse del cuerpo de Marie, sólo podría haber permanecido breve tiempo en el agua, el diario continúa diciendo:

»«Las experiencias han demostrado que los cuerpos de los ahogados o de los arrojados al agua inmediatamente después de una muerte violenta requieren de seis a diez días para que la descomposición esté lo bastante avanzada como para devolverlos a la superficie. Incluso si se dispara un cañonazo sobre el lugar donde hay un cadáver y este sube a la superficie antes de una inmersión de cinco o seis días volverá a hundirse si no se lo amarra».

»Estas afirmaciones han sido tácitamente aceptadas por todos los diarios de París, con excepción de *Le Moniteur*[14], Este último se esfuerza por desvirtuar esa parte del párrafo que se refiere a «los cuerpos de los ahogados», citando cinco o seis casos en los cuales los cadáveres de personas ahogadas reaparecieron a flote tras un lapso menor del que sostiene *L'Etoile.* Pero *Le Moniteur* procede de manera muy poco lógica al pretender refutar la totalidad del argumento de *L'Etoile* mediante ejemplos particulares que lo contradicen. Aunque hubiera sido posible aducir cincuenta en vez de cinco ejemplos de cuerpos que se hallaron flotando después de dos o tres días, esos cincuenta ejemplos podrían seguir siendo razonablemente considerados como excepciones a la regla de *L'Etoile* hasta el momento en que pudiera refutarse la regla misma. Admitiendo esta última (como lo hace *Le Moniteur,* que se limita a señalar sus excepciones), el argumento de *L'Etoile* conserva toda su fuerza, ya que sólo se refiere a la *probabilidad* de que el cuerpo haya surgido a la superficie en menos de tres días, y esta probabilidad seguirá manteniéndose a favor de *L'Etoile* hasta que los ejemplos tan puerilmente aducidos tengan número suficiente para constituir una regla antagónica.

»Verá usted de inmediato que toda argumentación opuesta debe concentrarse en la regla en sí, y a tal fin debemos examinar la razón misma de la regla. En general, el cuerpo humano no es ni más liviano ni más pesado que el agua del Sena; vale decir que el peso específico

14. *The Commercial Advertiser,* de Nueva York, dirigido por el coronel Stone.

del cuerpo humano en condición natural equivale aproximadamente al del volumen de agua dulce que desplaza. Los cuerpos de gentes gruesas y corpulentas, de huesos pequeños, y en general los de las mujeres, son más livianos que los cuerpos delgados, de huesos grandes, y en general de los masculinos; a su vez el peso especifico del agua de río se ve más o menos influido por el flujo proveniente del mar. Pero, dejando esto a un lado, puede afirmarse que *muy pocos* cuerpos se hundirían espontáneamente, incluso en agua dulce. Prácticamente todos los que caen en un río pueden mantenerse a flote, siempre que logren equilibrar el peso específico del agua con el suyo; vale decir, que queden casi completamente sumergidos, con el mínino posible fuera del agua. La posición adecuada para el que no sabe nadar es la vertical, como si estuviera caminando, con la cabeza completamente echada hacia atrás y sumergida, salvo la boca y la nariz. Colocados en esa forma, descubriremos que nos mantenemos a flote sin dificultad ni esfuerzo. Naturalmente que el peso del cuerpo y el volumen de agua desplazado se equilibran estrechamente, y la menor diferencia determinará la preponderancia de uno de ellos. Un brazo levantado fuera del agua, por ejemplo, y privado así de su sostén, representa un peso adicional suficiente para sumergir por completo la cabeza, mientras que la ayuda del más pequeño trozo de madera nos permitirá sacar la cabeza lo suficiente para mirar en torno. Ahora bien, cuando alguien que no sabe nadar se debate en el agua, levantará invariablemente los brazos, mientras se esfuerza por mantener la cabeza en posición vertical. El resultado de esto es la inmersión de la boca y la nariz, que acarrea, en los esfuerzos por respirar, la entrada del agua en los pulmones. El agua penetra igualmente en el estómago, y el cuerpo pesa más por la diferencia entre el peso del aire que previamente llenaba dichas cavidades y el del líquido que las ocupa ahora. Tal diferencia basta para que el cuerpo se hunda por regla general, aunque es insuficiente en caso de personas de huesos menudos y una cantidad anormal de materia grasa. Estas personas siguen flotando incluso después de haberse ahogado.

»Suponiendo que el cuerpo se encuentre en el fondo del río, permanecerá allí hasta que por algún motivo su peso específico vuelva a ser menor que la masa de agua que desplaza. Esto puede deberse a la descomposición o a otras razones. La descomposición produce gases que distienden los tejidos celulares y todas las cavidades, produciendo en el cadáver esa hinchazón tan horrible de ver. Cuando la distensión ha avanzado a punto tal que el volumen del cuerpo aumenta de tamaño sin un aumento correspondiente de *masa,* su peso específico resulta menor que el del agua desplazada y, por tanto, se remonta a la superficie. Pero la descomposición se ve modificada por innumerables circunstancias y es acelerada o retardada por múltiples causas; vayan como ejemplos el calor o frío de la estación, la densidad mineral o la pureza del agua, la profundidad de esta, su movimiento o estancamiento, las características del cuerpo, su estado normal o anormal antes de la muerte. Resulta, pues, evidente que no podemos señalar con seguridad un período preciso tras el cual el cadáver saldrá a flote a causa de la descomposición. Bajo ciertas condiciones, este resultado puede ocurrir dentro de una hora; bajo otras, puede no producirse jamás. Existen preparados químicos por los cuales un cuerpo puede ser preservado *para siempre* de la corrupción; uno de ellos es el bicloruro de mercurio. Pero, aparte de la descomposición, suele producirse en el estómago una cantidad de gas derivada de la fermentación acetosa de materias vegetales, gas que también puede originarse en otras cavidades y provenir de otras causas, en cantidad suficiente para provocar una distensión que hará subir el cuerpo a la superficie. El efecto producido por el disparo de un cañón es el resultante de las simples vibraciones. Estas desprenderán el cuerpo del barro o el limo en el cual se halle depositado permitiéndole salir a flote una vez que las causas antes citadas lo hayan preparado para ello; también puede vencer la resistencia de algunas partes putrescibles de los tejidos celulares, permitiendo que las cavidades se distiendan bajo la influencia de los gases.

»Así, una vez que tenemos ante nosotros todos los datos necesarios sobre este tema, podemos emplearlos para poner fácilmente a prueba las afirmaciones de *L'Etoile.* «Las experiencias han demostrado –dice este– que los cuerpos de los ahogados, o de los arrojados al agua inmediatamente después de una muerte violenta, requieren de seis a diez días para que la descomposición esté lo bastante avanzada como para devolverlos a la superficie. Incluso si se dispara un cañonazo sobre el lugar donde hay un cadáver, y este sube a la superficie antes de una inmersión de cinco o seis días, volverá a hundirse si no se lo amarra.»

»A la luz de lo que sabemos, la totalidad de este párrafo aparece como un tejido de inconsecuencias e incoherencias. La experiencia no demuestra que los «cuerpos de ahogados» *requieran* de seis a diez días para que la descomposición avance lo suficiente para devolverlos a la superficie. Tanto la ciencia como la experiencia muestran que el término de su reaparición es y debe ser necesariamente variable. Si, además, un cuerpo ha salido a flote por el disparo de un cañón, *no* «volverá a hundirse si no se lo amarra» hasta que la descomposición haya avanzado lo bastante para permitir el escape del gas acumulado en el interior. Quiero llamar su atención sobre el distingo que se hace entre «cuerpos de ahogados» y cuerpos «arrojados al agua inmediatamente después de una muerte violenta». Aunque el redactor admite la distinción, los incluye empero en la misma categoría. Ya he demostrado que el cuerpo de un hombre que se ahoga se vuelve específicamente más pesado que la masa de agua que desplaza, y que no se hundiría si no fuera por los movimientos en el curso de los cuales saca los brazos fuera del agua, y su ansiedad por respirar debajo de esta, con lo cual el espacio que ocupaba el aire en los pulmones se ve reemplazado por agua. Pero estos movimientos y estas respiraciones no ocurren en un cuerpo «arrojado al agua inmediatamente después de una muerte violenta». En este último caso, pues, *es regla general que el cuerpo no se hunda,* detalle que *L'Etoile* evidentemente ignora. Cuando la descomposición alcanza un grado avanzado, cuando la carne se ha desprendido en gran parte de los huesos, entonces, *pero sólo entonces,* perderemos de vista el cadáver.

»¿Qué nos queda ahora del argumento por el cual el cuerpo encontrado no puede ser el de Marie Rogêt dado que apareció flotando a tres días apenas de su desaparición? En caso de haberse ahogado, el cuerpo pudo no hundirse nunca, ya que se trataba de una mujer; o, en caso de hundirse, pudo reaparecer al cabo de veinticuatro horas o menos. Sin embargo, nadie supone que Marie se haya ahogado, y, habiendo sido asesinada antes de que la arrojaran al río, su cadáver pudo ser encontrado a flote en cualquier momento.

»«Pero –dice *L'Etoile– si* el cuerpo, maltratado como estaba, hubiera permanecido en tierra hasta la noche del martas, no habría dejado de encontrarse en la costa alguna huella de los asesinos.» Aquí resulta difícil darse cuenta al principio de la intención del razonador. Trata de anticiparse a algo que supone puede constituir una objeción a su teoría: vale decir que el cuerpo fue guardado dos días en tierra, entrando en descomposición *con mayor rapidez* que si hubiera estado sumergido en el agua. Supone que, si ése fuera el caso, el cadáver *podría* haber surgido a la superficie el día miércoles, y piensa que *sólo* gracias a esas circunstancias podría haber aparecido. Se apresura, por tanto, a mostrar que *no fue* guardado en tierra, pues, de ser así, «no habría dejado de encontrarse en la costa alguna huella de los asesinos». Me imagino que usted sonríe ante este *sequitur.* No alcanza a ver cómo la *mera permanencia* del cadáver en tierra podría *multiplicar* las huellas de los asesinos. Tampoco lo veo yo.

»«Y, lo que es más –continúa nuestro diario–, parece altamente improbable que los miserables capaces de semejante crimen hayan arrojado el cadáver al agua sin atarle algún peso para mantenerlo sumergido, cosa que no ofrecía la menor dificultad.» ¡Observe en esta parte la risible confusión de pensamiento! Nadie –ni siquiera *L'Etoile*– pone en duda el crimen cometido contra el cuerpo encontrado. Las señales de violencia son demasiado evidentes. La finalidad de nuestro razonador consiste solamente en mostrar que este cuerpo no es el de Marie. Quiere probar que *Marie* no fue asesinada, sin dudar de que el cuerpo hallado lo haya sido. Pero sus observaciones sólo prueban este último punto. He aquí un cadáver al que no han atado ningún peso. Si lo hubieran echado al agua los asesinos, estos no habrían dejado de hacerlo. Por lo tanto, no lo echaron al agua los asesinos. Si alguna cosa se prueba, es solamente eso. La cuestión de la identidad no se toca ni remotamente, y *L'Etoile* se ha tomado todo ese trabajo para contradecir lo que admitía un momento antes. «Estamos completamente convencidos –manifiesta– que el cuerpo hallado es el de una mujer asesinada.»

»No es la única vez que nuestro razonador se contradice sin darse cuenta. Como ya he señalado, su evidente finalidad consiste en reducir lo más posible el intervalo entre la desaparición de Marie y el hallazgo del cadáver. Sin embargo, lo vemos *insistir* en el hecho de que nadie vio a la muchacha desde el momento en que abandonó la casa de su madre. «Carecemos de testimonios –declara– de que Marie Rogêt se hallaba aún entre los vivos después de las nueve de la mañana del domingo 22 de junio.» Dado que es este un argumento evidentemente parcial, hubiera sido preferible que lo dejara de lado, ya que si se supiera de alguien que hubiese reconocido a Marie, digamos el lunes o el martas, el intervalo en cuestión se habría reducido mucho y, conforme al razonamiento anterior, las probabilidades de que el cadáver hallado fuera el de la *grisette* habrían disminuido en mucho. Resulta divertido, pues, observar cómo *L'Etoile* insiste sobre este punto con pleno convencimiento de que refuerza su argumentación general.

»Examine ahora nuevamente la parte del artículo que se refiere a la identificación del cadáver por Beauvais. A propósito del *vello* del brazo, es evidente que *L'Etoile* peca por falta de ingenio. Dado que monsieur Beauvais no es ningún tonto, jamás se habría apresurado a identificar el cadáver basándose tan sólo en que tenía vello en el brazo. Todo brazo tiene vello. La generalización en que incurre *L'Etoile* es una simple deformación de la fraseología del testigo. Este debió referirse a *alguna particularidad* del vello. Pudo referirse al color, a la cantidad, al largo o a la distribución.

»«Sus pies eran pequeños –sigue diciendo el diario–, pero hay miles de pies pequeños. Tampoco constituyen una prueba sus ligas y sus zapatos, ya que unos y otros se venden en lotes. Lo mismo cabe decir de las flores de su sombrero. Monsieur Beauvais insiste en que el broche de las ligas había sido cambiado de lugar para que ajustaran. Esto no significa nada, ya que muchas mujeres prefieren llevar las ligas nuevas a su casa y ajustarlas allí al diámetro de su pierna, en vez de probarlas en la tienda donde las compran.» Aquí resulta difícil suponer que el razonador obra de buena fe. Si en su búsqueda del cuerpo de Marie, monsieur Beauvais encontró un cadáver que en sus medidas y apariencias generales correspondía a la joven desaparecida, cabe suponer que, sin tomar en cuenta para nada la cuestión de la vestimenta, debió imaginar que se trataba de ella. Si, además de las medidas y formas generales, descubrió en el brazo un vello cuyo aspecto correspondía al que había observado en vida de Marie, su opinión debió, con toda justicia, acentuarse, y el aumento de seguridad pudo muy bien estar en relación directa con la particularidad o rareza del vello del brazo. Si los pies de Marie eran pequeños, y también lo eran los del cadáver, el aumento de probabilidades de que este correspondiera a aquella no se daría ya en proporción meramente aritmética, sino geométrica o acumulativa. Agreguemos a esto los zapatos, análogos a los que Marie llevaba puestos el día de su desaparición; aunque dichos zapatos «se vendan en lotes», aumenta a tal punto la probabilidad, que casi la vuelven certeza. Lo que en sí mismo no sería una prueba de identidad se convierte, por su posición corroborativa, en la más segura de las pruebas. Agréguese a esto las flores del sombrero, coincidentes con las que llevaba la joven desaparecida, y no pediremos nada más. Y si por una sola flor no exigiríamos otra prueba, ¿qué diremos de dos, o tres, o más? Cada una que se agrega es una prueba múltiple; no una prueba *sumada* a otra, sino *multiplicada* por cientos o miles. Descubramos ahora en el cadáver un par de ligas como las que usaba la difunta, y sería casi una locura seguir adelante. Pero, además, ocurre que estas ligas aparecen ajustadas, mediante el corrimiento de su broche, en la misma forma en que Marie había ajustado las suyas poco antes de salir de su casa. Dudar, ahora, es hipocresía o locura. Cuando *L'Etoile* sostiene que este acortamiento de las ligas es una práctica habitual, lo único que demuestra es su pertinacia en el error. La calidad de elástica de toda liga demuestra por sí misma que la necesidad de acortarla es *muy poco frecuente*. Lo que está hecho para ajustar por sí mismo sólo rara vez necesitará ayuda para cumplir su cometido. Sólo por accidente, en su más estricto sentido, las ligas de Marie requirieron ser acortadas. Y ellas solas hubieran bastado para asegurar ampliamente su identidad. Pero aquí no se trata de que el cadáver tuviera las ligas de la joven desaparecida, o sus zapatos, o su gorro, o las flores de su gorro, o sus pies, o una marca peculiar en el brazo, o su medida y apariencia generales, sino que el cadáver *tenía todo eso junto.* Si se pudiera probar que, frente a ello, el redactor de *L'Etoile* experimentó *verdaderamente* dudas no haría falta en su caso un mandato de *lunático inquirendo.* A nuestro hombre le ha parecido muy sagaz hacerse eco de las charlas de los abogados, que, por su parte, se contentan con repetir los rígidos preceptos de los tribunales. Le haré notar aquí que mucho de lo que en un tribunal se rechaza como prueba constituye la mejor de las pruebas para la inteligencia. Ocurre que el tribunal, guiándose por principios generales ya reconocidos y *registrados,* no gusta de apartarse de ellos en casos particulares. Y esta pertinaz adhesión a los principios, con total omisión de las excepciones en conflicto, es un medio seguro para alcanzar el máximo de verdad alcanzable, en cualquier período prolongado de tiempo. Esta práctica, *en masse,* es, por tanto, razonable; pero no es menos cierto que engendra cantidad de errores particulares[15].

»Con respecto a las insinuaciones apuntadas contra Beauvais, estará usted pronto a desecharlas de un soplo. Supongo que habrá ya advertido la verdadera naturaleza de este excelente caballero. Es un *entrometido,* lleno de fantasía romántica y con muy poco ingenio. En una situación verdaderamente excitante como la presente, toda persona como él se conducirá de manera de provocar sospechas por parte de los excesivamente sutiles o de los mal dispuestos. Según surge de las notas reunidas por usted, monsieur Beauvais tuvo algunas entrevistas con el director de *L'Etoile,* y lo disgustó al aventurar la opinión de que el cadáver, pese a la teoría de aquél, era sin lugar a dudas el de Marie. «Persiste –dice el diario– en afirmar que el cadáver es el de Marie, pero no es capaz de señalar ningún detalle, fuera de los ya comentados, que imponga su creencia a los demás.» Sin reiterar el hecho de que mejores pruebas «para imponer su creencia a los demás» no podrían haber sido nunca aducidas, conviene señalar que en un caso de este tipo un hombre puede muy bien estar convencido, sin ser capaz de proporcionar la menor razón de su convencimiento a un tercero. Nada es más vago que las impresiones referentes a la identidad personal. Cada uno reconoce a su vecino, pero pocas veces

15. «Toda teoría basada en las cualidades de un objeto no podrá desarrollarse en lo concerniente a sus fines; aquel que ordena tópicos con referencia a sus causas, cesará de valorarlos con relación a sus resultados. Así, la jurisprudencia de todas las naciones muestra que, cuando la ley se convierte en una ciencia y en un sistema, cesa de ser justicia. Los errores en que incurre el derecho usual por su ciega devoción a los *principios* de clasificación son claramente visibles si se observa con cuánta frecuencia la legislatura se ha visto obligada a intervenir para restablecer la equidad que sus formas habían perdido.» *Landor.*

se está en condiciones de dar una razón que explique ese reconocimiento. El director de *L'Etoile* no tiene derecho de ofenderse porque la creencia de monsieur Beauvais carezca de razones.

»Las sospechosas circunstancias que lo rodean cuadran mucho más con mi hipótesis de entrometimiento romántico que con la sugestión de culpabilidad lanzada por el redactor. Una vez adoptada la interpretación más caritativa, no tendremos dificultad en comprender la rosa en el agujero de la cerradura, el nombre «Marie» en la pizarra, el haber «dejado de lado a los parientes masculinos de la difunta», la resistencia «a que los parientes de la víctima vieran el cadáver», la advertencia hecha a madame B... de que no debía decir nada al gendarme hasta que él, monsieur Beauvais, estuviera de regreso y, finalmente, su decisión aparente de que «nadie, fuera de él, se ocuparía de las actuaciones». Me parece incuestionable que Beauvais cortejaba a Marie, que ella coqueteaba con él, y que nuestro hombre estaba ansioso de que lo creyeran dueño de su confianza e íntimamente vinculado con ella. No insistiré sobre este punto. Por lo demás, las pruebas refutan redondamente las afirmaciones de *L'Etoile* tocantes a la supuesta apatía por parte de la madre y otros parientes, apatía contradictoria con su convencimiento de que el cadáver era el de la muchacha; pasemos adelante, pues, como si la cuestión de la *identidad* quedara probada a nuestra entera satisfacción.»

–¿Y qué piensa usted –pregunté– de las opiniones de *Le Commerciel*?

–En esencia, merecen mucha mayor atención que todas las formuladas sobre el asunto. Las deducciones derivadas de las premisas son lógicas y agudas, pero, en dos casos, las premisas se basan en observaciones imperfectas. *Le Commerciel* insinúa que Marie fue secuestrada por alguna banda de malandrines a poca distancia de la casa de su madre. «Es imposible –señala– que una persona tan popularmente conocida como la joven víctima hubiera podido caminar tres cuadras sin que la viera alguien.» Esta idea nace de un hombre que reside hace mucho en París, donde está empleado, y cuyas andanzas en uno u otro sentido se limitan en su mayoría a la vecindad de las oficinas públicas. Sabe que raras veces se aleja más de doce cuadras de su oficina sin ser reconocido o saludado por alguien. Frente a la amplitud de sus relaciones personales, compara esta notoriedad con la de la joven perfumista, sin advertir mayor diferencia entre ambas, y llega a la conclusión de que, cuando Marie salía de paseo, no tardaba en ser reconocida por diversas personas, como en su caso. Pero esto podría ser cierto si Marie hubiese cumplido itinerarios regulares y metódicos, tan restringidos como los del redactor, y análogos a los suyos. Nuestro razonador va y viene a intervalos regulares dentro de una periferia limitada, llena de personas que lo conocen porque sus intereses coinciden con los suyos, puesto que se ocupan de tareas análogas. Pero cabe suponer que los paseos de Marie carecían de rumbo preciso. En este caso particular lo más probable es que haya tomado por un camino distinto de sus itinerarios acostumbrados. El paralelo que suponemos existía en la mente de *Le Commerciel* sólo es defendible si se trata de dos personas que atraviesan la ciudad de extremo a extremo. En este caso, si imaginamos que las relaciones personales de cada uno son equivalentes en número, también serán iguales las posibilidades de que cada uno encuentre el mismo número de personas conocidas. Por mi parte, no sólo creo posible, sino muy probable, que Marie haya andado por las diversas calles que unen su casa con la de su tía, sin encontrar a ningún conocido. Al estudiar este aspecto como corresponde, no se debe olvidar nunca la gran desproporción entre las relaciones personales (incluso las del hombre más popular de París) y la población total de la ciudad.

»De todos modos, la fuerza que aparentemente pueda tener la sugestión de *Le Commerciel* disminuye mucho si pensamos en *la hora* en que Marie abandonó su casa. «Las calles estaban llenas de gente cuando salió», dice *Le Commerciel;* pero no es así. Eran las nueve de la mañana. Es verdad que durante toda la semana las calles están llenas de gente a las nueve. *Pero no el domingo.* Ese día, la mayoría de los vecinos están en su casa, preparándose para ir a la iglesia. Ninguna persona observadora habrá dejado de reparar en el aire particularmente desierto de la ciudad, entre las ocho y las diez del domingo. De diez a once, las calles están colmadas, pero nunca en el período antes señalado.

»En otro punto me parece que *Le Commerciel* parte de una observación deficiente. «Un trozo de una de las enaguas de la infortunada muchacha –dice–, de dos pies de largo por uno de ancho, le fue aplicado bajo el mentón y atado detrás de la cabeza, probablemente para ahogar sus gritos. Los individuos que hicieron esto no tenían pañuelo en el bolsillo.» Ya veremos si esta idea está bien fundada o no; pero por «individuos que no tenían pañuelo en el bolsillo» el redactor entiende la peor ralea de malhechores. Ahora bien, ocurre que precisamente estos tienen siempre un pañuelo en el bolsillo, aunque carezcan de camisa. Habrá tenido usted ocasión de observar cuan indispensable se ha vuelto en estos últimos años el pañuelo para el matón más empedernido.

–¿Y qué cabe pensar –pregunté– del artículo de *Le Soleil?*

–Pues cabe pensar que es una lástima que su redactor no haya nacido loro, en cuyo caso hubiera sido el más ilustre de su raza. Se ha limitado a repetir los distintos puntos de las publicaciones ajenas, escogiéndolos con laudable esfuerzo de uno y otro diario. «Con toda evidencia –manifiesta– los objetos hallados llevaban en el lugar tres o cuatro semanas, por lo menos... No cabe *ninguna duda,* pues, que se ha descubierto el lugar de tan espantoso atentado.» Los hechos señalados aquí por *Le Soleil* están sin embargo muy lejos de disipar mis dudas al respecto, y vamos a examinarlos detalladamente más adelante, en relación con otro aspecto del asunto.

»Ocupémonos por ahora de cosas distintas. No habrá dejado usted de reparar en la extrema negligencia del examen del cadáver. Cierto que la cuestión de la identidad quedó o debió quedar prontamente terminada, pero había otros aspectos por verificar ¿No fue saqueado el cadáver? ¿No llevaba la difunta joyas al salir de su casa? De ser así, ¿se encontró alguna al examinar el cuerpo? He aquí cuestiones importantes, totalmente descuidadas por la investigación, y quedan otras igualmente importantes que no han merecido la menor atención. Tendremos que asegurarnos mediante indagaciones particulares. El caso de St. Eustache exige ser nuevamente examinado. No abrigo sospechas sobre él, pero es preciso proceder metódicamente. Nos aseguraremos sin lugar a ninguna duda sobre la validez de los testimonios escritos que presentó acerca de sus movimientos en el curso del domingo. Los certificados de este género suelen prestarse fácilmente a la mistificación. Si no encontramos nada de anormal en ellos, desecharemos a St. Eustache de nuestra investigación. Su suicidio, que corroboraría las sospechas en caso de que los certificados fueran falsos, constituye una circunstancia perfectamente explicable en caso contrario, y que no debe alejarnos de nuestra línea normal de análisis.

»En lo que me proponga ahora, dejaremos de lado los puntos interiores de la tragedia, concentrando nuestra atención en su periferia. Uno de los errores en investigaciones de este género consiste en limitar la indagación a lo inmediato, con total negligencia de los acontecimientos colaterales o circunstanciales. Los tribunales incurren en la mala práctica de reducir los testimonios y los debates a los límites de lo que consideran pertinente. Pero la experiencia ha mostrado, como lo mostrará siempre la buena lógica, que una parte muy grande, quizá la más grande de la verdad, surge de lo que se consideraba marginal y accesorio. Basándose en el espíritu de este principio, si no en su letra, la ciencia moderna se ha decidido a *calcular sobre lo imprevisto.* Pero quizá no me hago entender. La historia del conocimiento humano ha mostrado ininterrumpidamente que la mayoría de los descubrimientos más valiosos los debemos a acaecimientos colaterales, incidentales o accidentales; se ha hecho necesario, pues, con vistas al progreso, conceder el más amplio espacio a aquellas invenciones que nacen por casualidad y completamente al margen de las esperanzas ordinarias. Ya no es filosófico fundarse en lo que ha sido para alcanzar una visión de lo que será. El *accidente* se admite como una porción de la subestructura. Hacemos de la posibilidad una cuestión de cálculo absoluto. Sometemos lo inesperado y lo inimaginado a las fórmulas matemáticas de las escuelas.

»Repito que es un hecho verificado que la *mayor* porción de toda verdad surge de lo colateral; y de acuerdo con el espíritu del principio que se deriva, desviaré la indagación de la huella tan transitada como estéril del hecho mismo, para estudiar las circunstancias contemporáneas que lo rodean. Mientras usted se asegura de la validez de esos certificados, yo examinaré los periódicos en forma más general de lo que ha hecho usted hasta ahora. Por el momento, sólo hemos reconocido el campo de investigación, pero sería raro que una ojeada panorámica como la que me propongo no nos proporcionara algunos menudos datos que establezcan una *dirección* para nuestra tarea.

En cumplimiento de las indicaciones de Dupin, procedí a verificar escrupulosamente el asunto de los certificados. Resultó de ello una plena seguridad en su validez y la consiguiente inocencia de St. Eustache. Mi amigo se ocupaba entretanto –con una minucia que en mi opinión carecía de objeto– del escrutinio de los archivos de los diferentes diarios. Al cabo de una semana, me presentó los siguientes extractos:

«Hace tres años y medio, la misma Marie Rogêt desapareció de la *parfumerie* de monsieur Le Blanc, en el Palais Royal, causando un revuelo semejante al de ahora. Una semana después, Marie reapareció en el mostrador de la tienda, tan bien como siempre, aparte de una ligera palidez que no era usual en ella. Monsieur Le Blanc y madame Rogêt dieron a entender que Marie había pasado la semana en casa de amigos, en el campo, y el asunto fue rápidamente callado. Presumimos que esta ausencia responde a un capricho de la misma especie y que, dentro de una semana, o quizá de un mes, volveremos a tener a Marie entre nosotros» (*Evening Paper,* domingo 23 de junio)[16].

«Un diario de la tarde de ayer se refiere a una misteriosa desaparición anterior de mademoiselle Rogêt. Es bien sabido que, durante

16. *The Express,* Nueva York.

la semana de su ausencia de la *parfumerie* de Le Blanc, estuvo acompañada por un joven oficial de marina muy notorio por su libertinaje. Cabe suponer que una querella providencial la trajo nuevamente a su casa. Conocemos el nombre del libertino en cuestión, que se halla actualmente destacado en París, pero no lo hacemos público por razones comprensibles» (*Le Mercure,* mañana del martes 24 de junio)[17].

«El más repudiable de los atentados ha tenido lugar anteayer en las proximidades de esta ciudad. Al anochecer, un caballero que paseaba con su esposa y su hija, comprometió los servicios de seis hombres jóvenes que paseaban en bote cerca de las orillas del Sena, a fin de que los transportaran al otro lado. Al llegar a destino los pasajeros desembarcaron, y se alejaban ya hasta perder de vista el bote cuando la hija descubrió que había olvidado su sombrilla. Al volver en su busca fue asaltada por la pandilla, llevada al centro del río, amordazada y sometida a un brutal ultraje, tras lo cual los villanos la depositaron en un punto cercano a aquel donde había embarcado con sus padres. Los miserables se hallan prófugos, pero la policía les sigue la huella y pronto algunos de ellos serán capturados» (*Morning Paper,* 25 de junio)[18].

«Hemos recibido una o dos comunicaciones tendentes a echar la culpa del horrible crimen a Mennais[19]; pero, como este caballero ha sido plenamente exonerado de toda sospecha por la indagación legal, y los argumentos de nuestros distintos corresponsales parecen más entusiastas que profundos, no creemos oportuno darlos a conocer» (*Morning Paper,* 28 de junio)[20].

«Hemos recibido varias enérgicas comunicaciones, que aparentemente proceden de diversas fuentes y que dan por seguro que la infortunada Marie Rogêt ha sido víctima de una de las numerosas bandas de malhechores que infestan cada domingo los alrededores de la ciudad. Nuestra opinión se inclina decididamente en favor de esta suposición. En nuestras próximas ediciones dejaremos espacio para exponer los aludidos argumentos» *(Evening Paper,* martes 31 de junio)[21].

«El lunes, uno de los lancheros del servicio de aduanas vio en el Sena un bote vacío a la deriva. La vela se hallaba en el fondo del bote. El lanchero lo remolcó y lo dejó en el amarradero de su puesto. A la

17. *The Herald,* Nueva York.
18. *Courier and Inquirer,* de Nueva York.
19. Mennais era uno de los sospechosos a quien se arrestó en un primer momento, pero que fue excarcelado por falta de pruebas.
20. *Courier and Inquirer,* de Nueva York.
21. *Evening Post,* de Nueva York.

mañana siguiente fue retirado de allí sin permiso de ninguno de los empleados. El timón se encuentra en el depósito de lanchas» (*La Diligence,* jueves 26 de junio)[22].

Leyendo los diversos pasajes, no solamente me parecieron ajenos a la cuestión, sino que no alcancé a imaginar la manera en que cualquiera de los mismos podía pesar sobre aquella. Esperé, pues, alguna explicación de Dupin.

–Por el momento –me dijo–, no me detendré en los dos primeros pasajes. Los he copiado, sobre todo, para mostrarle la extraordinaria negligencia de la policía, que, hasta donde puedo saberlo por el prefecto, no se ha molestado en interrogar al oficial de marina mencionado en uno de ellos. Sin embargo, sería una locura afirmar que entre la primera y la segunda desaparición de Marie no cabe suponer ninguna conexión. Admitamos que la primera fuga terminó en una querella entre los enamorados y el retorno a casa de la decepcionada Marie. Podemos ahora encarar una segunda fuga o rapto (si realmente se trata de ello) como indicación de que el seductor ha reanudado sus avances y no como el resultado de la intervención de un segundo cortejante. Miramos la cosa como una reconciliación entre enamorados y no como el comienzo de una nueva aventura. Hay diez probabilidades contra una de que el hombre que huyó una vez con Marie le haya propuesto una segunda escapatoria, y no que a la primera propuesta haya sucedido una segunda hecha por *otro* individuo. Le haré notar, además, que el lapso entre la primera fuga (sobre la cual no cabe duda) y la segunda –presumible– abarca pocos meses más que la duración general de los cruceros de nuestros barcos de guerra. ¿Fueron interrumpidos los bajos designios del seductor por la necesidad de embarcarse, y aprovechó la primera oportunidad a su retorno para renovar esos designios aún no completamente consumados... o, por lo menos, no completamente consumados *por él*? Nada sabemos de todo ello.

»Dirá usted, sin embargo, que en el segundo caso no hubo realmente una fuga. De acuerdo; pero, ¿estamos en condiciones de asegurar que no existió un designio frustrado? Fuera de St. Eustache, y quizá de Beauvais, no encontramos ningún pretendiente conocido de Marie. Nada se ha dicho que aluda a alguno. ¿Quién es, pues, ese amante secreto del cual los parientes de Marie *(por lo menos, la mayoría)* no saben nada, pero con quien la joven se reúne en la mañana del domingo, y que goza hasta tal punto de su confianza que no vacila en quedarse a su lado hasta que cae la noche en los solitarios bos-

22. *The Standard,* de Nueva York.

ques de la Barrière du Roule? ¿Quién es ese enamorado secreto, pregunto, del cual los parientes (o casi todos) no saben nada? ¿Y qué significa la extraña profecía proferida por madame Rogêt la mañana de la partida de Marie: «Temo que no volveré a verla nunca más»?

»Pero si no podemos suponer que madame Rogêt estaba al tanto de la intención de fuga, ¿no podemos, por lo menos, imaginar que la joven abrigaba esa intención? Al salir de su casa dio a entender que iba a visitar a su tía en la rue des Drômes, y pidió a St. Eustache que fuera a buscarla al anochecer. A primera vista, esto contradice abiertamente mi sugestión. Pero reflexionemos. Es bien sabido que Marie *se encontró* con alguien y cruzó el río en su compañía, llegando a la Barrière du Roule hacia las tres de la tarde. Al consentir en acompañar a este individuo *(con cualquier propósito, conocido o no por su madre),* Marie debió pensar en lo que había dicho al salir de su casa y en la sorpresa y sospecha que experimentaría su prometido, St. Eustache, cuando al acudir en su busca a la rue des Drômes se encontrara con que no había estado allí; sin contar que al volver a la pensión con esta alarmante noticia se enteraría de que su ausencia duraba desde la mañana. Repito que Marie debió pensar en todas esas cosas. Debió prever la cólera de St. Eustache y las sospechas de todos. No podía pensar en volver a casa para enfrentar esas sospechas; pero estas dejaban de tener importancia si suponemos que Marie *no tenía intenciones de volver.*

»Imaginemos así sus reflexiones: «Tengo que encontrarme con cierta persona a fin de fugarme con ella o para otros propósitos que sólo yo sé. Es necesario que no se produzca ninguna interrupción; debemos contar con tiempo suficiente para eludir toda persecución. Daré a entender que pienso pasar el día en casa de mi tía, en la rue des Drômes, y diré a St. Eustache que no vaya a buscarme hasta la noche; de esta manera podré ausentarme de casa el mayor tiempo posible sin despertar sospechas ni ansiedad; todo estará perfectamente explicado y ganaré más tiempo que de cualquier otra manera. Si pido a St. Eustache que vaya a buscarme al anochecer, seguramente no se presentará antes; pero, si no se lo pido, tendré menos tiempo a mi disposición, ya que todos esperarán que vuelva más temprano, y mi ausencia no tardará en provocar ansiedad. Ahora bien, si mis intenciones fueran las de volver a casa, si sólo me interesara dar un paseo con la persona en cuestión, no me convendría pedir a St. Eustache que fuera a buscarme, ya que al llegar a la rue des Drômes se daría perfecta cuenta de que le he mentido, cosa que podría evitar saliendo de casa sin decirle nada, volviendo antes de la noche y declarando luego que estuve de visita en casa de mi tía. Pero como mi intención es la de no volver *nunca,* o no volver por algunas semanas, o no volver hasta que ciertos ocultamientos se hayan efectuado, lo único que debe preocuparme es la manera de ganar tiempo.»

»Usted ha hecho notar en sus apuntes que la opinión general más difundida sobre este triste asunto es que la muchacha fue víctima de una pandilla de malandrines. Ahora bien, y bajo ciertas condiciones, la opinión popular no debe ser despreciada. Cuando surge por sí misma, cuando se manifiesta de manera espontánea, cabe considerarla paralelamente a esa *intuición* que es el privilegio de todo individuo de genio. En noventa y nueve casos sobre cien, me siento movido a conformarme con sus decisiones. Pero lo importante es estar seguros de que no hay en ella la más leve huella de sugestión. La voz pública tiene que ser rigurosamente auténtica, y con frecuencia es muy difícil percibir y mantener esa distinción. En este caso, me parece que la «opinión pública» referente a *una pandilla* se ha visto fomentada por el suceso colateral que se detalla en el tercero de los pasajes que le he mostrado. Todo París está excitado por el descubrimiento del cadáver de Marie, una joven tan hermosa como conocida. El cuerpo muestra señales de violencia y aparece flotando en el río. Pero entonces se da a conocer que en esos mismos días en que se supone que Marie fue asesinada, otra joven ha sido víctima de una pandilla de depravados y ha sufrido un ultraje análogo al padecido por la difunta. ¿Cabe maravillarse de que la atrocidad conocida haya podido influir sobre el juicio popular con respecto a la desconocida? Ese juicio esperaba una dirección, y el ultraje ya conocido parecía indicarla oportunamente. También Marie fue encontrada en el río, y fue allí donde tuvo lugar el otro atentado. La relación entre ambos hechos era tan palpable, que lo asombroso hubiera sido que la opinión dejara de apreciarla y utilizarla. Pero, en realidad, si de algo sirve el primer ultraje, cometido en la forma conocida, es para probar que el segundo, ocurrido casi al mismo tiempo, *no fue cometido en esa forma.* Hubiera sido un milagro que, mientras una banda de malhechores perpetraba en cierto lugar un atentado de la más nefanda especie, otra banda similar, en un lugar igualmente similar, en la misma ciudad, bajo idénticas circunstancias, con los mismos medios y recursos, estuviera entregada a un atentado de la misma naturaleza y en el mismo período de tiempo. Sin embargo, la opinión popular así movida pretende justamente hacernos creer en esa extraordinaria serie de coincidencias.

»Antes de seguir, consideremos la supuesta escena del asesinato en el soto de la Barrière du Roule. Aunque denso, el soto se halla en la inmediata vecindad de un camino público. Había en su interior tres o cuatro grandes piedras que formaban una especie de asiento, con respaldo y escabel. Sobre la piedra superior se encontraron unas enaguas blancas; en la segunda una chalina de seda. También aparecieron una sombrilla, guantes y un pañuelo de bolsillo. El pañuelo ostentaba el nombre «Marie Rogêt». En las zarzas aparecían jirones de ropas. La tierra estaba pisoteada, rotas las ramas y no cabía duda de que había tenido lugar una violenta lucha.

»No obstante el entusiasmo con que la prensa recibió el descubrimiento de este soto y la unanimidad con que aceptó que se trataba del escenario del atentado, preciso es admitir la existencia de muy serios motivos de duda. Puedo o no creer que ese sea el escenario, pero insisto en que hay muchos motivos de duda. Si, como lo sugiere *Le Commerciel,* el *verdadero* escenario se encontrara en las vecindades de la rue Pavée St. André y los perpetradores del crimen se hallaran todavía en París, estos debieron quedarse aterrados al ver que la atención pública era orientada con tanta agudeza por la buena senda. Cierto tipo de inteligencia no habría tardado en advertir la urgente necesidad de dar un paso que volviera a desviar la atención. Y puesto que el soto de la Barrière du Roule había ya dado motivo a sospechas, la idea de depositar allí los objetos que se encontraron era perfectamente natural. Pese a lo que dice *Le Soleil,* no existe verdadera prueba de que los objetos hayan estado allí mucho más de algunos días, en tanto abundan las pruebas circunstanciales de que no podrían haberse encontrado en el lugar sin despertar la atención durante los veinte días transcurridos desde el domingo fatal a la tarde en que fueron hallados por los niños. «Los efectos –dice *Le Soleil,* siguiendo la opinión de sus predecesores– aparecían estropeados y *enmohecidos* por la acción de las lluvias; el *moho* los había pegado entre sí. El pasto había crecido en torno y encima de algunos de ellos. La seda de la sombrilla era muy fuerte, pero sus fibras se habían adherido unas a otras por dentro. La parte superior, de tela doble y forrada, estaba *enmohecida* por la acción de la intemperie y se rompió al querer abrirla.» Con respecto al pasto «que había crecido en torno y encima de algunos de ellos», no cabe duda de que el hecho sólo pudo ser registrado partiendo de las declaraciones y los recuerdos de dos niños, ya que estos levantaron los efectos y los llevaron a su casa antes de que un tercero los viera. Ahora bien, en tiempo caluroso y húmedo (como el correspondiente al momento del crimen) el pasto crece hasta dos o tres pulgadas en un solo día. Una sombrilla tirada en un campo recién sembrado de césped quedará completamente oculta en una semana. Y, por lo que se refiere a ese *moho,* sobre el cual *Le Soleil* insiste al punto de emplear tres veces el término o sus derivados en un solo y breve comentario, ¿cómo puede ignorar sus características?

¿Habrá que explicarle que se trata de una de las muchas variedades de *fungus,* cuyo rasgo más común consiste en nacer y morir dentro de las veinticuatro horas?

»Vemos así, de una ojeada, que todo lo que con tanta soberbia se ha aducido para sostener que los objetos habían estado «tres o cuatro semanas por lo menos» en el soto, resulta totalmente nulo como prueba. Por otra parte, cuesta mucho creer que esos efectos pudieron quedar en el soto durante más de una semana (digamos de un domingo a otro). Quienes saben algo sobre los aledaños de París no ignoran lo difícil que es *aislarse* en ellos, a menos de alejarse mucho de los suburbios. Ni por un momento cabe imaginar un sitio inexplorado o muy poco frecuentado entre sus bosques o sotos. Imaginemos a un enamorado de la naturaleza, atado por sus deberes al polvo y al calor de la metrópoli, que pretenda, incluso en días de semana, saciar su sed de soledad en los lugares llenos de encanto natural que rodean la ciudad. A cada paso nuestro excursionista verá disiparse el creciente encanto ante la voz y la presencia de algún individuo peligroso o de una pandilla de pájaros de avería en plena fiesta. Buscará la soledad en lo más denso de la vegetación, pero en vano. He ahí los rincones específicos donde abunda la canalla, he ahí los templos más profanados. Lleno de repugnancia, nuestro paseante volverá a toda prisa al sucio París, mucho menos odioso como sumidero que esos lugares donde la suciedad resulta tan incongruente. Pero si la vecindad de París se ve colmada durante la semana, ¿qué diremos del domingo? En ese día, precisamente, el matón que se ve libre del peso del trabajo o no tiene oportunidad de cometer ningún delito, busca los aledaños de la ciudad, no porque le guste la campiña, ya que la desprecia, sino porque allí puede escapar a las restricciones y convenciones sociales. No busca el aire fresco y el verdor de los árboles, sino la completa *licencia* del campo. Allí, en la posada al borde del camino o bajo el follaje de los bosques, se entrega sin otros testigos que sus camaradas a los desatados excesos de la falsa alegría, doble producto de la libertad y del ron. Lo que afirmo puede ser verificado por cualquier observador desapasionado: habría que considerar como una especie de milagro que los artículos en cuestión hubieran permanecido ocultos durante más de una semana en *cualquiera* de los sotos de los alrededores inmediatos de París.

»Pero hay además otros motivos para sospechar que esos efectos fueron dejados en el soto con miras a distraer la atención de la verdadera escena del atentado En primer término, observe usted *la fecha* de su descubrimiento y relaciónela con la del quinto pasaje extraído por mí de los diarios. Observará que el descubrimiento siguió casi inmediatamente a las urgentes comunicaciones enviadas al diario. Aunque diversas y provenientes, al parecer, de distintas fuentes, todas ellas tendían a lo mismo, vale decir a encaminar la atención hacia *una pandilla* como perpetradora del atentado en las vecindades de la Barrière du Roule. Ahora bien, lo que debe observarse es que esos objetos no fueron encontrados por los muchachos como consecuencia de dichas comunicaciones o por la atención pública que las mismas habían provocado, sino que los efectos no fueron encontrados *antes* por la sencilla razón de que no se hallaban en el soto, y que fueron depositados allí en la fecha o muy poco antes de la fecha de las comunicaciones al diario por los culpables autores de las comunicaciones mismas.

»Dicho soto es un lugar sumamente curioso. La vegetación es muy densa, y dentro de los límites cercados por ella aparecen tres extraordinarias piedras *que forman un asiento con respaldo y escabel.* Este soto, tan lleno de arte, se halla en la vecindad inmediata, a poquísima distancia de la morada de madame Deluc, cuyos hijos acostumbraban a explorar minuciosamente los arbustos en busca de corteza de sasafrás. ¿Sería insensato apostar –y apostar mil contra uno– que jamás transcurrió *un solo día* sin que alguno de los niños penetrara en aquel sombrío recinto vegetal y se encaramara en el trono natural formado por las piedras? Quien vacilara en hacer esa apuesta no ha sido nunca niño o ha olvidado el carácter infantil. Lo repito: es muy difícil comprender cómo esos efectos pudieron permanecer en el soto más de uno o dos días sin ser descubiertos. Y ello proporciona un sólido terreno para sospechar –pese a la dogmática ignorancia de *Le Soleil*– que fueron arrojados en ese sitio en una fecha comparativamente tardía.

»Pero aún hay otras y más sólidas razones para creer esto último. Permítame señalarle lo artificioso de la distribución de los efectos. En la piedra *más alta* aparecían unas enaguas blancas; en la *segunda,* una chalina de seda; tirados alrededor, una sombrilla, guantes y un pañuelo de bolsillo con el nombre «Marie Rogêt». He aquí una distribución que *naturalmente* haría una persona no demasiado sagaz queriendo dar la impresión de *naturalidad.* Pero esta disposición no es en absoluto natural. Lo más lógico hubiera sido suponer todos los efectos en el suelo y pisoteados. En los estrechos límites de esa enramada parece difícil que las enaguas y la chalina hubiesen podido quedar sobre las piedras, mientras eran sometidas a los tirones en uno y otro sentido de varias personas en lucha. Se dice que «la tierra estaba removida, rotos los arbustos y no cabía duda de que una lucha había tenido lugar». Pero las enaguas y la chalina aparecen colocadas allí como en los cajones de una cómoda. «Los jirones del vestido en las zarzas tenían unas tres pulgadas de ancho por seis de largo. Uno de ellos correspondía al dobladillo del vestido y había sido remendado... *Daban la impresión de pedazos arrancados.»* Aquí, inadvertidamente, *Le Soleil* emplea una frase extraordinariamente sospechosa. Según la descripción, en efecto, los jirones «dan la impresión de pedazos arrancados», pero arrancados a mano y deliberadamente. Es un accidente rarísimo que, en ropa como la que nos ocupa, un jirón «sea arrancado» por *una espina*. Dada la naturaleza de semejantes tejidos, cuando una espina o un clavo se engancha en ellos los desgarra rectangularmente, dividiéndolos en dos desgarraduras longitudinales en ángulo recto, que se encuentran en un vértice constituido por el punto donde penetra la espina; en esa forma, resulta casi imposible concebir que el jirón «sea arrancado». Por mi parte no lo he visto nunca, y usted tampoco. Para arrancar un pedazo de semejante tejido hará falta casi siempre la acción de dos fuerzas actuando en diferentes direcciones. Sólo si el tejido tiene dos bordes, como, por ejemplo, en el caso de un pañuelo, y se desea arrancar una tira, bastará con una sola fuerza. Pero en esta instancia se trata de un vestido que no tiene más que un borde. Para que una espina pudiera arrancar una tira del interior, donde no hay ningún borde, hubiera hecho falta un milagro, aparte de que no bastaría con *una sola* espina. Aun si hubiera un borde, se requerirían dos espinas, de las cuales una actuaría en dos direcciones y la otra en una. Y conste que en este caso suponemos que el borde no está dobladillado. Si lo estuviera, no habría la menor posibilidad de arrancar una tira. Vemos, pues, los muchos y grandes obstáculos que se ofrecen a las espinas para «arrancar» tiras de una tela, y, sin embargo, se pretende que creamos que así han sido arrancados *varios* jirones. ¡Y uno de ellos *correspondía al dobladillo del vestido!* Otra de las tiras *era parte de la falda, pero no del dobladillo*. Vale decir que había sido completamente arrancado por las espinas del interior sin bordes del vestido. Bien se nos puede perdonar por no creer en semejantes cosas; y, sin embargo, tomadas colectivamente, ofrecen quizá menos campo a la sospecha que la sola y sorprendente circunstancia de que esos artículos hubieran sido abandonados en el soto por *asesinos* que se habían tomado el trabajo de transportar el cadáver. Empero, usted no habrá comprendido claramente mi pensamiento si supone que mi intención es *negar* que el soto haya sido el escenario del atentado. La villanía *pudo* ocurrir en ese lugar o, con mayor probabilidad, un accidente pudo producirse en la posada de madame Deluc. Pero este es un punto de menor importancia. No es nuestra intención descubrir el escenario del crimen, sino encontrar a sus perpetradores. Lo que he señalado, no obstante lo minucioso de mis argumentos, tiene por objeto, en primer lugar, mostrarle lo absurdo de las dogmáticas y aventuradas afirmaciones de *Le Soleil,* y en segundo término, y de manera especial, conducirlo por una ruta natural a un nuevo examen de una duda: la de si este asesinato ha sido o no la obra de *una pandilla.*

»Resumiremos el asunto aludiendo brevemente a los odiosos detalles que surgen de las declaraciones del médico forense en la indagación judicial. Basta señalar que sus *inferencias* dadas a conocer con respecto al número de los bandidos participantes en el atentado fueron ridiculizadas como injustas y totalmente privadas de fundamento por los mejores anatomistas de París. No se trata de que ello *no haya podido ser* como se infiere, sino de que no había fundamentos para esa inferencia. ¿Y no los había, en cambio, para otra?

»Reflexionemos ahora sobre «las huellas de una lucha» y preguntémonos qué es lo que tales huellas alcanzan a demostrar. ¿Una pandilla? ¿Pero no demuestran, por el contrario, la ausencia de una pandilla? ¿Qué *lucha* podía tener lugar, tan violenta y prolongada, como para dejar «huellas» en todas direcciones entre una débil e indefensa muchacha y la imaginable pandilla de malhechores? El silencioso abrazo de unos pocos brazos robustos y todo habría terminado. La víctima debía quedar reducida a una total pasividad. Recordará usted que los argumentos empleados sobre el soto como escenario de lo ocurrido se aplican, en su mayor parte, a un ultraje cometido *por más de un individuo.* Solamente si imaginamos *a un* violador podremos concebir (y sólo entonces) una lucha tan violenta y obstinada como para dejar semejantes «huellas».

»Ya he mencionado la sospecha que nace de que los objetos en cuestión fueran abandonados en el soto. Parece casi imposible que semejantes pruebas de culpabilidad hayan sido dejadas accidentalmente donde se las encontró. Si suponemos una suficiente presencia de ánimo para retirar el cadáver, ¿qué pensar de una prueba aún más positiva que el cuerpo mismo (cuyas facciones hubieran sido borradas prontamente por la corrupción) abandonada a la vista de cualquiera en la escena del atentado? Me refiero al pañuelo con el *nombre* de la muerta. Si quedó allí por accidente, no hay duda de que no se trataba de una *pandilla.* Sólo cabe imaginar ese accidente relacionado con una sola persona. Veamos: un individuo acaba de cometer el asesinato. Está solo con el fantasma de la muerta. Se siente aterrado por lo que yace inanimado ante él. El arrebato de su pasión ha cesado y en su pecho se abre paso el miedo de lo que acaba de cometer. Le falta esa confianza que la presencia de otros inspira. Está *solo* con el cadáver. Tiembla, se siente confundido. Pero es necesario ocultar el cuerpo. Lo arrastra hacia el río dejando atrás todas las otras pruebas de su culpabilidad; sería difícil, si no imposible, llevar todo a la vez, y además no habrá dificultad en regresar más tarde en busca del resto. Mas en ese trabajoso recorrido hasta el agua su temor redobla. Los sonidos de la vida acechan en su camino. Diez veces oye o cree oír los pasos de un observador. Hasta las mismas luces de la ciudad lo espantan. Con todo, después de largas y frecuentes pausas, llenas de terrible ansiedad, llega a la orilla del río y hace desaparecer su espantosa carga quizá con ayuda de un bote. Pero *ahora,* ¿qué tesoros tiene el mundo, qué amenazas de venganza para impulsar al solitario asesino a recorrer una vez más el trabajoso y arriesgado camino hasta el soto, donde quedan los espeluznantes recuerdos de lo sucedido? No, no volverá, sean cuales fueren las consecuencias. Aun si quisiera, *no podría* volver. Su único pensamiento es el de escapar inmediatamente. Da la espalda para siempre a esos terribles bosques y huye como de una maldición.

»¿Pasaría lo mismo con una banda? Su número les habría inspirado recíproca confianza, en el caso de que esta falte alguna vez en el pecho de un criminal empedernido; y una pandilla sólo podemos suponerla formada por individuos de esa laya. Su número, pues, hubiera impedido el incontrolable y alocado temor que, según imagino, debió de paralizar a un hombre solo. Si podemos presumir un descuido por parte de uno, dos o tres, sin duda el cuarto hubiera pensado en ello. No habrían dejado huella alguna a sus espaldas, ya que su número les permitía llevarse *todo* de una sola vez. No había ninguna necesidad de *volver.*

«Considere ahora el hecho de que en el vestido que llevaba el cadáver al ser encontrado, «una tira de un pie de ancho había sido arrancada del vestido, desde el ruedo de la falda hasta la cintura; aparecía arrollada tres veces en la cintura y asegurada mediante una especie de ligadura en la espalda». Esto se hizo con evidente intención de obtener un *asa* mediante la cual transportar el cuerpo. Pero, en caso de tratarse de varios hombres, ¿habrían recurrido a eso? Para tres o cuatro de ellos, los miembros del cadáver proporcionaban no sólo suficiente asidero, sino el mejor posible. El sistema empleado corresponde a un solo individuo, y esto nos lleva al hecho de que «entre el soto y el río se descubrió que los vallados habían sido derribados y la tierra mostraba señales de que se había arrastrado una pesada carga». ¿Cree usted que *varios* individuos se hubieran impuesto la superflua tarea de derribar un vallado para arrastrar un cuerpo que podía ser pasado por encima en un momento? ¿Cree usted que *varios* hombres hubieran arrastrado un cuerpo al punto de dejar evidentes huellas?

»Aquí corresponde referirse a una observación de *Le Commerciel,* que en cierta medida ya he comentado antes. «Un trozo de una de las enaguas de la infortunada muchacha –dice–, de dos pies de largo por uno de ancho, le fue aplicado bajo el mentón y atado detrás de la cabeza, probablemente para ahogar sus gritos. Los individuos que hicieron esto no tenían pañuelos en el bolsillo.»

»Ya he hecho notar que un verdadero pillastre no carece nunca de pañuelo. Pero no me refiero ahora a eso. Que dicha atadura no fue empleada por falta de pañuelo y para los fines que supone *Le Commerciel* lo demuestra el hallazgo del pañuelo en el lugar del hecho; y que su finalidad no era la de «ahogar sus gritos», surge de que se haya empleado esa atadura en vez de algo que hubiera sido mucho más adecuado. Pero los términos de los testimonios aluden a la tira en cuestión diciendo que «apareció alrededor del cuello, pero no apretada, aunque había sido asegurada con un nudo firmísimo». Estos términos son bastante vagos, pero difieren completamente de los de *Le Commerciel.* La tira tenía dieciocho pulgadas de ancho y, por lo tanto, aunque fuera de muselina, constituía una banda muy fuerte si se la doblaba sobre sí misma longitudinalmente. Así fue como se la encontró. Mi deducción es la siguiente: El asesino solitario, después de llevar alzado el cuerpo durante un trecho (sea desde el soto u otra parte) ayudándose con la tira arrollada a la cintura, notó que el peso resultaba excesivo para sus fuerzas. Resolvió entonces arrastrar su carga, y la investigación demuestra que, en efecto, el cuerpo fue arrastrado. A tal fin, era necesario atar una especie de cuerda a una de las extremidades. El mejor lugar era el cuello, ya que la cabeza impediría que se zafara. En este punto, el asesino debió pensar en la tira que circundaba la cintura de la víctima. Hubiera querido usarla, pero se le planteaba el inconveniente de que estaba arrollada al cadáver, sujeta por una atadura, sin contar que no había sido completamente arrancada del vestido. Más fácil resultaba arrancar una nueva tira de las enaguas. Así lo hizo, ajustándola al cuello, y en esa forma *arrastró* a su víctima hasta la orilla del río. El hecho de que este lazo, difícil y penosamente obtenido, y sólo a medias adecuado a su finalidad, fuera sin embargo empleado por el asesino, nace del hecho de que este estaba ya demasiado lejos para utilizar la chalina, vale decir, después que hubo abandonado el soto (si se trataba del soto) y se encontraba a mitad de camino entre este y el río.

»Dirá usted que el testimonio de madame Deluc (!) apunta especialmente a la presencia de *una pandilla* en la vecindad del soto, aproximadamente, en el momento del asesinato. Estoy de acuerdo. Incluso me pregunto si no había *una docena* de pandillas como la descrita por madame Deluc en la vecindad de la Barrière du Roule y aproximadamente en el momento de la tragedia. Pero la pandilla que se ganó la marcada enemistad –y el testimonio tardío y bastante sospechoso– de madame Deluc, *es la única* a la cual esta honesta y escrupulosa anciana reprocha haberse regalado con sus pasteles y haber bebido su coñac sin tomarse la molestia de *pagar* los gastos. *Et hinc illæ iræ?*

»Pero, ¿cuál es el preciso testimonio de madame Deluc? «Se presentó una pandilla de malandrines, los cuales se condujeron escandalosamente, comieron y bebieron sin pagar, siguieron luego la ruta que habían tomado los dos jóvenes y regresaron a la posada al anochecer, volviendo a cruzar el río como si tuvieran mucha prisa.»

»Ahora bien, esta «gran prisa» debió probablemente parecer más grande a ojos de madame Deluc, quien reflexionaba triste y nostálgicamente sobre sus pasteles y su cerveza profanados, y por los cuales debió abrigar aún alguna esperanza de compensación. ¿Por qué, si no, se refirió a la prisa, desde el momento que ya era «el anochecer»? No hay ninguna razón para asombrarse de que una banda de pillos se apresure a volver a casa cuando queda por cruzar en bote un ancho río, cuando amenaza tormenta y se acerca la noche.

»Digo que *se acerca,* pues la noche aún no había caído. Era tan sólo «al anochecer» cuando la prisa indecente de aquellos «bandidos» ofendió los modestos ojos de madame Deluc. Pero estamos enterados de que esa misma noche, tanto madame Deluc como su hijo mayor, «oyeron los gritos de una mujer en la vecindad de la posada». ¿Y qué palabras emplea madame Deluc para señalar el momento de la noche en que se oyeron esos gritos? «Poco después *de oscurecer*», afirma. Pero «poco *después* de oscurecer» significa que ya ha oscurecido. Vale decir, resulta perfectamente claro que la pandilla abandonó la Barrière du Roule *antes* de que se produjeran los gritos escuchados (?) por madame Deluc. Y aunque en las muchas transcripciones del testimonio las expresiones en cuestión son clara e invariablemente empleadas como acabo de hacerlo en mi conversación con usted, hasta ahora ninguno de los diarios parisienses, ni ninguno de los funcionarios policiales ha señalado tan gruesa discrepancia.

»Sólo añadiré un argumento contra la noción de una *banda,* pero el mismo tiene, en mi opinión, un peso irresistible. Dada la enorme recompensa ofrecida y el pleno perdón que se concede por toda declaración probatoria, no cabe imaginar un solo instante que algún miembro de una pandilla de miserables criminales –o de cualquier pandilla– no haya traicionado hace rato a sus cómplices. En una pandilla colocada en esa situación, cada uno de sus miembros no está tan ansioso de recompensa o de impunidad, *como temeroso de ser traicionado*. Se apresura a delatar lo antes posible, a fin de no ser delatado a su turno. Y que el secreto no haya sido divulgado es la mejor prueba de que realmente se trata de un secreto. Los horrores de esa terrible acción sólo son conocidos por Dios y por una o dos personas.

»Resumamos los magros pero evidentes frutos de nuestro análisis. Hemos llegado, ya sea a la noción de un accidente fatal en la posada de madame Deluc, o de un asesinato perpetrado en el soto de la Barrière du Roule por un amante o, en todo caso, por alguien íntima y secretamente vinculado con la difunta. Esta persona es de tez morena. Dicha tez, la ligadura en la tira que rodeaba el cuerpo, y el «nudo de marinero» con el cual apareció atado el cordón de la cofia, apuntan a un marino. Su camaradería con la difunta, muchacha alegre pero no depravada, lo designa como perteneciente a un grado superior al de simple marinero. Las comunicaciones al diario, correctamente escritas, son en gran medida una corroboración de lo anterior. La circunstancia de la primera fuga, conforme la menciona *Le Mercure*, tiende a conectar la idea de este marino con la del «oficial de marina», de quien se sabe que fue el primero en inducir a la infortunada víctima a cometer una irregularidad.

»Y aquí, de la manera más justa, interviene el hecho de la continua ausencia del hombre moreno. Permítame hacerle notar de paso que la tez del mismo es morena y atezada; no es un color moreno común el que atrajo la atención tanto de Valence como de madame Deluc. Pero, ¿por qué está ausente este hombre? ¿Fue asesinado por la pandilla? Si es así, ¿cómo no hay más que huellas de la joven asesinada? Es natural suponer que los dos atentados se produjeron en el mismo lugar. ¿Y dónde se halla su cadáver? Con toda probabilidad, los asesinos hubieran hecho desaparecer a ambos en la misma forma. Pero lo que cabe suponer es que este hombre vive, y que lo que le impide darse a conocer es el miedo de que lo acusen del asesinato. Esta razón es la que influye sobre él actualmente, en esta última fase de la investigación, ya que los testimonios han señalado que se le vio con Marie; pero no tenía ninguna influencia en el período inmediato al crimen. El primer impulso de un inocente hubiera sido denunciar el ultraje y ayudar a identificar a los culpables. Era lo que correspondía. El hombre había sido visto con la joven. Cruzó el río con ella en un *ferryboat*. Aun para un atrasado mental la denuncia de los asesinos era el único y más seguro medio de librarse personalmente de toda sospecha. No podemos imaginarlo, en la noche del domingo fatal, inocente y a la vez ignorante del atentado que acababa de cometerse. Y, sin embargo, sólo cabría suponer esas circunstancias para concebir que hubiese dejado de denunciar a los asesinos en caso de hallarse con vida.

»¿Qué medios tenemos para llegar a la verdad? A medida que sigamos adelante los veremos multiplicarse y ganar en claridad. Cribemos hasta el fondo la cuestión de la primera escapatoria. Documentémenos sobre la historia de «el oficial», con sus circunstancias actuales y sus andanzas en el momento preciso del asesinato. Comparemos cuidadosamente entre sí las distintas comunicaciones enviadas al diario de la noche, cuyo objeto era inculpar a una pandilla. Hecho esto, comparemos dichas comunicaciones, tanto desde el punto de vista del estilo como de su presentación, con las enviadas al diario de la mañana, en un período anterior, y que tenían por objeto insistir con vehemencia en la culpabilidad de Mennais. Cumplido todo esto, comparemos el total de esas comunicaciones con papeles escritos de puño y letra por el susodicho oficial. Tratemos de asegurarnos, mediante repetidos interrogatorios a madame Deluc y a sus hijos, así como a Valence, el conductor del ómnibus, de más detalles sobre la apariencia personal del «hombre de la tez morena». Hábilmente dirigidas, estas indagaciones no dejarán de extraer informaciones sobre estos puntos particulares (o sobre otros), que incluso los interrogados pueden no saber que están en condiciones de proporcionar. Y sigamos entonces la huella *del bote* recogido por el lanchero en la mañana del lunes veintitrés de junio, bote que fue retirado, *sin el timón,* del depósito de lanchas, a escondidas del empleado de turno y en un momento anterior al descubrimiento del cadáver. Con la debida precaución y perseverancia daremos infaliblemente con ese bote, pues no sólo el lanchero que lo encontró puede identificarlo, *sino que tenemos su timón.* El gobernalle de un *bote de vela* no hubiera sido abandonado fácilmente, si se tratara de alguien que no tenía nada que reprocharse. Y aquí haré un paréntesis para insinuar un detalle. El hallazgo del bote a la deriva *no fue anunciado* en el momento. Conducido discretamente al depósito de lanchas, fue retirado con la misma discreción. Pero su propietario o usuario, ¿cómo pudo saber, en la mañana del martes y sin ayuda de ningún anuncio, dónde se hallaba el bote, salvo que supongamos que está vinculado de alguna manera *con la marina,* y que esa vinculación personal y permanente le permitía enterarse de sus menores novedades, de sus mínimas noticias locales?

»Al hablar del asesino solitario, que arrastra a su víctima hasta la costa, he sugerido ya la posibilidad de que hubiera hecho uso *de un bote*. Podemos sostener ahora que Marie Rogêt fue echada al agua desde un bote, lo cual me parece lógico, ya que no cabía confiar el cadáver a las aguas poco profundas de la costa. Las peculiares marcas de la espalda y hombros de la víctima apuntan a las cuadernas del fondo de un bote. También corrobora esta idea el que el cadáver fuera encontrado sin un peso atado como lastre. De haber sido echado al agua en la costa, le hubieran agregado algún peso. Cabe suponer que la falta del mismo se debió a un descuido del asesino, que olvidó llevarlo consigo al alejarse río adentro. En el momento de lanzar el cuerpo al agua debió de advertir su olvido, pero no tenía nada a mano para remediarlo. Debió de preferir cualquier riesgo antes que regresar a aquella terrible playa. Luego, libre de su fúnebre carga, el asesino se apresuró a regresar a la ciudad. Allí, en algún muelle mal iluminado, saltó a tierra. En cuanto al bote, ¿lo amarraría allí mismo? Debió de proceder con demasiada prisa para pensar en tal cosa. Además, de amarrarlo, hubiera sentido que dejaba a sus espaldas pruebas contra sí mismo. Su reacción natural debió de ser la de alejar lo más posible todo lo que guardara alguna relación con el crimen. No sólo quería huir de aquel muelle, sino que no permitiría que el bote quedara allí. Seguramente lo lanzó a la deriva. Pero sigamos adelante con nuestras suposiciones. A la mañana siguiente, el miserable se siente presa del más inexpresable horror al enterarse de que el bote ha sido recogido y llevado a un lugar que él frecuenta diariamente; un lugar donde quizá sus obligaciones lo hacen acudir de continuo. A la noche siguiente, *sin atreverse a pedir el timón*, se apodera del bote. Ahora bien: *¿dónde* está ese bote sin gobernalle? Descubrirlo debe constituir uno de nuestros primeros propósitos. De la luz que emane de ese descubrimiento comenzará a nacer el día de nuestro triunfo. Con una rapidez que nos sorprenderá, el bote va a guiarnos hasta aquel que lo utilizó en la medianoche del domingo fatal. Una corroboración seguirá a otra y el asesino será identificado.

[Por razones que no especificaremos, pero que resultarán obvias a muchos lectores, nos hemos tomado la libertad de omitir la parte del manuscrito confiado a nuestras manos donde se detalla *el seguimiento* de la apenas perceptible pista lograda por Dupin. Sólo nos parece conveniente dejar constancia, en resumen, de que los resultados previstos fueron alcanzados, y que el prefecto cumplió fielmente, aunque sin muchas ganas, los términos de su convenio con el *chevalier*. El artículo del señor Poe concluye con las siguientes palabras *(Los directores)*[23]]:

23. De la revista donde se publicó por primera vez este trabajo.

Se comprenderá que hablo de coincidencias y *nada más*. Lo que he dicho sobre este punto debe bastar. No hay fe en mi corazón sobre lo preternatural. Que la naturaleza y su Dios son dos, nadie capaz de pensar lo negará. Que el segundo, creando la primera, puede controlarla y modificarla a su voluntad, es asimismo incuestionable. Digo «a su voluntad» porque se trata de una cuestión de voluntad y no, como el extravío de la lógica supone, de poder. No se trata de que la Deidad *no pueda* modificar sus leyes, sino que la insultamos al suponer una posible necesidad de modificación. En sus orígenes, esas leyes fueron planeadas para abrazar *todas* las contingencias que podrían presentarse en el futuro. Con Dios, todo es *ahora*.

Repito, pues, que sólo hablo de estas cosas como de coincidencias. Más aún: en lo que he relatado se verá que entre el destino de la infortunada Mary Cecilia Rogers (hasta donde dicho destino es conocido) y el de una tal Marie Rogêt (hasta un momento dado de su historia) existió un paralelo de tan extraordinaria exactitud que frente a él la razón se siente confundida. He dicho que esto se verá. Pero no se suponga por un solo instante que, al continuar con la triste narración referente a Marie desde la época mencionada, y seguir hasta su desenlace el misterio que rodeó su muerte, abrigo la encubierta intención de insinuar que el paralelo continúa, o sugerir que las medidas adoptadas en París para el descubrimiento del asesino de una *grisette*, o cualquier medida fundada en raciocinios similares, producirían en el otro caso resultados equivalentes.

Preciso es tener en cuenta –refiriéndonos a la última parte de la suposición– que la más nimia variación en los hechos de los dos casos podría dar motivo a los más grandes errores al hacer tomar a ambas series de eventos distintas direcciones; lo mismo que, en aritmética, un error que en sí mismo es insignificante, por mera multiplicación en los distintos pasos de un proceso llega a producir un resultado enormemente alejado de la verdad. Con respecto a la primera parte de las suposiciones, no debemos olvidar que el cálculo de probabilidades al cual me referí antes prohíbe toda idea de la prolongación del paralelismo, y lo hace con una fuerza y decisión proporcionales a la medida en que dicho paralelo se ha mostrado hasta entonces exacto y acertado. Es esta una de esas proposiciones anómalas que, reclamando en apariencia un pensar diferente del pensar matemático, sólo puede ser plenamente abarcada por una mente matemática. Nada más difícil, por ejemplo, que convencer al lector corriente de que el hecho de que el seis haya sido echado dos veces por un jugador de dados, basta para apostar que no volverá a salir en la tercera tentativa. El intelecto rechaza casi siempre toda sugestión en este sentido. No se acepta que dos tiros ya efectuados, y que pertenecen por completo al pasado, puedan influir sobre un tiro que sólo existe en el futuro. Las probabilidades de echar dos seises parecen exactamente las mismas que en cualquier otro momento, vale decir que sólo están sometidas a la influencia de todos los otros tiros que pueden producirse en el juego de dados. Esta reflexión parece tan obvia que las tentativas de contradecirla son casi siempre recibidas con una sonrisa despectiva antes que con atención respetuosa. No pretendo exponer aquí, dentro de los límites de este trabajo, el craso error involucrado en esa actitud; para los que entienden de filosofía, no necesita explicación. Baste decir que forma parte de una infinita serie de engaños que surgen en la senda de la razón, por culpa de su tendencia a buscar la verdad *en el detalle.*

LA CARTA ROBADA

Comentario de Gonzalo Calcedo Juanes

Malhadada letra C. La ecuanimidad alfabética ha regalado a otros mis Poe favoritos, asignándome «La carta robada», un texto deductivo. Aquí la fantasía corresponde a los poetas: no hay otra alucinación que la lógica puritana. Pero no deja de ser una dádiva, como todo lo que escribió transmutando vida y muerte el de Boston. Aunque no haya cadáveres de por medio.

Treinta años sin intimar con Dupin delatan mis descuidos como lector. Hoy Poe se toma la revancha desde ultratumba por la necedad con la que antaño descifré su cuento. El ejercicio implica un redentor reencuentro con la cincelada literatura de la adolescencia, ajena a segundas lecturas más resabiadas. ¿Poe? Sí, claro que lo he leído... Cuán adulto e inútil es justificarse: ha bastado la referencia a la pipa de mar del principio para retornar a mi cama de entonces, a la lamparilla que agrandaba la sombra de manos y libro hasta el espanto.

En aquel tiempo sin fisuras, la «espuma de mar» me sugería aventura y exquisitez, el placer cosmopolita argumentado por esa primera persona desdoblada en Dupin. Mundo, en suma. Ahora no he sabido resistirme a encender la pipa del narrador. La pesquisa ha embellecido el hechizo: el mineral de su confección, originario de Turquía, las tallas alegóricas, la savia fosilizada en ámbar de la boquilla y la leyenda acerca de los fragmentos de mineral que se mecían en el mar Negro, como la mismísima espuma del océano, han refinado la trama.

Narrarla conllevaría enemistarme con sus lectores. Como las dos historias que comparten protagonista con esta, «Los crímenes de la calle Morgue» y «El misterio de Marie Rogêt», es un cuento especulativo, un informe de teorías y procedimientos. La carta robada del título no deja de ser un papel plegado con redundancia. Ignoramos contenido y remitente, suponemos un condicionante amoroso. Para Poe la emoción radica en la controversia de pareceres, en las ráfagas de cínica inteligencia, en rebatir con deleite las conclusiones de investigador y microscopio, los antagonistas del villano. Quizás por su condición empírica y por la acción interior esta pieza de salón sobre el poder y cómo ejercerlo no me conmoviese a una edad en que la acción domina al pensamiento.

Revisándolo he disfrutado del enjuague verbal, del amaneramiento que, entre el ajedrez, la matemática y sus corolarios, se redime en la poesía. Como si no bastase un cerebro científico para resolver un enigma. Que fechas y personajes se escamoteen contribuye al juego de ecuaciones. No faltan fórmulas, citas y prolijos párrafos que transparentan el alambique de una mente. Su forma de maquinar.

Al final, y no revelo nada al decirlo, entendemos que la obviedad es la mejor arma. Que juzgar odiseas ajenas cuadriculando otros discernimientos, como el prefecto en la casa del ministro, niega la fantasía.

En el legado de Poe, «La carta robada» interrumpe la continuación episódica de un logro: la serialización del detective. Junto a Marie Rogêt, ha vivido cerca de doscientos años a la sombra de lo sucedido en la calle Morgue y mi cabalística relectura no busca epílogos. Prefiero mi primer acercamiento, la noche tierna «en la que gozaba del doble placer de la meditación y de una pipa de espuma de mar».

Poe, pues, perdura como una escultura de palabras inalterable. Los lectores cambiamos. Por eso conviene mudar nuestra retórica y ponernos de parte del audaz poeta. Porque, como afirma Dupin, la forma y la cantidad de las cosas no son aplicables a la moral, donde el todo no siempre es igual a la suma de las partes. Este cuento lo explica.

LA CARTA ROBADA

«Nil sapientiae odiosius acumine nimio».
SÉNECA

Me hallaba en París en el otoño de 18... Una noche, después de una tarde ventosa, gozaba del doble placer de la meditación y de una pipa de espuma de mar, en compañía de mi amigo C. Auguste Dupin, en su pequeña biblioteca o gabinete de estudios del *n.° 33, rue Dunot, au troisième, Faubourg Saint-Germain.* Llevábamos más de una hora en profundo silencio, y cualquier observador casual nos hubiera creído exclusiva y profundamente dedicados a estudiar las onduladas capas de humo que llenaban la atmósfera de la sala. Por mi parte, me había entregado a la discusión mental de ciertos tópicos sobre los cuales habíamos departido al comienzo de la velada; me refiero al caso de la rue Morgue y al misterio del asesinato de Marie Rogêt. No dejé de pensar, pues, en una coincidencia, cuando vi abrirse la puerta para dejar paso a nuestro viejo conocido G..., el prefecto de la policía de París.

Lo recibimos cordialmente, pues en aquel hombre había tanto de despreciable como de divertido, y llevábamos varios años sin verlo. Como habíamos estado sentados en la oscuridad, Dupin se levantó para encender una lámpara, pero volvió a su asiento sin hacerlo cuando G... nos hizo saber que venía a consultarnos, o, mejor dicho, a pedir la opinión de mi amigo sobre cierto asunto oficial que lo preocupaba grandemente.

–Si se trata de algo que requiere reflexión –observó Dupin, absteniéndose de dar fuego a la mecha– será mejor examinarlo en la oscuridad.

–He aquí una de sus ideas raras –dijo el prefecto, para quien todo lo que excedía su comprensión era «raro», por lo cual vivía rodeado de una verdadera legión de «rarezas».

–Muy cierto –repuso Dupin, entregando una pipa a nuestro visitante y ofreciéndole un confortable asiento.

–¿Y cuál es la dificultad? –pregunté–. Espero que no sea otro asesinato.

–¡Oh, no, nada de eso! Por cierto que es un asunto muy sencillo y no dudo de que podremos resolverlo perfectamente bien por nuestra cuenta; de todos modos pensé que a Dupin le gustaría conocer los detalles, puesto que es un caso muy *raro.*

–Sencillo y raro –dijo Dupin.

–Justamente. Pero tampoco es completamente eso. A decir verdad, todos estamos bastante confundidos, ya que la cosa es sencillísima y, sin embargo, nos deja perplejos.

–Quizá lo que los induce a error sea precisamente la sencillez del asunto –observó mi amigo.

–¡Qué absurdos dice usted! –repuso el prefecto, riendo a carcajadas.

–Quizá el misterio es un poco *demasiado* sencillo –dijo Dupin.

–¡Oh, Dios mío! ¿Cómo se le puede ocurrir semejante idea?

–Un poco *demasiado* evidente.

–¡Ja, ja! ¡Oh, oh! –reía el prefecto, divertido hasta más no poder–. Dupin, usted acabará por hacerme morir de risa.

–Veamos, ¿de qué se trata? –pregunté.

–Pues bien, voy a decírselo –repuso el prefecto, aspirando profundamente una bocanada de humo e instalándose en un sillón–. Puedo explicarlo en pocas palabras, pero antes debo advertirles que el asunto exige el mayor secreto, pues si se supiera que lo he confiado a otras personas podría costarme mi actual posición.

–Hable usted –dije.

–O no hable –dijo Dupin.

–Está bien. He sido informado personalmente, por alguien que ocupa un altísimo puesto, de que cierto documento de la mayor importancia ha sido robado en las cámaras reales. Se sabe quién es la persona que lo ha robado, pues fue vista cuando se apoderaba de él. También se sabe que el documento continúa en su poder.

–¿Cómo se sabe eso? –preguntó Dupin.

–Se deduce claramente –repuso el prefecto– de la naturaleza del documento y de que no se hayan producido ciertas consecuencias que tendrían lugar inmediatamente después que aquel pasara a *otras* manos; vale decir, en caso de que fuera empleado en la forma en que el ladrón ha de pretender hacerlo al final.

–Sea un poco más explícito –dije.

–Pues bien, puedo afirmar que dicho papel da a su poseedor cierto poder en cierto lugar donde dicho poder es inmensamente valioso.

El prefecto estaba encantado de su jerga diplomática.

–Pues sigo sin entender nada –dijo Dupin.

–¿No? Veamos: la presentación del documento a una tercera persona que no nombraremos pondría sobre el tapete el honor de un personaje de las más altas esferas y ello da al poseedor del documento un dominio sobre el ilustre personaje cuyo honor y tranquilidad se ven de tal modo amenazados.

–Pero ese dominio –interrumpí– dependerá de que el ladrón supiera que dicho personaje lo conoce como tal. ¿Y quién osaría...?

–El ladrón –dijo G...– es el ministro D..., que se atreve a todo, tanto en lo que es digno como lo que es indigno de un hombre. La forma en que cometió el robo es tan ingeniosa como audaz. El documento en cuestión –una carta, para ser francos– fue recibido por la persona robada mientras se hallaba a solas en el *boudoir* real. Mientras la leía, se vio repentinamente interrumpida por la entrada de la otra eminente persona, a la cual la primera deseaba ocultar especialmente la carta. Después de una apresurada y vana tentativa de esconderla en un cajón, debió dejarla, abierta como estaba, sobre una mesa. Como el sobrescrito había quedado hacia arriba y no se veía el contenido, la carta podía pasar sin ser vista. Pero en ese momento aparece el ministro D... Sus ojos de lince perciben inmediatamente el papel, reconoce la escritura del sobrescrito, observa la confusión de la persona en cuestión y adivina su secreto. Luego de tratar algunos asuntos en la forma expeditiva que le es usual, extrae una carta parecida a la que nos ocupa, la abre, finge leerla y la coloca luego exactamente al lado de la otra. Vuelve entonces a departir sobre las cuestiones públicas durante un cuarto de hora. Se levanta, finalmente, y, al despedirse, toma la carta que no le pertenece. La persona robada ve la maniobra, pero no se atreve a llamarle la atención en presencia de la tercera, que no se mueve de su lado. El ministro se marcha, dejando sobre la mesa la otra carta sin importancia.

–Pues bien –dijo Dupin, dirigiéndose a mí–, ahí tiene usted lo que se requería para que el dominio del ladrón fuera completo: este sabe que la persona robada lo conoce como el ladrón.

–En efecto –dijo el prefecto–, y el poder así obtenido ha sido usado en estos últimos meses para fines políticos, hasta un punto sumamente peligroso. La persona robada está cada vez más convencida de la necesidad de recobrar su carta. Pero, claro está, una cosa así no puede hacerse abiertamente. Por fin, arrastrada por la desesperación, dicha persona me ha encargado de la tarea.

–Para la cual –dijo Dupin, envuelto en un perfecto torbellino de humo– no podía haberse deseado, o siquiera imaginado, agente más sagaz.

–Me halaga usted –repuso el prefecto–, pero no es imposible que, en efecto, se tenga de mí tal opinión.

–Como hace usted notar –dije–, es evidente que la carta sigue en posesión del ministro, pues lo que le confiere su poder es dicha posesión y no su empleo. Apenas empleada la carta, el poder cesaría.

Muy cierto –convino G...–. Mis pesquisas se basan en esa convicción. Lo primero que hice fue registrar cuidadosamente la mansión del ministro, aunque la mayor dificultad residía en evitar que llegara a enterarse. Se me ha prevenido que, por sobre todo, debo impedir que sospeche nuestras intenciones, lo cual sería muy peligroso.

–Pero usted tiene todas las facilidades para ese tipo de investigaciones –dije–. No es la primera vez que la policía parisiense las practica.

–¡Oh, naturalmente! Por eso no me preocupé demasiado. Las costumbres del ministro me daban, además, una gran ventaja. Con frecuencia pasa la noche fuera de su casa. Los sirvientes no son muchos y duermen alejados de los aposentos de su amo; como casi todos son napolitanos, es muy fácil inducirlos a beber copiosamente. Bien saben ustedes que poseo llaves con las cuales puedo abrir cualquier habitación de París. Durante estos tres meses no ha pasado una noche sin que me dedicara personalmente a registrar la casa de D... Mi honor está en juego y, para confiarles un gran secreto, la recompensa prometida es enorme. Por eso no abandoné la búsqueda hasta no tener seguridad completa de que el ladrón es más astuto que yo. Estoy seguro de haber mirado en cada rincón posible de la casa donde la carta podría haber sido escondida.

–¿No sería posible –pregunté– que si bien la carta se halla en posesión del ministro, como parece incuestionable, este la haya escondido en otra parte que en su casa?

–Es muy poco probable –dijo Dupin–. El especial giro de los asuntos actuales en la corte, y especialmente de las intrigas en las cuales se halla envuelto D..., exigen que el documento esté a mano y que pueda ser exhibido en cualquier momento; esto último es tan importante como el hecho mismo de su posesión.

–¿Que el documento pueda ser exhibido? –pregunté.

–Si lo prefiere, que pueda ser *destruido* –dijo Dupin.

–Pues bien –convine–, el papel tiene entonces que estar en la casa. Supongo que podemos descartar toda idea de que el ministro lo lleve consigo.

–Por supuesto –dijo el prefecto–. He mandado detenerlo dos veces por falsos salteadores de caminos y he visto personalmente cómo le registraban.

–Pudo usted ahorrarse esa molestia –dijo Dupin–. Supongo que D... no es completamente loco y que ha debido prever esos falsos asaltos como una consecuencia lógica.

–No es *completamente* loco –dijo G...–, pero es un poeta, lo que en mi opinión viene a ser más o menos lo mismo.

–Cierto –dijo Dupin, después de aspirar una profunda bocanada de su pipa de espuma de mar–, aunque, por mi parte, me confieso culpable de algunas malas rimas.

–¿Por qué no nos da detalles de su requisición? –pregunté.

–Pues bien; como disponíamos del tiempo necesario, buscamos *en todas partes*. Tengo una larga experiencia en estos casos. Revisé íntegramente la mansión, cuarto por cuarto, dedicando las noches de toda una semana a cada aposento. Primero examiné el moblaje. Abrimos todos los cajones; supongo que no ignoran ustedes que, para un agente de policía bien adiestrado, no hay cajón *secreto* que pueda escapársele. En una búsqueda de esta especie, el hombre que deja sin ver un cajón secreto es un imbécil. ¡Son tan *evidentes!* En cada mueble hay una cierta masa, un cierto espacio que debe ser explicado. Para eso tenemos reglas muy precisas. No se nos escaparía ni la quincuagésima parte de una línea.

»Terminada la inspección de armarios pasamos a las sillas. Atravesamos los almohadones con esas largas y finas agujas que me han visto ustedes emplear. Levantamos las tablas de las mesas.

–¿Porqué?

–Con frecuencia, la persona que desea esconder algo levanta la tapa de una mesa o de un mueble similar, hace un orificio en cada una de las patas, esconde el objeto en cuestión y vuelve a poner la tabla en su sitio. Lo mismo suele hacerse en las cabeceras y postes de las camas.

–Pero, ¿no puede localizarse la cavidad por el sonido? –pregunté.

–De ninguna manera si, luego de haberse depositado el objeto, se lo rodea con una capa de algodón. Además, en este caso estábamos forzados a proceder sin hacer ruido.

–Pero es imposible que hayan ustedes revisado y desarmado todos los muebles donde pudo ser escondida la carta en la forma que menciona. Una carta puede ser reducida a un delgadísimo rollo, casi igual en volumen al de una aguja larga de tejer, y en esa forma se la puede insertar, por ejemplo, en el travesaño de una silla. ¿Supongo que no desarmaron todas las sillas?

–Por supuesto que no, pero hicimos algo mejor: examinamos los travesaños de todas las sillas de la casa y las junturas de todos los muebles con ayuda de un poderoso microscopio. Si hubiera habido la menor señal de un reciente cambio, no habríamos dejado de advertirlo instantáneamente. Un simple grano de polvo producido por un barreno nos hubiera saltado a los ojos como si fuera una manzana. La menor diferencia en la encoladura, la más mínima apertura en los ensamblajes, hubiera bastado para orientarnos.

–Supongo que miraron en los espejos, entre los marcos y el cristal, y que examinaron las camas y la ropa de la cama, así como los cortinados y alfombras.

–Naturalmente, y luego que hubimos revisado todo el moblaje en la misma forma minuciosa, pasamos a la casa misma. Dividimos su superficie en compartimentos que numeramos, a fin de que no se nos escapara ninguno; luego escrutamos cada pulgada cuadrada, incluyendo las dos casas adyacentes, siempre ayudados por el microscopio.

–¿Las dos casas adyacentes? –exclamé–. ¡Habrán tenido toda clase de dificultades!

–Sí. Pero la recompensa ofrecida es enorme.

–¿Incluían ustedes el terreno contiguo a las casas?

–Dicho terreno está pavimentado con ladrillos. No nos dio demasiado trabajo comparativamente, pues examinamos el musgo entre los ladrillos y lo encontramos intacto.

–¿Miraron entre los papeles de D..., naturalmente, y en los libros de la biblioteca?

–Claro está. Abrimos todos los paquetes, y no sólo examinamos cada libro, sino que lo hojeamos cuidadosamente, sin conformarnos con una mera sacudida, como suelen hacerlo nuestros oficiales de policía. Medimos asimismo el espesor de cada encuadernación, escrutándola luego de la manera más detallada con el microscopio. Si se hubiera insertado un papel en una de esas encuadernaciones, resultaría imposible que pasara inadvertido. Cinco o seis volúmenes que salían de manos del encuadernador fueron probados longitudinalmente con las agujas.

–¿Exploraron los pisos debajo de las alfombras?

–Sin duda. Levantamos todas las alfombras y examinamos las planchas con el microscopio.

–¿Y el papel de las paredes?

–Lo mismo.

–¿Miraron en los sótanos?

–Miramos.

–Pues entonces –declaré– se ha equivocado usted en sus cálculos y la carta *no está* en la casa del ministro.

–Me temo que tenga razón –dijo el prefecto–. Pues bien, Dupin, ¿qué me aconseja usted?

–Revisar de nuevo completamente la casa.

–¡Pero es inútil! –replicó G...–. Tan seguro estoy de que respiro como de que la carta no está en la casa.

–No tengo mejor consejo que darle –dijo Dupin–. Supongo que posee usted una descripción precisa de la carta.

–¡Oh, sí!

Luego de extraer una libreta, el prefecto procedió a leernos una minuciosa descripción del aspecto interior de la carta, y especialmente del exterior. Poco después de terminar su lectura se despidió de nosotros, desanimado como jamás lo había visto antes.

Un mes más tarde nos hizo otra visita y nos encontró ocupados casi en la misma forma que la primera vez. Tomó posesión de una pipa y un sillón y se puso a charlar de cosas triviales. Al cabo de un rato le dije:

–Veamos, G..., ¿qué pasó con la carta robada? Supongo que, por lo menos, se habrá convencido de que no es cosa fácil sobrepujar en astucia al ministro.

–¡El diablo se lo lleve! Volví a revisar su casa, como me lo había aconsejado Dupin, pero fue tiempo perdido. Ya lo sabía yo de antemano.

–¿A cuánto dijo usted que ascendía la recompensa ofrecida? –preguntó Dupin.

–Pues... a mucho dinero... muchísimo. No quiero decir exactamente cuánto, pero eso sí, afirmo que estaría dispuesto a firmar un cheque por cincuenta mil francos a cualquiera que me consiguiese esa carta. El asunto va adquiriendo día a día más importancia, y la recompensa ha sido recientemente doblada. Pero, aunque ofrecieran tres voces esa suma, no podría hacer más de lo que he hecho.

–Pues... la verdad... –dijo Dupin, arrastrando las palabras entre bocanadas de humo–, me parece a mí, G..., que usted no ha hecho... todo lo que podía hacerse. ¿No cree que... aún podría hacer algo más, eh?

–¿Cómo? ¿En qué sentido?

–Pues... puf... podría usted... puf, puf... pedir consejo en este asunto... puf, puf, puf... ¿Se acuerda de la historia que cuentan de Abernethy?

–No. ¡Al diablo con Abernethy!

–De acuerdo. ¡Al diablo, pero bienvenido! Érase una vez cierto avaro que tuvo la idea de obtener gratis el consejo médico de Abernethy. Aprovechó una reunión y una conversación corrientes para explicar un caso personal como si se tratara del de otra persona. «Supongamos que los síntomas del enfermo son tales y cuales –dijo–.

Ahora bien, doctor: ¿qué le aconsejaría usted hacer?» «Lo que yo le aconsejaría –repuso Abernethy– es que consultara a un médico.»

–¡Vamos! –exclamó el prefecto, bastante desconcertado–. Estoy plenamente dispuesto a pedir consejo y a pagar por él. De verdad, daría cincuenta mil francos a quienquiera me ayudara en este asunto.

–En ese caso –replicó Dupin, abriendo un cajón y sacando una libreta de cheques–, bien puede usted llenarme un cheque por la suma mencionada. Cuando lo haya firmado le entregaré la carta.

Me quedé estupefacto. En cuanto al prefecto, parecía fulminado. Durante algunos minutos fue incapaz de hablar y de moverse, mientras contemplaba a mi amigo con ojos que parecían salírsele de las órbitas y con la boca abierta. Recobrándose un tanto, tomó una pluma y, después de varias pausas y abstraídas contemplaciones, llenó y firmó un cheque por cincuenta mil francos, extendiéndolo por encima de la mesa a Dupin. Este lo examinó cuidadosamente y lo guardó en su cartera; luego, abriendo un escritorio, sacó una carta y la entregó al prefecto. Nuestro funcionario la tomó en una convulsión de alegría, la abrió con manos trémulas, lanzó una ojeada a su contenido y luego, lanzándose vacilante hacia la puerta, desapareció bruscamente del cuarto y de la casa, sin haber pronunciado una sílaba desde el momento en que Dupin le pidió que llenara el cheque.

Una vez que se hubo marchado, mi amigo consintió en darme algunas explicaciones.

–La policía parisiense es sumamente hábil a su manera –dijo–. Es perseverante, ingeniosa, astuta y muy versada en los conocimientos que sus deberes exigen. Así, cuando G... nos explicó su manera de registrar la mansión de D..., tuve plena confianza en que había cumplido una investigación satisfactoria, hasta donde podía alcanzar.

–¿Hasta donde podía alcanzar? –repetí.

–Sí –dijo Dupin–. Las medidas adoptadas no solamente eran las mejores en su género, sino que habían sido llevadas a la más absoluta perfección. Si la carta hubiera estado dentro del ámbito de su búsqueda, no cabe la menor duda de que los policías la hubieran encontrado.

Me eché a reír, pero Dupin parecía hablar muy en serio.

–Las medidas –continuó– eran excelentes en su género, y fueron bien ejecutadas; su defecto residía en que eran inaplicables al caso y al hombre en cuestión. Una cierta cantidad de recursos altamente ingeniosos constituyen para el prefecto una especie de lecho de Procusto, en el cual quiere meter a la fuerza sus designios. Continuamente se equivoca por ser demasiado profundo o demasiado superficial para el caso, y más de un colegial razonaría mejor que él. Conocí a uno que tenía ocho años y cuyos triunfos en el juego de «par e impar» atraían la admiración general. El juego es muy sencillo y se juega con bolitas. Uno de los contendientes oculta en la mano cierta cantidad de bolitas y pregunta al otro: «¿Par o impar?» Si este adivina correctamente, gana una bolita; si se equivoca, pierde una. El niño de quien hablo ganaba todas las bolitas de la escuela. Naturalmente, tenía un método de adivinación que consistía en la simple observación y en el cálculo de la astucia de sus adversarios. Supongamos que uno de estos sea un perfecto tonto y que, levantando la mano cerrada, le pregunta: «¿Par o impar?». Nuestro colegial responde: «Impar», y pierde, pero a la segunda vez gana, por cuanto se ha dicho a sí mismo: «El tonto tenía pares la primera vez, y su astucia no va más allá de preparar impares para la segunda vez. Por lo tanto, diré impar.» Lo dice, y gana. Ahora bien, si le toca jugar con un tonto ligeramente superior al anterior, razonará en la siguiente forma: «Este muchacho sabe que la primera vez elegí impar, y en la segunda se le ocurrirá como primer impulso pasar de par a impar, pero entonces un nuevo impulso le sugerirá que la variación es demasiado sencilla, y finalmente se decidirá a poner bolitas pares como la primera vez. Por lo tanto, diré pares.» Así lo hace, y gana. Ahora bien, esta manera de razonar del colegial, a quien sus camaradas llaman «afortunado», ¿en qué consiste si se la analiza con cuidado?

–Consiste –repuse– en la identificación del intelecto del razonador con el de su oponente.

–Exactamente –dijo Dupin–. Cuando pregunté al muchacho de qué manera lograba esa *total* identificación en la cual residían sus triunfos, me contestó: «Si quiero averiguar si alguien es inteligente, o estúpido, o bueno, o malo, y saber cuáles son sus pensamientos en ese momento, adapto lo más posible la expresión de mi cara a la de la suya, y luego espero hasta ver qué pensamientos o sentimientos surgen en mi mente o en mi corazón, coincidentes con la expresión de mi cara.» Esta respuesta del colegial está en la base de toda la falsa profundidad atribuida a La Rochefoucauld, La Bruyère, Maquiavelo y Campanella.

–Si comprendo bien –dije– la identificación del intelecto del razonador con el de su oponente depende de la precisión con que se mida la inteligencia de este último.

–Depende de ello para sus resultados prácticos –replicó Dupin–, y el prefecto y sus cohortes fracasan con tanta frecuencia, primero por no lograr dicha identificación y segundo por medir mal –o, mejor dicho, por no medir– el intelecto con el cual se miden. Sólo tienen en cuenta sus *propias* ideas ingeniosas y, al buscar alguna cosa oculta, se fijan solamente en los métodos que *ellos* hubieran empleado para ocultarla. Tienen mucha razón en la medida en que su propio ingenio es fiel representante del de *la masa;* pero, cuando la astucia del malhechor posee un carácter distinto de la suya, aquel los derrota, como es natural. Esto ocurre siempre cuando se trata de una astucia superior a la suya y, muy frecuentemente, cuando está por debajo. Los policías no admiten variación de principio en sus investigaciones; a lo sumo, si se ven apurados por algún caso insólito, o movidos por una recompensa extraordinaria, extienden o exageran sus viejas modalidades rutinarias, pero sin tocar los principios. Por ejemplo, en este asunto de D..., ¿qué se ha hecho para modificar el principio de acción? ¿Qué son esas perforaciones, esos escrutinios con el microscopio, esa división de la superficie del edificio en pulgadas cuadradas numeradas? ¿Qué representan sino *la aplicación exagerada* del principio o la serie de principios que rigen una búsqueda, y que se basan a su vez en una serie de nociones sobre el ingenio humano, a las cuales se ha acostumbrado el prefecto en la prolongada rutina de su tarea? ¿No ha advertido que G... da por sentado que *todo* hombre esconde una carta, si no exactamente en un agujero practicado en la pata de una silla, por lo menos en algún agujero o rincón sugerido por la misma línea de pensamiento que inspira la idea de esconderla en un agujero hecho en la pata de una silla? Observe asimismo que esos escondrijos rebuscados sólo se utilizan en ocasiones ordinarias, y sólo serán elegidos por inteligencias igualmente ordinarias; vale decir que en todos los casos de ocultamiento cabe presumir, en primer término, que se lo ha efectuado dentro de esas líneas; por lo tanto, su descubrimiento no depende en absoluto de la perspicacia, sino del cuidado, la paciencia y la obstinación de los buscadores; y si el caso es de importancia (o la recompensa magnífica, lo cual equivale a la misma cosa a los ojos de los policías), las cualidades aludidas no fracasan *jamás.* Comprenderá usted ahora lo que quiero decir cuando sostengo que si la carta robada hubiese estado escondida en cualquier parte dentro de los límites de la perquisición del prefecto (en otras palabras, si el principio rector de su ocultamiento hubiera estado comprendido dentro de los principios del prefecto) hubiera sido descubierta sin la más mínima duda. Pero nuestro funcionario ha sido mistificado por completo, y la remota fuente de su derrota yace en su suposición de que el ministro es un loco porque ha logrado renombre como poeta. Todos los locos son poetas en el pensamiento del prefecto, de donde cabe considerarlo culpable de un *non distributio medii* por inferir de lo anterior que todos los poetas son locos.

–¿Pero se trata realmente del poeta? –pregunté–. Sé que D... tiene un hermano, y que ambos han logrado reputación en el campo de las letras. Creo que el ministro ha escrito una obra notable sobre el cálculo diferencial. Es un matemático y no un poeta.

–Se equivoca usted. Lo conozco bien, y sé que es ambas cosas. Como poeta y matemático es capaz de razonar bien, en tanto que como mero matemático hubiera sido capaz de hacerlo y habría quedado a merced del prefecto.

–Me sorprenden esas opiniones –dije–, que el consenso universal contradice. Supongo que no pretende usted aniquilar nociones que tienen siglos de existencia sancionada. La razón matemática fue considerada siempre como la razón por excelencia.

–Il y a à parier –replicó Dupin, citando a Chamfort– *que toute idée publique, toute convention reçue est une sottise, car elle a convenu au plus grand nombre.* Le aseguro que los matemáticos han sido los primeros en difundir el error popular al cual alude usted, y que no por difundido deja de ser un error. Con arte digno de mejor causa han introducido, por ejemplo, el término «análisis» en las operaciones algebraicas. Los franceses son los causantes de este engaño, pero si un término tiene alguna importancia, si las palabras derivan su valor de su aplicación, entonces concedo que «análisis» abarca «álgebra», tanto como en latín *ambitus* implica «ambición»; *religio,* «religión», u *homines honesti,* la clase de las gentes honorables.

–Me temo que se malquiste usted con algunos de los algebristas de París. Pero continúe.

–Niego la validez y, por tanto, los resultados de una razón cultivada por cualquier procedimiento especial que no sea el lógico abstracto. Niego, en particular, la razón extraída del estudio matemático. Las matemáticas constituyen la ciencia de la forma y la cantidad; el razonamiento matemático es simplemente la lógica aplicada a la observación de la forma y la cantidad. El gran error está en suponer que incluso las verdades de lo que se denomina álgebra *pura* constituyen verdades abstractas o generales. Y este error es tan enorme que me asombra se lo haya aceptado universalmente. Los axiomas matemáticos *no son* axiomas de validez general. Lo que es cierto de la *relación* (de la forma y la cantidad) resulta con frecuencia erróneo aplicado, por ejemplo, a la moral. En esta última ciencia suele no ser cierto que el todo sea igual a la suma de las partes. También en química este axioma no se cumple. En la consideración de los móviles falla igualmente, pues dos móviles de un valor dado no alcanzan necesariamente al sumarse un valor equivalente a la suma de sus valores. Hay muchas otras verdades matemáticas que sólo son tales dentro de los límites de la *relación*. Pero el matemático, llevado por el hábito, arguye, basándose en sus *verdades finitas*, como si tuvieran una aplicación general, cosa que por lo demás la gente acepta y cree. En su erudita *Mitología*, Bryant alude a una análoga fuente de error cuando señala que, «aunque no se cree en las fábulas paganas, solemos olvidarnos de ello y extraemos consecuencias como si fueran realidades existentes». Pero, para los algebristas, que son realmente paganos, las «fábulas paganas» constituyen materia de credulidad, y las inferencias que de ellas extraen no nacen de un descuido de la memoria sino de un inexplicable reblandecimiento mental. Para resumir: jamás he encontrado a un matemático en quien se pudiera confiar fuera de sus raíces y sus ecuaciones, o que no tuviera por artículo de fe que $x^2 + px$ es absoluta e incondicionalmente igual a q. Por vía de experimento, diga a uno de esos caballeros que, en su opinión, podrían darse casos en que $x^2 + px$ no fuera absolutamente igual a q; pero, una vez que le haya hecho comprender lo que quiere decir, sálgase de su camino lo antes posible, porque es seguro que tratará de golpearlo.

»Lo que busco indicar –agregó Dupin, mientras yo reía de sus últimas observaciones– es que, si el ministro hubiera sido sólo un matemático, el prefecto no se habría visto en la necesidad de extenderme este cheque. Pero sé que es tanto matemático como poeta, y mis medidas se han adaptado a sus capacidades, teniendo en cuenta las circunstancias que lo rodeaban. Sabía que es un cortesano y un audaz *intrigant*. Pensé que un hombre semejante no dejaría de estar al tanto de los métodos policiales ordinarios. Imposible que no anticipara (y los hechos lo han probado así) los falsos asaltos a que fue sometido. Reflexioné que igualmente habría previsto las pesquisiciones secretas en su casa. Sus frecuentes ausencias nocturnas, que el prefecto consideraba una excelente ayuda para su triunfo, me parecieron simplemente *astucias* destinadas a brindar oportunidades a la perquisición y convencer lo antes posible a la policía de que la carta no se hallaba en la casa, como G... terminó finalmente por creer. Me pareció asimismo que toda la serie de pensamientos que con algún trabajo acabo de exponerle y que se refieren al principio invariable de la acción policial en sus búsquedas de objetos ocultos, no podía dejar de ocurrírsele al ministro. Ello debía conducirlo inflexiblemente a desdeñar todos los escondrijos vulgares. Reflexioné que *ese hombre* no podía ser tan simple como para no comprender que el rincón más remoto e inaccesible de su morada estaría tan abierto como el más vulgar de los armarios a los ojos, las sondas, los barrenos y los microscopios del prefecto. Vi, por último, que D... terminaría necesariamente en la *simplicidad,* si es que no la adoptaba por una cuestión de gusto personal. Quizá recuerde usted con qué ganas rió el prefecto cuando, en nuestra primera entrevista, sugerí que acaso el misterio lo perturbaba por su absoluta *evidencia.*

–Me acuerdo muy bien –respondí–. Por un momento pensé que iban a darle convulsiones.

–El mundo material –continuó Dupin– abunda en estrictas analogías con el inmaterial, y ello tiñe de verdad el dogma retórico según el cual la metáfora o el símil sirven tanto para reforzar un argumento como para embellecer una descripción. El principio de la *vis inertiæ,* por ejemplo, parece idéntico en la física y en la metafísica. Si en la primera es cierto que resulta más difícil poner en movimiento un cuerpo grande que uno pequeño, y que el impulso o cantidad de movimiento subsecuente se hallará en relación con la dificultad, no menos cierto es en metafísica que los intelectos de máxima capacidad, aunque más vigorosos, constantes y eficaces en sus avances que los de grado inferior, son más lentos en iniciar dicho avance y se muestran más embarazados y vacilantes en los primeros pasos. Otra cosa: ¿Ha observado usted alguna vez, entre las muestras de las tiendas, cuáles atraen la atención en mayor grado?

–Jamás se me ocurrió pensarlo –dije.

–Hay un juego de adivinación –continuó Dupin– que se juega con un mapa. Uno de los participantes pide al otro que encuentre una palabra dada: el nombre de una ciudad, un río, un Estado o un imperio; en suma, cualquier palabra que figure en la abigarrada y complicada superficie del mapa. Por lo regular, un novato en el juego busca confundir a su oponente proponiéndole los nombres escritos con los caracteres más pequeños, mientras que el buen jugador escogerá aquellos que se extienden con grandes letras de una parte a otra del mapa. Estos últimos, al igual que las muestras y carteles excesivamente grandes, escapan a la atención a fuerza de ser evidentes, y en esto la desatención ocular resulta análoga al descuido que lleva al intelecto a no tomar en cuenta consideraciones excesivas y palpablemente evidentes. De todos modos, es este un asunto que se halla por encima o por debajo del entendimiento del prefecto. Jamás se le ocurrió como probable o posible que el ministro hubiera dejado la carta delante de las narices del mundo entero, a fin de impedir mejor que una parte de ese mundo pudiera verla.

»Cuanto más pensaba en el audaz, decidido y característico ingenio de D..., en que el documento debía hallarse siempre *a mano* si pretendía servirse de él para sus fines, y en la absoluta seguridad proporcionada por el prefecto de que el documento no se hallaba oculto dentro de los límites de las búsquedas ordinarias de dicho funcionario, más seguro me sentía de que, para esconder la carta, el ministro había acudido al más amplio y sagaz de los expedientes: el no ocultarla.

»Compenetrado de estas ideas, me puse un par de anteojos verdes, y una hermosa mañana acudí como por casualidad a la mansión ministerial. Hallé a D... en casa, bostezando, paseándose sin hacer nada y pretendiendo hallarse en el colmo del *ennui*. Probablemente se trataba del más activo y enérgico de los seres vivientes, pero eso tan sólo cuando nadie lo ve.

»Para no ser menos, me quejé del mal estado de mi vista y de la necesidad de usar anteojos, bajo cuya protección pude observar cautelosa pero detalladamente el aposento, mientras en apariencia seguía con toda atención las palabras de mi huésped.

»Dediqué especial cuidado a una gran mesa-escritorio junto a la cual se sentaba D..., y en la que aparecían mezcladas algunas cartas y papeles, juntamente con un par de instrumentos musicales y unos pocos libros. Pero, después de un prolongado y atento escrutinio, no vi nada que procurara mis sospechas.

»Dando la vuelta al aposento, mis ojos cayeron por fin sobre un insignificante tarjetero de cartón recortado que colgaba, sujeto por una sucia cinta azul, de una pequeña perilla de bronce en mitad de la repisa de la chimenea. En este tarjetero, que estaba dividido en tres o cuatro compartimentos, vi cinco o seis tarjetas de visitantes y una sola carta. Esta última parecía muy arrugada y manchada. Estaba rota casi por la mitad, como si a una primera intención de destruirla por inútil hubiera sucedido otra. Ostentaba un gran sello negro, con el monograma de D... *muy* visible, y el sobrescrito, dirigido al mismo ministro revelaba una letra menuda y femenina. La carta había sido arrojada con descuido, casi se diría que desdeñosamente, en uno de los compartimentos superiores del tarjetero.

»Tan pronto hube visto dicha carta, me di cuenta de que era la que buscaba. Por cierto que su apariencia difería completamente de la minuciosa descripción que nos había leído el prefecto. En este caso el sello era grande y negro, con el monograma de D...; en el otro, era pequeño y rojo, con las armas ducales de la familia S... El sobrescrito de la presente carta mostraba una letra menuda y femenina, mientras que el otro, dirigido a cierta persona real, había sido trazado con caracteres firmes y decididos. Sólo el tamaño mostraba analogía. Pero, en cambio, lo *radical* de unas diferencias que resultaban excesivas; la suciedad, el papel arrugado y roto en parte, tan inconciliables con los *verdaderos* hábitos metódicos de D..., y tan sugestivos de la intención de engañar sobre el verdadero valor del documento, todo ello, digo sumado a la ubicación de la carta, insolentemente colocada bajo los ojos de cualquier visitante, y coincidente, por tanto, con las conclusiones a las que ya había arribado, corroboraron decididamente las sospechas de alguien que había ido allá con intenciones de sospechar.

»Prolongué lo más posible mi visita y, mientras discutía animadamente con el ministro acerca de un tema que jamás ha dejado de interesarle y apasionarlo, mantuve mi atención clavada en la carta. Confiaba así a mi memoria los detalles de su apariencia exterior y de su colocación en el tarjetero; pero terminé además por descubrir algo que disipó las últimas dudas que podía haber abrigado. Al mirar atentamente los bordes del papel, noté que estaban más *ajados* de lo necesario. Presentaban el aspecto típico de todo papel grueso que ha sido doblado y aplastado con una plegadera, y que luego es vuelto en sentido contrario, usando los mismos pliegues formados la primera vez. Este descubrimiento me bastó. Era evidente que la carta había sido dada vuelta como un guante, a fin de ponerle un nuevo sobrescrito y un nuevo sello. Me despedí del ministro y me marché en seguida, dejando sobre la mesa una tabaquera de oro.

»A la mañana siguiente volví en busca de la tabaquera, y reanudamos placenteramente la conversación del día anterior. Pero, mientras departíamos, oyose justo debajo de las ventanas un disparo como de pistola, seguido por una serie de gritos espantosos y las voces de una multitud aterrorizada. D... corrió a una ventana, la abrió de par en par y miró hacia afuera. Por mi parte, me acerqué al tarjetero, saqué la carta, guardándola en el bolsillo, y la reemplacé por un facsímil (por lo menos en el aspecto exterior) que había preparado cuidadosamente en casa, imitando el monograma de D... con ayuda de un sello de miga de pan.

»La causa del alboroto callejero había sido la extravagante conducta de un hombre armado de un fusil, quien acababa de disparar el arma contra un grupo de mujeres y niños. Comprobose, sin embargo, que el arma no estaba cargada, y los presentes dejaron en libertad al individuo considerándolo borracho o loco. Apenas se hubo alejado, D... se apartó de la ventana, donde me le había reunido inmediatamente después de apoderarme de la carta. Momentos después me despedí de él. Por cierto que el pretendido lunático había sido pagado por mí.»

–¿Pero qué intención tenía usted –pregunté– al reemplazar la carta por un facsímil? ¿No hubiera sido preferible apoderarse abiertamente de ella en su primera visita, y abandonar la casa?

–D... es un hombre resuelto a todo y lleno de coraje –repuso Dupin–. En su casa no faltan servidores devotos a su causa. Si me hubiera atrevido a lo que usted sugiere, jamás habría salido de allí con vida. El buen pueblo de París no hubiese oído hablar nunca más de mí. Pero, además, llevaba una segunda intención. Bien conoce usted mis preferencias políticas. En este asunto he actuado como partidario de la dama en cuestión. Durante dieciocho meses, el ministro la tuvo a su merced. Ahora es ella quien lo tiene a él, pues, ignorante de que la carta no se halla ya en su posesión, D... continuará presionando como si la tuviera. Esto lo llevará inevitablemente a la ruina política. Su caída, además, será tan precipitada como ridícula. Está muy bien hablar del *facilis descensus Averni;* pero, en materia de ascensiones, cabe decir lo que la Catalani decía del canto, o sea, que es mucho más fácil subir que bajar. En el presente caso no tengo simpatía –o, por lo menos, compasión– hacia el que baja. D... es el *monstrum horrendum,* el hombre de genio carente de principios. Confieso, sin embargo, que me gustaría conocer sus pensamientos cuando, al recibir el desafío de aquella a quien el prefecto llama «cierta persona», se vea forzado a abrir la carta que le dejé en el tarjetero.

–¿Cómo? ¿Escribió usted algo en ella?

–¡Vamos, no me pareció bien dejar el interior en blanco! Hubiera sido insultante. Cierta vez, en Viena, D... me jugó una mala pasada, y sin perder el buen humor le dije que no la olvidaría. De modo que, como no dudo de que sentirá cierta curiosidad por saber quién se ha mostrado más ingenioso que él, pensé que era una lástima no dejarle un indicio. Como conoce muy bien mi letra, me limité a copiar en mitad de la página estas palabras:

...Un dessein si funeste,
S'il n'est digne d'Atrée, est digne de Thyeste.

»Las hallará usted en el *Atrée* de Crébillon.

LA INCOMPARABLE AVENTURA DE UN TAL HANS PFAALL

Comentario de Miguel Ángel Muñoz

Este relato, de ambiente holandés y alma profundamente norteamericana, es apenas una página más breve que «El misterio de Marie Rogêt», el más largo de todos los que Poe escribió. Fue el cuarto relato de los que publicó en el *Southern Literary Messenger*, el periódico que, desde 1835 y durante un par de años, le dio a Poe una de sus escasas temporadas de trabajo estable.

Hans Pfaall, artesano de Róterdam, tiene como profesión la de remendón de fuelles: «Hasta estos últimos años, en que las gentes han perdido la cabeza con la política, ningún honesto ciudadano de Róterdam podía desear o merecer un oficio mejor que el mío». Una profesión, la de remendón de fuelles, que venían siguiendo los Pfaall desde tiempos inmemoriales con lucrativa constancia. Pero los tiempos ahora son revueltos y la crisis muerde a nuestro protagonista, quien, espoleado por las deudas y por los insistentes acreedores que las siguen, y con la mente enturbiada al modo quijotesco por el encuentro azaroso con un «breve tratado de astronomía especulativa», decide que el mejor medio de escapar de las deudas es poner varias atmósferas de por medio, y con la inestimable colaboración de tres de sus acreedores, a los que lía talentosamente, planea un viaje en globo que le llevará desde su Róterdam natal a la Luna.

Treinta años antes que Verne, Poe nos narra pormenorizadamente la delirante ascensión al reino de los cielos del artesano Pfaall. Acompañado por una camada de gatos y unas palomas con vértigo, durante su viaje interestelar Pfaall sufre varias veces la salida de las órbitas de sus ojos, que siempre, milagro, vuelven a su lugar. Poe narra analíticamente, y con gran esfuerzo por hacer verosímil lo que no puede serlo: el viaje desde las deudas al sueño selenita. Muchos de sus pasajes parecen textos copiados de algún manual científico de la época, y finalmente le pierde la falta de ironía que subyace en el relato y que sí tiene, en cambio, su falso y ambiguo final, estropeado quizás por la nota postrera en la que aparece el Poe crítico que tantos autores temían por entonces. También en ese epílogo destroza varios textos de argumento semejante que la época vio publicados y que han caído en el olvido.

Lo más atrayente de la incomparable aventura del tal Pfaall es contemplar cómo la capacidad fabuladora de Poe choca con el carácter cientifista que posee parte de su obra y que dio su más sugerente fruto en las analíticas aventuras del investigador Dupin y en «El escarabajo de oro». Junto a las escapadas turbias al fondo de la mente que significan sus mejores relatos, aquí inventó una posible salida «atmosférica», al aire libre, para una vida miserable, llena de deudas, como era la de Pfaall y la suya propia. Antes que el suicidio, Hans Pfaall decide lanzarse a la conquista de la Luna en globo. Para acometer tal aventura, Poe inventó a uno de los primeros «desaparecidos» de la literatura norteamericana. «Creo, además, que (su mujer) siempre me consideró como un holgazán, como un simple complemento, sólo capaz de fabricar castillos en el aire, y que no dejaba de alegrarla verse libre de mí». Por la misma época en que el precursor Hawthorne mandó a vivir a Wakefield a la casa de enfrente, desde donde espió su propia vida sin él, Poe hizo otro tanto con este tal Hans Pfaall, desaparecido en ciernes, inventor de quimeras, selenita de adopción y, antiguamente, artesano de la lucrativa profesión de remendón de fuelles.

LA INCOMPARABLE AVENTURA DE UN TAL HANS PFAALL

«Con el corazón lleno de furiosas fantasías
De las que soy el amo
Con una lanza ardiente y un caballo de aire,
Errando voy por el desierto».
La canción de Tomás el loco

Según los informes que llegan de Róterdam, esta ciudad parece hallarse en alto grado de excitación intelectual. Han ocurrido allí fenómenos tan inesperados, tan novedosos, tan diferentes de las opiniones ordinarias, que no cabe duda de que a esta altura toda Europa debe estar revolucionada, la física conmovida, y la razón y la astronomía dándose de puñadas.

Parece ser que el día... de... (ignoro la fecha exacta), una vasta multitud se había reunido, por razones que no se mencionan, en la gran plaza de la Bolsa de la muy ordenada ciudad de Róterdam. La temperatura era excesivamente tibia para la estación y apenas se movía una hoja; la multitud no perdía su buen humor por el hecho de recibir algún amistoso chaparrón de cuando en cuando, proveniente de las enormes nubes blancas profusamente suspendidas en la bóveda azul del firmamento. Hacia mediodía, sin embargo, se advirtió una notable agitación entre los presentes; restalló el parloteo de diez mil lenguas; un segundo más tarde, diez mil caras estaban vueltas hacia el cielo, diez mil pipas caían simultáneamente de la comisura de diez mil bocas, y un grito sólo comparable al rugido del Niágara resonaba larga, poderosa y furiosamente a través de la ciudad y los alrededores de Róterdam.

No tardó en descubrirse la razón de este alboroto. Por detrás de la enorme masa de una de las nubes perfectamente delineadas que ya hemos mencionado, viose surgir con toda claridad, en un espacio abierto de cielo azul, una sustancia extraña, heterogénea pero aparentemente sólida, de forma tan singular, de composición tan caprichosa, que escapaba por completo a la comprensión, aunque no a la admiración de la muchedumbre de robustos burgueses que desde abajo la contemplaban boquiabiertos. ¿Qué podía ser? En nombre de todos los diablos de Róterdam, ¿qué pronosticaba aquella aparición? Nadie lo sabía; nadie podía imaginarlo; nadie, ni siquiera el burgomaestre, Mynheer Superbus Von Underduk, tenía la menor clave para desenredar el misterio. Así, pues, ya que no cabía hacer nada más razonable, todos ellos volvieron a colocarse cuidadosamente la pipa a un lado de la boca y, mientras mantenían los ojos fijamente clavados en el fenómeno, fumaron, descansaron, se contonearon como ánades, gruñendo significativamente, y luego volvieron a contonearse, gruñeron, descansaron y, finalmente... fumaron otra vez.

Entretanto el objeto de tanta curiosidad y tanto humo descendía más y más hacia aquella excelente ciudad. Pocos minutos después se encontraba lo bastante próximo para que se lo distinguiera claramente. Parecía ser... ¡Sí, indudablemente *era* una especie de globo! Pero un globo como jamás se había visto antes en Róterdam. Pues, permítaseme preguntar, ¿se ha visto alguna vez un globo íntegramente fabricado con periódicos sucios? No en Holanda, por cierto; y, sin embargo, bajo las mismísimas narices del pueblo –o, mejor dicho, a cierta distancia *sobre* sus narices– veíase el globo en cuestión, como lo sé por los mejores testimonios, compuesto del aludido material que a nadie se le hubiera ocurrido jamás para semejante propósito. Aquello constituía un egregio insulto al buen sentido de los burgueses de Róterdam.

Con respecto a la forma del raro fenómeno, todavía era más reprensible, pues consistía nada menos que en un enorme gorro de cascabeles al revés. Y esta similitud se vio notablemente aumentada cuando, al observarlo más de cerca, la muchedumbre descubrió una gran borla o campanilla colgando de su punta y, en el borde superior o base del cono, un círculo de pequeños instrumentos que semejaban cascabeles y que tintineaban continuamente haciendo oír la tonada de *Betty Martin.* Pero aún había algo peor. Colgando de cintas azules en la extremidad de esta fantástica máquina, veíase, a modo de navecilla, un enorme sombrero de castor parduzco, de ala extraordinariamente ancha y de copa hemisférica, con cinta negra y hebilla de plata. No deja de ser notable que muchos ciudadanos de Róterdam juraran haber visto con anterioridad dicho sombrero, y que la entera muchedumbre pareciera contemplarlo familiarmente, mientras la señora Grettel Pfaall, al distinguirlo, profería una exclamación de jubilosa sorpresa, declarando que el sombrero era idéntico al de su honrado marido en persona.

Ahora bien, esta circunstancia merecía tenerse en cuenta, pues Pfaall, en unión de tres camaradas, había desaparecido de Róterdam cinco años atrás de manera tan súbita como inexplicable, y hasta la fecha de esta narración todas las tentativas por encontrarlos habían fracasado. Es verdad que se descubrieron algunos huesos que parecían humanos, mezclados con un montón de restos de raro aspecto, en un lugar muy retirado al este de la ciudad; y algunos llegaron al punto de imaginar que en aquel sitio había tenido lugar un horrible asesinato, del que Hans Pfaall y sus amigos habían sido seguramente las víctimas. Pero no nos alejemos de nuestro tema.

El globo (pues ya no cabía duda de que lo era) hallábase a unos cien pies del suelo, permitiendo a la muchedumbre contemplar con bastante detalle la persona de su ocupante. Por cierto que se trataba de un ser sumamente singular. No debía de tener más de dos pies de estatura, pero, aun siendo tan pequeño, no hubiera podido mantenerse en equilibrio en una navecilla tan precaria, de no ser por un aro que le llegaba a la altura del pecho y se hallaba sujeto al cordaje del globo. El cuerpo del hombrecillo era excesivamente ancho, dando a toda su persona un aire de redondez singularmente absurdo. Sus pies, claro está, resultaban invisibles. Las manos eran enormemente anchas. Tenía cabello gris, recogido atrás en una coleta. La nariz era prodigiosamente larga, ganchuda y rubicunda; los ojos, grandes, brillantes y agudos; aunque arrugados por la edad, el mentón y las mejillas eran generosos, gordezuelos y dobles, pero en ninguna parte de su cabeza se alcanzaba a descubrir la menor señal de orejas. Este extraño y diminuto caballero vestía un amplio capote de raso celeste y calzones muy ajustados haciendo juego, sujetos con hebillas de plata en las rodillas. Su chaqueta era de un tejido amarillo brillante; un gorro de tafetán blanco le caía garbosamente a un lado de la cabeza. Y, para completar su atavío, un pañuelo rojo sangre envolvía su garganta, volcándose sobre el pecho en un elegante lazo de extraordinarias dimensiones.

Habiendo bajado, como ya dije, a unos cien pies del suelo, el anciano y menudo caballero se vio acometido por un intenso temblor, y no pareció nada dispuesto a continuar su descenso a *terra firma*. Arrojando con gran dificultad una cantidad de arena contenida en una bolsa de tela que extrajo penosamente, logró mantener estacionario el globo. Procedió entonces, con gran agitación y prisa, a extraer de un bolsillo de su capote una respetable cartera de tafilete. La sopesó con desconfianza, mientras la miraba lleno de sorpresa, pues su peso parecía dejarlo estupefacto. Finalmente la abrió y, sacando de ella una enorme carta atada con una cinta roja, que ostentaba un sello de cera del mismo color, la dejó caer exactamente a los pies del burgomaestre, Mynheer Superbus Von Underduk.

Su Excelencia se inclinó para recogerla. Pero el aeronauta, siempre muy agitado y sin que nada más lo detuviera por lo visto en Róterdam, procedió a efectuar activamente los preparativos de partida, y, como para ello era necesario soltar parte del lastre a fin de ganar altura, dejó caer media docena de sacos de arena sin preocuparse de vaciar su contenido, y todos ellos cayeron infortunadamente sobre las espaldas del burgomaestre, arrojándolo al suelo no menos de media docena de veces, a la vista de todos los habitantes de Róterdam. No debe suponerse, empero, que el gran Underduk dejó pasar impunemente esta impertinencia del diminuto caballero. Se afirma, por el contrario, que en el curso de su media docena de caídas, emitió no menos de media docena de furiosas bocanadas de humo de la pipa, a la cual se mantuvo aferrado con todas sus fuerzas y a la cual está dispuesto a seguir aferrado (Dios mediante) hasta el día de su fallecimiento.

En el ínterin el globo remontó como una alondra y, alejándose sobre la ciudad, terminó por perderse serenamente detrás de una nube similar a aquella de la cual había emergido tan divinamente, borrándose para las miradas de los buenos ciudadanos de Róterdam. La atención se concentró, por lo tanto, en la carta, cuyo descenso y consecuencias habían resultado tan subversivas para la persona y la dignidad de su excelencia Von Underduk. Este funcionario no había descuidado en medio de sus movimientos giratorios la importante tarea de apoderarse de la carta, la cual, luego de atenta inspección, resultó haber caído en las manos más apropiadas, por cuanto hallábase dirigida al mismo burgomaestre y al profesor Rubadub, en sus calidades oficiales de presidente y vicepresidente del Colegio de Astronomía de Róterdam. Los susodichos dignatarios no tardaron en abrirla y hallaron que contenía la siguiente extraordinaria e importantísima comunicación:

«*A sus Excelencias Von Underduk y Rubadub, Presidente y Vicepresidente del Colegio de Astrónomos del Estado, en la ciudad de Róterdam.*

»Vuestras Excelencias han de acordarse quizá de un humilde artesano llamado Hans Pfaall, de profesión remendón de fuelles, quien, junto con otras tres personas, desapareció de Róterdam hace aproximadamente cinco años, de una manera que debió considerarse entonces como inexplicable. Empero, si place a vuestras Excelencias, yo, autor de esta comunicación, soy el aludido Hans Pfaall en persona. Mis conciudadanos saben bien que durante cuarenta años residí en la pequeña casa de ladrillos emplazada al comienzo de la callejuela denominada *Sauerkraut,* donde vivía en la época de mi desaparición. Mis antepasados residieron igualmente en ella durante tiempos inmemoriales, siguiendo como yo la respetable y por cierto lucrativa profesión de remendón de fuelles; pues, a decir verdad, hasta estos últimos años, en que las gentes han perdido la cabeza con la política, ningún honesto ciudadano de Róterdam podía desear o merecer un oficio mejor que el mío. El crédito era amplio, jamás faltaba trabajo y no había carencia ni de dinero ni de buena voluntad. Pero, como estaba diciendo, no tardamos en sentir los efectos de la libertad, los grandes discursos, el radicalismo y demás cosas por el estilo. Personas que habían sido los mejores clientes del mundo ya no tenían un momento libre para pensar en nosotros. Todo su tiempo se les iba en lecturas acerca de las revoluciones, para mantenerse al día en las cuestiones intelectuales y el espíritu de la época. Si había que avivar un fuego, bastaba un periódico viejo para apantallarlo, y, a medida que el gobierno se iba debilitando, no dudo de que el cuero y el hierro adquirían durabilidad proporcional, pues en poco tiempo no hubo en todo Róterdam un par de fuelles que necesitaran una costura o los servicios de un martillo.

»Imposible soportar semejante estado de cosas. No tardé en verme pobre como una rata; como tenía mujer e hijos que alimentar, mis cargas se hicieron intolerables, y pasaba hora tras hora reflexionando sobre el método más conveniente para quitarme la vida. Los acreedores, entretanto, me dejaban poco tiempo de ocio. Mi casa estaba literalmente asediada de la mañana a la noche. Tres de ellos, en particular, me fastidiaban insoportablemente, montando guardia ante mi puerta y amenazándome con la justicia. Juré que de los tres me vengaría de la manera más terrible, si alguna vez tenía la suerte de que cayeran en mis manos; y creo que tan sólo el placer que me daba pensar en mi venganza me impidió llevar a la práctica mi plan de suicidio y hacerme saltar la tapa de los sesos con un trabuco. Me pareció que lo mejor era disimular mi cólera y engañar a los tres acreedores con promesas y bellas palabras, hasta que un vuelco del destino me diera oportunidad de cumplir mi venganza.

»Un día, después de escaparme sin ser visto por ellos, y sintiéndome más abatido que de costumbre, pasé largo tiempo errando por sombrías callejuelas, sin objeto alguno, hasta que la casualidad me hizo tropezar con el puesto de un librero. Viendo una silla destinada a uso de los clientes, me dejé caer en ella y, sin saber por qué, abrí el primer volumen que se hallaba al alcance de mi mano. Resultó ser un folleto que contenía un breve tratado de astronomía especulativa, escrito por el profesor Encke, de Berlín, o por un francés de nombre parecido. Tenía yo algunas nociones superficiales sobre el tema y me fui absorbiendo más y más en el contenido del libro, leyéndolo dos veces seguidas antes de darme cuenta de lo que sucedía en torno de mí. Como empezaba a oscurecer, encaminé mis pasos a casa. Pero el tratado (unido a un descubrimiento de neumática que un primo mío de Nantes me había comunicado recientemente con gran secreto) había producido en mí una impresión indeleble y, a medida que recorría las oscuras calles, daban vueltas en mi memoria los extraños y a veces incomprensibles razonamientos del autor.

»Algunos pasajes habían impresionado extraordinariamente mi imaginación. Cuanto más meditaba, más intenso se hacía el interés que habían despertado en mí. Lo limitado de mi educación en general, y más especialmente de los temas vinculados con la filosofía natural, lejos de hacerme desconfiar de mi capacidad para comprender lo que había leído, o inducirme a poner en duda las vagas nociones que había extraído de mi lectura, sirvió tan sólo de nuevo estímulo a la imaginación, y fui lo bastante vano, o quizá lo bastante razonable para preguntarme si aquellas torpes ideas, propias de una mente mal regulada, no poseerían en realidad la fuerza, la realidad y todas las propiedades inherentes al instinto o a la intuición.

»Era ya tarde cuando llegué a casa, y me acosté en seguida. Mi mente, sin embargo, estaba demasiado excitada para poder dormir, y pasé toda la noche sumido en meditaciones. Levantándome muy temprano al otro día, volví al puesto del librero y gasté el poco dinero que tenía en la compra de algunos volúmenes sobre mecánica y astronomía práctica. Una vez que hube regresado felizmente a casa con ellos, consagré todos mis momentos libres a su estudio y pronto hice progresos tales en dichas ciencias, que me parecieron suficientes para llevar a la práctica cierto designio que el diablo o mi genio protector me habían inspirado.

»A lo largo de este período me esforcé todo lo posible con conciliarme la benevolencia de los tres acreedores que tantos disgustos me habían dado. Lo conseguí finalmente, en parte con la venta de mis muebles, que sirvió para cubrir la mitad de mi deuda, y, en parte, con la promesa de pagar el saldo apenas se realizara un proyecto que, según les dije, tenía en vista, y para el cual solicitaba su ayuda. Como se trataba de hombres ignorantes, no me costó mucho conseguir que se unieran a mis propósitos.

»Así dispuesto todo, logré, con ayuda de mi mujer y actuando con el mayor secreto y precaución, vender todos los bienes que me quedaban, y pedir prestadas pequeñas sumas, con diversos pretextos y sin preocuparme (lo confieso avergonzado) por la forma en que las devolvería; pude reunir así una cantidad bastante considerable de dinero en efectivo. Comencé entonces a comprar, de tiempo en tiempo, piezas de una excelente batista, de doce yardas cada una, hilo de bramante, barniz de caucho, un canasto de mimbre grande y profundo, hecho a medida, y varios otros artículos requeridos para la construcción y aparejamiento de un globo de extraordinarias dimensiones. Di instrucciones a mi mujer para que lo confeccionara lo antes posible, explicándole la forma en que debía proceder. Entretanto tejí el bramante hasta formar una red de dimensiones suficientes, le agregué un aro y el cordaje necesario, y adquirí numerosos instrumentos y materiales para hacer experimentos en las regiones más altas de la atmósfera. Me las arreglé luego para llevar de noche, a un lugar distante al este de Róterdam, cinco cascos forrados de hierro, con capacidad para unos cincuenta galones cada uno, y otro aún más grande, seis tubos de estaño de tres pulgadas de diámetro y diez pies de largo, de forma especial; una cantidad de *cierta sustancia metálica, o semimetálica,* que no nombraré, y una docena de damajuanas de *un ácido sumamente común.* El gas producido por estas sustancias no ha sido logrado por nadie más que yo, o, por lo menos, no ha sido nunca aplicado a propósitos similares. Sólo puedo decir aquí que es *uno de los constituyentes del ázoe,* tanto tiempo considerado como irreductible, y que tiene una densidad 37,4 veces *menor que la del hidrógeno.* Es insípido, pero no inodoro; en estado puro arde con una llama verdosa, y su efecto es instantáneamente letal para la vida animal. No tendría inconvenientes en revelar este secreto si no fuera que pertenece (como ya he insinuado) a un habitante de Nantes, en Francia, que me lo comunicó reservadamente. La misma persona, por completo ajena a mis intenciones, me dio a conocer un método para fabricar globos mediante la membrana de cierto animal, que no deja pasar la menor partícula del gas encerrado en ella. Descubrí, sin embargo, que dicho tejido resultaría sumamente caro, y llegué a creer que la batista, con una capa de barniz de caucho, serviría tan bien como aquel. Menciono esta circunstancia porque me parece probable que la persona en cuestión intente un vuelo en un globo equipado con el nuevo gas y el aludido material, y no quiero privarlo del honor de su muy singular invención.

»Me ocupé secretamente de cavar agujeros en las partes donde pensaba colocar cada uno de los cascos más pequeños durante la inflación del globo; los agujeros constituían un círculo de veinticinco pies de diámetro. En el centro, lugar destinado al casco más grande, cavé asimismo otro pozo. En cada uno de los agujeros menores deposité un bote que contenía cincuenta libras de pólvora de cañón, y en el más grande un barril de ciento cincuenta libras. Conecté debidamente los botes y el barril con ayuda de contactos, y, luego de colocar en uno de los botes el extremo de una mecha de unos cuatro pies de largo, rellené el agujero y puse el casco encima, cuidando que el otro extremo de la mecha sobresaliera apenas una pulgada del suelo y resultara casi invisible detrás del casco. Rellené luego los restantes agujeros y sobre cada uno coloqué los barriles correspondientes.

»Fuera de los artículos enumerados, llevé secretamente al depósito uno de los aparatos perfeccionados de Grimm, para la condensación del aire atmosférico. Descubrí, sin embargo, que esta máquina requería diversas transformaciones antes de que se adaptara a las finalidades a que pensaba destinarla. Pero, con mucho trabajo e inflexible perseverancia, logré finalmente completar felizmente todos mis preparativos. Muy pronto el globo estuvo terminado. Contendría más de cuarenta mil pies cúbicos de gas y podría remontarse fácilmente con todos mis implementos, y, si maniobraba hábilmente, con ciento setenta y cinco libras de lastre. Le había aplicado tres capas de barniz, encontrando que la batista tenía todas las cualidades de la seda, siendo tan resistente como esta y mucho menos cara.

»Una vez todo listo, logré que mi mujer jurara guardar el secreto de todas mis acciones desde el día en que había visitado por primera vez el puesto de libros. Prometiéndole volver tan pronto como las circunstancias lo permitieran, le di el poco dinero que me había quedado y me despedí de ella. No me preocupaba su suerte, pues era lo que la gente califica de mujer fuera de lo común, capaz de arreglárselas en el mundo sin mi ayuda. Creo, además, que siempre me consideró como un holgazán, como un simple complemento, sólo capaz de fabricar castillos en el aire, y que no dejaba de alegrarla verse libre de mí. Era noche oscura cuando le dije adiós, y, llevando conmigo, como *aides de camp,* a los tres acreedores que tanto me habían hecho sufrir, transportamos el globo, con la barquilla y los aparejos, al depósito de que he hablado, eligiendo para ello un camino retirado. Encontramos todo perfectamente dispuesto y, de inmediato, me puse a trabajar.

»Era el primero de abril. La noche, como he dicho, estaba oscura; no se veía una sola estrella y una llovizna que caía a intervalos nos molestaba muchísimo. Pero lo que más ansiedad me inspiraba era el globo, el cual, a pesar de su espesa capa de barniz, comenzaba a pesar demasiado a causa de la humedad; podía ocurrir asimismo que la pólvora se estropeara. Estimulé, pues, a mis tres acreedores para que trabajaran diligentemente, ocupándolos en amontonar hielo en torno al casco central y en remover el ácido contenido en los otros. No cesaban de importunarme con preguntas sobre lo que pensaba hacer con todos aquellos aparatos y se mostraban sumamente disgustados por el extenuante trabajo a que los sometía. No alcanzaban a darse cuenta, según afirmaban, de las ventajas resultantes de calarse hasta los huesos nada más que para tomar parte en aquellos horribles conjuros. Empecé a intranquilizarme y seguí trabajando con todas mis fuerzas, porque creo verdaderamente que aquellos imbéciles estaban convencidos de que había pactado con el diablo, y que lo que estaba haciendo no tenía nada de bueno. Y mucho temía por eso que me abandonaran. Pude convencerlos, sin embargo, mediante promesas de pago completo, tan pronto hubiera dado término al asunto que tenía entre manos. Como es natural, interpretaron a su modo mis palabras, imaginándose, sin duda, que de todas maneras yo terminaría por obtener una gran cantidad de dinero en efectivo, y con tal de que les pagara lo que les debía, más una pequeña cantidad suplementaria por los servicios prestados, estoy seguro de que poco se preocupaban de cuanto ocurriera luego a mi alma o a mi cuerpo.

»Después de cuatro horas y media consideré que el globo estaba suficientemente inflado. Até entonces la barquilla, instalando en ella todos mis instrumentos: un telescopio, un barómetro con importantes modificaciones, un termómetro, un electrómetro, una brújula, un compás, un cronómetro, una campana, una bocina, etcétera; como también un globo de cristal, cuidadosamente obturado, y el aparato condensador; algo de cal viva, una barra de cera para sellos, una gran cantidad de agua y muchas provisiones, tales como *pemmican*, que posee mucho valor nutritivo en poco volumen. Metí asimismo en la barquilla una pareja de palomas y un gato.

»Se acercaba el amanecer y consideré que había llegado el momento de partir. Dejando caer un cigarro encendido como por casualidad, aproveché el momento de agacharme a recogerlo para encender secretamente el trozo de mecha que, como ya he dicho, sobresalía ligeramente del borde inferior de uno de los cascos menores. La maniobra no fue advertida por ninguno de los tres acreedores; entonces, saltando a la barquilla, corté la única soga que me ataba a la tierra y tuve el gusto de ver que el globo remontaba vuelo con extraordinaria rapidez, arrastrando sin el menor esfuerzo ciento setenta y cinco libras de lastre, del cual habría podido llevar mucho más. En el momento de abandonar la tierra el barómetro marcaba treinta pulgadas y el termómetro centígrado acusaba diecinueve grados.

»Apenas había alcanzado una altura de cincuenta yardas cuando, rugiendo y serpenteando tras de mí de la manera más horrorosa, se alzó un huracán de fuego, cascajo, maderas ardiendo, metal incandescente y miembros humanos destrozados que me llenó de espanto y me hizo caer en el fondo de la barquilla, temblando de terror. Me daba cuenta de que había exagerado la carga de la mina y que todavía me faltaba sufrir las consecuencias mayores de su voladura. En efecto, menos de un segundo después sentí que toda la sangre del cuerpo se me acumulaba en las sienes, y en ese momento una conmoción que jamás olvidaré reventó en la noche y pareció rajar de lado a lado el firmamento. Cuando más tarde tuve tiempo para reflexionar no dejé de atribuir la extremada violencia de la explosión, por lo que a mí respecta, a su verdadera causa, o sea, a hallarme situado inmediatamente encima de donde se había producido, en la línea de su máxima fuerza. Pero en aquel momento sólo pensé en salvar la vida. El globo empezó por caer, luego se dilató furiosamente y se puso a girar como un torbellino con vertiginosa rapidez, y finalmente, balanceándose y sacudiéndose como un borracho, me lanzó por encima del borde de la barquilla y me dejó colgando, a una espantosa altura, cabeza abajo y con el rostro mirando hacia afuera, suspendido de una fina cuerda que accidentalmente colgaba de un agujero cerca del fondo de la barquilla de mimbre, y en el cual, al caer, mi pie izquierdo quedó enganchado de la manera más providencial.

»Sería imposible, completamente imposible, formarse una idea adecuada del horror de mi situación. Traté de respirar, jadeando, mientras un estremecimiento comparable al de un acceso de calentura recorría mi cuerpo. Sentí que los ojos se me salían de las órbitas, una náusea horrorosa me envolvió, y acabé por perder completamente el sentido.

»No podría decir cuánto tiempo permanecí en este estado. Debió de ser mucho, sin embargo, pues cuando recobré parcialmente el sentimiento de la existencia advertí que estaba amaneciendo y que el globo volaba a prodigiosa altura sobre un océano absolutamente desierto, sin la menor señal de tierra en cualquiera de los límites del vasto horizonte. Empero, mis sensaciones al volver del desmayo no eran tan angustiosas como cabía suponer. Había mucho de locura en el tranquilo examen que me puse a hacer de mi situación. Levanté las manos a la altura de los ojos, preguntándome asombrado cuál podía ser la causa de que tuviera tan hinchadas las venas y tan horriblemente negras las uñas. Examiné luego cuidadosamente mi cabeza, sacudiéndola repetidas veces, hasta que me convencí de que no la tenía del tamaño del globo como había sospechado por un momento. Tanteé después los bolsillos de mis calzones y, al notar que me faltaban unas tabletas y un palillero, traté de explicarme su desaparición, y al no conseguirlo me sentí inexpresablemente preocupado. Me pareció notar entonces una gran molestia en el tobillo izquierdo y una vaga conciencia de mi situación comenzó a dibujarse en mi mente. Pero, por extraño que parezca, no me asombré ni me horroricé. Si alguna emoción sentí fue una traviesa satisfacción ante la astucia que iba a desplegar para librarme de aquella posición en que me hallaba, y en ningún momento puse en duda que lo lograría sin inconvenientes.

»Pasé varios minutos sumido en profunda meditación. Me acuerdo muy bien de que apretaba los labios, apoyaba un dedo en la nariz y hacía todas las gesticulaciones propias de los hombres que, cómodamente instalados en sus sillones, reflexionan sobre cuestiones importantes e intrincadas. Luego de haber concentrado suficientemente mis ideas, procedí con gran cuidado y atención a ponerme las manos a la espalda y a soltar la gran hebilla de hierro del cinturón de mis pantalones. Dicha hebilla tenía tres dientes que, por hallarse herrumbrados, giraban dificultosamente en su eje. Después de bastante trabajo conseguí colocarlos en ángulo recto con el plano de la hebilla y noté satisfecho que permanecían firmes en esa posición. Teniendo entre los dientes dicho instrumento, me puse a desatar el nudo de mi corbata. Debí descansar varias veces antes de conseguirlo, pero finalmente lo logré. Até entonces la hebilla a una de las puntas de la corbata y me sujeté el otro extremo a la cintura para más seguridad. Enderezándome luego con un prodigioso despliegue de energía muscular, logré en la primera tentativa lanzar la hebilla de manera que cayese en la barquilla; tal como lo había anticipado, se enganchó en el borde circular de la cesta de mimbre.

»Mi cuerpo se encontraba ahora inclinado hacia el lado de la barquilla en un ángulo de unos cuarenta y cinco grados, pero no debe entenderse por esto que me hallara sólo a cuarenta y cinco grados por debajo de la vertical. Lejos de ello, seguía casi paralelo al plano del horizonte, pues mi cambio de posición había determinado que la barquilla se desplazara a su vez hacia afuera, creándome una situación extremadamente peligrosa. Debe tenerse en cuenta, sin embargo, que si al caer hubiera quedado con la cara vuelta hacia el globo y no hacia afuera como estaba, o bien si la cuerda de la cual me hallaba suspendido hubiese colgado del borde superior de la barquilla y no de un agujero cerca del fondo, en cualquiera de los dos casos me hubiera sido imposible llevar a cabo lo que acababa de hacer, y las revelaciones que siguen se hubieran perdido para la posteridad.

Razones no me faltaban, pues, para sentirme agradecido, aunque, a decir verdad, estaba aún demasiado aturdido para sentir gran cosa, y seguí colgado durante un cuarto de hora, por lo menos, de aquella extraordinaria manera, sin hacer ningún nuevo esfuerzo y en un tranquilo estado de estúpido goce. Pero esto no tardó en cesar y se vio reemplazado por el horror, la angustia y la sensación de total abandono y desastre. Lo que ocurría era que la sangre acumulada en los vasos de mi cabeza y garganta, que hasta entonces me había exaltado delirantemente, empezaba a retirarse a sus canales naturales, y que la lucidez que ahora se agregaba a mi conciencia del peligro sólo servía para privarme de la entereza y el coraje necesarios para enfrentarlo. Por suerte, esta debilidad no duró mucho. El espíritu de la desesperación acudió a tiempo para rescatarme, y mientras gritaba y luchaba como un desesperado me enderecé convulsivamente hasta alcanzar con una mano el tan ansiado borde y, aferrándome a él con todas mis fuerzas, conseguí pasar mi cuerpo por encima y caer de cabeza y temblando en la barquilla.

»Pasó algún tiempo antes de que me recobrara lo suficiente para ocuparme del manejo del globo. Después de examinarlo atentamente, descubrí con gran alivio que no había sufrido el menor daño. Los instrumentos estaban a salvo y no se había perdido ni el lastre ni las provisiones. Por lo demás, los había asegurado tan bien en sus respectivos lugares, que hubiese sido imposible que se estropearan. Miré mi reloj y vi que eran las seis de la mañana. Ascendíamos rápidamente y el barómetro indicaba una altitud de tres millas y tres cuartos. En el océano, inmediatamente por debajo de mí, aparecía un pequeño objeto negro de forma ligeramente oblonga, que tendría el tamaño de una pieza de dominó, y que en todo sentido se le parecía mucho. Asesté hacia él mi telescopio y no tardé en ver claramente que se trataba de un navío de guerra británico de noventa y cuatro cañones que orzaba con rumbo al oeste-sudoeste, cabeceando duramente. Fuera de este barco sólo se veía el océano, el cielo y el sol que acababa de levantarse.

»Ya es tiempo de que explique a Vuestras Excelencias el objeto de mi viaje. Vuestras Excelencias recordarán que ciertas penosas circunstancias en Róterdam me habían arrastrado finalmente a la decisión de suicidarme. La vida no me disgustaba por sí misma sino a causa de las insoportables angustias derivadas de mi situación. En esta disposición de ánimo, deseoso de vivir y a la vez cansado de la vida, el tratado adquirido en la librería, junto con el oportuno descubrimiento de mi primo de Nantes, abrieron una ventana a mi imaginación. Finalmente me decidí. Resolví partir, pero seguir viviendo;

abandonar este mundo, pero continuar existiendo... En suma, para dejar de lado los enigmas: resolví, pasara lo que pasara, abrirme camino *hasta la luna.* Y para que no se me suponga más loco de lo que realmente soy, procederé a detallar lo mejor posible las consideraciones que me indujeron a creer que un designio semejante, aunque lleno de dificultades y de peligros, no estaba más allá de lo posible para un espíritu osado.

»El primer problema a tener en cuenta era la distancia de la tierra a la luna. El intervalo medio entre los *centros* de ambos planetas equivale a 59,9643 veces el radio ecuatorial de la tierra; vale decir unas 237 000 millas. Digo el intervalo medio, pero debe tenerse en cuenta que como la órbita de la luna está constituida por una elipse cuya excentricidad no baja de 0,05484 del semieje mayor de la elipse, y el centro de la tierra se halla situado en su foco, si me era posible de alguna manera llegar a la luna en su perigeo, la distancia mencionada más arriba se vería disminuida. Dejando por ahora de lado esa posibilidad, de todas maneras había que deducir de las 237 000 millas el radio de la tierra, o sea, 4000, y el de la luna, 1080, con lo cual, en circunstancias ordinarias, quedarían por franquear 231 920 millas.

»Me dije que esta distancia no era tan extraordinaria. Viajando por tierra, se la ha recorrido varias veces a un promedio de setenta millas por hora, y cabe prever que se alcanzarán velocidades muy superiores. Pero incluso así no me llevaría más de ciento sesenta y un días alcanzar la superficie de la luna. Varios detalles, empero, me inducían a creer que mi promedio de velocidad sobrepasaría probablemente en mucho el de sesenta millas horarias, y, como dichas consideraciones me impresionaron profundamente, no dejaré de mencionarlas en detalle más adelante.

»El siguiente punto a considerar era mucho más importante. Conforme a las indicaciones del barómetro, se observa que a una altura de 1000 pies sobre el nivel del mar hemos dejado abajo una trigésima parte de la masa atmosférica total; que a los 10 600 pies hemos subido a un tercio de la misma; que a los 18 000 pies, que es aproximadamente la elevación del Cotopaxi, sobrepasamos la mitad de la masa material –o, por lo menos, *ponderable*– del aire que corresponde a nuestro globo. Se calcula asimismo que a una altitud que no exceda la centésima parte del diámetro terrestre –vale decir, que no exceda de ochenta millas–, el enrarecimiento del aire sería tan excesivo que la vida animal no podría resistirlo, y, además, que los instrumentos más sensibles de que disponemos para asegurarnos de la presencia de la atmósfera resultarían inadecuados a esa altura.

»No dejé de reparar, sin embargo, en que estos últimos cálculos se fundan por entero en nuestro conocimiento experimental de las propiedades del aire y de las leyes mecánicas que regulan su dilatación y su compresión en lo que cabe llamar, hablando comparativamente, la *vecindad inmediata* de la tierra; y que al mismo tiempo se da por sentado que la vida animal es esencialmente *incapaz de modificación* a cualquier distancia inalcanzable desde la superficie. Ahora bien, partiendo de tales datos, todos estos razonamientos tienen que ser simplemente analógicos. La mayor altura jamás alcanzada por el hombre es de 25 000 pies en la expedición aeronáutica de Gay-Lussac y Biot. Se trata de una altura moderada, aun si se la compara con las ochenta millas en cuestión, y no pude dejar de pensar que la cosa se prestaba a la duda y a las más amplias especulaciones.

»De hecho, al ascender a cualquier altitud dada, la cantidad de aire ponderable sobrepasada *al seguir ascendiendo* no se halla en proporción con la altura adicional alcanzada (como puede deducirse claramente de lo ya dicho), sino en una proporción decreciente constante. Resulta claro, pues, que por más alto que ascendamos no podemos, literalmente hablando, llegar a un límite más allá del cual *no haya* atmósfera. Mi opinión era que *debía* existir, aunque pudiera ser que se hallara en un estado de infinita rarefacción.

»Por otra parte, sabía que no faltaban argumentos para probar la existencia de un límite real y definido de la atmósfera más allá del cual no habría absolutamente nada de aire. Pero una circunstancia descuidada por los sostenedores de dicha teoría me pareció, si no capaz de refutarla por entero, digna, al menos, de ser considerada seriamente. Al comparar los intervalos entre las sucesivas llegadas del cometa de Encke a su perihelio, y después de tener debidamente en cuenta todas las perturbaciones ocasionadas por la atracción de los planetas, parece ser que los períodos están disminuyendo gradualmente; vale decir que el eje mayor de la elipse trazado por el cometa se está acortando en un lento pero regular proceso de reducción. Ahora bien, esto debería suceder así si suponemos que el cometa experimenta una resistencia por parte de un *medio etéreo excesivamente rarefacto* que ocupa la zona de su órbita, ya que semejante medio, al retardar la velocidad del cometa, debe aumentar su fuerza centrípeta debilitando la centrífuga. En otras palabras, la atracción del sol estaría alcanzando cada vez más intensidad y el cometa iría aproximándose a él a cada revolución. No parece haber otra manera de explicar la variación aludida.

»Hay más: se observa que el diámetro real de la nebulosidad del cometa se contrae rápidamente al acercarse al sol y se dilata con igual rapidez al alejarse hacia su afelio. ¿No me hallaba justificado al suponer, con Valz, que esta aparente condensación de volumen se origina por la compresión del aludido medio etéreo, y que se va densificando proporcionalmente a su proximidad al sol? El fenómeno que afecta la forma lenticular y que se denomina luz zodiacal era también un asunto digno de atención. Esta radiación tan visible en los trópicos, y que no puede confundirse con ningún resplandor meteórico, se extiende oblicuamente desde el horizonte, siguiendo, por lo general, la dirección del ecuador solar. Tuve la impresión de que provenía de una atmósfera enrarecida que se dilataba a partir del sol, por lo menos hasta más allá de la órbita de Venus, y en mi opinión a muchísima mayor distancia[1]. No podía creer que este medio ambiente se limitara a la zona de la elipse del cometa o a la vecindad inmediata del sol. Fácil era, por el contrario, imaginarla ocupando la entera región de nuestro sistema planetario, condensada en lo que llamamos atmósfera en los planetas, y quizá modificada en algunos de ellos por razones puramente geológicas; vale decir, modificada o alterada en sus proporciones (o su naturaleza esencial) por materias volatilizadas emanantes de dichos planetas.

»Una vez adoptado este punto de vista, ya no vacilé. Descontando que hallaría a mi paso una atmósfera *esencialmente* análoga a la de la superficie de la tierra, pensé que con ayuda del muy ingenioso aparato de Grimm sería posible condensarla en cantidad suficiente para las necesidades de la respiración. Esto eliminaría el obstáculo principal de un viaje a la luna. Había gastado dinero y mucho trabajo en adaptar el instrumento al fin requerido, y tenía plena confianza en su aplicación si me era dado cumplir el viaje dentro de cualquier período razonable. Y esto me trae a la cuestión de la *velocidad* con que podría efectuarlo.

»Verdad es que los globos, en la primera etapa de sus ascensiones, se remontaban a velocidad relativamente moderada. Ahora bien, la fuerza de elevación reside por completo en el peso superior del aire atmosférico comparado con el del gas del globo; cuando el aeróstato adquiere mayor altura y, por consiguiente, arriba a capas atmosféricas cuya densidad disminuye rápidamente, no parece probable ni razonable que la velocidad original vaya acelerándose. Pero, por otra parte, no tenía noticias de que en ninguna ascensión conocida se hubiese advertido una *disminución* en la velocidad absoluta del ascenso; sin embargo, tal hubiera debido ser el caso, aunque más

1. La luz zodiacal es probablemente lo que los antiguos llamaban Trabes, *Emicant Trabes quos docos vocant,* Plinio, lib. 2, pág. 26.

no fuera por el escape del gas en globos de construcción defectuosa, aislados con una simple capa de barniz. Me pareció, pues, que las consecuencias de dicho escape de gas debían ser suficientes para contrabalancear el efecto de la aceleración lograda por la mayor distancia del globo al centro de gravedad. Consideré que, si hallaba a mi paso el medio ambiente que había imaginado, y si este resultaba esencialmente lo que denominamos aire atmosférico, no se produciría mayor diferencia en la fuerza ascendente por causa de su extremado enrarecimiento, ya que el gas de mi globo no sólo se hallaría sujeto al mismo enrarecimiento (con cuyo objeto le permitiría que escapara en cantidad suficiente para evitar una explosión), sino que, *siendo lo que era,* continuaría mostrándose específicamente más liviano que cualquier compuesto de nitrógeno y oxígeno. Había, pues, una posibilidad –y muy grande– *de que en* ningún *momento de mi ascenso alcanzara un punto donde los pesos unidos de mi inmenso globo, el gas inconcebiblemente ligero que lo llenaba, la barquilla y su contenido lograran igualar el peso de la masa atmosférica desplazada por el aeróstato;* y fácilmente se comprenderá que sólo el caso contrario hubiera podido detener mi ascensión. Mas aun en este caso era posible aligerar el globo de casi trescientas libras arrojando el lastre y otros pesos. Entretanto, la fuerza de gravedad seguiría disminuyendo continuamente en proporción al cuadrado de las distancias; y así, con una velocidad prodigiosamente acelerada, llegaría, por fin, a esas alejadas regiones donde la fuerza de atracción de la tierra sería superada por la de la luna.

»Había otra dificultad que me producía alguna inquietud. Se ha observado que en las ascensiones en globo a alturas considerables, aparte de la dificultad respiratoria, se producen fenómenos sumamente penosos en todo el organismo, acompañados frecuentemente de hemorragias de nariz y otros síntomas alarmantes, que se van agudizando a medida que aumenta la altura[2]. No dejaba de preocuparme este aspecto. ¿No podía ocurrir que dichos síntomas continuaran en aumento hasta provocar la muerte? Pero llegué a la conclusión de que no. Su origen debía buscarse en la progresiva disminución de la presión atmosférica *usual* sobre la superficie del cuerpo y la consiguiente dilatación de los vasos sanguíneos superficiales; no se trataba de una desorganización capital del sistema orgánico, como en el caso de la dificultad respiratoria, donde la densidad atmos-

2. Posteriormente a la publicación de *Hans Pfaall,* me entero de que Mr. Green, el célebre aeronauta del *Nassau, y* otros aeronautas posteriores, contradicen las afirmaciones de Humboldt a este respecto y hablan de la progresiva *disminución* de los trastornos, lo cual concuerda con la teoría que presentamos.

férica resulta *químicamente insuficiente* para la debida renovación de la sangre en un ventrículo del corazón. A menos que faltara esta renovación, no veía razón alguna para que la vida no pudiera mantenerse, incluso en el *vacío;* pues la expansión y compresión del pecho, llamadas vulgarmente respiración, son acciones puramente musculares, y causa, no efecto, de la respiración. En una palabra, supuse que así como el cuerpo llegaría a habituarse a la falta de presión atmosférica, del mismo modo las sensaciones dolorosas irían disminuyendo; para soportarlas mientras duraran confiaba en la férrea resistencia de mi constitución.

»Así, aunque no todas, he detallado algunas de las consideraciones que me indujeron a proyectar un viaje a la luna. Procederé ahora, si así place a vuestras Excelencias, a comunicaros los resultados de una tentativa cuya concepción parece tan audaz, y que en todo caso no tiene paralelo en los anales de la humanidad.

»Habiendo alcanzado la altitud antes mencionada –vale decir, tres millas y tres cuartos– arrojé por la barquilla una cantidad de plumas, descubriendo que aún ascendía con suficiente velocidad, por lo cual no era necesario privarme de lastre. Me alegré de esto, pues deseaba guardar conmigo todo el peso posible, por la sencilla razón de que no tenía ninguna seguridad sobre la fuerza de atracción o la densidad atmosférica de la luna. Hasta ese momento no sentía molestias físicas, respiraba con entera libertad y no me dolía la cabeza. El gato descansaba tranquilamente sobre mi chaqueta, que me había quitado, y contemplaba las palomas con un aire de *nonchalance.* En cuanto a estas, atadas por una pata para que no volaran, ocupábanse activamente de picotear los granos de arroz que les había echado en el fondo de la barquilla.

»A las seis y veinte el barómetro acusó una altitud de 26 400 pies, o sea, casi cinco millas. El panorama parecía ilimitado. En realidad, resultaba fácil calcular, con ayuda de la trigonometría esférica, el ámbito terrestre que mis ojos alcanzaban. La superficie convexa de un segmento de esfera es a la superficie total de la esfera lo que el senoverso del segmento al diámetro de la esfera. Ahora bien, en este caso, el senoverso –vale decir el *espesor* del segmento por debajo de mí– era aproximadamente igual a mi elevación, o a la elevación del punto de vista sobre la superficie. «De cinco a ocho millas» expresaría, pues, la proporción del área terrestre que se ofrecía a mis miradas. En otras palabras, estaba contemplando una decimosextava parte de la superficie total del globo. El mar aparecía sereno como un espejo, aunque el telescopio me permitió advertir que se hallaba sumamente encrespado. Ya no se veía el navío, que al parecer había derivado hacia el este. Empecé a sentir fuertes dolores de cabeza a intervalos, especialmente en la región de los oídos, aunque seguía respirando con bastante libertad. El gato y las palomas no parecían sentir molestias.

»A las siete menos veinte el globo entró en una región de densas nubes, que me ocasionaron serias dificultades, dañando mi aparato condensador y empapándome hasta los huesos; fue este, por cierto, un singular *rencontre,* pues jamás había creído posible que semejante nube estuviera a tal altura. Me pareció conveniente soltar dos pedazos de cinco libras de lastre, conservando un peso de ciento sesenta y cinco libras. Gracias a esto no tardé en sobrevolar la zona de las nubes, y al punto percibí que mi velocidad ascensional había aumentado considerablemente. Pocos segundos después de salir de la nube, un relámpago vivísimo la recorrió de extremo a extremo, incendiándola en toda su extensión como si se tratara de una masa de carbón ardiente. Esto ocurría, como se sabe, a plena luz del día. Imposible imaginar la sublimidad que hubiese asumido el mismo fenómeno en caso de producirse en las tinieblas de la noche. Sólo el infierno hubiera podido proporcionar una imagen adecuada. Tal como lo vi, el espectáculo hizo que el cabello se me erizara mientras miraba los abiertos abismos, dejando descender la imaginación para que vagara por las extrañas galerías abovedadas, los encendidos golfos y los rojos y espantosos precipicios de aquel terrible e insondable incendio. Me había salvado por muy poco. Si el globo hubiese permanecido un momento más dentro de la nube, es decir, si la humedad de la misma no me hubiera decidido a soltar lastre, probablemente no hubiera escapado a la destrucción. Esta clase de peligros, aunque poco se piensa en ellos, son quizá los mayores que deben afrontar los globos. Pero ahora me encontraba a una altitud demasiado grande como para que el riesgo volviera a presentarse.

»Subíamos rápidamente, y a las siete en punto el barómetro indicó nueve millas y media. Empecé a experimentar una gran dificultad respiratoria. La cabeza me dolía muchísimo y, al sentir algo húmedo en las mejillas, descubrí que era sangre que me salía en cantidad por los oídos. Mis ojos me preocuparon también mucho. Al pasarme la mano por ellos me pareció que me sobresalían de las órbitas; veía como distorsionados los objetos que contenía el globo, y a este mismo. Los síntomas excedían lo que había supuesto y me produjeron alguna alarma. En este momento, obrando con la mayor imprudencia e insensatez, arrojé tres piezas de cinco libras de lastre. La velocidad acelerada del ascenso me llevó demasiado rápidamente y sin la gradación necesaria a una capa altamente enrarecida de la atmósfera, y estuvo a punto de ser fatal para mi expedición y para mí mismo. Súbitamente me sentí presa de un espasmo que duro más de cinco minutos, y aun después de haber cedido en cierta medida, seguí respirando a largos intervalos, jadeando de la manera más penosa, mientras sangraba copiosamente por la nariz y los oídos, y hasta ligeramente por los ojos. Las palomas parecían sufrir mucho y luchaban por escapar, mientras el gato maullaba desesperadamente y, con la lengua afuera, movíase tambaleando de un lado a otro de la barquilla, como si estuviera envenenado. Demasiado tarde descubrí la imprudencia que había cometido al soltar el lastre. Supuse que moriría en pocos minutos. Los sufrimientos físicos que experimentaba contribuían además a incapacitarme casi por completo para hacer el menor esfuerzo en procura de salvación. Poca capacidad de reflexión me quedaba, y la violencia del dolor de cabeza parecía crecer por instantes. Me di cuenta de que los sentidos no tardarían en abandonarme, y ya había aferrado una de las sogas correspondientes a la válvula de escape, con la idea de intentar el descenso, cuando el recuerdo de la broma que les había jugado a mis tres acreedores, y sus posibles consecuencias para mí, me detuvieron por el momento. Me dejé caer en el fondo de la barquilla, luchando por recuperar mis facultades. Lo conseguí hasta el punto de pensar en la conveniencia de sangrarme. Como no tenía lanceta, me vi precisado a arreglármelas de la mejor manera posible, cosa que al final logré cortándome una vena del brazo izquierdo con mi cortaplumas.

»Apenas había empezado a correr la sangre cuando noté un sensible alivio. Luego de perder aproximadamente el contenido de media jofaina de dimensiones ordinarias, la mayoría de los síntomas más alarmantes desaparecieron por completo. De todos modos no me pareció prudente enderezarme en seguida, sino que, después de atarme el brazo lo mejor que pude, seguí descansando un cuarto de hora. Pasado este plazo me levanté, sintiéndome tan libre de dolores como lo había estado en la primera parte de la ascensión. No obstante seguía teniendo grandísimas dificultades para respirar, y comprendí que pronto habría llegado el momento de utilizar mi condensador. En el ínterin miré a la gata, que había vuelto a instalarse cómodamente sobre mi chaqueta, y descubrí con infinita sorpresa que había aprovechado la oportunidad de mi indisposición para dar a luz tres gatitos. Esto constituía un aumento completamente inesperado en el número de pasajeros del globo, pero no me desagradó que hubiera ocurrido; me proporcionaba la oportunidad de poner a prueba la verdad de una conjetura que, más que cualquier otra, me había impulsado a efectuar la ascensión. Había imaginado que la resistencia *habitual* a la presión atmosférica en la superficie de la tierra era la causa de los sufrimientos por los que pasa toda vida a cierta distancia de esa superficie. Si los gatitos mostraban síntomas equivalentes a los de la madre, debería considerar como fracasada mi teoría, pero si no era así, entendería el hecho como una vigorosa confirmación de aquella idea.

»A las ocho de la mañana había alcanzado una altitud de diecisiete millas sobre el nivel del mar. Así, pues, era evidente que mi velocidad ascensional no sólo iba en aumento, sino que dicho aumento hubiera sido verificable aunque no hubiese tirado el lastre como lo había hecho. Los dolores de cabeza y de oídos volvieron a intervalos y con mucha violencia, y por momentos seguí sangrando por la nariz; pero, en general, sufría mucho menos de lo que podía esperarse. Mi respiración, empero, se volvía más y más difícil, y cada inspiración determinaba un desagradable movimiento espasmódico del pecho. Desempaqué, pues, el aparato condensador y lo alisté para su uso inmediato.

»A esta altura de mi ascensión el panorama que ofrecía la tierra era magnífico. Hacia el oeste, el norte y el sur, hasta donde alcanzaban mis ojos, se extendía la superficie ilimitada de un océano en aparente calma, que por momentos iba adquiriendo una tonalidad más y más azul. A grandísima distancia hacia el este, aunque discernibles con toda claridad, veíanse las Islas Británicas, la costa atlántica de Francia y España, con una pequeña porción de la parte septentrional del continente africano. Era imposible advertir la menor señal de edificios aislados, y las más orgullosas ciudades de la humanidad se habían borrado completamente de la faz de la tierra.

»Lo que más me asombró del aspecto de las cosas de abajo fue la aparente concavidad de la superficie del globo. Bastante irreflexivamente había esperado contemplar su verdadera *convexidad* a medida que subiera, pero no tardé en explicarme aquella contradicción. Una línea tirada perpendicularmente desde mi posición a la tierra hubiera formado la perpendicular de un triángulo rectángulo, cuya base se hubiera extendido desde el ángulo recto hasta el horizonte, y la hipotenusa desde el horizonte hasta mi posición. Pero mi lectura era poco o nada en comparación con la perspectiva que abarcaba. En otras palabras, la base y la hipotenusa del supuesto triángulo hubieran sido en este caso tan largas, comparadas con la perpendicular, que las dos primeras hubieran podido considerarse casi paralelas. De esta manera el horizonte del aeronauta aparece siempre como si estuviera al *nivel de la barquilla*. Pero, como el punto situado inmediatamente debajo de él le parece estar –y está– a gran distancia, da también la impresión de hallarse a gran distancia por debajo del horizonte. De ahí la aparente concavidad, que habrá de mantenerse hasta que la elevación alcance una proporción tan grande con el panorama, que el aparente paralelismo de la base y la hipotenusa desaparezca.

»A esta altura las palomas parecían sufrir mucho. Me decidí, pues, a ponerlas en libertad. Desaté primero una, bonitamente moteada de gris, y la posé sobre el borde de la barquilla. Se mostró muy inquieta; miraba ansiosamente a todas partes, agitando las alas y arrullando suavemente, pero no pude persuadirla de que se soltara del borde. Por fin la agarré, arrojándola a unas seis yardas del globo. Pero, contra lo que esperaba, no mostró ningún deseo de descender, sino que luchó con todas sus fuerzas por volver, mientras lanzaba fuertes y penetrantes chillidos. Logró por fin alcanzar su posición anterior, mas apenas lo había hecho cuando apoyó la cabeza en el pecho y cayó muerta en la barquilla.

»La otra fue más afortunada, pues para impedir que siguiera el ejemplo de su compañera y regresara al globo, la tiré hacia abajo con todas mis fuerzas, y tuve el placer de verla continuar su descenso con gran rapidez, haciendo uso de sus alas de la manera más natural. Muy pronto se perdió de vista, y no dudo de que llegó sana y salva a casa. La gata, que parecía haberse recobrado muy bien de su trance, procedió a comerse con gran apetito la paloma muerta, y se durmió luego satisfechísima. Sus gatitos parecían sumamente vivaces y no mostraban la menor señal de malestar.

»A las ocho y cuarto, como me era ya imposible inspirar aire sin los más intolerables dolores, procedí a ajustar a la barquilla la instalación correspondiente al condensador. Dicho aparato requiere algunas explicaciones, y Vuestras Excelencias deberán tener presente que mi finalidad, en primer término, consistía en aislarme y aislar completamente la barquilla de la atmósfera altamente enrarecida en la cual me encontraba, a fin de introducir en el interior de mi compartimento, y por medio de mi condensador, una cantidad de la referida atmósfera suficientemente condensada para poder respirarla. Con esta finalidad en vista, había preparado una envoltura o saco muy fuerte, perfectamente impermeable y flexible. Toda la barquilla quedaba contenida dentro de este saco. Vale decir que, luego de tenderlo por debajo del fondo de la cesta de mimbre y hacerlo subir por los lados, lo extendí a lo largo de las cuerdas hasta el borde superior o aro al cual estaba atada la red del globo. Una vez levantado el saco, cerrando por completo todos los lados y el fondo, había que asegurar su abertura o boca, pasando la tela sobre el aro de la red o, en otras palabras, entre la red y el aro. Pero si la red quedaba separada del aro para permitir dicho paso, ¿cómo se sostendría entretanto la barquilla? Pues bien, la red no estaba atada de manera fija al aro, sino sujeta a este mediante una serie de presillas o lazos. Por tanto, sólo había que desatar unos cuantos de estos lazos por vez, dejando la barquilla suspendida de los restantes. Insertada así una porción de tela que constituía la parte superior del saco, volví a ajustar los lazos, ya no al aro, pues ello hubiera sido imposible desde el momento que ahora intervenía la tela, sino a una serie de grandes botones asegurados en la tela misma, a unos tres pies por debajo de la abertura del saco; los intervalos entre los botones correspondían a los intervalos entre los lazos. Hecho esto, aflojé otra cantidad de lazos del aro, introduje una nueva porción de la tela y los lazos sueltos fueron a su vez conectados con sus botones correspondientes. De esta manera pude insertar toda la parte superior del saco entre la red y el aro. Como es natural, este último cayó entonces dentro de la barquilla, mientras el peso de esta quedaba sostenido tan sólo por la fuerza de los botones.

»A primera vista este dispositivo podría parecer inadecuado, pero no era así, pues los botones eran fortísimos y estaban tan cerca uno del otro que sólo les tocaba soportar individualmente un pequeño peso. Aunque la barquilla y su contenido hubiesen sido tres veces más pesados, no me habría sentido intranquilo.

»Procedí luego a levantar otra vez el aro por dentro de la envoltura de goma elástica y lo inserté casi a su altura anterior por medio de tres soportes muy livianos preparados al efecto. Hice esto, como se comprenderá, a fin de mantener distendido el saco en su terminación, de modo que la parte inferior de la red conservara su posición normal. Sólo me faltaba ahora cerrar la abertura del saco, y lo hice rápidamente, juntando los pliegues de la tela y retorciéndolos apretadamente desde dentro por medio de una especie de *tourniquet* fijo.

»A los lados de este envoltorio ajustado a la barquilla había tres cristales espesos pero muy transparentes, por los cuales podía ver sin la menor dificultad en todas las direcciones horizontales. En la parte del saco que constituía el fondo había una cuarta ventanilla del mismo género, que correspondía a una pequeña abertura en el piso de la barquilla. Esto me permitía ver hacia abajo, pero, en cambio, no había podido ajustar un dispositivo similar en la parte superior, dada la forma en que se cerraba el saco y las arrugas que formaba, por lo cual no podía esperar ver los objetos situados en el cenit. De todas maneras la cosa no tenía importancia, pues aun en el caso de haber colocado una mirilla en lo alto, el globo mismo me hubiera impedido hacer uso de ella.

»A un pie por debajo de una de las mirillas laterales había un orificio circular, de tres pulgadas de diámetro, en el cual había fijado una rosca de bronce. A esta rosca se atornillaba el largo tubo del condensador, cuyo cuerpo principal se encontraba, naturalmente, dentro de la cámara de caucho. Por medio del vacío practicado en la máquina, dicho tubo absorbía una cierta cantidad de atmósfera circundante y la introducía en estado de condensación en la cámara de caucho, donde se mezclaba con el aire enrarecido ya existente. Una vez que la operación se había repetido varias veces, la cámara quedaba llena de aire respirable. Pero, como en un espacio tan reducido no podía tardar en viciarse a causa de su continuo contacto con los pulmones, se lo expulsaba con ayuda de una pequeña válvula situada en el fondo de la barquilla; el aire más denso se proyectaba de inmediato a la enrarecida atmósfera exterior. Para evitar el inconveniente de que se produjera un vacío total en la cámara, esta purificación no se cumplía de una vez, sino progresivamente; para ello la válvula se abría unos pocos segundos y volvía a cerrarse, hasta que uno o dos impulsos de la bomba del condensador reemplazaban el volumen de la atmósfera desalojada. Por vía de experimento instalé a la gata y sus gatitos en una pequeña cesta que suspendí fuera de la barquilla por medio de un sostén en el fondo de esta, al lado de la válvula de escape, que me servía para alimentarlos toda vez que fuera necesario. Esta instalación, que dejé terminada antes de cerrar la abertura de la cámara, me dio algún trabajo, pues debí emplear una de las perchas que he mencionado, a la cual até un gancho. Tan pronto un aire más denso ocupó la cámara, el aro y las pértigas dejaron de ser necesarias, pues la expansión de aquella atmósfera encerrada distendía fuertemente las paredes de caucho.

»Cuando hube terminado estos arreglos y llenado la cámara como acabo de explicar, eran las nueve menos diez. Todo el tiempo que pasé así ocupado sufría una terrible opresión respiratoria, y me arrepentí amargamente de la negligencia o, mejor, de la temeridad que me había hecho dejar para el último momento una cuestión tan importante. Mas apenas estuvo terminada, comencé a cosechar los beneficios de mi invención. Volví a respirar libre y fácilmente. Me alegró asimismo descubrir que los violentos dolores que me habían atormentado hasta ese momento se mitigaban casi completamente. Todo lo que me quedaba era una leve jaqueca, acompañada de una sensación de plenitud o hinchazón en las muñecas, los tobillos y la garganta. Parecía, pues, evidente que gran parte de las molestias derivadas de la falta de presión atmosférica habían desaparecido tal como lo esperara, y que muchos de los dolores padecidos en las últimas horas debían atribuirse a los efectos de una respiración deficiente.

»A las nueve menos veinte, es decir, muy poco antes de cerrar la abertura de la cámara, el mercurio llegó a su límite y dejó de funcionar el barómetro, que, como ya he dicho, era especialmente largo. Indicaba en ese momento una altitud de 132 000 pies, o sea veinticinco millas, vale decir que me era dado contemplar una superficie terrestre no menor de la trescientas veinteava parte de su área total. A las nueve perdí de vista las tierras al este, no sin antes advertir que el globo derivaba rápidamente hacia el nornoroeste. El océano por debajo de mí conservaba su aparente concavidad, aunque mi visión se veía estorbada con frecuencia por las masas de nubes que flotaban de un lado a otro.

»A las nueve y media hice el experimento de arrojar un puñado de plumas por la válvula. No flotaron como había esperado, sino que cayeron verticalmente como una bala y en masa, a extraordinaria velocidad, perdiéndose de vista en un segundo. Al principio no supe qué pensar de tan extraordinario fenómeno, pues no podía creer que mi velocidad ascensional hubiera alcanzado una aceleración repentina tan prodigiosa. Pero no tardó en ocurrírseme que la atmósfera se hallaba ahora demasiado rarificada para sostener una mera pluma, y que, por lo tanto, caían a toda velocidad; lo que me había sorprendido eran las velocidades unidas de su descenso y mi elevación.

»A las diez hallé que no tenía que ocuparme mayormente de nada. Todo marchaba bien y estaba convencido de que el globo subía con una rapidez creciente, aunque ya no tenía instrumentos para asegurarme de su progresión. No sentía dolores ni molestias de ninguna clase, y estaba de mejor humor que en ningún momento desde mi partida de Róterdam; me ocupé, pues, de observar los diversos instrumentos y de regenerar la atmósfera de la cámara. Decidí repetirlo cada cuarenta minutos, más para mantener mi buen estado físico que porque la renovación fuese absolutamente necesaria. Entretanto no pude impedirme anticipar el futuro. Mi fantasía corría a gusto por las fantásticas y quiméricas regiones lunares. Sintiéndose por una vez libre de cadenas, la imaginación erraba entre las cambiantes maravillas de una tierra sombría e inestable. Había de pronto vetustas y antiquísimas florestas, vertiginosos precipicios y cataratas que se precipitaban con estruendo en abismos sin fondo. Llegaba luego a las calmas soledades del mediodía, donde jamás soplaba una brisa, donde vastas praderas de amapolas y esbeltas flores semejantes a lirios se extendían a la distancia, silenciosas e inmóviles por siempre. Y luego recorría otra lejana región, donde había un lago oscuro y vago, limitado por nubes. Pero no sólo estas fantasías se posesionaban de mi mente. Horrores de naturaleza mucho más torva y espantosa hacían su aparición en mi pensamiento, estremeciendo lo más hondo de mi alma con la mera suposición de su posibilidad. Pero no permitía que esto durara demasiado tiempo, pensando sensatamente que los peligros reales y palpables de mi viaje eran suficientes para concentrar por entero mi atención.

»A las cinco de la tarde, mientras me ocupaba de regenerar la atmósfera de la cámara, aproveché la oportunidad para observar a la gata y sus gatitos a través de la válvula. Me pareció que la gata volvía a sufrir mucho, y no vacilé en atribuirlo a la dificultad que experimentaba para respirar; en cuanto a mi experimento con los gatitos, tuvo un resultado sumamente extraño. Como es natural, había esperado que mostraran algún malestar, aunque en grado menor que su madre, y ello hubiese bastado para confirmar mi opinión sobre la resistencia habitual a la presión atmosférica. No estaba preparado para descubrir, al examinarlos atentamente, que gozaban de una excelente salud y que respiraban con toda soltura y perfecta regularidad, sin dar la menor señal de sufrimiento. No me quedó otra explicación posible que ir aún más allá de mi teoría y suponer que la atmósfera altamente rarificada que los envolvía no era quizá (como había dado por sentado) químicamente suficiente para la vida animal, y que una persona nacida en ese medio podría acaso inhalarla sin el menor inconveniente, mientras que al descender a los estratos más densos, en las proximidades de la tierra, soportaría torturas de naturaleza similar a las que yo acababa de padecer. Nunca he dejado de lamentar que un torpe accidente me privara en ese momento de mi pequeña familia de gatos, impidiéndome adelantar en el conocimiento del problema en cuestión. Al pasar la mano por la válvula, con un tazón de agua para la gata, se me enganchó la manga de la camisa en el lazo que sostenía la pequeña cesta y lo desprendió instantáneamente del botón donde estaba tomado. Si la cesta se hubiera desvanecido en el aire, no habría dejado de verla con mayor rapidez. No creo que haya pasado más de un décimo de segundo entre el instante en que se soltó y su desaparición. Mis buenos deseos la siguieron hasta tierra, pero, naturalmente, no tenía la menor esperanza de que la gata o sus hijos vivieran para contar lo que les había ocurrido.

»A las seis, noté que una gran porción del sector visible de la tierra se hallaba envuelta en espesa oscuridad, que siguió avanzando con gran rapidez hasta que, a las siete menos cinco, toda la superficie a la vista quedó cubierta por las tinieblas de la noche. Pero pasó mucho tiempo hasta que los rayos del sol poniente dejaron de iluminar el globo, y esta circunstancia, aunque claramente prevista, no dejó de producirme gran placer. Era evidente que por la mañana contemplaría el astro rey muchas horas antes que los ciudadanos de Róterdam, a pesar de que se hallaban situados mucho más al este y que así, día tras día, en proporción a la altura alcanzada, gozaría más y más tiempo de la luz solar. Me decidí por entonces a llevar un diario de viaje, registrando la crónica diaria de veinticuatro horas continuas, es decir, sin tomar en consideración el intervalo de oscuridad.

»A las diez, sintiendo sueño, resolví acostarme por el resto de la noche; pero entonces se me presentó una dificultad que, por más obvia que parezca, había escapado a mi atención hasta el momento de que hablo. Si me ponía a dormir, como pensaba, ¿cómo regenerar entretanto la atmósfera de la cámara? Imposible respirar en ella por más de una hora, y, aunque este término pudiera extenderse a una hora y cuarto, se seguirían las más desastrosas consecuencias. La consideración de este dilema me preocupó seriamente, y apenas se me creerá si digo que, después de todos los peligros que había enfrentado, el asunto me pareció tan grave como para renunciar a toda esperanza de llevar a buen fin mi designio y decidirme a iniciar el descenso.

»Confieso que esta cuestión me resultó sumamente difícil. Conocía, por supuesto, la historia del estudiante que, para evitar quedarse dormido sobre el libro, tenía en la mano una bola de cobre, cuya caída en un recipiente del mismo metal colocado en el suelo provocaba un estrépito suficiente para despertarlo si se dejaba vencer por la modorra. Pero mi caso era muy distinto y no me permitía acudir a ningún expediente parecido; no se trataba de mantenerme despierto, sino de despertar a intervalos regulares. Al final di con un medio que, por simple que fuera, me pareció en aquel momento de tanta importancia como la invención del telescopio, la máquina de vapor o la imprenta.

»Necesario es señalar en primer término que, a la altura alcanzada, el globo continuaba su ascensión vertical de la manera más serena, y que la barquilla lo acompañaba con una estabilidad tan perfecta que hubiera resultado imposible registrar en ella la más leve oscilación. Esta circunstancia me favoreció grandemente para la ejecución de mi proyecto. La provisión de agua se hallaba contenida en cuñetes de cinco galones cada uno, atados firmemente en el interior de la barquilla. Solté uno de ellos y, tomando dos sogas, las até a través del borde de mimbre de la barquilla, paralelamente y a un pie de distancia entre sí, para que formaran una especie de soporte sobre el cual puse el cuñete y lo fijé en posición horizontal.

»A unas ocho pulgadas por debajo de las cuerdas, y a cuatro pies del fondo de la barquilla, instalé otro soporte, pero este de madera fina, utilizando el único trozo que llevaba a bordo. Coloqué sobre él, justamente debajo de uno de los extremos del cuñete, un pequeño pichel de barro. Practiqué luego un agujero en el extremo correspondiente del cuñete, al que adapté un tapón cónico de madera blanda. Empecé a ajustar y a aflojar el tapón hasta que, luego de algunas pruebas, conseguí el punto necesario para que el agua, rezumando del orificio y cayendo en el pichel de abajo, lo llenara hasta el borde en sesenta minutos. Esto último pude calcularlo fácilmente, observando hasta dónde se llenaba el recipiente en un período dado.

»Hecho esto, lo que queda por decir es obvio. Instalé mi cama en el piso de la barquilla, de modo tal que mi cabeza quedaba exactamente bajo la boca del pichel. Al cumplirse una hora, el pichel se llenaba por completo, y al empezar a volcarse lo hacía por la boca, situada ligeramente más abajo que el borde. Ni que decir que el agua, cayendo desde una altura de cuatro pies, me daba en la cara y me despertaba instantáneamente del más profundo sueño.

»Eran ya las once cuando completé mis preparativos y me acosté en seguida, lleno de confianza en la eficacia de mi invento. No me defraudó, por cierto. Puntualmente fui despertado cada sesenta minutos por mi fiel cronómetro, y en cada oportunidad no olvidé vaciar el pichel en la boca del cuñete, a la vez que me ocupaba del condensador. Estas interrupciones regulares en mi sueño me causaron menos molestias de las que había previsto, y cuando me levanté al día siguiente eran ya las siete y el sol se hallaba a varios grados sobre la línea del horizonte.

»3 de abril.– El globo había alcanzado una inmensa altitud y la convexidad de la tierra podía verse con toda claridad. Por debajo de mí, en el océano, había un grupo de pequeñas manchas negras, indudablemente islas. Por encima, el cielo era de un negro azabache y se veían brillar las estrellas; esto ocurría desde el primer día de vuelo. Muy lejos, hacia el norte, percibí una línea muy fina, blanca y sumamente brillante, en el borde mismo del horizonte, y no vacilé en suponer que se trataba del borde austral de los hielos del mar polar. Mi curiosidad se avivó, pues confiaba en avanzar más hacia el norte, y quizá en un momento dado quedara colocado justamente sobre el polo. Lamenté que mi grandísima elevación impidiera en este caso hacer observaciones detalladas; pero de todas maneras cabía cerciorarse de muchas cosas.

»Nada de extraordinario ocurrió durante el día. Los instrumentos funcionaron perfectamente y el globo continuó su ascenso sin que se notara la menor vibración. Hacía mucho frío, que me obligó a ponerme un abrigado gabán. Cuando la oscuridad cubrió la tierra me acosté, aunque la luz del sol siguió brillando largas horas en mi vecindad inmediata. El reloj de agua se mostró puntual y dormí hasta la mañana siguiente, con las interrupciones periódicas ya señaladas.

»4 de abril.– *Me l*evanté lleno de salud y buen ánimo y quedé asombrado al ver el extraño cambio que se había producido en el aspecto del océano. En vez del azul profundo que mostraba el día anterior, era ahora de un blanco grisáceo y de un brillo insoportable. La convexidad del océano era tan marcada, que la masa de agua más distante parecía estar cayendo bruscamente en el abismo del horizonte; por un momento me quedé escuchando si se percibían los ecos de aquella inmensa catarata. Las islas no eran ya visibles; no podría decir si habían quedado por debajo del horizonte, hacia el sur, o si la creciente elevación impedía distinguirlas. Me inclinaba, sin embargo, a esta última hipótesis. El borde de hielo al norte se divisaba cada vez con mayor claridad. El frío disminuyó sensiblemente. No ocurrió nada de importancia y pasé el día leyendo, pues había tenido la precaución de proveerme de libros.

»5 de abril.– Asistí al singular fenómeno de la salida del sol, mientras casi toda la superficie visible de la tierra seguía envuelta en tinieblas. Pero luego la luz se extendió sobre la superficie y otra vez distinguí la línea del hielo hacia el norte. Se veía muy claramente y su coloración era mucho más oscura que la de las aguas oceánicas. No cabía dudar de que me estaba aproximando a gran velocidad. Me pareció distinguir nuevamente una línea de tierra hacia el este y también otra al oeste, pero sin seguridad. Tiempo moderado. Nada importante sucedió durante el día. Me acosté temprano.

»6 de abril.– Tuve la sorpresa de descubrir el borde de hielo a una distancia bastante moderada, mientras un inmenso campo helado se extendía hasta el horizonte. Era evidente que si el globo mantenía su rumbo actual, no tardaría en situarse sobre el océano polar ártico, y daba casi por descontado que podría distinguir el polo. Durante todo el día continuamos aproximándonos a la zona del hielo. Al anochecer, los límites de mi horizonte se ampliaron súbitamente, lo cual se debía, sin duda, a la forma esferoidal achatada de la tierra, y a mi llegada a la parte más chata en las vecindades del círculo ártico. Cuando la oscuridad terminó de envolverme me acosté lleno de ansiedad, temeroso de pasar por encima de lo que tanto deseaba observar sin que fuera posible hacerlo.

»7 de abril.– Me levanté temprano y con gran alegría pude observar finalmente el Polo Norte, pues no podía dudar de que lo era. Estaba allí, justamente debajo del aeróstato; pero, ¡ay!, la altitud alcanzada por este era tan enorme que nada podía distinguirse en detalle. A juzgar por la progresión de las cifras indicadoras de las distintas altitudes en los diferentes períodos desde las seis a. m. del dos de abril hasta las nueve menos veinte a. m. del mismo día (hora en la cual el barómetro llegó a su límite), podía inferirse que en este momento, a las cuatro de la mañana del siete de abril, el globo había alcanzado una altitud no *menor* de 7254 millas sobre el nivel del mar. Esta elevación puede parecer inmensa, pero el cálculo sobre el cual la había basado era probablemente muy inferior a la verdad. Sea como fuere, en ese instante me era dado contemplar la totalidad del diámetro mayor de la tierra; todo el hemisferio norte se extendía por debajo de mí como una carta en proyección ortográfica, el gran círculo del ecuador constituía el límite de mi horizonte. Empero, Vuestras Excelencias pueden fácilmente imaginar que las regiones hasta hoy inexploradas que se extienden más allá del círculo polar ártico, si bien se hallaban situadas debajo del globo y, por tanto, sin la menor deformación, eran demasiado pequeñas relativamente y estaban a una distancia demasiado enorme del punto de vista como para que mi examen alcanzara una gran precisión.

»Lo que pude ver, empero, fue tan singular como excitante. Al norte del enorme borde de hielos ya mencionado, y que de manera general puede ser calificado como el límite de los descubrimientos humanos en esas regiones, continúa extendiéndose una capa de hielo ininterrumpida (o poco menos). En su primera parte, la superficie es muy llana, hasta terminar en una planicie total y, finalmente, *en una concavidad* que llega hasta el mismo polo, formando un centro circular claramente definido, cuyo diámetro aparente subtendía con respecto al globo un ángulo de unos sesenta y cinco segundos, y cuya coloración sombría, de intensidad variable, era más oscura que cualquier otro punto del hemisferio visible, llegando en partes a la negrura más absoluta. Fuera de esto, poco alcanzaba a divisarse. Hacia mediodía, el centro circular había disminuido en circunferencia, y a las siete p. m. lo perdí de vista, pues el globo sobrepasó el borde occidental del hielo y flotó rápidamente en dirección del ecuador.

»8 de abril.– Note una sensible disminución en el diámetro aparente de la tierra, aparte de una alteración en su color y su apariencia general. Toda el área visible participaba en grados diferentes de una coloración amarillo pálido, que en ciertas partes llegaba a tener una brillantez que hacía daño a la vista. Mi radio visual se veía, además, considerablemente estorbado, pues la densa atmósfera contigua a la tierra estaba cargada de nubes, entre cuyas masas sólo alcanzaba a divisar aquí y allá jirones de la tierra. Estas dificultades para la visión directa me habían venido molestando más o menos durante las últimas cuarenta y ocho horas, pero mi enorme altitud actual hacía que las masas de nubes se juntaran, por así decirlo, y el obstáculo se volvía más y más palpable en proporción a mi ascenso. Pude notar fácilmente, empero, que el globo sobrevolaba la serie de los grandes lagos de Norteamérica, y que seguía un curso hacia el sur que pronto me aproximaría a los trópicos. Esta circunstancia no dejó de llenarme de satisfacción y la saludé como un augurio favorable de mi triunfo final. Por cierto que la dirección seguida hasta ahora me había inquietado mucho, pues era evidente que si se mantenía por más tiempo no me daría posibilidad alguna de llegar a la luna, cuya órbita se halla inclinada con respecto a la eclíptica en un ángulo de tan sólo 5° 8' 48". Por más raro que parezca, sólo en los últimos días empecé a comprender el gran error que había cometido al no tomar como punto de partida desde la tierra algún lugar *en el plano de la elipse lunar.*

»9 de abril.– El diámetro terrestre apareció hoy grandemente disminuido, y el color de la superficie adquiría de hora en hora un matiz más amarillento. El globo mantuvo su rumbo al sur y llegó a las nueve p. m. al borde septentrional del golfo de México.

»10 de abril.– Hacia las cinco de la mañana fui bruscamente despertado por un estrépito, semejante a un terrible crujido, que no alcancé a explicarme. Duró muy poco, pero me bastó oírlo para comprender que no se parecía a nada que hubiera escuchado previamente en la tierra. Inútil decir que me alarmé muchísimo, atribuyendo aquel ruido a la explosión del globo. Examiné atentamente los instrumentos sin descubrir nada anormal. Pasé gran parte del día meditando sobre un hecho tan extraordinario, pero no me fue posible arribar a ninguna explicación. Me acosté insatisfecho, en un estado de gran ansiedad y agitación.

»11 de abril.– Descubrí una sorprendente disminución en el diámetro aparente de la tierra y un considerable aumento, observable por primera vez, del de la luna, que alcanzaría su plenitud pocos días más tarde. A esta altura se requería una prolongada y extenuante labor para condensar suficiente aire atmosférico respirable en la cámara.

»12 de abril.– Una singular alteración se produjo en la dirección del globo, y, aunque la había anticipado en todos sus detalles, me causó la más grande de las alegrías. Habiendo alcanzado, en su rumbo anterior, el paralelo veinte de latitud sur, el globo cambió súbitamente de dirección, volviéndose en ángulo agudo hacia el este, y así continuó durante el día, manteniéndose muy cerca *del plano exacto de la elipse lunar*. Merece señalarse que, como consecuencia de este cambio de ruta, se produjo una perceptible oscilación de la barquilla, la cual se mantuvo con mayor o menor intensidad durante muchas horas.

»13 de abril.– Volví a alarmarme seriamente por la repetición del violento ruido crujiente que tanto me había aterrorizado el día 10. Pensé mucho en esto, sin alcanzar una conclusión satisfactoria. El diámetro aparente de la tierra decreció muchísimo y subtendía desde el globo un ángulo de poco más de veinticinco grados. No se veía la luna, por hallarse casi en mi cenit. Seguimos en el plano de la elipse, pero avanzando muy poco hacia el este.

»14 de abril.– Rapidísimo decrecimiento del diámetro de la tierra. Hoy me sentí fuertemente impresionado por la idea de que el globo recorrería la línea de los ápsides hacia el punto del perineo; en otras palabras, que seguía la ruta directa que lo llevaría inmediatamente a la luna en aquella parte de su órbita más cercana a la tierra. La luna misma se hallaba inmediatamente sobre mí y, por lo tanto, oculta a mis ojos. Tuve que trabajar dura y continuamente para condensar la atmósfera.

»15 de abril.– Ni siquiera los perfiles de los continentes y los mares podían trazarse ya con claridad en la superficie de la tierra. Hacia las doce escuché por tercera vez el horroroso sonido que tanto me había asombrado. Pero ahora continuaba cada vez con más intensidad. Por fin, mientras estupefacto y aterrado aguardaba de segundo en segundo no sé qué espantoso aniquilamiento, la barquilla vibró violentamente y una masa gigantesca e inflamada de un material que no pude distinguir pasó con un fragor de cien mil truenos a poca distancia del globo.

»Cuando mi temor y mi estupefacción se hubieron disipado un tanto, poco me costó imaginar que se trataba de algún enorme fragmento volcánico proyectado desde aquel mundo al cual me acercaba rápidamente; con toda probabilidad era una de esas extrañas masas que suelen recogerse en la tierra y que a falta de mejor explicación se denominan meteoritos.

»16 de abril.– Mirando hacia arriba lo mejor posible, es decir, por todas las ventanillas alternativamente, contemplé con grandísima alegría una pequeña parte del disco de la luna que sobresalía por todas partes de la enorme circunferencia de mi globo. Una intensa agitación se posesionó de mí, pues pocas dudas me quedaban de que pronto llegaría al término de mi peligroso viaje. El trabajo ocasionado por el condensador había alcanzado un punto máximo y casi no me concedía un momento de descanso. A esta altura no podía pensar en dormir. Me sentía muy enfermo, y todo mi cuerpo temblaba a causa del agotamiento. Era imposible que una naturaleza humana pudiese soportar por mucho más tiempo un sufrimiento tan grande. Durante el brevísimo intervalo de oscuridad, un meteorito pasó nuevamente cerca del globo, y la frecuencia de estos fenómenos me causó no poca aprensión.

»17 de abril.– Esta mañana hizo época en mi viaje. Se recordará que el 13 la tierra subtendía un ángulo de veinticinco grados. El 14, el ángulo disminuyó mucho; el 15 se observó un descenso aún más notable, y al acostarme, la noche del 16, verifiqué que el ángulo no pasaba de los siete grados y quince minutos. ¡Cuál habrá sido entonces mi asombro al despertar de un breve y penoso sueño, en la mañana de este día, y descubrir que la superficie por debajo de mí había *aumentado* súbita y asombrosamente de volumen, al punto de que su diámetro aparente subtendía un ángulo no menor de treinta y nueve grados! Me quedé como fulminado. Ninguna palabra podría expresar el infinito, el absoluto horror y estupefacción que me poseyeron y me abrumaron. Sentí que me temblaban las rodillas, que me castañeteaban los dientes, mientras se me erizaba el cabello. ¡Entonces... el globo había reventado! Fue la primera idea que corrió por mi mente. ¡El globo había reventado... y estábamos cayendo, cayendo, con la más impetuosa e incalculable velocidad! ¡A juzgar por la inmensa distancia tan rápidamente recorrida, no pasarían más de diez minutos antes de llegar a la superficie del orbe y hundirme en la destrucción!

»Pero, a la larga, la reflexión vino en mi auxilio. Me serené, reflexioné y empecé a dudar. Aquello era imposible. De ninguna manera podía haber descendido a semejante velocidad. Además, si bien me estaba acercando a la superficie situada por debajo, no cabía duda de que la velocidad del descenso era infinitamente menor de la que había imaginado. Esta consideración sirvió para calmar la perturbación de mis facultades y logré finalmente enfrentar el fenómeno desde un punto de vista racional. Comprendí que el asombro me había privado en gran medida de mis sentidos, pues no había sido capaz de apreciar la enorme diferencia entre aquella superficie situada por debajo de mí y la de la madre tierra. Esta última se hallaba ahora sobre mi cabeza, completamente oculta por el globo, mientras la luna –la luna en toda su gloria– se tendía debajo de mí y a mis pies.

»El estupor y la sorpresa que me había producido aquel extraordinario cambio de situaciones fueron quizá lo menos explicable de mi aventura, pues el *bouleversement* en cuestión no sólo era tan natural como inevitable, sino que lo había previsto mucho antes, sabiendo que debería producirse cuando llegara al punto exacto del viaje donde la atracción del planeta fuera superada por la atracción del satélite –o, más precisamente, cuando la gravitación del globo hacia la tierra fuese menos poderosa que su gravitación hacia la luna–. Ocurrió, sin duda, que desperté de un profundo sueño con todos los sentidos embotados, viéndome frente a un fenómeno que, si bien previsto, no lo estaba en ese momento mismo. En cuanto a mi cambio de posición, debió producirse de manera tan gradual como serena; de haber estado despierto en el momento en que tuvo lugar, es dudoso que me hubiera dado cuenta por alguna señal *interna,* vale decir por alguna irregularidad o trastorno de mi persona o de mis instrumentos.

«Resulta casi inútil decir que, apenas hube comprendido la verdad y superado el terror que había absorbido todas las facultades de mi espíritu, concentré por completo mi atención en la apariencia física de la luna. Se extendía por debajo de mí como un mapa y, aunque comprendí que se hallaba aún a considerable distancia, los detalles de su superficie se me ofrecían con una claridad tan asombrosa como inexplicable. La ausencia total de océanos o mares e incluso de lagos y ríos me pareció a primera vista el rasgo más extraordinario de sus características geológicas. Y, sin embargo, por raro que parezca, advertí vastas regiones llanas de carácter decididamente aluvial, si bien la mayor parte del hemisferio se hallaba cubierto de innumerables montañas volcánicas de forma cónica que daban una impresión de protuberancias artificiales antes que naturales. La más alta no pasaba de tres millas y tres cuartos, pero un mapa de los distritos volcánicos de los Campos Flegreos proporcionaría a Vuestras Excelencias una idea más clara de aquella superficie general que cualquier descripción insuficiente intentada aquí. La mayoría de aquellos volcanes estaban en erupción y me dieron a entender terriblemente su furia y su potencia con los repetidos truenos de los mal llamados meteoritos, que subían en línea recta hasta el globo con una frecuencia más y más aterradora.

»18 de abril.– Comprobé hoy un enorme aumento de la masa lunar, y la velocidad evidentemente acelerada de mi descenso comenzó a llenarme de alarma. Se recordará que en las primeras etapas de mis especulaciones sobre la posibilidad de llegar a la luna, había contado en mis cálculos con la existencia de una atmósfera alrededor de esta, cuya densidad fuera proporcionada a la masa del planeta; todo ello a pesar de las numerosas teorías contrarias, y cabe agregar, de la incredulidad general sobre la existencia de una atmósfera lunar. Pero además de lo que ya he indicado a propósito del cometa de Encke y la luz zodiacal, mi opinión se había visto vigorizada por ciertas observaciones de Mr. Schroeter, de Lilienthal. Este sabio observó la luna de dos días y medio, poco después de ponerse el sol, antes de que la parte oscurecida se hiciera visible, y continuó observándola hasta que fue perceptible. Los dos cuernos parecían afilarse en una ligera prolongación y mostraban su extremo débilmente iluminado por los rayos del sol antes de que cualquier parte del hemisferio en sombras fuera visible. Poco después, todo el borde sombrío se aclaró. Esta prolongación de los cuernos más allá del semicírculo debía provenir, según pensé, de la refracción de los rayos solares por la atmósfera de la luna. Calculé también que la altura de la atmósfera (capaz de refractar en el hemisferio en sombras suficiente luz para producir un crepúsculo más luminoso que la luz reflejada por la tierra cuando la luna se halla a unos 32° de su conjunción) era de 1356 pies; de acuerdo con ello, supuse que la altura máxima capaz de refractar los rayos solares debía ser de 5376 pies.

»Mis ideas sobre este tópico se habían visto asimismo confirmadas por un pasaje del volumen ochenta y dos de las *Actas Filosóficas,* donde se afirma que durante una ocultación de los satélites de Júpiter por la luna, el tercero desapareció después de haber sido indiscernible durante uno o dos segundos, y que el cuarto dejó de ser visible cerca del limbo[3].

»Está de más decir que confiaba plenamente en la resistencia o, mejor dicho, en el sostén de una atmósfera cuya densidad había supuesto, a fin de llegar sano y salvo a la luna. Si al fin y al cabo me había equivocado, no podía esperar otra cosa que terminar mi aventura haciéndome mil pedazos contra la rugosa superficie del satélite. No me faltaban razones para sentirme aterrorizado. La distancia que me separaba de la luna era comparativamente insignificante, en tanto que el trabajo que me daba el condensador no había disminuido en absoluto y no advertía la menor indicación de que el enrarecimiento del aire comenzara a disminuir.

3. Hevelius escribe que en varias ocasiones, hallándose el cielo tan claro que se veían estrellas de la sexta y séptima magnitud, notó que, a la misma altura de la luna y la misma elongación de la tierra, usando el mismo y excelente telescopio, la luna y sus manchas no siempre aparecían con la misma nitidez. Dadas las circunstancias de la observación, es evidente que la causa del fenómeno no se halla en el aire, el telescopio, la luna, ni el ojo del observador, sino que debe atribuirse a algo (¿una atmósfera?) existente en torno del satélite.
Cassini observó varias veces que Saturno, Júpiter y las estrellas, fijas en el momento de quedar ocultas por la luna, dejan de verse en forma circular, para asumir otra ovalada, mientras en ocultaciones análogas no advirtió la menor diferencia. De ahí cabría suponer que, *en ciertas ocasiones* y no en otras, una materia densa envuelve la luna y los rayos de las estrellas se refractan en ella.

»19 de abril.– Esta mañana, para mi gran alegría, cuando la superficie de la luna estaba aterradoramente cerca y mis temores llegaban a su colmo noté, a las nueve, que la bomba del condensador daba señales evidentes de una alteración en la atmósfera. A las diez, tenía ya razones para creer que la densidad había aumentado considerablemente. A las once, poco trabajo se requería en el aparato, y a las doce, después de vacilar un rato, me atreví a soltar el torniquete y, notando que nada desagradable ocurría, abrí finalmente la cámara de goma y la arrollé a los lados de la barquilla.

»Como cabía esperar, un violento dolor de cabeza acompañado de espasmos fue la inmediata consecuencia de tan precipitado y peligroso experimento. Pero aquellos trastornos y la dificultad para respirar no eran tan grandes como para hacer peligrar mi vida, y decidí soportarlos lo mejor posible, en la seguridad de que desaparecerían apenas llegáramos a las capas inferiores más densas. Empero nuestra aproximación a la luna continuaba a una enorme velocidad, y pronto me di cuenta, con alarma, de que si bien no me había engañado al suponer una atmósfera de densidad proporcionada a la masa del satélite, me había equivocado al creer que dicha densidad, aun la más próxima a la superficie, sería capaz de sostener el gran peso de la barquilla del aeróstato. *Así debería haber sido* y en grado igual que en la superficie terrestre, suponiendo la pesantez de los cuerpos en razón de la condensación atmosférica en cada planeta. Pero *no era así,* sin embargo, como bien se veía por mi precipitada caída; y el porqué de ello sólo puede explicarse con referencia a las posibles perturbaciones geológicas a las cuales ya me he referido.

»Sea como fuere, estaba muy cerca del planeta, bajando a una velocidad terrible. No perdí un instante, pues, en tirar por la borda el lastre, luego los cuñetes de agua, el aparato condensador y la cámara de caucho, y por fin todo lo que contenía la barquilla. Pero de nada me sirvió. Continuaba descendiendo a una terrible velocidad y me hallaba apenas a media milla del suelo. Como último recurso, y después de arrojar mi chaqueta, sombrero y botas, acabé cortando la barquilla misma, que era sumamente pesada; y así, colgado con ambas manos de la red tuve apenas tiempo de observar que toda la región hasta donde alcanzaban mis miradas estaba densamente poblada de pequeñas construcciones, antes de caer de cabeza en el corazón de una fantástica ciudad, en el centro de una enorme multitud de pequeños y feísimos seres que, en vez de preocuparse en lo más mínimo por auxiliarme, se quedaron como un montón de idiotas, sonriendo de la manera más ridícula y mirando de reojo al globo y a mí mismo. Alejándome desdeñosamente de ellos, alcé los ojos al cielo para contemplar la tierra que tan poco antes había abandonado, acaso para siempre, y la vi como un enorme y sombrío escudo de bronce, de dos grados de diámetro, inmóvil en el cielo y guarnecida en uno de sus bordes con una medialuna del oro más brillante. Imposible descubrir la más leve señal de continentes o mares; el globo aparecía lleno de manchas variables, y se advertían, como si fuesen fajas, las zonas tropicales y ecuatoriales.

»Así, con permiso de Vuestras Excelencias, luego de una serie de grandes angustias, peligros jamás oídos y escapatorias sin paralelo, llegué por fin sano y salvo, a los diecinueve días de mi partida de Róterdam, al fin del más extraordinario de los viajes, y el más memorable jamás cumplido, comprendido o imaginado por ningún habitante de la tierra. Pero mis aventuras están aún por relatar. Y bien imaginarán Vuestras Excelencias que, después de una residencia de cinco años en un planeta no sólo muy interesante por sus características propias, sino doblemente interesante por su íntima conexión, en calidad de satélite, con el mundo habitado por el hombre, me hallo en posesión de conocimientos destinados confidencialmente al Colegio de Astrónomos del Estado, y harto más importante que los detalles, por maravillosos que sean, del viaje tan felizmente concluido.

»He aquí, en una palabra, la cuestión. Tengo muchas, muchísimas cosas que daría a conocer con el mayor gusto; mucho que decir del clima del planeta, de sus maravillosas alternancias de calor y frío, de la ardiente y despiadada luz solar que dura una quincena, y la frigidez más que polar que domina en la siguiente; del constante traspaso de humedad, por destilación semejante a la que se practica al vacío, desde el punto situado debajo del sol al punto más alejado del mismo; de una zona variable de agua corriente; de las gentes en sí; de sus maneras, costumbres e instituciones políticas; de su peculiar constitución física; de su fealdad, de su falta de orejas, apéndices inútiles en una atmósfera a tal punto modificada; de su consiguiente ignorancia del uso y las propiedades del lenguaje; de sus ingeniosos medios de intercomunicación, que lo reemplazan; de la incomprensible conexión entre cada individuo de la luna con algún individuo de la tierra, conexión análoga y sometida a la de las esferas del planeta y el satélite, y por medio de la cual la vida y los destinos de los habitantes del uno están entretejidos con la vida y los destinos de los habitantes del otro; y, por sobre todo, con permiso de Vuestras Excelencias, de los negros y horrendos misterios existentes en las regiones exteriores de la luna, regiones que, debido a la casi milagrosa concordancia de la rotación del satélite sobre su eje con su revolución sideral en torno a la tierra, jamás han sido expuestas, y nunca lo serán si Dios quiere, al escrutinio de los telescopios humanos. Todo esto y más, mucho más, me sería grato detallar. Pero, para ser breve, debo recibir mi recompensa. Ansío volver a mi familia y a mi hogar, y, como precio de la luz que está en mi mano arrojar sobre importantísimas ramas de la ciencia física y metafísica, me permito solicitar, por intermedio de vuestra honorable corporación, que me sea perdonado el crimen que cometí al partir de Róterdam, o sea, la muerte de mis acreedores. Tal es el motivo de esta comunicación. Su portador, un habitante de la luna a quien he persuadido y adiestrado para que sea mi mensajero en la tierra, esperará la decisión que plazca a vuestras excelencias, y retornará trayéndome el perdón solicitado, si es posible obtenerlo.

»Tengo el honor de saludar respetuosamente a Vuestras Excelencias.

»Vuestro humilde servidor,

Hans Pfaall».

Se afirma que, al concluir la lectura de este extraordinario documento, el profesor Rubadub dejó caer al suelo su pipa, en el colmo de la sorpresa, mientras Mynheer Superbus Von Underduk, luego de quitarse los anteojos, limpiarlos y ponérselos en el bolsillo, olvidaba su dignidad al punto de girar tres veces sobre sus talones, en una quintaesencia de asombro y admiración. No cabía la menor duda: el perdón sería acordado. Así lo decidió redondamente el profesor Rubadub, y así lo pensó finalmente el ilustre Von Underduk, mientras tomaba del brazo a su colega y, sin decir palabra, se lo llevaba a su casa para deliberar sobre las medidas que convendría adoptar. Ya en la puerta de la casa del burgomaestre, el profesor se atrevió a decir que, como el mensajero había considerado prudente desaparecer –asustado mortalmente, sin duda, por la salvaje apariencia de los burgueses de Róterdam–, de muy poco serviría el perdón, ya que sólo un selenita se atrevería a intentar un viaje semejante. El burgomaestre convino en la verdad de esta observación, y el asunto quedó finiquitado. Pero no pasó lo mismo con los rumores y las conjeturas. Una vez publicada, la carta dio origen a toda clase de murmuraciones y pareceres. Algunos que se pasaban de listos quedaron en ridículo al afirmar que aquello era una superchería. Pero entre gentes así, todo lo que excede el nivel de su comprensión es siempre una superchería. Por mi parte no alcanzo a imaginar en qué se fundaban para sostener semejante acusación. Veamos lo que decían:

Primero: Que ciertos bromistas de Róterdam tenían especial antipatía a ciertos burgomaestres y astrónomos.

Segundo: Que un enano de extraño aspecto, de profesión malabarista, a quien le faltaban las orejas por haberle sido cortadas en castigo de algún delito, había desaparecido de su casa, en la vecina ciudad de Brujas.

Tercero: Que los periódicos que forraban por completo el pequeño globo eran periódicos holandeses y, por tanto, no podían proceder de la luna. Eran papeles sucios, sumamente sucios, y Gluck, el impresor, hubiera jurado por la Biblia que habían sido impresos en Róterdam.

Cuarto: Que el muy malvado borracho de Hans Pfaall en persona, y los tres holgazanes que llama sus acreedores, habían sido vistos no hace más de dos o tres días en una taberna de los suburbios, al regresar con dinero en los bolsillos de un viaje de ultramar.

Finalmente: Que existía una opinión general, o que debería serlo, según la cual el Colegio de Astrónomos de la ciudad de Róterdam, al igual que todos los otros colegios parecidos del mundo –para no mencionar a los colegios y astrónomos en general–, no era ni mejor, ni más grande, ni más sabio de lo que hubiera debido ser.

NOTA.- Estrictamente hablando, poca similitud existe entre la bagatela que antecede y la celebrada *Historia de la Luna,* de Mr. Locke; pero, como ambas consisten en supercherías (aunque una lo es en broma y la otra seriamente), y ambas burlas se refieren a la luna (tratando de parecer plausibles mediante detalles científicos), el autor de «Hans Pfaall» cree conveniente decir, en su defensa, que su *jeu d'esprit* se publicó en el *Southern Literary Messenger* tres semanas antes del de Mr. Locke en el *New York Sun.* Imaginando un parecido que quizá no existe, algunos periódicos de Nueva York cotejaron *Hans Pfaall* con la *Historia de la Luna,* a fin de verificar si el autor de un texto lo era también del otro.

Puesto que la *Historia de la Luna* engañó a muchas más personas de las que voluntariamente lo admitirían, puede resultar entretenido mostrar cómo nadie debió aceptar el engaño, señalando esos detalles del relato que hubieran bastado para establecer su verdadero carácter. Por muy rica que fuera la imaginación desplegada en esta ingeniosa ficción, le falta la fuerza que le hubiera dado una atención más escrupulosa a los hechos y a las analogías generales. Que el público se haya dejado engañar, aunque sólo fuera por un momento, sólo prueba la crasa ignorancia que existe en materia de temas astronómicos.

La distancia de la tierra a la luna es, en cifras redondas, de 240 000 millas. Si queremos asegurarnos de cuánto podrá un telescopio acercar aparentemente el satélite o cualquier otro objeto, bastará dividir la distancia por el poder magnificador o, más exactamente, el poder de penetración en el espacio de las lentes. Mr. Locke imagina que el poder de sus lentes es de 42 000. Si dividimos por esta cifra las 240 000 millas de la distancia a la luna, tenemos cinco millas y cinco séptimos como distancia aparente. Pero a esta distancia sería imposible ver a ningún animal, y mucho menos los mínimos detalles señalados en el relato. Mr. Locke afirma que sir John Herschel llegó a ver flores (la *Papaver rheas,* etcétera), y que distinguió el color y la forma de los ojos de los pajarillos. Pero antes, empero, él mismo hace notar que el telescopio no permitirá apreciar objetos cuyo diámetro fuera menor de dieciocho pulgadas; pero aun esto excede las posibilidades de su supuesta lente. Observaremos de paso que dicho prodigioso telescopio habría sido fundido en la cristalería de los señores Hartley y Grant, en Dumbarton; pero he aquí que dicho establecimiento había cerrado sus puertas varios años antes de la publicación de la burla.

En la página 13 (edición en folleto), y hablando de un «fleco velludo» sobre los ojos de una especie de bisonte, el autor dice: «La aguda mente del Dr. Herschel percibió inmediatamente que se trataba de un medio providencial para proteger los ojos del animal contra las enormes variaciones de luz y tinieblas que afectan periódicamente a todos los habitantes de nuestro lado de la luna». Esta observación no puede considerarse como muy «aguda». Los habitantes de nuestra cara de la luna no conocen la oscuridad, por lo cual tampoco sufren las «variaciones» mencionadas. En ausencia del sol, gozan de una luz procedente de la tierra equivalente a la de trece lunas llenas

La topografía utilizada en el relato, si bien se declara que concuerda con la *Carta Lunar* de Blunt, difiere por completo de esta y de las cartas restantes, e incluso se contradice a veces groseramente. La rosa de los vientos aparece también en inextricable confusión, pues el autor parece ignorar que en un mapa lunar aquella no concuerda con los cuadrantes terrestres; vale decir, que el este se halla a la izquierda, etcétera.

Engañado quizá por nombres tan vagos como *Mare Nubium, Mare Tranquillitatis, Mare Fœcunditatis,* etcétera, dados por los astrónomos a las regiones en sombra, Mr. Locke ha entrado en detalles acerca de océanos y grandes masas de agua en la luna, siendo que si hay un punto en el que concuerdan todos los astrónomos, es que en el satélite no hay la menor presencia de agua. Al examinar el límite entre luz y sombra (en la luna creciente), allí donde cruza alguna de esas regiones en sombra, la línea divisoria se muestra quebrada e irregular, lo cual no ocurriría si aquellas zonas estuvieran llenas de agua.

La descripción de las alas del hombre-murciélago (página 21) es copia literal de la explicación dada por Peter Wilkins sobre las alas de sus isleños voladores. Debería haber bastado este simple detalle para provocar sospechas.

En la página 23 leemos: «¡Qué prodigiosa influencia debe de haber ejercido nuestro globo, trece veces más grande, sobre el satélite, cuando era un embrión en el seno del tiempo, el sujeto pasivo de la afinidad química!». Esto es muy bello; pero cabe observar que un astrónomo no hubiera formulado jamás semejante observación, sobre todo, a un periódico científico, ya que la tierra no es trece sino cuarenta y nueve veces más grande que la luna. Una objeción similar puede hacerse a las últimas páginas, donde, a modo de introducción a ciertos descubrimientos sobre Saturno, el corresponsal procede a dar informes sobre dicho planeta dignos de un colegial: ¡y esto al *Edinburgh Journal of Science*!

Pero, sobre todo, hay un punto que debió mostrar que se trataba de una ficción. Imaginamos la posibilidad de contemplar animales en la superficie de la luna; ¿qué es lo que llamaría primero la atención de un observador terrestre? ¿Su forma, tamaño y demás peculiaridades, o su notable *posición*? Parecerían estar caminando con las patas para arriba y la cabeza abajo, a modo de moscas en el techo. El *verdadero* observador hubiese proferido una instantánea exclamación de sorpresa (por más preparado que estuviera por sus conocimientos previos) ante la singularidad de esa posición, mientras que el observador ficticio no menciona siquiera la cosa, sino que habla de haber visto todo el cuerpo de dichas criaturas, cuando puede demostrarse que sólo le era dado ver el diámetro de sus cabezas.

Para concluir, cabe hacer notar que el tamaño, y especialmente las facultades de los hombres-murciélagos (por ejemplo, su habilidad para volar en una atmósfera tan enrarecida, si es que hay atmósfera en la luna), así como el resto de las fantasías concernientes a la vida animal y vegetal, discrepan generalmente con todos los razonamientos analógicos sobre dichos temas, y que en estos casos la analogía suele llevar a demostraciones concluyentes. Apenas es necesario agregar que todas las sugestiones atribuidas a Brewster y a Herschel a comienzos del relato, sobre «una transfusión de luz artificial a través del objeto focal de la visión», etcétera, etcétera, pertenecen a esa especie de literatura florida que cabe muy bien bajo la denominación de galimatías.

Existe un límite real y muy definido para el descubrimiento óptico entre las estrellas, un límite que se comprende con sólo enunciarlo. Si todo lo requerido fuese la fundición de grandes lentes, el ingenio humano llegaría a proporcionar todo lo que se le pidiera, y tendríamos lentes de cualquier tamaño. Pero desdichadamente, a medida que las lentes aumentan de tamaño, y, por tanto, de poder penetrador, va disminuyendo la luz del objeto contemplado, por difusión de sus rayos. Y contra este inconveniente el ingenio humano no puede inventar remedio alguno, pues un objeto es contemplado gracias a la luz que de él emana, sea directa o reflejada. Así, la única luz «artificial» que podría servir a Mr. Locke sería aquella que se proyectara, no sobre el «objeto focal de la visión», sino sobre el objeto mismo a contemplar: en este caso, *sobre la luna.* Se ha calculado fácilmente que cuando la luz procedente de una estrella se difunde hasta ser tan débil como la luz natural procedente de la totalidad de las estrellas, en una noche clara y sin luna, en ese caso la estrella deja de ser visible para todo fin práctico.

El telescopio del conde de Ross, recientemente construido en Inglaterra, tiene un *speculum* cuya superficie reflejante es de 4071 pulgadas cuadradas; el telescopio de Herschel sólo tenía uno de 1811. El tubo metálico del telescopio Ross mide seis pies de diámetro, en los bordes presenta un espesor de cinco pulgadas y media, y de cinco en el centro. Pesa tres toneladas y su largo focal es de 50 pies.

Hace poco leí un librito singular y bastante ingenioso, cuyo título es el siguiente: *L'Homme dans la lune, ou le Voyage chimerique fait au Monde de la Lune, nouvellement decouvert par Dominique Gonzales, Advanturier Espagnol, autrement dit le Courier Volant. Mis en notre langue par J. B. D. A. Paris, chez François Piot, pres la Fontaine de Saint Benoist. Et chez J. Goignart, au premier pilier de la grand'salle du Palais, proche les Consultations,* MDCXLVII 176 páginas.

El autor afirma haber traducido el texto inglés de un tal Mr. D'Avisson (¿Davidson?), aunque en sus declaraciones reina la más grande ambigüedad: «J'en ai eu –dice– l'original de monsieur D'Avisson, medecin des mieux versez qui soient aujourd'huy dans la conoissance des Belles Lettres, et surtout de la Philosophie Naturelle. Je lui ai cette obligation entre les autres, de m'avoir non seulement mis en main ce Livre en anglois, mais encore le Manuscrit du Sieur Thomas D'Anan, gentilhomme Eccosois, recommandable pour sa vertu sur la version duquel j'advoue que j'ay tiré le plan de la mienne».

Después de algunas aventuras insignificantes, a la manera de Gil Blas, que ocupan las primeras treinta páginas, el autor relata que, hallándose enfermo durante un viaje por mar, la tripulación lo abandonó, junto con su doméstico negro, en la isla de Santa Helena. A fin de aumentar las probabilidades de conseguir alimento, ambos se separan y viven lo más lejos posible el uno del otro. Esto los induce a amaestrar pájaros, a fin de valerse de ellos como de palomas mensajeras. Poco a poco les enseñan a llevar paquetes, cuyo peso va aumentando gradualmente. Por fin se les ocurre unir las fuerzas de gran número de pájaros, a fin de que transporten por el aire al autor. Fabrican a tal efecto una máquina de la cual se da una detalladísima descripción, completada con un aguafuerte. Vemos en él al señor González, con gola rizada y gran peluca, sentado en algo que se parece muchísimo a un palo de escoba, del que tira una multitud de cisnes silvestres *(ganzas)* atados por la cola a la máquina.

El suceso más importante del relato del autor depende de un hecho que el lector ignorará hasta llegar al fin del volumen. Los gansos, tan familiares ya, no eran habitantes de Santa Helena, sino de la luna. Desde remotas edades, tenían la costumbre de emigrar anualmente a alguna región de la tierra. Como es natural, meses más tarde volvían a su hogar y, en una ocasión en que el autor requería sus servicios para un breve viaje, se vio inesperadamente arrebatado por los aires, llegando en muy breve tiempo al satélite.

Una vez allí, y entre otras cosas, el autor descubre que los selenitas son muy felices, que carecen de leyes, que mueren sin dolor, que miden entre diez y treinta pies de alto, que viven cinco mil años, que tienen un emperador llamado Irdonozur, y que pueden saltar a setenta pies de altura, tras lo cual, por quedar libres de la influencia de la gravedad, pueden volar con ayuda de abanicos.

No puedo dejar de dar aquí una muestra de la filosofía general del volumen.

«Debo deciros –declara el señor González– cómo era el lugar donde me hallaba. Las nubes aparecían bajo mis pies o, si preferís, se tendían entre mí y la tierra. En cuanto a las estrellas, *como en este lugar no existe la noche, tenían siempre la misma apariencia: no brillante, como de costumbre, sino pálidas y muy parecidas a la luna por las mañanas.* Pero sólo se veían unas pocas, aunque eran diez veces más grandes –hasta donde pude juzgar– de lo que parecen a los terrestres. La luna, a la cual le faltaban dos días para quedar llena, era de un inmenso tamaño.

»No debo dejar de decir que las estrellas sólo aparecían del lado del globo vuelto hacia la luna, y que, cuanto más cerca estaban, más grandes eran. Debo informaros asimismo que, aunque hiciera tiempo bueno o malo, *siempre me hallé exactamente entre la luna y la tierra.* Estaba convencido de ello por dos razones: primero, mis pájaros volaban siempre en línea recta, y segundo, toda vez que se detenían a descansar, *éramos arrastrados insensiblemente alrededor del globo terrestre.* Pues yo admito la opinión de Copérnico, quien mantiene que la tierra jamás deja de girar *del este al oeste,* no sobre los polos del Equinoccio, llamados vulgarmente polos del mundo, sino sobre los del Zodíaco, cosa de la cual me propongo hablar con más detalle cuando tenga tiempo de refrescar mi memoria con la astrología que estudié en Salamanca en mi juventud, y que desde entonces he olvidado.»

A pesar de los errores señalados en itálicas, el libro no deja de merecer cierta atención, por cuanto proporciona un ingenuo ejemplo de las nociones astronómicas corrientes en su tiempo. Una de ellas suponía que el «poder de gravitación» sólo se extendía muy poco sobre la superficie terrestre, y por eso vemos a nuestro viajero «arrastrado insensiblemente alrededor del globo», etcétera.

Ha habido otros «viajes a la luna», pero ninguno con más méritos que el que acabo de mencionar. El de Bergerac es absolutamente insensato. En el tercer volumen de *la American Quarterly Review* puede leerse una crítica minuciosa de una cierta «expedición» de esta clase, crítica en la cual es difícil decir si el autor denuncia la estupidez del libro o su propia y absurda ignorancia de la astronomía. He olvidado el título de la obra, pero los medios para hacer el viaje son de una concepción todavía más lamentable que los gansos de nuestro amigo el señor González.

Cierto aventurero, al excavar la tierra, descubre cierto metal que sufre fuertemente la atracción de la luna; fabrica inmediatamente una caja del mismo que, una vez libre de sus ataduras terrestres, lo arrebata por los aires y lo lleva directamente hasta el satélite. *El Vuelo de Thomas O'Rourke* es un *jeu d'esprit* no del todo despreciable, y ha sido traducido al alemán. Thomas, el héroe, era en la realidad el guardabosque de un par irlandés cuyas excentricidades dieron origen al cuento. El «vuelo» se efectúa a lomo de águila, desde Hungry Hill, una altísima montaña en la extremidad de Bantry Bay.

En estas diversas publicaciones la finalidad es siempre satírica, pues el tema consiste en la descripción de las costumbres lunares y su comparación con las nuestras. En ninguna de ellas se hace el menor esfuerzo para que el viaje en sí resulte plausible. Los autores parecen en cada caso totalmente ignorantes de la astronomía. En *Hans Pfaall*, la originalidad del designio consiste en intentar cierta *verosimilitud*, mediante la aplicación de principios científicos (hasta donde la caprichosa naturaleza del tema lo permite) a un verdadero viaje entre la tierra y la luna.

VON KEMPELEN Y SU DESCUBRIMIENTO

Comentario de Jorge Volpi

Poe y lo siniestro. Poe y la muerte. Poe y el horror. Su figura lánguida y mortecina, y el miedo o la angustia que inspiran buena parte de sus narraciones, han sellado una imagen del escritor de Baltimore siempre oscura, tenebrosa. Y con frecuencia se olvida que, al igual que Kafka –en más de un sentido su alma gemela–, a Poe lo caracterizaba un lúcido sentido del humor no necesariamente ácido ni mordaz. La sutil ironía que se desliza en buena parte de sus narraciones sugiere un temperamento atormentado, qué duda cabe, pero capaz de burlarse de sí mismo y de su mundo. Podría decirse incluso que en un relato como «Van Kempelen y su descubrimiento» anidan ya, en germen, Borges y sus mordaces elucubraciones literarias. La ficción se presenta como verdad no sólo gracias a la contundencia de la anécdota –en este caso apenas creíble– sino por la forma que la recubre. Un lector desprevenido se encuentra con una nota periodística, un comentario crítico que nunca traiciona su fidelidad al estilo académico. El narrador ensaya, y al hacerlo se lanza, en pleno siglo XIX, a esa confusión epistemológica que definirá a la modernidad. Van Kempelen es apenas el pretexto: se lo comenta, se le cita, se le apostrofa. El huidizo alquimista contemporáneo convoca la atención del experto, que glosa su descubrimiento sólo para señalar, a través de él, su desprecio hacia la avaricia que caracteriza a su tiempo. En California cunde la fiebre del oro –una patología monomaniaca como cualquier otra– y, justo en ese momento, cuando miles de sus compatriotas abandonan la Costa Este en busca de esa utopía de riqueza inmediata, aparece Van Kempelen y, sin apenas darse cuenta, lo arruina todo. En apenas unos párrafos Poe resume –y se mofa– de la gran obsesión americana: esa cupiditas que todo lo rige, que todo lo anima. Van Kempelen, torvo y ambiguo, contradice a California. Y el capitalismo, de pronto, se derrumba. La imaginación –representada por su atroz descubrimiento– sabotea el mercado. La crisis se vislumbra inevitable. Y, a la distancia, Poe sonríe. Su narración es una bomba de tiempo, dinamita la realidad con efecto retardado. En esta época de especulación sin límites, de bancarrotas, recesión y esperanzas destrozadas, vale la pena volver a Poe –testigo privilegiado de esa incipiente corrupción del alma americana– e imaginar que si las bolsas se derrumban por el mundo es porque un oculto Van Kempelen está a punto de hacer público su descubrimiento.

VON KEMPELEN Y SU DESCUBRIMIENTO

Después del minucioso y detallado artículo de Arago, por no decir nada del resumen en el *Silliman's Journal,* conjuntamente con la prolija declaración del teniente Maury, que acaba de publicarse, no se supondrá que, al presentar unas pocas observaciones a vuelapluma sobre el descubrimiento de Von Kempelen, pretendo considerar el tema desde un punto de vista *científico.* Tan sólo deseo decir unas palabras sobre Von Kempelen mismo (a quien tuve el honor de conocer hace unos años, si bien superficialmente), ya que todo lo que a él se refiere tiene en estos momentos gran interés; y, en segundo término, considerar de manera general y especulativa *los resultados* de su descubrimiento.

No sería inútil, sin embargo, preceder estas rápidas observaciones con la más enfática negación de algo que parecería una opinión generalizada (recogida, como es usual en estos casos, de los periódicos), o sea, que el descubrimiento, tan asombroso como incuestionable, carece *de precedentes.*

Consultando el *Diario de Sir Humphrey Davy* (Cottle and Munroe, Londres, 150 páginas) se verá, en las páginas 53 y 82, que este ilustre químico no sólo había concebido la idea en cuestión, sino que *avanzó considerablemente, por la vía experimental, en el mismo análisis* tan triunfalmente llevado a su término por Von Kempelen, quien, a pesar de no hacer la menor alusión a dicho *Diario,* le debe (lo digo sin vacilar, y puedo probarlo en caso necesario) la primera noción, por lo menos, de su propia empresa. Aunque ligeramente técnico, no puedo dejar de citar dos pasajes del *Diario* que contienen una de las ecuaciones de Sir Humphrey.

[Dado que carecemos de los signos algebraicos necesarios, y el *Diario* puede consultarse en la biblioteca del Ateneo, omitimos aquí una pequeña parte del manuscrito de Mr. Poe. Los editores.]

El párrafo del *Courier and Enquirer,* que tanto circula actualmente en la prensa, y que se propone reivindicar la invención a favor de un tal Mr. Kissam, de Brunswick, Maine, me da la impresión de ser apócrifo por varias razones, aunque no hay nada imposible ni muy improbable en la declaración. No necesito entrar en detalles. Mi opinión sobre el párrafo se funda principalmente en su *modo.* No se lo *siente* como cierto. Las personas que describen hechos, pocas veces son tan minuciosas como Mr. Kissam con respecto a fechas y localizaciones precisas. Además, si Mr. Kissam efectuó realmente el descubrimiento que sostiene en la época indicada –hace casi ocho años–, ¿cómo es posible que no tomara *instantáneamente* medidas para cosechar los inmensos beneficios que para sí mismo, si no para la humanidad, el más patán de los hombres hubiera sabido que podían derivarse del descubrimiento? Me resulta increíble que un hombre sensato haya podido descubrir lo que afirma Mr. Kissam y procedido, sin embargo, tan puerilmente –o tan tontamente– como este *admite* haber procedido. Dicho sea de paso: ¿quién es Mr. Kissam? Todo el pasaje del *Courier and Enquirer,* ¿no será una superchería destinada solamente a «hablar por hablar»? Confesemos que tiene un aire de burla muy marcado. En mi humilde opinión, poco puede confiarse en él; y si no supiera muy bien por experiencia cuán fácilmente se dejan embarcar los hombres de ciencia en cuestiones que exceden sus especialidades, me quedaría asombradísimo al ver a un químico tan eminente como el profesor Draper discutiendo con toda seriedad las pretensiones de Mr. Kissam sobre el descubrimiento.

Pero volvamos al *Diario* de Sir Humphrey Davy. Este folleto no estaba destinado al público, aun después del fallecimiento del autor, como cualquier persona conocedora del oficio literario puede comprobar con un sucinto análisis del estilo. En la página 1, por ejemplo, hacia el medio, leemos lo siguiente acerca de las investigaciones de Davy sobre el protóxido de ázoe: «En menos de medio minuto, continuando la respiración, disminuyeron gradualmente y *fueron* sucedidas por análoga a una suave presión en todos los músculos». Que la *respiración* no había «disminuido», no sólo resulta claro del contexto siguiente, sino del uso del plural «fueron». No hay duda de que la frase quería decir: «En menos de medio minuto, continuando la respiración, [dichas sensaciones] disminuyeron gradualmente y fueron sucedidas por [una sensación] análoga a una suave presión en todos los músculos». Otros cien ejemplos parecidos demuestran que el manuscrito tan desconsideradamente publicado no era más que un cuaderno de apuntes destinado tan sólo a los ojos del autor; pero bastará la lectura del folleto para convencer a toda persona razonante de que lo que sugiero es verdad. Sir Humphrey Davy era el hombre menos indicado para comprometerse en materia científica. No sólo le disgustaba extraordinariamente todo charlatanismo, sino que tenía un temor casi mórbido a *aparecer* empírico; es decir, que por más convencido que estuviera de haber encontrado el buen camino sobre el tema en cuestión, jamás hubiera hablado de él hasta no tener todo listo para una demostración práctica concluyente. Estoy convencido de que sus últimos momentos hubieran sido muy amargos de haber sospechado que sus deseos de que el *Diario* (lleno de especulaciones inmaduras) fuese quemado no habrían de cumplirse, como, al parecer, ocurrió. Digo «sus deseos», pues no creo que pueda dudarse de que entre los diversos papeles que habrían de ser quemados figuraba también esta libreta de apuntes. Si escapó de las llamas para buena o mala suerte, aún está por verse. Que los pasajes citados más arriba, juntamente con los otros aludidos, dieron a Von Kempelen *la noción* de su descubrimiento, es cosa que no discuto; pero repito que está por verse si este trascendental descubrimiento (trascendental bajo cualquier circunstancia) servirá o perjudicará a la larga a la humanidad. Que Von Kempelen y sus amigos más íntimos recogerán una rica cosecha sería locura dudarlo. Y no se mostrarán tan poco inteligentes como para no comprar cantidad de propiedades y de tierras, vale decir para *realizar* bienes de valor *intrínseco*.

En la breve explicación proporcionada por Von Kempelen, que apareció en el *Home Journal*, y que ha sido reproducida cantidad de veces desde entonces, el traductor ha cometido varios errores al verter el original alemán, que, según afirma, proviene de un reciente número del *Schnellpost* de Presburg. No hay duda de que *Viele* ha sido mal interpretado, como ocurre frecuentemente, y que lo que el traductor vierte como «tristezas» es probablemente *leiden*, que, traducido correctamente como «sufrimientos», daría un carácter por completo diferente al texto; de todos modos, mucho de esto no pasa de ser una conjetura mía.

Von Kempelen está muy lejos de ser un «misántropo», por lo menos en apariencia y al margen de lo que pueda verdaderamente ser. Me vinculé con él de manera fortuita, y apenas tengo derecho de afirmar que lo conozco; pero haber visto y hablado a un hombre de tan prodigiosa notoriedad como la que ha alcanzado o alcanzará dentro de pocos días no es poca cosa en los tiempos que corren.

El *Literary World* habla de él con gran seguridad, afirmando que nació en Presburg (engañado quizá por el artículo de *The Home Journal*), pero me agrada poder afirmar positivamente –pues lo sé por él mismo– que es nativo de Utica, en el Estado de Nueva York, aunque, según creo, sus padres eran originarios de Presburg. La familia está emparentada de alguna manera con Mäelzel, célebre por su autómata jugador de ajedrez. [Si no nos equivocamos, el nombre del *inventor* del autómata era Kempelen, Von Kempelen, o algo parecido. Los editores.]

Físicamente es un hombre robusto, de baja estatura, con grandes y prominentes ojos azules, cabello y patillas de un rubio arenoso, boca grande, pero agradable; hermosos dientes, y, según creo, nariz aguileña. Tiene un pie defectuoso. Se expresa francamente, y en su actitud general hay mucho de bonhomía. Tomado en conjunto, su aspecto, su lenguaje y sus actos son lo menos parecido a los de «misántropo» que jamás se haya visto. Hace seis años nos encontramos en el hotel Earl, en Providence, Rhode Island, y calculo que en total conversé con él unas tres o cuatro horas. Sus temas principales eran los del día, y ninguna de sus palabras me llevó a sospechar sus aptitudes científicas. Dejó el hotel antes que yo, a fin de trasladarse a Nueva York, y de allí a Bremen. Su gran descubrimiento se dio a conocer primeramente en esta ciudad, o, mejor dicho, fue allí donde primeramente se sospechó lo que había descubierto. He aquí lo que sé del ya inmortal Von Kempelen, pero me ha parecido que estos pocos detalles interesarían al público.

Poca duda puede caber de que la mayoría de los maravillosos rumores que corren sobre este asunto son puras invenciones, dignas de tanto crédito como la historia de la lámpara de Aladino, y, sin embargo, en un caso como este, como en el de los descubrimientos de California, es evidente que la verdad *puede* ser más extraña que la ficción. La siguiente anécdota, por lo menos, está tan bien confirmada que podemos creer implícitamente en ella.

Von Kempelen careció siempre de recursos durante su residencia en Bremen; muchas veces, según era sabido, se vio obligado a apelar a recursos extremos a fin de conseguir míseras sumas de dinero. Cuando se produjo la sensacional falsificación en la casa Gutsmuth & Co., las sospechas recayeron sobre él, por cuanto había comprado una propiedad importante en la calle Gasperitch, y al ser interrogado sobre la forma en que se había procurado el dinero para la compra, no dio jamás una explicación. Finalmente lo arrestaron; pero, como no se le pudo comprobar nada definitivo, fue puesto en libertad. La policía seguía, no obstante, vigilándolo de cerca y descubrió que con frecuencia abandonaba su casa, siguiendo siempre el mismo camino, hasta burlar invariablemente a sus seguidores en las vecindades de ese laberinto de estrechos y sinuosos pasajes conocido por el ostentoso nombre de «Dondergat». Por fin, después de mucha perseverancia, lo encontraron en la buhardilla de una vieja casa de siete pisos, en una callejuela llamada Flatzplatz, y al irrumpir bruscamente en la habitación vieron a Von Kempelen entregado, según se imaginaron, a sus maniobras de falsificación. Mostrose de tal manera agitado que los policías no tuvieron la menor duda de que era culpable. Luego de colocarle las esposas, revisaron la habitación o, mejor dicho, las habitaciones, pues parece que ocupaba toda la *mansarde.*

Contigua a la buhardilla donde lo habían atrapado había una cámara de diez pies por ocho, equipada con algunos aparatos químicos cuya naturaleza no ha sido aún precisada. En un rincón de la cámara aparecía un pequeño horno donde ardía un intenso fuego; sobre este se hallaba una especie de doble crisol, es decir, dos crisoles comunicados por un tubo. Uno de estos aparecía lleno de *plomo* en fusión, que no alcanzaba a la abertura del tubo, situada cerca del borde. El otro crisol contenía cierto líquido que, al entrar los policías, se evaporaba a gran velocidad. Afirmaron estos que, al verse acorralado, Von Kempelen aferró los crisoles con ambas manos (que tenía enguantadas, sabiéndose más tarde que los guantes eran de amianto) y arrojó su contenido al piso de baldosas. Fue entonces cuando lo esposaron, y antes de requisar las habitaciones examinaron sus ropas, sin encontrar nada extraordinario, salvo un paquete en el bolsillo de la chaqueta, el cual, según se verificó más tarde, contenía una mezcla de antimonio y *una sustancia desconocida* en proporciones casi iguales. Hasta ahora todos los esfuerzos por analizar la mencionada sustancia han fracasado, pero no cabe duda de que se terminará por averiguar su composición

Saliendo de la cámara con su prisionero, los policías pasaron por una especie de antecámara donde no se encontró nada de importancia, y entraron en el dormitorio del químico. Inspeccionaron allí cajones y estantes, sin hallar más que algunos papeles, así como una cantidad de monedas legítimas de plata y oro. Por fin, mirando debajo de la cama descubrieron *un gran baúl ordinario de fibras, sin bisagras, cierre ni cerradura,* cuya tapa había sido descuidadamente puesta a través de la parte principal. Al tratar de extraer el baúl de debajo de la cama, los tres policías, todos ellos robustos, descubrieron que sus fuerzas reunidas no eran capaces de «moverlo ni una sola pulgada». Después de mucho asombrarse, uno de ellos se metió debajo de la cama y, mirando dentro del baúl, exclamó:

–¡Con razón no podíamos moverlo! ¡Está lleno hasta el borde de pedazos de bronce viejo!

Luego de poner los pies en la pared para contar con un buen punto de apoyo, y de empujar con todas sus fuerzas mientras sus compañeros lo ayudaban, el policía logró al fin con mucha dificultad que el baúl resbalara hasta asomar fuera de la cama, permitiendo el examen de su contenido. El supuesto bronce que lo llenaba consistía en trozos pequeños y regulares, cuyo tamaño iba desde el de un guisante hasta el de un dólar; todos los trozos eran de forma irregular, más o menos chatos, y en conjunto daban la impresión «del plomo cuando se lo arroja al suelo en estado de fusión y se lo deja enfriar así».

Pues bien, ninguno de los oficiales de policía sospechó en aquel momento que dicho metal podía ser otra cosa que bronce. La idea de que fuera oro no les entró en la cabeza, naturalmente; ¿cómo podría haber sido de otra manera? Y bien cabe suponer su estupefacción cuando al día siguiente se supo en todo Bremen que aquel «montón de bronce» tan desdeñosamente transportado a la comisaría, sin que nadie se tomara la molestia de echarse al bolsillo un solo pedazo, no solamente era oro, oro de verdad, sino un oro mucho más puro que el que se emplea para acuñar moneda; oro absolutamente puro, virgen, sin la más insignificante aleación.

No necesito extenderme en detalles sobre la confesión de Von Kempelen y su excarcelación, pues son bien conocidas por el público. Nadie que se halle en su sano juicio puede dudar ya de que ha realizado, en espíritu y de hecho, si no al pie de la letra, la vieja quimera de la piedra filosofal. Las opiniones de Arago merecen, ni que decirlo, la mayor consideración; pero Arago no es infalible, y lo que dice del *bismuto* en su informe a la Academia debe ser tomado *cum grano salis*. La sencilla verdad es que, hasta este momento, todos los análisis han fracasado, y que mientras Von Kempelen no nos proporcione la clave del enigma que él mismo ha hecho público lo más probable es que la cosa siga durante años *in statu quo*. Todo lo que honestamente cabe considerar como sabido es que *el oro puro puede fabricarse a voluntad y muy fácilmente, partiendo del plomo combinado con ciertas sustancias cuyas clase y proporciones son desconocidas*.

Abundan las conjeturas, como es natural, sobre los resultados inmediatos y mediatos de este descubrimiento –el cual no dejará de ser relacionado por las personas reflexivas con el creciente interés que existe en general por el oro luego de los últimos episodios en California–. Y esto nos lleva a otra cosa: lo excesivamente *inoportuno* del hallazgo de Von Kempelen. Si muchos se abstuvieron de aventurarse en California temerosos de que el oro perdiera de tal modo el valor por la cantidad de minas descubiertas, y que ir a buscarlo tan lejos no proporcionara beneficio, ¿qué impresión producirá *ahora* en la mente de los que se disponen a emigrar, y especialmente en aquellos que ya se encuentran en las regiones auríferas, el anuncio del asombroso descubrimiento de Von Kempelen? Pues este descubrimiento hará que, fuera de su valor intrínseco para los fines de la metalurgia, el oro no valga (ya que es imposible suponer que Von Kempelen pueda guardar mucho tiempo su secreto) más de lo que vale el plomo y muchísimo menos que la plata. Muy difícil es, por cierto, especular anticipadamente sobre las consecuencias del descubrimiento; pero hay algo que puede afirmarse, y es que, si el anuncio del mismo se hubiese hecho seis meses atrás, hubiera tenido consecuencias muy graves para las colonias californianas.

En Europa, hasta ahora, sus resultados más notables han consistido en un aumento del dos por ciento en el precio del plomo y casi veinticinco por ciento en el de la plata.

EL CUENTO MIL Y DOS DE SCHEHERAZADE

Ana García Bergua

«El cuento mil y dos de Scheherazade» tiene algo de suplemento periodístico, pues combina los hallazgos científicos que animaban las revistas misceláneas del siglo XIX con una curiosa parodia de *Las mil y una noches*. De esta manera, los descubrimientos de los naturalistas y los geólogos terminan convirtiéndose en historias fantásticas y sorprendentes, acordes con la teoría del *ars combinatoria* que el gran escritor explicaba en el texto «Imaginación», perteneciente a su *Marginalia*: «Así, el alcance de la imaginación es ilimitado. Sus temas se despliegan a lo largo del universo. Fabrica incluso con las deformidades aquella "Belleza" que es al mismo tiempo su solo objeto e inevitable examen. Pero, en general, la riqueza de la fuerza de los asuntos combinados, la facilidad para descubrir novedades combinables que valgan la pena de combinarse y, especialmente, la "combinación química" absoluta de la masa completada son las particularidades a considerar en nuestro cálculo de Imaginación».

Si creemos en una carta que escribió Poe al editor Evert A. Duy ckinck, el 8 de enero de 1846, para proponerle publicar una nueva colección de cuentos, «Ligeia» era sin duda la mejor historia que había escrito «junto a» «"Scheherazade", "The Spectacles", "Tarr and Fether", etcétera». A contrapelo de lo que pensaría el genial escritor –rara vez los escritores son buenos jueces de su obra–, a Julio Cortázar «El cuento mil y dos de Scheherazade» le pareció un cuento menor (una «composición secundaria») y probablemente lo es, pues palidece frente a obras maestras como «Berenice», «La máscara de la muerte roja» o, justamente, «Ligeia». Quizá en este caso la combinación no fue tan afortunada, pero no deja de tener rasgos notables, como el personaje del sultán que, de temperamento sanguíneo y sanguinario, aun así no deja de comportarse como todo un caballero y la única historia que encuentra verosímil es aquella en la que un continente se encuentra sostenido por una vaca azul. Otra curiosidad que a la distancia resulta muy simpática es la idea de la sociedad del siglo XIX de la que se burlaba Poe, el barco que Simbad confunde con un animal y los sombreros que supone sirven para mantener la cabeza pegada a los hombros, así como las pesadas enaguas de las mujeres, previstas para agrandar exageradamente el *derrière*.

Lo que es innegable es que de relatos como este y otros por el estilo, que combinaban la ciencia y la ficción, pudieron surgir posteriormente las fantasías de H. G. Wells, Julio Verne y sus muchos descendientes, o bien, en otra vertiente, los textos humorísticos de Mark Twain o Ambrose Bierce e incluso, me atrevería a decir, aquella burla de la pasión tecnológica de los norteamericanos que practicó Oscar Wilde en *El fantasma de Canterville*. De modo que lo que Poe logró en todos sus relatos, magistrales o no tan afortunados, fueron combinaciones a futuro que engendrarían categorías hasta entonces insospechadas, lo cual, si lo vemos detenidamente, no es poca cosa.

EL CUENTO MIL Y DOS DE SCHEHERAZADE

«La verdad es más extraña que la ficción».
Antiguo adagio

En el curso de ciertas investigaciones sobre el Oriente tuve hace poco oportunidad de consultar el *Tellmenow Isitsöornot*[1], obra que, a semejanza del *Zohar,* de Simeón Jochaides, es muy poco conocida aún en Europa, y que, según tengo entendido, no ha sido citada jamás por un norteamericano (si exceptuamos, quizá, al autor de las *Curiosidades de la literatura norteamericana);* como decía, tuve oportunidad de leer algunas páginas de tan notable obra y quedé no poco estupefacto al descubrir que el mundo literario había vivido hasta ahora en un extraño error acerca del destino de Scheherazade, la hija del visir, según se lo describe en *Las mil y una noches*. En efecto, si bien el *dénouement* de dicho destino, como se lo consigna allí, no es por completo inexacto, se anticipa en mucho a la realidad.

Para toda información sobre tan interesante tópico remito al lector inquisitivo al *Isitsöornot;* pero, entretanto, se me perdonará que ofrezca un resumen de lo que descubrí en este libro.

Se recordará que, en la versión usual de los cuentos árabes, un califa a quien no faltan buenas razones para sentirse celoso de su real esposa, no sólo la condena a muerte, sino que hace solemne promesa –por su barba y el Profeta– de desposar cada noche a la más hermosa doncella de sus dominios y de entregarla a la mañana siguiente al verdugo.

Luego de cumplir al pie de la letra su promesa durante varios años, con una puntualidad y un método que le valen gran renombre como persona de mucha devoción y buen sentido, cierta tarde se ve interrumpido (en sus plegarias, sin duda) por la visita de su gran visir, a cuya hija se le ha ocurrido una idea.

1. O sea: «Dime: ¿Es así o no?». *(N. del T.)*

La joven en cuestión se llama Scheherazade, y la idea consiste en que redimirá el país del asolador impuesto a la belleza que pesa sobre él o que perecerá en la empresa como corresponde a toda heroína.

De acuerdo con su plan, y aunque no estamos en año bisiesto (lo cual hace más meritorio su sacrificio), Scheherazade envía a su padre, el gran visir, para que ofrezca su mano al califa. Este la acepta rápidamente (pues estaba dispuesto a tomarla de todos modos, y sólo aplazaba la cosa por el miedo que tenía al visir), pero al hacerlo da a entender claramente a los interesados que, gran visir o no, mantendrá en todos sus puntos y comas la promesa hecha y sus privilegios reales. Por eso, cuando la hermosa Scheherazade insiste en casarse, y así lo hace a pesar del excelente consejo de su padre en el sentido de que no cometa semejante locura, es evidente que tiene sus hermosos ojos negros bien abiertos y que no se le escapa nada de la situación.

Parece ser, empero, que esta política damisela (que, sin duda, debió leer a Maquiavelo) tenía preparado un pequeño cuanto ingenioso plan. Con un pretexto especioso que ya he olvidado, se las arregló para que en la noche de bodas su hermana se acostara en un lecho lo bastante cercano al de la pareja real como para poder conversar del uno al otro. Poco antes de que cantaran los gallos tuvo buen cuidado de despertar al excelente monarca, su esposo (que la estimaba muchísimo, pese a que la haría retorcer el cuello por la mañana), interrumpiendo el profundo sueño que le daban su conciencia limpia y su excelente digestión, a fin de que escuchara la interesantísima historia (creo que sobre una rata y un gato negro) que estaba contando en voz muy baja a su hermana. Cuando salió el sol, sucedió que la historia no había terminado todavía y que Scheherazade no podría terminarla por la sencilla razón de que ya era tiempo de que se levantara y ofreciera su cuello al estrangulador –cosa muy poco preferible a la de ser ahorcada, aunque ligeramente más gentil–.

Lamento decir que la curiosidad del califa prevaleció sobre sus sólidos principios religiosos, induciéndolo a posponer el cumplimiento de su promesa hasta la mañana siguiente, con intención y esperanza de enterarse por la noche qué había ocurrido al final con el gato negro (pues creo que era negro) y la rata.

Llegada la noche, no sólo Scheherazade dio la pincelada final al gato negro y a la rata (que era azul), sino que, antes de darse cuenta de lo que hacía, se vio arrastrada por el intrincado desarrollo de un relato concerniente, si no me engaño, a un caballo color rosa (con alas verdes) que se movía violentamente gracias a un mecanismo de relojería, al cual se daba cuerda con una llave color índigo. Este relato interesó al califa mucho más que el primero, y como amaneció sin que hubiera terminado (pese a los esfuerzos de la sultana por concluirlo a tiempo para acudir al estrangulamiento), no quedó otro remedio que aplazar otra vez la ceremonia veinticuatro horas. A la noche siguiente ocurrió algo parecido, con resultados similares; y también a la siguiente, y a la otra... Hasta que, al fin, el buen monarca, después de haberse visto inevitablemente privado de cumplir su promesa durante nada menos que mil y una noches, olvidola completamente al vencerse el término, se hizo relevar de ella en la forma habitual, o –lo que es más probable– se limitó a quebrarla, al mismo tiempo que la cabeza de su padre confesor. Sea como fuere, Scheherazade, que, como descendiente directa de Eva, había heredado quizá las siete cestas de charla que esta última dama, como es sabido, cosechó al pie de los árboles en el jardín del Edén, acabó triunfando sobre el califa y el impuesto a la belleza fue abolido.

Ahora bien, esta conclusión (que figura en la obra tal como la conocemos) es indudablemente muy justa y agradable, pero, ¡ay!, como tantas cosas, es mucho más agradable que verdadera. Debo al *Isitsöornot* la rectificación de este error. *Le mieux* –dice un proverbio francés– *est l'ennemi du bien,* y al mencionar que Scheherazade había heredado las siete cestas de la charla, hubiera debido agregar que las puso a interés compuesto hasta que llegaron a ser setenta y siete.

–Querida hermana –dijo en la noche mil y dos (transcribo literalmente los términos del *Isitsöornot*)–, ahora que este pequeño inconveniente de la estrangulación ha desaparecido, junto con el odioso impuesto, me siento culpable de una gran indiscreción por haberos ocultado a ti y al califa (quien, lamento decirlo, está roncando, lo cual no es propio de un caballero) la verdadera conclusión de la historia de Simbad el marino. Este personaje pasó por muchas otras e interesantes aventuras aparte de las que os he contado, pero, a decir verdad, aquella noche me sentía un tanto soñolienta y preferí abreviar mi relato. ¡Oh infame proceder, del cual espero que Alá me perdone! Pero aún no es demasiado tarde para remediar mi negligencia y, tan pronto haya pellizcado un par de veces al califa y este se despierte lo bastante como para cesar sus horribles ruidos, procederé a narrarte (y también a él, si así lo desea) la continuación de esta notable historia.

La hermana de Scheherazade, según noticias del *Isitsöornot,* no se manifestó demasiado entusiasmada ante esta perspectiva; pero el califa, luego de recibir suficientes pellizcos, terminó por interrumpir sus ronquidos y finalmente dijo «¡Hunt!», y luego «¡Ejem!», con lo cual la reina comprendió (por cuanto se trataba indudablemente de palabras árabes) que el monarca era todo atención y que trataría de no seguir roncando; la reina, repito, reanudó sin perder más tiempo la historia de Simbad el marino.

–Por fin, cuando ya era viejo –contó Scheherazade, y Simbad hablaba por su voz–, después de gozar de muchos años de tranquilidad en mi hogar, me sentí poseído una vez más por el deseo de visitar países lejanos; y un día, sin advertir a mi familia de mis intenciones, preparé algunos fardos de mercancías que aliaban la riqueza al poco bulto y, enganchando a un mozo de cuerda para que las llevara, bajé con ellas a la costa para esperar algún navío que quisiera sacarme del reino, rumbo a alguna región que no hubiera explorado todavía.

»Luego de dejar los fardos en la arena, nos sentamos bajo los árboles y miramos el océano, esperando percibir algún navío, pero durante varias horas no vimos ninguno. Me pareció por fin que oía un extraño sonido, entre zumbido y murmullo, y el mozo de cuerda afirmó que también él lo oía. No tardó en hacerse más intenso, y crecía en forma tal que no podíamos dudar del rápido acercamiento del objeto que lo provocaba. Por fin, en la línea del horizonte distinguimos una mota negra que aumentaba rápidamente de tamaño hasta convertirse en un enorme monstruo, nadando con gran parte del cuerpo fuera del agua. Avanzó hacia nosotros a una velocidad inconcebible, levantando enormes masas de espuma con el pecho e iluminando la parte del océano por el cual avanzaba con una larga línea de fuego que se extendía hasta perderse en la distancia.

»Cuando aquello se nos acercó, pudimos verlo con toda claridad. Su largo era comparable al de tres árboles entre los más altos, y su ancho semejante a la gran sala de audiencias de vuestro palacio, ¡oh el más sublime y munífico de los califas! Su cuerpo no se parecía en nada al de los peces ordinarios; sólido como de roca, era de un negro azabache en toda la extensión que sobresalía del agua, a excepción de una angosta faja rojo sangre que lo circundaba por completo. El vientre, oculto por el agua, pero que veíamos por momentos cuando el monstruo subía y bajaba entre las olas, hallábase totalmente cubierto de escamas metálicas, cuyo color semejaba el de la luna con tiempo neblinoso. Su lomo era chato y casi blanco, y de él surgían hacia lo alto seis espinas de una altura casi igual a la mitad de su largo.

»Aquella horrible criatura no tenía boca visible, pero para compensar este defecto se hallaba provisto de veinte ojos por lo menos, que sobresalían de las órbitas como los de la libélula verde y se distribuían alrededor del cuerpo en dos hileras, una sobre otra, paralelamente a la franja rojo sangre que parecía una especie de ceja. Dos o tres de aquellos espantosos ojos eran mucho mayores que los demás y daban la impresión de ser de oro macizo.

«Aunque, como he dicho, la bestia se nos acercaba con enorme rapidez, parecía movida por artes de nigromancia, pues no tenía aletas como las de un pez, ni patas membranosas como un pato, ni alas como la concha marina a quien el viento impulsa como si fuera un barco. Tampoco se contorsionaba para avanzar, como la anguila. La cabeza y la cola se parecían muchísimo, salvo que a poca distancia de esta última había dos agujeros que servían de narices y por las cuales el monstruo exhalaba un espeso aliento con violencia prodigiosa, produciendo un agudo y desagradable sonido.

»Grandísimo fue nuestro espanto al contemplar cosa tan horrible, pero pronto se vio superado por el asombro que nos produjo ver sobre el lomo de aquella criatura una gran cantidad de animales de la misma forma y tamaño que los hombres y sumamente parecidos a estos, salvo que no estaban vestidos (como lo está un hombre), sino que la naturaleza parecía haberles proporcionado unas feas e incómodas envolturas que daban la impresión de una tela, pero tan pegada a la piel como para que los pobres infelices tuvieran el aire más ridículo y pasaran por las peores molestias imaginables. En lo alto de la cabeza llevaban una especie de cajas cuadradas que a primera vista hubieran podido pasar por turbantes, pero que, como pronto advertí, eran muy pesadas y sólidas. Supuse entonces que se trataba de dispositivos calculados para mantener, gracias a su gran peso, las cabezas pegadas a los hombros. Noté que todas esas criaturas llevaban unos collares negros (símbolo de servidumbre, sin duda) como los que ponemos a nuestros perros, sólo que mucho más anchos y duros, al punto que las desdichadas víctimas no podían mover la cabeza en cualquier dirección sin mover al mismo tiempo el cuerpo; veíanse así condenados a contemplarse incesantemente la nariz, espectáculo tan romo y tan chato como imaginarse pueda, por no calificarlo de espantoso.

»Una vez que el monstruo hubo llegado junto a la costa donde nos hallábamos, proyectó repentinamente uno de sus ojos hasta muy afuera, emitiendo por él un terrible resplandor de fuego seguido de una densa nube de humo y un estruendo que no puedo comparar con nada por debajo del trueno. Cuando se despejó el humo, vimos a uno de aquellos extraños animales-hombres parado cerca de la cabeza de la bestia, con una trompeta en la mano; llevándosela a la boca, no tardó en dirigirse a nosotros con acentos tan broncos, ásperos y desagradables, que hubiéramos confundido acaso con un lenguaje si no hubieran sido proferidos por la nariz.

»Como no cabía duda de que se dirigía a nosotros, me sentí perplejo y sin saber qué contestar, pues no había entendido una sola sílaba. En esta coyuntura me volví al mozo de cordel, que estaba a punto de desmayarse de terror, y le pregunté qué pensaba de aquel monstruo y si tenía idea de sus intenciones, así como de la naturaleza de los seres que llenaban su lomo. Venciendo lo mejor posible el temblor que lo dominaba, me contestó que había oído hablar de aquella bestia marina; que era un cruel demonio, con entrañas de azufre y sangre de fuego, creado por genios malignos para infligir desgracias a la humanidad; que aquellas cosas que había en su lomo eran sabandijas como las que a veces infestan a gatos y perros, sólo que más grandes y más salvajes, y que tenían su razón de ser, por más mala que fuera, ya que a causa de las torturas que infligían al monstruo mediante sus mordiscos y aguijonazos lo llevaban al grado de enfurecimiento necesario para que rugiera y cometiera maldades, cumpliendo así los vengativos y perversos propósitos de los genios malignos.

»Esta explicación me indujo a salir corriendo a toda velocidad y, sin mirar una sola vez hacia atrás, me interné como una flecha en las colinas, mientras el mozo de cordel corría con no menor celeridad, pero en dirección opuesta, al punto que logró finalmente escapar con mis fardos que no dudo habrá cuidado debidamente, aunque no puedo ratificar este punto pues no me parece que haya vuelto a verlo jamás.

»En cuanto a mí, fui perseguido por un enjambre de los hombres-sabandijas (que habían desembarcado en botes), hasta que no tardé en ser alcanzado, atado de pies y manos y conducido a bordo de la bestia, la cual echó a nadar de inmediato mar afuera.

»Me arrepentí entonces amargamente de haber abandonado un hogar confortable para arriesgar la vida en semejantes aventuras; pero como aquellas lamentaciones no servían de nada, traté de mejorar en lo posible mi situación, buscando asegurarme la buena voluntad del animal-hombre que esgrimía la trompeta, y que parecía ejercer autoridad sobre los otros. Tan bien lo logré que, pocos días más tarde, aquella criatura me dio varios testimonios de su favor, y llegó por fin a molestarse en enseñarme los rudimentos de lo que sería vano denominar un lenguaje; pero gracias a ello me fue posible hacerme entender de aquella criatura y expresarle mis ardientes deseos de ver el mundo.

»–Patapún catabón tirilín Simbad, mantantirulirulá rataplán chin pún –me dijo cierto día, después de cenar–. Pero me apresuro a pedir mil perdones, pues olvidaba que Vuestra Majestad ignora el dialecto de los «cockneys» (como se denominaban los animales-hombres, quizá porque su lenguaje constituía el eslabón entre el caballo y el gallo[2]).

---

2. *Cockneys,* denominación popular de los londinenses. Poe lo escribe *Cockneigh,* o sea, gallo-relincho. *(N. del T.)*

Con vuestro permiso lo traduciré: «Patapún catabón», etcétera, significa: «Me alegra descubrir, querido Simbad, que eres un excelente individuo; por nuestra parte, estamos cumpliendo ahora algo que se llama circunnavegación del globo, y ya que tienes tantos deseos de ver mundo, cerraré los ojos y te daré un pasaje gratis en el lomo de la bestia».

El *Isitsöornot* declara que, cuando la dama Scheherazade hubo llegado a este punto, el califa se volvió sobre el lado derecho y dijo:

–Ciertamente, querida reina, es *muy* sorprendente que hayas omitido hasta ahora estas últimas aventuras de Simbad. ¿Sabes que las encuentro tan entretenidas como extrañas?

Habiéndose expresado así el califa, según nos cuentan, la hermosa Scheherazade continuó su relato con las siguientes palabras:

–Agradecí su gentileza al animal-hombre –dijo Simbad– y pronto me hallé muy a mi gusto sobre la bestia, que nadaba a velocidad prodigiosa a través del océano, a pesar de que este, en la parte del mundo donde nos hallábamos, no era plano, sino redondo como una granada, por lo cual puede decirse que todo el tiempo subíamos y bajábamos por él.

–Esto me parece sumamente raro –interrumpió el califa.

–Empero, es muy cierto –replicó Scheherazade.

–Lo dudo –dijo el monarca–, pero ruégote que tengas la bondad de seguir con tu relato.

–Así lo haré –continuó la reina–. La bestia –continuó Simbad– nadaba hacia arriba y abajo, hasta que llegamos a una isla de muchos cientos de millas de circunferencia que, a pesar de su tamaño, había sido levantada en mitad del océano por una colonia de pequeños seres semejantes a las orugas[3].

–¡Hum! –dijo el califa.

–Al abandonar la isla –continuó Simbad (pues Scheherazade no hizo caso de aquella intempestiva interjección de su esposo)– llegamos a otra donde había bosques de piedra tan duros que rompían el filo de las hachas más templadas, con las cuales tratamos de cortar sus árboles[4].

3. La coralina.

4. «Una de las más notables curiosidades naturales de Tejas es un bosque petrificado cerca de la cabecera del río Pasigno. Hay allí varios centenares de árboles erectos, que se han vuelto de piedra. Algunos árboles, en curso de crecimiento, se hallan ya parcialmente petrificados. He aquí un hecho sorprendente para la filosofía natural, que debería inducirla a modificar la teoría usual de la petrificación» (Kennedy).
Esta noticia, recibida primeramente con incredulidad, ha sido corroborada por el descubrimiento de una entera selva petrificada cerca de la cabecera del río Cheyenne o Chienne, que nace en las Colinas Negras de las Montañas Rocosas.

–¡Hum! –dijo nuevamente el califa; pero Scheherazade no le prestó atención y siguió hablando con las palabras de Simbad:

–Más allá de esta isla llegamos a un país donde había una caverna que entraba treinta o cuarenta millas en las entrañas de la tierra y que contenía mayores, más grandes y magníficos palacios que los existentes en Damasco y Bagdad juntas. Del techo de estos palacios colgaban miríadas de gemas, semejantes a diamantes, pero más grandes que un hombre; entre las calles llenas de torres, pirámides y templos, corrían inmensos ríos negros como el ébano, pululantes de peces sin ojos[5].

–¡Hum! –dijo el califa.

–Nadamos luego a una región del mar donde hallamos una elevadísima montaña, de cuyas laderas caían torrentes de metal fundido, algunos de ellos de doce millas de ancho y sesenta de largo[6]; de un abismo en lo alto surgían cantidades tales de cenizas, que el sol había quedado completamente oculto en el cielo, y estaba más oscuro que en la más tenebrosa medianoche; aun a ciento cincuenta millas de aquella montaña era imposible ver el más blanco de los objetos, aunque lo pusiéramos contra los ojos[7].

–¡Hum! –dijo el califa.

Quizá no haya en todo el globo espectáculo más notable, tanto desde el punto de vista geológico como pintoresco, que el ofrecido por el bosque petrificado vecino a El Cairo. Luego de pasar frente a las tumbas de los califas, situadas más allá de las puertas de la ciudad, el viajero toma hacia el sur, casi en ángulo recto con el camino que va a Suez por el desierto, y luego de atravesar unas diez millas de un valle bajo y estéril, cruza una serie de médanos que durante un trecho han corrido paralelamente a él. La escena que se presenta entonces a su vista es indescriptiblemente extraña y desolada. Una inmensidad de fragmentos de árboles, convertidos en piedra, tan duros que los cascos del caballo les arrancan un sonido como de acero, se extiende por millas y millas hacia todos lados, en forma de floresta arruinada y caída.

La madera tiene una coloración muy oscura, pero conserva perfectamente su forma; los trozos miden de uno a quince pies de largo y de medio a tres pies de espesor, y están tan juntos que un asno puede abrirse apenas camino entre ellos; tan natural es su aspecto que, de hallarse en Escocia o Irlanda, se tendría la impresión de estar frente a un pantano desecado, en el cual los árboles exhumados se pudren al sol. En muchos casos las raíces y los brotes son perfectos, viéndose en algunos los agujeros causados por los gusanos en la corteza. Los más delicados canales de la savia y las partes más finas del centro de los troncos no presentan la menor alteración, como se comprueba examinándolos con las más poderosas lentes de aumento. El conjunto se ha petrificado a tal punto, que raya el cristal y admite un pulimento completo *(Revista Asiática).*

5. La caverna del Mamut, en Kentucky.

6. En Islandia, en 1783.

7. «Durante la erupción del Hecla, en 1766, las nubes de ceniza produjeron una oscuridad tan grande que, en Glaumba, situada a más de cincuenta leguas de la montaña, la gente sólo podía encontrar tanteando su camino. Durante la erupción del Vesubio en 1794, en Caserta, a cuatro leguas de distancia, sólo se podía andar a la luz de las antorchas. El 1.º de mayo de 1812, una nube de cenizas y arenas, brotadas de un volcán en la isla de San Vicente, cubrió la totalidad de las Barbados, extendiendo sobre ellas una oscuridad tal que, a mediodía y al aire libre, no se percibían los árboles ni los objetos más cercanos; ni siquiera un pañuelo blanco colocado a seis pulgadas de los ojos» (*Murray,* pág. 215, edición de Filadelfia).

–Luego de alejarnos de esta costa, la bestia continuó su viaje hasta llegar a una tierra donde la naturaleza de las cosas parecía haberse invertido, pues vimos un gran lago en cuyo fondo, a más de cien pies bajo la superficie, florecía con toda su vegetación un bosque de altos y exuberantes árboles[8].

–¡Hola! –dijo el califa.

–Cientos de millas más allá encontramos un clima donde la atmósfera era tan densa que sostenía el hierro o el acero, tal como el nuestro sostiene una pluma[9].

–¡Azúcar! –dijo el califa.

–Siguiendo siempre la misma dirección, llegamos a la región más admirable y magnífica de la tierra. Corría por ella un río de varios miles de millas de longitud. Era de insondable profundidad y de mayor transparencia que el ámbar. Su ancho variaba de tres a seis millas y sus márgenes se alzaban perpendicularmente hasta mil doscientos pies de altura, coronados por árboles de follaje perenne y flores del más dulce perfume, que convertían aquel territorio en un maravilloso jardín. Pero tan exuberante región se llamaba el Reino del Horror, y penetrar en él representaba inevitablemente la muerte[10].

–¡Toma! –dijo el califa.

–Nos alejamos a prisa de aquel reino y, tras algunos días, llegamos a otro donde nos asombró descubrir miradas de monstruosos animales que tenían en la cabeza cuernos semejantes a guadañas. Aquellas horrorosas bestias cavan vastas cavernas en forma de túnel, disponiendo su entrada en forma tal que los animales que pisan las piedras que la forman se precipitan al interior de la guarida de los monstruos, quienes les chupan inmediatamente la sangre, transportando luego desdeñosamente sus restos a mucha distancia de las «cavernas de la muerte»[11].

–¡Bah! –dijo el califa.

---

8. «En 1790, durante un terremoto en Caracas, parte del suelo de granito se hundió, formando el lecho de un lago de ochocientas yardas de diámetro y de ochenta a cien pies de profundidad. Formaba parte del bosque de Aripao, que se hundió con él, y los árboles se mantuvieron verdes bajo el agua durante varios meses» (*Murray,* página 221).

9. Bajo la acción del soplete el acero más duro se reduce a un polvo impalpable, que flota en la atmósfera.

10. La región del Níger. Cf. el *Colonial Magazine* de Simmona.

11. El *Myrmeleon,* hormiga-león. El término «monstruo» es igualmente aplicable a cosas anormales pequeñas que a grandes, mientras epítetos tales como «vastas» son meramente relativos. La caverna del *myrmeleon* es vasta si se la compara con el hormiguero de la hormiga roja común. Un grano de sílex es también una «piedra».

–Continuando nuestro viaje, avistamos una zona donde hay vegetales que no crecen en el suelo, sino en el aire[12]. Algunos surgían de la sustancia de otros vegetales[13]; otros derivaban su alimento del cuerpo de animales vivos[14], y había algunos que ardían como si fueran un fuego intenso[15]; otros que andaban de un lado a otro según su voluntad[16], y, lo que era aún más extraordinario, descubrimos flores que vivían, respiraban y movían sus partes a voluntad, y que compartían la detestable pasión humana por la esclavitud, sumiendo a otros seres en horribles y solitarias prisiones hasta que cumplían determinadas tareas[17].

–¡Cómo! –dijo el califa.

–Al salir de esta tierra no tardamos en llegar a otra donde las abejas y los pájaros son matemáticos de tanto genio y erudición que diariamente enseñan geometría a los entendidos del imperio. Cierta vez que el rey ofreció una recompensa por la solución de dos dificilísimos problemas, ambos quedaron instantáneamente aclarados, el uno por las abejas y el otro por los pájaros. Como el rey guardó la

12. El *Epidendron, Flos Aeris,* de la familia de las orquídeas, se limita a fijar el extremo de sus raíces en un árbol u otro objeto, del cual no deriva alimento alguno, pues subsiste tan sólo del aire.

13. Las *parásitas,* tales como la admirable *Rafflesia Arnoldii.*

14. Schouw afirma que hay una clase de plantas que crecen sobre animales vivientes: las *Plantae Epizoœ.* A esta clase pertenecen los *Fuci* y *Algae.* Mr. J. B. Williams, de Salem, Massachusetts, dio a conocer al Instituto Nacional un insecto procedente de Nueva Zelandia, acompañado de la siguiente descripción: «El *Hotte,* que es una oruga o gusano, crece al pie del árbol *Rata,* y a su vez hay una planta que crece en su cabeza. Estos extraños y maravillosos insectos trepan hasta lo alto de los árboles *Rata* y *Perriri* y, penetrando en ellos desde la copa, perforan el tronco hasta alcanzar la raíz; salen luego a la superficie y mueren o se adormecen, mientras la planta se propaga partiendo de su cabeza: el cuerpo permanece entero y perfecto y es más duro que cuando estaba vivo. Los nativos extraen de este insecto un colorante para sus tatuajes».

15. En las minas y cavernas naturales hay una especie de *fungus* criptógamo que emite una inmensa fosforescencia.

16. La orquídea, la escabiosa y la valisneria.

17. «La corola de esta flor *(Arístolochia Clematitis)* es tubular, pero termina en lo alto en un miembro ligulado, siendo globular en su base. La parte tubular tiene en su interior pelos muy duros, que apuntan hacia abajo. La parte globular contiene el pistilo, consistente tan sólo en un germen y estigma, junto con los estambres que los rodean. Los estambres, más cortos que el germen, no pueden descargar el polen de manera de volcarlo en el estigma, pues la flor se mantiene siempre vertical hasta después de la fecundación. Por eso, de no recibir alguna ayuda adicional, el polen caerá necesariamente en el fondo de la flor. Pues bien, la ayuda proporcionada en este caso por la naturaleza es la del *Tiputa Pennicornis,* pequeño insecto que penetra por el tubo de la corona en busca de miel, baja hasta el fondo y se pasea hasta quedar enteramente cubierto de polen; como le es imposible volver a subir, dada la posición de los pelos mencionados, que convergen como los alambres de una trampa para ratones, y sintiéndose impaciente por su encarcelamiento, se mueve en todas direcciones buscando una salida, hasta que, luego de atravesar repetidas veces el estigma, lo deja cubierto de suficiente polen como para que se produzca la fecundación, a consecuencia de la cual la flor no tarda en inclinarse, mientras los pelos se contraen a los lados del tubo, abriendo una fácil salida al insecto» (Reverendo P. Keith, *Sistema de botánica fisiológica*).

solución en secreto, sólo después de complicadísimas investigaciones y trabajos y de escribir infinidad de voluminosos libros en infinidad de años llegaron los matemáticos del reino a las mismas soluciones que las abejas y los pájaros habían dado en el acto[18].

–¡Demonio! –dijo el califa.

–Apenas había perdido de vista este imperio, cuando llegamos a otro, desde cuyas playas vimos volar una bandada de pájaros de una milla de ancho y doscientas cuarenta millas de largo; es decir, que, aun volando a razón de una milla por minuto, se requirieron cuatro horas para que pasara sobre nosotros la entera bandada, en la cual había varios millones de pájaros[19].

–¡Camelo! –dijo el califa.

–Tan pronto habíamos quedado libres de estos pájaros, que mucho nos molestaron, vimos surgir un ave de otra especie, infinitamente más grande que los *rocs* que había encontrado en mis anteriores viajes; era más grande que la mayor de las cúpulas de vuestro serrallo, ¡oh, el más magnífico de los califas! Este terrible pájaro no tenía cabeza visible, sino que parecía formado enteramente por un vientre de prodigioso grosor y redondez, constituido por una sustancia muy suave, lisa, brillante y de franjas coloreadas. El monstruo llevaba en sus garras (a su guarida, en las nubes, sin duda) una casa cuyo techo había probablemente arrancado, y en cuyo interior vimos claramente a varios seres humanos que parecían tan empavorecidos como desesperados por el espantoso destino que les aguardaba. Gritamos con todas nuestras fuerzas, esperando que el pájaro se asustara y soltara la presa; pero se limitó a exhalar una especie de resoplido, como de cólera, y luego dejó caer sobre nuestras cabezas un pesado saco que resultó estar lleno de arena.

---

18. Desde que las abejas existen, han construido sus celdillas con el número de lados, la cantidad y el ángulo de inclinación (como se ha demostrado en una investigación matemática que implicaba los más profundos principios de esta ciencia) que se requieren para obtener el mayor espacio compatible con la mayor estabilidad de la estructura de la colmena.
A fines del siglo pasado, los matemáticos se plantearon la cuestión de «determinar la mejor forma posible para las alas de un molino, de acuerdo con su distancia variable desde las aspas y desde los centros de revolución». Se trata de un problema extraordinariamente complejo, pues consiste en hallar la mejor solución posible para una infinidad de distancias y una infinidad de puntos. Los matemáticos más ilustres hicieron miles de tentativas inútiles para resolver el problema; cuando, por fin, se llegó a una respuesta exacta, descubriose que las alas de un pájaro coincidían con ella de la manera más exacta, desde que el primer pájaro echó a volar por el espacio.

19. «El teniente F. Hall observó una bandada de pájaros que sobrevolaba Fráncfort y el territorio de Indiana, y cuyo ancho era de una milla; tardó cuatro horas en pasar, lo cual, a un promedio de una milla hora, da una extensión de 240 millas. Si suponemos que había tres pájaros por cada yarda, el total se componía de 2 230 272 000 animales» *(Viajes por Canadá y Estados Unidos)*.

–¡Cuentos chinos! –dijo el califa.

–Muy poco después de esta aventura encontramos un continente de vastísima extensión y prodigiosa solidez, el cual descansaba enteramente sobre el lomo de una vaca color celeste que tenía no menos de cuatrocientos cuernos[20].

–*Esto sí* lo creo –dijo el califa–, pues he leído algo por el estilo en algún libro.

–Pasamos por debajo de este continente, nadando entre las piernas de la vaca, y horas después nos encontramos en una región maravillosa que, según me informó el animal-hombre, era su propio país, habitado por seres de su misma especie. Esto aumentó muchísimo el concepto que de él tenía y empecé a avergonzarme del desprecio y la familiaridad con que lo había tratado hasta ahora. En efecto, descubrí que los animales-hombres constituían una nación de grandes magos que vivían con la cabeza llena de gusanos[21], los cuales sin duda servían para estimularlos con sus dificultosos retorcimientos y coletazos, a fin de que alcanzaran los más asombrosos grados de imaginación.

–¡Disparates! –dijo el califa.

–Entre los magos había diversos animales domésticos de lo más singulares. Por ejemplo, vimos un enorme caballo cuyos huesos eran de hierro y tenía agua hirviendo por sangre. En lugar de maíz lo alimentaban con piedras negras; a pesar de esa dura dieta era tan fuerte y veloz como para arrastrar una carga más pesada que el más grande de los templos de esta ciudad, a una velocidad que superaba la de la mayoría de los pájaros[22].

–¡Paparruchas! –dijo el califa.

–Entre esas gentes vi una gallina sin plumas más grande que un camello; en vez de carne y huesos era de hierro y ladrillos; su sangre, como la del caballo (al que mucho se parecía) era agua hirviendo, y, como él, sólo comía madera y piedras negras. Esta gallina producía con frecuencia un centenar de pollos en un solo día; después de nacidos se instalaban durante varias semanas en el estómago de su madre[23].

–¡Dislates! –dijo el califa.

---

20. «La tierra está sostenida por una vaca azul, que tiene cuernos en número de cuatrocientos» *(El Corán)*.

21. El *Entozoa,* gusano intestinal, ha sido repetidas veces observado en los músculos y en la materia gris humana (cfr. Wyatt, *Fisiología,* página 143).

22. En el gran ferrocarril del Noroeste, entre Londres y Exeter, se ha alcanzado una velocidad de 71 millas por hora. Un tren que pesaba 90 toneladas corrió de Puddington a Didcot (53 millas) en 51 minutos.

23. La incubadora.

–Un miembro de esta nación de brujos creó un hombre de bronce, madera y cuero, dándole tanta inteligencia que hubiera vencido al ajedrez a toda la humanidad, con excepción del gran califa Harun Al Raschid[24]. Otro de estos magos construyó con materiales parecidos una criatura capaz de avergonzar el genio de su propio creador: tan grandes eran sus poderes razonantes que, en un segundo, efectuaba cálculos que hubieran requerido el trabajo de cincuenta mil hombres de carne y hueso durante un año[25]. Pero otro mago todavía más asombroso fabricó una fortísima criatura que no era ni hombre ni bestia, pero que tenía cerebro de plomo mezclado con una sustancia negra como la pez y dedos que actuaban con tan increíble velocidad y destreza que no hubiera tenido dificultad en escribir veinte mil copias del Corán en una hora; todo esto con una precisión tan exquisita que no se hubiera podido encontrar un solo ejemplar que se diferenciara de los otros en el ancho de un cabello. Esta criatura era de una fuerza prodigiosa, al punto que creaba y destruía de un soplo los imperios más poderosos; pero sus aptitudes se aplicaban indistintamente al bien y al mal.

–¡Ridículo! –dijo el califa.

–En esta nación de nigromantes había uno que llevaba en las venas la sangre de la salamandra, pues no tenía escrúpulos en sentarse a fumar su chibuquí en un horno ardiente, hasta que su cena se cocinaba completamente en el suelo[26]. Otro tenía la facultad de convertir los metales comunes en oro, sin siquiera mirarlos durante el proceso[27]. Otro tenía un tacto tan delicado que llegó a fabricar un alambre invisible[28]. Otro percibía las cosas con tanta rapidez, que contaba los movimientos de un cuerpo elástico mientras este se movía hacia delante y hacia atrás a la velocidad de novecientos millones de veces por segundo[29].

–¡Absurdo! –dijo el califa.

–«Otro de estos magos, ayudado por un fluido que nadie vio hasta ahora, podía hacer que los cadáveres de sus amigos movieran los brazos, patearan, lucharan e incluso se levantaran y danzaran[30]. Otro cultivó a tal punto su voz, que podía hacerse oír desde un extremo al

24. El autómata jugador de ajedrez, de Maelzel.
25. La máquina calculadora de Babbage.
26. Chabert, y después de él, otros cien.
27. El electrotipo.
28. Wollaston fabricó un retículo de telescopio cuyo alambre tenía un espesor de 1/18 000 de pulgada. Sólo era visible por medio del microscopio.
29. Newton demostró que la retina, bajo la influencia del rayo violeta del espectro, vibra 900 000 000 veces por segundo.
30. La pila voltaica.

otro del mundo[31]. Otro tenía un brazo tan largo que podía estar sentado en Damasco y escribir una carta en Bagdad o en cualquier otro sitio[32]. Otro tenía tal dominio sobre el relámpago que podía hacerlo descender a su antojo; le servía luego de juguete. Otro tomó dos sonidos muy fuertes e hizo con ellos un silencio. Otro creó una profunda oscuridad con dos luces brillantes[33].

Otro fabricó hielo en un horno ardiente[34]. Otro obligó al sol a que pintara su retrato y el sol le obedeció[35]. Otro tomó el astro rey, junto con la luna y los planetas, y luego de pesarlos cuidadosamente, sondeó sus profundidades y descubrió la solidez de las sustancias que los componen. Pero toda aquella nación posee una habilidad nigromántica tan sorprendente, que hasta sus niños y aun sus perros y sus gatos son capaces de ver fácilmente objetos que no existen, o que veinte millones de años antes del nacimiento de dicha nación habían sido borrados de la faz del universo[36].

–¡Ridículo! –dijo el califa.

–Las esposas e hijas de aquellos grandes e incomparables magos –continuó Scheherazade, sin preocuparse en absoluto de las repeti-

31. El aparato impresor electro-telegráfico.
32. El electro-telégrafo transmite texto en el acto a cualquier distancia sobre la tierra.
33. Experimentos comunes en física. Si dos rayos rojos procedentes de dos puntos luminosos penetran en una cámara oscura de manera de posarse sobre una superficie blanca, variando en un 0,0000258 de pulgada de longitud, su intensidad se duplicará. Lo mismo pasa si su diferencia de extensión es cualquier número entero múltiplo de dicha fracción. Un múltiplo por 2 1/4, 3 1/4 etcétera, produce una intensidad sólo equivalente a un rayo, pero un múltiplo por 2 1/2, 3 1/2, etcétera, da por resultado una oscuridad total. En los rayos violetas ocurre lo mismo cuando la diferencia de longitud es de 0,0000157, y con todos los rayos restantes el resultado es el mismo; la diferencia va en aumento del violeta al rojo.
34. Póngase crisol de platino sobre una lámpara de alcohol y manténgase al rojo vivo; viértase ácido sulfúrico, que, a pesar de ser el más volátil de los cuerpos a temperatura ordinaria, quedará completamente estable en un crisol recalentado, sin que se evapore una sola gota. (Lo que ocurre es que queda rodeado por una atmósfera de su propia materia y, por tanto, no toca las paredes del crisol.) Se vierten entonces unas gotas de agua, y el ácido, así en contacto con las paredes recalentadas del crisol, se transforma en vapor de ácido sulfúrico, y tan rápida es su transformación que el calor del agua se disipa junto con él, cayendo el agua en el fondo convertida en hielo. Si se la extrae rápidamente antes de que se derrita se habrá obtenido hielo de un crisol ardiente.
35. El daguerrotipo.
36. Aunque la luz recorre 167 000 millas por segundo, la distancia desde el Cisne 61 (única estrella cuya distancia ha sido verificada) es tan inconcebiblemente grande, que sus rayos requieren más de diez años para llegar a la tierra. Las estrellas situadas más allá exigen veinte y aún mil años, calculando sin exageración. Por tanto, si dichos astros se hubieran extinguido hace veinte o mil años, seguiríamos viéndolos en la actualidad por la luz que emanó de ellos hace veinte o mil años. No es imposible, ni siquiera improbable, que muchas estrellas que vemos noche a noche se hayan extinguido hace mucho.
Herschel padre sostiene que la luz de la nebulosa más débil que alcanza a distinguirse en su gran telescopio debió de requerir tres millones de años para llegar a la tierra. Algunas otras que el telescopio de lord Ross permite vislumbrar han debido emplear, por lo menos, veinte millones de años.

das y poco caballerescas interrupciones de su esposo– son de lo más refinadas y perfectas, y constituirían el ápice de lo interesante y de lo hermoso de no mediar una desdichada fatalidad que las agobia, y que ni siquiera los milagrosos poderes de sus esposos y padres han logrado remediar hasta el presente. Algunas de esas fatalidades adoptan cierta forma, mientras otras se presentan de diferente manera; pero me refiero, sobre todo, a la que asume la forma de una excentricidad.

–¿Una qué? –preguntó el califa.

–Una excentricidad –dijo Scheherazade–. Uno de los genios malignos que continuamente tratan de hacer daño indujo a tan perfectas señoras a creer que aquello que denominamos belleza natural consiste en la protuberancia de la región donde la espalda cambia de nombre. Les hicieron creer que la perfección de la hermosura se halla en razón directa con el volumen de dicha parte. Dominadas por la idea, y aprovechando que los almohadones son muy baratos en ese país, se ha llegado a un punto en que ya resulta difícil distinguir a una mujer de un dromedario...

–¡Detente! –exclamó el califa–. ¡No puedo ni quiero soportar semejante cosa! ¡Me has dado ya una terrible jaqueca con tus mentiras! Noto, además, que está amaneciendo. ¿Cuánto tiempo llevamos casados? Mi conciencia empieza a atormentarme. Y, además, ese asunto de los dromedarios... ¿Me tomas por imbécil? Lo mejor que puedes hacer es ir a que te estrangulen.

Según me entero por el *Isitsöornot,* estas palabras ofendieron y asombraron a Scheherazade, pero, como sabía que el califa era hombre de escrupulosa integridad y poco sospechoso de faltar a su palabra, se sometió resignadamente a su destino. Mucho se consoló (mientras le apretaban el cordón en el cuello) pensando que gran parte de su historia quedaba todavía por decir, y que la petulancia de aquel animal de su marido le estaba bien aplicada, pues por su culpa se quedaría sin conocer muchas otras inimaginables aventuras.

EL CAMELO DEL GLOBO
Comentario de Ángel Zapata

Para Juan, que me escondía la llave

Leído en el registro de la representación, de lo imaginario textual, del *semblante*, «El camelo del globo» parecería un cuento caprichoso, insuficiente como historia, casi fallido..., pues estamos, de hecho, ante un texto sumamente extraño, un relato que impugna algunos de los encuadres básicos que Poe dejó definidos para el género –el primero de ellos, y no es casual, *la unidad de impresión*–, al mismo tiempo que pone en entredicho la regla de oro de la representación clásica, a saber: la *legibilidad*.

Nos encontramos, pues, ante un cuento escasamente legible (en el sentido barthesiano de la palabra); en primer lugar, porque el abuso de la visión estereoscópica disemina y vuelve altamente inestable el foco de la enunciación; y, en segundo, porque el uso «injustificable», abrumador, de los autentificadores realistas (datos, cálculos, pormenores técnicos) impide no sólo que la peripecia llegue a cobrar un verdadero impulso, sino también que adquiera consistencia esa pregnancia de lo imaginario esperable de cualquier ficción.

Pocas dudas (ninguna) pueden cabernos, sin embargo, sobre la habilidad y hasta el virtuosismo de Poe como narrador de historias. Con lo cual, la estrategia más segura no puede ser aquí sino la de interrogar precisamente el desajuste, el *exceso/defecto* que el cuento encarna con respecto a la representación clásica; o –lo que es igual– ceder a la indicación vehemente de que acaso *no* es a ese territorio familiar donde el relato nos convoca, sino a la zona entre dos luces donde el autor y su traductor se hermanan, es decir: a la experiencia (que no sabría ser sino simbólica) del carácter incorregiblemente incierto, *ambiguo*, en que se funda (y se des–fonda) la realidad.

«El camelo del globo», sí, es un texto atravesado de punta a punta por la ambigüedad. Hay –ya de entrada– una doble ambigüedad en el orden de la enunciación, por la inestabilidad del foco que mencionábamos antes, por un lado; y, por otro, porque en las breves líneas en las que un narrador–compilador se hace responsable de la historia es justamente para situar los hechos (tan ficcionales como se quiera) en el plano de la mera *posibilidad*: «y, para decir la verdad, si el *Victoria* "no" efectuó el viaje reseñado (como aseguran algunos), difícil sería encontrar razones que le hubiesen impedido llevarlo a cabo».

De este modo, nos hallamos en manos de un narrador que «no» narra una historia –sino que acumula datos, documentos, tendentes a apoyar la no imposibilidad de su historia frente a aquellos que la discuten (por más que no haya modo de *probar* un juicio contrafáctico)–; pero es que tampoco en el orden del enunciado, de la acción (una acción permanentemente *suspendida*), puede afirmarse que las cosas mejoren para esta «hazaña» que sucedió y/o no sucedió: presente y ausente a la vez –como el gato de Schrödinger– en la tensión que apunta hacia ese Real-imposible donde el *bluff* del globo se transfigura en la pelota inmaterial, cuántica, de un entrevisto *blow-up* cortazariano.

En efecto: no pasemos por alto que el texto funda la peripecia del *Victoria* sobre un abrumador despliegue de datos científicos y técnicos que harían *necesario* el triunfo, el éxito de su travesía…, cuando el hecho desnudo, ingobernable, es que, si el globo cruza y/o no cruza el Atlántico, la causa hay que atribuirla al final a la (improbable) rotura de un vástago de acero y al soplo providencial de una galerna, o –lo que es lo mismo– precisamente a aquello que la intimidatoria solidez del discurso de la ciencia aspira a evacuar: lo Real, el azar, el accidente.

La corrosión y el más puro humor negro están en la base de este relato de apariencia «anómala» donde la ciencia reina para abdicar veladamente en la incertidumbre, donde el dato es devuelto a la interpretación, el ser al *decir* del ser. Un cuento, en fin, muy alejado de cualquier camelo… e intensamente disfrutable para aeronautas acostumbrados a no hacer pie: a disfrutar *de otra manera*.

EL CAMELO DEL GLOBO

[Asombrosas noticias por expreso, vía Norfolk! ¡Travesía del Atlántico en tres días! ¡Extraordinario triunfo de la máquina volante de Mr. Monck Mason! ¡Llegada a la isla Sullivan, cerca de Charleston, Carolina del Sur, de Mr. Mason, Mr. Robert Holland, Mr. Henson, Mr. Harrison Ainsworth y otros cuatro pasajeros, a bordo del globo dirigible *Victoria,* luego de setenta y cinco horas de viaje de costa a costa! ¡TODOS LOS DETALLES DEL VUELO!

El siguiente *jeu d'esprit,* con los titulares que preceden en enormes caracteres, abundantemente separados por signos de admiración, fue publicado por primera vez en el *New York Sun,* con intención de proporcionar alimento indigesto a los *quidnuncs* durante las pocas horas entre los dos correos de Charleston. La conmoción producida y el arrebato del «único diario que traía las noticias» fue más allá de lo prodigioso; y, para decir la verdad, si el *Victoria* «no» efectuó el viaje reseñado (como aseguran algunos), difícil sería encontrar razones que le hubiesen impedido llevarlo a cabo.]

¡El gran problema ha sido, por fin, resuelto! ¡Al igual que la tierra y el océano, el aire ha sido sometido por la ciencia y habrá de convertirse en un camino tan cómodo como transitado para la humanidad! *¡El Atlántico ha sido cruzado en globo!* ¡Sin dificultad, sin peligro aparente, con un perfecto dominio de la máquina, y en el período inconcebiblemente breve de setenta y cinco horas de costa a costa! Gracias a la decisión de uno de nuestros representantes en Charleston, Carolina del Sur, somos los primeros en proporcionar al público una crónica detallada de este viaje extraordinario, efectuado entre el sábado 6 del corriente, a las 11 a. m., y el jueves 9, a las 2 p. m., por Sir Everard Bringhurst; Mr. Osborne, sobrino de lord Bentinck; Mr. Monck Mason y Mr. Robert Holland, los afamados aeronautas; Mr. Harrison Ainsworth, autor de *Jack Sheppard* y otras obras; Mr. Henson, diseñador de la reciente y fracasada máquina voladora, y dos marinos de Woolwich; ocho personas en total. Los detalles que siguen pueden considerarse auténticos y exactos en todo sentido, pues, con una sola excepción, fueron copiados *verbatim* de los diarios de navegación de los señores Monck Mason y Harrison Ainsworth, a cuya gentileza debe nuestro corresponsal muchas informaciones verbales sobre el globo, su construcción y otras cuestiones no menos interesantes. La única alteración del manuscrito recibido se debe a la necesidad de dar forma coherente e inteligible a la apresurada reseña de nuestro representante, Mr. Forsyth.

El globo

«Dos notorios fracasos recientes –los de Mr. Henson y Sir George Cayley– habían debilitado mucho el interés público por la navegación aérea. El proyecto de Mr. Henson (que aun los hombres de ciencia consideraron al comienzo como factible) se fundaba en el principio de un plano inclinado, lanzado desde una eminencia por una fuerza extrínseca que se continuaba luego por la revolución de unas paletas que en forma y número semejaban las de un molino de viento. Empero, las experiencias practicadas con modelos en la Adelaide Gallery mostraron que la revolución de aquellas paletas no sólo no impulsaba la máquina, sino que impedía su vuelo. La única fuerza de propulsión evidente era el ímpetu adquirido durante el descenso por el plano inclinado, y este ímpetu llevaba más lejos a la máquina cuando las paletas estaban inmóviles que cuando funcionaban, hecho suficientemente demostrativo de la inutilidad de estas últimas. Como es natural, en ausencia de la fuerza propulsora, que era al mismo tiempo *sustentadora*, la máquina se veía obligada a descender.

»Esta última consideración movió a Sir George Cayley a adaptar una hélice a alguna máquina que tuviera una fuerza sustentadora independiente: en una palabra, a un globo. Aquella idea sólo tenía la novedad de su especial aplicación práctica. Sir George exhibió un modelo en el Instituto Politécnico. El principio propulsor se aplicaba aquí a superficies discontinuas o paletas giratorias. El aparato tenía cuatro paletas, que en la práctica resultaron completamente ineficaces para mover el globo o ayudarlo en su ascensión. El proyecto resultó, pues, un fracaso completo.

»En esta coyuntura, Mr. Monck Mason (cuyo viaje de Dover a Weilburg a bordo del globo *Nassau* provocara tanto entusiasmo en 1837), concibió la idea de aplicar el principio de la rosca o hélice de Arquímedes a los efectos de la propulsión en el aire, atribuyendo correctamente el fracaso de los modelos de Mr. Henson y de Sir

George Cayley a la interrupción de la superficie en las paletas independientes. Llevó a cabo la primera experiencia pública en los salones de Willis, pero más tarde trasladó su modelo a la Adelaide Gallery.

»A semejanza del globo de Sir George, su globo era elipsoidal. Tenía trece pies y seis pulgadas de largo por seis pies y ocho pulgadas de alto. Contenía unos trescientos veinte pies cúbicos de gas; si se introducía hidrógeno puro, este podía soportar veintiuna libras inmediatamente después de haber sido inflado el globo, antes de que el gas se estropeara o escapara. El peso total de la máquina y el aparato era de diecisiete libras, dejando un margen de unas cuatro libras. Por debajo del centro del globo había una armazón de madera liviana de unos nueve pies de largo, unida al globo por una red como las que se usan habitualmente para ese fin. La barquilla, de mimbre, hallábase suspendida del armazón.

»La hélice consistía en un eje hueco de bronce de dieciocho pulgadas de largo, en el cual, sobre una semiespiral inclinada en un ángulo de quince grados, pasaba una serie de radios de alambre de acero de dos pies de largo, que se proyectaban a un pie de distancia a cada lado. Dichos radios estaban unidos en sus puntos por dos bandas de alambre aplanado, constituyendo así el armazón de la hélice, la cual se completaba mediante un forro de seda impermeabilizada, cortada de manera de seguir la espiral y presentar una superficie suficientemente unida. La hélice hallábase sostenida en los dos extremos de su eje por brazos de bronce, que descendían del armazón superior. Dichos brazos tenían orificios en la parte inferior, donde los pivotes del eje podían girar libremente. De la porción del eje más cercana a la barquilla salía un vástago de acero que conectaba la hélice con el engranaje de una máquina a resorte fijada en la barquilla. Haciendo funcionar este resorte o cuerda se lograba que la hélice girara a gran velocidad, comunicando un movimiento progresivo a la aeronave. Gracias a un timón se hacía tomar a esta cualquier rumbo. El resorte era sumamente fuerte comparado con sus dimensiones y podía levantar cuarenta y cinco libras de peso sobre un rodillo de cuatro pulgadas de diámetro en la primera vuelta, aumentando gradualmente su poder a medida que adquiría velocidad. Pesaba en total ocho libras y seis onzas. El gobernalle consistía en un marco liviano de caña cubierto de seda, parecido a una raqueta; tenía tres pies de largo y un pie en su parte más ancha. Pesaba dos onzas. Podía colocárselo horizontalmente, haciéndolo subir y bajar, y moverlo a derecha e izquierda verticalmente, con lo cual permitía al aeronauta transferir la resistencia del aire determinada por su inclinación hacia cualquier lado y hacer que el globo se moviera en dirección opuesta.

»Este modelo (que por falta de tiempo hemos descrito imperfectamente) fue ensayado en la Adelaida Gallery, donde alcanzó una velocidad de cinco millas horarias. Aunque parezca extraño, provocó muy poco interés comparado con la anterior y complicada máquina de Mr. Henson; tan dispuesto se muestra el mundo a despreciar toda cosa que se presente llena de sencillez. Para llevar a cabo el gran desiderátum de la navegación aérea, se suponía en general que debería llegarse a la complicada aplicación de algún profundísimo principio de la dinámica.

»Empero, tan satisfecho se sentía Mr. Mason del buen resultado de su invención, que resolvió construir inmediatamente, si era posible, un globo de capacidad suficiente para probar su eficacia en un viaje bastante extenso; la intención original consistía en cruzar el Canal de la Mancha, como se había hecho anteriormente en el globo *Nassau*. A fin de llevar su proyecto a la práctica, solicitó y obtuvo el patronazgo de Sir Everard Bringhurst y de Mr. Osborne, caballeros bien conocidos por su saber científico y el interés que demostraban por los progresos de la navegación aérea. A pedido de Mr. Osborne, el proyecto fue mantenido en el más riguroso secreto, y las únicas personas al tanto de la idea fueron aquellas que se ocuparon de la construcción de la máquina. Construyose esta bajo la dirección de los señores Mason, Holland, Bringhurst y Osborne, en la residencia de este último, cerca de Penstruthal, en Gales. Mr. Henson, así como su amigo Mr. Ainsworth, fueron admitidos a una exhibición privada del globo el sábado pasado, cuando ambos caballeros hacían sus preparativos para ser incluidos entre los pasajeros del globo. No se nos ha dado la razón por la cual estos caballeros se agregaron a la expedición, pero dentro de uno o dos días haremos conocer a nuestros lectores los menores detalles concernientes al extraordinario viaje.

»El globo es de seda, barnizado con goma o caucho líquido. De vastas dimensiones, contiene más de 40 000 pies cúbicos de gas. Dado que se utilizó gas de alumbrado en vez de hidrógeno, mucho más costoso, el poder sustentatorio de la aeronave, completamente inflada y poco después, no sobrepasa las 2500 libras. El gas de alumbrado no sólo resulta mucho más barato, sino que es fácilmente obtenible y manejable.

»Debemos a Mr. Charles Green el uso del gas de alumbrado para los fines de la aeronavegación. Hasta su descubrimiento, la inflación de los globos no sólo era sumamente cara, sino de incierto resultado.

Con frecuencia se empleaban dos o tres días en fútiles tentativas para procurarse suficiente cantidad de hidrógeno para llenar un globo, del cual este gas tiene gran tendencia a escapar debido a su extremada tenuidad y a su afinidad con la atmósfera circundante. Un globo suficientemente impermeable como para conservar su contenido de gas de alumbrado durante seis meses, apenas alcanzará a mantener seis semanas una carga equivalente de hidrógeno.

»Habiéndose calculado la fuerza de sustentación en 2500 libras, y el peso de todos los viajeros en 1200, quedaba un excedente de 1300, de los cuales 1200 se integraron con lastre, preparado en sacos de diferente tamaño, cada uno con su peso marcado, cordajes, barómetros, telescopios, barriles con provisiones para una quincena, tanques de agua, abrigos, sacos de noche y otras cosas indispensables, incluido un calentador de café que funcionaba por medio de cal viva, evitando así por completo el uso del fuego, justamente considerado como muy peligroso. Todos estos artículos, salvo el lastre y unas pocas cosas, fueron suspendidos del armazón superior. La barquilla es proporcionalmente mucho más pequeña y liviana que la que se había colocado en el primer modelo en escala reducida. Se la construyó de mimbre liviano y es extraordinariamente fuerte a pesar de su frágil aspecto. Tiene unos cuatro pies de profundidad. El gobernalle es mucho más grande que el del modelo, mientras la hélice es bastante más pequeña. El globo está provisto de un ancla con varios ganchos y una cuerda–guía. Esta última es de excepcional importancia y requiere algunas palabras explicativas para aquellos lectores que no se hallan al tanto de la misma.

»Tan pronto el globo se aleja de la tierra, queda sometido a diversas circunstancias que tienden a crear una diferencia en su peso, aumentando y disminuyendo su fuerza ascensional. Por ejemplo, en la seda puede depositarse el rocío, hasta pesar varios cientos de libras; preciso es entonces arrojar lastre, pues de lo contrario la aeronave descenderá. Arrojado el lastre, si el sol hace evaporar el rocío, dilatando al mismo tiempo el gas del globo, este volverá a ascender. Para impedirlo, el único recurso posible (hasta que Mr. Green inventó la cuerda–guía) consistía en dejar escapar un poco de gas por medio de una válvula. Pero la pérdida de gas supone una pérdida equivalente de poder ascensional, vale decir que después de un período relativamente breve el globo mejor construido agotará sus recursos y tendrá que descender. Esto constituía hasta entonces el gran obstáculo para los viajes largos.

»La cuerda–guía remedia esta dificultad de la manera más simple que imaginarse pueda. Consiste en una soga muy larga que cuelga de la barquilla, destinada a impedir que el globo varíe de altitud bajo ninguna circunstancia. Si, por ejemplo, se deposita humedad en la cubierta de seda y la aeronave empieza a descender, no será necesario arrojar lastre para compensar este aumento de peso, sino que bastará soltar la soga hasta que arrastre por el suelo todo lo necesario para establecer el equilibrio. Si, por el contrario, alguna otra circunstancia ocasionara un aligeramiento del globo y su consiguiente ascenso, se lo contrarresta recogiendo cierta cantidad de soga, cuyo peso se agrega entonces al del globo. En esta forma el aeróstato sólo subirá y bajará muy poco, y su capacidad de gas y de lastre se mantendrá invariable. Cuando se vuela sobre una superficie líquida hay que emplear pequeños barriles de cobre o madera, llenos de una sustancia líquida más liviana que el agua. Dichos barriles flotan y cumplen la misma función que la soga en tierra firme. Otra función importante de esta última consiste en señalar la *dirección* del globo. Tanto en tierra como en mar, la cuerda arrastra sobre la superficie y, por tanto, el globo vuela siempre un poco adelantado con respecto a ella; basta, pues, establecer una relación entre ambos objetos por medio del compás para establecer el rumbo. Del mismo modo, el ángulo formado por la cuerda con el eje vertical del globo indica la velocidad de éste. Cuando no hay ningún ángulo, o, en otras palabras, cuando la cuerda cuelga verticalmente, el aparato se encuentra estacionario; cuanto más abierto sea el ángulo, es decir, cuanto más adelante se halle el globo con respecto al extremo de la cuerda, mayor será la velocidad, y viceversa.

»Como la intención original consistía en cruzar el Canal de la Mancha y descender lo más cerca posible de París, los viajeros habían tenido la precaución de proveerse de pasaportes válidos para todos los países del continente, especificando la naturaleza de la expedición, como en el caso del viaje del *Nassau,* y facilitándoles la exención de las formalidades habituales de las aduanas; acontecimientos inesperados, empero, hicieron inútiles estos documentos.

»La inflación del globo empezó con la mayor reserva al amanecer del sábado 6 del corriente, en el gran patio de Wheal–Vor House, residencia de Mr. Osborne, a una milla de Penstruthal, Gales del Norte. A las once y siete minutos los preparativos quedaron terminados, y el globo se elevó suave pero seguramente en dirección al sur. Durante la primera media hora no se emplearon ni la hélice ni el gobernalle. Transcribimos ahora el diario de viaje, según lo recogió Mr. Forsyth de los manuscritos de los señores Monck Mason y Ainsworth. El cuerpo principal del diario es de puño y letra de Mr. Mason, al cual se agrega una posdata diaria de Mr. Ainsworth, quien tiene en preparación y dará pronto a conocer una crónica tan detallada cuanto apasionante del viaje.»

El diario

«Sábado 6 de abril.– Luego que todos los preparativos que podían resultar molestos quedaron terminados durante la noche, empezamos la inflación al alba; una espesa niebla que envolvía los pliegues de la seda y no nos permitía disponerla debidamente atrasó esta tarea hasta las once de la mañana. Desamarramos entonces llenos de optimismo y subimos suave pero continuamente, con un ligero viento del norte que nos llevó hacia el Canal de la Mancha. Notamos que la fuerza ascensional era mayor de lo que esperábamos; una vez que hubimos remontado sobrepasando la zona de los acantilados, los rayos solares influyeron para que nuestro ascenso se hiciera aún más rápido. No quise, sin embargo, perder gas en esta temprana etapa de nuestra aventura, y decidimos seguir subiendo. No tardamos en recoger nuestra cuerda–guía, pero, aun después que hubo dejado de tocar tierra, seguimos subiendo con notable rapidez. El globo se mostraba insólitamente estable y su aspecto era magnífico. Diez minutos después de salir, el barómetro indicaba 15 000 pies de altitud. Teníamos un tiempo excelente, y el panorama de las regiones circundantes, uno de los más románticos visto desde cualquier lado, era ahora particularmente sublime. Las numerosas y profundas hondonadas daban la impresión de lagos, a causa de los densos vapores que las llenaban, y los montes y picos del sudeste, amontonados en inextricable confusión, sólo admitían ser comparados con las gigantescas ciudades de las fábulas orientales.

»Nos acercábamos rápidamente a las montañas meridionales, pero estábamos lo bastante elevados como para franquearlas sin riesgo. Pocos minutos después las sobrevolamos magníficamente; tanto Mr. Ainsworth como los dos marinos se sorprendieron de su aparente pequeñez vistas desde la barquilla, ya que la gran altitud de un globo tiende a reducir las desigualdades de la superficie de la tierra hasta dar la impresión de una continua llanura. A las once y media, derivando siempre hacia el sur, tuvimos nuestra primera visión del Canal de Bristol; quince minutos más tarde, los rompientes de la costa se hallaban debajo de nosotros, e iniciábamos el vuelo sobre el mar. Resolvimos entonces soltar suficiente gas como para que nuestra cuerda–guía, con las boyas atadas al extremo, tomara contacto con el agua. Hízose así de inmediato e iniciamos un descenso gradual. Veinte minutos más tarde nuestra primera boya tocó el agua y, cuando la segunda estableció a su vez contacto, quedamos a una altura estacionaria. Todos estábamos ansiosos por probar la eficacia del gobernalle y de la hélice, y los hicimos funcionar inmediatamente a fin de acentuar el rumbo hacia el este, en dirección a París. Gracias al timón, no tardamos en desviarnos en ese sentido, manteniendo el rumbo casi en ángulo recto con el del viento; luego hicimos funcionar el resorte de la hélice y nos regocijamos muchísimo al comprobar que nos impulsaba exactamente como queríamos. En vista de ello lanzamos nueve hurras de todo corazón y arrojamos al mar una botella conteniendo un pergamino donde se describía brevemente el principio de la invención.

»Apenas habíamos terminado de expresar nuestro contento, cuando un accidente inesperado nos descorazonó muchísimo. El vástago de acero que conectaba el resorte con la hélice se salió bruscamente de su lugar en la barquilla (a causa de un balanceo de la misma, ocasionado por algún movimiento de uno de los marinos que habíamos embarcado con nosotros), y quedó colgando lejos de nuestro alcance, tomado en el pivote del eje de la hélice. Mientras tratábamos de recuperarlo, y nuestra atención se hallaba por completo absorbida en esto, nos tomó un fortísimo viento del este que nos llevó con fuerza creciente rumbo al Atlántico. Pronto nos encontramos volando a un promedio que ciertamente no era inferior a cincuenta o sesenta millas por hora, tanto que llegamos a la altura de Cape Clear, situado a unas cuarenta millas al norte, antes de haber asegurado el vastago y tener una idea clara de lo que ocurría.

»Fue entonces cuando Mr. Ainsworth formuló una propuesta extraordinaria, pero que en mi opinión no tenía nada de irrazonable o de quimérica, y que fue inmediatamente secundada por Mr. Holland: quiero decir que aprovecháramos la fuerte brisa que nos impulsaba y, en lugar de retroceder rumbo a París, hiciéramos la tentativa de alcanzar la costa de Norteamérica, la cual (¡cosa rara!) sólo fue objetada por los dos marinos. Pero, como estábamos en mayoría, dominamos sus temores y decidimos mantener resueltamente el rumbo. Seguimos, pues, hacia el oeste; pero como el arrastre de las boyas demoraba nuestro avance y teníamos perfecto dominio sobre el globo, tanto para subir como para bajar, empezamos por desprendernos de cincuenta libras de lastre y luego, por medio de un cabrestante, recogimos la cuerda hasta conseguir que no tocara la superficie del mar. Inmediatamente notamos el efecto de esta maniobra, pues aumentó nuestra velocidad y, como el viento acreciera, volamos con una rapidez casi inconcebible; la cuerda–guía flotaba detrás de la barquilla como un gallardete en un navío.

»De más está decir que nos bastó poquísimo tiempo para perder de vista la costa. Pasamos sobre cantidad de navíos de toda clase, algunos de los cuales trataban de navegar a la bolina, pero en su mayoría se mantenían a la capa. Provocamos el más extraordinario revuelo a bordo de todos ellos, revuelo del que gozamos grandemente, y muy especialmente nuestros dos marineros, que, bajo la influencia de un buen trago de ginebra, se habían resuelto a tirar por la borda todo escrúpulo y todo temor. Muchos de aquellos barcos nos dispararon salvas, y en todos ellos fuimos saludados con sonoros hurras (que oíamos con notable nitidez) y saludos con gorras y pañuelos. Continuamos en esta forma durante todo el día sin mayores incidentes, y cuando nos envolvieron las sombras de la noche, calculamos grosso modo la distancia recorrida, encontrando que no podía bajar de quinientas millas, y probablemente las excedía por mucho. La hélice funcionaba continuamente y sin duda ayudaba en gran medida a nuestro avance. Cuando se puso el sol, el viento se convirtió en un verdadero huracán y el océano era perfectamente visible a causa de su fosforescencia. El viento sopló del este toda la noche, dándonos los mejores augurios de éxito. Sufrimos muchísimo a causa del frío, y la humedad atmosférica era harto desagradable; pero el amplio espacio en la barquilla nos permitía acostarnos, y con ayuda de nuestras capas y algunos colchones pudimos arreglarnos bastante bien.

»P. S. (por Ainsworth). Las últimas nueve horas han sido indiscutiblemente las más apasionantes de mi vida. Imposible imaginar nada más exaltante que el extraño peligro, que la novedad de una aventura como esta. ¡Quiera Dios que triunfemos! No pido el triunfo por la mera seguridad de mi insignificante persona, sino por el conocimiento de la humanidad y por la grandeza de semejante triunfo. Sin embargo, la hazaña es tan practicable que me asombra que los hombres hayan vacilado hasta ahora en intentarla. Basta con que una galerna como la que ahora nos favorece arrastre un globo durante cuatro o cinco días (y estos huracanes suelen durar más) para que el viajero se vea fácilmente transportado de costa a costa. Con un viento semejante el vasto Atlántico se convierte en un mero lago.

»En este momento lo que más me impresiona es el supremo silencio que reina en el mar por debajo de nosotros, a pesar de su gran agitación. Las aguas no hacen oír su voz a los cielos. El inmenso océano llameante se retuerce y sufre su tortura sin quejarse. Las crestas montañosas sugieren la idea de innumerables demonios gigantescos y mudos, que luchan en una imponente agonía. En una noche como esta, un hombre vive, vive un siglo entero de vida ordinaria; y no cambiaría yo esta arrebatadora delicia por todo ese siglo de vida común.

»Domingo 7 (Diario de Mr. Mason).– A las diez de la mañana la galerna amainó hasta convertirse en un viento de ocho o nueve nudos (con respecto a un barco en alta mar), llevándonos a una velocidad de unas treinta millas horarias. El viento ha girado considerablemente hacia el norte, y ahora, a la puesta del sol, mantenemos nuestro rumbo hacia el oeste gracias al gobernalle y a la hélice, que cumplen sus tareas de manera admirable. Considero que mi mecanismo ha tenido el mejor de los éxitos, y la navegación aérea hacia cualquier rumbo (y no a merced de los vientos) deja de ser un problema. Cierto es que no hubiéramos podido volar en contra del fuerte viento de ayer, pero, en cambio, ascendiendo, hubiésemos escapado a su influencia de haber sido ello necesario. Estoy convencido de que con ayuda de la hélice podríamos avanzar contra un viento bastante intenso. A mediodía alcanzamos una altura de 25 000 pies, luego de arrojar lastre. Buscábamos una corriente de aire más directa, pero no hallamos ninguna tan favorable como la que seguimos ahora. Tenemos abundante provisión de gas para cruzar este insignificante charco, aunque el viaje nos lleve tres semanas. El resultado final no me inspira el más mínimo temor. Las dificultades de la empresa han sido extrañamente exageradas y mal entendidas. Puedo elegir mi viento más favorable y, en caso de que *todos* los vientos fuesen contrarios, la hélice me permitiría seguir adelante. No ha habido ningún incidente digno de mención. La noche se anuncia muy serena.

»P. S. (por Mr. Ainsworth).– Poco tengo que anotar, salvo que, para mi sorpresa, a una altura igual a la del Cotopaxi no he sentido ni mucho frío, ni dificultad respiratoria o jaqueca. Todos mis compañeros coinciden conmigo; tan sólo Mr. Osborne se quejó de cierta opresión en los pulmones, pero pronto se le pasó. Hemos volado a gran velocidad durante el día y debemos hallarnos a más de la mitad del Atlántico. Pasamos sobre veinte o treinta navíos de diversos tipos, y todos ellos se mostraron jubilosamente asombrados. Cruzar el océano en globo no es, después de todo, una hazaña tan ardua. *Omne ignotum pro magnifico.* Detalle interesante: a 25 000 pies de altura el cielo parece casi negro y las estrellas se ven con toda claridad; en cuanto al mar, no aparece convexo, como podría suponerse, sino total y absolutamente *cóncavo*[1].

---

1. Mr. Ainsworth no se ha ocupado de explicar este fenómeno, que puede, sin embargo, ser fácilmente aclarado. Una línea tendida desde una elevación de 25 000 pies perpendicularmente a la superficie de la tierra (o el mar) formaría el cateto vertical de un triángulo rectángulo, cuya base se extendería desde el ángulo recto hasta el horizonte, y la hipotenusa desde el horizonte

»Lunes 8 (Diario de Mr. Mason).– Esta mañana volvimos a tener algunas dificultades con la varilla de la hélice, que deberá ser completamente modificada en el futuro, para evitar accidentes serios. Aludo al vastago de acero y no a las paletas, pues estas son inmejorables. El viento sopló constante y fuertemente del norte durante todo el día, y hasta ahora la fortuna parece dispuesta a favorecernos. Poco antes de aclarar nos alarmaron algunos extraños ruidos y sacudidas en el globo, que, sin embargo, no tardaron en cesar. Aquellos fenómenos se debían a la dilatación del gas por el aumento del calor atmosférico, y la consiguiente ruptura de las menudas partículas de hielo que se habían formado durante la noche en toda la estructura de tela. Arrojamos varias botellas a los navíos que encontrábamos. Vimos que una de ellas era recogida por los tripulantes de un navío, probablemente uno de los paquebotes que hacen el servicio a Nueva York. Tratamos de leer su nombre, pero no estamos seguros de haberlo entendido. Con ayuda del catalejo de Mr. Osborne desciframos algo así como *Atalanta.* Ahora es medianoche y seguimos volando rápidamente hacia el oeste. El mar está muy fosforescente.

»P. S. (por Mr. Ainsworth).– Son las dos de la madrugada y el tiempo sigue muy sereno; resulta difícil saberlo exactamente, pues el globo se mueve *junto con el viento.* No he dormido desde que salimos de Wheal–Vor, pero me es imposible seguir resistiendo y trataré de descansar un rato. Ya no podemos estar lejos de la costa americana.

»Martes 9 (por Mr. Ainsworth).– A la 1 p. m. *Estamos a la vista de la costa baja de Carolina del Sur.* El gran problema ha quedado resuelto. ¡Hemos cruzado el Atlántico... cómoda y *fácilmente,* en globo! ¡Alabado sea Dios! ¿Quién dirá desde hoy que hay algo imposible?»

Así termina el diario de navegación. Mr. Ainsworth, empero, agregó algunos detalles en su conversación con Mr. Forsyth. El tiempo estaba absolutamente calmo cuando los viajeros avistaron la costa, que fue inmediatamente reconocida por los dos marinos y por Mr. Osborne. Como este último tenía amigos en el fuerte Moultrie, se

---

hasta el globo. Pero 25 000 pies de altitud son nada o poco menos comparados con la extensión de la perspectiva. En otras palabras, la base y la hipotenusa del supuesto triángulo resultarían tan extensos, comparados con la perpendicular, que podría considerárselas como casi paralelas. De esta manera el horizonte del aeronauta se mostraría al *nivel* de la barquilla. Pero como el punto situado inmediatamente por debajo de él aparece (y está) a gran distancia por debajo del horizonte, se produce un efecto de *concavidad.* Y dicho efecto habrá de mantenerse hasta que la altitud alcanzada se halle en tal proporción con la extensión de la perspectiva, que el aparente paralelismo de la base y la hipotenusa desaparezca: y entonces será visible la verdadera convexidad de la tierra.

resolvió descender en las inmediaciones. Hízose llegar el globo hasta la altura de la playa (pues había marea baja, y la arena tan lisa como dura se adaptaba admirablemente para un descenso) y se soltó el ancla, que no tardó en quedar firmemente enganchada. Como es natural, los habitantes de la isla y los del fuerte se precipitaron para contemplar el globo, pero costó muchísimo trabajo convencerlos de que los viajeros venían... *del otro lado del Atlántico*. El ancla se hincó en tierra exactamente a las 2 p. m., y el viaje quedó completado en setenta y cinco horas, o quizá menos, contando de costa a costa. No ocurrió ningún accidente serio durante la travesía, ni se corrió peligro alguno. El globo fue desinflado sin dificultades. En momentos en que la crónica de la cual extraemos esta narración era despachada desde Charleston, los viajeros se hallaban todavía en el fuerte Moultrie. No se sabe cuáles son sus intenciones futuras, pero prometemos a nuestros lectores nuevas informaciones, ya sea el lunes o, a más tardar, el martes.

Estamos en presencia de la empresa más extraordinaria, interesante y trascendental jamás cumplida o intentada por el hombre. Vano sería tratar de deducir en este momento las magníficas consecuencias que de ella pueden derivarse.

CONVERSACIÓN CON UNA MOMIA

Comentario de Guillermo Martínez

A diferencia de los terrores espectrales y de los diversos escalofríos a que debió en buena parte su fama, y quizá por ser este un relato tardío (la primera publicación es de 1845), Poe parece burlarse aquí suavemente de sí mismo y elige el tono de la sátira para revivir a una momia del antiguo Egipto. Desde el párrafo inicial, en que el narrador pierde la cuenta de las cervezas que toma para acompañar su cena –de conejo galés en el original y más frugales tostadas en esta traducción–, todo el cuento avanza de ironía en ironía. El narrador, entonado, asiste a un encuentro nocturno de egiptólogos en el que, por diversión, aplican la pila voltaica a la momia. Para espanto y sorpresa de todos, el cuerpo recién desenrollado empieza a dar muestras de vida. Poe refiere este momento con la sonrisa cínica que habría elegido Saki:

«Mr. Gliddon, gracias a un procedimiento inexplicable, había conseguido hacerse invisible. En cuanto a Mr. Silk Buckingham, no creo que tendrá la audacia de negar que se había metido a gatas debajo de la mesa».

Una vez que la momia empieza a hablar, y a dar razones, se repone algo de la verosimilitud científica. A esta momia en particular, convenientemente, no le habían extirpado las entrañas ni el cerebro porque pertenecía a la casta del Escarabajo, que se libraban de esta práctica. Más aún, debido a que en el antiguo Egipto el galvanismo estaba mucho más desarrollado, los miembros de esta casta podían ser embalsamados «expresamente» para ser revividos en distintas épocas. La posibilidad de viajar cómodamente en féretro al futuro da lugar a la reflexión quizá más interesante del cuento, sobre la manera en que se lee desde el presente lo escrito en el pasado. Poe da el ejemplo de los historiadores que escriben sus libros con muchísimo celo para descubrir, quinientos años después, que invariablemente su gran obra se había convertido en «algo así como una palestra literaria de todas las conjeturas antagónicas, los enigmas y las pendencias personales de un ejército de exasperados comentadores». En el cuento se imagina la posibilidad consoladora de rectificar estas versiones falseadas con la oportuna reaparición de estos sabios del pasado, que impedirían que la historia se convierta «en una pura fábula». Después de este pasaje deslumbrante, que recuerda por un momento el viaje desolador al futuro de Enoch Soames, y también los intentos vanos de la humanidad por fijar un lenguaje, un sentido, una iconografía, tal como los relata Umberto Eco en *La búsqueda de la lengua perfecta*, el cuento deriva a un contrapunto todavía gracioso, pero más convencional, en que se relativizan los conocimientos supuestamente más avanzados del siglo XIX, se ironiza sobre la idea de progreso y también sobre las formas políticas de la democracia. En el final, que tiene para nuestro presente una segunda gracia, el narrador sostiene que piensa embalsamarse por doscientos años porque tiene «gran ansiedad» por saber quién será el presidente de los Estados Unidos en el año 2045. Ya estamos sobre la fecha y sabemos que dará lo mismo.

CONVERSACIÓN CON UNA MOMIA

El *symposium* de la noche anterior había sido un tanto excesivo para mis nervios. Me dolía horriblemente la cabeza y me dominaba una invencible modorra. Por ello, en vez de pasar la velada fuera de casa como me lo había propuesto, se me ocurrió que lo más sensato era comer un bocado e irme inmediatamente a la cama.

Hablo, claro está, de una cena *liviana.* Nada me gusta tanto como las tostadas con queso y cerveza. Más de una libra por vez, sin embargo, no es muy aconsejable en ciertos casos. En cambio, no hay ninguna oposición que hacer a dos libras. Y, para ser franco, entre dos y tres no hay más que una unidad de diferencia. Puede ser que esa noche haya llegado a cuatro. Mi mujer sostiene que comí cinco, aunque con seguridad confundió dos cosas muy diferentes. Estoy dispuesto a admitir la cantidad abstracta de cinco; pero, en concreto, se refiere a las botellas de cerveza que las tostadas de queso requieren imprescindiblemente a modo de condimento.

Habiendo así dado fin a una cena frugal, me puse mi gorro de dormir con intención de no quitármelo hasta las doce del día siguiente, apoyé la cabeza en la almohada y, ayudado por una conciencia sin reproches, me sumí en profundo sueño.

Mas, ¿cuándo se vieron cumplidas las esperanzas humanas? Apenas había completado mi tercer ronquido cuando la campanilla de la puerta se puso a sonar furiosamente, seguida de unos golpes de llamador que me despertaron al instante. Un minuto después, mientras estaba frotándome los ojos, entró mi mujer con una carta que me arrojó a la cara y que procedía de mi viejo amigo el doctor Ponnonner. Decía así:

«Deje usted cualquier cosa, querido amigo, apenas reciba esta carta. Venga y agréguese a nuestro regocijo. Por fin, después de perseverantes gestiones, he obtenido el consentimiento de los directores del Museo para proceder al examen de la momia. Ya sabe a cuál me refiero. Tengo permiso para quitarle las vendas y abrirla si así me parece. Sólo unos pocos amigos estarán presentes... y usted, naturalmente. La momia se halla en mi casa y empezaremos a desatarla a las once de la noche.

Su amigo, Ponnonner.»

Cuando llegué a la firma, me pareció que ya estaba todo lo despierto que puede estarlo un hombre. Salté de la cama como en éxtasis, derribando cuanto encontraba a mi paso; me vestí con maravillosa rapidez y corrí a todo lo que daba a casa del doctor.

Encontré allí a un grupo de personas llenas de ansiedad. Me habían estado esperando con impaciencia. La momia hallábase instalada sobre la mesa del comedor, y apenas hube entrado comenzó el examen.

Aquella momia era una de las dos traídas pocos años antes por el capitán Arthur Sabretash, primo de Ponnonner, de una tumba cerca de Eleithias, en las montañas líbicas, a considerable distancia de Tebas, sobre el Nilo. En aquella región, aunque las grutas son menos magníficas que las tebanas, presentan mayor interés pues proporcionan muchísimos datos sobre la vida privada de los egipcios. La cámara de donde había sido extraída nuestra momia era riquísima en esta clase de datos; sus paredes aparecían íntegramente cubiertas de frescos y bajorrelieves, mientras que las estatuas, vasos y mosaicos de finísimo diseño indicaban la fortuna del difunto.

El tesoro había sido depositado en el museo en la misma condición en que lo encontrara el capitán Sabretash, vale decir que nadie había tocado el ataúd. Durante ocho años había quedado allí sometido tan sólo a las miradas exteriores del público. Teníamos ahora, pues, la momia intacta a nuestra disposición; y aquellos que saben cuán raramente llegan a nuestras playas antigüedades no robadas, comprenderán que no nos faltaban razones para congratularnos de nuestra buena fortuna.

Acercándome a la mesa, vi una gran caja de casi siete pies de largo, unos tres de ancho y dos y medio de profundidad. Era oblonga, pero no en forma de ataúd. Supusimos al comienzo que había sido construida con madera *(platanus)*, pero al cortar un trozo vimos que se trataba de cartón o, mejor dicho, *de papier mâché* compuesto de papiro. Aparecía densamente ornada de pinturas que representaban escenas funerarias y otros temas de duelo; entre ellos, y ocupando todas las posiciones, veíanse grupos de caracteres jeroglíficos que sin duda contenían el nombre del difunto. Por fortuna, Mr. Gliddon era de la partida, y no tuvo dificultad en traducir los signos –simplemente fonéticos– y decirnos que componían la palabra *Allamistakeo*[1].

Nos costó algún trabajo abrir la caja sin estropearla, pero luego de hacerlo dimos con una segunda, en forma de ataúd, mucho menor que la primera, aunque en todo sentido parecida. El hueco entre las dos había sido rellenado con resina, por lo cual los colores de la caja interna estaban algo borrados.

Al abrirla –cosa que no nos dio ningún trabajo– llegamos a una tercera caja, también en forma de ataúd, idéntica a la segunda, salvo que era de cedro y emitía aún el peculiar aroma de esa madera. No había intervalo entre la segunda y la tercera caja, que estaban sumamente ajustadas.

Abierta esta última, hallamos y extrajimos el cuerpo. Habíamos supuesto que, como de costumbre, estaría envuelto en vendas o fajas de lino; pero, en su lugar, hallamos una especie de estuche de papiro cubierto de una capa de yeso toscamente dorada y pintada. Las pinturas representaban temas correspondientes a los varios deberes del alma y su presentación ante diferentes deidades, todo ello acompañado de numerosas figuras humanas idénticas, que probablemente pretendían ser retratos de la persona difunta. Extendida de la cabeza a los pies aparecía una inscripción en forma de columna, trazada en jeroglíficos fonéticos, la cual repetía el nombre y títulos del muerto, y los nombres y títulos de sus parientes.

En el cuello de la momia, que emergía de aquel estuche, había un collar de cuentas cilíndricas de vidrio y de diversos colores, dispuestas de modo que formaban imágenes de dioses, el escarabajo sagrado y el globo alado. La cintura estaba ceñida por un cinturón o collar parecido.

Arrancando el papiro, descubrimos que la carne se hallaba perfectamente conservada y que no despedía el menor olor. Era de coloración rojiza. La piel aparecía muy seca, lisa y brillante. Dientes y cabello se hallaban en buen estado. Los ojos (según nos pareció) habían sido extraídos y reemplazados por otros de vidrio, muy hermosos y de extraordinario parecido a los naturales, salvo que miraban de una manera demasiado fija. Los dedos y las uñas habían sido brillantemente dorados.

Mr. Gliddon era de opinión que, dada la rojez de la epidermis, el embalsamamiento debía haberse efectuado con betún; pero, al raspar la superficie con un instrumento de acero y arrojar al fuego el

---

1. *All a mistake,* un puro engaño. *(N. del T.)*

polvo así obtenido, percibimos el perfume del alcanfor y de otras gomas aromáticas.

Revisamos cuidadosamente el cadáver, buscando las habituales aberturas por las cuales se extraían las entrañas, pero, con gran sorpresa, no las descubrimos. Ninguno de nosotros sabía en aquel momento que con frecuencia suelen encontrarse momias que no han sido vaciadas. Por lo regular se acostumbraba extraer el cerebro por las fosas nasales y los intestinos por una incisión del costado; el cuerpo era luego afeitado, lavado y puesto en salmuera, donde permanecía varias semanas, hasta el momento del embalsamamiento propiamente dicho.

Como no encontrábamos la menor señal de una abertura, el doctor Ponnonner preparaba ya sus instrumentos de disección, cuando hice notar que eran más de las dos de la mañana. Se decidió entonces postergar el examen interno hasta la noche siguiente, y estábamos a punto de separarnos, cuando alguien sugirió hacer una o dos experiencias con la pila voltaica.

Si la aplicación de electricidad a una momia cuya antigüedad se remontaba por lo menos a tres o cuatro mil años no era demasiado sensata, resultaba en cambio lo bastante original como para que todos aprobáramos la idea. Un décimo en serio y nueve décimos en broma, preparamos una batería en el consultorio del doctor y trasladamos allí a nuestro egipcio.

Nos costó muchísimo trabajo poner en descubierto una porción del músculo temporal, que parecía menos rígidamente pétrea que otras partes del cuerpo; pero, tal como habíamos anticipado, el músculo no dio la menor muestra de sensibilidad galvánica cuando establecimos el contacto. Esta primera prueba nos pareció decisiva y, riéndonos de nuestra insensatez, nos despedíamos hasta la siguiente sesión, cuando mis ojos cayeron casualmente sobre los de la momia y quedaron clavados por la estupefacción. Me había bastado una mirada para darme cuenta de que aquellos ojos, que suponíamos de vidrio y que nos habían llamado la atención por cierta extraña fijeza, se hallaban ahora tan cubiertos por los párpados que sólo una pequeña porción de la *tunica albuginea* era visible.

Lanzando un grito, llamé la atención de todos sobre el fenómeno, que no podía ser puesto en discusión.

No diré que me sentí alarmado, pues en mi caso la palabra no resultaría exacta. Es probable sin embargo que, de no mediar la cerveza, me hubiera sentido algo nervioso. En cuanto al resto de los asistentes, no trataron de disimular el espanto que se apoderó de ellos. Daba lástima contemplar al doctor Ponnonner. Mr. Gliddon, gracias a un procedimiento inexplicable, había conseguido hacerse invisible. En cuanto a Mr. Silk Buckingham, no creo que tendrá la audacia de negar que se había metido a gatas debajo de la mesa.

Pasado el primer momento de estupefacción, resolvimos de común acuerdo proseguir la experiencia. Dirigimos nuestros esfuerzos hacia el dedo gordo del pie derecho. Practicamos una incisión en la zona exterior del *os sesamoideum pollicis pedis,* llegando hasta la raíz del músculo abductor. Luego de reajustar la batería, aplicamos la corriente a los nervios al descubierto. Entonces, con un movimiento extraordinariamente lleno de vida, la momia levantó la rodilla derecha hasta ponerla casi en contacto con el abdomen y, estirando la pierna con inconcebible fuerza, descargó contra el doctor Ponnonner un golpe que tuvo por efecto hacer salir a dicho caballero como una flecha disparada por una catapulta, proyectándolo por una ventana a la calle.

Corrimos en masa a recoger los destrozados restos de la víctima, pero tuvimos la alegría de encontrarla en la escalera, subiendo a toda velocidad, abrasado de fervor científico, y más que nunca convencido de que debíamos proseguir el experimento sin desfallecer.

Siguiendo su consejo, decidimos practicar una profunda incisión en la punta de la nariz, que el doctor sujetó en persona con gran vigor, estableciendo un fortísimo contacto con los alambres de la pila.

Moral y físicamente, figurativa y literalmente, el efecto producido fue *eléctrico.* En primer lugar, el cadáver abrió los ojos y los guiñó repetidamente largo rato, como hace Mr. Barnes en su pantomima; en segundo, estornudó; en tercero, se sentó; en cuarto, agitó violentamente el puño en la cara del doctor Ponnonner; en quinto, volviéndose a los señores Gliddon y Buckingham, les dirigió en perfecto egipcio el siguiente discurso:

–Debo decir, caballeros, que estoy tan sorprendido como mortificado por la conducta de ustedes. Nada mejor podía esperarse del doctor Ponnonner. Es un pobre estúpido que no sabe nada de nada. Lo compadezco y lo perdono. Pero usted, Mr. Gliddon... y usted, Silk... que han viajado y trabajado en Egipto, al punto que podría decirse que ambos han nacido en nuestra madre tierra... Ustedes, que han residido entre nosotros hasta hablar el egipcio con la misma perfección que su lengua propia... Ustedes, a quienes había considerado siempre como los leales amigos de las momias... ¡ah, en verdad esperaba una conducta más caballeresca de parte de los dos! ¿Qué debo pensar al verlos contemplar impasibles la forma en que se me trata? ¿Qué debo pensar al descubrir que permiten que tres o cuatro fulanos me arranquen de mi ataúd y me desnuden en este maldito clima helado? ¿Y cómo debo interpretar, para decirlo de una vez, que hayan permitido y ayudado a ese miserable canalla, el doctor Ponnonner, a que me tirara de la nariz?

Nadie dudará, presumo, de que, dadas las circunstancias y el antedicho discurso, corrimos todos hacia la puerta, nos pusimos histéricos, o nos desmayamos cuan largos éramos. Cabía esperar una de las tres cosas. Cada una de esas líneas de conducta hubiera podido ser muy plausiblemente adoptada. Y doy mi palabra de que no alcanzo a explicarme cómo y por qué no seguimos ninguna de ellas. Quizá haya que buscar la verdadera razón en el espíritu de nuestro tiempo, que se guía por la ley de los contrarios y la acepta habitualmente como solución de cualquier cosa por vía de paradoja e imposibilidad. Puede ser, asimismo, que el aire tan natural y corriente de la momia privara a sus palabras de todo efecto aterrador. De todos modos, los hechos son como los he contado, y ninguno de nosotros demostró espanto especial, ni pareció considerar que lo que sucedía fuese algo fuera de lo normal.

Por mi parte me sentía convencido de que todo estaba en orden, y me limité a correrme a un costado, lejos del alcance de los puños del egipcio. El doctor Ponnonner se metió las manos en los bolsillos del pantalón, miró con fijeza a la momia y se puso extraordinariamente rojo. Mr. Gliddon se acarició las patillas y se ajustó el cuello. Mr. Buckingham bajó la cabeza y se metió el dedo pulgar derecho en el ángulo izquierdo de la boca.

El egipcio lo miró severamente durante largo rato, tras lo cual hizo un gesto despectivo y le dijo:

–¿Por qué no me contesta, Mr. Buckingham? ¿Ha oído o no lo que acabo de preguntarle? ¡*Sáquese* ese dedo de la boca!

Mr. Buckingham se sobresaltó ligeramente, quitose el pulgar derecho del lado izquierdo de la boca y, por vía de compensación, insertó el pulgar izquierdo en el ángulo derecho de la abertura antes mencionada.

Al no recibir respuesta de Mr. Buckingham, la momia se volvió malhumorada a Mr. Gliddon y, con tono perentorio, le preguntó qué diablos pretendíamos todos.

Mr. Gliddon le contestó detalladamente en idioma *fonético*; y si no fuera por la carencia de caracteres jeroglíficos en las imprentas norteamericanas, me hubiese encantado reproducir aquí su excelentísimo discurso en la forma original.

Aprovecharé la ocasión para hacer notar que la conversación con la momia se desarrolló en egipcio antiguo; tanto yo como los otros miembros no eruditos del grupo contamos con los señores Gliddon y Buckingham como intérpretes. Estos caballeros hablaban la lengua materna de la momia con inimitable fluidez y gracia; pero no pude dejar de observar que (a causa, sin duda, de la introducción de imágenes modernas, vale decir absolutamente novedosas para el egipcio) ambos eruditos se veían obligados en ocasiones a emplear formas concretas para explicar determinadas cosas. Mr. Gliddon, por ejemplo, no pudo hacer comprender en cierto momento al egipcio la palabra «política» hasta que no hubo dibujado en la pared, con un carbón, un diminuto caballero de nariz llena de verrugas, con los codos rotos, subido a una tribuna, la pierna izquierda echada hacia atrás, el brazo derecho tendido hacia adelante, cerrado el puño y los ojos vueltos hacia el cielo, mientras la boca se abría en un ángulo de noventa grados. Del mismo modo, Mr. Buckingham no consiguió hacerle entender la noción absolutamente moderna de *whig* hasta que el doctor Ponnonner le sugirió el medio adecuado; nuestro amigo se puso sumamente pálido, pero consintió en quitarse la peluca[2].

Se comprenderá fácilmente que el discurso de Mr. Gliddon versó principalmente sobre los grandes beneficios que el desempaquetamiento y destripamiento de las momias había proporcionado a la ciencia, aprovechando esto para excusarnos de todos los inconvenientes que pudiéramos haber causado en especial a la momia llamada Allamistakeo; concluyó sugiriendo finamente (pues apenas era una insinuación) que, una vez explicadas estas cosas, muy bien podíamos continuar con el examen proyectado.

Al oír esto, el doctor Ponnonner se puso a preparar sus instrumentos.

Pero parece ser que Allamistakeo tenía ciertos escrúpulos de conciencia –cuya naturaleza no pude llegar a comprender– con respecto a la sugestión del orador. Mostrose, sin embargo, satisfecho de las excusas ofrecidas y, bajándose de la mesa, estrechó las manos de todos los presentes.

Terminada esta ceremonia, nos ocupamos inmediatamente de reparar los daños que el bisturí había ocasionado en nuestro sujeto. Le cosimos la herida de la frente, le vendamos el pie y le aplicamos una pulgada cuadrada de esparadrapo negro en la punta de la nariz.

Notose entonces que el conde (tal parecía ser el título de Allamistakeo) temblaba ligeramente, sin duda a causa del frío. El doctor se trasladó al punto a su guardarropa, volviendo con una magnífica chaqueta negra, admirablemente cortada por Jennings; un par de

2. Poe hace un juego de palabras con *wig*, *peluca*, y *whig*, partido político norteamericano formado hacia 1834. *(N. del T.)*

pantalones de tartán celeste con trabillas, una camisa de guinga color rosa, un chaleco de brocado, un abrigo corto blanco, un bastón con puño, un sombrero sin alas, botas de charol, guantes de cabritilla de color paja, un monóculo, un par de patillas y una corbata del modelo en cascada. Dada la disparidad de tamaño entre el conde y el doctor (que se hallaban en proporción de dos a uno), tuvimos alguna dificultad para disponer aquellas prendas en la persona del egipcio; pero, una vez vestido, hubiera podido decirse que lo estaba de verdad. Mr. Gliddon le dio entonces el brazo y lo llevó hasta un confortable sillón junto al fuego, mientras el doctor llamaba y pedía cigarros y vino.

La conversación no tardó en animarse. Como es natural, nos sentíamos muy curiosos ante el hecho bastante notable de que Allamistakeo siguiera todavía vivo.

–Hubiera pensado –expresó Mr. Buckingham– que estaba usted muerto desde hacía mucho.

–¡Cómo! –replicó el conde, profundamente sorprendido–. ¡Si apenas he pasado los setecientos años! Mi padre vivió mil y no estaba en absoluto chocho cuando murió.

Siguieron a esto una serie de preguntas y cálculos, tras de los cuales fue evidente que la antigüedad de la momia había sido muy groseramente estimada. Hacía cinco mil cincuenta años, con algunos meses, que le habían depositado en las catacumbas de Eleithias.

–Mi observación, empero –continuó Mr. Buckingham–, no se refería a la edad de usted en el momento de su entierro (ya que no tengo inconveniente en reconocer que es usted un hombre joven), sino a la inmensidad de tiempo que llevaba, según su propio testimonio, envuelto en betún.

–¿En qué? –dijo el conde.

–En betún –persistió Mr. Buckingham.

–¡Ah, sí, creo entender! El betún podía servir, en efecto; pero en mi tiempo se empleaba casi exclusivamente el bicloruro de mercurio.

–Lo que nos resulta particularmente difícil de comprender –dijo el doctor Ponnonner– es cómo, después de morir y ser enterrado en Egipto hace cinco mil años, se encuentra usted hoy lleno de vida y con aire tan saludable.

–Si hubiese estado *muerto,* como dice usted –replicó el conde–, lo más probable es que continuara estándolo; pero veo que se hallan ustedes en la infancia del galvanismo y no son capaces de llevar a cabo lo que en nuestros antiguos tiempos era práctica corriente. Por mi parte, caí en estado de catalepsia y mis mejores amigos consideraron que estaba muerto o que debía estarlo; me embalsamaron, pues, inmediatamente, pero... supongo que están ustedes al tanto del principio fundamental del embalsamamiento.

–¡De ninguna manera!

–¡Ah, ya veo! ¡Triste ignorancia, en verdad! Pues bien, no entraré en detalles, pero debo decir que en Egipto el embalsamamiento propiamente dicho consistía en la suspensión indefinida de *todas* las funciones animales sometidas al proceso. Empleo el término «animal» en su sentido más amplio, incluyendo no sólo el ser físico, sino el moral y el *vital*. Repito que el principio básico consistía entre nosotros en suspender y mantener *latentes* todas las funciones animales sometidas al proceso de embalsamamiento. O sea, que, en resumen, cualquiera fuese la condición en que se encontraba el sujeto en el momento de ser embalsamado, así continuaba por siempre. Pues bien, como afortunadamente soy de la sangre del Escarabajo, fui embalsamado *vivo*, tal como me ven ustedes ahora.

–¡La sangre del Escarabajo! –exclamó el doctor Ponnonner.

–Sí. El Escarabajo era el emblema, las «armas» de una distinguidísima familia patricia muy poco numerosa. Ser «de la sangre del Escarabajo» significa sencillamente pertenecer a dicha familia cuyo emblema era el Escarabajo. Hablo figurativamente.

–Pero ¿qué tiene eso que ver con que esté usted vivo?

–Pues bien, la costumbre general en Egipto consiste en extraer el cerebro y las entrañas del cadáver antes de embalsamarlo; tan sólo la raza de los Escarabajos se eximía de esa práctica. De no haber sido yo un Escarabajo, me hubiera quedado sin cerebro y sin entrañas; no resulta cómodo vivir sin ellos.

–Ya veo –dijo Mr. Buckingham–, y presumo que todas las momias que nos han llegado *enteras* son de la raza del Escarabajo.

–Sin la menor duda.

–Yo había pensado –dijo tímidamente Mr. Gliddon– que el Escarabajo era uno de los dioses egipcios.

–¿Uno de los *qué* egipcios? –gritó la momia, poniéndose de pie.

–Uno de los dioses –repitió el erudito.

–Mr. Gliddon, estoy estupefacto al oírle hablar de esa manera –dijo el conde, volviendo a sentarse–. Ninguna nación de este mundo ha reconocido nunca más de *un dios*. El Escarabajo, el Ibis, etcétera, eran para nosotros los símbolos (como seres semejantes lo fueron para otros), los intermediarios a través de los cuales adorábamos a un Creador demasiado augusto para dirigirnos a él directamente.

Hubo una pausa. La conversación fue reanudada por el doctor Ponnonner.

–A juzgar por lo que nos ha explicado usted –dijo–, no sería improbable que en las catacumbas próximas al Nilo haya otras momias de la raza de los Escarabajos e igualmente vivas.

–Sin la menor duda –replicó el conde–. Todos los Escarabajos embalsamados vivos por accidente siguen estando vivos. Incluso algunos de aquellos, embalsamados *expresamente*, pueden haber sido olvidados por sus ejecutores testamentarios y, sin duda, continúan en sus tumbas.

–¿Sería usted tan amable de explicarnos –pregunté– qué entiende por embalsamar «expresamente»?

–Con mucho gusto –repuso la momia, luego de mirarme atentamente a través del monóculo, pues era la primera vez que me atrevía a hacerle una pregunta directa.

–Con mucho gusto –repitió–. La duración usual de la vida humana en mi tiempo era de unos ochocientos años. Pocos hombres morían, a menos de sobrevenirles algún accidente extraordinario, antes de los seiscientos; pero la cifra anterior era considerada como el término natural. Luego de descubierto el principio del embalsamamiento, tal como lo he explicado antes, nuestros filósofos pensaron que sería posible satisfacer una muy laudable curiosidad, y a la vez contribuir grandemente a los intereses de la ciencia, si ese término natural era vivido en varias etapas. En el caso de la historia, sobre todo, la experiencia había demostrado que algo así resultaba indispensable. Un historiador, por ejemplo, llegado a la edad de quinientos años, escribía un libro con muchísimo celo, y luego se hacía embalsamar cuidadosamente, dejando instrucciones a sus albaceas *pro tempore*, para que lo resucitaran transcurrido un cierto período –digamos quinientos o seiscientos años–. Al reanudar su vida, el sabio descubría invariablemente que su gran obra se había convertido en una especie de libreta de notas reunidas al azar, algo así como una palestra literaria de todas las conjeturas antagónicas, los enigmas y las pendencias personales de un ejército de exasperados comentadores. Aquellas conjeturas, etcétera, que recibían el nombre de notas o enmiendas, habían tapado, deformado y agobiado de tal manera el texto, que el autor se veía precisado a encender una linterna para buscar su propio libro. Una vez descubierto, no compensaba nunca el trabajo de haberlo buscado. Luego de escribirlo íntegramente de nuevo, el historiador consideraba su deber ponerse a corregir de inmediato, con su conocimiento y experiencias personales, las tradiciones corrientes sobre la época en que había vivido anteriormente. Y así, ese proceso de nueva redacción y de rectificación personal, cumplido de tiempo en tiempo por diversos sabios, impedía que nuestra historia se convirtiera en una pura fábula.

–Perdóneme usted –dijo en este punto el doctor Ponnonner, apoyando suavemente la mano sobre el brazo del egipcio–. Perdóneme usted, señor, pero... ¿puedo interrumpirlo un instante?

–Ciertamente, *señor* –replicó el conde.

–Tan sólo una pregunta –continuó el doctor–. Mencionó usted las correcciones personales del historiador a las *tradiciones* referentes a su propio tiempo. Dígame usted: ¿qué proporción de dichas tradiciones eran verdaderas?

–Pues bien, señor mío, los historiadores descubrían que las tales tradiciones se encontraban absolutamente a la par de las historias mismas antes de ser reescritas; vale decir que en ellas no había jamás, y bajo ninguna circunstancia, la menor palabra que no fuera total y radicalmente falsa.

–De todas maneras –insistió el doctor–, puesto que sabemos que han pasado por lo menos cinco mil años desde su entierro, doy por descontado que las historias de aquel período, si no las tradiciones, eran suficientemente explícitas sobre el tema de mayor interés universal, o sea, la Creación, que, como bien sabe usted, se produjo hace tan sólo diez siglos.

–¡Caballero! –exclamó el conde Allamistakeo.

El doctor repitió sus palabras, pero sólo logró que el egipcio las comprendiera después de muchas explicaciones adicionales. Entonces, no sin vacilar, dijo este último:

–Confieso que las ideas que acaba de sugerirme me resultan completamente nuevas. En mis tiempos jamás supe que alguien abrigara la singular fantasía de que el universo (o este mundo, si lo profiere) hubiera tenido jamás un principio. Sólo recuerdo que una vez –una vez tan sólo– escuché de un hombre de grandes conocimientos cierta remota insinuación acerca del origen *de la raza humana,* y esa misma persona empleó la palabra Adán (o sea, *tierra roja)* que acaba de emplear usted. Pero él lo hizo en un sentido muy amplio, refiriéndose a la generación espontánea de cinco vastas hordas humanas salidas del limo (como nacen miles de otros organismos inferiores), y que surgieron simultáneamente en cinco partes distintas y casi iguales del globo.

Al oír esto nos miramos, encogiéndonos de hombros, y uno o dos se llevaron un dedo a la sien con aire significativo. Entonces Mr. Silk Buckingham, luego de echar una ojeada al occipucio y a la coronilla de Allamistakeo, habló como sigue:

–La larga duración de la vida en sus tiempos, así como la costumbre ocasional de pasarla en distintas etapas según nos ha explicado usted, debe haber contribuido profundamente al desarrollo y a la acumulación general del saber. Presumo, pues, que la marcada inferioridad de los egipcios antiguos en materias científicas, si se los compara con los modernos, y más especialmente con los yanquis, nace de la mayor dureza del cráneo egipcio.

–Debo confesar nuevamente –repuso el conde con mucha gentileza– que me cuesta un tanto comprenderle. ¿A qué materias científicas se refiere, por favor?

Uniendo nuestras voces, le dimos entonces toda clase de detalles sobre las teorías frenológicas y las maravillas del magnetismo animal.

Luego de escucharnos hasta el fin, el conde se puso a narrarnos algunas anécdotas que demostraron claramente cómo los prototipos de Gall y de Spurzheim habían florecido en Egipto en tiempos tan remotos como para que su recuerdo se hubiese perdido; así como que los procedimientos de Mesmer eran despreciables triquiñuelas comparados con los verdaderos milagros de los sabios de Tebas, capaces de crear piojos y muchos otros seres similares.

Pregunté al conde si su pueblo sabía calcular los eclipses. Sonrió un tanto desdeñosamente y me contesto que sí.

Esto me desconcertó algo, pero seguí haciéndole preguntas sobre sus conocimientos astronómicos hasta que uno de los presentes, que hasta entonces no había abierto la boca, me susurró al oído que para esa clase de informaciones haría mejor en consultar a Ptolomeo (sin explicarme quién era), así como a un tal Plutarco, en su *De facie lunæ*.

Interrogué entonces a la momia acerca de espejos ustorios y lentes, y de manera general sobre la fabricación del vidrio; pero, apenas había formulado mis preguntas, cuando el contertulio silencioso me apretó suavemente el codo, pidiéndome en nombre de Dios que echara un vistazo a Diodoro de Sicilia. En cuanto al conde, se limitó a preguntarme, a modo de respuesta, si los modernos poseíamos microscopios que nos permitieran tallar camafeos en el estilo de los egipcios.

Mientras pensaba cómo responder a esta pregunta, el pequeño doctor Ponnonner se puso en descubierto de la manera más extraordinaria.

–¡Vaya usted a ver nuestra arquitectura! –exclamó, con enorme indignación por parte de los dos egiptólogos, quienes lo pellizcaban fuertemente sin conseguir que se callara.

–¡Vaya a ver la fuente del Bowling Green, de Nueva York! –gritaba entusiasmado–. ¡O, si le resulta demasiado difícil de contemplar, eche una ojeada al Capitolio de Washington!

Y nuestro excelente y diminuto médico siguió detallando minuciosamente las proporciones del edificio del Capitolio. Explicó que tan sólo el pórtico se hallaba adornado con no menos de veinticuatro columnas, las cuales tenían cinco pies de diámetro y estaban situadas a diez pies una de otra.

El conde dijo que lamentaba no recordar en ese momento las dimensiones exactas de cualquiera de los principales edificios de la ciudad de Aznac, cuyos cimientos habían sido puestos en la noche de los tiempos, pero cuyas ruinas seguían aún en pie en la época de su entierro, en un desierto al oeste de Tebas. Recordaba empero (ya que de pórtico se trataba) que uno de ellos, perteneciente a un palacio secundario en un suburbio llamado Karnak, tenía ciento cuarenta y cuatro columnas de treinta y siete pies de circunferencia, colocadas a veinticinco pies una de otra. A este pórtico se llegaba desde el Nilo por una avenida de dos millas de largo, compuesta por esfinges, estatuas y obeliscos, de veinte, sesenta y cien pies de altura. El palacio, hasta donde alcanzaba a recordar, tenía dos millas de largo, y su circuito total debía alcanzar las siete millas. Las paredes estaban ricamente pintadas con jeroglíficos en el interior y exterior. El conde no pretendía *afirmar* que dentro del área del palacio hubieran podido construirse unos cincuenta o sesenta Capitolios como el del doctor, pero, aun sin estar completamente seguro, pensaba que, con algún esfuerzo, se hubieran podido meter doscientos o trescientos. Claro que, después de todo, el palacio de Karnak era bastante insignificante. De todas maneras el conde no podía negarse conscientemente a admitir el ingenio, la magnificencia y la superioridad de la fuente del Bowling Green, tal como la había descrito el doctor. Se veía forzado a reconocer que en Egipto jamás se había visto una cosa semejante.

Pregunté entonces al conde qué opinaba de nuestros ferrocarriles.

Contestó que no opinaba nada en especial. Los ferrocarriles eran un tanto débiles, mal concebidos y torpemente realizados. Por supuesto que no se los podía comparar con las enormes calzadas, perfectamente lisas, directas y con vías de hierro, sobre las cuales los egipcios transportaban templos enteros y sólidos obeliscos de ciento cincuenta pies de altura.

Aludí a nuestras gigantescas fuerzas mecánicas.

Convino en que algo sabíamos de esas cosas, pero me preguntó cómo me las habría arreglado para colocar las impostas de los dinteles, aun en un templo tan pequeño como el de Karnak.

Decidí no escuchar esta pregunta, y quise saber si tenía alguna idea sobre los pozos artesianos. El conde se limitó a levantar las cejas, mientras Mr. Gliddon me guiñaba con violencia el ojo y me decía en voz baja que los ingenieros encargados de las perforaciones en el Gran Oasis acababan de descubrir uno hacía muy poco.

Mencioné entonces nuestro acero, pero el egipcio levantó desdeñosamente la nariz y me preguntó si nuestro acero habría podido ejecutar los profundos relieves que se ven en los obeliscos y que se ejecutaban con la sola ayuda de instrumentos de cobre.

Esto nos desconcertó tanto que juzgamos prudente trasladar la ofensiva al campo metafísico. Mandamos buscar un ejemplar de un libro llamado *The Dial,* y le leímos en alta voz uno o dos capítulos acerca de algo no muy claro, pero que los bostonianos denominaban el Gran Movimiento del Progreso.

El conde se limitó a decir que los Grandes Movimientos eran cosas tristemente vulgares en sus días; en cuanto al Progreso, en cierta época había sido una verdadera calamidad, pero nunca llegó a progresar.

Hablamos entonces de la belleza e importancia de la democracia, y tuvimos gran trabajo para hacer entender debidamente al conde las ventajas de que gozábamos viviendo allí donde existía el sufragio *ad libitum*, y no había ningún rey.

Nos escuchó muy interesado y, en realidad, me dio la impresión de que se divertía muchísimo. Cuando hubimos terminado, nos hizo saber que, mucho tiempo atrás, había ocurrido entre ellos algo parecido. Trece provincias egipcias decidieron ser libres y dar un magnífico ejemplo al resto de la humanidad. Sus sabios se reunieron y confeccionaron la más ingeniosa constitución que pueda concebirse. Durante un tiempo se las arreglaron notablemente bien, sólo que su tendencia a la fanfarronería era prodigiosa. La cosa terminó, empero, el día en que los quince Estados, a quienes se agregaron otros quince o veinte, se consolidaron creando el más odioso e insoportable despotismo que jamás se haya visto en la superficie de la tierra.

Pregunté el nombre del tirano usurpador.

El conde creía recordar que se llamaba *Populacho.*

No sabiendo qué decir a esto, alcé mi voz para deplorar la ignorancia de los egipcios sobre el vapor.

El conde me miró lleno de asombro, pero no dijo nada. En cambio el contertulio silencioso me dio fuertemente en las costillas con el codo, diciéndome que bastante había hecho ya el ridículo, y preguntándome si realmente era tan tonto como para no saber que la moderna máquina de vapor deriva de la invención de Hero, pasando por Salomón de Caus.

Nos hallábamos en grave peligro de ser derrotados. Pero, entonces, para nuestra buena suerte, el doctor Ponnonner acudió a socorrernos e inquirió si el pueblo egipcio pretendía rivalizar seriamente con los modernos en la importantísima cuestión del vestido.

El conde, al oír esto, miró las trabillas de sus pantalones y, tomando luego uno de los faldones de su chaqueta, se lo acercó a los ojos durante largo rato. Por fin lo dejó caer, mientras su boca se iba extendiendo gradualmente de oreja a oreja; pero no recuerdo que dijese nada a manera de contestación.

Recobramos así nuestro ánimo, y el doctor, acercándose con gran dignidad a la momia, le pidió que declarara francamente, por su honor de caballero, si alguna vez los egipcios habían sido capaces de comprender la fabricación de las pastillas de Ponnonner o de las píldoras de Brandeth.

Esperamos ansiosamente una respuesta, pero en vano. La respuesta no llegaba. El egipcio se sonrojó y bajó la cabeza. Jamás se vio triunfo más completo; jamás una derrota fue sobrellevada con tan poca gracia. Realmente me resultaba insoportable el espectáculo de la mortificación de la pobre momia. Busqué mi sombrero, me incliné secamente y salí.

Al llegar a casa vi que eran las cuatro pasadas, y me metí inmediatamente en cama. Son ahora las diez de la mañana. Desde las siete estoy levantado, redactando esta crónica para beneficio de mi familia y de la humanidad. A la primera no volveré a verla. Mi mujer es una arpía. Diré la verdad: estoy amargamente cansado de esta vida y del siglo XIX en general. Me siento convencido de que todo va mal. Además tengo gran ansiedad por saber quién será Presidente en 2045. Por eso, tan pronto me haya afeitado y bebido una taza de café, volveré a casa de Ponnonner y me haré embalsamar por un par de cientos de años.

MELLONTA TAUTA

Comentario de Pedro Ángel Palou

Pocos textos de Edgar Poe son más claustrofóbicos, no sólo por el lugar desde el que escribe la misteriosa narradora, un globo suspendido el aire que no tocará la tierra en un mes al menos y en cuya travesía la acompañan al menos doscientas personas. Lo que sofoca durante todo el relato al lector no es la unidad de lugar (al fin y al cabo uno de los requisitos del cuento, según el inventor de la literatura moderna, el loco de Boston que tradujo a Baudelaire y del que tanto abrevó), sino porque el tema del relato es la lentitud, la imposibilidad del movimiento, en medio del viaje. ¿Curioso? A mí, al menos, «Mellonta Tauta» me parece un texto que raya en la parálisis y al que, sin embargo, el lector no puede despegarle la vista.

Sin embargo, la astuta narradora propone desde el inicio que su tema no es otro que la imposibilidad de la existencia del individuo en una época en la que sólo existe la masa. Véase la suprema ironía: «¿No resulta dificilísimo comprender cuáles eran los principios e intereses que movían a nuestros antepasados? ¿Estaban tan ciegos como para no percibir que la destrucción de una miríada de individuos representaba una ventaja positiva para la masa?».

Y para ello hace un recorrido en apariencia jocoso pero tremendamente persuasivo por la historia de la filosofía occidental (Aries Tottle, así llamado el filósofo irlandés que sale peor parado, resulta uno de los más culpables del desaguisado lógico en que se vive en el futuro donde está ubicado el cuento: 2848). Dice la narradora –y el lector siente un escalofrío–: como si no existieran otros caminos a la verdad que no sean los de la razón.

La narradora tiene un informante, claro, un arqueólogo, Pundit. He aquí el fragmento más estremecedor de todo el texto, casi como si nos diera a todos los actuales hombres y mujeres de principios del siglo XXI una bofetada sonora. Sí, a nosotros que creemos absurdamente en que la democracia liberal –el capitalismo tardío– es la panacea, óiganlo conmigo antes de adentrarse ustedes mismos en el texto. En este relato absolutamente invitante de Poe (la narradora se burla de Pundit y dice: «Se ha pasado todo el día tratando de convencerme de que los antiguos americanos *se gobernaban a sí mismos*. ¿Oyó usted alguna vez despropósito semejante? Sostiene que tenían una especie de confederación donde cada persona era un individuo... a la manera de los "perros de las praderas" de que se habla en las fábulas. Dice que partieron de la idea más rara imaginable, a saber, que todos los hombres nacen libres e iguales... y esto en las mismas narices de las leyes de *gradación*, tan visiblemente impresas en todas las cosas, tanto en el universo moral como en el físico. Todos los hombres "votaban" (así lo llamaban), es decir, se mezclaban en los negocios públicos, hasta que se acabó por descubrir que el negocio de todos es el negocio de nadie, y que la "República" (como llamaban a esa cosa absurda) carecía completamente de gobierno».

Yo no tengo nada más que agregar, sólo les pido que den la vuelta ya a esta página, no se van a arrepentir...

MELLONTA TAUTA

Al director del *Lady's Book*:

Tengo el honor de enviarle para su revista un artículo que espero sea usted capaz de comprender más claramente que yo. Es una traducción hecha por mi amigo Martin van Buren Navis (llamado «El brujo de Poughkeepsie») de un manuscrito de extraña apariencia que encontré hace aproximadamente un año dentro de un porrón tapado, flotando en el Mare Tenebrarum –mar bien descrito por el geógrafo nubio, pero rara vez visitado en nuestros días, salvo por los trascendentalistas y los buscadores de extravagancias–. Suyo,

EDGAR A. POE

A bordo del globo Skylark, *1.° de abril de 2848*

Ahora, mi querido amigo, por sus pecados tendrá que soportar le inflija una larga carta chismosa. Le digo claramente que voy a castigarlo por todas sus impertinencias y que seré tan tediosa, tan discursiva, tan incoherente y tan insatisfactoria como pueda. Además, aquí estoy, enjaulada en un sucio globo, con cien o doscientos miembros de la *canaille,* realizando una excursión de *placer* (¡qué idea divertida tiene alguna gente del placer!), y sin perspectiva de tocar tierra firme durante un mes por lo menos. Nadie con quien hablar. Nada que hacer. Cuando una no tiene nada que hacer, ha llegado el momento de escribir a los amigos. Comprende usted, entonces, por qué le escribo esta carta: a causa de mi *ennui* y de sus pecados.

Prepare sus lentes y dispóngase a aburrirse. Pienso escribirle todos los días durante este odioso viaje.

¡Ay! ¿Cuándo visitará el pericráneo humano alguna *Invención*? ¿Estamos condenados para siempre a los mil inconvenientes del globo? ¿*Nadie* ideará un modo más rápido de transporte? Este trote lento es, en mi opinión, poco menos que una verdadera tortura. ¡Palabra, no hemos hecho más de cien millas desde que partimos! Los mismos pájaros nos dejan atrás, por lo menos algunos de ellos. Le aseguro que no exagero nada. Nuestro movimiento, sin duda, parece más lento de lo que realmente es, por no tener objetos de referencia para calcular nuestra velocidad, y porque vamos a favor del viento. Indudablemente, cuando encontramos otro globo tenemos una posibilidad de advertir cuán rápido volamos, y entonces, lo admito, las cosas no parecen tan mal. Acostumbrada como estoy a este modo de viajar, no puedo evitar una especie de vértigo cuando un globo pasa en una corriente situada directamente encima de la nuestra. Siempre me parece un inmenso pájaro de presa a punto de caer sobre nosotros y de llevarnos en sus garras. Esta mañana pasó uno, a la salida del sol, y tan cerca que su cuerda–guía rozó la red que sujeta la barquilla, causándonos seria aprensión. Nuestro capitán dijo que, si el material del globo hubiera sido la mala «seda» barnizada de quinientos o mil años atrás, hubiéramos sufrido perjuicios inevitables. Esa seda, como me lo explicó, era un tejido hecho con las entrañas de una especie de gusano de tierra. El gusano era cuidadosamente alimentado con moras –una fruta semejante a la sandía– y, cuando estaba suficientemente gordo, lo aplastaban en un molino. La pasta así obtenida recibía el nombre de *papiro* en su primer estado, y sufría variedad de procesos hasta convertirse finalmente en «seda». ¡Cosa singular, fue en un tiempo muy admirada como artículo de *vestimenta femenina*! Los globos también se construían por lo general con seda. Una clase mejor de material, según parece, se halló luego en el plumón que rodea las cápsulas de las semillas de una planta vulgarmente llamada *euphorbium,* pero que en aquella época la botánica denominaba vencetósigo. Esta última clase de seda recibía el nombre de seda–buckingham[1], a causa de su duración superior, y por lo general se la preparaba para el uso barnizándola con una solución de caucho, sustancia que en algunos aspectos debe de haberse asemejado a la gutapercha, ahora de uso común. Este caucho merecía en ocasiones el nombre de goma de la India o goma de *whist*[2], *y* se trataba, sin duda, de uno de los numerosos *hongos* existentes. No me dirá usted otra vez que en el fondo no soy una verdadera arqueóloga.

Hablando de cuerdas-guías, parece que la nuestra acaba de hacer caer al agua a un hombre que viajaba en una de las pequeñas embarcaciones propulsadas magnéticamente que surcan como enjambres

1. Una de las muchas bromas y retruécanos que hacen perder sabor a este relato una vez traducido. Se alude a James Silk Buckingham (1786-1855), parlamentario inglés que visitó los Estados Unidos y escribió un libro de impresiones. *Silk* significa igualmente seda. El nombre de este periodista y escritor aparece en «Conversación con una momia». *(N. del T.)*

2. *Rubber,* caucho, denota asimismo una mano en el juego del *whist* u otros juegos de cartas. *(N. del T.)*

el océano a nuestros pies; se trata de un barco de unas seis mil toneladas y, a lo que parece, vergonzosamente sobrecargado. No debería permitirse a esas diminutas embarcaciones que llevaran más de un número fijo de pasajeros. Como es natural, no se permitió al hombre que volviera a bordo y muy pronto él y su salvavidas se perdieron de vista. Me alegra, querido amigo, vivir en una edad demasiado ilustrada para suponer que cosas tales como los meros individuos puedan existir. La verdadera Humanidad sólo se preocupa por la masa. Y ya que estamos hablando de la humanidad, ¿sabía usted que nuestro inmortal Wiggins no es tan original en su concepción de las condiciones sociales y otros puntos análogos, como sus contemporáneos parecen suponer? Pundit me asegura que las mismas ideas fueron formuladas casi de la misma manera, hace unos mil años, por un filósofo irlandés llamado Peletero, a causa de que tenía un negocio al menudeo para la venta de pieles de gato y otros animales[3]. Pundit *sabe,* como no lo ignora usted, y no es posible que se engañe. ¡Cuán admirablemente vemos verificada diariamente la profunda observación del hindú Aries Tottle, según la cita Pundit! «Cabe así sostener que no una, o dos, o pocas veces, sino repetidas casi hasta el infinito, las mismas opiniones giran en círculo entre los hombres»[4].

2 de abril.– Nos pusimos hoy al habla con el cúter magnético que se halla a cargo de la sección central de los alambres telegráficos flotantes. Me entero de que cuando este dispositivo telegráfico fue puesto en funcionamiento por Horse[5], se consideraba absolutamente imposible llevar los alambres a través del mar, pero ahora lo imposible es comprender cuál era la dificultad. Así cambia el mundo. *Tempora mutantur...* excúseme por citar en etrusco. ¿Qué *haríamos* sin el telégrafo atalántico? (Pundit dice que antes se escribía «Atlántico».) Hicimos alto unos minutos para hablar con los del cúter y, entre otras gloriosas noticias, nos enteramos de que la guerra civil arde en África, mientras la peste cumple una magnífica tarea tanto en Uropa como en Hasia. ¿No es sumamente notable que, antes de que la humanidad iluminara brillantemente la filosofía, el mundo tuviera costumbre de considerar la guerra y la peste como calamidades? ¿Sabía usted que en los antiguos templos se elevaban rogativas para que esos *males* (!) no asolaran a la humanidad? ¿No resulta dificilísimo comprender cuáles eran los principios e intereses que movían a nuestros antepasados? ¿Estaban tan ciegos como para no percibir

3. *Furrier,* o sea Charles Fourier, que por supuesto no era irlandés. *(N. del T.)*
4. Aries Tottle: *Aristóteles. (N. del T.)*
5. *Morse. (N. del T.)*

que la destrucción de una miríada de individuos representaba una ventaja positiva para la masa?

3 de abril.– Resulta realmente muy divertido subir por la escala de cuerda que lleva a lo alto de la esfera del globo y contemplar desde allí el mundo que nos rodea. Desde la barquilla, como bien sabe usted, el panorama no es tan amplio, pues poco se alcanza a ver verticalmente. Pero sentada aquí (desde donde le escribo), en la *piazza* abierta, lujosamente cubierta de almohadones, de lo alto del globo, se puede ver todo lo que ocurre en cualquier dirección. En este momento diviso una verdadera muchedumbre de globos, que presentan un aspecto sumamente animado, mientras el aire resuena con el zumbido de millones de voces humanas. He oído decir que cuando Amarillo (o como Pundit afirma, Violeta[6]), que, según parece, fue el primer aeronauta, sostenía la posibilidad de atravesar la atmósfera en todas direcciones, ascendiendo o descendiendo hasta encontrar una corriente favorable, sus contemporáneos apenas le prestaban atención, creyéndole una especie de loco ingenioso, y todo ello porque los filósofos (!) del momento declaraban que la cosa era imposible. ¡Ah, me resulta *completamente* inexplicable cómo una cosa tan factible pudo escapar a la sagacidad de los antiguos *savants!* Pero en todas las edades, los mayores obstáculos al progreso en las artes han sido creados por los así llamados hombres de ciencia. Ciertamente, *nuestros* hombres de ciencia no son tan intolerantes como los de antaño... Pero tengo algo muy raro que decirle al respecto. ¿Sabía usted que apenas han pasado mil años desde que los metafísicos consintieron en desengañar a la gente de la singular fantasía de que sólo existían *dos caminos posibles para llegar a la verdad?* ¡Créalo, si le es posible! Parece ser que hace mucho, muchísimo, en la noche de los tiempos, vivió un filósofo turco (o más posiblemente hindú) llamado Aries Tottle. Esta persona introdujo, o al menos propagó lo que se dio en llamar el método de investigación deductivo o a priori. Comenzó postulando los *axiomas* o «verdades evidentes por sí mismas», y de ahí pasó «lógicamente» a los resultados. Sus discípulos más notables fueron un tal Neuclides y un tal Cant. Pues bien, Aries Tottle se mantuvo inexpugnable hasta la llegada de un tal Hog, apodado «el pastor de Ettrick»[7], que predicó un sistema por completo diferente, que llamó inductivo o a posteriori. Su teoría lo remitía todo a la sensación.

---

6. Pero más probablemente «Verde», o sea Charles Green, a quien Poe cita otra vez en «El camelo del globo». *(N. del T.)*

7. *Hog,* cerdo, alude a Bacon *(bacati,* tocino). «El pastor de Ettrick», que la corresponsal menciona por puro disparate, era un poetastro llamado James Hogg –de ahí la confusión–, que gozó de mucha fama en Inglaterra (1770–1835). *(N. del T.)*

Hog procedía a observar, analizar y clasificar los hechos –*instantiæ naturæ,* como se les llamaba afectadamente– en leyes generales. En una palabra, el método de Aries Tottle se basaba en *noumena,* y el de Hog, en *phenomena.* Pues bien, tan grande admiración despertaba este último sistema que Aries Tottle quedó inmediatamente desacreditado. Más tarde recobró terreno y se le permitió compartir el reino de la Verdad con su más moderno rival. Los *savants* sostuvieron que las vías aristotélicas y baconianas eran los únicos caminos posibles del conocimiento. Como usted sabe, «baconiano» es un adjetivo inventado para reemplazar a «hogiano», por más eufónico y digno.

Ahora bien, querido amigo, le aseguro rotundamente que expongo esta cuestión de la manera más leal, y basándome en las autoridades más sólidas; fácilmente podrá comprender, pues, cómo una noción tan absurda debió retrasar el progreso de todo conocimiento verdadero, que avanza casi invariablemente por saltos intuitivos. La noción antigua reducía la investigación a un mero *reptar;* y durante siglos la ciega creencia en Hog hizo que, por así decirlo, se dejara prácticamente de pensar. Nadie se atrevía a expresar una verdad cuyo origen sólo debía a su propia *alma.* Ni siquiera valía que aquella verdad fuese *demostrable,* pues los tozudos *savants* de la época sólo se fijaban en *el camino* por el cual se había llegado a ella. No querían mirar los fines. «¡Veamos los medios, los medios!», gritaban. Si al investigar los medios se descubría que no encajaban en la categoría Aries (o sea, Carnero), ni en la categoría Hog (o sea, Cerdo), pues bien, los *savants* se negaban a seguir adelante, declaraban que el «teorizador» era un loco y no querían nada con él ni con su verdad.

Ni siquiera puede sostenerse aquí que, gracias al sistema de reptación, fuera posible acumular grandes cantidades de verdad a lo largo de los tiempos, pues la represión de la *imaginación* era un mal que no se compensaba con ninguna *certeza* que pudieran dar los antiguos métodos de investigación. El error de aquellos Alamanes, Francos, Inglis y Amricanos (estos últimos, dicho sea de paso, fueron nuestros antepasados inmediatos) era análogo al del sabihondo que se imagina que va a conocer mejor una cosa si la arrima a un centímetro de los ojos. Aquellas gentes se cegaban a causa de los detalles. Cuando seguían el camino del Cerdo, sus «hechos» no siempre eran tales, cosa que en sí hubiera tenido poca importancia de no mediar la circunstancia de que ellos sostenían que sí lo *eran,* y que tenían que serlo porque se presentaban como tales. Cuando tomaban el camino del Carnero, su marcha era apenas tan derecha como los cuernos de un morueco, puesto que *jamás* tenían un axioma que verdaderamente lo fuera. Debieron de estar muy ciegos para no verlo, aun en su época, pues ya entonces gran cantidad de los axiomas «establecidos» habían sido rechazados. Por ejemplo: *Ex nihilo nihil fit,* «un cuerpo no puede actuar allí donde no está», «no puede haber antípodas», «la oscuridad no puede nacer de la luz»; todas ellas, y una docena de proposiciones semejantes, admitidas al comienzo como axiomas, eran consideradas como insostenibles aun en el período del que hablo. ¡Gentes absurdas que persistían en depositar su fe en los axiomas como bases inmutables de la verdad! Aun si se los extrae de las obras de sus razonadores más sólidos, es facilísimo demostrar la futileza, la impalpabilidad de sus axiomas en general. ¿Quién fue el más profundo de sus lógicos? ¡Veamos! Lo mejor será que vaya a preguntarle a Pundit; volveré dentro de un minuto. ¡Ah, ya lo tengo! He aquí un libro escrito hace casi mil años y recientemente traducido del Inglis (que, dicho sea de paso, parece haber constituido los rudimentos del Amricano). Pundit afirma que se trata de la obra antigua más inteligente sobre la lógica. El autor (muy estimado en su tiempo) era un tal Miller o Mill, y nos enteramos, como detalle de cierta importancia, que era dueño de un caballo de tahona llamado «Bentham»[8]. Pero examinemos el tratado.

¡Ah! «La capacidad o la incapacidad de concebir algo –dice muy atinadamente Mr. Mill– no debe considerarse en ningún caso como criterio de verdad axiomática.» ¿Qué *moderno* que esté en sus cabales osaría discutir este truismo? Lo único que puede asombrarnos es cómo a Mr. Mill se le ocurrió mencionar una cosa tan obvia. Todo esto está muy bien... pero volvamos la página. ¿Qué encontramos? «Dos cosas contradictorias no pueden ser ambas verdaderas, vale decir, no pueden coexistir en la naturaleza.» Mr. Mill quiere decir, por ejemplo, que un árbol tiene que ser un árbol o no serlo, o sea, que no puede al mismo tiempo ser un árbol y no serlo. De acuerdo; pero yo le pregunto *por qué.* Y él me contesta –perfectamente seguro de lo que dice–: «Porque es imposible concebir que dos cosas contradictorias sean ambas verdaderas». Ahora bien, esto no es una respuesta aceptable, ya que nuestro autor acaba de admitir como truismo que «la capacidad o la incapacidad de concebir algo no debe considerarse *en ningún caso* como criterio de verdad axiomática».

Pues bien, no me quejo de los antiguos porque su lógica fuera, como ellos mismos lo demuestran, absolutamente infundada, fantástica y sin el menor valor, sino por su pomposa e imbécil proscripción de todos los *otros* caminos de la verdad, de todos los otros *medios* para alcanzarla, y su obstinada limitación a los dos absurdos sende-

8. Alusiones a John Stuart Mill, *(mill,* molino) y a Jeremy Bentham. *(N. del T.)*

ros –uno para arrastrarse y otro para reptar– donde se atrevieron a encerrar el Alma que no quiere otra cosa que *volar.*

Dicho sea de paso, querido amigo, ¿no cree usted que nuestros antiguos dogmáticos se hubieran quedado perplejos si hubieran tenido que determinar por *cuál* de sus dos caminos se había logrado la más importante y sublime de *todas* sus verdades? Aludo a la verdad de la Gravitación. Newton la debió a Kepler. Kepler admitió que había *conjeturado* sus tres leyes, esas tres leyes admirables que llevaron al gran matemático inglis a su principio, esas leyes que eran la base de todo principio físico y para ir más allá de las cuales tenemos que penetrar en el reino de la metafísica. Sí, Kepler conjeturó... es decir, *imaginó.* Era esencialmente un «teorizador», término hoy sacrosanto y que antes constituía un epíteto despectivo. Y aquellos viejos topos ¿no habrían sentido la misma perplejidad si hubiesen tenido que explicar por cuál de los dos «caminos» descifra un criptógrafo un mensaje en clave especialmente secreto, y por cuál de los dos caminos encaminó Champollion a la humanidad hacia esas duraderas e innumerables verdades que se derivaron del desciframiento de los jeroglíficos?

Una palabra más sobre este tema y habré terminado de aburrirlo. ¿No es extrañísimo que, con su continuo parloteo sobre los *caminos* de la verdad, aquellos fanáticos no vieran el gran camino que nosotros percibimos hoy tan claramente... el camino de la Coherencia? ¡Cuán singular que no hayan sido capaces de deducir de las obras de Dios el hecho vital de que toda perfecta coherencia *debe* ser una verdad absoluta! ¡Cuán evidente ha sido nuestro progreso desde que esta afirmación fue formulada! Las investigaciones fueron arrancadas de las manos de los topos y confiadas como tarea a los auténticos pensadores, a los hombres de imaginación ardiente. Estos últimos *teorizan.* ¿Puede usted imaginar el clamor de escarnio que hubieran provocado mis palabras en nuestros progenitores si pudieran inclinarse sobre mi hombro para ver lo que escribo? Estos hombres, repito, teorizan, y sus teorías son corregidas, reducidas, sistematizadas, eliminando poco a poco sus residuos incoherentes... hasta que, por fin, se logra una coherencia perfecta; y aun el más estólido admitirá que, por *ser* coherentes, son absoluta e incuestionablemente *verdaderas.*

4 de abril.– El nuevo gas hace maravillas en combinación con el perfeccionamiento de la gutapercha. ¡Cuán seguros, cómodos, manejables y excelentes son nuestros globos modernos! He aquí uno inmenso que se nos acerca a una velocidad de por lo menos ciento cincuenta millas por hora. Parece repleto de pasajeros (quizá haya a

bordo trescientos o cuatrocientos) y, sin embargo, vuela a una milla de altitud, contemplándonos desde lo alto con soberano desprecio. Empero, cien o aun doscientas millas horarias representan después de todo una travesía bastante lenta. ¿Recuerda nuestro viaje por tren a través del Kanadaw? ¡Trescientas millas por hora! ¡Eso era viajar! Imposible ver nada... Nuestras únicas ocupaciones consistían en flirtear y bailar en los magníficos salones. ¿Recuerda qué extraña sensación se experimentaba cuando, por casualidad, teníamos una visión fugitiva de los objetos exteriores mientras el tren corría a toda velocidad? Cada cosa parecía única... en una sola masa. Por mi parte, debo decir que preferiría viajar en el tren lento, el de cien millas horarias. Había en él ventanillas de cristal y hasta se podía tenerlas abiertas, alcanzando alguna visión del paisaje. Pundit dice que el camino por donde pasa el gran ferrocarril del Kanadaw debió haber sido trazado hace aproximadamente novecientos años. Llega a afirmar que pueden verse huellas del antiguo camino, y que corresponden a ese antiquísimo período. Parece que los rieles eran solamente *dobles;* como usted sabe, los nuestros tienen doce rieles y están en preparación tres o cuatro más. Los antiguos rieles eran muy livianos y se hallaban tan juntos que, para nuestras nociones modernas, resultaban tan baladíes como peligrosos. El ancho actual de la trocha –cincuenta pies– se considera apenas suficientemente seguro... Por mi parte, no dudo de que en tiempos muy remotos debió existir una vía ferroviaria, como lo asegura Pundit; pues estoy convencidísima de que hace mucho tiempo, por lo menos siete siglos, el Kanadaw del Norte y el del Sur estuvieron *unidos;* ni que decir entonces que los kanawdienses se vieron obligados a tender un gran ferrocarril a través del continente.

5 de abril.– Me siento casi devorada por el *ennui.* Pundit es la única persona con quien se puede hablar a bordo; pero el pobrecito no sabe más que de arqueología... Se ha pasado todo el día tratando de convencerme de que los antiguos amricanos *se gobernaban a sí mismos.* ¿Oyó usted alguna vez despropósito semejante? Sostiene que tenían una especie de confederación donde cada persona era un individuo... a la manera de los «perros de las praderas» de que se habla en las fábulas. Dice que partieron de la idea más rara imaginable, a saber, que todos los hombres nacen libres e iguales... y esto en las mismas narices de las leyes de *gradación,* tan visiblemente impresas en todas las cosas, tanto en el universo moral como en el físico. Todos los hombres «votaban» (así lo llamaban), es decir, se mezclaban en los negocios públicos, hasta que se acabó por descubrir que el negocio de todos es el negocio de nadie, y que la «República» (como llamaban a

esa cosa absurda) carecía completamente de gobierno. Se dice, empero, que la primera circunstancia que perturbó seriamente la autocomplacencia de los filósofos que habían construido esta «República» fue el sorprendente descubrimiento de que el sufragio universal se prestaba a los planes más fraudulentos, por medio de los cuales se obtenía la cantidad deseada de votos, sin posibilidad de descubrimiento o de prevención, y que esto podía llevarlo a cabo cualquier partido político lo bastante vil como para no sentir vergüenza del fraude. La menor reflexión sobre este descubrimiento bastó para mostrar con toda claridad que la bellaquería *debía* predominar; en una palabra, que un gobierno republicano no *podía* ser otra cosa que un gobierno de bellacos. Entonces, mientras los filósofos se ocupaban de ruborizarse por su estupidez al no haber previsto tan inevitables males, y trataban de inventar nuevas teorías, la cuestión fue bruscamente resuelta por un individuo llamado *Populacho,* quien tomó las cosas por su cuenta e inició un despotismo frente al cual las tiranías de los fabulosos Cerones y Heliopávalos resultaban tan respetables como deliciosas. Este Populacho (un extranjero, dicho sea de paso) parece haber sido el hombre más odioso que haya deshonrado la tierra. De gigantesca estatura, insolente, rapaz, sucio, tenía la hiel de un buey junto con el corazón de una hiena y el cerebro de un pavo real. De todos modos sirvió para algo, como ocurre con las cosas más viles, y enseñó a la humanidad una lección que esta no habrá de olvidar: la de no correr jamás en sentido contrario a las analogías naturales. En cuanto al republicanismo, imposible encontrarle ninguna analogía en la faz de la tierra, salvo que tomemos como ejemplo a los «perros de las praderas», excepción que sólo sirve para demostrar, si demuestra algo, que la democracia es una admirable forma de gobierno...para perros.

6 de abril.– Anoche vi admirablemente bien a Alfa Lyrae, cuyo disco, a través del telescopio del capitán, subtendía un ángulo de medio grado, y tenía el mismo aspecto que presenta nuestro sol en un día neblinoso. Aunque muchísimo más grande que el sol, dicho sea de paso, Alfa Lyrae se le parece en cuanto a las manchas, la atmósfera y otros detalles. Sólo en el último siglo –según me dice Pundit– comenzó a sospecharse la relación binaria existente entre estos dos astros. El evidente movimiento de nuestro sistema en el espacio había sido considerado (¡cosa extraña!) como una órbita en torno a una prodigiosa estrella situada en el centro de la Vía Láctea. Conjeturábase que cada uno de estos cuerpos celestes giraba en torno a dicha estrella o a un centro de gravedad común a todos los astros de la Vía Láctea, que se suponía cerca de Alción, en las Pléyades; calculábase que nuestro sistema completaba su circuito en 117 000 000

años. Pero a *nosotros,* con nuestras actuales luces y nuestros grandes perfeccionamientos en los telescopios, nos resulta imposible imaginar *la base* de semejante suposición. Su primer propagandista fue un tal Mudler[9]. Cabe presumir que la analogía lo indujo a postular tan extraña hipótesis, pero de ser así hubiera debido sostener la analogía en todo el desarrollo de su idea. Al sugerir un gran astro central, Mudler no incurría en nada ilógico. Empero, y desde un punto de vista dinámico, este astro central tendría que ser muchísimo más grande que todos los otros cuerpos celestes juntos. Cabía entonces preguntarse: «¿Cómo es que no lo vemos?». Precisamente nosotros, que ocupamos la región media del inmenso racimo, el lugar cerca del cual debería hallarse situado aquel inconcebible sol central, ¿cómo no lo vemos? Quizá en este punto el astrónomo se refugió en una noción de no luminosidad y al hacerlo abandonó por completo la analogía. Pero, aun admitiendo que el astro central no fuera luminoso, ¿cómo explicar que el incalculable ejército de resplandecientes soles que se encaminan hacia él no lo iluminen? No hay duda de que lo que el sabio sostuvo al final fue la mera existencia de un centro de gravedad común a todos los cuerpos del espacio; pero aquí tuvo que renunciar de nuevo a la analogía. Nuestro sistema gira, es cierto, en torno de un centro común de gravedad, pero lo hace en relación con un sol material cuya masa compensa más que suficientemente las de todo el sistema junto. El círculo matemático es una curva compuesta por infinidad de líneas rectas; pero esta idea del círculo, que con relación a la geometría terrena consideramos como meramente matemática, distinguiéndola de la idea práctica de un círculo, esta idea es la única concepción *práctica* que cabe mantener con respecto a los titánicos círculos que debemos concebir, por lo menos en la fantasía, cuando suponemos a nuestro sistema y a sus semejantes girando en torno a un punto en el centro de la Vía Láctea. ¡Intente la más vigorosa imaginación humana dar un solo paso hacia la comprensión de un circuito tan inexpresable! Apenas resultaría paradójico decir que un relámpago, corriendo *por siempre* en la circunferencia de este inconcebible círculo, correría *por siempre* en línea recta. El camino de nuestro sol a lo largo de esta circunferencia, la dirección de nuestro sistema en semejante órbita, no puede, para la percepción humana, haberse desviado en lo más mínimo de una línea recta, ni siquiera en un millón de años; imposible suponer otra cosa, pese a lo cual aquellos astrónomos antiguos se dejaban engañar al punto de creer que una curvatura bien marcada habíase hecho visible

9. Alude –llamándolo «embarrador»– a Johann Heinrich von Mädler, astrónomo alemán. *(N. del T.)*

en el breve período de la historia astronómica en ese mero punto, en esa absoluta nada de dos o tres mil años. ¡Cuán incomprensible es que consideraciones como las presentes no les indicaran inmediatamente la verdad de las cosas... o sea, la revolución binaria de nuestro sol y de Alpha Lyrae en torno a un centro común de gravedad!

7 de abril.– Continuamos anoche nuestras diversiones astronómicas. Vimos con mucha claridad los cinco asteroides neptunianos y observamos con sumo interés la colocación de una pesada imposta sobre dos dinteles en el nuevo templo de Dafnis, en la luna. Resultaba divertido pensar que criaturas tan pequeñas como los selenitas y tan poco parecidas a los hombres muestran un ingenio mecánico muy superior al nuestro. Cuesta además concebir que las enormes masas que aquellas gentes manejan fácilmente sean tan livianas como nuestra razón nos lo enseña.

8 de abril.– ¡Eureka! Pundit resplandece de alegría. Un globo de Kanadaw nos habló hoy, arrojándonos varios periódicos recientes. Contienen noticias sumamente curiosas sobre antigüedades kanawdienses o más bien amricanas. Presumo que estará usted enterado de que numerosos obreros se ocupan desde hace varios meses en preparar el terreno para una nueva fuente en Paraíso, el principal jardín privado del emperador. Parece ser que Paraíso, hablando *literalmente,* fue en tiempos inmemoriales una isla –vale decir que su límite norte estuvo siempre constituido (hasta donde lo indican los documentos) por un riacho o más bien un angosto brazo del mar–. Este brazo se fue ensanchando gradualmente hasta alcanzar su amplitud actual de una milla. El largo total de la isla es de nueve millas; el ancho varía mucho. Toda el área (según dice Pundit) hallábase, hace unos ochocientos años, densamente cubierta de casas, algunas de las cuales tenían hasta veinte pisos; por alguna razón inexplicable se consideraba la tierra como especialmente preciosa en esta vecindad. Empero, el desastroso terremoto del año 2050 desarraigó y asoló de tal manera la ciudad (pues era demasiado grande para llamarle poblado), que los más infatigables arqueólogos no pudieron obtener jamás elementos suficientes (como monedas, medallas o inscripciones) para establecer la más nebulosa teoría concerniente a las costumbres, modales, etcétera, etcétera, de los aborígenes. Puede decirse que todo lo que sabemos de ellos es que constituían parte de la tribu salvaje de los Knickerbockers[10], que infestaba el continente en la época de su descubrimiento por Recorder Riker, uno de los caballeros del Vellocino de Oro. No eran

10. Se denomina así a los descendientes de las primeras familias holandesas que se establecieron en los Estados Unidos. *(N. del T.)*

completamente incivilizados, sino que cultivaban diversas artes e incluso ciencias, pero a su manera. Se dice que eran muy perspicaces en ciertos aspectos pero atacados por la extraña monomanía de construir lo que en el antiguo amricano se llamaba «iglesias», o sea, unas especies de pagodas instituidas para la adoración de dos ídolos denominados Riqueza y Moda. Al final, nueve décimas partes de la isla no eran más que iglesias. Las mujeres, según parece, estaban extrañamente deformadas por una protuberancia de la región donde la espalda cambia de nombre, aunque se consideraba que esto era el colmo de la belleza, cosa inexplicable. Se han conservado milagrosamente una o dos imágenes de tan singulares mujeres. Tienen un aire muy raro... algo entre un pavo y un dromedario.

En fin, tales eran los pocos detalles que poseíamos acerca de los antiguos Knickerbockers. Parece, sin embargo, que al cavar en el centro del jardín del Emperador (que, como usted sabe, cubre toda la isla), los obreros desenterraron un bloque cúbico de granito, evidentemente tallado y que pesaba varios cientos de libras. Hallábase bien conservado y la convulsión que lo había sumido en la tierra no parecía haberlo dañado. En una de sus superficies había una placa de mármol con (¡imagínese usted!) *una inscripción... una inscripción legible*. Pundit está arrobado. Al desprender la placa apareció una cavidad conteniendo una caja de plomo donde había diversas monedas, un rollo de papel con nombres, documentos que tienen el aire de periódicos, y otras cosas de fascinante interés para el arqueólogo. No cabe duda de que se trata de auténticas reliquias amricanas, pertenecientes a la tribu de los Knickerbockers. Los diarios arrojados a nuestro globo contienen facsímiles de las monedas, manuscritos, caracteres tipográficos, etcétera. Copio para diversión de usted la inscripción Knicker–bocker de la placa de mármol:

Esta piedra fundamental de un monumento
a la memoria de
JORGE WASHINGTON
fue colocada con las debidas ceremonias el
19 de octubre de 1847,
aniversario de la rendición de
Lord Cornwallis
al General Washington en Yorktown,
A. D. 1781,
bajo los auspicios de la
Asociación pro monumento a Washington
de la ciudad de Nueva York.

La precedente es traducción *verbatim* hecha por Pundit en persona, de modo que no *puede* haber error. De estas pocas palabras preservadas surgen varios importantes tópicos de conocimiento, entre los cuales el no menos interesante es que, hace mil años, los *verdaderos* monumentos habían caído en desuso –lo cual estaba muy bien– y la gente se contentaba, como hacemos nosotros ahora, con una mera indicación de sus intenciones de erigir un monumento en tiempos venideros colocando cuidadosamente una piedra fundamental, «solitaria y sola» (me excusará usted por citar al gran poeta amricano Benton), como garantía de tan magnánima *intención.* Asimismo, de esa admirable piedra extraemos la seguridad del cómo, el dónde y el qué de la gran rendición de que en ella se habla. En cuanto al *dónde,* fue en Yorktown (dondequiera que se hallara), y por lo que respecta al *qué,* se trataba del general Cornwallis (sin duda algún acaudalado comerciante en granos[11]). No hay duda de que se rindió. La inscripción conmemora la rendición de... ¿de quién? Pues de «Lord Cornwallis». La única cuestión está en saber por qué querían los salvajes que se rindiera. Pero si recordamos que se trataba indudablemente de caníbales, llegamos a la conclusión de que lo querían para hacer salchichas. En cuanto al *cómo* de la rendición, ningún lenguaje podría ser más explícito. Lord Cornwallis se rindió (para servir de salchicha) «bajo los auspicios de la Asociación pro monumento a Washington», institución caritativa ocupada en colocar piedras fundamentales... ¡Santo Dios! ¿Qué ocurre? ¡Ah, ya veo, el globo se está viniendo abajo y tendremos que posarnos en el mar! Sólo me queda tiempo, pues, para agregar que, después de una rápida lectura de los facsímiles que aparecen en los diarios, advierto que los grandes hombres de aquellos días entre los amricanos eran un tal John, herrero, y un tal Zacarías, sastre[12].

Adiós, y hasta pronto. Poco me importa que reciba usted o no esta carta, pues la escribo solamente para divertirme. Pondré de todos modos el manuscrito en una botella y lo arrojaré al mar. Su amiga invariable,

PUNDITA

11. *Corn,* grano o cereal. *(N. del T.)*
12. John *Smith* y Zacarías *Taylor*. *(N. del T.)*

EL DOMINIO DE ARNHEIM, O EL JARDÍN-PAISAJE

Comentario de Eduardo Halfon

¿Debería el artista imitar a la naturaleza? ¿O debería el artista más bien modificarla, retocarla, exaltarla, invadirla hasta que esta se vuelva otra cosa? ¿Qué es, entonces, el arte? ¿Qué es la belleza? ¿Es la belleza algo natural o algo artificial?

Poe, siempre hiperbólico en su afán por responder a estas preguntas, asoció el anhelo del artista por alcanzar la belleza ideal con el deseo de la palomilla por alcanzar una estrella. Repito, sólo porque la imagen se lo merece: el anhelo del artista por alcanzar la belleza ideal es, según Poe, igual al deseo de la palomilla por alcanzar una estrella. Es decir, inútil y baladí. Es decir, una «lucha» –la describió en su ensayo *El principio poético,* escrito al final de su vida y publicado póstumamente– por «alcanzar una parte de esa belleza, cuyos elementos propios, quizás, pertenecen sólo a la eternidad». Pero, en ese mismo ensayo, Poe afirmó que el «sentimiento poético, por supuesto, puede desarrollarse en distintos modos –en la pintura, en la escultura, en la arquitectura y en la danza, muy especialmente en la música– y muy particularmente, y en un amplio campo, en la composición del jardín paisajístico».

Poe publicó tres relatos sobre el arte de la jardinería paisajística: «El jardín paisajístico» en 1842, «El dominio de Arnheim» en 1847, y en 1849, cuatro meses antes de su muerte, «El *cottage* de Landor», subtitulado «Un complemento de "El dominio de Arnheim"». Estos tres relatos, entrelazados pero independientes, pueden también leerse como su credo artístico y, más aún, como su concepto mismo de la función del artista.

¿Qué es la belleza, entonces, según Poe? ¿Dónde se encuentra? ¿Quién la hace o deshace o rehace?

Cuando le preguntaron sobre su experiencia al trabajar con el director italiano Michelangelo Antonioni, el actor Jack Nicholson respondió con una anécdota que le había relatado Antonioni sobre el rodaje de su película *Desierto rojo*, y que acaso puede servir aquí como introducción o estrecho pórtico a «El dominio de Arnheim». Cuenta Nicholson que le contó Antonioni:

«Jack, sabes, yo estaba filmando esa película con esa idea y todos los días iba al trabajo conduciendo por la costa adriática. Y, de un lado, estaba la belleza del mar, del sol, de las nubes; y, del otro lado de la carretera, se encontraba toda la oxidada, decrépita infraestructura del área industrial que yo estaba atravesando. Y, con toda honestidad, Jack, me encontré muy fugazmente sólo viendo las ruinas industriales y la fealdad de estas y no tanto la belleza del atardecer. Y me pregunté por qué. Y me contesté: Porque allí ha estado un hombre».

EL DOMINIO DE ARNHEIM, O EL JARDÍN-PAISAJE

«El jardín estaba acicalado como una hermosa dama
que yaciera voluptuosamente adormilada
y a los abiertos cielos cerrara los ojos.
Los campos de azur del cielo se congregaban
dispuestos en amplio círculo con las flores de la luz.
Los iris y las redondas chispas de rocío
que pendían de sus azules hojas parecían
estrellas titilantes centelleando en el azul de la tarde».

GILES FLETCHER

Desde la cuna a la tumba un viento de prosperidad impulsó a mi amigo Ellison. Y no uso la palabra prosperidad en un sentido meramente mundano. La empleo como sinónimo de felicidad. La persona de quien hablo parecía nacida para ejemplificar las doctrinas de Turgot, Price, Priestley y Condorcet, para representar en un caso individual lo que se considerara la quimera de los perfeccionistas. En la breve existencia de Ellison creo haber visto refutado el dogma de que en la naturaleza misma del hombre se oculta un principio antagonista de la dicha. Un atento examen de su carrera me hizo comprender que, en general, la miseria del hombre nace de la violación de unas pocas y simples leyes de humanidad; que, como especie, poseemos elementos de contentamiento todavía no aprovechados, y que aun ahora, en medio de la oscuridad y la locura de todo pensamiento sobre el gran problema de las condiciones sociales, no es imposible que el hombre, el individuo, en ciertas circunstancias insólitas y sumamente fortuitas pueda ser feliz.

De opiniones como estas mi joven amigo estaba también muy penetrado, y es oportuno señalar que el gozo ininterrumpido que caracterizó su vida era en gran medida resultado de un sistema preconcebido. Es evidente que con menos de esa filosofía instintiva, que en muchos casos tan bien sustituye a la experiencia,

Ellison se hubiera visto precipitado, por el extraordinario éxito de su vida, en el común torbellino de desdicha que se abre ante los hombres eminentemente dotados. Pero en modo alguno me propongo escribir un ensayo sobre la felicidad. Las ideas de mi amigo pueden resumirse en unas pocas palabras. Admitía tan sólo cuatro principios o, más estrictamente, cuatro condiciones elementales de felicidad. La principal para él era (¡cosa extraña de decir!) la simple y puramente física del ejercicio al aire libre. «La salud –decía– que se alcanza por otros medios, apenas es digna de ese nombre». Citaba las delicias del *cazador* de zorros y señalaba a los cultivadores de la tierra como las únicas gentes que, en cuanto clase, pueden considerarse más felices que otras. La segunda condición era el amor de la mujer. La tercera, la más difícil de realizar, era el desprecio de la ambición. La cuarta era la persecución incesante de un objeto; y sostenía que, siendo iguales las otras condiciones, la vastedad de la dicha alcanzable era proporcionada a la espiritualidad de este objeto.

Ellison se destacaba por la continua profusión de dones que le prodigó la fortuna. En gracia y belleza personal sobrepasaba a todos los hombres. Poseía uno de esos intelectos para los cuales la adquisición de conocimientos es menos un trabajo que una intuición y una necesidad. Su familia era una de las más ilustres del imperio. Tenía por esposa a la más encantadora y abnegada de las mujeres. Sus posesiones siempre habían sido vastas; pero, al llegar a la mayoría de edad, el destino lo favoreció con uno de esos extraordinarios caprichos que conmueven a todo el mundo social en el que concurren, y rara vez dejan de modificar radicalmente la constitución moral de aquellos que son su objeto.

Parece que, unos cien años antes de que Mr. Ellison llegara a la mayoría de edad, había muerto, en una remota provincia, un tal Mr. Seabright Ellison. Este caballero había amasado una principesca fortuna y, falto de parientes inmediatos, tuvo la ocurrencia de dejar que su riqueza se acumulara durante un siglo después de su muerte. Dispuso minuciosa y sagazmente las varias maneras de invertir el dinero, y legó la masa total al pariente más cercano que llevara el nombre Ellison y estuviera vivo transcurridos esos cien años. Muchos intentos se habían hecho para anular el singular legado; fracasaron por su carácter *ex post facto;* pero el hecho despertó la atención de un Gobierno celoso y, por fin, se promulgó un decreto que prohibía toda acumulación semejante. Este decreto, sin embargo, no impidió al joven Ellison entrar en posesión, en su vigésimo primer aniversario, como heredero de su antepasado

Seabright, de una fortuna de *cuatrocientos cincuenta millones de dólares*[1].

Cuando se supo el monto de la enorme riqueza heredada, surgieron, por supuesto, muchas conjeturas acerca de su posible utilización. La magnitud y la inmediata disponibilidad de la suma deslumbraron a todos los que pensaban en el tópico. Era fácil suponer al poseedor de cualquier suma *apreciable* de dinero realizando alguna de las mil cosas factibles. Con riquezas que sobrepasaran simplemente las de cualquier ciudadano hubiera sido fácil suponerlo entregado hasta el exceso a las extravagancias elegantes de su tiempo, o dedicado a la intriga política, o pretendiendo el poder ministerial, o persiguiendo un título más alto de nobleza, o formando grandes colecciones de obras maestras, o haciendo de munífico protector de las letras, las ciencias y las artes, o dotando y confiriendo su nombre a grandes instituciones de caridad. Pero, por la inconcebible riqueza en poder real del heredero, esos objetos y todos los objetos corrientes parecían ofrecer un campo demasiado limitado. Se recurrió a los números, pero estos no hicieron más que sembrar la confusión. Se vio que, aun al tres por ciento, la renta anual de la herencia ascendía a trece millones quinientos mil dólares, lo cual daba un millón ciento veinticinco mil por mes, o treinta y seis mil novecientos ochenta y seis diarios, o mil quinientos cuarenta y uno por hora, o seis dólares veinte por cada minuto que pasaba. Así, pues, el sendero habitual de las suposiciones quedaba completamente interrumpido. Los hombres no sabían qué imaginar. Algunos llegaron a suponer que Ellison se despojaría de por lo menos la mitad de su fortuna, por ser una opulencia absolutamente superflua, para enriquecer a toda la multitud de parientes mediante la división de su sobreabundancia. En efecto, a los más cercanos hizo entrega de la riqueza verdaderamente insólita que poseía antes de heredar.

No me sorprendió, sin embargo, advertir que Ellison ya tuviera su opinión formada sobre un punto que había ocasionado tantas discusiones entre sus amigos. Ni me asombró demasiado la naturaleza de su decisión. Con respecto a las caridades individuales, había satis-

1. Un incidente similar en líneas generales al aquí imaginado se produjo no hace mucho en Inglaterra. El nombre del afortunado heredero era Thelluson. La primera vez que vi un caso semejante fue en el *Viaje* del príncipe Pückler-Muskau, quien eleva la suma heredada a *noventa millones de libras,* y observa justamente que «en la contemplación de una suma tan grande y de los servicios a los cuales podría aplicarse hay algo semejante a lo sublime». Para ajustarme a los propósitos de este artículo he seguido el informe del príncipe, aunque sea groseramente exagerado. El germen y en realidad el comienzo del presente trabajo fue publicado hace varios años, antes de la aparición del primer número del admirable *Judío Errante,* de Sue, que posiblemente fue sugerido por el relato de Muskau.

fecho su conciencia. En cuanto a la posibilidad de cualquier mejora propiamente dicha, operada por el hombre mismo en la condición general de la humanidad, tenía (lamento decirlo) poca fe. En general, por suerte o por desgracia, en gran medida se replegaba sobre sí mismo.

Era un poeta, en el sentido más amplio y más noble de la palabra. Poseía, además, el verdadero carácter, los augustos propósitos, la suprema majestad y dignidad del sentimiento poético. Instintivamente ponía en la creación de nuevas formas de belleza la satisfacción más completa, si no la única, de este sentimiento. Algunas peculiaridades, ya de su educación temprana, ya de la índole de su intelecto, habían teñido de lo que se llama materialismo todas sus especulaciones éticas; y fue esta tendencia, quizá, la que lo llevó a creer que el más ventajoso por lo menos, si no el único campo legítimo para el ejercicio poético, se hallaba en la creación de nuevos modos de belleza puramente *física*. Así es como no llegó a ser ni músico ni poeta, si usamos este último término en la acepción corriente. O quizá fuera que había desdeñado serlo simplemente por fidelidad a su idea de que en el desprecio a la ambición debe hallarse uno de los principios esenciales de la felicidad sobre la tierra. ¿No parece en verdad posible que, mientras una elevada forma de genio es necesariamente ambiciosa, la más elevada se encuentre por encima de la llamada ambición? ¿Y no puede haber ocurrido así que muchos más grandes que Milton hayan permanecido desdeñosamente «mudos e ignorados»? Creo que el mundo nunca ha visto, ni verá jamás –a menos que una serie de accidentes inciten a un espíritu de la más noble especie a un penoso esfuerzo– ese logro pleno, triunfante, en los más ricos dominios del arte, del cual la naturaleza humana es positivamente *capaz*.

Ellison no llegó a ser ni músico ni poeta, aunque ningún hombre viviera más profundamente enamorado de la música y de la poesía. En circunstancias distintas de las que lo rodearon no hubiera sido imposible que llegase a ser pintor. La escultura, aun siendo por su naturaleza rigurosamente poética, era demasiado limitada en su alcance y en sus consecuencias para ocupar, en ningún momento, largo tiempo su atención. Y acabo de mencionar todos los terrenos donde, según los entendidos, puede explayarse el sentimiento poético. Pero Ellison sostenía que el campo más rico, el más verdadero y el más natural, si no el más extenso, había sido inexplicablemente descuidado. Ninguna definición hablaba del jardinero-paisajista como del poeta; sin embargo, mi amigo opinaba que la creación del jardín-paisaje ofrecía a la Musa correspondiente la más espléndida de las oportunidades. Allí, en efecto, se hallaba el más hermoso campo para el despliegue de la imaginación en la interminable combinación de formas de belleza nueva; pues los elementos que entran en la combinación son, por su gran superioridad, los más espléndidos que la tierra puede brindar. En las múltiples formas y colores de las flores y los árboles reconocía los esfuerzos más directos y enérgicos de la naturaleza hacia la belleza física. Y en la dirección o concentración de este esfuerzo –o, más estrictamente, en su adaptación a los ojos que iban a contemplarlo en la tierra– se sentía obligado a emplear los mejores medios, trabajando para mayor beneficio en el cumplimiento, no sólo de su propio destino como poeta, sino de los augustos propósitos que movieron a Dios cuando insufló en el hombre el sentimiento poético.

«Su adaptación a los ojos que iban a contemplarlo en la tierra»; con su explicación de esta frase, Ellison me ayudó mucho a resolver lo que siempre consideraba yo un enigma: me refiero al hecho (que nadie, salvo un ignorante, puede discutir) de que no existe en la naturaleza ninguna combinación decorativa como puede producirla el pintor de genio. No se encontrarán en la realidad paraísos como los que resplandecen en las telas de Claude. En el más encantador de los paisajes naturales siempre se hallará una falta o un exceso, muchos excesos y muchas faltas. Mientras las partes componentes pueden desafiar, individualmente, la más alta destreza del artista, la disposición de estas partes siempre será susceptible de mejoramiento. En una palabra, no hay posición alguna en la amplia superficie del terreno *natural* donde un ojo artista, mirando detenidamente, no encuentre motivo de disgusto en lo que respecta a la llamada «composición» del paisaje. ¡Y, sin embargo, cuán ininteligible es esto! En todos los otros dominios hemos aprendido a considerar justamente a la naturaleza como soberana. En los detalles nos estremece la idea de competir con ella. ¿Quién tendrá la presunción de imitar los colores del tulipán, o de mejorar las proporciones del lirio del valle? La crítica que dice, a propósito de la escultura o el retrato, que la naturaleza debe ser exaltada o idealizada más que imitada, incurre en un error. Ninguna combinación pictórica o escultórica de elementos de belleza humana hace más que acercarse a la belleza viva y palpitante. Sólo en el paisaje es verdadero el principio del crítico; y, habiéndolo hallado verdadero en este caso, sólo un apresurado espíritu de generalización pudo llevar a considerarlo verdadero en todos los dominios del arte, y lo sintió, digo, verdadero en este caso, pues este sentimiento no es afectación ni quimera. Las matemáticas no brindan demostraciones más absolutas de las que proporciona al artista el sentimiento de su arte. No sólo cree, mas sabe positivamente que estas y aquellas disposiciones de elementos aparentemente arbitrarias constituyen, sólo ellas, la verdadera belleza. Sus razones, sin embargo, todavía no han madurado hasta llegar a la expresión. Queda por hacer un análisis más profundo del que el mundo ha visto hasta hoy, para lograr una completa investigación y expresión de esas razones. Sin embargo, lo confirma en sus opiniones instintivas la voz de todos sus hermanos. Supongamos una «composición» defectuosa; supongamos que deba hacerse una enmienda en la simple disposición de la forma; supongamos que esta enmienda se somete al juicio de los artistas del mundo: todos admitirán su necesidad. Y aún más: para remediar la composición defectuosa cada miembro aislado de la fraternidad sugerirá idéntica enmienda.

Repito que sólo en la disposición del paisaje es susceptible de exaltación la naturaleza física, y que, además, su posibilidad de mejoramiento en este único punto era un misterio que yo había sido incapaz de resolver. Mis pensamientos sobre el tema descansaban en la idea de que la primitiva intención de la naturaleza había sido disponer la superficie de la tierra de modo de satisfacer en todo punto el sentido humano de perfección en lo bello, lo sublime o lo pintoresco; pero que esa primitiva intención había sido frustrada por los conocidos trastornos geológicos, trastornos de forma y de color, en cuya corrección o suavizamiento reside el alma del arte. Sin embargo, debilitaba mucho esta idea su necesidad implícita de considerar esos trastornos como anormales y desprovistos de toda finalidad. Ellison fue quien sugirió que eran pronósticos de *muerte*. Lo explicó así:

–Admitamos que la inmortalidad terrena del hombre fue la primera intención. Tenemos entonces la primitiva disposición de la superficie de la tierra adaptada a ese estado de bienaventuranza que no existe, pero que fue concebido. Las perturbaciones fueron los preparativos para su condición mortal imaginada posteriormente.

»Ahora bien –decía mi amigo–, lo que consideramos una exaltación del paisaje bien puede serlo en verdad, pero sólo desde un punto de vista moral o humano. Cada cambio en el decorado natural produciría efectivamente una imperfección en el cuadro, si suponemos el cuadro visto ampliamente, en conjunto, desde algún punto distante de la superficie terrestre, aunque no esté fuera de los límites de su atmósfera. Es fácil comprender que lo que podría mejorar un detalle observado de cerca puede, al mismo tiempo, perjudicar un efecto observado en general o desde mayor distancia. *Puede* haber una clase de seres, alguna vez humanos, pero ahora invisibles para la humanidad, a quienes desde lejos nuestro desorden parezca orden, nuestros elementos no pintorescos, pintorescos; en una palabra, ángeles terrenos para cuya observación, más que para la nuestra, y para cuya apreciación de la belleza refinada por la muerte quizá haya dispuesto Dios los amplios jardines-paisajes de los hemisferios.

En el curso de la discusión mi amigo citó algunos fragmentos de un escritor que trata de la jardinería de paisaje con supuesta autoridad:

–Hay, hablando con propiedad, sólo dos tipos de jardinería de paisaje: el natural y el artificial. Uno trata de recordar la belleza original del campo adaptando sus medios al decorado circundante, cultivando árboles en armonía con las colinas o la llanura de la tierra vecina, descubriendo y llevando a la práctica esas delicadas relaciones de tamaño, proporción y color que, ocultas para el observador común, se revelan por doquiera al experimentado alumno de la naturaleza. El resultado del estilo natural en materia de jardinería se ve más bien en la ausencia de todo defecto e incongruencia, en el predominio de un orden y una armonía saludables, que en la creación de ninguna maravilla o milagro especial. El estilo artificial tiene tantas variedades como gustos diferentes a satisfacer. Presenta cierta relación general con los variados estilos de edificios. Hay las avenidas majestuosas y los retiros de Versalles, las terrazas italianas y un viejo estilo inglés vario y mezclado que admite cierta relación con el gótico civil o con la arquitectura isabelina. Por más que pueda decirse contra los abusos del jardín-paisaje artificial, una mezcla de puro arte en el marco de un jardín le añade gran belleza. Esta es en parte agradable a la vista, por el despliegue de orden y de intención, y, en parte, moral. Una terraza con una vieja balaustrada cubierta de musgo evoca de inmediato a la vista las bellas figuras que por allí pasaron en otros días. La más leve muestra de arte es una evidencia de preocupación e interés humano.

»Por mis observaciones anteriores –dijo Ellison– usted comprenderá que rechazo la idea, expresada aquí, de recordar la belleza original del campo. La belleza original nunca es tan grande como la creada. Por supuesto, todo depende de la elección de un lugar con posibilidades. Lo que dice sobre «llevar a la práctica delicadas relaciones de tamaño, proporción y color» es una de esas simples vaguedades de expresión que sirven para cubrir la inexactitud del pensamiento. La frase citada puede significar todo o nada, y en modo alguno sirve de guía. Que el verdadero resultado del estilo natural en materia de jardinería se vea más bien en la ausencia de todo defecto o incongruencia que en la creación de ninguna maravilla o milagro especial, es una proposición más de acuerdo con la ramplona comprensión del vulgo que con los férvidos sueños del hombre de genio. El mérito negativo propuesto pertenece a esa crítica cojeante que en las letras ha elevado a Addison hasta la apoteosis. A decir verdad, mientras esa virtud que consiste en evitar simplemente el vicio apela de lleno al entendimiento, y de esta manera puede quedar circunscrita por la *regla,* la virtud más alta que flamea en la creación sólo puede ser aprehendida en sus resultados. La regla se aplica tan sólo a los méritos negativos, a las excelencias que reprimen. Más allá de estas, el crítico de arte se limita a insinuar. Se nos puede enseñar a construir un *Catón,* pero en vano nos dirán cómo concebir un *Partenón* o un *Infierno.* Hecha la cosa, sin embargo, cumplida la maravilla, la capacidad de aprehensión se torna universal. Los sofistas de la escuela negativa que, incapaces de crear, escarnecieron la creación, son ahora los más ruidosos en el aplauso. Lo que, en la embrionaria condición de principio, ofendía su razón formalista, en la madurez de la realización nunca deja de arrancar admiración a su instinto de belleza.

»Las observaciones del autor sobre el estilo artificial –continuó Ellison– son menos objetables. La mezcla de arte puro en un escenario natural le añade una gran belleza. Esto es justo, como también lo es la referencia al sentimiento del interés humano. El principio expresado es incontrovertible, pero *puede* haber algo más allá. Puede haber un objeto acorde con el principio, un objeto inalcanzable para los medios comunes del individuo y que, de ser alcanzado, prestaría al jardín-paisaje un encanto muy superior al que puede conferir un sentimiento de interés simplemente humano. Un poeta que tuviera recursos económicos extraordinarios podría, manteniendo la necesaria idea de arte o de cultura, o, como el autor lo expresa, de interés, conferir a sus propósitos tanta extensión y al mismo tiempo tanta novedad en la belleza, que provocaría el sentimiento de intervención espiritual. Se vería que para lograr semejante resultado asegura todas las ventajas del interés o del *propósito,* mientras alivia su obra de la esperanza o la tecnicidad del *arte* terreno. En el más árido de los desiertos, en el marco más salvaje de la pura naturaleza, se manifiesta el arte de un Creador; pero este arte sólo aparece tras la reflexión; en modo alguno tiene la fuerza evidente de una sensación. Supongamos ahora que este sentido del propósito del Todopoderoso *descienda un grado,* llegue en cierto modo a una armonía o acuerdo con el sentido del arte humano que constituya un intermediario entre ambos; imaginemos, por ejemplo, un paisaje cuya amplitud y limitación combinadas, cuya belleza, magnificencia y *extrañeza* reunidas provoquen la idea de preocupación, de cultura y dirección de parte de seres superiores, pero análogos a la humanidad; así se mantiene el sentimiento de interés, mientras el arte implícito llega a cobrar el aspecto de un intermediario o naturaleza secundaria, una naturaleza que no es Dios ni una emanación de Dios, pero que sigue siendo naturaleza, en el sentido de una obra salida de manos de los ángeles que se ciernen entre el hombre y Dios.

En la consagración de su enorme riqueza a la realización de visiones como esta, en el libre ejercicio al aire libre asegurado por la dirección personal de sus planes, en el incesante objeto, en el desprecio de la ambición que ese objeto le permitía verdaderamente sentir, en las fuentes perennes con que lo satisfacía, sin posibilidad de saciarse, la pasión dominante de su alma, la sed de belleza; y, por encima de todo, en la femenina simpatía de una mujer cuya belleza y amor envolvieron su existencia en la purpúrea atmósfera del paraíso, fue donde Ellison creyó encontrar, y *encontró,* la liberación de los comunes cuidados de la humanidad, con una suma de felicidad positiva mucho mayor de la que nunca brilló en los arrebatados ensueños de madame De Staël.

Desespero de dar al lector una clara idea de las maravillas que mi amigo realizaba. Deseo pintarlas, pero me descorazona la dificultad de la descripción y vacilo entre los detalles y las líneas generales. Quizá el mejor partido será unir ambas cosas por sus extremos.

El primer paso para Ellison consistía, por supuesto, en la elección de la localidad; y apenas empezaba a pensar en este punto cuando la exuberante naturaleza de las islas del Pacífico atrajo su atención. En realidad, había resuelto hacer un viaje a los mares del Sur, pero una noche de reflexión lo indujo a abandonar la idea. «Si yo fuera un misántropo –dijo mi amigo–, ese lugar me convendría. El absoluto aislamiento, la reclusión y la dificultad para entrar y salir serían en ese caso el encanto de los encantos; pero todavía no soy Timón. Deseo la serenidad, pero no la opresión de la soledad. Debe quedarme cierto dominio sobre el alcance y la duración de mi reposo. Habrá momentos frecuentes en que necesitaré también la simpatía de los espíritus poéticos hacia lo que he realizado. Buscaré entonces un lugar no alejado de una ciudad populosa, cuya vecindad, además, me permitirá ejecutar mejor mis planes.»

En busca de un lugar conveniente así ubicado, Ellison viajó durante varios años y me fue permitido acompañarlo. Mil lugares que me extasiaban fueron rechazados por él sin vacilación, por razones que al cabo me convencían de que estaba en lo cierto. Llegamos por fin a una elevada meseta de maravillosa fertilidad y belleza con una perspectiva panorámica muy poco menor en extensión a la del Etna y, en opinión de Ellison, así como en la mía, superior a la afamadísima vista de aquella montaña en todos los verdaderos elementos de lo pintoresco.

–Me doy cuenta –dijo el viajero, lanzando un suspiro de profundo deleite después de contemplar extasiado la escena durante casi una hora–, sé que aquí, en mi situación, el noventa por ciento de los hombres más exigentes se darían por satisfechos. Este panorama es verdaderamente magnífico y me regocijaría si no fuera por el exceso de su magnificencia. El gusto de todos los arquitectos que he conocido los lleva a construir, por amor a la «vista», en lo alto de las colinas. El error es evidente. La magnitud en todos sus aspectos, pero especialmente en el de la extensión, sorprende, excita, y luego fatiga, deprime. Para el paisaje ocasional nada puede ser mejor; para la vista constante, nada peor. Y en la vista constante la forma más objetable de magnitud es la extensión; la peor forma de la extensión, la distancia. Está en pugna con el sentimiento y la sensación de *retiro,* sentimiento y sensación que tratamos de satisfacer cuando nos vamos «al campo». Mirando desde la cima de una montaña no podemos menos de sentirnos *ajenos* al mundo. El desconsolado evita las perspectivas lejanas como la peste.

Sólo a fines del cuarto año de búsqueda encontramos una localidad con la que Ellison se declaró satisfecho. Es innecesario decir, por supuesto, *dónde* estaba la localidad. La muerte reciente de mi amigo, al abrir sus puertas a cierta clase de visitantes, ha dado a Arnheim una especie de celebridad secreta y privada, si no solemne, similar en cierto modo, aunque en un grado infinitamente superior, a la que durante tanto tiempo distinguió a Fonthill.

Habitualmente se llegaba a Arnheim por el río. El visitante abandonaba la ciudad de mañana temprano. Hasta mediodía pasaba entre orillas de una belleza tranquila y doméstica, donde pacían innumerables ovejas cuyos blancos vellones manchaban el verde vivo de las praderas onduladas. Gradualmente la impresión de cultivo iba tornándose en otra de vida puramente pastoril. Lentamente esta terminaba en una sensación de retiro, y esta, a su vez, en la conciencia de la soledad. Al acercarse la noche el canal se angostaba; las orillas eran cada vez más escarpadas, cubiertas de follaje más rico, más profuso y más sombrío. La transparencia del agua aumentaba. La corriente daba mil vueltas, de suerte que en ningún momento podía verse su superficie brillante desde una distancia mayor de un cuarto de milla. A cada instante el barco parecía prisionero dentro de un círculo encantado, rodeado de inexpugnables e impenetrables muros de follaje, un techo de satén azul ultramar y *ningún* piso; la quilla se balanceaba con admirable exactitud como sobre la de un barco fantasma que, habiéndose invertido por algún accidente, flotara en constante compañía de la nave real, con el fin de sostenerla.

El canal se convertía entonces en una *garganta,* aunque el término no es exactamente aplicable y lo empleo tan sólo porque no hay en el lenguaje palabra que represente mejor el rasgo más sorprendente –no el más característico– del paisaje. El aspecto de garganta sólo se manifestaba en la altura y el paralelismo de las orillas; pero desaparecía en otros caracteres. Las paredes del barranco (entre las cuales fluía tranquila el agua clara) se elevaban hasta una altura de cien y en ocasiones ciento cincuenta pies, inclinándose tanto una hacia la otra que en gran medida interrumpían el paso de la luz, mientras arriba los largos musgos como plumas colgando espesos desde los entrelazados matorrales, daban a todo el abismo un aire de melancolía fúnebre. Los meandros se multiplicaban y complicaban, y parecían volver a menudo sobre sí mismos, de modo que el viajero perdía en seguida todo sentido de orientación. Lo envolvía, además, una exquisita sensación de extrañeza. El concepto de naturaleza subsistía, pero como si su carácter hubiese sufrido una modificación; había una misteriosa simetría, una estremecedora uniformidad, una mágica corrección en sus obras. Ni una rama seca, ni una hoja marchita, ni un guijarro perdido, ni un sendero en la tierra oscura se percibían en ninguna parte. El agua cristalina manaba sobre el granito limpio o sobre el musgo inmaculado con una exactitud de diseño que deleitaba y al mismo tiempo deslumbraba la vista.

Después de recorrer los laberintos de este canal durante algunas horas, mientras la oscuridad se ahondaba por momentos, una brusca e inesperada vuelta del barco lo lanzaba de improviso, como si cayera del cielo, en un estanque circular de gran extensión, comparada con la anchura de la garganta. Tenía unas doscientas yardas de diámetro y lo rodeaban por todas partes, salvo la que enfrentaba a la nave al entrar, colinas iguales en su altura general a las paredes del abismo, aunque de carácter completamente distinto. Sus flancos subían inclinados desde el borde del agua en un ángulo de unos cuarenta y cinco grados, y estaban cubiertos desde la base hasta la cima –sin ningún intervalo perceptible– por un manto de flores magníficas, donde apenas se veía una hoja verde en un mar de color perfumado y ondulante. El estanque tenía gran profundidad, pero tan transparente era el agua que el fondo, como hecho de una espesa capa de guijarros de alabastro pequeños y redondos, era claramente visible por momentos, es decir, cuando la mirada podía permitirse *no* ver, en el fondo del cielo invertido, la reflejada floración de las colinas. No había en estas ni árboles ni siquiera arbustos de cualquier tamaño que fuese. Producían en el observador una impresión de riqueza, de calidez, de color, de quietud, de uniformidad, de suavidad, de delicadeza, de elegancia, de voluptuosidad y de milagroso refinamiento de cultura que hacía soñar con una nueva raza de hadas laboriosas, dotadas de gusto, magníficas y minuciosas; pero cuando el ojo subía por la pendiente multicolor, desde su brusca unión con el agua hasta su vaga terminación entre los pliegues de una nube suspendida, resultaba verdaderamente difícil no pensar en una panorámica catarata de rubíes, zafiros, ópalos y ónix áureo, precipitándose silenciosa desde el cielo.

El visitante que cae de improviso en esta bahía desde las tinieblas del barranco queda encantado pero sorprendido por el rotundo globo del sol poniente que había supuesto ya bajo el horizonte y que ahora lo enfrenta, constituyendo el único límite de una perspectiva que de otro modo sería infinita vista desde otro abismo abierto entre las colinas.

Pero aquí el viajero abandona el navío que lo llevara tan lejos y desciende a una ligera canoa de marfil ornada, tanto por dentro como por fuera, de arabescos de un vívido escarlata. La popa y la proa de este bote se levantan muy por encima del agua en agudas puntas, de modo que la forma general es la de una luna irregular en cuarto creciente. Flota en la superficie de la bahía con la gracia altiva de un cisne. Sobre el piso cubierto de armiño descansa un solo remo liviano, de palo áloe; pero no se ve ningún remero ni sirviente. Se ruega al huésped que no pierda el ánimo, que el hado se ocupará de él. El navío más grande desaparece y queda solo en la canoa que flota aparentemente inmóvil en medio del lago. Mientras medita sobre el camino a seguir, advierte un suave movimiento en la barca mágica. Esta gira lentamente sobre sí misma hasta ponerse de proa al sol. Avanza con una velocidad suave, pero gradualmente acelerada, mientras los leves rizos del agua que rompen en los costados de marfil con divinas melodías parecen ofrecer la única explicación posible de la música suave pero melancólica, cuya origen invisible en vano busca a su alrededor el perplejo viajero.

La canoa prosigue resueltamente, y la barrera rocosa del panorama se acerca de modo que sus profundidades pueden verse con más claridad. A la derecha se eleva una cadena de altas colinas cubiertas de bosques salvajes y exuberantes. Se observa, sin embargo, que la exquisita *limpieza,* característica del lugar donde la orilla se hunde en el agua, sigue siendo constante. No hay huella alguna de los habituales sedimentos fluviales. A la izquierda el carácter del paisaje es más suave y evidentemente más artificial. Allí la ribera sube desde el agua en una pendiente muy moderada, formando una amplia pradera de césped de textura perfectamente parecida al terciopelo y de un verde tan brillante que podría soportar la comparación con el de la más pura esmeralda. La anchura de esta meseta varía de diez a trescientas yardas; va desde la orilla del río hasta una pared de cincuenta pies de alto que se alarga en infinitas curvas pero siguiendo la dirección general del río, hasta perderse hacia el oeste en la distancia. Esta pared es de roca uniforme y ha sido formada cortando perpendicularmente el precipicio escarpado de la orilla sur de la corriente, pero sin permitir que quedara ninguna huella del trabajo. La piedra tallada tiene el color de los siglos y está profusamente cubierta y sembrada de hiedras, madreselvas, eglantinas y clemátides. La uniformidad de las líneas superior e inferior de la pared es ampliamente compensada por algunos árboles de gigantesca altura, solos o en grupos pequeños, a lo largo de la meseta y en el dominio que se extiende detrás del muro, pero muy cerca de este; de modo que numerosas ramas (especialmente de nogal negro) pasan por encima y sumergen en el agua sus extremos colgantes. Más allá, en el interior del dominio, la visión es interrumpida por una impenetrable mampara de follaje.

Estas cosas se observan durante la gradual aproximación de la canoa a lo que he llamado la barrera de la perspectiva. Pero al acercarnos a esta su apariencia de abismo se desvanece; se descubre a la izquierda una nueva salida a la bahía, y en esa dirección se ve correr la pared que sigue el curso general del río. A través de esta nueva abertura la vista no puede llegar muy lejos, pues la corriente, acompañada por la pared, aún dobla hacia la izquierda, hasta que ambas desaparecen entre las hojas.

El bote, sin embargo, se desliza mágicamente en el canal sinuoso, y aquí la orilla opuesta a la pared llega a semejarse a la que estaba frente al muro que había delante. Elevadas colinas, que alcanzan a veces la altura de montañas, cubiertas de vegetación silvestre y exuberante, cierran siempre el paisaje.

Navegando suavemente, pero con una velocidad algo mayor, el viajero, después de breves vueltas, halla su camino obstruido en apariencia por una gigantesca barrera o, más bien, por una puerta de oro bruñido, minuciosamente tallada y labrada, que refleja los rayos directos del sol, el cual se hunde ahora con un esplendor que se diría envuelve en llamas todo el bosque circundante. Esta puerta está metida en la alta pared, que aquí parece atravesar el río en ángulo recto. Al cabo de unos minutos, sin embargo, se ve que el cauce principal del río sigue corriendo en una curva suave y amplia hacia la izquierda, junto a la pared, como antes, mientras una corriente de considerable volumen, divergiendo de la principal, se abre camino bajo la puerta con ligeros rizos, y así se sustrae a la vista. La canoa entra en el canal menor y se acerca a la puerta. Los pesados batientes se abren lenta, musicalmente. El bote se desliza entre ellos y comienza un rápido descenso a un vasto anfiteatro circundado de montañas purpúreas, cuyos pies lava un río resplandeciente en la amplia extensión de su circuito. Al mismo tiempo todo el paraíso de Arnheim irrumpe ante la vista. Se oye una arrebatadora melodía; se percibe un extraño, denso perfume dulce; es como un sueño, en que se mezclan ante los ojos los altos y esbeltos árboles de Oriente, los arbustos boscosos, las bandadas de pájaros áureos y carmesíes, los lagos bordeados de lirios, las praderas de violetas, tulipanes, amapolas, jacintos y nardos, largas e intrincadas cintas de arroyuelos plateados, y surgiendo confusamente en medio de todo esto la masa de un edificio semigótico, semiárabe, sosteniéndose como por milagro en el aire, centelleando en el poniente rojo con sus cien torrecillas, minaretes y pináculos, como obra fantasmal de silfos, hadas, genios y gnomos.

EL *COTTAGE* DE LANDOR
Comentario de Guillermo Fadanelli

Tomarme tiempo para escribir unas palabras acerca de un relato que no me causa ningún interés es un ejercicio en verdad sensato. Claro, lo contrario es el pan nuestro de cada día: escribir acerca de nuestras pasiones. No debería quejarme ya que uno suele descartar a primera vista los caminos que por experiencia sabe le serán inhóspitos, renunciando así a las verdaderas sorpresas: la comodidad no es buena amiga del conocimiento. Robert Louis Stevenson, quien dedicó varias de sus crónicas a la vagancia, escribe en una de ellas que para disfrutar plenamente de una caminata hay que emprenderla en soledad. Si uno pasea acompañado, la caminata se hace demasiado humana y tarde o temprano la cercanía de otro observador, sus comentarios o su conversación vuelven nuestros sentidos más distraídos de lo que deben ser.

«El *cottage* de Landor» contiene la suma de impresiones campiranas que Edgar Allan Poe acumuló en una larga y solitaria caminata a lo largo de algunos condados fluviales de Nueva York. El solo hecho de que un escritor se ponga en camino y abandone por un momento su escritorio es en sí alentador: por lo menos de ese modo enfrenta a su imaginación con una realidad que intentará siempre pasarle por encima. Y, sin embargo, qué desolador o tedioso puede resultar el hecho de que un escritor se suicide trocándose en emoción pura y doblegándose al impulso romántico sin oponer ninguna resistencia. Es cierto, para evocar un sendero sinuoso, una arboleda o los murmullos del agua, las palabras tienen que padecer emociones, pertenecer a un ser que se conmueve o ser guiadas por la obsesión de una mirada; de otra manera, el paisaje podría sencillamente ser sustituido por su descripción. «¡Imagínense apretadamente juntos, un millón de tulipanes, los más grandes y más resplandecientes! Sólo así puede el lector tener alguna idea de la imagen que quisiera describirle». Cuánta desesperación debió de embargar a Poe para escribir lo anterior: la vehemencia, la iluminación repentina, el acoso romántico de sus sentidos lo llevaron a ver en la naturaleza la presencia de un milagro e incluso la mano de un artista. «El *cottage* de Landor» no es un relato, sino una pintura sostenida en palabras, una pintura que contemplada desde el presente puede parecer una rareza innecesaria. Creo que el ámbito ideal de la literatura es el misterio humano, no el mundo físico, las palabras no son herramientas o pinceles, sino evocaciones, signos de un universo oscuro e innombrable.

EL *COTTAGE* DE LANDOR

Un complemento de «El dominio de Arnheim»

Durante un viaje a pie que hice el verano pasado por uno o dos de los condados fluviales de Nueva York, la puesta del sol me sorprendió desconcertado acerca del camino a seguir. El terreno ondulado era muy notable, y en la última hora mi sendero había dado tantas vueltas en su esfuerzo por mantenerse en los valles, que yo no sabía ya en qué dirección se encontraba la bonita aldea de B..., donde había resuelto detenerme a pasar la noche. El sol apenas había *brillado,* hablando estrictamente, durante el día, que, sin embargo, había sido desagradablemente caluroso. Una niebla humosa, semejante a la del *veranillo,* envolvía todas las cosas y, por supuesto, acentuaba mi inseguridad. No es que me inquietara mucho la situación. Si no daba con la aldea antes de ponerse el sol, o aún antes de que oscureciera, era muy posible que apareciese una pequeña granja holandesa o algo por el estilo, aunque, en realidad, los contornos (quizá por ser más pintorescos que fértiles) estuvieran escasamente habitados. En todo caso con mi mochila por almohada y mi perro por centinela, acampar al aire libre era justamente lo que más me hubiese divertido. Erré pues, a gusto –*Ponto* se hizo cargo de mi fusil–, hasta que, al fin, justo cuando empezaba a preguntarme si los pequeños y numerosos claros que se abrían aquí y allá eran verdaderos caminos, llegué por uno de los más incitantes a un camino indiscutiblemente carretero. No podía haber error. Las huellas de ruedas ligeras eran evidentes, y, aunque los altos matorrales y las crecidas malezas se juntaran sobre mi cabeza, no había abajo ningún impedimento, ni siquiera para el paso de un carro montañés de Virginia, el vehículo más ambicioso, a mi juicio, en su especie. El camino, sin embargo, salvo por el hecho de abrirse paso a través del bosque –si bosque no es un nombre demasiado importante para semejante reunión de pequeños árboles– y las evidentes huellas de ruedas, no se asemejaba a ningún camino visto por mí hasta entonces. Las huellas de las que hablo eran levemente perceptibles, por estar impresas en la superficie firme pero agradablemente húmeda de algo que se parecía muchísimo al terciopelo verde de Génova. Era césped, evidentemente, pero un césped como rara vez lo vemos fuera de Inglaterra, tan corto, tan espeso, tan parejo y de color tan vívido. No había un solo impedimento en el surco de la rueda, ni una brizna, ni una ramita seca. Las piedras que alguna vez obstruyeran el camino habían sido cuidadosamente *puestas* –no arrojadas– a los costados del sendero para marcar sus límites con cierta precisión en parte minuciosa, en parte descuidada, pero siempre pintoresca. Ramilletes de flores silvestres crecían por doquiera, exuberantes, en los intervalos.

Qué concluir de todo esto, por supuesto yo no lo sabía. Había allí *arte,* indudablemente –eso no me sorprendía–; todos los caminos, en el sentido vulgar, son obras de arte; tampoco puedo decir que hubiera mucho de qué asombrarse en el simple *exceso* de arte manifestado; todo lo hecho allí parecía realizado –con semejantes «recursos» naturales (como dicen los libros sobre el *jardín-paisaje*)– con muy poco esfuerzo y gasto. No la cantidad, sino el *carácter* del arte, fue lo que me obligó a sentarme en una de las piedras floridas y a mirar de arriba abajo esa avenida mágica con arrobada admiración durante quizá más de media hora. Cuanto más miraba, más evidente me parecía una cosa: todos esos arreglos eran obra de un artista dotado del más escrupuloso sentido de la forma. La mayor preocupación había sido mantener el justo medio entre lo esmerado y gracioso, por una parte, y lo *pittoresco,* en el verdadero sentido de la palabra italiana, por la otra. Había pocas líneas rectas, y estas casi siempre interrumpidas. El mismo efecto de curvatura o de color aparecía dos veces, por lo general, pero no más, en cualquier perspectiva. Por doquiera reinaba variedad en la uniformidad. Era una obra «compuesta», en la cual el más exigente sentido crítico apenas hubiera encontrado enmienda que hacer.

Había doblado hacia la derecha al tomar por ese camino, y entonces, poniéndome de pie, continué en la misma dirección. El sendero era tan sinuoso que en ningún momento podía prever su curso más allá de dos o tres metros. Su aspecto no sufría ningún cambio.

En ese momento el murmullo del agua llegó suavemente a mis oídos, y pocos instantes después, en un recodo del camino un poco más brusco que los anteriores, advertí un edificio al pie de un suave declive que tenía delante. No pude ver nada con claridad a causa de la niebla que llenaba todo el pequeño valle inferior. Sin embargo, se levantó una suave brisa mientras el sol se ponía, y, estando yo de pie en lo alto de la pendiente, la niebla se disipó en jirones y flotó sobre el paisaje.

Mientras todo se hacía visible –gradualmente, tal como lo describo–, parte por parte, aquí un árbol, allí un reflejo de agua y allá de nuevo la punta de una chimenea, no pude menos de pensar que el conjunto era una de esas ingeniosas ilusiones exhibidas a veces con el nombre de «imágenes fugitivas».

En el momento, sin embargo, en que la niebla desapareció por completo, el sol descendió detrás de las suaves colinas, y desde allí, como si lo hubieran empujado ligeramente hacia el sur, apareció de nuevo ante la vista, pleno, resplandeciente de brillo purpúreo, a través de un barranco que se abría en el valle desde el oeste. De improviso, entonces, como por obra de magia, el valle entero con todo lo que contenía se hizo visible.

El primer *coup d'oeil,* cuando el sol se deslizó a la posición descrita, me impresionó tanto como de muchacho la escena final de algún espectáculo o melodrama teatral bien compuesto. Ni siquiera faltaba la exageración del color, pues la luz salía de la grieta tiñendo todo de naranja y púrpura, mientras el verde brillante del césped en el valle se reflejaba más o menos en todos los objetos por la cortina de vapor que seguía suspendida, como si no estuviera dispuesta a retirarse totalmente de un espectáculo tan milagrosamente hermoso.

El pequeño valle que yo examinaba desde el dosel de bruma no podía tener más de cuatrocientas yardas de largo mientras su ancho variaba de cincuenta a ciento cincuenta, o quizá doscientas yardas. Era más estrecho en su extremidad septentrional, abriéndose paulatinamente hacia el sur, pero sin exacta regularidad. La parte más ancha estaba a unas ochenta yardas del extremo sur. Las cuestas que circundaban el valle no podían en rigor recibir el nombre de colinas, salvo en la parte norte. Allí un escarpado borde de granito se elevaba a una altura de unos noventa pies; y, como lo he dicho, el valle en este punto no tenía más de cincuenta pies de ancho; pero, a medida que el visitante bajaba hacia el sur desde este acantilado, encontraba a la derecha y a la izquierda declives menos altos, menos escarpados y menos rocosos a la vez. Todo, en una palabra, descendía y se suavizaba hacia el sur, y, sin embargo, el valle estaba ornado de eminencias más o menos altas, excepto en dos puntos. De uno de ellos ya he hablado. Quedaba marcadamente al noroeste, donde el sol poniente se abría camino en el anfiteatro, como lo he descrito, por una brusca grieta natural abierta en el terraplén de granito; esta fisura tendría diez yardas en su punto más ancho, en la medida en que el ojo podría seguirla. Parecía subir y subir, como un sendero natural, hasta los retiros de montañas y bosques inexplorados. La otra abertura estaba directamente en el extremo meridional del valle. Allí, por lo general, las pendientes no eran sino suaves inclinaciones que se extendían de este a oeste en unas ciento cincuenta yardas. En el centro de esta superficie había una depresión al nivel del valle. Con respecto a la vegetación, así como en todo lo demás, el paisaje se *suavizaba* y *descendía* hacia el sur. Hacia el norte, en el escarpado precipicio, a unos pasos del borde, brotaban los magníficos troncos de numerosos nogales americanos, nogales negros y castaños entremezclados con algunos robles, y las fuertes ramas laterales de los nogales, especialmente, se extendían sobre el borde del acantilado. Descendiendo hacia el sur, el explorador veía al principio la misma clase de árboles, pero cada vez menos altos y más alejados del estilo de Salvator Rosa; luego veía el olmo, más amable, y a continuación el sasafrás y el algarrobo, y después otros más suaves: el tilo, el ciclamor, la catalpa y el arce, y luego otras variedades aún más graciosas y más modestas. Toda la superficie de la pendiente meridional estaba cubierta tan sólo por matorrales silvestres, con excepción de algún sauce plateado o algún álamo blanco. En el mismo fondo del valle (pues debe tenerse presente que la vegetación hasta aquí mencionada crecía tan sólo en los acantilados y en las laderas de las colinas) se veían tres árboles aislados. Uno era un olmo de espléndido tamaño y exquisita forma; montaba guardia en la puerta del valle. Otro era un nogal americano, más grande que el olmo y al mismo tiempo mucho más hermoso, aunque ambos eran de extraordinaria belleza; parecía ocuparse de la entrada noroeste, brotando de un grupo de rocas en la boca misma del barranco y lanzando su gracioso cuerpo en un ángulo de casi cuarenta y cinco grados hacia la luz del anfiteatro. A unas treinta yardas al este de este árbol se alzaba, sin embargo, el orgullo del valle, y fuera de toda duda el árbol más espléndido que jamás hubiera visto, salvo, quizá, entre los cipreses del Itchiatuckanee. Era un tulípero de tres troncos –el *Liriodendron Tulipiferum*–, del orden de las magnolias. Los tres troncos separados del principal a unos tres pies del suelo, muy ligera y gradualmente divergentes, no estaban a una distancia mayor de cuatro pies con respecto al punto donde la rama más grande desplegaba su follaje, es decir, a una altura de unos ochenta pies. El alto total de la rama mayor era de ciento veinte pies. Nada puede superar en belleza la forma, el verde lustroso, brillante de las hojas del tulípero. En este ejemplar tenían ocho pulgadas de ancho, pero su esplendor era totalmente eclipsado por la magnificencia de las profusas flores. ¡Imagínense, apretadamente juntos, un millón de tulipanes, los más grandes y más resplandecientes! Sólo así puede el lector tener alguna idea de la imagen que quisiera describirle. Y luego la gracia majestuosa de los troncos, como columnas nítidas, delicadamente granuladas, la más ancha de cuatro pies de diámetro, a veinte del suelo. Las innumerables flores, mezcladas con las de otros árboles apenas menos hermosos, aunque infinitamente menos majestuosos, colmaban el valle de perfumes más exquisitos que los de Arabia.

El suelo del anfiteatro estaba en general cubierto de césped, de la misma especie que el del camino y, si es posible, más deliciosamente suave, espeso, aterciopelado y milagrosamente verde. Era difícil imaginar cómo se había logrado toda esta belleza.

He hablado de las dos aberturas que daban al valle. De la situada al noroeste salía un arroyuelo que bajaba murmurando suavemente, entre leve espuma, por el barranco, hasta romper contra el grupo de rocas de las cuales brotaba el solitario nogal americano. Aquí, después de rodear el árbol, seguía un poco hacia el noreste, dejando el tulípero a unos veinte pies al sur, sin cambiar demasiado su curso hasta llegar a un punto intermedio entre los límites este y oeste del valle. En este punto, después de una serie de vueltas, doblaba en ángulo recto y seguía hacia el sur formando recodos, hasta perderse en un pequeño lago de forma irregular, casi ovalado, que brillaba cerca del extremo inferior del valle. Este laguito tenía quizá unas cien yardas de diámetro en la parte más ancha. No hay cristal más claro que sus aguas. El fondo, que podía verse nítidamente, estaba formado por guijarros blancos y brillantes. Sus orillas, del césped esmeralda ya descrito, bajaban ondulando, más que en pendiente rectilínea, hacia el claro cielo inferior, y tan claro era este cielo, tan perfectamente reflejaba por momentos todos los objetos superiores, que era no poco difícil determinar dónde concluía la verdadera orilla y dónde comenzaba la reflejada. La trucha y algunas otras variedades de peces que parecían abundar casi con exceso en ese estanque tenían toda la apariencia de verdaderos peces voladores. Era casi imposible creer que no estuvieran suspendidos en el aire. Una liviana canoa de abedul, que flotaba plácida en el agua, se reflejaba en sus más mínimas fibras con una fidelidad no superada por el espejo más exquisitamente pulido. Una pequeña isla, encantadora y sonriente, llena de espléndidas flores, y en la que apenas había el espacio necesario para una pintoresca construcción pequeña, en apariencia una jaula de pájaros, surgía no lejos de la orilla norte del lago, a la cual se unía por medio de un puente de inconcebible ligereza y, sin embargo, muy primitivo.

Estaba formado por una sola tabla de tulípero, ancha y gruesa. Tenía cuarenta pies de largo y cruzaba el espacio entre una y otra orilla trazando un arco suave, pero muy perceptible, que impedía toda oscilación. Del extremo meridional del lago salía una continuación del arroyuelo que, después de serpentear durante unas treinta yardas, pasaba al fin por la «depresión» (ya descrita) en el centro del declive sur y, desplomándose por un escarpado precipicio de unos cien pies, se abría camino errante e ignorado hacia el Hudson.

El lago era muy hondo –en algunos puntos alcanzaba treinta pies–, pero la profundidad del arroyuelo rara vez excedía de tres pies, mientras su anchura mayor no pasaba de ocho, aproximadamente. El fondo y las orillas eran como los del estanque: si un defecto podía achacárseles, en consideración a lo pintoresco, era el de su excesiva *limpidez*.

La verde superficie de césped estaba realzada, aquí y allá, por algunos arbustos brillantes, tales como hortensias, la común bola de nieve o las aromáticas lilas; o, más a menudo, por un grupo de geranios, de numerosas variedades, magníficamente florecidos. Estos últimos crecían en tiestos bien enterrados en el suelo, de modo de dar a las plantas una apariencia natural. Además de todo esto, el terciopelo de la pradera se veía tachonado exquisitamente por ovejas, un gran rebaño que erraba en el valle en compañía de tres ciervos domesticados y gran número de patos de plumaje brillante. Un enorme mastín parecía encargado de vigilar a todos y cada uno de esos animales.

A lo largo de los acantilados del este y el oeste, donde, hacia la parte superior del anfiteatro, los límites eran más o menos escarpados, crecía la hiedra en gran profusión, de manera que sólo aquí y allá podía entreverse apenas la roca desnuda. De modo semejante, el precipicio norte estaba casi enteramente cubierto de viñas de rara exuberancia; algunas brotaban del suelo, en la base del acantilado, y otras de los bordes de la pared.

La ligera elevación que formaba el límite inferior de este pequeño dominio estaba coronada por una lisa pared de piedra, de altura suficiente para impedir que escaparan los ciervos. Nada semejante a una tapia se observaba en otra parte, pues fuera de allí no había necesidad de un cercado artificial; cualquier oveja extraviada, por ejemplo, que tratara de salir del valle por la grieta sería detenida, después de avanzar unas yardas, por el escarpado reborde de roca sobre el cual se desplomaba la cascada que atrajera mi atención al acercarme al dominio. En una palabra, la única entrada o salida era una verja que ocupaba un paso rocoso del camino, pocos metros más abajo del lugar donde me detuve a reconocer el paisaje.

He dicho que el arroyo serpenteaba muy irregularmente durante todo su curso. Sus dos direcciones generales, como lo he explicado, eran primero de oeste a este, y luego de norte a sur. En el *codo,* la corriente volvía hacia atrás y formaba un *bucle* casi circular, dibujando una península que semejaba una isla, con una superficie aproximadamente igual a la decimosexta parte de un acre. En esta península había una casa-habitación, y cuando digo que esta casa, como la infernal terraza vista por Vathek, *était d'une architecture inconnue dans les annales de la terre,* aludo simplemente a que su conjunto me impresionó, dándome una sensación de novedad y ajuste combinados, en una palabra, de poesía (pues, como no sea con los términos que acabo de emplear, apenas podría dar, de la poesía en abstracto, una definición más rigurosa), y no quiero decir que en ningún sentido se percibiera allí algo de *outré.*

En realidad, nada más simple, más absolutamente modesto que este *cottage. Su* maravilloso *efecto* residía únicamente en su disposición artística, análoga a la de un *cuadro.* Hubiera podido imaginar, mientras lo miraba, que algún eminente paisajista lo había construido con su pincel.

El punto desde el cual vi por primera vez el valle no era en modo alguno, aunque estaba cerca, el mejor para observar la casa. La describiré cómo la vi después, situado en el muro de piedra, en el extremo sur del anfiteatro.

El edificio principal tenía unos veinticuatro pies de largo por dieciséis de ancho, no más por cierto. La altura total, desde el piso a la cúspide del tejado, no excedía de dieciocho pies. En el extremo oeste de esta estructura se unía una tercera parte más pequeña en todas sus proporciones; la fachada estaba unas dos yardas más atrás que la del edificio más grande, y la línea del tejado, por supuesto, mucho más baja que la del techo vecino. En ángulo recto con estos edificios y detrás del principal, no exactamente en el medio, se extendía un tercer compartimento muy pequeño, en general un tercio menos grande que el ala oeste. Los techos de los dos más grandes eran muy empinados, descendiendo desde el caballete en una larga curva cóncava y extendiéndose, por lo menos, cuatro pies fuera de las paredes hasta formar los techos de dos *piazzas.* Estos techos, claro está, no necesitaban soportes, pero como tenían apariencia de necesitarlos se habían insertado en las esquinas pilares ligeros y perfectamente lisos. El tejado del ala norte era una simple extensión de una parte del principal. Entre el edificio mayor y el ala oeste se levantaba una altísima y un tanto fina chimenea cuadrada de duros ladrillos holandeses, alternativamente blancos y rojos, con una ligera cornisa de ladrillos salientes en la punta. Los aleros también se proyectaban mucho: en el cuerpo mayor, unos cuatro pies hacia el este y dos hacia el oeste. La puerta principal no se hallaba justo en la mitad del edificio, sino un poco hacia el este, mientras las dos ventanas se desplazaban hacia el oeste. Estas últimas no llegaban al suelo, pero eran mucho más largas y estrechas de lo habitual; tenían postigos simples como puertas, con cristales en losange, pero muy grandes. La mitad superior de la puerta era también de vidrios y en losange; un postigo movible la protegía durante la noche. La puerta del ala oeste se abría bajo el alero y era muy simple; una sola ventana miraba hacia el sur. El ala norte carecía de puerta exterior y tenía una única ventana hacia el este.

En la lisa pared del gablete oriental se destacaban unas escaleras (con balaustrada) que la atravesaban en diagonal, partiendo del sur. Protegidos por el alero muy saliente, esos escalones daban acceso a una puerta que conducía a una buhardilla o más bien desván, pues sólo recibía luz de una ventana que miraba hacia el norte y parecía haber sido destinada a depósito.

Las *piazzas* del edificio principal y del ala oeste no estaban pavimentadas, como es habitual; pero delante de las puertas y de cada ventana se incrustaban, en el césped delicioso, anchas, chatas e irregulares losas de granito, brindando un cómodo paso en todo tiempo. Excelentes senderos del mismo material, no perfectamente colocado, sino con la hierba aterciopelada llenando los intervalos entre las piedras, llevaban aquí y allá, desde la casa, hasta una fuente cristalina, a unos cinco pasos, al camino o a una o dos dependencias que había al norte más allá del arroyo, completamente ocultas por unos pocos algarrobos y catalpas.

A no más de seis pasos de la puerta principal del *cottage* veíase el tronco seco de un fantástico peral, tan cubierto de arriba a abajo por las magníficas flores de la bignonia que requería no poca atención saber qué objeto encantador era aquel. De varias ramas de este árbol pendían jaulas de diferentes clases. Una, un amplio cilindro de mimbre, con un aro en lo alto, mostraba un sinsonte; otra, una oropéndola; una tercera, un pájaro arrocero, mientras tres o cuatro prisiones más delicadas resonaban con los cantos de los canarios.

En los pilares de la *piazza* se entrelazaban los jazmines y la dulce madreselva, mientras del ángulo formado por la estructura principal y su ala oeste, en el frente, brotaba una viña de sin igual exuberancia. Desdeñando toda contención, había trepado primero al tejado más bajo, luego al más alto, y a lo largo del caballete de este último continuaba enroscándose, lanzando zarcillos a derecha e izquierda, hasta llegar, por fin, al gablete del este para volcarse sobre las escaleras.

Toda la casa, con sus alas, estaba construida en tejamaniles, según el viejo estilo holandés, anchos y sin redondear en las puntas. Una peculiaridad de este material es que da a las casas la apariencia de ser más amplias en la base que en lo alto, a la manera de la arquitectura egipcia; y en el ejemplo presente acentuaban el pintoresquísimo efecto los numerosos tiestos de vistosas flores que circundaban casi toda la base de los edificios.

Los tejamaniles estaban pintados de gris oscuro, y un artista puede imaginar fácilmente la felicidad con la cual este matiz neutro se mezclaba con el verde vivo de las hojas del tulípero que sombreaban parcialmente el *cottage*.

La posición a la que me he referido, cerca del muro de piedra, era la más favorable para ver los edificios, pues el ángulo sudeste se adelantaba de modo que la vista podría abarcar a la vez los dos frentes con el pintoresco gablete del este, y al mismo tiempo tener una visión suficiente del ala norte, parte del lindo tejado de una cámara enfriadora construida sobre una fuente, y casi la mitad de un puente liviano que cruzaba el arroyo muy cerca de los cuerpos principales.

No permanecí mucho tiempo en lo alto de la colina, aunque sí el suficiente para un examen completo del paisaje que tenía a mis pies. Era evidente que me había desviado de la ruta a la aldea, y tenía así una buena excusa de viajero para abrir la puerta y preguntar por el camino en todo caso; de modo que, sin más rodeos, avancé.

Después de cruzar la puerta, el camino parecía continuar en un reborde natural, descendiendo gradualmente a lo largo de la pared de los acantilados del noreste. Llegué al pie del precipicio norte y de allí al puente, y, rodeando el gablete del este, hasta la puerta delantera. Durante la marcha observé que no se veía ninguna de las dependencias.

Al dar vuelta al gablete, un mastín saltó hacia mí con un silencio severo, pero con la mirada y el aire de un tigre. Le tendí, sin embargo, la mano en señal de amistad, y todavía no he conocido perro que resistiera la prueba de esta apelación a su amabilidad. No sólo cerró la boca y meneó la cola, sino que me ofreció su pata, además de extender sus cortesías a *Ponto*.

Como no se veía campanilla, golpeé con el bastón en la puerta, que estaba semiabierta. Inmediatamente, una figura se adelantó al umbral: era una mujer joven, de unos veintiocho años, esbelta o más bien ligera y de talla un poco superior a la corriente. Mientras se acercaba con cierta *modesta decisión* en el paso, absolutamente indescriptible, me dije a mí mismo: «Seguramente he encontrado la perfección de la *gracia* natural en contradicción con la artificial». La segunda impresión que me hizo, pero muchísimo más vívida que la anterior, fue de *exaltación*. Nunca había penetrado hasta el fondo de mi corazón una expresión de romanticismo tan intenso, me atrevería a decir, tan espiritual como la que brillaba en sus ojos profundos. No sé cómo, pero esta peculiar expresión de la mirada, que a veces se graba en los labios, es el hechizo más poderoso, si no el único, que despierta mi interés por una mujer. «Romanticismo», digo, con tal de que mis lectores comprendan bien lo que quiero expresar con esta palabra: «romántico» y «femenino» son para mí términos equivalentes; y, después de todo, lo que el hombre *ama* de veras en la mujer es simplemente su *feminidad*. Los ojos de Annie (alguien, desde adentro, la llamaba «¡Annie, querida!») eran de un «gris espiritual»; su pelo, castaño claro; esto es todo lo que tuve tiempo de observar en ella.

A su cortés invitación entré, pasando primero por un vestíbulo de mediana amplitud. Como había ido especialmente para *observar,* noté que a mi derecha, al entrar, había una ventana semejante a las de la fachada de la casa; a la izquierda, una puerta que conducía a la habitación principal, mientras frente a mí una puerta *abierta* me permitía ver un aposento pequeño, justo del tamaño del vestíbulo, dispuesto como estudio, con una amplia ventana saliente orientada hacia el norte.

Pasé a la sala y me encontré con Mr. Landor, pues este, lo supe después, era su nombre. Se mostró amable y aun cordial en sus maneras; pero aun entonces estaba yo más atento a observar el arreglo de la casa que me había interesado tanto, que la apariencia personal del ocupante.

El ala norte, lo vi entonces, era un dormitorio; su puerta se abría a la sala. Al oeste de esta puerta había una sola ventana, que miraba al arroyo. En el extremo este de la sala veíase una chimenea y una puerta que llevaba al ala oeste, probablemente una cocina.

Nada más rigurosamente sencillo que el moblaje de la sala. En el piso había una alfombra teñida, de excelente tejido, con fondo blanco y pequeños círculos verdes. En las ventanas colgaban cortinas de muselina de algodón blanca como la nieve, medianamente amplias, que caían *resueltamente,* casi geométricas, en pliegues finos, paralelos, hasta el piso, *justo* hasta el piso. Las paredes estaban tapizadas con un papel francés de gran delicadeza: un fondo plateado con una línea en zigzag de color verde pálido. La superficie veíase realzada sólo por tres exquisitas litografías de Julien, *à trois crayons,* sujetas a la pared sin marco. Uno de esos dibujos representaba una lujosa o más bien voluptuosa escena oriental; otro, una escena de carnaval, de una vivacidad incomparable; el tercero, una cabeza femenina griega, un rostro de tan divina hermosura y, sin embargo, con una expresión de vaguedad tan incitante como nunca hasta entonces atrajera mi atención.

El moblaje más importante consistía en una mesa redonda, unas pocas sillas (incluso una amplia mecedora) y un sofá o más bien «canapé» de arce liso, pintado de blanco cremoso, con ligeros filetes verdes y asiento de mimbre entretejido. Las sillas y la mesa hacían juego; pero todas las formas habían sido diseñadas evidentemente por el mismo cerebro que planeara los jardines; imposible concebir nada más gracioso.

Sobre la mesa había algunos libros, un amplio frasco cuadrado de algún nuevo perfume, una simple lámpara *astral* (no solar) de vidrio deslustrado, con una pantalla italiana, y un gran vaso con flores esplendorosamente abiertas. A decir verdad, las flores, de magníficos colores y delicado perfume, constituían la única decoración del aposento. Ocupaba casi totalmente el hogar de la chimenea un tiesto de brillantes geranios. En una repisa triangular en cada ángulo de la habitación había un vaso similar, sólo distinto por su encantador contenido. Uno o dos pequeños *bouquets* adornaban la repisa de la chimenea, y violetas frescas formaban ramos en el borde de las ventanas abiertas

El propósito de este trabajo no es sino el de dar en detalle una pintura de la residencia de Mr. Landor, *tal como la encontré.*

LA ISLA DEL HADA

Comentario de Guadalupe Nettel

«La isla del hada» («The island of the fay»), escrito en 1841, es un relato muy poco conocido en el que Poe sostiene que no hay placer sensorial comparable al disfrute de la naturaleza. Después de discutir largamente las opiniones de algunos filósofos clásicos y otros contemporáneos a su época, el autor concluye que ni la música ni ninguna expresión artística abren los sentidos o producen un éxtasis semejante al que siente el hombre cuando, en la más absoluta soledad y silencio, busca encontrarse con la naturaleza. En momentos de calma y observación, esta última nos revela sus secretos y sus dimensiones ocultas y nos permite entrar en contacto con sus criaturas más sutiles. Tanto el epígrafe como la figura del hada sugieren que en realidad todos los sitios del mundo están habitados por seres maravillosos y que verlos depende únicamente de nuestra capacidad de contemplación.

Tras la euforia que le produce la exuberancia natural, el narrador de esta historia profundamente romántica –y con reminiscencias celtas– acaba cayendo en la melancolía que caracteriza a tantos relatos de este autor. Una vaga tristeza y añoranza de todos esos mundos que colindan con el nuestro y con los cuales no somos capaces de convivir, termina por imponerse. Poe parece decirnos que el éxtasis es siempre efímero y la alegría que sentimos al vislumbrar los misterios de la naturaleza dejan siempre esa sensción de haber perdido algo imprescindible como el amor en su estado puro, la belleza más intacta o la unidad con todas las cosas.

LA ISLA DEL HADA

«Nullus enim locus sine genio est».
SERVIUS

La musique –dice Marmontel en esos *Contes Moraux*[1] que en nuestras traducciones hemos insistido en llamar *Cuentos morales* como en remedo de su ingenio–, *la musique est le seul des talents qui jouisse de lui même; tous les autres veulent des témoins.* Aquí confunde el placer que brindan los sonidos agradables con la capacidad de crearlos. Como en cualquier otro *talento,* no es posible un goce completo de la música si no hay una segunda persona que aprecia su ejecución. Y tiene en común con los otros talentos la posibilidad de producir *efectos* que pueden ser plenamente disfrutados en soledad. La idea que el *raconteur* no ha sido capaz de elaborar claramente, o que ha sacrificado en aras de ese amor nacional por el dicho agudo, es, sin duda, la muy sostenible de que la música más elevada es la que mejor se estima cuando estamos exclusivamente solos. En esta forma pueden admitir la proposición tanto aquellos que aman la lira por sí misma como los que la aman por sus usos espirituales. Pero hay un placer al alcance de la humanidad caída, y quizá sólo uno, que debe aún más que la música a la accesoria sensación de aislamiento. Me refiero a la felicidad experimentada en la contemplación del paisaje natural. En verdad, el hombre que quiere contemplar plenamente la gloria de Dios en la tierra debe contemplarla en soledad. Para mí, al menos, la presencia, no sólo de vida humana, sino de cualquier otra clase que no sea la de los seres verdes que brotan del suelo y no tienen voz, es una mancha en el paisaje, está en pugna con su genio. Me gusta mirar los valles oscuros, las rocas grises, las aguas que son-

1. *Moraux* deriva aquí de *mœurs,* y significa *a la moda,* o más estrictamente, «de costumbres».

rien silenciosas, los bosques que suspiran en sueños intranquilos, las orgullosas montañas vigilantes que lo contemplan todo desde arriba; me gusta mirarlos como si fueran los miembros colosales de un vasto todo animado y sensible, un todo cuya forma (la de la esfera) es la más perfecta y la más amplia de todas, que prosigue su camino en compañía de otros planetas; cuya mansa sierva es la luna, su mediato soberano el sol, su vida la eternidad, su pensamiento el de un dios, su goce el conocimiento; cuyos destinos se pierden en la inmensidad; que nos conoce de manera análoga a como nosotros conocemos los animálculos que infestan el cerebro, un ser al que, en consecuencia, consideramos como puramente inanimado y material, de manera muy semejante a la de esos animálculos con respecto a nosotros.

Nuestro telescopio y nuestras investigaciones matemáticas nos aseguran por doquiera –a pesar de la gazmoñería del más ignorante de los sacerdocios– que el espacio, y en consecuencia el volumen, es una consideración importante a los ojos del Todopoderoso. Los ciclos en los cuales se mueven las estrellas son los mejor adaptados para la evolución, sin choque, de la mayor cantidad posible de cuerpos. Las formas de esos cuerpos son las exactamente precisas para incluir, dentro de una superficie dada, la mayor cantidad posible de materia, al par que dichas superficies están dispuestas de manera de acomodar una población más densa de la que cabría en las mismas ordenadas de otra manera. Que el espacio sea infinito no es un argumento contra la idea de que el volumen es una finalidad de Dios, pues puede haber una infinidad de materia para llenarlo. Y puesto que vemos claramente que dotar a la materia de vitalidad es un principio –en realidad, en la medida del alcance de nuestros juicios, el principio *conductor* de las operaciones de la Deidad–, no es muy lógico imaginarla reducida a las regiones de lo pequeño, donde diariamente la descubrimos, y no extendida a las de lo augusto. Así como encontramos un círculo dentro de otro, infinitamente, pero girando todos en torno a un centro lejano que es la divinidad, ¿no podemos suponer analógicamente, de la misma manera, la vida dentro de la vida, lo menor dentro de lo mayor y el todo dentro del Espíritu Divino? En una palabra, erramos grandemente por fatuidad al creer que el hombre, ya en su destino temporal, ya futuro, es más importante en el universo que ese vasto «terrón del valle» que labra y menosprecia, y al cual niega un alma sin ninguna razón profunda, como no sea porque no le contempla en acción[2].

---

2. Hablando de las mareas, Pomponius Mela dice, en su tratado *De Situ Orbis:* «O el mundo es un gran animal, o...», etcétera.

Estas fantasías y otras semejantes siempre conferían a mis meditaciones en las montañas y en los bosques, junto a los ríos y al océano, ese matiz que el común de las gentes llama fantástico. Mis vagabundeos por esos paisajes eran frecuentes, extraños, a menudo solitarios, y el interés con que me perdía por numerosos valles sombríos y profundos, o contemplaba el cielo reflejado de muchos lagos brillantes, era un interés acrecentado por la convicción de que me había perdido en una contemplación *solitaria*. ¿Quién fue el francés charlatán[3] que dijo, aludiendo a la bien conocida obra de Zimmerman, que «la solitude est une belle chose; mais il faut quelqu'un pour vous dire que la solitude est une belle chose»? El epigrama es irrefutable; pero esa necesidad es una cosa que no existe.

Durante uno de mis viajes solitarios, en una lejanísima región de montañas encerradas entre montañas, y tristes ríos y melancólicos lagos sinuosos o dormidos, hallé cierto arroyuelo con una isla. Llegué de improviso, en junio, el mes de la fronda, y me tendí en el césped, bajo las ramas de un oloroso arbusto desconocido, de manera de adormecerme mientras contemplaba la escena. Sentía que sólo así podría verla, tal era el carácter fantasmal que presentaba.

En todas partes, salvo en occidente, donde el sol estaba por ponerse, se elevaban los verdes muros del bosque. El riacho, que formaba un brusco codo en su curso perdiéndose inmediatamente de vista, parecía no salir de su prisión, sino ser absorbido por el profundo follaje verde de los árboles hacia el este, mientras en el lado opuesto (así lo pensé, tendido en el suelo mirando hacia arriba) se derramaba en el valle, silenciosa y continua desde las crepusculares fuentes del cielo, una espléndida cascada oro y carmesí.

Más o menos en el centro de la breve perspectiva que abarcaba mi visión soñadora, una pequeña isla circular, profusamente verde, reposaba en el seno de la corriente.

Tan fundidas estaban la ribera y la sombra
que todo parecía suspendido en el aire,

tan semejante a un espejo era el agua transparente, que resultaba casi imposible decir en qué punto del inclinado césped esmeralda comenzaba su dominio de cristal.

Mi posición me permitía abarcar de una sola mirada las dos extremidades, este y oeste, del islote, y observé una diferencia singularmente marcada en su aspecto. El último era un radiante harén de

3. Balzac, en esencia; no recuerdo las palabras.

bellezas jardineras. Ardía y se ruborizaba bajo la mirada del sol poniente, y reía bellamente con sus flores. El césped era corto, muelle, suavemente perfumado y sembrado de asfódelos. Los árboles eran flexibles, alegres, erguidos, brillantes, esbeltos y graciosos, de línea y follaje orientales, con una corteza suave, lustrosa, multicolor. En todo parecía haber un profundo sentido de vida y de alegría, y, aunque no soplaba el aire de los cielos, todo parecía animado por el delicado ir y venir de innumerables mariposas que podían tomarse por tulipanes con alas[4].

El otro lado, el lado este de la isla, estaba sumido en la más negra sombra. Una oscura y sin embargo hermosa y apacible melancolía penetraba allí todas las cosas. Los árboles eran de color sombrío, lúgubres de forma y de actitud, retorcidos en figuras tristes, solemnes, espectrales, que expresaban pena letal y muerte prematura. El césped tenía el matiz profundo del ciprés y se inclinaba lánguido, y aquí y allá veíanse numerosos montículos pequeños y feos, bajos y estrechos, no muy largos, que tenían el aspecto de tumbas, pero no lo eran, aunque alrededor y encima treparan la ruda y el romero. La sombra de los árboles caía densa sobre el agua y parecía sepultarse en ella, impregnando de oscuridad las profundidades del elemento. Imaginé que cada sombra, a medida que el sol descendía, se separaba tristemente del tronco donde había nacido y era absorbida por la corriente, mientras otras sombras brotaban por momentos de los árboles ocupando el lugar de sus predecesoras sepultas.

Una vez que esta idea se hubo adueñado de mi fantasía, la excitó mucho y me perdí de inmediato en ensueños. «Si hubo alguna isla encantada –me dije–, hela aquí. Esta es la morada de las pocas hadas graciosas que sobreviven a la ruina de la raza. ¿Son suyas esas verdes tumbas? ¿O entregan sus dulces vidas como el hombre? Para morir, ¿consumen su vida melancólicamente, ceden a Dios poco a poco su existencia, como esos árboles entregan sombra tras sombra, agotando sus sustancias hasta la disolución? Lo que el árbol agotado es para el agua que embebe su sombra, ennegreciéndose a medida que la devora, ¿no será la vida del hada para la muerte que la anega?»

Mientras así meditaba, con los ojos entrecerrados, y el sol se hundía rápidamente en su lecho, y los remolinos corrían alrededor de la isla, arrastrando en su seno anchas, deslumbrantes, blancas cortezas de sicómoro, cortezas que, en sus múltiples posiciones sobre el agua, podían sugerir a una imaginación rápida lo que ésta gustara; mien-

4. *Florem putares mare per liquidum aethera* (P. Commire).

tras así meditaba, me pareció que la forma de una de esas mismas hadas en las cuales había estado pensando se encaminaba lentamente hacia la oscuridad desde la luz de la parte oriental de la isla. Allí estaba, erguida en una canoa singularmente frágil, impulsándola con el simple fantasma de un remo. Mientras estuvo bajo la influencia del sol tardío, su actitud parecía indicar alegría, pero la pena la alteró al pasar al dominio de la sombra. Lentamente se deslizó por ella y, al fin, rodeando la isla, volvió a la región de la luz. «La revolución que acaba de cumplir el hada –continué soñador– es el ciclo de un breve año de su vida. Ha atravesado el invierno y el verano. Está un año más cerca de la muerte»; pues no dejé de ver que, al llegar a la tiniebla, su sombra se desprendía y era tragada por el agua oscura, tornando más negra su negrura.

Y de nuevo aparecieron el bote y el hada; pero en la actitud de esta había más preocupación e incertidumbre, menos dinámica alegría. Navegó de nuevo desde la luz hacia la tiniebla (que se ahondaba por momentos), y de nuevo se desprendió su sombra y cayó en el agua de ébano, que la absorbió en su negrura. Y una y otra vez repitió el circuito de la isla (mientras el sol se precipitaba hacia su lecho), y cada vez que surgía en la luz había más pesar en su figura, cada vez más débil, más abatida, más indistinta; y a cada paso hacia la tiniebla desprendíase de ella una sombra más oscura, que se hundía en una sombra más negra. Pero, al fin, cuando el sol hubo desaparecido totalmente, el hada, ahora simple espectro de sí misma, se dirigió desconsolada con su bote a la región de la corriente de ébano y, si salió de allí, no puedo decirlo, pues la oscuridad cayó sobre todas las cosas y nunca más contemplé su mágica figura.

EL ALCE

Comentario de Pilar Adón

Elementos de la naturaleza más selvática y provocativa, una enorme belleza, toques de deleite paisajístico, descripción idílica y cierta crítica al estado de cosas impuesto «por la cruel mano del utilitarismo» que, a los ojos de Poe, entraña la más absoluta de las decadencias para todo aquello que tenga la desdicha de caer bajo su perniciosa influencia. El lector hallará estos ingredientes (junto a la perenne melancolía y al tono poético tan característicos de Poe) en la obra aquí presentada como «El alce», título definitivo para el texto que inicialmente se escribiera bajo el rótulo de «Morning on the Wissahiccon», publicado por primera vez en el año 1844.

Dos títulos, el inicial y el definitivo, que indican a la perfección los dos planos que descubrimos en esta narración única, a medio camino entre el relato breve y la literatura de viajes más clásica; una crónica que acata, hacia el desenlace, las peculiaridades propias del relato literario pero que, hasta ese instante, ha venido desarrollando las fórmulas específicas del ensayo de viajes, y en la que se exponen, por ejemplo, las rutas idóneas para aquel aventurero que desee huir de las sendas más acreditadas y, por tanto, más trilladas (sendas que, por otra parte, tanto atraen a los turistas amantes de los *picnics*). Poe escribe «El alce» para el viajero que desee avanzar a pie, que esté dispuesto a bajarse del ferrocarril, del barco o de su coche particular para entregarse, con los ojos bien abiertos, a la verdadera esencia –tan desconocida– del escenario natural norteamericano. Sólo así, caminando, el aventurero «sorprenderá al Wissahiccon en uno de sus mejores parajes».

Al parecer, al mismo Poe le encantaba pasear por el Wissahiccon, un arroyo («pues apenas merece nombre más importante») que va a desembocar al río Schuykill, y cuya belleza no sólo atrajo la atención de Poe sino también la de otros escritores, como su amigo George Lippard o Mark Twain. El amor por el paisaje, la búsqueda de la belleza, y el evidente disgusto ante los comportamientos de sus conciudadanos, que o bien no saben disfrutar de lo que el magnífico entorno estadounidense puede ofrecerles o bien son capaces de destrozar sin contemplaciones ese mismo entorno, constituyen las pautas argumentales que se van entremezclando hasta llegar al encuentro con el alce que da título a la narración. Un encuentro que supone, sin duda, el clímax de la historia y que, tanto por la propia descripción que Poe hace del hallazgo, como por toda su significación posterior, provoca un apocalíptico escalofrío en el ánimo del lector. Escalofrío que, en este caso, no viene de la mano de los padecimientos físicos o anímicos sufridos por unos personajes torturados, ni procede de la maléfica mueca que, a modo de sonrisa, podría dejarse adivinar en el rostro de un hombre devorado por las aves carroñeras. Se trata, por el contrario, del escalofrío íntimo que sobreviene tras la desilusión, tras la contemplación de la merma de lo salvaje, de lo indómito; tras la constatación de que la «civilización» lo asola todo y de que, ante ella, sólo nos resta agachar la cabeza y aceptar el imperativo ronzal.

EL ALCE

Con frecuencia se ha opuesto el escenario natural de Norteamérica, tanto en sus líneas generales como en sus detalles, al paisaje del Viejo Mundo –en especial de Europa–, y no ha sido más profundo el entusiasmo que mayor la disensión entre los defensores de cada parte. No es probable que la discusión se cierre pronto, pues aunque se ha dicho mucho por ambos lados, aún queda por decir un mundo de cosas.

Los turistas ingleses más distinguidos que han intentado una comparación, parecen considerar nuestro litoral norte y este, comparativamente hablando, así como todo el de Norteamérica o, por lo menos, el de Estados Unidos, digno de consideración. Poco dicen, porque han visto menos, del magnífico paisaje de algunos de nuestros distritos occidentales y meridionales –del dilatado valle de Luisiana, por ejemplo–, realización del más exaltado sueño de un paraíso. En su mayor parte estos viajeros se conforman con una apresurada inspección de los lugares más espectaculares de la zona: el Hudson, el Niágara, las Catskills, Harper's Ferry, los lagos de Nueva York, el Ohio, las praderas y el Misisipi. Son estos, en verdad, objetos muy dignos de contemplación, aun para aquel que ha trepado a las encastilladas riberas del Rin, o ha errado

Junto al azul torrente del Ródano veloz.

Pero estos no son todos los que pueden envanecernos y en realidad llegaré a la osadía de afirmar que hay innumerables rincones tranquilos, oscuros y apenas explorados, dentro de los límites de los Estados Unidos, que el verdadero artista o el cultivado amante de las más grandes y más hermosas obras de Dios preferirá a todos y cada uno de los prestigiosos y acreditados paisajes a los cuales me he referido.

En realidad, los verdaderos edenes de la tierra quedan muy lejos de la ruta de nuestros más sistemáticos turistas; ¡cuánto más lejos, entonces, del alcance de los forasteros que, habiéndose comprometido con los editores de su patria a proveer cierta cantidad de comentarios sobre Norteamérica en un plazo determinado, no pueden cumplir este pacto de otra manera que recorriendo a toda velocidad, libreta de notas en mano, los más trillados caminos del país!

Acabo de mencionar el valle de Luisiana. De todas las regiones extensas dotadas de belleza natural, esta es quizá la más hermosa. Ninguna ficción se le ha aproximado. La más espléndida imaginación podría derivar sugestiones de su exuberante belleza. Y la belleza es, en realidad, su única característica. Poco o nada tiene de sublime. Suaves ondulaciones del suelo entretejidas con cristalinas y fantásticas corrientes costeadas por pendientes floridas, y como fondo una vegetación forestal, gigantesca, brillante, multicolor, rutilante de gayos pájaros, cargada de perfume: estos rasgos componen, en el valle de Luisiana, el paisaje más voluptuoso de la tierra.

Pero, aun en esta deliciosa región, las partes más encantadoras sólo se alcanzan por sendas escondidas. A decir verdad, por lo general el viajero que quiere contemplar los más hermosos paisajes de Norteamérica no debe buscarlos en ferrocarril, en barco, en diligencia, en su coche particular, y ni siquiera a caballo, sino a pie. Debe *caminar,* debe saltar barrancos, debe correr el riesgo de desnucarse entre precipicios, o dejar de ver las maravillas más verdaderas, más ricas y más indecibles de la tierra.

En la mayor parte de Europa esta necesidad no existe. En Inglaterra es absolutamente desconocida. El más elegante de los turistas puede visitar todos los rincones dignos de ser *vistos* sin detrimento de sus calcetines de seda, tan bien conocidos son todos los lugares interesantes y tan bien organizados están los medios de acceso. Nunca se ha dado a esta consideración la debida importancia cuando se compara el escenario natural del viejo mundo con el del nuevo. Toda la belleza del primero es parangonada tan sólo con los más famosos pero en modo alguno más eminentes lugares del último.

El paisaje fluvial tiene indiscutiblemente en sí mismo todos los elementos principales de la belleza y, desde tiempos inmemoriales, ha sido el tema favorito del poeta. Pero mucha de su fama es atribuible al predominio de los viajes por vía fluvial sobre los realizados por terreno montañoso. De la misma manera los grandes ríos, por ser habitualmente grandes caminos, han acaparado en todos los países una indebida admiración. Han sido más observados y, en consecuencia, han constituido tema de discurso más a menudo que otras corrientes menos importantes pero con frecuencia de mayor interés.

Un singular ejemplo de mis observaciones sobre este tópico puede hallarse en el Wissahiccon, un arroyo (pues apenas merece nombre más importante) que se vuelca en el Schuykill, a unas seis millas al oeste de Filadelfia. Ahora bien, el Wissahiccon es de una belleza tan notable, que si corriera en Inglaterra sería el tema de todos los bardos y el tópico común de todas las lenguas, siempre que sus orillas no hubieran sido loteadas a precios exorbitantes como solares para las villas de los opulentos. Sin embargo, hace muy pocos años que se oye hablar del Wissahiccon, mientras el río más ancho y más navegable, en el cual se vuelca, ha sido celebrado desde largo tiempo atrás como uno de los más hermosos ejemplos de paisaje fluvial americano. El Schuykill, cuyas bellezas han sido muy exageradas –y cuyas orillas, por lo menos en las cercanías de Filadelfia, son pantanosas como las del Delaware–, en modo alguno es comparable, en cuanto objeto de interés pintoresco, con el más humilde y menos famoso riachuelo del cual hablamos.

Hasta que Fanny Kemble, en su extraño libro sobre los Estados Unidos, señaló a los nativos de Filadelfia el raro encanto de esa corriente que llega a sus propias puertas, este encanto no era más que sospechado por algunos caminantes aventureros de la vecindad. Pero una vez que el *Diario* abrió los ojos de todos, el Wissahiccon, hasta cierto punto, alcanzó de inmediato la notoriedad. Digo «hasta cierto punto», pues en realidad la verdadera belleza del riachuelo se encuentra lejos de la ruta de los cazadores de pintoresquismo de Filadelfia, quienes rara vez avanzan más allá de una milla o dos de la boca del riacho, por la excelentísima razón de que allí se detiene la carretera. Yo aconsejaría al aventurero deseoso de contemplar sus más hermosos parajes que tomara el Ridge Road, el cual corre desde la ciudad hacia el oeste, y, después de alcanzar el segundo sendero más allá del sexto mojón, siguiera este sendero hasta el final. Así sorprenderá al Wissahiccon en uno de sus mejores parajes, y en un esquife, o recorriendo sus orillas, puede remontar la corriente y bajar con ella, como se le ocurra: en cualquier dirección encontrará su recompensa.

Ya he dicho, o debería haber dicho, que el arroyo es estrecho. Sus orillas son casi siempre escarpadas y consisten en altas colinas cubiertas de nobles arbustos cerca del agua y coronadas, a gran altura, por algunos de los más espléndidos árboles forestales de América, entre los cuales sobresale el *Liriodendron Tulipifera*. Las orillas inmediatas, sin embargo, son de granito, de aristas agudas o cubiertas de musgo, que el agua diáfana lame en su suave flujo, como las azules olas del Mediterráneo los peldaños de sus palacios de mármol. A veces, frente a los acantilados, se extiende una pequeña y limitada meseta cubierta de ricos pastos, la cual brinda la posición más pintoresca para un *cottage* y un jardín que la más opulenta imaginación pueda concebir. Los meandros de la corriente son numerosos y bruscos, como ocurre habitualmente cuando las orillas son escarpadas, y así la impresión que reciben los ojos del viajero al avanzar, es la de una interminable sucesión de laguitos, o, mejor dicho, de estanques, infinitamente variados. El Wissahiccon, sin embargo, debe ser visitado, no como el «bello Melrose», al claro de luna o aun con tiempo nublado, sino en el más brillante fulgor del mediodía, pues la estrechez de la garganta por la cual corre, la altura de las colinas laterales, la espesura del follaje, conspiran para producir un efecto sombrío, si no absolutamente lóbrego, que, a menos de ser aliviado por una luz general, brillante, desmerece la pura belleza del paisaje.

No hace mucho visité el arroyo por el camino descrito y pasé la mayor parte de un día bochornoso navegando en un esquife por sus aguas. El calor fue venciéndome gradualmente y, cediendo a la influencia del paisaje y del tiempo y al suave movimiento de la corriente, me sumí en un semisueño, durante el cual mi imaginación se solazó en visiones de los antiguos tiempos del Wissahiccon, de los «buenos tiempos» en que no existía el Demonio de la Locomotora, cuando nadie soñaba con *picnics*, cuando no se compraban ni se vendían «derechos de navegación», cuando el piel roja hollaba solo, junto con el alce, los cerros que ahora se destacan allá arriba. Y mientras estas fantasías iban adueñándose gradualmente de mi espíritu, el perezoso arroyo me había llevado, pulgada tras pulgada, en torno a un promontorio y a plena vista de otro que limitaba la perspectiva a una distancia de cuarenta o cincuenta yardas. Era un cantil empinado, rocoso, que se hundía profundamente en el agua y presentaba las características de una pintura de Salvator Rosa mucho más señaladas que en cualquier otra parte del recorrido. Lo que vi sobre ese acantilado, aunque seguramente era un objeto de naturaleza muy extraordinaria, considerados la estación y el lugar, al principio ni me sorprendió ni me asombró, por su absoluta y apropiada coincidencia con las soñolientas fantasías que me envolvían. Vi, o soñé que veía, de pie en el borde mismo del precipicio, con el cuello tendido, las orejas tiesas y toda la actitud reveladora de una curiosidad profunda y melancólica, uno de los más viejos y más osados alces, idénticos a los que yo uniera con los pieles rojas de mi visión.

Digo que durante unos minutos esta aparición ni me sorprendió ni me asombró. Durante ese intervalo mi alma entera quedó absorta en una intensa simpatía. Imaginé al alce quejoso tanto como maravillado de la manifiesta decadencia operada en el arroyo y en su vecindad, aun en los últimos años, por la cruel mano del utilitarismo. Pero un ligero movimiento de la cabeza del animal destruyó de inmediato el conjuro del ensueño que me envolvía, y despertó en mí la sensación cabal de la novedad de la aventura. Me incorporé sobre una rodilla dentro del esquife y, mientras dudaba entre detener mi marcha o dejarme llevar más cerca del objeto que me había maravillado, oí las palabras «¡chist!, ¡chist!», pronunciadas rápidamente pero con prudencia desde los matorrales de lo alto. Instantes después un negro emergía de la maleza, separando las ramas con cuidado y caminando cautelosamente. Llevaba en una mano un puñado de sal y, tendiéndola hacia el alce, se acercó lento pero seguro. El noble animal, aunque un poco inquieto, no hizo el menor intento de escapar. El negro avanzó, ofreció la sal y dijo unas palabras de aliento o conciliación. Entonces el alce agachó la cabeza, pateó y después se echó tranquilamente y aceptó el ronzal.

Así termina mi cuento del alce. Era un viejo animal mimado, de hábitos muy domésticos, y pertenecía a una familia inglesa que ocupaba una villa de la vecindad.

LA ESFINGE

Comentario de Carola Aikin

La muerte es misteriosa, inconcebible. Cuando acecha puede ser lentísima o increíblemente rápida, tiene ese elemento inquietante, de mandíbula de insecto, tiene ese elemento absolutamente fantástico, imposible de comprender.

Ante la idea de la muerte, en todos nosotros estalla el vértigo, en algunos, el espanto. Se combata como se combata, con o sin la fe, con o sin la razón, a todos, en mayor o menor medida, nos sobrecoge un sentimiento de terror súbito, ligado a lo orgánico y a lo extraño a la vez, y entonces se dispara un impulso heredado, incontrolable, que nos hace atravesar, de pronto, la frontera de la realidad.

Entramos pues de un brinco a la otra dimensión, la del otro lado de la orilla, donde reina el claroscuro de las sombras y moran los seres apocalípticos, de estructura tan monstruosa e irracional como la de un insecto cuando se observa bajo la lupa.

Tras el espanto, o en el propio espanto, surge la insidiosa voz de la razón: «Esto que ves –susurra–, esto que estás viendo no puede ser verdad, tú lo sabes». Y entonces se enciende la alarma y, como dice Edgar Allan Poe en su cuento «La esfinge», uno empieza a considerar la visión «o como un presagio de mi muerte, o, peor aún, como anuncio de un ataque de locura».

«Me eché violentamente hacia atrás –prosigue Poe– y durante unos instantes hundí la cara en las manos. Cuando me destapé los ojos, la aparición ya no era visible.»

Es el ojo, pues, en este relato, la liana o el enlace que nos lleva al mundo de lo fantástico. Es el ojo el que confunde lo grande y lo pequeño, lo cercano y lo distante, el que distorsiona nuestra percepción y hace que se desdoble la realidad. Sin embargo, otros sentidos acuden a apoyar la visión o aparición, como, por ejemplo, el oído, y lo que normalmente debería ser casi imperceptible o escucharse a un volumen muy bajo truena de pronto, nos revienta los tímpanos. Aquí también habría que añadir, pero ya es cosecha propia, que hay fantasmas que ante todo se «huelen», otros que se detectan por el frío que inexplicablemente penetra en el fondo del pasillo de una casa vieja, en pleno mes de agosto. Tan sólo el sentido del gusto parece ser aliado fiel de la realidad tal y como la conocemos, pero tampoco esto es totalmente cierto, ya que un sabor específico puede llevarnos a recuerdos, a sensaciones tan olvidadas en el tiempo que cabría preguntarnos si en verdad existieron alguna vez.

Pero volvamos a «La esfinge», donde de nuevo Poe vuelca su mundo personal, obsesivo, a través de la visión que acosa a su personaje. Visión que se ve confrontada por la mente racional del amigo que lo alberga en su casa, un hombre a quien «En ningún momento lo imaginario afectaba su intelecto, bien nutrido de filosofía», y que, sin embargo, sólo cuando satisface su necesidad de conocer con minucia la conformación de la «bestia» o aparición, suspira profundamente, «como aliviado de alguna carga intolerable».

Creo que, una vez finalizado el relato, el lector también siente este gran alivio. Además, a mí en particular me lleva a reflexionar sobre la obsesión de la ciencia, a lo largo de los siglos, por conseguir diseñar aparatos que permitan al ser humano observar lo que sucede en las diferentes dimensiones, de lo microscópico a lo macroscópico, de la lupa al telescopio. Ver, ver qué hay en el mundo de lo invisible ha sido y es una fijación de la humanidad. Por tanto, leer desde esta óptica a escritores como Poe, que bucean a pleno pulmón en la oscuridad de esas franjas de espacio y tiempo donde se agazapan el pánico, lo inasible, donde cohabitan demonios y seres extraordinarios, es para mí tranquilizador, una especie de antídoto para los que padecemos el miedo a la locura.

LA ESFINGE

Durante el espantoso reinado del cólera en Nueva York acepté la invitación de un pariente a pasar quince días en el retiro de su confortable *cottage,* a orillas del Hudson. Teníamos allí todos los habituales medios de diversión veraniegos; y vagabundeando por los bosques con nuestros cuadernos de diseño, navegando, pescando, bañándonos, con la música y los libros hubiéramos pasado bastante bien el tiempo, de no ser por las temibles noticias que nos llegaban todas las mañanas de la populosa ciudad. No transcurría un día sin que nos trajeran nuevas de la muerte de algún conocido. Por lo tanto, como la mortalidad aumentaba, aprendimos a esperar diariamente la pérdida de algún amigo. Al fin temblábamos ante la cercanía de cada mensajero. El mismo aire del sur nos parecía impregnado de muerte. Este paralizante pensamiento se apoderó de mi alma toda. No podía hablar, ni pensar, ni soñar en nada. Mi huésped era de temperamento menos excitable y, aunque su ánimo estaba muy deprimido, se esforzaba por confortar el mío. En ningún momento lo imaginario afectaba su intelecto, bien nutrido de filosofía. Estaba suficientemente vivo para los terrores concretos, pero sus sombras no lo atemorizaban.

Sus intentos por sacarme del estado de anormal melancolía en que me hallaba sumido fueron frustrados en gran medida por ciertos volúmenes que yo había encontrado en su biblioteca. Por su índole, tenían fuerza suficiente para hacer germinar cualquier simiente de superstición hereditaria que se hallara latente en mi pecho. Había estado leyendo estos libros sin que él lo supiese, y, por lo tanto, le resultaba imposible explicarse a veces las violentas impresiones que habían hecho en mi fantasía.

Uno de mis tópicos favoritos era la creencia popular en presagios, creencia que en esa época de mi vida yo estaba seriamente dispuesto a defender. Teníamos largas y animadas discusiones sobre este punto, en las que él sostenía la absoluta falta de fundamento de la fe en tales cosas, y yo replicaba que un sentimiento popular nacido con absoluta espontaneidad –es decir, sin aparentes huellas de sugestión– tiene en sí mismo inequívocos elementos de verdad y es digno de mucho respeto.

El hecho es que, poco después de mi llegada a la casa, me ocurrió un incidente tan absolutamente inexplicable y que tenía en sí tanto de ominoso, que bien se me podía excusar si lo consideraba como un presagio. Me aterró y al mismo tiempo me dejó tan confundido y tan perplejo, que transcurrieron varios días antes de que me resolviera a comunicar la circunstancia a mi amigo.

Casi al final de un día de calor abrumador, estaba yo sentado con un libro en la mano delante de una ventana abierta desde la cual dominaba, a través de la larga perspectiva formada por las orillas del río, la vista de una distante colina cuya ladera más cercana había sido despojada por un desmoronamiento de la mayor parte de sus árboles. Mis pensamientos habían errado largo tiempo desde el volumen que tenía delante, a la tristeza y desolación de la vecina ciudad. Levantando los ojos de la página, cayeron estos en la desnuda ladera de la colina y en un objeto, en una especie de monstruo viviente de horrible conformación, que rápidamente se abrió camino desde la cima hasta el pie, desapareciendo por fin en el espeso bosque inferior. Al principio, cuando esta criatura apareció ante la vista, dudé de mi razón o, por lo menos, de la evidencia de mis sentidos, y transcurrieron algunos minutos antes de lograr convencerme de que no estaba loco ni soñaba. Sin embargo, cuando describa el monstruo (que vi claramente y vigilé durante todo el período de su marcha), para mis lectores, lo temo, será más difícil aceptar estas cosas de lo que lo fue para mí.

Considerando el tamaño del animal en comparación con el diámetro de los grandes árboles junto a los cuales pasara –los pocos gigantes del bosque que habían escapado a la furia del desmoronamiento–, concluí que era mucho más grande que cualquier paquebote existente. Digo paquebote porque la forma del monstruo lo sugería; el casco de uno de nuestros barcos de guerra de setenta y cuatro cañones podría dar una idea muy aceptable de sus líneas generales. La boca del animal estaba situada en el extremo de una trompa de unos sesenta o setenta pies de largo, casi tan gruesa como el cuerpo de un elefante común. Cerca de la raíz de esta trompa había una inmensa cantidad de negro pelo hirsuto, más del que hubieran podido proporcionar las pieles de veinte búfalos; y brotando de este pelo hacia abajo y lateralmente surgían dos colmillos brillantes, parecidos a los del jabalí, pero de dimensiones infinitamente mayores. Hacia adelante, paralelo a la trompa y a cada lado de ella, se extendía una gigantesca asta de treinta o cuarenta pies de largo, aparentemente de puro cristal y en forma de perfecto prisma, que reflejaba de manera magnífica los rayos del sol poniente. El tronco tenía forma de cuña con la cúspide hacia tierra. De él salían dos pares de alas, cada una de casi cien yardas de largo, un par situado sobre el otro y todas espesamente cubiertas de escamas metálicas; cada escama medía aparentemente diez o doce pies de diámetro. Observé que las hileras superior e inferior de alas estaban unidas por una fuerte cadena. Pero la principal peculiaridad de aquella cosa horrible era la figura de una *calavera* que cubría casi toda la superficie de su pecho, y estaba diestramente trazada en blanco brillante sobre el fondo oscuro del cuerpo, como si la hubiera dibujado cuidadosamente un artista. Mientras miraba aquel animal terrible, y especialmente su pecho, con una sensación de espanto, de pavor, con un sentimiento de inminente calamidad que ningún esfuerzo de mi razón pudo sofocar, advertí que las enormes mandíbulas en el extremo de la trompa se separaban de improviso y brotaba de ellas un sonido tan fuerte y tan fúnebre que me sacudió los nervios como si doblaran a muerto; y, mientras el monstruo desaparecía al pie de la colina, caí de golpe, desmayado, en el suelo.

Al recobrarme, mi primer impulso fue, por supuesto, informar a mi amigo de lo que había visto y oído; y apenas puedo explicar qué sentimiento de repugnancia me lo impidió.

Por fin, una tarde, tres o cuatro días después de lo ocurrido, estábamos juntos en el aposento donde había visto la aparición, yo ocupando el mismo asiento junto a la misma ventana y él tendido en un sofá al alcance de la mano. La asociación del lugar y la hora me impulsaron a referirle el fenómeno. Me escuchó hasta el final; al principio rió cordialmente y luego adoptó un continente excesivamente grave, como si sobre mi locura no cupiese ninguna duda. En ese momento tuve otra clara visión del monstruo, hacia el cual, con un grito de absoluto terror, dirigí su atención. Miró ansiosamente, pero afirmó que no veía nada, aunque yo le señalé con detalle el camino de la bestia mientras descendía por la desnuda ladera de la colina.

Entonces me alarmé muchísimo, pues consideré la visión, o como un presagio de mi muerte, o, peor aún, como anuncio de un ataque de locura. Me eché violentamente hacia atrás y durante unos instantes hundí la cara en las manos. Cuando me destapé los ojos, la aparición ya no era visible.

Mi huésped, sin embargo, había recobrado en cierto modo la calma de su continente y me interrogaba con minucia sobre la conformación de la bestia. Cuando le hube dado cabal satisfacción sobre este punto, suspiró profundamente, como aliviado de alguna carga intolerable, y siguió conversando con una calma que me pareció cruel sobre varios puntos de filosofía que habían constituido hasta entonces el tema de discusión entre nosotros. Recuerdo que insistió muy especialmente (entre otras cosas) en la idea de que la principal fuente de error de todas las investigaciones humanas se encontraba en el riesgo que corría la inteligencia de menospreciar o sobrestimar la importancia de un objeto por el cálculo errado de su cercanía.

–Para estimar adecuadamente –decía– la influencia ejercida a la larga sobre la humanidad por la amplia difusión de la democracia, la distancia de la época en la cual tal difusión puede posiblemente realizarse no dejaría de constituir un punto digno de ser tenido en cuenta. Sin embargo, ¿puede usted mencionarme algún autor que, tratando del gobierno, haya considerado merecedora de discusión esta particular rama del asunto?

Aquí se detuvo un momento, se acercó a una biblioteca y sacó una de las comunes sinopsis de historia natural. Pidiéndome que intercambiáramos nuestros asientos para poder distinguir mejor los menudos caracteres del volumen, se sentó en mi sillón junto a la ventana y, abriendo el libro, prosiguió su discurso en el mismo tono que antes.

–De no ser por su extraordinaria minucia –dijo– en la descripción del monstruo quizá no hubiera tenido nunca la posibilidad de mostrarle de qué se trata. En primer lugar, permítame que le lea una sencilla descripción del género *Sphinx,* de la familia *Crepuscularia,* del orden *Lepidóptera,* de la clase *Insecta* o insectos. La descripción dice lo siguiente: «Cuatro alas membranosas cubiertas de pequeñas escamas coloreadas, de apariencia metálica; boca en forma de trompa enrollada, formada por una prolongación de las quijadas, sobre cuyos lados se encuentran rudimentos de mandíbulas y palpos vellosos; las alas inferiores unidas a las superiores por un pelo rígido; antenas en forma de garrote alargado, prismático; abdomen en punta. La *Esfinge Calavera* ha ocasionado gran terror en el vulgo, en otros tiempos, por una especie de grito melancólico que profiere y por la insignia de muerte que lleva en el corselete».

Aquí cerró el libro y se reclinó en el asiento, adoptando la misma posición que yo ocupara en el momento de contemplar «el monstruo».

–¡Ah, aquí está! –exclamó entonces–. Vuelve a subir la ladera de la colina, y es una criatura de apariencia muy notable, lo admito. De todos modos, no es tan grande ni está tan lejos como usted lo imaginaba; pues el hecho es que, mientras sube retorciéndose por este hilo que alguna araña ha tejido a lo largo del marco de la ventana, considero que debe de tener la decimosexta parte de un pulgada de longitud, y que a esa misma distancia, aproximadamente, se encuentra de mis pupilas.

EL ÁNGEL DE LO SINGULAR

Comentario de María Fasce

Siempre he dependido del Ángel de lo Singular. No me refiero sólo a este relato de Poe, que hasta hoy había leído sin leer, como esa carta robada que está al alcance de la vista sin ser vista. Sino a ese ángel singular que me sedujo desde las primeras redacciones del colegio, haciéndome renunciar a días de campo y aventuras en la playa en busca del tesoro literario que creía vislumbrar en «Un ratón en la despensa». Gracias a él obtuve más tarde becas de estudio e invitaciones a congresos literarios en lugares insospechados y, sin embargo, Chambéry, Saint-Nazaire o Matosinhos me resultaron más estimulantes e inspiradores que París o Lisboa.

Pienso en Poe y digo «Ligeia», «Berenice», «El pozo y el péndulo», y he aquí que tropiezo, por proverbial encargo, con este pequeño concentrado poeiano, pronto a cambiar de signo a cada relectura, a expandirse y replegarse, a sugerir y a esconder, como la magdalena proustiana. Cada palabra y cada frase del cuento vuelven a ordenarse en mi cabeza y no sólo veo el universo completo de Poe –los temas, las obsesiones, el arte poética–, y la versión satírica del universo de Poe, sino también toda la literatura e incluso todo el arte del siglo XX: Buñuel, Bréton, Dalí, Chaplin, Borges. Cuando la acción se acelera en un centrifugado y llegamos al episodio del enredo de las cabelleras, qué pálidos parecen los risueños vanguardistas contemporáneos a su lado.

Todo el cuento oscila entre dos péndulos, lo «natural» y lo «extraño». Después de reír con el aterrador hombre-botella (que no es otro que El Ángel de lo Singular), se nos hiela la sangre con un reloj en el que el tiempo se detiene por una falla mecánica. Poe muestra y esconde, y vuelve a mostrar bajo otro signo, como ese pañuelo que el mago cambia de color con sólo pasar de una mano a la otra. Así de volátil, hipnótico y contradictorio es el material del que está hecho este cuento.

Poe demuele y reconstruye, se burla de la «alta» literatura y también del imaginario místico o *new age avant la lettre*, de las novelas de aventuras y peripecias, de sus propios cuervos simbólicos, de sus pozos y relojes, de sus tragedias amorosas, y del mito del escritor maldito que abreva en el vicio en busca del genio. Ha sacado de la galera un protagonista triste, alcohólico, enamoradizo, lleno de deudas y desaventuras pero incapacitado para la tragedia, al que resulta imposible no imaginar con su cara.

El terror, el humor, la vida, el amor, la literatura están siempre en otra parte. Muy raras veces damos con ellos, y entonces el reconocimiento es inmediato: nos toca el cuerpo y el alma. La felicidad no dura nunca mucho más de lo que dura este cuento. A veces pasa igualmente inadvertida.

EL ÁNGEL DE LO SINGULAR

Extravagancia

Era una fría tarde de noviembre. Acababa de dar fin a un almuerzo más copioso que de costumbre, en el cual la indigesta trufa constituía una parte apreciable, y me encontraba solo en el comedor, con los pies apoyados en el guardafuegos, junto a una mesita que había arrimado al hogar y en la cual había diversas botellas de vino y *liqueur*. Por la mañana había estado leyendo el *Leónidas,* de Glover; la *Epigoniada,* de Wilkie; el *Peregrinaje,* de Lamartine; la *Columbiada,* de Barlow; la *Sicilia,* de Tuckermann, y las *Curiosidades,* de Griswold; confesaré, por tanto, que me sentía un tanto estúpido. Me esforzaba por despabilarme con ayuda de frecuentes tragos de Laffitte, pero como no me daba resultado, empecé a hojear desesperadamente un periódico cualquiera. Después de recorrer cuidadosamente la columna de «casas de alquiler», la de «perros perdidos» y las dos de «esposas y aprendices desaparecidos», ataqué resueltamente el editorial, leyéndolo del principio al fin sin entender una sola sílaba; pensando entonces que quizá estuviera escrito en chino, volví a leerlo del fin al principio, pero los resultados no fueron más satisfactorios. Me disponía a arrojar disgustado

Este infolio de cuatro páginas, feliz obra
Que ni siquiera los poetas critican,

cuando mi atención se despertó a la vista del siguiente párrafo:

«Los caminos de la muerte son numerosos y extraños. Un periódico londinense se ocupa del singular fallecimiento de un individuo. Jugaba este a “soplar el dardo”, juego que consiste en clavar en un blanco una larga aguja que sobresale de una pelota de lana, todo lo cual se arroja soplándolo con una cerbatana. La víctima colocó la aguja en el extremo del tubo que no correspondía y, al aspirar con violencia para juntar aire, la aguja se le metió por la garganta, llegando a los pulmones y ocasionándole la muerte en pocos días».

Al leer esto, me puse furioso sin saber exactamente por qué.

–Este artículo –exclamé– es una despreciable mentira, un triste engaño, la hez de las invenciones de un escritorzuelo de a un penique la línea, de un pobre cronista de aventuras en el país de Cucaña. Individuos tales, sabedores de la extravagante credulidad de nuestra época, aplican su ingenio a fabricar imposibilidades probables... accidentes extraños, como ellos los denominan. Pero una inteligencia reflexiva («como la mía», pensé entre paréntesis apoyándome el índice en la nariz), un entendimiento contemplativo como el que poseo, advierte de inmediato que el maravilloso incremento que han tenido recientemente dichos «accidentes extraños» es en sí el más extraño de los accidentes. Por mi parte, estoy dispuesto a no creer de ahora en adelante nada que tenga alguna apariencia «singular».

–¡Tios mío, qué estúpido es usted, verdaderamente! –pronunció una de las más notables voces que jamás haya escuchado.

En el primer momento creí que me zumbaban los oídos (como suele suceder cuando se está muy borracho), pero pensándolo mejor me pareció que aquel sonido se asemejaba al que sale de un barril vacío si se lo golpea con un garrote; y hubiera terminado por creerlo de no haber sido porque el sonido contenía silabas y palabras. Por lo general, no soy muy nervioso, y los pocos vasos de Laffitte que había saboreado sirvieron para darme aún más coraje, por lo cual alcé los ojos con toda calma y los pasee por la habitación en busca del intruso. No vi a nadie.

–¡Humf! –continuó la voz, mientras seguía yo mirando–. ¡Debe de estar más borracho que un cerdo, si no me ve sentado a su lado!

Esto me indujo a mirar inmediatamente delante de mis narices y, en efecto, sentado en la parte opuesta de la mesa vi a un estrambótico personaje del que, sin embargo, trataré de dar alguna descripción. Tenía por cuerpo un barril de vino, o una pipa de ron, o algo por el estilo que le daba un perfecto aire a lo Falstaff. A modo de extremidades inferiores tenía dos cuñetes que parecían servirle de piernas. De la parte superior del cuerpo le salían, a guisa de brazos, dos largas botellas cuyos cuellos formaban las manos. La cabeza de aquel monstruo estaba formada por una especie de cantimplora como las que se usan en Hesse y que parecen grandes tabaqueras con un agujero en mitad de la tapa. Esta cantimplora (que tenía un embudo en lo alto, a modo de gorro echado sobre los ojos) se hallaba colocada sobre aquel tonel, de modo que el agujero miraba hacia mí; y por dicho agujero, que parecía fruncirse en un mohín propio de una solterona ceremoniosa, el monstruo emitía ciertos sonidos retumbantes y ciertos gruñidos que, por lo visto, respondían a su idea de un lenguaje inteligible.

–Digo –repitió– que debe de estar más borracho que un cerdo para no verme sentado a su lado. Y digo también que debe ser más estúpido que un ganso para no creer lo que está impreso en el diario. Es la ferdad... toda la ferdad... cada palabra.

–¿Quién es usted, si puede saberse? –pregunté con mucha dignidad, aunque un tanto perplejo–. ¿Cómo ha entrado en mi casa? ¿Y qué significan sus palabras?

–Cómo he entrado aquí no es asunto suyo –replicó la figura–; en cuanto a mis palabras, yo hablo de lo que me da la gana; y he fenido aquí brecisamente para que sepa quién soy.

–Usted no es más que un vagabundo borracho –dije–. Voy a llamar para que mi lacayo lo eche a puntapiés a la calle.

–¡Ja, ja! –rió el individuo–. ¡Ju, ju, ju! ¡Imposible que haga eso!

–¿Imposible? –pregunté–. ¿Qué quiere decir?

–Toque la gambanilla –me desafió, esbozando una risita socarrona con su extraña y condenada boca.

Al oír esto me esforcé por enderezarme, a fin de llevar a ejecución mi amenaza, pero entonces el miserable se inclinó con toda deliberación sobre la mesa y me dio en mitad del cráneo con el cuello de una de las largas botellas, haciéndome caer otra vez en el sillón del cual acababa de incorporarme. Me quedé profundamente estupefacto y por un instante no supe qué hacer. Entretanto, él seguía con su chachara.

–¿Ha visto? Es mejor que se quede quieto. Y ahora sabrá quién soy. ¡Míreme! ¡Fea! Yo soy el *Ángel de lo Singular.*

–¡Vaya si es singular! –me aventuré a replicar–. Pero siempre he vivido bajo la impresión de que un ángel tenía alas.

–¡Alas! –gritó, furibundo–. ¿Y bara qué quiero las alas? ¿Me doma usted por un bollo?

–¡Oh, no, ciertamente! –me apresuré a decir muy alarmado–. ¡No, no tiene usted nada de pollo!

–Pueno, entonces quédese sentado y bórlese pien, o le begaré de nuevo con el baño. El bollo tiene alas, y el púho tiene alas, y el duende tiene alas, y el gran tiablo tiene alas. El ángel no tiene alas, y yo soy el *Ángel de lo Singular.*

–¿Y qué se trae usted conmigo? ¿Se puede saber...?

–¡Qué me draigo! –profirió aquella cosa–. ¡Bues... qué berfecto maleducado tebe ser usted para breguntarle a un ángel qué se drae!

Aquel lenguaje era más de lo que podía soportar, incluso de un ángel; por lo cual, reuniendo mi coraje, me apoderé de un salero que había a mi alcance y lo arrojé a la cabeza del intruso. O bien lo evitó o mi puntería era deficiente, pues todo lo que conseguí fue la demolición del cristal que protegía la esfera del reloj sobre la chimenea. En cuanto al ángel, me dio a conocer su opinión sobre mi ataque en forma de dos o tres nuevos golpes en la cabeza. Como es natural, esto me redujo inmediatamente a la obediencia, y me avergüenza confesar que sea por el dolor o la vergüenza que sentía, me saltaron las lágrimas de los ojos.

–¡Tíos mío! –exclamó el ángel, aparentemente muy sosegado por mi desesperación–. ¡Tios mío, este hombre está muy borracho o muy triste! Usted no tebe beber tanto... usted tebe echar agua al fino. ¡Vamos beba esto... así, berfecto! ¡Y no llore más, famos!

Y, con estas palabras, el *Ángel de lo Singular* llenó mi vaso (que contenía un tercio de oporto) con su fluido incoloro que dejó salir de una de las botellas-manos. Noté que las botellas tenían etiquetas y que en las mismas se leía: «Kirschenwasser».

La amabilidad del ángel me ablandó grandemente y, ayudado por el agua con la cual diluyó varias veces mi oporto, recobré bastante serenidad como para escuchar su extraordinarísimo discurso. No pretendo repetir aquí todo lo que me dijo, pero deduje de sus palabras que era el genio que presidía sobre los *contretemps* de la humanidad, y que su misión consistía en provocar los *accidentes singulares* que asombraban continuamente a los escépticos. Una o dos veces, al aventurarme a expresar mi completa incredulidad sobre sus pretensiones, se puso muy furioso, hasta que, por fin, estimé prudente callarme la boca y dejarlo que hablara a gusto. Así lo hizo, pues, extensamente, mientras yo descansaba con los ojos cerrados en mi sofá y me divertía mordisqueando pasas de uva y tirando los cabos en todas direcciones. Poco a poco el ángel pareció entender que mi conducta era desdeñosa para con él. Levantose, poseído de terrible furia, se caló el embudo hasta los ojos, prorrumpió en un largo juramento, seguido de una amenaza que no pude comprender exactamente y, por fin, me hizo una gran reverencia y se marchó, deseándome en el lenguaje del arzobispo en *Gil Blas, beaucoup de bonheur et un peu plus de bon sens.*

Su partida fue un gran alivio para mí. Los *poquísimos* vasos de Laffitte que había bebido me producían una cierta modorra, por lo cual decidí dormir quince o veinte minutos, como acostumbraba siempre después de comer. A las seis tenía una cita importante, a la cual no debía faltar bajo ningún pretexto. La póliza de seguro de mi casa había expirado el día anterior, pero como surgieran algunas discusiones, quedó decidido que los directores de la compañía me recibirían a las seis para fijar los términos de la renovación. Mirando el reloj de la chimenea (pues me sentía demasiado adormecido para sacar mi reloj del bolsillo) comprobé con placer que aún contaba con veinticinco minutos. Eran las cinco y media; fácilmente llegaría a la compañía de seguros en cinco minutos, y como mis siestas habituales no pasaban jamás de veinticinco, me sentí perfectamente tranquilo y me acomodé para descansar.

Al despertar, muy satisfecho, miré nuevamente el reloj y estuve a punto de empezar a creer en accidentes extraños cuando descubrí que en vez de mi sueño ordinario de quince o veinte minutos sólo había dormido tres, ya que eran las seis menos veintisiete. Volví a dormirme, y al despertar comprobé con estupefacción que *todavía* eran las seis menos veintisiete. Corrí a examinar el reloj, descubriendo que estaba parado. Mi reloj de bolsillo no tardó en informarme que eran las siete y media y, por consiguiente, demasiado tarde para la cita.

–No será nada –me dije–. Mañana por la mañana me presentaré en la oficina y me excusaré. Pero, entretanto, ¿qué le ha ocurrido al reloj?

Al examinarlo descubrí que uno de los cabos del racimo de pasas que había estado desparramando a capirotazos durante el discurso del Ángel de lo Singular había aprovechado la rotura del cristal para alojarse –de manera bastante singular– en el orificio de la llave, de modo que su extremo, al sobresalir de la esfera, había detenido el movimiento del minutero.

–¡Ah, ya veo! –exclamé–. La cosa es clarísima. Un accidente muy natural, como los que ocurren a veces.

Dejé de preocuparme del asunto y a la hora habitual me fui a la cama. Luego de colocar una bujía en una mesilla de lectura a la cabecera, y de intentar la lectura de algunas páginas de la *Omnipresencia de la Deidad,* me quedé infortunadamente dormido en menos de veinte segundos, dejando la vela encendida.

Mis sueños se vieron aterradoramente perturbados por visiones del Ángel de lo Singular. Me pareció que se agazapaba a los pies del lecho, apartando las cortinas, y que con las huecas y detestables resonancias de una pipa de ron me amenazaba con su más terrible venganza por el desdén con que lo había tratado. Concluyó una larga arenga quitándose su gorro-embudo, insertándomelo en el gaznate e inundándome con un océano de Kirschenwasser, que manaba a torrentes de una de las largas botellas que le servían de brazos. Mi agonía se hizo, por fin, insoportable y desperté a tiempo para percibir que una rata se había apoderado de la bujía encendida en la mesilla, pero *no* a tiempo de impedirle que se metiera con ella en su cueva. Muy pronto asaltó mis narices un olor tan fuerte como sofocante; me di cuenta de que la casa se había incendiado, y pocos minutos más tarde las llamas surgieron violentamente, tanto, que en un período increíblemente corto el entero edificio fue presa del fuego.

Toda salida de mis habitaciones había quedado cortada, salvo una ventana. La multitud reunida abajo no tardó en procurarme una larga escala. Descendía por ella rápidamente sano y salvo cuando a un enorme cerdo (en cuya redonda barriga, así como en todo su aire y fisonomía, había algo que me recordaba al Ángel de lo Singular) se le ocurrió interrumpir el tranquilo sueño de que gozaba en un charco de barro y descubrir que le agradaría rascarse el lomo, no encontrando mejor lugar para hacerlo que el ofrecido por el pie de la escala. Un segundo después caía yo desde lo alto, con la mala fortuna de quebrarme un brazo.

Aquel accidente, junto con la pérdida de mi seguro y la más grave del cabello (totalmente consumido por el fuego), predispuso mi espíritu a las cosas serias, por lo cual me decidí finalmente a casarme.

Había una viuda rica, desconsolada por la pérdida de su séptimo marido, y ofrecí el bálsamo de mis promesas a las heridas de su espíritu. Llena de vacilaciones, cedió a mis ruegos. Arrodilleme a sus pies, envuelto en gratitud y adoración. Sonrojose, mientras sus larguísimas trenzas se mezclaban por un momento con los cabellos que el arte de Grandjean me había proporcionado temporariamente. No sé cómo se enredaron nuestros cabellos pero así ocurrió. Levánteme con una reluciente calva y sin peluca, mientras ella ahogándose con cabellos ajenos, cedía a la cólera y al desdén. Así terminaron mis esperanzas sobre aquella viuda por culpa de un accidente por cierto imprevisible, pero que la serie natural de los sucesos había provocado.

Sin desesperar, empero, emprendí el asedio de un corazón menos implacable. Los hados me fueron propicios durante un breve período, pero un incidente trivial volvió a interponerse. Al encontrarme con mi novia en una avenida frecuentada por toda la *élite* de la ciudad, me preparaba a saludarla con una de mis más respetuosas reverencias, cuando una partícula de alguna materia se me alojó en el ojo, dejándome completamente ciego por un momento. Antes de que pudiera recobrar la vista, la dama de mi amor había desaparecido, irreparablemente ofendida por lo que consideraba descortesía al dejarla pasar a mi lado sin saludarla. Mientras permanecía desconcertado por lo repentino de este accidente (que podía haberle ocurrido, por lo demás, a cualquier mortal), se me acercó el Ángel de lo Singular, ofreciéndome su ayuda con una gentileza que no tenía razones para esperar. Examinó mi congestionado ojo con gran delicadeza y habilidad, informándome que me había caído en él una gota, y –sea lo que fuere aquella «gota»– me la extrajo y me procuró alivio.

Pensé entonces que ya era tiempo de morir, puesto que la mala fortuna había decidido perseguirme, y, en consecuencia, me encaminé al río más cercano. Una vez allí me despojé de mis ropas (dado que bien podemos morir como hemos venido al mundo) y me tiré de cabeza a la corriente, teniendo por único testigo de mi destino a un cuervo solitario, el cual, dejándose llevar por la tentación de comer maíz mojado en aguardiente, se había separado de sus compañeros. Tan pronto me hube tirado al agua, el pájaro resolvió echar a volar llevándose la parte más indispensable de mi vestimenta. Aplacé, por tanto, mis designios suicidas, y luego de introducir las piernas en las mangas de mi chaqueta, me lancé en persecución del villano con toda la celeridad que el caso reclamaba y que las circunstancias permitían. Mas mi cruel destino me acompañaba, como siempre. Mientras corría a toda velocidad, la nariz en alto y sólo preocupado por seguir en su vuelo al ladrón de mi propiedad, percibí de pronto que mis pies ya no tocaban *terra firma:* acababa de caer a un precipicio, y me hubiera hecho mil pedazos en el fondo, de no tener la buena fortuna de atrapar la cuerda de un globo que pasaba por ahí.

Tan pronto recobré suficientemente los sentidos como para darme cuenta de la terrible situación en que me hallaba (o, mejor, de la cual colgaba), ejercité todas las fuerzas de mis pulmones para llevar dicha terrible situación a conocimiento del aeronauta. Pero en vano grité largo tiempo. O aquel estúpido no me oía, o aquel miserable no quería oír. Entretanto el globo ganaba altura rápidamente, mientras mis fuerzas decrecían con no menor rapidez. Me disponía a resignarme a mi destino y caer silenciosamente al mar, cuando cobré ánimos al oír una profunda voz en lo alto, que parecía estar canturreando un aire de ópera. Mirando hacia arriba, reconocí al Ángel de lo Singular. Con los brazos cruzados, se inclinaba sobre el borde de la barquilla; tenía una pipa en la boca y, mientras exhalaba tranquilamente el humo, parecía muy satisfecho de sí mismo y del universo. En cuanto a mí, estaba demasiado exhausto para hablar, por lo cual me limité a mirarlo con aire implorante.

Durante largo rato no dijo nada, aunque me contemplaba cara a cara. Por fin, pasándose la pipa al otro lado de la boca, condescendió a hablar.

–¿Quién es usted y qué diablos hace aquí? –preguntó.

A esta demostración de desfachatez, crueldad y afectación sólo pude responder con una sola palabra: «¡Socorro!».

–¡Socorro! –repitió el malvado–. ¡Nada te eso! Ahí fa la potella... ¡Arréglese usted solo, y que el tiablo se lo lleve!

Con estas palabras, dejó caer una pesada botella de Kirschenwasser que, dándome exactamente en mitad del cráneo, me produjo la impresión de que mis sesos acababan de volar. Dominado por esta idea me disponía a soltar la cuerda y rendir mi alma con resignación, cuando fui detenido por un grito del ángel, quien me mandaba que no me soltara.

–¡Déngase con fuerza! –gritó–. ¡Y no se abresure! ¿Quiere que le dire la otra potella... o brefiere bortarse bien y ser más sensato?

Al oír esto me apresuré a mover dos veces la cabeza, la primera negativamente, para indicar que por el momento no deseaba recibir la otra botella, y la segunda afirmativamente, a fin de que el ángel supiera que me portaría bien y que sería más sensato. Gracias a ello logré que se dulcificara un tanto.

–Entonces... ¿cree por fin? –inquirió–. ¿Cree por fin en la bosipilidad de lo extraño?

Asentí nuevamente con la cabeza.

–¿Y cree en mí, el Ángel de lo Singular?

Asentí otra vez.

–¿Y reconoce que usted es un borracho berdido y un estúbido?

Una vez más dije que sí.

–Bues, pien, bonga la mano terecha en el polsillo izquierdo te los bantalones, en señal de su entera sumisión al Ángel de lo Singular.

Por razones obvias me era absolutamente imposible cumplir su pedido. En primer lugar, tenía el brazo izquierdo fracturado por la caída de la escala y, si soltaba la mano derecha de la soga, no podría sostenerme un solo instante con la otra. En segundo término, no disponía de pantalones hasta que encontrara al cuervo. Me vi, pues, precisado, con gran sentimiento, a sacudir negativamente la cabeza, queriendo indicar con ello al ángel que en aquel instante me era imposible acceder a su muy razonable demanda. Pero, apenas había terminado de moverla, cuando...

–¡Fáyase al tiablo, entonces! –rugió el Ángel de lo Singular.

Y al pronunciar dichas palabras dio una cuchillada a la soga que me sostenía, y como esto ocurría precisamente sobre mi casa (la cual, en el curso de mis peregrinaciones, había sido hábilmente reconstruida), terminé cayendo de cabeza en la ancha chimenea y aterricé en el hogar del comedor.

Al recobrar los sentidos –pues la caída me había aturdido terriblemente– descubrí que eran las cuatro de la mañana.

Estaba tendido allí donde había caído del globo. Tenía la cabeza metida en las cenizas del extinguido fuego, mientras mis pies reposaban en las ruinas de una mesita volcada, entre los restos de una variada comida, junto con los cuales había un periódico, algunos vasos y botellas rotos y un jarro vacío de Kirschenwasser de Schiedam. Tal fue la venganza del Ángel de lo Singular.

EL REY PESTE

Comentario de Mayra Santos-Febres

Inglaterra, siglo XIV. Reinaba el rey Eduardo III. Europa era arrasada por la peste bubónica. La plaga había llegado por la ruta de Crimea, propagada por las pulgas de la rata de campo. Los mongoles la usaban como arma de batalla. Así rindieron la colonia genovesa de Kaffa, actualmente Teodosia. La armada mongol catapultaba cadáveres dentro de las murallas de la cuidad. Desconocían que la peste no se propagaba por el contacto con esos cuerpos llenos de bubas. Pero aun así volaban los cadáveres por el cielo genovés.

En Inglaterra, un rey de quince años era coronado como heredero al trono. Su madre, Isabel de Francia, obligó la abdicación de su esposo. Su amante, Roger Mortimer, la ayudó en la empresa. El rey abdicó. El Parlamento coronó al niño rey. La loba y su amante rigieron por el niño. Pronto, el nuevo rey confinó a su madre al castillo de Hereford, asesinó a Mortimer e inició la Guerra de los Cien Años. «Los dioses toleran a los reyes aquello que aborrecen en la canalla». Con este epígrafe Poe abre su cuento «El Rey Peste». El cuento propone un clásico juego de inversiones irónicas. Su epígrafe revela una clave de lectura. Tener poder (y dinero) absuelve de cualquier horror. Esconde la verdadera cara de las plagas.

Visión sombría la de Poe. Misión terrible la de provocar risa desde este punto de partida. Quizás por esta razón el autor decide, desde la distancia del siglo XIX, mirar los horrores de la época de Eduardo III y encontrar resonancias. Al fin y al cabo, a los veinticuatro años, este aspirante a escritor había sobrevivido a varias «plagas»: al abandono de su padre biológico, a la muerte de su madre y de su madrastra, al desprecio de su padre adoptivo, a la pobreza y al alcoholismo. Estaba a punto de casarse con su prima de trece años. Batallaba con la miseria, la depresión nerviosa y la drogadicción. ¿Por qué no, entonces, dedicarle un cuento al «teatro de los horrores» que es la vida? Y para que el cuento sea liviano y divertido, ¿por qué no narrar la historia del «Patas» y Hugh Tarpaulin, dos marinos borrachos que, por escapar de una cuenta sin pagar, se pierden en las callejuelas contaminadas a las riberas del Támesis? Allí se topan con una corte sin igual, la del Rey Peste, encabezada por un conocido actor, quien, desfigurado y enloquecido por las bubas, convoca a la más grotesca reunión de cadáveres en potencia. Los marinos desatan la ira de los presentes cuando reconocen la verdadera identidad del rey. Entonces, Peste ya no puede tapar el horror de su situación; horror que ha sido «tolerado» por los dioses mientras el actor se fingía poderoso.

Pero el romántico es rey en medio del terrible mundo moderno. El romántico ve correspondencias donde los burgueses ven tan sólo trabajo. El romántico reina por encontrar lo que existe más allá del mundo de la materia. Por eso habla con los ángeles y con los monstruos. Ama a las núbiles amadas arrebatadas por la muerte. Se lanza en pos de ellas, se contamina con sus bubas, pero no deja de besar sus adorados labios ensangrentados.

Poe, el Rey Peste.

Poe fue uno de los primeros escritores modernos en intentar vivir de la escritura. Su muerte de delírium trémens a los cuarenta años ratifica su estatus de «escritor maldito». Delgada palidez de frente amplia, ojos hundidos en perpetua sombra. Su imagen siempre mira desde la penumbra más cerrada. Como Quiroga, fue un perseguido por la muerte. Como Darío, fue un amante del «azul». Precursor de estos «príncipes de las letras», Edgar Allan Poe marca la entrada de América (la del Norte y la del Sur) al imaginario del mundo industrializado. Un nuevo Imperio domina los mares. La tuberculosis asedia. Los escritores se alzan como una nueva aristocracia frente al mundo burgués. Pero a estos aristócratas miserables y huérfanos los diezma una gran plaga. ¿Cuál era el nombre completo de su enfermedad?

Una cosa es cierta. A esos reyes de la peste los dioses los han perdonado.

EL REY PESTE

Relato en el que hay una alegoría

«Los dioses toleran a los reyes
Aquello que aborrecen en la canalla».
BUCKHURST, *La tragedia de Ferrex y Porrex*

Al toque de las doce de cierta noche del mes de octubre, durante el caballeresco reinado de Eduardo III, dos marineros de la tripulación del *Free and Easy,* goleta que traficaba entre Sluis y el Támesis y que anclaba por el momento en este río, se asombraron muchísimo al hallarse instalados en el salón de una taberna de la parroquia de St. Andrews, en Londres, taberna que enarbolaba por muestra la figura de un «Alegre Marinero».

Aquel salón, aunque de pésima construcción, ennegrecido por el humo, bajo de techo y coincidente en todo sentido con los tugurios de su especie en aquella época, se adaptaba bastante bien a sus fines, según opinión de los grotescos grupos que lo ocupaban, instalados aquí y allá.

De aquellos grupos, nuestros dos marinos constituían el más interesante, si no el más notable.

El que aparentaba más edad, y a quien su compañero daba el característico apelativo de «Patas», era mucho más alto que el otro. Debía de medir seis pies y medio, y el encorvamiento de su espalda era sin duda consecuencia natural de tan extraordinaria estatura. Lo que le sobraba en un sentido, veíase más que compensado por lo que le faltaba en otros. Era extraordinariamente delgado y sus camaradas aseguraban que, estando borracho, hubiera servido muy bien como gallardete en el palo mayor; mientras que, hallándose sobrio, no habría estado mal como botalón de bauprés. Pero estas bromas y otras de la misma naturaleza no parecían haber provocado jamás la menor reacción en los músculos de la risa de nuestro marino. De pómulos salientes, gran nariz aguileña, mentón huyente, mandíbula inferior caída y enormes ojos protuberantes, la expresión de su semblante parecía reflejar una obstinada indiferencia hacia todas las cosas de este mundo en general, aunque al mismo tiempo mostraba un aire tan solemne y tan serio que inútil sería intentar describirlo.

Por lo menos en la apariencia exterior, el marinero más joven era el exacto reverso de su camarada: Su estatura no pasaba de cuatro pies. Un par de sólidas y arqueadas piernas sostenía su rechoncha y pesada figura mientras los cortos y robustos brazos, terminados en un par de puños más grandes que lo habitual, colgaban balanceándose a los lados como las aletas de una tortuga marina. Unos ojillos de color impreciso chispeaban profundamente incrustados bajo las cejas. La nariz se perdía en la masa de carne que envolvía su cara redonda y purpúrea, y su grueso labio superior descansaba sobre el inferior, todavía más carnoso, con una expresión de profundo contento que se hacía más visible por la costumbre de su dueño de lamérselos de tiempo en tiempo. No cabía duda de que miraba a su altísimo camarada con una mezcla de maravilla y de burla; de cuando en cuando contemplaba su rostro en lo alto, como el rojo sol poniente contempla los picos del Ben Nevis.

Varias y llenas de incidentes habían sido las peregrinaciones de aquella meritoria pareja durante las primeras horas de la noche, por las diferentes tabernas de la vecindad. Pero ni las mayores fortunas duran siempre, y nuestros amigos se habían aventurado en este último salón con los bolsillos vacíos.

En el momento en que empieza esta historia, Patas y su camarada Hugh Tarpaulin[1] hallábanse instalados con los codos sobre la gran mesa de roble del centro de la sala, y las manos en las mejillas. Más allá de un gran frasco de cerveza (sin pagar), contemplaban las ominosas palabras: «No se da crédito», que para su indignación y asombro, habían sido garrapateadas en la puerta mediante el mismísimo mineral cuya presencia pretendían negar[2]. Lejos estamos de pretender que el don de descifrar caracteres escritos –don que en aquellos días se consideraba apenas menos cabalístico que el arte de trazarlos– hubiera sido conferido a nuestros dos hijos del mar; pero la verdad es que en aquellas letras había cierto carácter retorcido, ciertos bandazos de sotavento totalmente indescriptibles pero que,

1. *Tarpaulin,* lienzo o sombrero encerado, y también marinero. *(N. del T.)*
2. Juego de palabras intraducible. El letrero dice: «No chalk», literalmente: *No tiza,* o sea la negativa a llevar cuentas, a dar crédito. *(N. del T.)*

en opinión de ambos marinos, presagiaban abundancia de mal tiempo, y que los determinaron al unísono, conforme a las metafóricas expresiones de Patas, a «darle a las bombas, arriar todo el trapo y largarse viento en popa».

Habiendo, pues, apurado la cerveza que quedaba, y abotonados apretadamente sus cortos jubones, se lanzaron ambos a toda carrera hacia la puerta. Aunque Tarpaulin rodó dos veces en la chimenea, confundiéndola con la salida, acabaron por escabullirse felizmente, y media hora después de las doce, nuestros héroes estaban otra vez prontos a cualquier travesura, huyendo a toda carrera por una oscura calleja rumbo a St. Andrews' Stair, encarnizadamente perseguidos por la huéspeda del «Alegre Marinero».

En los tiempos de este memorable relato, así como muchos años antes y muchos después, en toda Inglaterra, y especialmente en Londres, resonaba periódicamente el espantoso clamor de: «¡La peste!». La ciudad había quedado muy despoblada, y en las horribles regiones vecinas al Támesis, donde entre tenebrosas, angostas e inmundas callejuelas y pasajes parecía haber nacido el Demonio de la Enfermedad, erraban tan sólo el Temor, el Horror y la Superstición.

Por orden del rey aquellos distritos habían sido condenados, y se prohibía, bajo pena de muerte, penetrar en sus espantosas soledades. Empero, el mandato del monarca, las barreras erigidas a la entrada de las calles y, sobre todo, el peligro de una muerte atroz que con casi absoluta seguridad se adueñaba del infeliz que osara la aventura, no podían impedir que las casas, vacías y desamuebladas, fueran saqueadas noche a noche por quienes buscaban el hierro, el bronce o el plomo, que podía luego venderse ventajosamente.

Lo que es más, cada vez que al llegar el invierno se abrían las barreras, comprobábase que los cerrojos, las cadenas y los sótanos secretos habían servido de poco para proteger los ricos depósitos de vinos y licores que, teniendo en cuenta el riesgo y la dificultad de todo traslado, fueran dejados bajo tan insuficiente custodia por los comerciantes de alcoholes de aquellas barriadas.

Pocos, sin embargo, entre aquellos empavorecidos ciudadanos atribuían los pillajes a la mano del hombre. Los demonios populares del mal eran los espíritus de la peste, los dueños de la plaga y los diablos de la fiebre; contábanse historias tan escalofriantes, que aquella masa de edificios prohibidos terminó envuelta en el terror como en una mortaja, y hasta los saqueadores solían retroceder aterrados por la atmósfera que sus propias depredaciones habían creado; así, el circuito estaba entregado por completo a la más lúgubre melancolía, al silencio, a la pestilencia y a la muerte.

En una de aquellas aterradoras barreras que señalaban el comienzo de la región condenada viéronse súbitamente detenidos Patas y el digno Hugh Tarpaulin en el curso de su carrera callejuelas abajo. Imposible era retroceder y tampoco perder un segundo, pues sus perseguidores les pisaban los talones. Pero, para lobos de mar como ellos, trepar por aquellas toscas planchas de madera era cosa de juego; excitados por la doble razón del ejercicio y del licor, escalaron en un santiamén la valla y, animándose en su carrera de borrachos con gritos y juramentos, no tardaron en perderse en el fétido e intrincado laberinto.

De no haber estado borrachos perdidos, sus tambaleantes pasos se hubieran visto muy pronto paralizados por el horror de su situación. El aire era helado y brumoso. Las piedras del pavimento, arrancadas de sus alvéolos, aparecían en montones entre los pastos crecidos, que llegaban más arriba de los tobillos. Casas demolidas ocupaban las calles. Los hedores más fétidos y ponzoñosos lo invadían todo; y con ayuda de esa luz espectral que, aun a medianoche, no deja nunca de emanar de toda atmósfera pestilencial, era posible columbrar en los atajos y callejones, o pudriéndose en las habitaciones sin ventanas, los cadáveres de muchos ladrones nocturnos a quienes la mano de la peste había detenido en el momento mismo en que cometían sus fechorías.

Aquellas imágenes, aquellas sensaciones, aquellos obstáculos no podían, sin embargo, detener la carrera de hombres que, de por sí valientes y ardiendo de coraje y de cerveza fuerte, hubieran penetrado todo lo directamente que su tambaleante condición lo permitiera en las mismísimas fauces de la muerte. Adelante, siempre adelante balanceábase el lúgubre Patas, haciendo resonar la profunda desolación con los ecos de sus terribles alaridos, semejantes al espantoso grito de guerra de los indios; y adelante, siempre adelante contoneábase el robusto Tarpaulin, colgado del jubón de su más activo compañero, pero sobrepasando sus más asombrosos esfuerzos en materia de música vocal con rugidos *in basso* que nacían de la profundidad de sus estentóreos pulmones.

No cabía duda de que habían llegado a la plaza fuerte de la peste. A cada paso, a cada tropezón, su camino se volvía más fétido y horrible, los senderos más angostos e intrincados. Enormes piedras y vigas que de tiempo en tiempo se desplomaban de los podridos tejados mostraban con la violencia de su caída la enorme altura de las casas circundantes; y cuando, para abrirse paso a través de continuos montones de basura, había que apelar a enérgicos esfuerzos, no era raro que las manos encontraran un esqueleto, o se hundieran en la carne descompuesta de algún cadáver.

Súbitamente, cuando los marinos se tambaleaban frente a la entrada de un alto y espectral edificio, un grito más agudo que de ordinario, brotando de la garganta del excitado Patas, fue respondido desde adentro con una rápida sucesión de salvajes alaridos, que semejaban carcajadas demoníacas. En nada acoquinados por aquellos sonidos que, dada su naturaleza, el lugar y la hora, hubieran helado la sangre de corazones menos ígneos que los suyos, nuestra pareja de borrachos se lanzó de cabeza contra la puerta, abriéndola de par en par y entrando a tropezones, en medio de un diluvio de juramentos.

La habitación en la cual se encontraron resultó ser la tienda de un empresario de pompas fúnebres; pero una trampa abierta en un rincón del piso, próximo a la entrada, dejaba ver el comienzo de una bodega ampliamente provista, cómo lo proclamaba además la ocasional explosión de una que otra botella. En medio de la habitación había una mesa, en cuyo centro surgía un enorme cubo de algo que parecía *punch*. Profusamente desparramadas en torno aparecían botellas de diversos vinos y cordiales, así como jarros, tazas y frascos de todas formas y calidades. Sentados sobre soportes de ataúdes veíase a seis personas alrededor de la mesa. Trataré de describirlas una por una.

De frente a la entrada y algo más elevado que sus compañeros sentábase un personaje que parecía presidir la mesa.

Era tan alto como flaco, y Patas se quedó confundido al ver a alguien más descarnado que él. Tenía un rostro amarillo como el azafrán, pero, salvo un rasgo, sus facciones no estaban lo bastante definidas como para merecer descripción. El rasgo notable consistía en una frente tan insólita y horriblemente elevada, que daba la impresión de un bonete o una corona de carne encima de la verdadera cabeza. Su boca tenía un mohín y un pliegue de espectral afabilidad, y sus ojos –como los de todos los presentes– estaban fijos y vidriosos por los vapores de la embriaguez. Este caballero hallábase envuelto de pies a cabeza en un paño mortuorio de terciopelo negro ricamente bordado, que caía en pliegues negligentes como si fuera una capa española. Tenía la cabeza llena de plumas como las que se ponen a los caballos en las carrozas fúnebres, y las agitaba a un lado y otro con aire tan garboso como entendido; sostenía en la mano derecha un enorme fémur humano, con el cual parecía haber estado apaleando a alguno del grupo por cualquier fruslería.

Frente a él, y dando la espalda a la puerta, veíase a una dama cuya extraordinaria apariencia no le iba a la zaga. Aunque casi tan alta como la persona descrita, no podía quejarse de una flacura anormal. Al contrario, hallábase por lo visto en el último grado de hidropesía y su cuerpo se asemejaba extraordinariamente a la enorme pipa de cerveza que, saltada la tapa, aparecía cerca de ella en un ángulo del aposento. Aquella señora tenía el rostro perfectamente redondo, rojo y relleno, y presentaba la misma peculiaridad (o, más bien, falta de peculiaridad) que mencionamos en el caso del presidente; vale decir que tan sólo uno de sus rasgos alcanzaba a distinguirse claramente en su cara. El sagaz Tarpaulin no había dejado de notar que la misma observación podía aplicarse a todos los asistentes a la fiesta, pues cada uno parecía poseer el monopolio de una determinada porción del rostro. En la dama de quien hablamos, se trataba de la boca. Comenzando en la oreja derecha abríase en un terrorífico abismo hasta la izquierda, al punto que los cortos aros que llevaba se le metían todo el tiempo en la abertura. Esforzábase, sin embargo, por mantenerla cerrada, adoptando un aire de gran dignidad. Su vestido consistía en una mortaja recién planchada y almidonada que le llegaba hasta la barbilla, cerrándose en un volante rizado de muselina de algodón.

Sentábase a su derecha una jovencita minúscula, a quien la dama parecía proteger. Esta delicada y frágil criatura daba evidentes señales de una tisis galopante a juzgar por el temblor de sus descarnados dedos, la lívida coloración de sus labios y las manchas héticas que aparecían en su piel terrosa. Pese a ello, en toda su figura se advertía un extremado *haut ton;* lucía con un aire tan gracioso como negligente un ancho y hermoso sudario del más fino linón de la India; el cabello le colgaba en bucles sobre el cuello, y había en su boca una suave sonrisa juguetona; pero su nariz, extraordinariamente larga, fina, sinuosa, flexible y llena de barrillos, le llegaba hasta más abajo del labio inferior; a pesar del aire delicado con que de cuando en cuando la movía a uno y otro lado con ayuda de la lengua, aquella nariz daba a su fisonomía una apariencia un tanto equívoca.

Al otro lado, a la izquierda de la dama hidrópica, veíase a un hombrecillo achacoso, rechoncho, asmático y gotoso, cuyas mejillas descansaban en los hombros de su propietario como dos enormes odres de vino oporto. Cruzado de brazos y con una pierna vendada puesta sobre la mesa, parecía imaginar que tenía derecho a alguna especial consideración. Sin duda se sentía profundamente orgulloso de cada pulgada de su persona, pero se esmeraba especialmente en llamar la atención sobre su abigarrado levitón. No poco dinero le habría costado este último, que le sentaba admirablemente, pues estaba hecho con una de esas fundas de seda bordada que en Inglaterra y otras partes sirven para cubrir los escudos que se cuelgan en lugares visibles cuando ha muerto algún miembro de una casa aristocrática.

A su lado, y a la derecha del presente, veíase a un caballero con largas calzas blancas y calzones de algodón. Estremecíase de la manera más ridícula, como si sufriera un acceso de lo que Tarpaulin llamaba «los espantos». Su mentón, recién afeitado, estaba apretadamente sujeto por un vendaje de muselina, y sus brazos, igualmente atados por las muñecas, no le permitían servirse a gusto de los licores de la mesa, precaución que Patas encontró muy acertada en vista del aire embrutecido y avinado de su fisonomía. De todas maneras, las inmensas orejas de aquel personaje, que por lo visto no era posible sujetar como el resto de su cuerpo, se proyectaban en el espacio y, cada vez que alguien descorchaba una botella, se estremecían como en un espasmo.

Frente a él, sexto y último de la reunión, veíase a un personaje extrañamente rígido, atacado de parálisis, quien debía sentirse sumamente incómodo dentro de sus vestiduras. En efecto, su único atavío lo constituía un flamante y hermoso ataúd de caoba. Su parte superior apretaba la cabeza de quien lo vestía, extendiéndose hacia adelante como una caperuza, y daba a su rostro un aire indescriptiblemente interesante. A los lados del ataúd se habían practicado agujeros para los brazos, teniendo en cuenta tanto la elegancia como la comodidad; pero aquel traje impedía a su propietario mantenerse tan erguido como sus compañeros; y mientras yacía reclinado contra su soporte, en un ángulo de cuarenta y cinco grados, un par de enormes ojos protuberantes giraban sus terribles globos blanquecinos hacia el techo, como si estuvieran estupefactos de su propia enormidad.

Frente a cada uno de los presentes veíase una calavera que servía de copa. De lo alto colgaba un esqueleto, atado por una pierna a una soga sujeta en un gancho del techo. La otra pierna, suelta, se apartaba del cuerpo en ángulo recto, haciendo que aquella masa crujiente girara y se balanceara a cada ráfaga de viento que penetraba en la estancia. En el cráneo de tan horribles restos había carbones encendidos, que arrojaban una luz vacilante pero intensa sobre la escena; en cuanto a los ataúdes y otros implementos propios de una empresa de pompas fúnebres, habían sido apilados en torno de la habitación y contra las ventanas, impidiendo que el menor rayo de luz escapara a la calle.

A la vista de tan extraordinaria asamblea y de sus atavíos no menos extraordinarios, nuestros dos marinos no se condujeron con el decoro que cabía esperar. Apoyándose en la pared que tenía más próxima, Patas dejó caer más de lo acostumbrado su mandíbula inferior, mientras abría los ojos hasta que alcanzaron el diámetro máximo mientras Hugh Tarpaulin, agachándose hasta que su nariz quedó al nivel de la mesa, apoyó las palmas de las manos en las rodillas y estalló en un mar de carcajadas tan agudas, sonoras y estrepitosas como fuera de lugar y descomedidas.

No obstante, sin ofenderse por tan grosera conducta, el alto presidente dirigió una afable sonrisa a los intrusos, saludándolos muy dignamente con un movimiento de las plumas de la cabeza; tras de lo cual, levantándose, los tomó del brazo y los condujo a un asiento que otros de los presentes habían preparado para ellos. Patas no ofreció la menor resistencia y se instaló como le indicaron, pero el galante Hugh, llevando su caballete de ataúd desde donde lo habían puesto hasta un lugar próximo a la jovencita tísica de la mortaja, se instaló a su lado lleno de alegría y, zampándose una calavera llena de vino tinto, brindó por una amistad más íntima. Al oír esto, el rígido caballero en el ataúd pareció excesivamente incomodado, y hubieran podido producirse consecuencias graves de no mediar la intervención del presidente, quien, luego de golpear en la mesa con su hueso, reclamó la atención de los presentes con el discurso siguiente:

–En tal feliz ocasión, es nuestro deber...

–¡Sujeta ese cabo! –lo interrumpió Patas con gran seriedad–. ¡Sujeta ese cabo, te digo, y que sepamos quiénes sois y qué demonios hacéis aquí, equipados como todos los diablos del infierno y bebiéndoos las buenas bebidas que guarda para el invierno mi excelente camarada Will Wimble, el empresario de pompas fúnebres!

Ante esta imperdonable demostración de descortesía, todos los presentes se enderezaron a medias, profiriendo una nueva serie de espantosos y demoníacos alaridos como los que habían llamado la atención de los marinos. Pero el presidente fue el primero en recobrar la compostura y, volviéndose con gran dignidad hacia Patas, le dijo:

–Con el mayor placer satisfaré tan razonable curiosidad por parte de nuestros ilustres huéspedes, a pesar de no haber sido invitados. Sabed que en estos dominios soy el monarca y que gobierno mi imperio absoluto bajo el título de «Rey Peste I».

»Esta sala, que suponéis injuriosamente la tienda de Will Wimble, el empresario de pompas fúnebres, persona a quien no conocemos y cuyo plebeyo nombre no había ofendido hasta ahora nuestros reales oídos... esta sala digo, es la Sala del Trono de nuestro palacio, consagrada al consejo del reino y a otras sagradas y augustas finalidades.

»La noble dama sentada frente a mí es la «Reina Peste», nuestra serenísima consorte. Los otros augustos personajes que contempláis son miembros de mi familia y llevan la insignia de la sangre real bajo sus títulos respectivos de «Su Gracia el Archiduque Pes-tífero», «Su Gracia el Duque Pest-ilencial», «Su Gracia el Duque Tem-pestad» y «Su Alteza Serenísima la Archiduquesa Ana-Pesta».

»Con referencia a vuestra consulta sobre las razones de nuestra presencia en este consejo, se nos perdonará que contestemos que sólo *nos* concierne, y que es asunto exclusivo de nuestro privado y real interés, sin que nadie este autorizado a inmiscuirse en absoluto. Pero en consideración a esos derechos de que, como huéspedes y desconocidos, podéis imaginaros poseedores, os explicaremos que nos encontramos aquí esta noche, luego de profundas búsquedas y prolongadas investigaciones, para examinar, analizar y determinar exactamente ese espíritu indefinible, esas incomprensibles cualidades y caracteres de los inestimables tesoros del paladar, vale decir los vinos, cervezas y licores de esta excelente metrópoli; todo ello para llevar adelante no solamente nuestros propios designios, sino para acrecentar la prosperidad de ese soberano extraterreno cuyo reino cubre todos los nuestros, cuyos dominios son ilimitados, y cuyo nombre es «Muerte».

–¡Cuyo nombre es Davy Jones! –gritó Tarpaulin, sirviendo un cráneo de licor a la dama que tenía a su lado y bebiéndose otro por su cuenta.

–¡Profano lacayo! –dijo el presidente, concentrando su atención en el meritorio Hugh–. ¡Profano y execrable canalla! Hemos dicho que, en consideración de esos derechos que, aun en tu repugnante persona, no queremos quebrantar, hemos condescendido a responder a vuestras groseras e insensatas demandas. Empero, frente a tan sacrílega intrusión en nuestro consejo, creemos de nuestro deber condenarte y multarte, a ti y a tu compañero, a beber un galón de ron con melaza, que tragaréis brindando por la prosperidad de nuestro reino de un solo trago y de rodillas; tras lo cual quedaréis libres para seguir vuestro camino o quedaros y ser admitidos a los privilegios de nuestra mesa, conforme a vuestros gustos respectivos e individuales.

–Sería cosa por completo imposible –dijo entonces Patas, a quien las frases y la dignidad del Rey Peste I habían inspirado evidentemente cierto respeto, por lo cual se puso de pie para hablar, sujetándose a la vez a la mesa–. Sería imposible, sabedlo, majestad, que yo estibara en mi bodega la cuarta parte del licor que acabáis de mencionar. Aun dejando de lado el cargamento subido a bordo esta mañana a manera de lastre, y sin mencionar las distintas cervezas y licores embarcados por la tarde en diversos puertos, me encuentro ahora con un arrumaje completo de cerveza, adquirido y debidamente pagado en la enseña del «Alegre Marinero». Vuestra Majestad tendrá, pues, la gentileza de considerar que la intención reemplaza el hecho, pues de ninguna manera podría tragar una sola gota... y mucho menos una gota de esa infame agua de sentina que responde a la denominación de ron con melaza.

–¡Amarra eso! –interrumpió Tarpaulin, no menos asombrado por la longitud del discurso de su compañero que por la naturaleza de su negativa–. ¡Amarra eso, marinero de agua dulce! ¡Basta de charla, Patas! *Mi* casco está todavía liviano, aunque ya veo que tú te estás hundiendo un poco. En cuanto a tu parte de cargamento, en vez de armar tanto jaleo me animo a encontrar sitio para él en mi propia cala, pero...

–Semejante arreglo –interrumpió el presidente– no está para nada de acuerdo con los términos de la multa o sentencia, que es por naturaleza irrevocable e inapelable. Las condiciones que hemos impuesto deben ser cumplidas al pie de la letra sin un segundo de vacilación... ¡Y si así no se hiciere, decretamos que ambos seáis atados juntos por el cuello y los talones y ahogados por rebeldes en aquel casco de cerveza!

–¡Magnífica sentencia! ¡Justa y apropiada sentencia! ¡Gloriosa decisión! ¡La más meritoria, adecuada y sacrosanta condena! –gritó al unísono la familia Peste. El rey hizo aparecer en su frente una infinidad de arrugas; el hombrecillo gotoso sopló como dos fuelles juntos; la dama de la mortaja balanceaba su nariz de un lado al otro; el caballero de los calzones levantó las orejas, y la dama del sudario jadeó como un pez fuera del agua, mientras el del ataúd parecía más rígido que nunca y revolvía los ojos.

–¡Uh, uh, uh! –rió Tarpaulin, sin cuidarse de la excitación general–. ¡Uh, uh, uh! Estaba yo diciendo, cuando Mr. Rey Peste se inmiscuyó en la conversación, que una tontería de dos o tres galones más o menos de ron con melaza nada pueden hacerle a un barco tan sólido como yo si no anda demasiado cargado. Pero si se trata de beber a la salud del Diablo (¡a quien Dios perdone!) y ponerme de rodillas delante de ese espantajo de rey, a quien conozco tan bien como a mí mismo, pobre pecador que soy... ¡Sí, lo conozco, puesto que se trata de Tim Hurlygurly, el actor...! Pues bien, en ese caso, ya no sé realmente qué pensar ni qué creer.

No pudo terminar en paz su discurso. Al oír el nombre de Tim Hurlygurly, la entera asamblea saltó de sus asientos.

–¡Traición! –gritó su majestad el Rey Peste I.

–¡Traición! –exclamó el hombrecillo gotoso.

–¡Traición! –chilló la Archiduquesa Ana-Pesta.

–¡Traición! –murmuró el caballero de las mandíbulas atadas.

–¡Traición! –gruñó el del ataúd.

–¡Traición, traición! –aulló su majestad la de la inmensa boca. Y, sujetando al infortunado Tarpaulin por la parte posterior de sus pantalones en momentos en que se disponía a beber otra calavera de licor, lo alzó en el aire y lo dejó caer sin ceremonia en el gran casco abierto de su amada cerveza. Luego de flotar y hundirse varias veces como una manzana en un jarro de *toddy,* terminó por desaparecer en un torbellino de espuma que sus movimientos creaban en el ya efervescente brebaje.

Patas, empero, no estaba dispuesto a soportar mansamente la derrota de su compañero. Luego de arrojar al Rey Peste por la trampa abierta, el valiente marino le dejó caer la tapa sobre la cabeza, mientras lanzaba un juramento, y corrió al centro de la habitación. Aferrando el esqueleto que colgaba sobre la mesa, empezó a agitarlo con tal energía y buena voluntad que, en momentos en que los últimos resplandores se apagaban en la estancia, alcanzó a romper la cabeza del hombrecillo gotoso. Lanzándose luego con todas sus fuerzas contra el fatal casco lleno de cerveza y de Hugh Tarpaulin, lo derribó al suelo en un segundo. Brotó un verdadero diluvio de cerveza, tan terrible, tan impetuoso, tan arrollador, que el cuarto se inundó de pared a pared, la mesa se volcó con toda su carga, los caballetes quedaron patas arriba, el jarro de ponche cayó en la chimenea... y las señoras en grandes ataques de nervios. Montones de artículos mortuorios flotaban aquí y allá. Jarros, picheles, damajuanas se confundían en la *melée,* y las botellas revestidas de paja se entrechocaban desesperadamente con los botellones vacíos. El hombre de los estremecimientos se ahogó allí mismo, el caballero paralítico salió flotando en su ataúd... y el victorioso Patas, tomando por la cintura a la gruesa dama de la mortaja, lanzose con ella a la calle, corriendo en línea recta hacia el *Free and Easy,* seguido con viento fresco por el temible Hugh Tarpaulin, quien, luego de estornudar tres o cuatro veces, jadeaba y resoplaba tras él, llevándose consigo a la Archiduquesa Ana-Pesta.

CUENTO DE JERUSALÉN

Comentario de Ángel Olgoso

¿Es «Cuento de Jerusalén» un Poe menor? Posiblemente. De lo que no cabe duda es de su condición de cuento primerizo, de tanteo expresivo: fue uno de los primeros relatos de Poe y el tercero publicado (9 de junio de 1832, *Saturday Courier*). Cortázar lo califica de «relativamente insignificante» y el propio autor pensaba que «con excepción de uno o dos de mis primeros relatos, no considero a ninguno de ellos mejor que otro». Sin embargo, también es un Poe insólito, humorístico, ajeno a su más celebrado corpus visionario y terrorífico. «Cuento de Jerusalén» pertenece a la esfera de las exploraciones temporales, aunque lindando con lo satírico. Esta breve narración, esta divertida e irreverente extravagancia histórica, se nos antoja una muestra temprana de la versatilidad de Poe («Uno de mis designios principales fue la máxima diversidad de temas, pensamiento y, sobre todo, tono y presentación»), de esa capacidad mimética tan de su gusto, tal y como puede apreciarse en «El cuento mil y dos de Scheherazade», en «Cómo escribir una artículo a la manera del *Blackwood*» o en «Metzengerstein», subtitulado «Cuento a imitación de los alemanes». En «Cuento de Jerusalén» no hay manifestaciones sobrenaturales, sino una trama casi costumbrista; no hay ensoñaciones pavorosas, sino una broma, una cómica mascarada entre dos culturas distintas. Ya desde la cita inicial –con ese exabrupto que la glosa– nos percatamos de lo peculiar e irrisorio de esta incursión en el pasado, en una Ciudad Santa fortificada donde los gentiles –de tendencias multiformes y enfrentadas– están siendo sitiados por el ejército romano bajo el mando de Pompeyo, al parecer sin demasiado encono. Ese tono irónico general con el que hace burla y escarnio de los recogedores de ofrendas de la ciudad, o Gizbarim, por boca de ellos mismos, preocupados ridículamente por el destino carnal o espiritual de los corderos y por la más dolorosa posibilidad de perder su trabajo si llegan tarde; esos diálogos un tanto sobreactuados sobre los que la acción avanza en su mayor parte; esa frívola revisión histórica en la que parece ponerse del lado de los «paganos, idólatras o incircuncisos» que, cumpliendo la promesa de Pompeyo, deben proveer a los sitiados –a cambio de dinero– de corderos para los sacrificios habituales en un altar de fuego inextinguible; ese rico atrezo hebreo donde brillan en vistosa algarabía, y en poco más de dos páginas, nombres propios, leyes, libros sagrados, deidades, hitos geográficos y temporales e instrumentos musicales; ese final sorpresivo, esa sucia y chusca jugarreta con la que cierra bruscamente el texto y que le presta una cáustica modernidad; todo revela que este singular relato es producto de una mente jamás satisfecha. Poe, creador analítico y pasional; oteador capaz de vislumbrar oscuros horizontes jamás imaginados y, al mismo tiempo, de armar jocosos divertimentos, sorpresas desconcertantes provistas de una extraña gracia o de un humor amablemente corrosivo; pionero que supo filtrar en el cedazo de su exacerbada sensibilidad las montañas de libros apolillados que lo precedieron, y cimentar así la literatura del futuro; cancerbero demoníaco ante las puertas de los sueños; mago con poder de electrizar cualquier ámbito, el terrorífico, el filosófico, el matemático, el policiaco, el onírico o el excéntrico para escapar al sometimiento de la grisalla. «Cuento de Jerusalén» es probablemente un Poe menor y primerizo, pero también un claro precedente de la modernidad literaria.

CUENTO DE JERUSALÉN

«Intensos rigidam in frontem ascendere canos Passus erat».
LUCANO, *De Catone*
(... un hirsuto pelmazo)
Traducción[1]

Corramos a las murallas –dijo Abel-Phittim a Buzi-Ben-Levi y a Simeón el Fariseo, el décimo día del mes de Tammuz del año del mundo tres mil novecientos cuarenta y uno–. Corramos a las murallas, junto a la puerta de Benjamín, en la ciudad de David, que dominan el campamento de los incircuncisos; pues es la última hora de la cuarta guardia y va a salir el sol; y los idólatras, cumpliendo la promesa de Pompeyo, deben de estar esperándonos con los corderos para los sacrificios.

Simeón, Abel-Phittim y Buzi-Ben-Levi eran los Gizbarim o subcolectores de las ofrendas en la santa ciudad de Jerusalén.

–Bien has dicho –replicó el Fariseo–. Apresurémonos, porque esta generosidad por parte de los paganos es sorprendente, y la volubilidad ha sido siempre atributo de los adoradores de Baal.

–Que son volubles y traidores es tan cierto como el Pentateuco –dijo Buzi-Ben-Levi–, pero ello tan sólo para con el pueblo de Adonai. ¿Cuándo se ha sabido que los amonitas descuidaran sus intereses? ¡No me parece que sea tan generoso facilitarnos corderos para el altar del Señor y recibir en cambio treinta siclos de plata por cabeza!

–Olvidas, Ben-Levi –replicó Abel-Phittim–, que el romano Pompeyo, impío sitiador de la ciudad del Altísimo, no tiene la seguridad de que los corderos así adquiridos serán dedicados a alimento del espíritu y no del cuerpo.

–¡Cómo, por las cinco puntas de mi barba! –gritó el Fariseo, que pertenecía a la secta de los llamados Tundidores (pequeño grupo de

1. *Bore,* pelmazo, suena también como *boar,* cerdo. *(N. del T.)*

santos, cuya manera de tundirse y lacerarse los pies contra el suelo era desde hacía mucho una espina y un reproche para los devotos menos ahincados, y una piedra de toque para los transeúntes menos dotados)–. ¡Por las cinco puntas de esa barba, que, por ser sacerdote, me está vedado afeitarme! ¿Habremos vivido para ver el día en que un blasfemo idólatra advenedizo romano nos acuse de destinar a los apetitos de la carne los elementos más santos y consagrados? ¿Habremos vivido para ver el día en que...?

–No nos preocupemos de las razones del filisteo –lo interrumpió Abel-Phittim–, pues hoy nos beneficiamos por primera vez de su avaricia o de su generosidad; apresurémonos a llegar a las murallas, no sea que las ofrendas falten en ese altar cuyo fuego las lluvias del cielo no pueden extinguir, y cuyas columnas de humo ninguna tempestad puede alterar.

La parte de la ciudad hacia la cual se encaminaban nuestros excelentes Gizbarim ostentaba el nombre de su arquitecto, el rey David, y era considerada como la zona mejor fortificada de Jerusalén, hallándose situada sobre la abrupta y majestuosa colina de Sion. Un ancho y profundo foso circunvalatorio, tallado en la roca viva, estaba defendido por una solidísima muralla que nacía en su borde interno. A intervalos regulares surgían en la muralla torres cuadradas de mármol blanco, las menores tenían sesenta pies de alto, y las mayores, ciento veinte. Pero en las cercanías de la puerta de Benjamín la muralla no nacía del borde mismo del foso. Por el contrario, entre el nivel de este y la base del baluarte alzábase un risco de doscientos cincuenta codos que formaba parte del abrupto monte Moriah. Así, cuando Simeón y sus compañeros llegaron a lo alto de la torre llamada Adoni-Bezek –la más alta de las torres que rodeaban Jerusalén y lugar habitual de parlamentos con el ejército sitiador– pudieron contemplar el campamento del enemigo desde una eminencia que sobrepasaba en muchos pies la pirámide de Keops y en no pocos el templo de Belus.

–En verdad digo –suspiró el Fariseo, mientras se inclinaba sobre el vertiginoso precipicio–, los incircuncisos son tantos como las arenas de la playa... como las langostas del desierto. El valle del Rey se ha convertido en el valle de Adommin.

–Y, sin embargo –agregó Ben-Levi–, no podrías señalarme un solo filisteo... ¡No, ni siquiera uno, desde Aleph a Tau, desde el desierto hasta las fortificaciones, que parezca más grande que la letra Jod!

–¡Bajad la cesta con los siclos de plata! –gritó de pronto, con acentos tan broncos como ásperos, un soldado romano que parecía haber surgido de las regiones de Plutón–. ¡Bajad esa cesta con el maldito dinero, cuyo solo nombre basta para dislocar la mandíbula de un noble romano! ¿Es así como mostráis vuestra gratitud hacia nuestro amo Pompeyo, que, en su condescendiente bondad, ha creído oportuno escuchar vuestras importunidades de idólatras? El dios Febo, que es un dios verdadero, corre en su carro desde hace una hora. ¿Y no teníais vosotros que estar en las murallas cuando asomara? ¡Ædepol! ¿Creéis que nosotros, conquistadores del mundo, no tenemos otra cosa que hacer que esperar a la puerta de cada perrera para traficar con los perros de este mundo? ¡Vamos, abajo... y atención a que vuestras baratijas tengan el color y el peso debidos!

–¡El Elohim! –profirió el Fariseo, mientras los discordantes acentos del centurión resonaban en los peñascos del precipicio y se perdían contra el templo–. ¡El Elohim! ¿*Quién* es el dios Febo? ¿A quién invoca el blasfemador? ¡Dilo tú, Buzi-Ben-Levi, que eres versado en las leyes de los gentiles, y has habitado entre los que se contaminan con los Teraphim? ¿Habló de Nergal el idólatra? ¿O de Ashimah? ¿De Nibhaz... de Tartak... de Adramalech... de Anamalech... de Succoth-Benith... de Dagon... de Belial... de Baal-Perith... de Baal-Peor... o de Baal-Zebub?

–De ninguno de ellos, en verdad... pero ten cuidado que la cuerda no resbale demasiado rápidamente entre tus dedos, pues si la cesta quedara colgada de aquel peñasco saliente harías caer lamentablemente las santas cosas del santuario.

Con ayuda de una máquina de construcción bastante grosera, la cesta pesadamente cargada descendió entonces con lentitud hasta llegar a la muchedumbre de abajo; desde el vertiginoso pináculo podía verse a los romanos que se amontonaban confusamente en torno de ella, pero la gran altura y la niebla no permitían divisar con precisión lo que pasaba.

Transcurrió así media hora.

–¡Llegaremos demasiado tarde! –suspiró el Fariseo al cumplirse este período, mientras miraba hacia el abismo–. ¡Llegaremos demasiado tarde, y los Katholim nos despojarán de nuestras funciones!

–¡Nunca más nos regalaremos con lo mejor de la tierra! –agregó Abel-Phittim–. ¡Nuestras barbas perderán su perfume de incienso y nuestros cuerpos el hermoso lino del Templo!

–¡Raca! –juró Ben-Levi–. ¿Pretenderán robarnos el dinero de la compra? ¡Santísimo Moisés! ¿Estarán acaso pesando los siclos del tabernáculo?

–¡Han dado la señal! –gritó el Fariseo–. ¡Por fin han dado la señal! ¡Tira de la cuerda, Abel-Phittim... y también tú, Buzi-Ben-Levi! ¡Pues en verdad digo que los filisteos están sujetando todavía la cesta o el Señor ha dulcificado sus corazones y la han cargado con un animal de gran peso!

Y los Gizbarim tiraron de la cuerda, mientras su carga ascendía balanceándose pesadamente entre la espesa niebla.

–¡Booshoh! ¡Booshoh!

Tal fue la exclamación que brotó de los labios de Ben-Levi cuando, después de una hora de trabajo, empezó a verse algo en la extremidad de la cuerda.

–¡Booshoh! ¡Oh vergüenza! ¡Es un carnero de los sotos de Engedi... y más arrugado que el valle de Jehoshaphat!

–Es un primer nacido del rebaño –opuso Abel-Phittim–. Lo reconozco por su balido y por su manera inocente de doblar las patas. Sus ojos son más hermosos que las joyas del Pectoral, y su carne es como la miel del Hebrón.

–Es un becerro engordado en las praderas de Bashan –dijo el Fariseo–. ¡Los paganos se han portado admirablemente con nosotros! ¡Que nuestras voces se alcen en un salmo! ¡Demos las gracias con el shawm y el salterio! ¡Con el arpa y el huggab, con la cítara y el sacabuche!

Sólo cuando la cesta se hallaba a pocos pies de los Gizbarim, un sordo gruñido les reveló que contenía un *cerdo* de enorme tamaño.

–¡El Emanu! –gritó el trío, levantando los ojos y soltando la cuerda, con lo cual el cerdo se volvió de cabeza entre los filisteos–. ¡El Emanu! ¡Dios sea con nosotros...! *¡Es la carne innominable!*

EL HOMBRE QUE SE GASTÓ
Comentario de Fabio Morábito

Este es un cuento delicioso y terrible, cuyo protagonista secreto son los signos de exclamación. ¡Qué horror!, ¡qué crueldad!, ¡qué cosa más triste!, profiere todo el mundo acerca de la desventura del brigadier honorario John A. B. C. Smith, aparentemente un prototipo del refinamiento, de la belleza masculina y del vigor varonil. Exclamaciones desconsoladas que se levantan como un muro que impide al protagonista de la historia averiguar el secreto del brigadier honorario. Descubrimos, así, que la exclamación piadosa no es más que una estrategia defensiva para no hablar, para ocultar el escándalo, pues el destino del brigadier, en el fondo, no es muy diferente del destino de todos. Como en otros relatos de Poe, vuelve a aparecer aquí, aunque mediado por una buena dosis de escarnio y de ironía, el tema del «monstruo», que trae aparejado otro, el de la fragilidad constitutiva de lo que conocemos como humano. Poe aventura una hipótesis radical, la de que el hombre casi no existe y que basta acercarnos con una lupa para darnos cuenta de que es una fábrica sin fundamentos, un ensamblaje defectuoso que oculta la falta de un núcleo, y que a base de lenguaje y sobre todo de exclamaciones tratamos de ocultarnos esta verdad. En efecto, la trágica inconsistencia del personaje principal corre pareja a la inconsistencia de quienes lo rodean, esa sociedad alegre y despreocupada que, aun sin compartir el destino siniestro del brigadier honorario John A. B. C. Smith, se refleja en él de la manera más cabal y profunda. Después de todo, el mismo nombre de pacotilla del brigadier, John Smith, al que se unen las iniciales más obvias imaginables (A, B y C), nos autorizan a ver en él el espejo de una sociedad que ha decidido llevar una existencia «honoraria», es decir, caduca y por completo aparente. Pero el cuento va más allá de una crítica corrosiva a la propia época. Detrás de su punzante jocosidad, que desmiente la imagen de Poe como un escritor genial pero infantil, y que nos muestra, por el contrario, la aguda comprensión que tenía de sus contemporáneos, se esconde algo más problemático: un desencanto ante la condición humana que roza la repulsión, casi una náusea existencialista *avant la lettre*, donde el hombre civilizado se nos aparece vaciado de sangre y condenado a encarnar simultáneamente dos extremos funestos: la estatua y la putrefacción.

EL HOMBRE QUE SE GASTÓ

Un relato de la reciente campaña contra los cocos y los kickapoos

«Pleurez, pleurez, mes yeux, et fondez vous en eau!
La moitié de ma vie a mis l'autre au tombeau».
CORNEILLE

No recuerdo ahora dónde o cuándo vi por primera vez a aquel apuesto militar, el brigadier general honorario John A. B. C. Smith. Sin duda, *alguien* me presentó a él en alguna ceremonia pública, ¡naturalmente!, presidida por alguna persona muy importante, ¡claro está!, en un sitio o en otro, ¡por supuesto!, aunque me haya olvidado inexplicablemente de su nombre. Debo decir que esperé aquella presentación en un estado de nervios que me impidió formarme una idea bien definida del lugar y del tiempo. Soy constitucionalmente nervioso; es un defecto de familia, y no lo puedo impedir. La menor apariencia de misterio, la cosa más ínfima que no alcance a comprender, bastan para sumirme de inmediato en un estado de lamentable agitación.

Había por así decir algo notable –sí, *notable,* aunque el término es muy débil para expresar plenamente lo que quisiera dar a entender– en la apariencia de aquel personaje. Tenía probablemente seis pies de estatura y un aspecto muy imponente. Se notaba en él un *air distingué* que hablaba de una refinada cultura y hacía suponer una alta cuna. Sobre este tema –el de la apariencia personal de Smith– siento una especie de melancólica satisfacción en ser minucioso. Su cabello hubiera hecho honor a un Bruto; ondulábase de la manera más extraordinaria, y tenía un brillo incomparable. Era de un negro azabache, y este color –o, mejor dicho, este no color– era asimismo el de sus inimaginables patillas. Ya habréis advertido que no puedo hablar sin entusiasmo de estas últimas; no es decir demasiado si afirmo que eran el más hermoso par de patillas existentes bajo el sol. Flanqueaban, y a veces hasta cubrían en parte la más perfecta boca imaginable, donde lucían los dientes más regulares y más blancos que concebirse puedan. En cada ocasión apropiada nacía de aquella boca una voz sumamente clara, melodiosa y bien timbrada. Con respecto a los ojos, Smith estaba igualmente muy bien dotado. Cada uno de los suyos valía por un par de órganos oculares ordinarios. Muy grandes y brillantes, tenían pupilas de un color castaño profundo, y una que otra vez se advertía en ellos esa ligera e interesante oblicuidad que da tanta fuerza a la expresión.

El torso del general era sin duda alguna el más hermoso que haya visto jamás. En vano se hubiera querido encontrar alguna falla en sus maravillosas proporciones. Tan rara peculiaridad ponía de manifiesto, muy ventajosamente, unos hombros que hubieran provocado el rubor de la humillación en el Apolo de mármol. Me apasionaban los hombros, y puedo decir que jamás había visto perfección semejante. Los brazos estaban igualmente bien modelados, y los miembros inferiores no les iban en zaga en cuanto a perfección. Eran realmente el *nec plus ultra* de las piernas hermosas. Todo conocedor de la materia reconocía que aquellas piernas eran notables. Ni demasiado carnosas, ni demasiado flacas; ni rudeza ni fragilidad. Imposible imaginar una curva más graciosa que la del *os femoris;* ni siquiera faltaba la suave prominencia de la parte posterior de la *fibula,* que contribuye a la conformación de una pantorrilla debidamente proporcionada. Hubiera pedido a los dioses que a mi amigo y talentoso escultor Chiponchipino le fuera dado contemplar las piernas del brigadier general honorario John A. B. C. Smith.

Empero, aunque los hombres tan apuestos no abundan tanto como las razones o las zarzamoras, me resultaba imposible creer que lo *notable* a que he aludido, ese extraño *je ne sais quoi* que envolvía a mi reciente conocido, procediera tan sólo de la acabada perfección de sus dones corporales. Quizá emanara de su *actitud,* pero tampoco en esto puedo ser demasiado afirmativo. Había un estiramiento, por no decir rigidez, en su actitud, un grado de precisión mesurada y, si se me permite decirlo así, rectangular, en todos sus movimientos, que en una persona más pequeña hubiera parecido lamentable afectación o pomposidad, pero que en un caballero de las dimensiones del general no podía atribuirse más que a reserva, a *hauteur* y, en una palabra, al loable sentido de lo que corresponde a la dignidad de las proporciones colosales.

El excelente amigo que me presentó al general Smith me dijo al oído algunas frases elogiosas sobre el militar. Era un hombre notable, muy notable, y en realidad uno de los *más* notables de la época. Gozaba de especial favor ante las damas, sobre todo por su alta reputación de hombre valeroso.

–En ese terreno es insuperable. No hay nadie más temerario que él. Un verdadero paladín, sin la menor duda –dijo mi amigo con un susurro, llenándome de excitación por el misterio que había en su voz.

–Sí, un paladín completo, a no dudarlo. Y lo demostró, a fe mía, durante la última y terrible lucha en los pantanos del sud, contra los indios cocos y los kickapoos. (Aquí mi amigo abrió mucho los ojos.) ¡Dios me asista! ¡Cuánta sangre, pólvora... todo lo imaginable! *¡Prodigios* de valor! Supongo que ha oído usted hablar de él... Probablemente no ignora que es el hombre que...

–¡Vaya, vaya! ¿Cómo está usted? ¿Cómo le va? ¡Cuánto me alegro de encontrarlo! –lo interrumpió en ese momento el general en persona, tomando del brazo a mi amigo e inclinándose rígida pero profundamente cuando le fui presentado.

Pensé en aquel momento (y lo sigo pensando) que jamás había escuchado una voz tan clara y resonante, ni contemplado semejante dentadura. Pero debo reconocer que lamenté que nos hubiera interrumpido justamente cuando, después de los murmullos y las insinuaciones que anteceden, me sentía interesadísimo por el héroe de la campaña contra los cocos y los kickapoos.

Empero, la deliciosa y brillante conversación del brigadier general honorario John A. B. C. Smith no tardó en disipar completamente mi disgusto. Como nuestro amigo se marchó casi de inmediato, sostuvimos un largo *tête-à-tête,* y no sólo quedé muy complacido sino que aprendí muchas cosas. Jamás he oído a un narrador más fluido, ni a un hombre más informado. Con loable modestia, sin embargo, se abstuvo de tocar el tema que más me apasionaba –aludo a las misteriosas circunstancias referentes a la guerra contra los cocos–, y por mi parte, una delicadeza que considero oportuna me vedó mencionar la cuestión, pese a que me sentía tentadísimo de hacerlo. Noté asimismo que el valeroso militar prefería los tópicos de interés filosófico y que se complacía especialmente en comentar el rápido progreso de las invenciones mecánicas. Cualquiera fuera el rumbo de nuestro diálogo, volvía invariablemente a ocuparse del asunto.

–No hay nada comparable a esto –decía–. Somos un pueblo admirable y vivimos en una edad maravillosa. ¡Paracaídas y ferrocarriles... trampas perfeccionadas y fusiles de gatillo! Nuestros barcos a vapor recorren todos los mares, y el globo de Nassau se dispone a efectuar viajes regulares (a sólo veinticinco libras el pasaje) entre Londres y Timboctú. ¿Quién puede prever la inmensa influencia sobre la vida social, las artes, el comercio, la literatura, que habrán de tener los grandes principios del electromagnetismo? ¡Y le aseguro a usted que no es todo! El progreso de las invenciones no conoce fin. Las más admirables, las más ingeniosas... y permítame usted agregar, Mr... Mr. Thompson, según creo, permítame agregar, digo, que los dispositivos mecánicos mas *útiles,* los más verdaderamente *útiles*... surgen día a día como hongos, si es que puedo expresarme así o, más figurativamente, como... sí, como saltamontes... como saltamontes, Mr. Thompson... en torno de nosotros... ¡ja, ja!... en torno de nosotros.

Mi nombre no es Thompson; pero de más está decir que me separé del general Smith con multiplicado interés por su persona, imbuido de una altísima opinión sobre sus dotes de conversador y una profunda convicción de los valiosos privilegios que gozamos por vivir en esta época de invenciones mecánicas. Mi curiosidad, sin embargo, no había quedado completamente satisfecha, y resolví de inmediato hacer averiguaciones entre mis amistades sobre el brigadier general honorario y sobre los tremendos sucesos *quorum pars magna fuit* durante la campaña de los cocos y de los kickapoos.

La primera oportunidad que se me presentó y que *(horresco referens)* no tuve el menor escrúpulo en aprovechar, aconteció en la iglesia del reverendo doctor Drummummupp, donde un domingo, a la hora del sermón, me encontré no solamente instalado en uno de los bancos, sino al lado de mi muy meritoria y comunicativa amiga Miss Tabitha T. Apenas la descubrí, me congratulé por el buen cariz que tomaban mis asuntos, y no me faltaba razón, ya que si alguien sabía alguna cosa sobre el brigadier general honorario John A. B. C. Smith, esa persona era Miss Tabitha T. Nos telegrafiamos unas cuantas señales y empezamos *sotto voce* un animado *tête-à-tête.*

–¿Smith? –dijo ella, en respuesta a mi ansiosa pregunta–. ¿Querrá usted decir el general A. B. C.? ¡Dios me asista, hubiera jurado que estaba al tanto de todo! ¡Un episodio tan horrible! ¡Ah, esos kickapoos, qué monstruos sanguinarios! Sí, luchó como un héroe... prodigios de valor... renombre inmortal. ¡Smith! ¡Brigadier general honorario John A. B. C.! Vamos, bien sabe usted que se trata del hombre que...

–¡El hombre –gritó el doctor Drummummupp con todas sus fuerzas, y con un puñetazo que estuvo a punto de romper el pulpito–, que ha nacido de mujer, sólo vivirá poco tiempo; así como crece, así es cortado como una flor!

Me apresuré a correrme al extremo del banco, advirtiendo por las miradas que me echaba el predicador que la cólera, poco menos que fatal para el pulpito, provenía de los murmullos entre la dama y yo. No había nada que hacerle; me sometí, pues, resignadamente, y escuché envuelto en el martirio de un silencio digno el resto de aquel importantísimo discurso.

A la noche siguiente acudí algo tarde al teatro Rantipole, donde estaba seguro de satisfacer inmediatamente mi curiosidad mediante el simple expediente de entrar al palco de aquellas exquisitas muestras de afabilidad y omnisciencia, las señoritas Arabella y Miranda Cognoscenti. El notable trágico Climax representaba a Yago ante un público numeroso, y me costó algún trabajo hacerme entender, máxime cuando nuestro palco estaba casi suspendido sobre la escena.

–¡Smith! –dijo Miss Arabella, que por fin comprendió mi pregunta–. ¡Smith! ¿El general John A. B. C.?

–¡Smith! –coreó pensativamente Miranda–. ¡Dios me bendiga! ¿Vio usted alguna vez un hombre de mejor estampa?

–Jamás, amiga mía; pero, por favor, dígame usted...

–¿Y una gracia tan inimitable?

–Nunca, bajo palabra de honor. Pero quisiera saber...

–¿O un sentido tan profundo de la escena?

–¡Señorita!

–¿O una apreciación más delicada de las verdaderas bellezas de Shakespeare? ¡Mire usted qué piernas!

–¡Oh, qué demonios! –dije, y me volví otra vez hacia su hermana.

–¡Smith! –repitió ella–. ¿No será el general John A. B. C.? ¡Ah, qué horrible fue aquello! ¿No es cierto? ¡Y qué miserables los cocos... de un salvajismo...! Afortunadamente vivimos en una época de tantas invenciones... ¡Smith, oh, sí, un gran hombre! ¡Temerario hasta el límite! ¡Renombre inmortal! ¡Prodigios de coraje! *¡Nunca oí nada parecido!* (Esto fue dicho a gritos.) ¡Dios me asista! ¡Ya sabe usted, es el hombre que...

... ni la mandrágora
Ni todos lo elixires somníferos del mundo
Te proporcionarán jamás ese dulce sueño
De que gozaste ayer!

aulló Climax casi en mi oído y agitando el puño delante de mi cara en una forma que *no pude* ni *quise* tolerar. Me separé inmediatamente de las señoritas Cognoscenti, pasé entre bastidores y, al aparecer aquel pillo, le di una paliza que espero recordará hasta el día de su muerte.

Durante la *soirée* en casa de una encantadora viuda, Mrs. Kathleen O'Trump, me sentí seguro de que no volvería a sufrir una decepción. Apenas nos habíamos sentado a la mesa de juego, teniendo a mi bonita huéspeda *vis-à-vis,* le hice las preguntas cuya respuesta se había convertido en algo tan esencial para mi tranquilidad de espíritu.

–¡Smith! –dijo mi amiga–. ¿Supongo que alude usted al general John A. B. C.? ¡Qué terrible episodio! ¿Oros, dijo usted? ¡Ah, esos kickapoos, qué miserables! Por favor, Mr. Tattle, estamos jugando al *whist*... De todas maneras esta es la época de las invenciones... ciertamente es la época *par excellence*... ¿habla usted francés? ¡Sí, un héroe, y de una temeridad increíble! ¿No tiene usted corazones, Mr. Tattle? ¡Imposible! ¡Sí, un renombre inmortal... prodigios de valor! ¿Que nunca había oído hablar de él? ¡Cómo! ¡Si se trata del hombre que...!

–¿Hombrequet? ¿El *capitán* Hombrequet? –interrumpió desde lejos y a gritos una invitada–. ¿Está usted hablando del capitán Hombrequet y del duelo? ¡Oh, quiero escuchar lo que dicen! ¡Por favor, Mrs. O'Trump... siga usted, le suplico que siga contando!

Y así lo hizo Mrs. O'Trump, emprendiendo una narración sobre un cierto capitán Hombrequet, a quien habían ahorcado o muerto a tiros, o que por lo menos lo merecía. ¡Palabra! Y como Mrs. O'Trump continuaba indefinidamente... acabé por marcharme. Aquella noche me sería imposible escuchar nada referente al brigadier general honorario John A. B. C. Smith.

Me consolé, sin embargo, pensando que tanta mala suerte no podía durar siempre, y me decidí audazmente a procurarme informaciones en los salones de fiesta de aquel hechicero angelillo, la graciosa Mrs. Pirouette.

–¡Smith! –exclamó esta mientras dábamos vueltas y vueltas en un *pas de zéphyr*– *¿Se* refiere usted al general John A. B. C.? ¡Ah, qué terrible esa historia de los cocos! ¿No es cierto? ¡Qué gentes tan horribles son los indios! ¡Ponga la punta de los pies hacia afuera! ¿No le da vergüenza? Un hombre valerosísimo, el pobre... Pero vivimos en una época de maravillosas invenciones... ¡Dios mío, me falta el aliento! ¡Sí, un coraje temerario! ¡Prodigios de valor! *¿Que nunca oyó usted hablar de él?* ¡Imposible! ¡Tengo que sentarme y hacérselo saber! ¡Si justamente Smith es el hombre que...!

–¡Man-*fredo!* –gritó Miss Sabihonda, en momentos en que yo llevaba a Mrs. Pirouette hacia un sofá–. ¿Cómo se puede decir semejante cosa? ¡Le aseguro que se trata de Man-*fredo* y no de Man-*frido!*

Y como Miss Sabihonda me tomara por testigo de la manera más perentoria, me vi precisado, quisiera o no, a terciar en la solución de una disputa referente al título de cierto drama poético de Lord

Byron. Y aunque afirmé de inmediato que el verdadero título era Man-*frido,* y de ninguna manera Man-*fredo,* apenas me volví en busca de Mrs. Pirouette descubrí que se había perdido de vista, por lo cual me marché de su casa envuelto en la más amarga animosidad contra la entera raza de las sabihondas.

Las cosas se estaban poniendo muy serias, y resolví visitar sin pérdida de tiempo a mi amigo íntimo Mr. Theodore Sinivate, pues estaba seguro de obtener de él alguna información precisa.

–¡Smith! –exclamó, con su peculiar manera de arrastrar las palabras–. ¿No se tratará del general John A. B. C.? Triste asunto ese de los kickapoos, ¿no es cierto? Una temeridad extraordinaria... ¡una lástima verdaderamente! ¡Qué época, qué maravillosos inventos! ¡Prodigios de valor! Dicho sea de paso, ¿no oyó hablar usted del capitán Hombrequet?

–¡Que se vaya al diablo el capitán Hombrequet! –repuse–. Por favor, siga con su relato.

–¡Ejem! Pues bien... es exactamente *la même cho-o-ose,* como decimos en Francia. ¿Smith, eh? ¿El brigadier general John A. B. C.? Vea usted... –y aquí Mr. Sinivate creyó oportuno ponerse un dedo contra la nariz–. ¿No pretenderá insinuar, verdadera y conscientemente, que no sabe nada de la historia de Smith? Porque usted habla de Smith, supongo, de John A. B. C., ¿eh? Pues, estimado amigo, se trata del hombre...

–*Señor* Sinivate –imploré–. ¿Se trata del hombre de la máscara de hierro?

–No-o-o –repuso, con aire de entendido–. Ni tampoco del hombre de la luna.

Consideré que esta réplica constituía un punzante y claro insulto, y abandoné de inmediato la casa, lleno de cólera y dispuesto a exigir a mi amigo Mr. Sinivate una pronta explicación por tan poco caballeresca conducta y tanta mala educación.

Pero, en el ínterin, no estaba dispuesto a renunciar a las informaciones que deseaba. Me quedaba todavía un recurso. Lo mejor sería ir a la fuente misma. Visitaría inmediatamente al general, pidiéndole con palabras explícitas una solución de tan abominable misterio. Aquí al menos, no habría posibilidad de error. Sería llano, positivo, perentorio, tan conciso como Tácito o Montesquieu.

Llegué muy temprano a casa del general, que se estaba vistiendo, pero como insistí en que se trataba de algo urgente, un viejo mucamo negro me hizo pasar al dormitorio, y se quedó allí para servir a su amo. Como es natural, al entrar en la habitación miré en torno buscando a su ocupante, pero no lo distinguí. Había un bulto muy grande y muy raro contra mis pies, y, como no estaba yo del mejor de los humores, le di un puntapié para quitarlo del camino.

–¡Ejem... ejem... no me parece una conducta muy correcta, que digamos! –dijo el bulto con una vocecilla tan débil como curiosa, algo entre chirrido y silbido.

Grité de terror y hui diagonalmente hasta refugiarme en el rincón más alejado del dormitorio.

–¡Mi estimado amigo! –volvió a silbar el bulto–. ¿Qué... qué... qué cosa le sucede? ¡Hasta creería que no me reconoce usted!

¿Qué *podía* yo contestar a eso? Tambaleándome, me dejé caer en un sillón y, con la boca abierta y los ojos fuera de las órbitas, esperé la solución de aquel enigma.

–No deja de ser raro que no me haya reconocido, ¿verdad? –insistió la indescriptible cosa, que, según alcancé a ver, estaba efectuando en el suelo unos movimientos inexplicables, bastante parecidos a los de ponerse una media. Pero sólo se veía una pierna.

–No deja de ser raro que no me haya reconocido, ¿verdad? ¡Pompeyo, tráeme esa pierna!

Pompeyo se acercó al bulto y le alcanzó una notable pierna artificial, con su media ya puesta, que el bulto se aplicó en un segundo, tras lo cual vi que se enderezaba.

–Y aquella batalla fue harto sangrienta –continuó diciendo la cosa, como si monologara–. Pero no hay que meterse a pelear contra los cocos y los kickapoos y creer que se va a salir de allí con un mero rasguño. Pompeyo, haz el favor de darme ese brazo. Thomas –agregó, volviéndose a mí– es el mejor fabricante de piernas postizas; pero si alguna vez necesitara usted un brazo, querido amigo, permítame que le recomiende a Bishop.

Y a todo esto Pompeyo le atornillaba un brazo.

–Aquella lucha fue una cosa terrible, puedo asegurárselo. Vamos, perillán, colócame los hombros y el pecho. Pettit fabrica los mejores hombros, pero si quiere usted un pecho vaya a Ducrow.

–¡Un pecho! –exclamé.

–¡Pompeyo! ¿Terminarás de ponerme la peluca? Que lo esculpen a uno no tiene nada de agradable, pero a fin de cuentas siempre es posible procurarse un peluquín tan bueno como este en De L'Orme.

–¡Peluquín!

–¡Vamos, negro, mis dientes! Para una *buena* dentadura, le aconsejo ir en seguida a Parmly. Cuesta caro, pero hacen trabajos excelentes. En cuanto a mí, me tragué no pocos de mis dientes cuando uno de los indios cocos me machacaba con la culata del rifle.

–¡Culata del rifle! ¡Lo machacaba! Pero ¿qué ven mis ojos?

–¡Oh, ahora que lo menciona... trae aquí ese ojo Pompeyo, y atorníllalo pronto! Esos kickapoos no son nada lerdos para dejarlo a uno tuerto. Pero el doctor Williams es un hombre de talento, y no puede imaginarse lo bien que veo con los ojos que fabrica.

Comencé entonces a percibir con toda claridad que el objeto erguido ante mí era nada menos que mi reciente conocido, el brigadier general honorario John A. B. C. Smith. Debo reconocer que las manipulaciones de Pompeyo habían transformado por completo la apariencia de aquel hombre. Pero su voz me seguía dejando perplejo, aunque el misterio no tardó en disiparse como los otros.

–¡Pompeyo, condenado negro –chirrió el general–, estaría por creer que vas a dejarme salir sin mi paladar!

Murmurando una excusa el negro se acercó a su amo, le abrió la boca con el aire entendido de un *jockey* y le ajustó en el interior un aparato de singular aspecto, haciéndolo con grandísima destreza, aunque por mi parte no alcancé a ver nada. El cambio en la expresión del general fue tan instantáneo como sorprendente. Cuando habló de nuevo, su voz había recobrado aquella rica tonalidad y potencia que me habían llamado la atención en nuestra primera entrevista.

–¡Malditos sean esos perros! –dijo con una articulación tan clara que me sobresalté–. ¡Malditos sean! No sólo me hundieron el paladar, sino que se tomaron el trabajo de cortarme por lo menos siete octavos de lengua. Pero, afortunadamente, tenemos a Bonfanti, que es inigualable en toda América cuando se trata de artículos de esta especie. Se lo recomiendo a usted con toda confianza –agregó el general, inclinándose– y le aseguro que mucho me complace poder hacerlo.

Agradecí su gentileza lo mejor posible y me despedí de inmediato, perfectamente enterado de la verdad y sin el menor resto de aquel misterio que tanto me había perturbado. Era evidente. Era clarísimo. El brigadier general honorario John A. B. C. Smith era el hombre... *que se gastó.*

TRES DOMINGOS POR SEMANA

Comentario de Guillermo Busutil

El 27 de noviembre de 1841, Edgar Allan Poe publicó, en las páginas del *Saturday Evening Post*, el cuento «A sucesion of Sundays», traducido al español como «Tres domingos por semana». Este relato, enmarcado en la serie de piezas humorísticas que el escritor dio a conocer a través de los periódicos, entre 1837 y 1845, llamó la atención de Julio Verne, quien le dedicó un apartado en el artículo «Poe y sus obras», aparecido en la revista *Musée des familles* en 1864. Nueve años después, Verne publicaba su famosa novela *La vuelta al mundo en ochenta días,* donde el final de las aventuras del protagonista, Willy Fogg, está claramente inspirado en la trama de «Tres domingos por semana».

No sabemos si Poe leyó los estudios de Tales de Mileto y de Anaximandro, si conocía la teoría geocéntrica de Ptolomeo y la teoría de los meridianos convergentes de Hiparco, ni que fue Eratóstenes el primero en determinar la circunferencia de la Tierra en 39 690 kilómetros; una cifra muy cercana al valor actual de 40 120 kilómetros. Tampoco han trascendido pruebas fiables que certifiquen que el autor de las *Narraciones extraordinarias* fuese un aficionado a los conocimientos de la mecánica cuántica ni si en sus pesadillas soñaba con las ecuaciones dinámicas del movimiento del tiempo (E = E (x,y,z,t,m,F)). La cuestión es que Poe escribió un relato redondo. Lo demuestra con la perfecta relojería del ritmo narrativo, con la administración del suspense y con la agilidad de los diálogos, acerca de si el tiempo es un concepto fijo o una trampa en movimiento. Con esta última idea jugó el escritor en el relato donde el tío Rumgudgeon, austero económicamente por naturaleza británica, le propone un acertijo a su sobrino para concederle la dote de casamiento. Sólo lo hará cuando existan tres domingos en una semana. El enigma tiene algo de apuesta y de examen de paciencia, con connotaciones del divertimento fantasioso y de la tacañería victoriana, presentes en algunos de los cuentos de Kipling y también en la novela *Washington square* de Henry James, que William Wyler llevó al cine con el título de *La heredera.*

La piel del almanaque, las probabilidades matemáticas y físicas, aplicadas al tiempo, junto con las complejas pruebas que examinan el heroísmo y la inteligencia tan presentes en numerosos cuentos infantiles, en las novelas de caballería y en las del ciclo artúrico, sustentan la historia que el sobrino transmite a modo de anécdota a la que le va descubriendo una estructura propia de un relato, según él mismo afirma en la narración de los hechos (con lo que Poe introduce, de esta manera, un elemento de modernidad que implica el distanciamiento del narrador). La rocambolesca exigencia la resuelve Poe con un ingenioso diálogo a cinco bandas que participa del género picaresco y de la comedia de enredo, ya que los participantes, exceptuando al tío, conocen de antemano la respuesta del enigma de ¿cómo puede existir una semana de tres domingos?

Los marinos que, en el plazo de un año, partieron hacia el Este y el Oeste dándole la vuelta completa a la Tierra, demuestran con su relato esa posibilidad. Poe se basa en que la Tierra tiene veinticinco mil millas de circunferencia, y gira sobre su eje de Este a Oeste en veinticuatro horas, a una velocidad de mil millas por hora. Si el primer marino parte de Londres y avanza mil millas hacia el Oeste, verá el sol una hora antes que el segundo navegante que permanece inmóvil. Luego de avanzar otras mil millas, lo verá dos horas antes; al final de su vuelta al mundo, al regresar a su punto de partida, uno habrá adelantado justamente un día entero sobre el segundo personaje. Será la protagonista femenina de la historia, la novia prometida, quien redondeará el resultado de la ecuación con su lógico cálculo del tiempo, sin haberse movido de la ciudad. De ese modo, para un marino, ayer era domingo, para el otro, hoy mismo, y para el tío, el sobrino y su prometida, será mañana.

Con este cuento, al que Verne calificó como una extraña broma cosmográfica, Poe pone de manifiesto su vocación y dominio de los temas sobrenaturales, la habilidad fabuladora con la que bebe de las referencias científicas y propone interrogantes acerca del futuro. Pero, sobre todo, dignifica el valor del domingo, multiplicándolo en los espacios paralelos del tiempo y nos deja abierta la pregunta de si el tiempo es una propiedad de la realidad física o un acertijo de la imaginación.

TRES DOMINGOS POR SEMANA

¡Viejo empedernido, zamacuco, obstinado, mohoso, tozudo, emperrado y bárbaro! –dije cierta tarde (en mi fantasía) a mi tío abuelo Rumgudgeon, mientras lo amenazaba con el puño (en mi imaginación).

Sólo en la imaginación. Diré que, en verdad, había cierta discrepancia entre lo que yo decía y lo que no tenía el coraje de decir, entre lo que hacía y lo que no me faltaba gana de hacer.

Cuando abrí la puerta del salón la vieja marsopa habíase instalado con los pies sobre la chimenea, un vaso de oporto en la zarpa, esforzándose violentamente por poner en práctica la cancioncilla:

Remplis ton verre vide!
Vide ton verre plein!

–*Querido* tío –dije, cerrando suavemente la puerta y aproximándome con la más blanda de mis sonrisas–, ha sido usted siempre *tan* amable y considerado manifestándome su benevolencia de tantas... de *tantísimas* maneras, que... que siento como si sólo fuera necesario sugerirle una vez más cierta insignificante cosilla, para tener la seguridad de su plena aprobación.

–¡Ejem! –dijo él–. ¡Veamos, muchacho... sigue!

–Estoy seguro, querido tío (¡condenado vagabundo!), de que usted no tiene intención de oponerse a mi casamiento con Kate. Ya sé que se trata de una broma... ¡Ja, ja! ¡Qué gracioso es usted a veces!

–¡Ja, ja, ja! –repitió él–. ¡Que te cuelguen... vaya si lo soy!

–¿No es cierto? ¡Bien sabía yo que bromeaba! Pues bien, tío, todo lo que Kate y yo deseamos ahora es que tenga usted la gentileza de aconsejarnos sobre... sobre la fecha... ya sabe usted, tío... En fin, ¿cuándo sería más conveniente para usted que se realice la... la boda?

–¡Vete de aquí, vagabundo! ¿Qué pretendes decir? ¡Espérate sentado!

–¡Ja, ja, ja! ¡Je, je, je! ¡Oh, magnífico! ¡Oh, qué broma extraordinaria! ¡Qué ingenio! Pero todo lo que quisiéramos, tío, es que nos indique exactamente la fecha.

–¡Ah! ¿Exactamente?

–Sí, tío. Es decir... siempre que le resulte agradable.

–¿Y no sería lo mismo, Bobby, si lo dejáramos al azar... digamos, alguna fecha dentro de un año o cosa así, eh? ¿O tengo que fijarla exactamente?

–Por favor, tío... exactamente.

–Pues bien, Bobby, puesto que eres un excelente muchacho... y puesto que quieres una fecha exacta... te la diré.

–¡Mi querido tío!

–¡Silencio, caballerito! –exclamó, ahogando mi voz–. Sí, te la diré. Tendrás mi consentimiento... y *la pecunia*[1], no debemos olvidarnos de la pecunia... ¡Veamos! ¿Qué día fijaremos? ¿Hoy es domingo, verdad? Pues bien, te casarás exactamente... ¿me has oído?, exactamente *cuando haya tres domingos en una semana*. ¿Has entendido, caballerito? ¿Por qué te quedas boquiabierto? Te lo repito: tendrás a Kate y tendrás la pecunia cuando haya tres domingos en una semana, pero no hasta entonces, gran bribón... ¡no hasta entonces, aunque me maten! Ya me conoces, y sabes que *soy hombre de palabra*. ¡Y ahora vete!

Tras lo cual vació su vaso de oporto, mientras yo escapaba desesperado del salón.

Mi tío abuelo Rumgudgeon era un «excelente anciano caballero inglés», pero, a diferencia del de la canción, tenía sus puntos débiles. Era un personaje diminuto, obeso, pomposo, apasionado y hemisférico, de roja nariz, gran cabezota, abundante faltriquera y elevado concepto de su persona. Dueño del mejor corazón de este mundo, un especial espíritu de contradicción le había hecho ganar, entre aquellos que sólo lo conocían superficialmente, fama de tacaño. Como muchas personas excelentes, parecía dominado por el caprichoso deseo de *gastar la paciencia*, deseo que, a primera vista, hubiera podido confundirse con maldad. A cualquier pedido que le hacía, un rotundo «¡No!» era su respuesta inmediata; pero al final –muy al final– terminaba negándose a muy pocos pedidos. Se defendía empecinadamente contra todo ataque que llevara a su faltriquera, pero terminaba dando sumas que estaban en proporción directa con la duración del sitio

1. Poe usa el término *plum*, que en Inglaterra designaba popularmente la suma de 100 libras esterlinas. *(N. del T.)*

y el empecinamiento de la resistencia. En materia de caridad, nadie daba más con menos amabilidad.

Mi tío demostraba el más profundo de los desprecios por las bellas artes y, muy especialmente, por la literatura. Casimir Perier le había inspirado este último, con su petulante pregunta: *À quoi un poète est-il bon?,* que mi tío repetía en todos los casos y con la más extraña de las pronunciaciones, considerándola el *nec plus ultra* del ingenio. Así, mi frecuentación de las Musas había provocado su profundo disgusto. Cierto día en que le solicité un nuevo ejemplar de Horacio, me aseguró que la traducción de *Poeta nascitur non fit* era: «A nasty poet for nohting fit» (Un repugnante poeta, incapaz de nada); naturalmente su versión me produjo grandísima cólera. El antagonismo de mi tío hacia las «humanidades» había ido en aumento en los últimos tiempos, a causa de una inclinación hacia lo que él consideraba ciencias naturales. Alguien lo había detenido en la calle confundiéndolo nada menos que con el doctor Dubble L. Dee, conferenciante en física recreativa y otras fruslerías. Esta confusión lo deslumbró, y, en la época de este relato (ya que en definitiva se está convirtiendo en un relato), mi tío abuelo Rumgudgeon sólo se mostraba accesible y pacífico en todo aquello que coincidiera con el capricho científico que lo dominaba. En cuanto al resto, se reía desaforadamente de todo, y en materia política era tan obstinado como simple. Creía con Horsley que «nada tiene el pueblo que ver con las leyes, aparte de obedecerlas».

Había yo pasado toda mi vida a su lado, pues mis padres, al morir, me legaron a él como la más rica de las herencias. Creo que el viejo miserable me quería como a su propio hijo (y casi tanto como quería a Kate), pero lo mismo me daba una vida de perros. Desde que cumplí un año hasta los cinco, me aplicó constantes y regulares azotainas. De los cinco a los quince, me amenazó a cada momento con enviarme a un reformatorio. De los quince a los veinte, no pasó un día sin que me prometiera desheredarme hasta el último centavo. Cierto es que yo era una buena pieza, pero esto formaba parte de mi naturaleza y valía como un artículo de fe. En Kate, empero, tenía una amiga leal, y no lo ignoraba. Era una excelente muchacha, que me había prometido gentilmente ser mi esposa (con pecunia y todo), siempre que me las arreglara para obtener el consentimiento de mi tío abuelo. ¡Pobre niña! Tenía apenas quince años y, sin ese consentimiento, su escaso capital no le sería entregado hasta después de que cinco interminables veranos «arrastraran consigo su lenta duración». ¿Qué hacer, entonces? A los quince años, y aun a los veintiuno (pues yo había franqueado ya mi quinta olimpiada), cinco años de espera equivalen a quinientos. Inútilmente asediaba a mi tío con mis demandas. Había él encontrado *una pièce de résistence* (como dirían los señores Ude y Carene), que se adaptaba maravillosamente a su petulante fantasía. Job mismo se hubiera indignado al ver cómo aquel viejo gato jugaba con nosotros cual si fuéramos dos miserables ratoncillos. En lo profundo de su corazón nada deseaba con más ardor que nuestra unión. Desde el principio había estado de acuerdo. Y hubiera sido capaz de sacar diez mil libras de su propio bolsillo (pues la dote de Kate era *de ella*), de habérsele ocurrido alguna cosa que excusara nuestro natural deseo. Pero habíamos sido lo bastante imprudentes como para mencionar el tema por *nuestra cuenta*. No oponerse, bajo tales circunstancias, hubiera estado más allá de sus fuerzas.

He dicho ya que mi tío tenía sus puntos débiles, pero no debe entenderse por ello que aludo a su obstinación. Al contrario, esta se contaba entre sus puntos fuertes: *assurément ce n'était pas son faible*. Cuando hablo de sus debilidades me refiero a una superstición de vieja solterona que lo dominaba. Se consideraba muy fuerte en sueños, portentos, *et id genus omne* de galimatías. Mostrábase asimismo muy puntilloso en pequeños detalles de honor y, a su manera, era hombre de palabra. Más aún: estas cosas le constituían una verdadera obsesión. No tenía el menor escrúpulo en faltar al *espíritu* de sus promesas, pero la *letra* era para él cosa inviolable.

Esta peculiaridad de su carácter, sumada al ingenio de Kate, nos permitió un día –poco después de mi entrevista con mi tío en el salón– sacarle una inesperada ventaja; pero ahora, después de haber agotado como los modernos bardos y oradores todo mi tiempo disponible en prolegómenos, resumiré lo sucedido en las pocas palabras que constituyen el meollo de la historia.

Ocurrió –pues así lo ordenaron los hados– que entre los conocidos de mi prometida se contaban dos oficiales de la marina que acababan de volver a Inglaterra después de un año de ausencia. Concertado nuestro plan, mi prima, ambos caballeros y yo acudimos a visitar a mi tío en la tarde del domingo 10 de octubre, exactamente tres semanas después de la memorable decisión que tan cruelmente había desbaratado nuestras esperanzas. Durante la primera media hora la conversación tocó los temas ordinarios, pero luego logramos, de manera muy natural, darle el siguiente giro:

Capitán Pratt.– Pues bien, he estado un año ausente. Exactamente un año... ¡Veamos! ¡Pues, sí, hoy es diez de octubre! ¿Recuerda, Mr. Rumgudgeon, que vine a despedirme de usted hace exactamente un año? Dicho sea de paso, me parece una coincidencia bastante curiosa que nuestro amigo aquí presente, el capitán

Smitherton, haya estado también ausente un año... Exactamente un año, ¿no es así?

Smitherton.– En efecto, hoy hace un año justo. Recordará usted, Mr. Rumgudgeon, que vine aquel día en compañía del capitán Pratt, a fin de despedirme de usted.

Tío.– *Sí, sí...* me acuerdo muy bien... ¡Ciertamente es muy raro! Ambos ausentes durante un año... Muy extraña coincidencia, por cierto. Lo que el doctor Dubble L. Dee llamaría una extraordinaria concurrencia de sucesos. El doctor Dub...

Kate.– *(Interrumpiéndolo.)* ¡Sí, papá, es muy extraño! Pero el capitán Pratt y el capitán Smitherton no siguieron la misma ruta, y eso significa una diferencia.

Tío.– ¿Una diferencia, muchacha? ¡Al contrario! ¡La cosa es así muchísimo más notable! El doctor Dubble L. Dee...

Kate.– ¿Sabes, papá? El capitán Pratt dio la vuelta al cabo de Hornos, y el capitán Smitherton al de Buena Esperanza.

Tío.– ¡Pues bien! El uno fue hacia el este y el otro hacia el oeste, y los dos dieron la vuelta completa a la Tierra. Dicho sea de paso, el doctor Dubble L. Dee...

Yo.– *(Presurosamente.)* Capitán Pratt, ¿por qué no viene a pasar la velada de mañana con nosotros...? También usted, capitán Smitherton. Nos contarán los detalles de sus viajes, haremos una partida de *whist,* y...

Pratt.– ¡Vamos, querido muchacho! ¿Jugar al *whist* en domingo? Alguna otra noche, si quiere, pero...

Kate.– ¡Oh, no, Robert no es tan impío como para proponer eso! Pero *hoy* es domingo, capitán.

Tío.– ¡Naturalmente!

Pratt.– Les pido disculpas a ambos, pero no puedo engañarme hasta ese punto. Sé que mañana es domingo porque...

Smitherton.– *(Muy sorprendido.)* ¿Qué están diciendo ustedes? ¿No fue *ayer* domingo?

Todos.– ¡Ayer! ¡Vamos, usted bromea!

Tío.– ¡Hoy es domingo! ¡Como si no lo supiera!

Pratt.– ¡Oh, no! ¡Mañana es domingo!

Smitherton.– ¡Se han vuelto ustedes locos! ¡Tan seguro estoy de que ayer era domingo, como de que estoy sentado en esta silla!

Kate.– *(Dando un brinco.)* ¡Ya sé..., ya sé! ¡Oh, papá, esta es una sentencia contra ti, por... por lo que sabes! Ya veo lo que ocurre, y puedo explicarlo fácilmente. Es muy sencillo. El capitán Smitherton dice que ayer era domingo, y tiene razón. El primo Bobby, papá y yo decimos que hoy es domingo, y tenemos razón. El capitán Pratt sostiene que mañana será domingo, y tiene razón. El hecho es que todos estamos en lo cierto, *y que hay tres domingos en una semana.*

Smitherton.– *(Tras una pausa.)* Dicho sea entre nosotros, Pratt, Kate nos ha aventajado en astucia. ¡Qué tontos hemos sido! Mr. Rumgudgeon, la cuestión es la siguiente: como usted sabe, la Tierra tiene una circunferencia de veinticuatro mil millas. El globo gira sobre su eje... da vueltas sobre el mismo... hace pasar esas veinticuatro mil millas de su circunferencia, yendo de oeste a este, exactamente en veinticuatro horas. ¿Me sigue usted, Mr. Rumgudgeon?

Tío.– Por supuesto... por supuesto. El doctor Dub...

Smitherton.– *(Tapando su voz.)* Pues bien, señor: la velocidad de esta revolución es de mil millas por hora. Supongamos ahora que yo me traslado a mil millas al este de donde estamos. Como es natural, me anticipo a la salida del sol en una hora exacta con respecto a Londres. Veo salir el sol una hora antes que usted. Si avanzo otras mil millas en la misma dirección, me anticipo en dos horas, otras mil millas, y tendré tres horas de adelanto, y así sucesivamente hasta que, terminada la vuelta al globo, y otra vez en este mismo sitio después de viajar veinticuatro mil millas al este, me habré anticipado en veinticuatro horas a la salida del sol en Londres; vale decir que estaré *adelantado* en un día con respecto al tiempo de usted. ¿Claro, no es cierto?

Tío.– Pero Dubble L. Dee...

Smitherton.– (A gritos.) El capitán Pratt, en cambio, una vez que hubo viajado mil millas al oeste de este punto, se encontró atrasado en una hora, y cuando terminó su recorrido de veinticuatro mil millas al oeste quedó *atrasado* en un día con respecto al tiempo de Londres. Vale decir que, para mí, ayer era domingo, como lo es hoy para usted y lo será mañana para Pratt. Y, lo que es más, Mr. Rumgudgeon, los tres *tenemos razón,* pues ningún principio científico puede darnos ventaja al uno sobre los otros.

Tío.– ¡Santo cielo! ¡Pues bien, Kate... pues bien, Bobby... como habéis dicho, esta es una sentencia contra mí! Pero soy hombre de palabra... ¡no lo olvidéis! ¡Kate será tuya, muchacho (con pecunia y todo), cuando te parezca bien! ¡Atrapado, por Júpiter! ¡Tres domingos juntos! ¡Tendré que ir a preguntarle a Dubble L. Dee lo que opina de esto!

«TÚ ERES EL HOMBRE»

Comentario de Flavia Company

Nada es lo que parece. De esa incertidumbre se nutre gran parte de la literatura de Poe. No sabemos quiénes somos. No sabemos quiénes son los otros. De qué somos capaces ni de qué son capaces. Somos lo que los demás ven, pero también lo que nosotros sabemos.

Este cuento de Poe presenta el tema de las apariencias como el motor de una terrible confusión a la vez que la utiliza, de forma sutil, para criticar el gregarismo, la ignorancia y la grosería de las masas. Esa capacidad de los grupos para seguir a un líder equivocado o falso o charlatán. Esa debilidad de los pueblos de creer lo que les conviene, lo que se acerca a los tópicos, lo que no cuestiona sus rancios principios de siempre (qué fácil resulta identificar a los habitantes de Rattleborough, por ejemplo, con los fanáticos, xenófobos, racistas, homófobos o machistas de la actualidad).

El título del relato proviene de «Samuel 2, 12:7», pasaje en que Natán acusa al rey David de procurar la muerte de Uriah para casarse con su esposa Batsheba. Cuando Natán expone ante David el ejemplo del hombre rico con un enorme rebaño de ovejas que roba la única oveja del rebaño de un hombre pobre para agasajar a un invitado, David reacciona y determina que un hombre así merece la muerte. Y entonces es cuando Natán le dice: «Tú eres el hombre».

Qué severo el castigo que impondríamos a otros por una falta que nos perdonaríamos a nosotros mismos. Qué dispuestos estamos a que otros paguen nuestras culpas. Cuántas contradicciones nos habitan y qué lejos estamos de lo que parecemos.

Gran parte de la vigencia de Poe radica en que supo ver los entresijos del ser humano, sus miedos, su ruindad, su grandeza y, claro está, en que supo contarlos.

«TÚ ERES EL HOMBRE»

Yo haré el papel de Edipo en el enigma de Rattleborough. Explicaré a ustedes –como solamente yo puedo hacerlo– el secreto mecanismo que produjo el milagro de Rattleborough, el único, el verdadero, el admitido, el indiscutible, el indisputable milagro que acabó definitivamente con la infidelidad de los rattleburguenses y devolvió a la ortodoxia de los abuelos a todos los pecadores que se habían atrevido a mostrarse escépticos.

Este suceso –que lamentaría mucho exponer en un tono de inadecuada ligereza– tuvo lugar durante el verano de 18... Mr. Barnabas Shuttleworthy, uno de los vecinos más ricos y respetables del pueblo, había desaparecido días atrás bajo circunstancias que llevaban a sospechar las más funestas consecuencias. Había salido de Rattleborough un sábado muy temprano, a caballo, con la manifiesta intención de trasladarse a la ciudad de N..., a unas quince millas, y volver aquella misma noche. Empero, dos horas después su caballo volvió sin él y sin los sacos que al partir llevaba en la montura. El animal estaba herido y cubierto de barro. Aquellas circunstancias, como es natural, alarmaron mucho a los amigos del desaparecido; y cuando el domingo por la mañana se supo que no había vuelto, el pueblo se levantó en masa para ir a buscar su cadáver.

El primero y más enérgico organizador de esta búsqueda era un amigo íntimo de Mr. Shuttleworthy, llamado Mr. Charles Goodfellow, o, como todo el mundo le decía, «Charley Goodfellow» o «el viejo Charley Goodfellow». Ahora bien, si se trata de una maravillosa coincidencia o si el nombre tiene un efecto imperceptible sobre el carácter, es cosa que no he podido verificar jamás; pero existe el hecho incuestionable de que jamás ha existido un hombre llamado Charles que no fuera un individuo recto, varonil, honesto, bondadoso y franco, dueño de una voz profunda y clara, agradable de escuchar, y unos ojos que miran a la cara, como diciendo: «Tengo la conciencia tranquila, no temo a nadie, y jamás sería capaz de una acción mezquina». Y así ocurre que todos los generosos, negligentes «actores de carácter» se llaman con toda seguridad Charles.

Pues bien, aunque sólo llevaba unos seis meses en Rattleborough y nadie tenía noticias sobre él antes de que llegara para instalarse entre nosotros, el «viejo Charley Goodfellow» no había hallado la menor dificultad para hacerse amigo de toda la gente respetable del pueblo. Ni un solo vecino hubiera dudado un momento de su palabra, y, en cuanto a las damas, hacían cuanto estaba en su poder para congraciarse con él. Y esto provenía del hecho de llamarse Charles y de ser, por tanto, dueño de uno de esos rostros sinceros que proverbialmente constituyen «la mejor carta de recomendación».

He dicho ya que Mr. Shuttleworthy era uno de los hombres más respetables y, sin duda, el más rico de Rattleborough, y que el «viejo Charley Goodfellow» había intimado con él al punto de que parecía su hermano. Ambos caballeros eran vecinos, y aunque Mr. Shuttleworthy visitaba rara vez –si es que lo hizo alguna– al «viejo Charley», y jamás se supo que comiera en su casa, ello no impedía que ambos amigos estuvieran muchísimo juntos como ya lo he dicho; en efecto, el «viejo Charley» no dejaba pasar un día sin entrar tres o cuatro veces a ver cómo estaba su vecino, y muchas veces se quedaba a tomar el desayuno o el té, y casi siempre a cenar. En estas últimas ocasiones hubiera sido difícil saber cuánta cantidad de vino se tomaban los dos camaradas de una sola vez. La bebida favorita del «viejo Charley» era el Château Margaux, y a Mr. Shuttleworthy parecía agradarle ver cómo su amigo se tomaba botella tras botella. Tanto es así que un día, cuando el vino había despertado el ingenio de ambos, aquel dijo a su compañero, dándole una palmada en la espalda:

–Te diré una cosa «viejo Charley», y es que eres el mejor compañero que haya encontrado desde que nací. Y, puesto que te gusta tanto beber de ese vino, que me cuelguen si no voy a regalarte un gran cajón de Château Margaux. ¡Que me cuelguen –repitió Mr. Shuttleworthy, que tenía la mala costumbre de decir juramentos, aunque no pasaba de algunos bastante inofensivos– si esta misma tarde no mando pedir a la ciudad un doble cajón del mejor vino que tengan y te lo regalo! ¡Vaya si lo haré! No digas ni una palabra: te repito que lo haré y se acabó. De modo que ponte al acecho...; ya te llegará uno de estos días, justamente cuando menos lo esperes.

Menciono este ejemplo de generosidad por parte de Mr. Shuttleworthy a fin de mostrar a ustedes lo muy íntimos que eran aquellos dos amigos.

Pues bien, el domingo de mañana, cuando no quedó duda alguna de que a Mr. Shuttleworthy le había sucedido algo grave, jamás vi a nadie tan preocupado como «el viejo Charley Goodfellow». Cuando oyó por primera vez que el caballo había vuelto a casa sin su amo, sin los sacos de la montura y cubierto de sangre de resultas de un pistoletazo que había atravesado el pecho del pobre animal sin llegar a matarlo; cuando oyó todo eso, se puso tan pálido como si el desa parecido hubiese sido su padre o su hermano, mientras temblaba convulsivamente como si lo hubiese atacado una fiebre palúdica.

Al principio pareció demasiado abatido por el dolor como para tomar ninguna iniciativa o decidir algún plan de acción; durante largo rato se esforzó por disuadir a los restantes amigos de Mr. Shuttleworthy de que tomaran medidas, pensando que era preferible esperar –una semana o dos, y aun un mes o dos– hasta ver si no se producía alguna novedad o si el mismo desaparecido no se presentaba explicando sus razones por haber abandonado en esa forma a su caballo. Pienso que ustedes habrán observado frecuentemente esta tendencia a contemporizar o a diferir en gentes que se hallan bajo la acción de un dolor muy intenso. Sus facultades mentales parecen entorpecidas, y experimentan una especie de horror hacia toda acción; nada les parece preferible a quedarse inmóviles en su cama y «acunar su propia pena», como les gusta decir a las señoras de edad; en otras palabras, rumiar sus dificultades.

Las gentes de Rattleborough tenían en tan alta estima la sensatez y la discreción del «viejo Charley», que la mayor parte se manifestó dispuesta a seguir sus consejos y no efectuar investigaciones «hasta que hubiera alguna novedad», según lo expresaba el honesto caballero. Y estoy convencido de que esta decisión hubiera sido unánime de no mediar la muy sospechosa interferencia del sobrino de Mr. Shuttleworthy, joven de hábitos sumamente disipados y de pésima reputación. Este sobrino, llamado Pennifeather, no quiso atender razones ni «quedarse tranquilo», sino que insistió en salir inmediatamente en busca «del cadáver del asesinado». Tal fue la expresión que empleó, y Mr. Goodfellow no dejó de hacer notar en esa ocasión que «era una frase *extraña,* por no decir más». Semejante observación en boca del «viejo Charley» provocó gran efecto en la multitud, y oyose a uno del grupo preguntar de manera muy vehemente «cómo era posible que el joven Pennifeather estuviera tan bien enterado de las circunstancias relativas a la desaparición de su acaudalado tío como para sentirse autorizado a afirmar, clara e inequívocamente, que su tío había sido *asesinado*». Siguieron a esto picantes réplicas y controversias entre varios de los presentes, y especialmente entre el «viejo

Charley» y Mr. Pennifeather, lo que no provocó ninguna sorpresa, pues bien era sabida la animosidad existente entre ambos desde hacía varios meses. Las cosas habían alcanzado a tal punto que Mr. Pennifeather llegó en una ocasión a derribar de un golpe al amigo de su tío, acusándolo de algunos excesos cometidos por aquel en casa de su pariente, donde se alojaba el joven. Se afirmaba que, en esta ocasión, el «viejo Charley» se había conducido con ejemplar moderación y cristiana caridad. Incorporándose, sacudió sus ropas y no hizo la menor tentativa de devolver el golpe recibido, limitándose a murmurar unas palabras sobre sus propósitos de «vengarse sumariamente en la primera oportunidad», reacción muy natural y justificable de su cólera, que no tenía ningún sentido especial y que, sin duda, había olvidado casi inmediatamente.

Como quiera que fuesen aquellos incidentes (que no se relacionan con lo que estamos narrando), los pobladores de Rattleborough terminaron dejándose persuadir por Mr. Pennifeather, y decidieron dispersarse en las regiones adyacentes en busca del desaparecido. Tal fue la primera intención, pues parecía lo más natural que las gentes se dispersaran en distintos grupos que explorarían de la manera más minuciosa las regiones circunvecinas. Sin embargo, no sé por qué ingenioso razonamiento que he olvidado, el «viejo Charley» acabó convenciendo a la asamblea de que este plan no era el más conveniente. Al decir que los convenció exceptúo a Mr. Pennifeather; pero el hecho es que al final se decidió efectuar una búsqueda cuidadosa a cargo de todos los vecinos *en masse;* naturalmente, el «viejo Charley» tomó la dirección.

Por lo que a esto último respecta, no hay duda de que el jefe era el más capacitado, pues todo el mundo sabía que el «viejo Charley» tenía ojos de lince; empero, aunque los llevó a toda clase de rincones apartados, por senderos que nadie había sospechado jamás que existieran en la región, y aunque la búsqueda continuó incesantemente noche y día durante más de una semana, fue imposible hallar la menor huella de Mr. Shuttleworthy. Cuando digo «la menor huella» no debe entendérseme literalmente, pues no dejaron de encontrarse algunas huellas. Las señales de las herraduras del caballo (que eran de un tipo especial) fueron seguidas hasta un lugar situado a tres millas al este del pueblo, sobre el camino real a la ciudad. Aquí las huellas se desviaban por un atajo que atravesaba un bosque y volvía a salir al camino real, abreviando en media milla el recorrido regular. Al seguir las pisadas por este sendero, el grupo llegó finalmente hasta un charco de agua estancada oculto a medias por las zarzas a la derecha del sendero; en este punto se interrumpían las marcas de herraduras.

Advirtiose, sin embargo, que en el lugar había habido una lucha, y las señales indicaban que un cuerpo grande y pesado había sido arrastrado desde el sendero al charco. Se procedió a dragar cuidadosamente este último, pero ninguna tentativa dio resultado. Disponíanse los presentes a volverse, desesperando de conocer la verdad, cuando la Providencia sugirió a Mr. Goodfellow la idea de desaguar completamente el charco. El proyecto fue recibido con hurras y el «viejo Charley» muy elogiado por su sagacidad e inteligencia. Como muchos vecinos traían palas, dada la eventualidad de desenterrar un cadáver, el desagüe pudo efectuarse rápida y eficazmente. Tan pronto quedó visible el fondo se vio en el centro del lecho de barro un chaleco de terciopelo de seda negra que casi todos los presentes reconocieron como de propiedad de Mr. Pennifeather. El chaleco estaba desgarrado y manchado de sangre.

Varias personas de la asamblea recordaban claramente que el joven lo llevaba puesto la mañana de la partida de Mr. Shuttleworthy, mientras otros se manifestaban dispuestos a afirmar bajo juramento que Mr. Pennifeather no había usado dicha prenda en ningún momento *posterior* a aquel día. Y no se encontró a nadie que afirmara haber visto al joven vistiendo el chaleco en cualquier momento subsiguiente a la desaparición de Mr. Shuttleworthy.

Todo esto creaba una situación sumamente seria para el joven, y como confirmación de las sospechas desatadas contra él notose que se ponía terriblemente pálido y que no era capaz de pronunciar una palabra cuando se lo urgió a que se explicara. Ante esto, los pocos amigos que su disoluta manera de vivir le habían dejado lo abandonaron instantáneamente y se mostraron todavía más enérgicos que sus antiguos y reconocidos enemigos al demandar su arresto inmediato.

Empero, la magnanimidad de Mr. Goodfellow brilló entonces, por contraste, con su más alto resplandor. Hizo una cálida y elogiosa defensa de Mr. Pennifeather, durante la cual aludió más de una vez a su propio y sincero perdón por el insulto que aquel disipado joven, «heredero del excelente Mr. Shuttleworthy», le había inferido en un arrebato de pasión. «Lo perdonaba –agregó– desde lo más profundo de su corazón, en cuanto a él (Mr. Goodfellow), lejos de llevar a su extremo las sospechosas circunstancias que desgraciadamente *existían* contra Mr. Pennifeather, haría todo cuanto estuviera en su poder y emplearía la escasa elocuencia de que era capaz para... para suavizar, en la medida en que pudiera hacerlo en paz con su conciencia, los peores aspectos que presentaba aquel extraordinario y enigmático asunto.»

Mr. Goodfellow continuó durante una larga media hora en este tono, que hacía gran honor tanto a su inteligencia como a su corazón;

pero las gentes de corazón generoso pocas veces son capaces de observaciones sensatas; incurren en toda clase de errores, *contretemps* y despropósitos en el entusiasmo de su celo por servir a un amigo; y así, con las mejores intenciones de este mundo, le hacen muchísimo daño en lugar de favorecerlo.

Así ocurrió en el presente caso con la elocuencia del «viejo Charley», pues, aunque se esforzaba por ayudar al sospechoso, sucedió –no sé bien cómo– que cada sílaba que pronunciaba, con la deliberada o inconsciente intención de no exagerar la buena opinión del público sobre el orador, tuvo el efecto de acentuar las sospechas ya latentes sobre la persona cuya causa defendía y exasperar contra él la furia de la multitud.

Uno de los errores más inexplicables cometidos por el orador fue su alusión al sospechoso como «el heredero del excelente Mr. Shuttleworthy». Ninguno de los presentes había pensado antes en eso. Recordaban solamente ciertas amenazas proferidas un año atrás por el tío en el sentido de desheredar a su sobrino (que era su único pariente), y daban por seguro que este había sido, en efecto, desheredado; tan simples eran los vecinos de Rattlesborough. Pero las observaciones del «viejo Charley» los hicieron pensar en el asunto y advirtieron la posibilidad de que aquellas amenazas no hubieran pasado de tales. Sin transición, pues, surgió la pregunta natural de *cui bono?*, que sirvió aún más que el chaleco para atribuir tan horrible crimen al joven Pennifeather. Aquí, a fin de no ser mal entendido, permítaseme una digresión para hacer notar que esta brevísima y sencilla frase latina es invariablemente mal traducida y mal concebida. En todas las novelas de misterio y en otras –por ejemplo, las de Mrs. Gore, autora de *Cecil*, dama que cita en todas las lenguas, desde el caldeo al chickasaw, ayudada sistemáticamente en su erudición por Mr. Beckford–, en todas esas novelas, repito, desde las de Bulwer Lytton y Dickens hasta las de Turnapenny y Ainsworth, las dos palabritas latinas *cui bono* son traducidas: «¿con qué fin?», o (como si fuera *quo bono*): «¿con qué ventaja?». Empero, su verdadero sentido es: «¿para beneficio de quién?». *Cui*, de quién; *bono*, ¿es para beneficio? La frase es puramente legal y se aplica precisamente en casos como el que nos ocupa, donde la probabilidad de que alguien haya cometido un delito depende del beneficio que recaiga sobre el mismo como consecuencia del delito. Ahora bien, en este caso, la pregunta *cui bono?* implicaba directamente a Mr. Pennifeather. Luego de testar en su favor, su tío lo había amenazado con desheredarlo. Pero la amenaza no había sido llevada a efecto; el testamento original, según se supo, no presentaba alteración. En caso contrario, el único motivo presumible para el crimen habría sido el muy ordinario de la venganza; pero aún este podía rebatirse por la esperanza de todo desheredado de volver a ganar la confianza de su pariente. No habiéndose modificado el testamento, mientras la amenaza seguía suspendida sobre la cabeza del sobrino, todos vieron en ello el más manifiesto motivo para tan horrible crimen, y tal fue la sagaz conclusión de los meritorios ciudadanos de Rattlesborough.

Mr. Pennifeather, pues, fue arrestado allí mismo y la multitud, luego de buscar otro poco, se volvió al pueblo llevándolo bien custodiado. En el camino, además, ocurrió otra cosa tendente a confirmar las sospechas existentes. Mr. Goodfellow, cuyo celo lo hacía adelantarse siempre al grueso del grupo, corrió unos pasos, agachose y levantó un objeto que había en el pasto. Luego de examinarlo rápidamente, se notó que intentaba esconderlo en el bolsillo de la chaqueta, pero los otros se lo impidieron, viéndose que el objeto hallado era una navaja española que una docena de personas reconocieron inmediatamente como de propiedad de Mr. Pennifeather. Lo que es más, sus iniciales aparecían grabadas en el puño. La hoja de la navaja estaba abierta y ensangrentada.

Ya no podía quedar duda sobre la culpabilidad del sobrino del muerto, y, apenas llegados a Rattlesborough, fue entregado al juez para su interrogatorio.

Su situación adquirió entonces un cariz aún más desagradable. Al preguntársele dónde había estado la mañana de la desaparición de Mr. Shuttleworthy, tuvo la descarada audacia de admitir que aquel día había salido con su rifle a cazar ciervos en las inmediaciones del charco donde se había encontrado, gracias a la sagacidad de Mr. Good fellow, su chaleco ensangrentado.

El «viejo Charley» levantose entonces y, con lágrimas en los ojos, pidió permiso para declarar. Dijo que un profundo sentido del deber para con su Hacedor y sus semejantes no le permitía continuar en silencio por más tiempo. Hasta ahora, el más sincero afecto hacia el joven inculpado (no obstante la forma en que se había conducido con él) lo había movido a imaginar cuanta hipótesis le sugería la imaginación, a fin de explicar todo lo sospechoso de esas circunstancias tan incriminatorias para Mr. Pennifeather; pero dichas circunstancias eran ya *demasiado* convincentes, *demasiado* condenatorias. No podía vacilar, diría lo que sabía, aunque su corazón le estallara de dolor al hacerlo.

Procedió entonces a declarar que, la tarde anterior a la partida de Mr. Shuttleworthy, este venerable caballero había dicho a su sobrino (y él, Mr. Goodfellow, lo había oído) que el motivo que lo llevaba a viajar al día siguiente por la mañana era hacer un depósito de una cuantiosa suma de dinero en el Banco de los Granjeros y Mecánicos de la ciudad; agregó que en el curso de la conversación, Mr. Shuttleworthy había manifestado redondamente a su sobrino la irrevocable determinación de anular su testamento y desheredarlo hasta el último centavo. Y, tras de ello, el testigo pidió solemnemente al inculpado que declarara si lo que acababa de decir era o no la más escrupulosa de las verdades.

Para la estupefacción de los presentes, Mr. Pennifeather admitió francamente que lo dicho era la verdad.

El magistrado consideró entonces pertinente enviar a dos oficiales de policía para que efectuaran una perquisición en el aposento que el joven ocupaba en casa de su tío. Los policías no tardaron en volver trayendo consigo la bien conocida cartera de cuero bermejo, con aplicaciones de metal, que el anciano desaparecido llevara consigo durante años. Faltaba su valioso contenido y vanamente se esforzó el magistrado por obtener del inculpado una confesión sobre el destino del dinero o el lugar donde se hallaba escondido. Mr. Pennifeather se obstinó en afirmar que no sabía nada de todo aquello. Por otra parte, los policías descubrieron entre el elástico y el colchón de la cama una camisa y un pañuelo para el cuello, con el monograma del acusado, espantosamente manchados con la sangre de la víctima.

A esta altura de la encuesta se hizo saber que el caballo del asesinado acababa de morir a consecuencia de la herida que recibiera. Mr. Goodfellow propuso entonces que se procediera a efectuar la autopsia del animal, a fin de descubrir, si era posible, la bala. Así se hizo; y como para que la culpabilidad del acusado quedara demostrada de manera definitiva, Mr. Goodfellow, luego de larga búsqueda dentro del pecho del caballo, terminó por localizar y extraer una bala de gran tamaño que, hechas las pruebas correspondientes, resultó corresponder exactamente al calibre del rifle de Mr. Pennifeather, que era mayor que el de cualquier otro vecino del pueblo o sus inmediaciones. Para confirmar aún más la cuestión se descubrió que la bala tenía una señal o reborde en ángulo recto con la sutura habitual; no tardó en verificarse que dicha señal coincidía con la existente en los moldes para fundir balas que, según confesión del acusado, le pertenecían. Apenas probado esto, el magistrado a cargo de la encuesta rehusó escuchar nuevos testimonios y ordenó de inmediato que el prisionero fuera juzgado por asesinato, negándose resueltamente a dejarlo en libertad bajo fianza, a pesar de que Mr. Goodfellow protestó calurosamente contra esta severidad, y ofreció salir como fiador por cualquier suma que se pidiera. Esta generosidad por parte del «viejo Charley» hallábase muy de acuerdo con su amable y caballeresca conducta a lo largo de toda su permanencia en Rattleborough. En este caso, el excelente caballero se dejaba llevar de tal manera por la excesiva fogosidad de su simpatía, que al ofrecerse como fiador de su joven amigo parecía olvidar que no poseía un centavo en el mundo entero.

Los resultados de la decisión pueden imaginarse fácilmente. Acompañado por el odio y la execración de todo Rattleborough, Mr. Pennifeather fue juzgado en el tribunal de causas criminales; la cadena de pruebas circunstanciales (reforzada por algunos hechos condenatorios adicionales, que la sensible conciencia de Mr. Goodfellow le prohibió mantener secretos) fue considerada tan sólida y concluyente, que el jurado no se molestó en abandonar sus asientos para pronunciar el inmediato veredicto de *culpable de asesinato en primer grado*. Momentos después el miserable era condenado a muerte y conducido nuevamente a la cárcel del condado para esperar la inexorable venganza de la ley.

En el ínterin, la noble conducta del «viejo Charley Goodfellow» había duplicado la estima que le profesaban los honestos ciudadanos del pueblo. Su popularidad era diez veces mayor que antes, y, como consecuencia natural de la hospitalidad que recibía en todas partes, se vio forzado a modificar un tanto los hábitos parsimoniosos que su pobreza le impusiera hasta entonces; empezó con frecuencia a ofrecer pequeñas *réunions* en su casa, donde la alegría y el buen humor reinaban supremos –enfriados momentáneamente, *claro está,* por el recuerdo ocasional del prematuro y melancólico destino que aguardaba al sobrino del íntimo amigo de tan generoso huésped–.

Un bello día, este magnífico caballero tuvo la agradable sorpresa de recibir la siguiente carta:

Mr. Charles Goodfellow, Esq., Rattleborough.

Estimado señor:

De conformidad con un pedido transmitido a nuestra firma, hace dos meses, por nuestro estimado cliente Mr. Barnabas Shuttleworthy, tenemos el honor de remitirle a su domicilio un doble cajón de Château Margaux, marca antílope, sello violeta. Cajón numerado y marcado como se indica al pie.

Saludamos a usted muy atentamente,

HOGGS, FROGS, BOGS & CO.

Ciudad de..., 21 de junio 18...

P. S.– El cajón le llegará al día siguiente del recibo de esta carta. Agregamos nuestros saludos a Mr. Shuttleworthy.

H., F., B.& CO.

Chal. Mar. A. N.° 1, 6 doc. bot. (1/2 gruesa).

A decir verdad, desde la muerte de Mr. Shuttleworthy, Mr. Good fellow había perdido toda esperanza de recibir alguna vez el prometido Château Margaux, por lo cual le pareció que recibirlo *ahora* representaba una especial merced de la Providencia. Como es natural, se llenó de regocijo, y en la exuberancia de su alegría invitó a un numeroso grupo de amigos a un *petit souper* para la noche siguiente, dispuesto a hacerles probar parte del regalo del buen Mr. Shuttleworthy. Por cierto que *no dijo nada* acerca del «buen Shuttleworthy» cuando expidió las invitaciones. Después de pensarlo mucho, decidió proceder así. Que yo sepa, a nadie mencionó que hubiera recibido un *regalo* de Château Margaux. Limitose a invitar a sus amigos a que compartieran con él un vino de excelente calidad y fino aroma que había encargado dos meses atrás y que recibiría al día siguiente. Muchas veces me he sentido perplejo pensando *por qué* el «viejo Charley» decidió no decir a nadie que aquel vino era un obsequio de su viejo amigo, pero me fue imposible comprender sus razones para callar, aunque sin duda debía tenerlas, y excelentes.

Llegó el día siguiente, y con él una numerosa y distinguida asistencia se hizo presente en casa de Mr. Goodfellow. Puede decirse que la mitad del pueblo estaba allí (y yo entre ellos), pero, para gran irritación del huésped, el Château Margaux no apareció hasta última hora, cuando la suntuosa cena ofrecida por el «viejo Charley» había sido ampliamente saboreada por los huéspedes. Llegó, empero, y por cierto que era un cajón enormemente grande; entonces, como la asamblea se hallaba de muy buen humor, decidiose por unanimidad que se colocaría sobre la mesa y que se extraería inmediatamente su contenido.

Dicho y hecho. Por mi parte, di una mano, y en menos de un segundo teníamos el cajón sobre la mesa, en medio de las botellas y vasos, gran parte de los cuales se rompieron en la confusión. El «viejo Charley», que estaba completamente borracho y tenía el rostro empurpurado, sentose con aire de burlona dignidad en la cabecera, golpeando furiosamente sobre la mesa con un vaso, mientras reclamaba orden y silencio «durante la ceremonia del desentierro del tesoro».

Luego de algunas vociferaciones, se logró restablecer el orden y, como suele suceder en tales casos, se produjo un profundo y extraño silencio. Habiéndoseme pedido que levantara la tapa, acepté, como es natural, «con infinito placer». Inserté un formón, pero apenas hube dado unos martillazos, la tapa del cajón se alzó bruscamente y, en el mismo instante, surgió del interior, enfrentando al huésped, el magullado, sangriento y putrefacto cadáver de Mr. Shuttleworthy. Por un instante contempló fija y dolorosamente, con sus ojos sin brillo y ya sin forma, el rostro de Mr. Goodfellow. Entonces, lenta pero claramente, se oyó que decía estas palabras: «¡Tú eres el hombre!» Y cayendo sobre el borde del cajón, como satisfecho de lo que había dicho, quedó con los brazos colgando sobre la mesa.

La escena que siguió excede toda descripción. La carrera hacia las puertas y ventanas fue espantosa, y muchos de los hombres más robustos se desmayaron allí mismo de puro horror. Pero, después del primer clamoroso arrebato de miedo, todos los ojos se clavaron en Mr. Goodfellow. Aunque viva mil años, jamás olvidaré la más que mortal agonía reflejada en la horrorosa expresión de su cara, espectralmente pálida después de haberse mostrado tan rubicunda de vino y de triunfo. Durante varios minutos permaneció inmóvil como una estatua de mármol; sus ojos, absolutamente privados de expresión, parecían vueltos hacia adentro y perdidos en el espectáculo de su propia alma asesina. Por fin la vida surgió otra vez, proyectada hacia el mundo exterior; levantándose de un salto, cayó pesadamente con la cabeza y los hombros sobre la mesa, en contacto con el cadáver, mientras de sus labios brotaba rápida y vehemente la detallada confesión del espantoso crimen por el cual Mr. Pennifeather hallábase encarcelado y esperando la muerte.

Lo que contó fue, en resumen, lo siguiente: Había seguido a su víctima hasta las vecindades del charco, hirió allí al caballo de un pistoletazo y mató a Mr. Shuttleworthy a golpes de culata. Luego de apoderarse de la cartera de la víctima, supuso que el caballo había muerto y lo arrastró con gran trabajo hasta las zarzas contiguas al charco. Cargó el cadáver de su víctima sobre su propio caballo y lo llevó a un lugar donde hacerlo desaparecer, situado a mucha distancia a través de los bosques.

El chaleco, la navaja, la cartera y la bala habían sido colocados por él mismo donde fueron hallados, a fin de vengarse de Mr. Pennifeather. También se las arregló para dejar en su cuarto el pañuelo y la camisa manchados de sangre.

Hacia el final del espeluznante relato, las palabras del miserable asesino se hicieron sordas y entrecortadas. Cuando hubo terminado, se enderezó, alejándose tambaleante de la mesa, hasta caer... *muerto.*

Aunque eficientes, los medios mediante los cuales pudo lograrse esta oportuna confusión fueron bien sencillos. La exagerada franqueza y bonhomía de Mr. Goodfellow me había disgustado desde el principio, despertando mis sospechas. Me hallaba presente cuando Mr. Pennifeather lo golpeó, y la diabólica expresión de su rostro, por más pasajera que fuese, me dio la seguridad de que no dejaría de cumplir al pie de la letra su promesa de vengarse. Hallábame, pues, preparado para apreciar las maniobras del «viejo Charley» de una manera muy diferente de la de los buenos vecinos de Rattleborough. Vi de inmediato que todos los descubrimientos incriminatorios nacían directa o indirectamente de él. Pero lo que me abrió completamente los ojos fue el episodio de la bala *hallada* por Mr. Goodfellow en el cuerpo del caballo. Aunque los vecinos lo habían olvidado, yo *no* dejé de recordar que el caballo presentaba un orificio por donde había penetrado el proyectil, y *otro* por donde había salido. Si se encontraba una bala en el cuerpo, tenía que haber sido depositada allí por la misma persona que decía haberla encontrado. La camisa y el pañuelo ensangrentados confirmaron la idea sugerida por el hallazgo de la bala; en efecto, el examen de la sangre demostró que se trataba solamente de vino tinto. Pensando en esas cosas, y también en el rumboso cambio de vida de Mr. Goodfellow, mis sospechas se hicieron cada vez más fuertes, y no eran menos intensas por ser el único que las abrigaba.

En el ínterin, me ocupé privadamente de buscar el cadáver de Mr. Shuttleworthy; tenía mis buenas razones para hacerlo en zonas completamente opuestas a aquellas hacia las cuales Mr. Goodfellow había dirigido a los vecinos. El resultado fue que, algunos días más tarde, llegué a un antiguo pozo seco, cuya boca estaba casi enteramente cubierta de *zarzas*; y allí, en el fondo, hallé lo que buscaba.

Ocurrió que yo había escuchado el diálogo entre los dos amigos, cuando Mr. Goodfellow se las arregló para inducir a su anfitrión a que le regalara un cajón de Château Margaux. Basándome en este hecho, decidí obrar en consecuencia. Procurándome un trozo muy fuerte de barba de ballena, lo introduje por la garganta del cadáver y metí a este en un viejo cajón de vino, teniendo cuidado de doblarlo en forma tal que la barba de ballena se doblara junto con él. De esta manera tuve que apretar fuertemente la tapa para mantenerla ajustada mientras la clavaba; y, como es natural, tenía la seguridad de que, tan pronto los clavos fueran extraídos, la tapa se levantaría, y tras ella el cuerpo.

Arreglado así el cajón, lo marqué y numeré como se ha dicho; luego de escribir una supuesta carta de los vinateros que surtían a Mr. Shuttleworthy, di instrucciones a mi criado para que llevara el cajón en una carretilla hasta la puerta de Mr. Goodfellow, a una señal que yo le haría. En cuanto a las palabras que pensaba hacer pronunciar al cadáver, confiaba suficientemente en mis habilidades de ventrílocuo, y por lo que respecta a su efecto, confiaba en la conciencia del miserable asesino.

Creo que no me queda nada por explicar. Mr. Pennifeather fue puesto inmediatamente en libertad, heredó la fortuna de su tío y, aprovechando la lección de la experiencia, inició desde aquel día una nueva y dichosa vida.

BON-BON

Comentario de Marcelo Birmajer

Creo conveniente advertir al lector del siguiente cuento que, si bien incluye algunos elementos que podrían acercarlo al relato de horror –el demonio, cierta forma de canibalismo, la venta de almas–, se inscribe, no obstante, en la otra hache mayúscula de la literatura: el humor. El humor y el horror comparten el silencio de esa hache significativa: es el silencio del enigma de la condición humana. La literatura, sin dar respuestas, suele ocupar ese silencio con dos expresiones igualmente irracionales: el miedo y la risa. Los grandes autores nos asustan o nos hacen reír; e incluso el mismo autor puede arrancarnos, en distintos relatos o en un solo cuento, escalofríos y carcajadas. Espero no resultar pretencioso si sugiero que Edgar Allan Poe respondía ya no al enigma, sino al estupor de la existencia, con ráfagas de horror o de humor, para acompañarnos a pasar este rato a menudo sin sentido que hemos convenido en llamar vida.

El borracho de este cuento no padece la embriaguez que se le ha adjudicado al autor norteamericano, pletórica de desesperación y delírium trémens. Por el contrario, se trata de un borracho lúcido y amable. No es una especie inexistente, afortunadamente. También tiene su justificación, que no proviene de una infancia infeliz ni de un trauma insuperable: Bon-Bon, nuestro personaje, es dueño de un restaurante, y su acceso a los mejores vinos de Francia es tan sencillo como ineludible. No se va a dormir sin descorchar alguna de las botellas que guarda amorosamente en la bodega de su pequeño *café* (la bastardilla es del original), en la localidad de Ruán.

Ningún *restaurateur,* y mucho menos los mozos, se salva de recibir alguna vez a un cliente indeseable. Puede tratarse del alborotador, de la pareja que se pelea en público, o del clásico avivado que se larga sin pagar. Menos esperable es que, en la trasnoche de un largo día de trabajo, se le presente en persona el Diablo.

Pero Mefisto, a diferencia del legendario Cuervo del mismo autor, esta noche porta, como suvenires, la percepción crítica del mundo y, más valiosa aún, la piedad.

La prosa prístina de Poe se ha mantenido fiel a sí misma con el paso del tiempo, con toda seguridad en este relato; pero sospecho que al momento de su publicación debió de arrancar carcajadas, mientras que hoy debemos resignarnos a la sonrisa y al valor histórico: la confirmación de que ese narrador inagotable era también un pensador visionario. Quienes abreven en la filosofía clásica y moderna –no es mi caso– podrán extraer aún más vitaminas de este *sketch* colmado de alegorías, sátiras y reflexiones.

Desde hace muchos años vengo propugnando la idea de crear algún tipo de figura legal para castigar a aquellos que nos revelan el final de un cuento (podría tratarse, por ejemplo, de pagar el importe de un cuento de igual calidad al que nos ha arruinado). De modo que, habiendo bordeado este delito, no caeré en la desgracia de ultimarlo. Pero como el prologuista no tiene más remedio que ser parcialmente un soplón, un estómago resfriado –en porteño: un buchón–, termino confesando que, tratándose de un relato fáustico, su final tiene el mérito de la sorpresa. Ahora que lo pienso bien, me parece un final extraordinario. Buenas noches.

BON-BON

«Quand un bon vin meuble mon estomac
Je suis plus savant que Balzac,
Plus sage que Pibrac;
Mon seul bras faisant l'attaque
De la nation Cossaque
La mettroit au sac;
De Charon je passerois le lac
En dormant dans son bac;
J'irois au fier Eac,
Sans que mon cœur fit tic ni tac,
Présenter du tabac».
Vaudeville francés

No creo que ninguno de los parroquianos que, durante el reino de... frecuentaban el pequeño *café* en el *cul-de-sac* Le Febre, en Ruán, esté dispuesto a negar que Pierre Bon-Bon era un *restaurateur* de notable capacidad. Me parece todavía más difícil negar que Pierre Bon-Bon era igualmente bien versado en la filosofía de su tiempo. Sus *pâtés de foies* eran intachables, pero, ¿qué pluma podría hacer justicia a sus ensayos *sur la Nature,* a sus pensamientos *sur l'âme,* a sus observaciones *sur l'esprit*? Si sus *omelettes,* si *sus fricandeaux* eran inestimables, ¿qué literato de la época no hubiera dado el doble por una *idée* de *Bon-Bon* que por la despreciable suma de todas las *idées* de los *savants*? Bon-Bon había explorado bibliotecas que para otros hombres eran inexploradas; había leído más de lo que otros podían llegar a concebir como lectura, había comprendido más de lo que otros hubieran imaginado posible comprender; y si bien no faltaban en la época de su florecimiento algunos escritores de Ruán para quienes «su *dicta* no evidenciaba ni la pureza de la Academia, ni la profundidad del Liceo», y a pesar, nótese bien, de que sus doctrinas no eran comprendidas de manera muy general, no se sigue empero de ello que fuesen difíciles de comprender. Pienso que su propia evidencia hacía que muchas personas las tomaran por abstrusas. Kant mismo –pero no llevemos las cosas más allá– debe principalmente su metafísica a Bon-Bon. Este no era platónico ni, hablando en rigor, aristotélico; tampoco, a semejanza de Leibniz, malgastaba preciosas horas que podían emplearse mejor inventando una *fricassée* o, *facili gradu,* analizando una sensación, en frívolas tentativas de reconciliar todo lo que hay de inconciliable en las discusiones éticas. ¡Oh no! Bon-Bon era jónico. Bon-Bon era igualmente itálico. Razonaba a priori. Razonaba a posteriori. *Sus* ideas eran innatas... o de otra manera. Creía en Jorge de Trebizonda. Creía en Bessarion. Bon-Bon era, enfáticamente... Bon-Bonista.

He hablado del filósofo en su calidad de *restaurateur.* No quisiera, empero, que alguno de mis amigos vaya a imaginarse que, al cumplir sus hereditarios deberes en esta última profesión, nuestro héroe dejaba de estimar su dignidad y su importancia. ¡Lejos de ello! Hubiera sido imposible decir cuál de las dos ramas de su trabajo le inspiraba mayor orgullo. Opinaba que las facultades intelectuales estaban íntimamente vinculadas con la capacidad estomacal. Incluso no creo que estuviera muy en desacuerdo con los chinos, para quienes el alma reside en el estómago. Pensaba que, como quiera que fuese, los griegos tenían razón al emplear la misma palabra para la mente y el diafragma[1]. No pretendo insinuar con esto una acusación de glotonería, o cualquier otra imputación grave en perjuicio del metafísico. Si Pierre Bon-Bon tenía sus debilidades –¿y qué gran hombre no las tiene por miles?–, eran debilidades de menor cuantía, faltas que, en otros caracteres, suelen considerarse con frecuencia a la luz de las virtudes. Con respecto a una de estas debilidades, ni siquiera la mencionaría en este relato si no fuera por su notable prominencia, el extremo *alto rilievo* con que asoma en el plano de sus características generales. Hela aquí: jamás perdía la oportunidad de hacer un trato.

No digo que fuera avaricioso... nada de eso. Para la satisfacción del filósofo, no era necesario que el trato fuese ventajoso para él. Con tal que se hiciera el convenio –de cualquier género, término o circunstancia–, veíase por muchos días una triunfante sonrisa en su rostro y un guiñar de ojos llenos de malicia que daba pruebas de su sagacidad.

Un humor tan peculiar como el que acabo de describir hubiera llamado la atención en cualquier época, sin que tuviera nada de maravilloso. Pero en los tiempos de mi relato, si esta peculiaridad *no* hubiese llamado la atención, habría sido ciertamente motivo de ma-

1. φρένες.

ravilla. Pronto se llegó a afirmar que, en todas las ocasiones de este género, la sonrisa de Bon-Bon era muy diferente de la franca sonrisa irónica con la cual reía de sus propias bromas, o recibía a un conocido. Corrieron rumores de naturaleza inquietante; repetíanse historias sobre tratos peligrosos, concertados en un segundo y lamentados con más tiempo; y se citaban ejemplos de inexplicables facultades, vagos deseos e inclinaciones anormales, que el autor de todos los males suele implantar en los hombres para satisfacer sus propósitos.

El filósofo tenía otras debilidades, pero apenas merecen que hablemos de ellas en detalle. Por ejemplo, es sabido que pocos hombres de extraordinaria profundidad de espíritu dejan de sentirse inclinados a la bebida. Si esta inclinación es causa o más bien prueba de esa profundidad, es cosa más fácil de decir que de demostrar. Hasta donde puedo saberlo, Bon-Bon no consideraba que aquello mereciera una investigación detallada, y tampoco yo lo creo. Empero, al ceder a una propensión tan clásica, no debe suponerse que el *restaurateur* perdía de vista esa intuitiva discriminación que caracterizaba al mismo tiempo sus ensayos y sus tortillas. Cuando se encerraba a beber, el vino de Borgoña tenía su honra, y había momentos destinados al Côte du Rhone. Para él, el Sauternes era al Medoc lo que Catulo a Homero. Podía jugar con un silogismo al probar el St. Peray, desenredar una discusión frente al Clos de Vougeot y trastornar una teoría en un torrente de Chambertin. Bueno hubiera sido que un análogo sentido del decoro lo hubiese detenido en la frívola tendencia a que he aludido más arriba, pero no era así. Por el contrario, dicho *trait* del filosófico Bon-Bon llegó a adquirir a la larga una extraña intensidad, un misticismo, como si estuviera profundamente teñido por la *diablerie* de sus estudios germánicos favoritos.

Entrar en el pequeño *café* del *cul-de-sac* Le Pebre, en la época de nuestro relato, era entrar en el *sanctum* de un hombre de genio. Bon-Bon era un hombre de genio. No había un sólo *sous-cuisinier* en Ruán que no afirmara que Bon-Bon era un hombre de genio. Hasta su gato lo sabía, y se cuidaba mucho de atusarse la cola en su presencia. Su gran perro de aguas estaba al tanto del hecho y, cuando su amo se le acercaba, traducía su propia inferioridad conduciéndose admirablemente y bajando las orejas y las mandíbulas de manera bastante meritoria en un perro. Sin duda, empero, mucho de este respeto habitual podía atribuirse a la apariencia del metafísico. Un aire distinguido se impone, preciso es decirlo, hasta a los animales; y mucho había en el aire del *restaurateur* que podía impresionar la imaginación de los cuadrúpedos. Siempre se advierte una majestad singular en la atmósfera que rodea a los pequeños grandes –si se me permite tan equívoca expresión– que la mera corpulencia física no es capaz de crear por su sola cuenta. Por eso, aunque Bon-Bon tenía apenas tres pies de estatura y su cabeza era minúscula, nadie podía contemplar la rotundidad de su vientre sin experimentar una sensación de magnificencia que llegaba a lo sublime. En su tamaño, tanto hombres como perros veían un arquetipo de sus capacidades, y en su inmensidad, el recinto adecuado para su alma inmortal.

En este punto podría –si ello me complaciera– extenderme en cuestiones de atuendo y otras características exteriores de nuestro metafísico. Podría insinuar que llevaba el cabello corto, cuidadosamente peinado sobre la frente y coronado por un gorro cónico de franela con borlas; que su chaquetón verde no se adaptaba a la moda reinante entre los *restaurateurs* ordinarios; que sus mangas eran algo más amplias de lo que permitía la costumbre; que los puños no estaban doblados, como ocurría en aquel bárbaro período, con el mismo material y color de la prenda, sino adornados de manera más fantasiosa, con el abigarrado terciopelo de Génova; que sus pantuflas eran de un púrpura brillante, curiosamente afiligranado, y que se las hubiera creído fabricadas en el Japón de no ser por su exquisita terminación en punta y la brillante coloración de sus bordados y costuras; que sus calzones eran de esa tela amarilla semejante al satén, que se denomina *aimable;* que su capa celeste, que por la forma semejaba una bata, ricamente ornamentada con dibujos carmesíes, flotaba gentilmente sobre los hombros como la niebla de la mañana... y que este *tout ensemble* fue el que dio origen a la notable frase de Benevenuta, la Improvisatrice de Florencia, al afirmar «que era difícil decir si Pierre Bon-Bon era realmente un ave del paraíso, o más bien un paraíso de perfecciones». Podría, como he dicho, explayarme sobre todos estos puntos si ello me complaciera, pero me abstengo; los detalles meramente personales pueden ser dejados a los novelistas históricos, pues se hallan por debajo de la dignidad moral de la realidad.

He dicho que «entrar en el *café* del *cul-de-sac* Le Pebre era entrar en el *sanctum* de un hombre de genio»; pero sólo otro hombre de genio hubiera podido estimar debidamente los méritos del *sanctum*. Una muestra, consistente en un gran libro, balanceábase sobre la entrada. De un lado del volumen aparecía una botella; del otro, un *pâté*. En el lomo se leía con grandes letras: *Œuvres de Bon-Bon*. Así, delicadamente, se daban a entender las dos ocupaciones del propietario.

Al pisar el umbral, presentábase a la vista todo el interior del local. El *café* consistía tan sólo en un largo y bajo salón, de construcción muy antigua. En un ángulo se veía el lecho del metafísico.

Varias cortinas y un dosel a la griega le daban un aire a la vez clásico y confortable. En el ángulo diagonal opuesto aparecían en familiar comunidad los implementos correspondientes a la cocina y a la biblioteca. Un plato lleno de polémicas descansaba pacíficamente sobre el aparador. Más allá había una hornada de las últimas éticas, y en otra parte una tetera de *mélanges* en duodécimo. Libros de moral alemana aparecían como carne y uña con las parrillas, y un tenedor para tostadas descansaba al lado de Eusebius, mientras Platón reclinábase a su gusto en la sartén, y manuscritos contemporáneos se arrinconaban junto al asador.

En otros sentidos, el *café* de Bon-Bon difería muy poco de cualquiera de los *restaurants* de la época. Una gran chimenea abría sus fauces frente a la puerta. A la derecha, un armario abierto desplegaba un formidable conjunto de botellas.

Allí mismo, cierta vez a eso de medianoche, durante el riguroso invierno de..., Pierre Bon-Bon, después de escuchar un rato los comentarios de los vecinos sobre su singular propensión, y echarlos finalmente a todos de su casa, corrió el cerrojo con un juramento y se instaló, malhumorado, en un confortable sillón de cuero junto a un buen fuego de leña.

Era una de esas espantosas noches que sólo se dan una o dos veces cada siglo. Nevaba copiosamente y la casa temblaba hasta los cimientos bajo las ráfagas del viento que, entrando por las grietas de la pared, corriendo impetuosas por la chimenea, agitaban terriblemente las cortinas del lecho del filósofo y desorganizaban sus fuentes de *pâté* y sus papeles. El pesado volumen que colgaba fuera, expuesto a la furia de la tempestad, crujía ominosamente, produciendo un sonido quejumbroso con sus puntales de roble macizo.

He dicho que el filósofo se instaló malhumorado en su lugar habitual junto al fuego. Varias circunstancias enigmáticas ocurridas a lo largo del día habían perturbado la serenidad de sus meditaciones. Al preparar unos *œufs à la Princesse,* le había resultado desdichadamente una *omelette à la Reine;* el descubrimiento de un principio ético se malogró por haberse volcado un guiso, y, finalmente –aunque no en último lugar–, habíasele frustrado uno de esos admirables tratos que en todo momento le encantaba llevar a feliz término. Empero, a la irritación de su espíritu nacida de tan inexplicable contrariedad no dejaba de mezclarse algo de esa ansiedad nerviosa que la furia de una noche tempestuosa se presta de tal manera a provocar.

Luego de silbar a su gran perro de aguas negro para que se instalara más cerca de él, y de ubicarse intranquilo en su sillón, Bon-Bon no pudo dejar de recorrer con ojos inquietos y cautelosos esos lejanos rincones del aposento cuyas densas sombras sólo parcialmente alcanzaba a disipar el rojo fuego de la chimenea. Luego de completar un escrutinio cuya exacta finalidad ni siquiera él era capaz de comprender, acercó a su asiento una mesita llena de libros y papeles y no tardó en absorberse en la tarea de corregir un voluminoso manuscrito, cuya publicación era inminente.

Llevaba así ocupado algunos minutos, cuando...

–No tengo ningún apuro, Monsieur Bon-Bon –murmuró una voz quejumbrosa en la estancia.

–¡Demonio! –exclamó nuestro héroe, enderezándose de un salto, derribando la mesa a un lado y mirando estupefacto en torno.

–Exactísimo –repuso tranquilamente la voz.

–*¡Exactísimo!* ¿Qué es *exactísimo?* ¿Y cómo ha entrado usted aquí? –vociferó el metafísico, mientras sus ojos se posaban en algo que yacía tendido cuan largo era sobre la cama.

–Le estaba diciendo –continuó el intruso, sin molestarse por las preguntas– que no tengo la menor prisa, que el negocio que con su permiso me trae aquí no es urgente... y que, en resumen, puedo muy bien esperar a que haya terminado con su exposición.

–¡Mi exposición! ¿Y cómo sabe *usted*... cómo *puede* saber que estaba escribiendo una exposición? ¡Gran Dios...!

–¡Sh...! –susurró el personaje, con un sonido sibilante; y levantándose presurosamente del lecho, dio un paso hacia nuestro héroe, mientras una lámpara de hierro que colgaba sobre él se balanceaba convulsivamente ante su cercanía.

El asombro del filósofo no le impidió observar en detalle el atuendo y la apariencia del desconocido. Su silueta, extraordinariamente delgada y muy por encima de la estatura común, podía apreciarse gracias al raído traje negro que la ceñia, y cuyo corte correspondía al estilo del siglo anterior. No cabía duda de que aquellas ropas habían estado destinadas a una persona mucho más pequeña que su actual poseedor. Los tobillos y muñecas se mostraban al descubierto en una extensión de varias pulgadas. En los zapatos, empero, un par de brillantísimas hebillas parecía dar un mentís a la extrema pobreza manifiesta en el resto del atavío. Llevaba la cabeza cubierta y era completamente calvo, aunque del occipucio le colgaba una *queua* de considerable extensión. Un par de anteojos verdes, con cristales a los lados, protegía sus ojos de la luz y al mismo tiempo impedían que Bon-Bon pudiera verificar de qué color y conformación eran. No se notaba por ninguna parte la presencia de una camisa, pero una corbata blanca, muy sucia, aparecía cuidadosamente anudada en la garganta, y las puntas, colgando gravemente, daban la impresión (que me atrevo a decir no era intencional) de que se trataba de un eclesiástico. Por cierto que muchos otros detalles, tanto de su atuendo como de sus modales, contribuían a robustecer esa impresión. Sobre la oreja izquierda, a la manera de los pasantes modernos, llevaba un instrumento semejante al *stylus* de los antiguos. En el bolsillo superior de la chaqueta veíase claramente un librito negro con broches de acero. Este libro estaba colocado de manera tal que, accidentalmente o no, permitía leer las palabras *Rituel Catholique* en letras blancas sobre el lomo.

La fisonomía del personaje era atractivamente saturnina y de una palidez cadavérica. La frente, muy alta, aparecía densamente marcada por las arrugas de la contemplación. Las comisuras de la boca caían hacia abajo, con una expresión de humildad por completo servil. Tenía asimismo una manera de juntar las manos, mientras avanzaba hacia nuestro héroe, un modo de suspirar y una apariencia general de tan completa santidad, que impresionaba de la manera más simpática. Toda sombra de cólera se borró del rostro del metafísico una vez que hubo completado satisfactoriamente el escrutinio de su visitante; estrechándole cordialmente la mano, lo condujo a un sillón.

Sería un error radical atribuir este instantáneo cambio de humor del filósofo a cualquiera de las razones que podían haber influido en su ánimo. Hasta donde pude alcanzar a conocer su carácter, Pierre Bon-Bon era el hombre menos capaz de dejarse llevar por las apariencias exteriores, aunque fueran de lo más plausibles. Imposible, además, que un observador tan sagaz de los hombres y las cosas no hubiera advertido instantáneamente el verdadero carácter del personaje que así se abría paso en su hospitalidad. Por no decir más, la conformación de los pies del visitante era suficientemente notable, mantenía apenas en la cabeza un sombrero exageradamente alto, notábase una trémula vibración en la parte posterior de sus calzones y la vibración del faldón de su chaqueta era cosa harto visible. Júzguese, pues, con qué satisfacción encontrose nuestro héroe en la repentina compañía de una persona hacia la cual había experimentado en todo tiempo el más incondicional de los respetos. Demasiado diplomático era, sin embargo, para que se le escapara la menor señal de que sospechaba la verdad. No era su intención demostrar que se daba perfecta cuenta del alto honor que tan inesperadamente gozaba, sino que se proponía inducir a su huésped a que, en el curso de una conversación, le permitiera elucidar ciertas importantes ideas éticas, las cuales, una vez incluidas en su próxima publicación, esclarecerían a la humanidad, inmortalizando de paso a su autor, y bien puedo agregar que la avanzada edad del visitante, así como su conocido dominio de la ciencia moral, permitían suponer que no dejaría de estar al tanto de dichas ideas.

Movido por tan elevadas miras, nuestro héroe invitó a sentarse al caballero visitante, mientras echaba nuevos leños al fuego y colocaba sobre la mesa, devuelta a su primitiva posición, algunas botellas de Mousseux. Completadas rápidamente estas operaciones, puso su sillón *vis-à-vis* con el de su compañero y esperó a que este último iniciara la conversación. Pero los planes, aun los más hábilmente elaborados, suelen verse frustrados en la aplicación, y el *restaurateur* quedó estupefacto ante las primeras palabras de su visitante.

–Veo que me conoce usted, Bon-Bon –dijo–. ¡Ja, ja, ja! ¡Je, je, je! ¡Ji, ji, ji! ¡Jo, jo, jo! ¡Ju, ju, ju!

Y el diablo, renunciando bruscamente a la santidad de su apariencia, abrió en toda su capacidad una boca de oreja a oreja, como para mostrar una dentadura mellada pero terriblemente puntiaguda, y, mientras echaba la cabeza hacia atrás, rió larga y sonoramente, con maldad, con un resonar estentóreo, mientras el perro negro, agazapado, se agregaba al clamoreo, y el gato, huyendo a la carrera, se erizaba y maullaba desde el rincón más alejado del aposento.

Pero nada de esto fue imitado por el filósofo; era un hombre de mundo y no rió como el perro ni traicionó su temblor con maullidos como el gato. Preciso es confesar que estaba algo asombrado al ver que las blancas letras que formaban las palabras *Rituel Catholique* sobre el libro que sobresalía del bolsillo de su huésped se transformaban instantáneamente en color y en sentido, y que en lugar del título original brillaban con rojo resplandor las palabras *Registre des Condamnés*. Esta sorprendente circunstancia dio a la respuesta de Bon-Bon un tono un tanto confuso que, de lo contrario, creemos, no hubiera tenido.

–Pues bien, señor –dijo el filósofo–. Pues bien, señor... para hablar sinceramente... creo que usted es... palabra de honor... que es el di... quiero decir que, según me parece, tengo una vaga... muy vaga idea del alto honor que...

–¡Oh, ah! ¡Sí, perfectamente! –interrumpió su Majestad–. ¡No diga usted más! ¡Ya me doy cuenta!

Y, quitándose los anteojos verdes, limpió cuidadosamente los cristales con la manga de su chaqueta y los guardó en el bolsillo.

Si Bon-Bon se había asombrado por el incidente del libro, su asombro creció enormemente ante el espectáculo que se presentó ante él. Al levantar los ojos, lleno de curiosidad por conocer el color de los de su huésped, se encontró con que no eran negros, como había imaginado; ni grises, como podía haberlo imaginado; ni castaños o azules, ni amarillos o rojos, ni purpúreos o blancos, ni verdes... ni de ningún otro color de los cielos, de la tierra o de las aguas. En resumen, no solamente Bon-Bon vio claramente que su Majestad no tenía ojos de ninguna especie, sino que le resultó imposible descubrir la menor señal de que hubieran existido en otro momento; pues el espacio donde debían hallarse era tan sólo –me veo obligado a decirlo– una lisa superficie de carne.

No entraba en la naturaleza del metafísico abstenerse de hacer algunas averiguaciones sobre las fuentes de tan extraño fenómeno, y la respuesta de su Majestad fue tan pronta como digna y satisfactoria.

–¡Ojos! ¡Mi querido Bon-Bon ... ojos! ¿Dijo usted ojos? ¡Oh, ah! ¡Ya veo! Supongo que las ridículas imágenes que circulan sobre mí le han dado una falsa idea de mi apariencia personal... ¡Ojos! Los ojos, Pierre Bon-Bon, están muy bien en su lugar adecuado... Dirá usted que dicho lugar es la cabeza. De acuerdo, si se trata de la cabeza de un gusano. Igualmente para *usted,* dichos órganos son indispensables... Pero ya lo convenceré de que mi visión es más penetrante que la suya. Hay un gato en ese rincón... un bonito gato... ¿lo ve usted? Mírelo con cuidado. Pues bien, Bon-Bon, ¿alcanza usted a contemplar los pensamientos... he dicho los pensamientos... las ideas, las reflexiones... que nacen en el pericráneo de ese gato? ¡Ahí tiene... no los ve usted! Pues el gato está pensando que admiramos el largo de su cola y la profundidad de su mente. Acaba de llegar a la conclusión de que soy un distinguido eclesiástico, y que usted es el más superficial de los metafísicos. Ya ve, pues, que no tengo nada de ciego; pero, para uno de mi profesión, los ojos a que usted alude serían únicamente una molestia y estarían en constante peligro de ser arrancados por una horquilla de tostar o un agitador de brea. Para usted, lo admito, esos aparatos ópticos resultan indispensables. Esfuércese por emplearlos bien, Bon-Bon; por mi parte, *mi* visión es el alma.

Tras esto el visitante se sirvió vino y, luego de llenar otro vaso para Bon-Bon, lo invitó a beberlo sin escrúpulos y a sentirse perfectamente en su casa.

–Un libro muy sagaz el suyo, Pierre –continuó su Majestad, dándole una palmada de connivencia en la espalda, una vez que nuestro amigo hubo vaciado su vaso en cumplimiento del pedido de su visitante–. Un libro muy sagaz, palabra de honor. Un libro como los que a mí me gustan... Pienso, sin embargo, que su presentación del tema podría mejorarse, y muchas de sus nociones me recuerdan a Aristóteles. Este filósofo fue uno de mis conocidos más íntimos. Lo quería muchísimo por su terrible malhumor, así como por la increíble facilidad que tenía para equivocarse. En todo lo que escribió sólo hay una verdad sólida, y se la sugerí yo a fuerza de tenerle lástima al verlo tan absurdo. Supongo, Pierre Bon-Bon, que sabe usted muy bien a qué divina verdad moral aludo.

–No podría decir que...

–¿De veras? Pues bien, fui yo quien dijo a Aristóteles que, al estornudar, el hombre expelía las ideas superfluas por la nariz.

–Lo cual... ¡hic!... es absolutamente cierto –dijo el metafísico, mientras se servía otro gran vaso de Mousseux y ofrecía su tabaquera de rapé al visitante.

–Tuvimos también a Platón –continuó su Majestad, declinando modestamente la invitación a tomar rapé y el cumplido que entrañaba–. Tuvimos a Platón, por quien en un tiempo sentí el afecto que se guarda a los amigos. ¿Conoció usted a Platón, Bon-Bon? ¡Ah, es verdad, le pido mil perdones! Pues bien, un día me lo encontré en Atenas, en el Partenón. Me dijo que estaba preocupadísimo buscando una idea. Le hice escribir que ὁ νοῦς ἐστιν αὐλός. Me dijo que lo haría y se volvió a casa, mientras yo seguía viaje a las pirámides. Pero mi conciencia me remordía por haber pronunciado una verdad, aunque fuera para ayudar a un amigo, y, volviéndome rápidamente a Atenas, llegué junto a la silla del filósofo cuando se disponía a escribir el αὐλός.

Dando un capirotazo a la lambda, la hice volverse cabeza abajo. Por eso la frase dice ahora: ὁ νοῦς ἐστιν αὐγός, y constituye, como usted sabe, la doctrina fundamental de su metafísica.

–¿Estuvo usted en Roma? –preguntó el *restaurateur* mientras terminaba su segunda botella de Mousseux y extraía del armario una amplia provisión de Chambertin.

–Sólo una vez, Monsieur Bon-Bon, sólo una vez. Hubo un tiempo –dijo el diablo como si recitara un pasaje de un libro– en que la anarquía reinó durante cinco años, en los cuales la república, privada de todos sus funcionarios, no tuvo otra magistratura que los tribunos del pueblo, y estos carecían de toda investidura legal que los capacitara para las funciones ejecutivas. En ese momento, Monsieur Bon-Bon... y *sólo* en ese momento estuve en Roma... y, por tanto, carezco de relaciones terrenas con su filosofía[2].

–¿Y qué piensa usted... qué piensa usted... ¡hic!... de Epicuro?

–¿Qué pienso de *quién?* –preguntó el diablo estupefacto–. No pretenderá usted encontrar ningún error en Epicuro, espero. ¿Qué pienso de Epicuro? ¿Habla usted de mí, caballero? ¡Epicuro soy yo! Soy el mismo filósofo que escribió cada uno de los trescientos tratados que tanto celebraba Diógenes Laercio.

–¡Miente usted! –dijo el metafísico, a quien el vino se le había subido un tanto a la cabeza.

2. «Ils écrivaient sur la philosophie (Cicerón, Lucrecio, Séneca) mais c'était la philosophie grecque» *(Condorcet)*.

–¡Muy bien! ¡Muy bien, señor mío! ¡Ciertamente muy bien! –dijo su Majestad, al parecer sumamente halagado.

–¡Miente usted! –repitió el *restaurateur,* dogmáticamente–. ¡Miente... ¡hic!... usted!

–¡Pues bien, sea como usted quiera! –dijo el diablo pacíficamente, y Bon-Bon, después de vencer a su Majestad en la controversia, consideró de su deber concluir una segunda botella de Chambertin.

–Como iba diciendo –continuó el visitante–, y como hacía notar hace un momento, en ese libro suyo, Monsieur Bon-Bon, hay algunas nociones demasiado *outrées*. ¿Qué pretende usted, por ejemplo, con todo ese camelo del alma? ¿Puede usted decirme, caballero, qué *es* el alma?

–El... ¡hic!... alma –repitió el metafísico, remitiéndose a su manuscrito– es indudablemente...

–¡No, señor!

–Indudablemente...

–¡No, señor!

–Indudablemente...

–¡No, señor!

–Evidentemente...

–¡No, señor!

– Incontrovertiblemente...

–¡No, señor!

–¡Hic!

–¡No, señor!

–E incuestionablemente, el...

–¡No, señor, el alma no es eso!

(Aquí el filósofo, con aire furibundo, aprovechó la ocasión para dar instantáneo fin a la tercera botella de Chambertin.)

–Pues entonces... ¡hic!... Diga usted, señor: ¿qué es?

–No es ni esto ni aquello, Monsieur Bon-Bon –repuso pensativo su Majestad–. He probado... quiero decir he conocido algunas almas muy malas, y algunas otras excelentes.

Al decir esto se relamió, pero, como apoyara involuntariamente la mano en el volumen que llevaba en el bolsillo, se vio atacado por una violenta serie de estornudos.

–Conocí el alma de Cratino –continuó–. Era pasable... La de Aristófanes, chispeante. ¿Platón? Exquisito... No *su* Platón, sino el poeta cómico; su Platón hubiera hecho vomitar a Cerbero... ¡puah! Veamos... tuvimos a Nevio, Andrónico, Plauto y Terencio. Luego Lucilio, Catulo, Nasón y Quinto Flaco... ¡Querido Quintón! Así lo apodaba yo mientras cantaba un *seculare* para divertirme, y yo lo tostaba suspendido de un tridente... ¡tan divertido! Pero a esos romanos les falta *sabor*. Un griego gordo vale por una docena de ellos, aparte de que se *conserva,* cosa que no puede decirse de un Quirite. Probemos su Sauternes.

A esta altura, Bon-Bon había decidido mantenerse fiel al *nil admirari,* y se apresuró a bajar las botellas en cuestión. Notaba, empero, un extraño sonido, como si alguien estuviera meneando el rabo. Pero el filósofo prefirió no darse por enterado de tan indecorosa conducta de su Majestad; limitose a dar un puntapié al perro y ordenarle que se estuviera quieto. El visitante continuó entonces:

–Descubrí que Horacio tenía un sabor muy parecido al de Aristóteles... y ya sabe usted que me agrada la variedad. Imposible diferenciar a Terencio de Menandro. Para mi asombro, Nasón era Nicandro disfrazado. Virgilio tenía un tonillo nasal como el de Teócrito. Marcial me hizo recordar muchísimo a Arquíloco, y Tito Livio era sin duda alguna Polibio.

–¡Hic! –observó aquí Bon-Bon, mientras su Majestad proseguía.

–Empero, si algún *penchant* tengo, Monsieur Bon-Bon... si algún *penchant* tengo, es el de la filosofía. Permítame decirle, sin embargo, que no cualquier demo... que no cualquier caballero sabe cómo *elegir* a un filósofo. Los de estatura elevada no son buenos, y los mejores, si no se los descascara bien, tienden a ser un tanto amargos a causa de la hiel.

–¡Si no se los descascara...!

–Quiero decir, si no se los saca de su cuerpo.

–¿Y qué pensaría usted de un... ¡hic!... médico?

–¡Ni los mencione, por favor! ¡Puah, puah! –y su Majestad eructó violentamente–. Solamente probé uno... ese canalla de Hipócrates... ¡Olía a asafétida!... ¡Puah, puah! Pesqué un terrible resfrío, lavándolo en la Estigia... y a pesar de todo me contagió el cólera morbo.

–¡Qué... hic... qué miserable! –exclamó Bon-Bon–. ¡Qué aborto... hic... de una caja de píldoras!

Y el filósofo vertió una lágrima.

–Después de todo –continuó el visitante–, si un demo... si un caballero ha de *vivir,* necesita desplegar suficiente habilidad. Entre nosotros, un rostro rechoncho indica diplomacia.

–¿Cómo es eso?

–Pues bien, a veces nos vemos bastante apretados en materia de provisiones. Tiene usted que saber que, en un clima tan bochornoso como el nuestro, resulta imposible mantener vivo a un espíritu por más de dos o tres horas, y, luego de muerto, a menos de encurtirlo inmediatamente (y un espíritu encurtido *no* es sabroso), se pone a... a oler, ¿comprende usted? La putrefacción es de temer siempre que nos envían las almas en la forma habitual.

–¡Hic! ¡Hic! *¡Gran Dios!* ¿Y cómo se las arreglan?

En este momento la lámpara de hierro empezó a oscilar con redoblada violencia y el diablo saltó a medias de su asiento; pero luego, con un contenido suspiro, recobró la compostura, limitándose a decir en voz baja a nuestro héroe:

–Le ruego una cosa, Pierre Bon-Bon: que no profiera juramentos.

El filósofo se zampó otro vaso, a fin de denotar su plena comprensión y aquiescencia, y el visitante continuó:

–Pues bien, nos arreglamos de *diversas* maneras. La mayoría de nosotros se muere de hambre; algunos transigen con el encurtido; por mi parte, compro mis espíritus *vivient corpore,* pues he descubierto que así se conservan muy bien.

–¿Pero el cuerpo ...hic ...el cuerpo?

–¡El cuerpo, el cuerpo! ¿Y qué, el cuerpo? ¡Oh, ah, ya veo! Pues bien, señor mío, el cuerpo no se ve afectado *para* nada por la transacción. He efectuado innumerables adquisiciones de esta especie en mis tiempos, y los interesados jamás experimentaron el menor inconveniente. Vayan como ejemplo Caín y Nemrod, Nerón, Calígula, Dionisio y Pisístrato... aparte de otros mil, que jamás sospecharon lo que era tener un alma en los últimos tiempos de sus vidas. Empero, señor mío, esos hombres eran el adorno de la sociedad. ¿Y no tenemos a A... a quien conoce usted tan bien como yo? ¿No se halla en posesión de todas sus facultades mentales y corporales? ¿Quién escribe un epigrama más punzante que él? ¿Quién razona con más ingenio? ¿Quién...? ¡Pero, basta! Tengo este convenio en el bolsillo.

Así diciendo, extrajo una cartera de cuero rojo y sacó de ella cantidad de papeles. Bon-Bon alcanzó a ver parte de algunos nombres en diversos documentos: Maquiav... Maza... Robesp... y las palabras Calígula, George, Elizabeth. Su Majestad eligió una angosta tira de pergamino y procedió a leer las siguientes palabras:

«A cambio de ciertos dones intelectuales que es innecesario especificar, y a cambio, además, de mil luises de oro, yo, de un año y un mes de edad, cedo por la presente al portador de este convenio todos mis derechos, títulos y pertenencias de esa sombra llamada mi alma. (Firmado) A...»[3].

(Y aquí su Majestad leyó un nombre que no me creo justificado a indicar de una manera más inequívoca.)

–Era un individuo muy astuto –resumió–, pero, como usted, Monsieur Bon-Bon, se equivocaba acerca del alma. ¡El alma... una sombra! ¡Ja, ja, ja! ¡Je, je, je! ¡Ju, ju, ju! ¡Imagínese una *sombra fricassée!*

3. ¿*Arouet,* acaso?

–¡Imagínese... hic... una sombra *fricassée!* –repitió nuestro héroe, cuyas facultades se estaban iluminando grandemente ante la profundidad del discurso de su Majestad.

–¡Imagínese... hic... una sombra *fricassée!* –repitió–. ¡Que me cuelguen... hic... hic...! ¡Y si yo hubiera sido tan... hic... tan estúpido! *¡Mi* alma señor... hic!

–¿*Su* alma, Monsieur Bon-Bon?

–¡Sí, señor! ¡Hic! Mi alma es...

–¿Qué, señor mío?

–¡No es ninguna sombra, que me cuelguen!

–¿Quiere usted decir...?

–Sí, señor. Mi *alma* es... hic... ¡sí, señor!

–¿No pretende usted afirmar que...?

–*Mi* alma est... hic... especialmente calificada para... hic... para un...

–¿Un qué, señor mío?

–Un estofado.

–¡Ah!

–Un *souflée.*

–¡Eh!

–Un *fricassée.*

–¿De veras?

–*Ragout* y *fricandeau...* ¡Veamos un poco, mi buen amigo! ¡Se la dejaré a usted... hic... haremos un trato! –y el filósofo palmeó a su Majestad en la espalda.

–Semejante cosa es imposible –dijo este último calmosamente, mientras se levantaba de su asiento.

El metafísico se quedó mirándolo.

–Tengo suficiente provisión por el momento –dijo su Majestad.

–¡Hic! ¿Cómo?

–Y, en cambio, carezco de fondos disponibles.

–¿Qué?

–Además, no está nada bien de mi parte que...

–¡Caballero!

–... que me aproveche...

–¡Hic!

–... de su triste y poco caballeresca situación en este momento.

Y con esto, el visitante saludó y se retiró –sin que pueda decirse exactamente de qué manera–. Pero en un bien pensado esfuerzo por arrojar una botella al «villano» rompiose la fina cadena que colgaba del techo, y el metafísico quedó postrado por el golpe de la lámpara al caer.

LOS ANTEOJOS
Comentario de Mario Bellatin

La historia que se cuenta en «Los anteojos» de Edgar Allan Poe, me hace recordar a cierta canción que me narró el masajista al que debo acudir para corregir ciertas desviaciones que presento en la parte superior de la espalda. La fábula de alguien que llega a mantener relaciones con su tatarabuela, es el argumento de un tema musical que interpretaba el cantante brasileño Waldick Soriano. Yo me enteré de su existencia –la letra parecía ser una crítica a las mujeres de edad madura que solían asistir disfrazadas de muchachas a las fiestas que se organizaban en las afueras de los poblados– porque se trataba de una de las baladas preferidas de la madre del terapeuta que me atiende cada vez que visito la ciudad de São Paulo. La madre de este clínico era una declamadora profesional que le adaptó a su arte nuevas formas de expresión. En lugar de recurrir a la poesía clásica como es la costumbre, utilizó como material para sus presentaciones las letras de las canciones de los artistas de moda. La balada de Waldick Soriano, en la que un joven malandro acaba entregándose al embrujo de una atractiva y misteriosa mujer –arreglada como una joven por acción del uso excesivo de maquillaje, de pelucas y de implantes en el cuerpo– fue un éxito rotundo durante varios meses. En todo Brasil pareció no escucharse otra melodía que no fuera *La sorpresa*, que era el nombre de la canción. La madre la comenzó a declamar cuando el tema todavía estaba en su esplendor. Generalmente nunca hacía algo semejante. Acostumbraba, por el contrario, rescatar composiciones cuando ya se encontraban en declive, buscando de ese modo otorgarles, a través de la declamación, un nuevo sentido. En cierta forma sentía una suerte de orgullo al colocar nuevamente en primer plano melodías que el público comenzaba a olvidar. Creía que ese rescate era una de las razones del éxito de su programa de radio. Triunfo que a la madre, principalmente por la forma de conducta que mostraba ante algunas situaciones de la vida concreta, no le deparó jamás un aporte económico significativo. Pese a su habitual manera de trabajar, escogió interpretar *La sorpresa* en el momento de su mayor auge. Lo hizo porque descubrió en su representación la posibilidad de crearle distintas dimensiones a su oficio. Vio en ese momento la opción de darle vislumbres de carácter histriónico. Aunque en apariencia se trataba de un tema bufo, de una historia que podía ser contada en clave humorística, la letra que interpretaba Waldick Soriano era extremadamente dramática. Sobre todo el final, cuando después de descubrir la situación en la que se encuentran involucrados el balandro mata a la anciana utilizando un puñal. La tatarabuela, lo dice la canción, había sido hermosísima en la juventud y todavía ahora, a los ochenta y dos años, conservaba la estatura majestuosa, la escultural cabeza, los hermosos ojos y la nariz griega. Con ayuda de ello, polvos de arroz, carmín, peluca, dentadura postiza y el trabajo de las más hábiles modistas del poblado lograba mantener una aceptable posición entre las mujeres que acudían a los bailes. El tataranieto, mientras asestaba las cuchilladas iba despojando, poco a poco, a la víctima de sus abalorios hasta dejarla mostrando su verdadera dimensión. Según mi masajista, la madre declamadora hacía proezas con las manos cuando narraba aquella escena frente al público. Lograba transmitir, no sólo con la voz sino con todo el cuerpo, algo así como la fuerza del engaño, del incesto, de la vergüenza que podían sentir los partícipes de una situación semejante. Cuando le pregunté al terapeuta –yo estaba siendo sometido a una de mis habituales sesiones clínicas cuando me habló del asunto– cómo se había enterado el tataranieto de que la mujer con quien se había adentrado a los arbustos, que se extendían alrededor de la pista de baile, era su tatarabuela, me respondió que se trataba tan sólo de una canción más de Waldick Soriano, donde los sucesos que se van presentando no requieren nunca de una explicación mayor.

LOS ANTEOJOS

Hace años estaba de moda ridiculizar la noción de «amor a primera vista»; pero aquellos que piensan y sienten profundamente han defendido siempre su existencia. Los descubrimientos modernos en el campo que cabe llamar magnetismo ético o estética magnética permiten suponer con toda probabilidad que los afectos humanos más naturales y, por tanto, más verdaderos e intensos son aquellos que surgen en el corazón como obra de una simpatía eléctrica; en una palabra, que los grilletes psíquicos más brillantes y duraderos son aquellos que quedan remachados por una mirada. La confesión que me dispongo a hacer agregará otro ejemplo a tantos que prueban la verdad de esta concepción.

Mi historia requiere cierto detalle. Soy todavía muy joven, pues no he cumplido aún los veintidós años. Mi nombre actual es muy vulgar y hasta plebeyo: Simpson. Digo «actual», pues hace poco que se me conoce por él, que adopté legalmente el año pasado a fin de recibir una cuantiosa herencia que me dejó un pariente lejano, Adolphus Simpson, Esq. El legado incluía la condición de que adoptara el nombre del testador; al decir nombre me refiero al apellido y no al nombre; mi nombre o, más exactamente, mis nombres, son Napoleón Bonaparte.

Asumí el apellido con cierta resistencia, pues mi verdadero patronímico, Froissart, me inspira un muy perdonable orgullo, y creo que me sería posible trazar mi descendencia del inmortal autor de las *Crónicas.* Y ya que hablamos de apellidos, mencionaré una singular coincidencia de sonido en los de mis predecesores inmediatos. Mi padre era Monsieur Froissart, de París. Su esposa, mi madre, con la cual se casó teniendo ella quince años, era Mademoiselle Croissart, la hija mayor del banquero Croissart, cuya esposa, a su vez, sólo tenía dieciséis años al casarse con él, y era la hija mayor de un tal Víctor Voissart. Muy curiosamente, Monsieur Voissart habíase casado con una dama de nombre parecido, Mademoiselle Moissart. También ella se desposó siendo todavía una niña; y su madre, Madame Moissart, tenía sólo catorce años cuando la llevaron al altar. Estos matrimonios tempranos son usuales en Francia. De todas maneras, he aquí a los Moissart, Voissart, Croissart y Froissart de mi línea de ascendencia directa. Empero, mi nombre se convirtió en el de Simpson por disposición legal, con tanta repugnancia de mi parte que en un momento dado vacilé en aceptar el legado que tan inútil y molesta condición traía aneja.

Por lo que se refiere a dotes personales, no creo carecer de ellas. Antes bien, estimo que soy muy proporcionado y poseo lo que nueve de cada diez personas llaman un hermoso semblante. Mido cinco pies y once pulgadas de estatura. Tengo cabello negro y rizado. La nariz está bastante bien. Los ojos son grandes y grises y, aunque –he de confesarlo– sumamente débiles, su apariencia no hace sospechar semejante cosa. La debilidad de mi visión me preocupó siempre en alto grado, y acudí a todos los remedios posibles –salvo el de usar anteojos. Siendo joven y bien parecido es natural que me desagraden y que me haya negado redondamente a llevarlos. Nada conozco que desfigure tanto el rostro de un joven, o que dé a cada rasgo un aire de gravedad si no de santurronería y de vejez. Un monóculo, por otra parte, tiene un sabor de afectación y rebuscamiento. Hasta ahora me las he arreglado lo mejor posible sin ninguno de los dos. Pero estoy hablando demasiado de detalles meramente personales, que después de todo carecen de importancia. Me contentaré con agregar que poseo temperamento sanguíneo, arrebatado, ardiente y entusiasta, y que toda mi vida he sido devoto admirador de las mujeres.

Una noche del invierno pasado entré en un palco del teatro P..., acompañado de mi amigo Mr. Talbot. Era una velada de ópera y el programa presentaba especial atractivo, por lo cual la sala hallábase de bote en bote. Entramos empero a tiempo para obtener las plateas que habíamos reservado, y a las cuales conseguimos llegar con no poca dificultad.

Durante dos horas, mi compañero, que era un melómano consumado, consagró su mayor atención a la escena; por mi parte pasé ese tiempo entreteniéndome en observar al público, formado en su mayor parte por la *élite* de la ciudad. Satisfecho sobre este punto me disponía a contemplar a la *prima donna,* cuando mis ojos quedaron detenidos y paralizados por una figura sentada en uno de los palcos que hasta entonces había escapado a mi escrutinio.

Aunque viva mil años, jamás olvidaré la intensa emoción que sentí al contemplar aquella imagen. Era aquella la mujer más exquisita que jamás viera antes. El rostro estaba vuelto hacia el escenario y, durante varios minutos, no pude distinguirlo, pero su forma era *divina;* imposible usar otra palabra que exprese suficientemente sus admirables proporciones; hasta ese término, «divino», parece ridículamente débil mientras lo escribo.

La magia de una bella forma de mujer, la nigromancia de la gracia femenina, eran poderes a los cuales jamás había resistido; pero aquí estaba la gracia personificada, encarnada, el *beau idéal* de mis más exaltadas y entusiasmadas visiones. Hasta donde la barandilla del palco permitía adivinarlo, la figura de aquella dama era de estatura mediana y se aproximaba, sin serlo del todo, a lo majestuoso. Su perfecta plenitud, su *tournure,* eran deliciosas. La cabeza, de la cual sólo veía la parte posterior, rivalizaba en sus líneas con la Psique griega, y una toca de *gaze aérienne,* que me recordó el *ventum textilem* de Apuleyo, la exhibía más que la ocultaba. El brazo derecho apoyábase en el antepecho del palco y estremecía cada fibra de mi ser con su exquisita simetría. La parte superior estaba cubierta con una de esas mangas sueltas y abiertas, a la moda, y bajaba apenas más allá del codo. Por debajo de ella nacía otra de un material muy leve y ceñido que terminaba en un puño de rico encaje, el cual caía graciosamente sobre la mano y sólo permitía ver los delicados dedos, en uno de los cuales centelleaba un anillo de brillantes, cuyo extraordinario valor advertí de inmediato. La admirable redondez de la muñeca veíase realzada claramente por un brazalete ornamentado con una magnífica *aigrette* de joyas, todo lo cual expresaba, en términos inequívocos, la riqueza y el exquisito gusto de su portadora.

Contemplé aquella real aparición durante casi media hora, como si me hubiese vuelto de piedra, y en ese período sentí toda la fuerza y la verdad de cuanto se ha dicho y cantado sobre el «amor a primera vista». Mis sentimientos diferían completamente de los que experimentara hasta entonces, aun en presencia de los parangones más célebres de hermosura femenina. Una inexplicable simpatía de alma a alma, que me veo impelido a considerar *magnética,* parecía no solamente fijar mi visión, sino mi capacidad mental y sentimental, sobre el admirable objeto que tenía ante mí. Vi... sentí... supuse que estaba profunda, loca, irrevocablemente enamorado... y todo ello antes de haber contemplado el rostro de mi amada. Tan intensa era la pasión que me consumía, que incluso si las facciones aún invisibles de aquella mujer resultaban ser comunes y vulgares me sentía seguro de que no cambiaría; tan anómala es la naturaleza del único amor verdadero –del amor a primera vista–, y tan poco depende de las condiciones externas, que sólo parecen crearlo y controlarlo.

Mientras seguía envuelto en admiración frente a tan encantador espectáculo, un repentino murmullo del público hizo que la dama desviara un tanto el rostro, permitiéndome contemplarla claramente de perfil. Su belleza excedía mis esperanzas, pese a lo cual había en ella algo que me decepcionó, sin que me fuera posible decir exactamente de qué se trataba. He dicho «decepcionó», pero la palabra no hace al caso. Mis sentimientos se calmaron y exaltaron al mismo tiempo. Asumieron un tono en el que había menos transporte y más entusiasmo sereno, un entusiasmo reposado. Quizá ese sentimiento nació del aire matronil, como de Madonna, que reinaba en aquel semblante, pero al mismo tiempo comprendí que no procedía enteramente de ello. Había otra cosa, un misterio que no alcanzaba a develar, cierta expresión del rostro que me perturbaba a la vez que acrecía intensamente mi interés. En suma, me hallaba en ese estado mental que predispone a un hombre joven y susceptible a cometer cualquier extravagancia. De haber visto sola a la dama hubiera entrado resueltamente en su palco para hablarle; pero, afortunadamente, la acompañaban dos personas: un caballero y una mujer extraordinariamente hermosa, que parecía varios años menor que ella.

Di vueltas en mi imaginación a mil planes que me permitieran ser presentado a la dama, o que, por lo menos, me permitieran apreciar más de cerca su hermosura. De haber podido hubiese buscado un asiento cercano al palco, pero el teatro estaba repleto; para colmo, los despiadados decretos de la moda habían prohibido imperiosamente el uso de gemelos y me hallaba desprovisto de un instrumento que tanto me hubiese ayudado.

Por fin me decidí a apelar a mi compañero.

–Talbot –dije–, sé que usted tiene unos gemelos. Préstemelos.

–¡Unos gemelos! ¡Vamos! ¿Y para qué querría yo unos gemelos? –respondió, volviéndose impaciente hacia el escenario.

–Pero, Talbot –insistí, tocándole el hombro–, escúcheme al menos, por favor... ¿Ve ese palco? ¡Allí... no, el siguiente! ¿Vio alguna vez una mujer más hermosa?

–No cabe duda de que es muy hermosa –dijo él.

–¿Quién puede ser?

–¡Vamos! ¿Va usted a decirme que no lo sabe? «No reconocerla significa que usted mismo es desconocido...» Es la celebrada Madame Lalande, la belleza de la temporada por excelencia, el tema de conversación de toda la ciudad. Inmensamente rica, además... viuda, y un magnífico partido... Acaba de llegar de París.

–¿La conoce usted?

–Sí, he tenido ese honor.

–¿Me presentará a ella?

–Por supuesto, con el mayor placer. ¿Cuándo?

–Mañana, a la una, nos encontraremos en B...

–Perfectamente. Y ahora cállese, si le es posible.

Me vi precisado a obedecer, pues Talbot se mantuvo obstinadamente sordo a mis restantes preguntas o pedidos, ocupándose exclusivamente de lo que ocurría en el escenario hasta el fin de la velada.

Entretanto guardaba yo mis ojos fijos sobre Madame Lalande, y por fin tuve la buena suerte de contemplar de frente su rostro. Era exquisitamente hermoso como mi corazón me lo había anunciado aun antes de que Talbot me lo confirmara; empero, ese algo ininteligible continuaba perturbándome. Concluí finalmente que lo que me afectaba era cierto aire de gravedad, de tristeza o, más exactamente, de cansancio, que robaba algo de juventud y frescura a aquel rostro, dándole en cambio una seráfica ternura y majestad, y multiplicando así diez veces su interés para un temperamento tan romántico y entusiasta como el mío.

Mientras satisfacía mis ojos descubrí con profunda conmoción que la dama acababa de advertir la intensidad de mi mirada y que se había sobresaltado levemente. Pero me sentía tan fascinado que me fue imposible dejar de mirarla. Desvió ella el rostro, y otra vez vi el cincelado contorno de su nuca y su cabeza. Pasados unos minutos como si sintiera curiosidad por saber si persistía en mi examen, movió gradualmente la cabeza y otra vez encontró mi ardiente mirada. Sus grandes ojos oscuros bajaron al punto, mientras un profundo rubor teñía sus mejillas. Pero cuál sería mi estupefacción al notar que no solamente se abstenía de apartar el rostro, sino que tomaba de su regazo unos gemelos, los ajustaba y se ponía a observarme intensa y deliberadamente durante varios minutos.

Si una centella hubiese caído a mis pies, no me habría sentido más asombrado. Pero mi asombro no involucraba la menor ofensa o disgusto pese a que acción tan audaz me hubiera ofendido y disgustado en otra mujer. Su proceder, en cambio, revelaba tanta serenidad, tanta *nonchalance,* tanto reposo... y a la vez traducía un refinamiento tan grande, que hubiera sido imposible percibir allí el menor descaro, y mis únicos sentimientos fueron de admiración y sorpresa.

Noté que, al levantar por primera vez los gemelos, la dama parecía quedar satisfecha de su rápida inspección de mi persona, y los retiraba ya de sus ojos cuando, cediendo a un nuevo pensamiento, volvió a mirar y continuó haciéndolo, con la atención fija en mí durante varios minutos; puedo incluso asegurar que no fueron menos de cinco.

Esta conducta, tan fuera de lo común en un teatro norteamericano, atrajo la atención general y originó un perceptible movimiento y murmullo entre el público, que por un momento me llenó de confusión, aunque no pareció causar el menor efecto en el rostro de Madame Lalande.

Satisfecha su curiosidad –si era tal–, apartó los gemelos y volvió a concentrarse en la escena, quedando de perfil como al principio. Continué mirándola incansable, aunque me daba perfecta cuenta de lo descortés de mi conducta. No tardé en ver que su cabeza cambiaba lenta y suavemente de posición y comprobé que la dama, mientras fingía contemplar la escena, no hacía más que observarme atentamente. Inútil decir el efecto que semejante proceder, en una mujer tan fascinadora, podía causar en mi vehemente espíritu.

Luego de escrutarme durante un cuarto de hora, el bello objeto de mi pasión se dirigió al caballero que la acompañaba y, mientras ambos hablaban, vi por la forma en que miraban que la conversación se refería a mi persona.

Terminado el diálogo, Madame Lalande se volvió otra vez hacia la escena y durante un momento pareció absorta en la representación. Pero, pasado un momento, sentí que me dominaba una incontenible agitación al ver que por segunda vez dirigía hacia mí los gemelos y que, desdeñando el renovado murmullo del público, me examinaba de la cabeza a los pies con la misma milagrosa compostura que tanto había deleitado y confundido mi alma momentos antes.

Tan extraordinaria conducta, sumiéndome en afiebrada excitación, en un verdadero delirio de amor, sirvió para alentarme más que para desconcertarme. En la alocada intensidad de mi devoción me olvidé de todo lo que no fuera la presencia y la majestuosa hermosura de la visión que así respondía a mis miradas. Esperé la oportunidad, y cuando me pareció que el público estaba concentrado en la ópera y que los ojos de Madame Lalande se fijaban en los míos, le hice una ligera pero inconfundible inclinación de cabeza.

Sonrojose profundamente y apartó los ojos; después, lenta y cautelosamente, miró en torno como para asegurarse de que mi audacia no había sido advertida y se inclinó finalmente hacia el caballero sentado junto a ella.

Tuve entonces clara conciencia de la torpeza que había cometido, e imaginé un inmediato pedido de explicaciones, mientras una imagen de pistolas al amanecer flotaba rápida y desagradablemente en mi pensamiento. Pero me esperaba una tranquilidad tan grande como instantánea al ver que la dama se limitaba a alcanzar un programa al caballero sin decirle palabra; el lector podrá empero hacerse una vaga idea de mi estupefacción, de mi *profundo* asombro, del delirante trastorno de mi corazón y de mi alma cuando, después de haber mirado furtivamente en torno, Madame Lalande posó de lleno sus ojos en los míos, y luego, con una débil sonrisa que dejaba ver sus brillantes dientes como perlas, me hizo dos inclinaciones de cabeza tan inequívocas como afirmativas...

Sería inútil que me extendiera sobre mi alegría, mi transporte, el ilimitable éxtasis de mi corazón. Si algún hombre se volvió loco por exceso de felicidad, ese fui yo en aquel momento. Amaba. Era mi *primer* amor y lo sentía así. Era un amor supremo, indescriptible. Era «amor a primera vista», y también a primera vista había sido apreciado y *correspondido.*

¡Sí, correspondido! ¿Cómo y por qué había de dudarlo? ¿Qué otra explicación podía dar de semejante conducta por parte de una mujer tan hermosa, tan acaudalada, tan llena de cualidades y altísimos méritos, de posición social tan encumbrada y en todo sentido, tan respetable como indudablemente lo era Madame Lalande? ¡Sí, me amaba... correspondía al entusiasmo de mi amor con un entusiasmo tan ciego, tan firme, tan desinteresado, tan lleno de abandono, tan ilimitado como el mío!

Aquellas deliciosas fantasías se vieron interrumpidas por la caída del telón. Levantose el público y sobrevino la confusión de costumbre. Apartándome de Talbot, me esforcé desesperadamente por acercarme a Madame Lalande. Pero como la multitud no me lo permitiera, renuncié a mi propósito y volví a casa, consolándome por no haber podido rozar siquiera el borde de su manto, al pensar que Talbot me presentaría a ella al día siguiente.

Llegó, por fin, la mañana; vale decir que por fin amaneció después de una larga y fatigosa noche de impaciencia. Las horas se arrastraron, lúgubres e innumerables caracoles, hasta la una. Pero está dicho que aun Estambul tendrá su fin, y la hora llegó. Oyose la campanada de la una. Con su último eco me presenté en B... y pregunté por Talbot.

–Está ausente –me respondió el lacayo, que era precisamente el de mi amigo.

–¡Ausente! –exclamé, retrocediendo varios pasos–. Permítame decirle, amiguito, que eso es completamente imposible. Mr. Talbot no está ausente. ¿Qué quiere usted hacerme creer?

–Nada, señor... salvo que Mr. Talbot está ausente. Se fue a S... apenas terminó de desayunar, y dejó dicho que no volvería hasta dentro de una semana.

Me quedé petrificado de horror y rabia. Quise replicar, pero la lengua no me obedecía. Por fin, me alejé, lívido de cólera, mientras en mi interior enviaba a toda la familia Talbot a las regiones más recónditas del Erebo. No cabía duda de que mi amable amigo, *il fanatico,* habíase olvidado de su cita conmigo y que la había olvidado en el momento mismo de fijarla. Jamás había sido hombre de palabra. Imposible remediarlo, y, por tanto, ahogando lo mejor posible mi resentimiento, remonté malhumorado la calle, haciéndole fútiles averiguaciones sobre Madame Lalande a cuanto amigo encontraba en mi camino. Descubrí que todos habían oído hablar de ella, pero como sólo llevaba algunas semanas en la ciudad, pocos podían jactarse de conocerla personalmente. Estos pocos carecían de familiaridad suficiente para creerse autorizados a presentarme en el curso de una visita matinal.

Mientras, lleno de desesperación, hablaba con un trío de amigos sobre el único tema que absorbía mi corazón, ocurrió que el tema mismo pasó cerca de nosotros.

–¡Allí está, por mi vida! –exclamó uno de ellos.

–¡Extraordinariamente hermosa!–dijo el segundo.

–¡Un ángel sobre la tierra! –pronunció el tercero.

Miré y vi un carruaje abierto que se nos acercaba lentamente y en el cual hallábase sentada la encantadora visión de la ópera, acompañada por la dama más joven que había compartido su palco.

–Su compañera es igualmente interesante –dijo el amigo que había hablado primero.

–Ya lo creo, y me parece asombroso –dijo el segundo–. Tiene todavía un aire de lo más lozano. Claro que el arte hace maravillas... Palabra, se la ve mejor que hace cinco años en París. Todavía es una hermosa mujer. ¿No le parece, Froissart... quiero decir, Simpson?

–*¡Todavía!* –exclamé–. Y ¿por qué no habría de ser una hermosa mujer? Pero, comparada con su amiga, es como una bujía frente a la estrella vespertina... como una luciérnaga al lado de Antar.

–¡Ja, ja, ja! ¡Vamos, Simpson, vaya estupenda manera que tiene de hacer descubrimientos... por lo menos originales!

Y nos separamos, mientras uno del trío empezaba a canturrear un alegre *vaudeville,* del cual sólo pode oír las palabras

Ninon, Ninon, Ninon à bas
À bas Ninon de l'Enclos!

En el curso de esta escena había ocurrido algo que sirvió para consolarme muchísimo, alimentando aún más la pasión que me consumía. Cuando el carruaje de Madame de Lalande pasó junto a nuestro grupo, observé que me reconocía y, lo que es más, que me llenaba de felicidad al concederme la más seráfica de las sonrisas sobre cuyo sentido no podía caber la más pequeña duda.

Por lo que se refiere a la presentación, me vi precisado a abandonar toda esperanza hasta que a Talbot se le ocurriera regresar de la campaña. Entretanto, frecuenté asiduamente todos los lugares de diversión distinguidos y, por fin, en el mismo teatro donde la viera por primera vez tuve la suprema dicha de encontrarla nuevamente y de cambiar con ella mis miradas. Pero esto sólo ocurrió después de una quincena. Diariamente, en el interin, había preguntado por Talbot, y diariamente me había estremecido de rabia ante el eterno «No ha regresado todavía» de su lacayo.

Aquella noche, pues, me sentía al borde de la locura. Me habían dicho que Madame Lalande era francesa y que acababa de llegar de París. ¿No podría ocurrir que regresara bruscamente a su patria? ¿Y si partía antes del regreso de Talbot? ¿No la perdería para siempre? La sola idea me resultaba insoportable. Y, puesto que mi felicidad futura estaba en juego, me decidí a proceder virilmente. En una palabra: terminada la representación seguí a la dama hasta su residencia, tomé nota de la dirección y a la mañana siguiente le envié una larga y detallada carta donde volcaba plenamente los sentimientos de mi corazón.

Hablé en ella audaz y libremente... en una palabra, lleno de pasión. No oculté nada, ni siquiera mis defectos. Aludí a las románticas circunstancias de nuestro primer encuentro, y mencioné las miradas que se habían cruzado entre nosotros. Llegué al extremo de decirle que me sentía seguro de su amor, a la vez que le ofrecía esta seguridad y mi propia e intensa devoción como doble excusa por mi imperdonable conducta. Como tercer argumento, aludí a mis temores de que pudiera marcharse de la ciudad antes de haber tenido la ocasión de serle formalmente presentado. Y terminé aquella epístola, la más exaltada y entusiasta que se haya escrito nunca, con una franca declaración de mi estado social y mi fortuna, a la vez que le ofrecía mi corazón y mi mano.

Esperé la respuesta dominado por la más desesperante ansiedad. Después de lo que me pareció un siglo, me fue entregada.

Sí, me fue entregada su *respuesta*. Por más romántico que parezca, recibí una carta de Madame Lalande... la hermosa, la acaudalada, la idolatrada Madame Lalande. Sus ojos, sus magníficos ojos, no habían desmentido su noble corazón. Como una verdadera francesa, había obedecido a los francos dictados de la razón, a los impulsos generosos de su naturaleza, despreciando las convencionales mojigaterías de la sociedad. No se había burlado de mi propuesta. No se había refugiado en el silencio. No me había devuelto mi carta sin abrir. Por el contrario, me contestaba con otra escrita por su propia y exquisita mano. Decía:

Monsieur Simpson, me bernodará bor no écrire muy bien en su hermoso idioma. Hace muy boco que soy arrivée y no he tenido la obortunité de l'étudier.

Desbués de disculbarme por mi redacción, diré que, *hélas!!*, Monsieur Simpson ha adivinado berfectamente... ¿Necesito decir más? *Hélas!!* ¿No habré dicho más de lo que corresbondía?

Eugènie Lalande

Besé un millón de veces este billete de tan noble inspiración, e incurrí en mil otras extravagancias que escapan a mi memoria. Pero, entretanto, Talbot *no* volvía. ¡Ay! Si hubiera podido concebir el sufrimiento que su ausencia me ocasionaba, ¿no habría volado inmediatamente, dada nuestra amistad y simpatía, en mi auxilio? Pero, entretanto, *no* volvía. Le escribí. Me contestó. Hallábase retenido por urgentes negocios, pero no tardaría en regresar. Me suplicaba que no me impacientara, que moderase mis transportes, leyera libros tranquilizadores, bebiera únicamente vino del Rin y requiriese los consuelos de la filosofía para que me ayudaran. ¡El muy insensato! Si no podía venir en persona, ¿por qué, en nombre de todo lo razonable, no agregaba a su carta otra de presentación? Volví a escribirle, rogándole que así lo hiciera. La carta me fue devuelta por el mismo lacayo con una nota a lápiz escrita al dorso. El villano se había reunido con su amo en la campaña y me decía:

Salió ayer de S..., pero no dijo adónde iba ni cuándo va a volver. Me parece mejor devolverle esta carta, pues reconozco su letra y pienso que usted tiene siempre mucha prisa.

Lo saluda atentamente,
Stubbs

Inútil agregar que después de esto consagré tanto al amo como al criado a las divinidades infernales; pero de nada me valía encolerizarme y las quejas no me servían de consuelo.

Sin embargo, la audacia de mi temperamento me daba una última posibilidad. Hasta ahora esa audacia me había sido útil y decidí que la emplearía nuevamente para mis fines. Además, después de la correspondencia que habíamos mantenido, ¿qué acto de mera informalidad podía cometer que, dentro de ciertos límites, pudiera Madame Lalande considerar indecoroso? Desde el envío de mi carta había tornado la costumbre de observar su casa, y descubrí que la dama salía al atardecer, acompañada por un negro de librea, y paseaba por la plaza a la cual daban sus ventanas. Allí, entre los sotos sombríos y lujuriantes, en la gris penumbra de un anochecer estival, esperé la oportunidad de aproximarme a ella.

Para engañar mejor al sirviente que la acompañaba procedí con el aire de una vieja relación de familia. En cuanto a ella, con una presencia de ánimo verdaderamente parisiense, comprendió de inmediato y, al saludarme, me tendió la más hechiceramente pequeña de las manos. Instantáneamente el lacayo se quedó atrás y, entonces, con los corazones rebosantes, nos explayamos larga y francamente sobre nuestro amor.

Como Madame Lalande hablaba el inglés con mayor dificultad de la que tenía para escribirlo, nuestra conversación se desarrolló necesariamente en francés. Esta dulce lengua, tan apropiada para la pasión, me permitió liberar el impetuoso entusiasmo de mi naturaleza, y con toda la elocuencia de que era capaz supliqué a mi amada que consintiera en un matrimonio inmediato.

Sonrió ella ante mi impaciencia. Aludió a la vieja cuestión del decoro –ese espantajo que a tantos aleja de la dicha hasta que la oportunidad de ser dichosos ha pasado para siempre–. Me hizo notar que, imprudentemente, había yo dicho a todos mis amigos que ansiaba conocerla; por ello resultaba imposible ocultar la fecha en que nos habíamos visto por primera vez. Sonrojándose, aludió a lo muy reciente de dicha fecha. Casarnos de inmediato sería impropio, indecoroso... *outré*. Y todo esto lo decía con un encantador aire de *naïveté* que me arrobaba al mismo tiempo que me lastimaba y me convencía. Llegó al punto de acusarme, entre risas, de precipitación, de imprudencia. Me pidió que tuviera en cuenta que, en el fondo, yo no sabía siquiera quién era ella, cuáles sus perspectivas, sus vinculaciones, su posición social. Pidiome, con un suspiro, que reconsiderara mi propuesta, y agregó que mi amor era un capricho, un fuego fatuo, una fantasía del momento, un castillo en el aire del entusiasmo más que del corazón. Y todo esto mientras las sombras del suave anochecer se hacían más y más profundas en torno de nosotros; pero luego, con una gentil presión de la mano semejante a la de un hada, sentí que en un instante dulcísimo destruía todos los argumentos que acababa de levantar.

Repliqué lo mejor que pude... como sólo un enamorado puede hacerlo. Hablé extensamente y en detalle de mi devoción, de mi arrobo, de su rara belleza y de mi profunda admiración. Insistí finalmente, con la energía de la convicción, en los peligros que rodean el sendero del amor, ese sendero que jamás avanza en línea recta... y deduje de ello el evidente peligro de alargar innecesariamente el recorrido.

Este último argumento pareció, por fin, mitigar el rigor de su determinación. Aplacose, pero me dijo que todavía quedaba un obstáculo, que sin duda yo no había tenido en cuenta. Tratábase de una delicada cuestión, especialmente si era una mujer quien debía aludir a ella; al hacerlo contrariaba sus sentimientos, pero por *mí* estaba dispuesta a cualquier sacrificio. Mencionó entonces la *edad.* ¿Me había dado plenamente cuenta de la diferencia de edad entre nosotros? Que el marido sobrepasara a su esposa en algunos años –incluso quince y hasta veinte– era cosa que la sociedad consideraba admisible y hasta aconsejable. Pero, por su parte, siempre había creído que la edad de la esposa no debía exceder jamás la del esposo. ¡Ay, demasiado frecuente era ver cómo diferencias tan anormales conducían a una vida desdichada! Sabía que yo no pasaba de los veintidós años, mientras quizá yo no estuviera enterado de que los años de mi Eugènie excedían muy considerablemente de esa cifra.

En todo lo que decía notábase una nobleza de alma, una candorosa dignidad que me deleitó y me encantó, cerrando para siempre tan dulces cadenas. Apenas pude contener el excesivo transporte que me dominaba.

–¡Querida, querida Eugènie! –dije–. ¿Qué dice usted? Tiene usted unos años más que yo. Y ¿qué importa eso? Las costumbres del mundo son otras tantas locuras convencionales. Para aquellos que se aman como nosotros, ¿qué diferencia hay entre un año y una hora? Dice usted que tengo veintidós años; de acuerdo, y hasta le diría que puede considerar que tengo veintitrés. En cuanto a usted, queridísima Eugènie, apenas puede tener usted... apenas puede tener unos... unos...

Detúveme un instante esperando que Madame Lalande me interrumpiera para decirme su edad. Pero una francesa rara vez se expresa directamente, y en vez de responder a una pregunta embarazosa usa siempre alguna forma que le es propia. En este caso, Eugènie, que parecía estar buscando algo que llevaba guardado en el seno, dejó caer una miniatura que recogí inmediatamente y le presenté.

–¡Guárdela! –me dijo con una de sus más adorables sonrisas–. Guárdela como mía, como de alguien a quien representa de manera demasiado halagadora. Por lo demás, en el reverso de esta miniatura hallará usted la información que desea. Está oscureciendo, pero podrá examinarla en detalle mañana por la mañana. Ahora me escoltará usted hasta casa. Mis amigos se disponen a celebrar allí una pequeña *levée* musical. Me atrevo a decirle que escuchará cantar muy bien. Y como los franceses no somos tan puntillosos como ustedes los norteamericanos, no tendré dificultad en presentarlo como a un antiguo conocido.

Y, con esto, se apoyó en mi brazo y volvimos a su casa. La mansión era muy hermosa y descuento que estaba finamente amueblada. No puedo pronunciarme sobre este último detalle, pues había anochecido cuando llegamos y en las casas más distinguidas de Norteamérica las luces se encienden raras veces a esa hora, la más placentera de la estación estival. Pero más tarde encendiose una sola lámpara con pantalla en el salón principal y pude ver que la estancia hallábase dispuesta con insólito buen gusto y hasta esplendor; las dos salas siguientes, donde había también grupos de invitados, permanecieron durante toda la velada en una agradable penumbra. He ahí una costumbre llena de encanto, pues da a los asistentes la elección entre la luz y la sombra, y que nuestros amigos de ultramar harían muy bien en seguir.

Aquella noche fue la más deliciosa de mi vida. Madame Lalande no había exagerado al aludir a la capacidad musical de sus amigos. El canto que escuché en esa ocasión me pareció superior al de cualquier otro círculo privado que hubiese escuchado anteriormente fuera de los de Viena. Los instrumentistas eran muchos y de gran talento. En cuanto a las cantantes –pues predominaban las damas–, revelaban un alto nivel artístico. Hacia el final, insistentemente solicitada por los auditores, Madame Lalande se levantó sin afectación y sin hacerse rogar de la *chaise longue* donde había estado sentada a mi lado, y en compañía de uno o dos caballeros y de su amiga de la ópera encaminose hacia el piano situado en el salón. Hubiera querido acompañarla, pero comprendí que, dada la forma en que había sido presentado, convenía que me quedara discretamente en mi lugar. Me vi, pues, privado del placer de verla cantar, aunque no de escucharla.

La impresión que produjo en los presentes puede calificarse de eléctrica, pero en mí su efecto fue todavía más grande. No sé cómo describirlo. Nacía en parte del sentimiento amoroso que me poseía, pero, sobre todo, de la extraordinaria sensibilidad de la cantante. El arte es incapaz de comunicar a un aria o a un recitativo una *expresión* más apasionada de la que ella les infundía. Su versión de la romanza de *Otello,* el tono con que pronunció las palabras «Sul mio sasso», en Los *Capuletos,* resuena todavía en mi memoria. Su registro bajo era sencillamente milagroso. Su voz abarcaba tres octavas completas, extendiéndose desde el re de contralto hasta el re de soprano ligera; aunque suficientemente poderosa como para llenar la sala del San

Carlos, la articulaba con la más minuciosa precisión, tanto en las escalas ascendentes como en las descendentes, las cadencias y florituras. En el final de *La Sonámbula* logró el más notable de los efectos en el pasaje donde se dice:

Ah!, non giunge uman pensiero
Al contento ond'io son piena.

Aquí, imitando a la Malibrán, modificó la melodía original de Bellini, dejando caer la voz hasta el sol tenor, y entonces, con una rápida transición, saltó al sol sobreagudo, a dos octavas de intervalo.

Terminados aquellos milagros de ejecución vocal, Madame Lalande volvió a la estancia donde me hallaba y se sentó nuevamente a mi lado, mientras yo le expresaba en términos entusiastas el deleite que me había causado su interpretación. No dije nada de mi sorpresa y, sin embargo, estaba muy sorprendido; pues cierta debilidad o mejor cierta trémula indecisión en la voz de mi amada cuando conversaba naturalmente me había hecho suponer que, cantando, no se elevaría sobre un nivel ordinario de interpretación.

Nuestro diálogo volviose entonces tan largo, profundo e ininterrumpido, como pleno de franqueza. Hízome narrar muchos episodios de mi vida y escuchó con ansiosa atención cada palabra que le decía. No oculté nada, pues no me creía con derecho para hacerlo, a su cariñosa confianza. Alentado por su candor sobre la delicada cuestión de la edad, no sólo detallé con toda franqueza muchos defectos menudos que me aquejaban, sino que confesé francamente todos esos defectos morales y aun físicos cuya revelación, al exigir un coraje muy grande, prueban categóricamente la fuerza del amor. Me referí a mis locuras de estudiante, mis extravagancias, las juergas de la juventud, mis deudas y mis galanteos. Llegué incluso a referirme a cierta tos hética que me había preocupado en un tiempo, a un reumatismo crónico, a una tendencia a la gota y, finalmente, a la desagradable y molestísima debilidad visual que hasta entonces ocultara cuidadosamente.

–Sobre este último punto –dijo riendo Madame Lalande– ha cometido usted una imprudencia al confesar, pues de no haberlo hecho doy por sentado que nadie hubiese podido acusarlo de tal defecto. Y ya que hablamos de esto –continuó, mientras me parecía, pese a la penumbra de la estancia, que el rubor ganaba sus mejillas–, ¿recuerda usted, *mon cher ami,* este pequeño auxiliar que cuelga de mi cuello?

Mientras hablaba hizo girar entre sus dedos el pequeño par de gemelos que tanto me habían trastornado en la ópera.

–¡Oh, cómo quiere usted que no lo recuerde! –exclamé, oprimiendo apasionadamente la delicada mano que me ofrecía el instrumento para que lo examinara.

Era un complicado y admirable juguete, ricamente revestido y afiligranado, resplandeciente de gemas que, a pesar de la falta de luz, daban prueba de su altísimo valor.

–*Eh bien, mon ami!* –continuó ella, con cierto *empressement* en su voz que me sorprendió un tanto–. *Eh bien, mon ami,* me ha pedido usted insistentemente un favor que, según sus amables palabras, considera inapreciable. Me ha pedido que nos casemos mañana... Si le doy mi consentimiento... que, añado, representa asimismo consentir a los requerimientos de mi corazón... ¿no tendré derecho a pedir, a mi vez, un pequeño favor?

–¡Pídalo usted! –exclamé con una energía que estuvo a punto de concentrar sobre nosotros la atención de los asistentes, mientras sólo la presencia de estos me impedía arrojarme apasionadamente a los pies de mi amada–. ¡Pídalo, queridísima Eugènie, ahora mismo... aunque esté ya concedido antes de que haya usted dicho una sola palabra!

–Pues bien, *mon ami,* entonces vencerá usted, por esta Eugènie a quien ama, esa menuda debilidad que acaba de confesarme... esa debilidad antes moral que física, y que, permítame decírselo, no sienta a la nobleza de su verdadero carácter ni a la sinceridad de su temperamento; una debilidad que, de no ser dominada, habrá de crearle tarde o temprano muy penosas dificultades. Vencerá usted, por mí, esa afectación que lo induce (como usted mismo reconoce) a negar franca o tácitamente el defecto visual de que padece. A negarlo, sí, puesto que no quiere emplear los medios habituales para remediarlo. En una palabra, que deseo verle usar anteojos... ¡Sh...! ¡No me diga nada! Usted ha consentido ya en usarlos... por *mí.* Por eso aceptará ahora este juguete que tengo en la mano, y que, aunque admirable auxiliar de la visión, no puede considerarse una joya demasiado valiosa. Advertirá usted que, mediante una ligera modificación, en esta forma... o así... puede adaptarse a los ojos como un par de anteojos comunes, o sirve para llevar en el bolsillo del chaleco como gemelos de teatro. Pero usted ha consentido, *por mí,* en llevarlos desde ahora en la primera de sus formas.

Este pedido –¿debo confesarlo?– me confundió profundamente. Pero la recompensa a la cual estaba unido no me permitía vacilar un solo momento.

–¡De acuerdo! –exclamé, con todo el entusiasmo de que era dueño–. ¡Acepto... acepto de todo corazón! Sacrifico cualquier sentimiento por usted. Esta noche llevaré estos gemelos sobre mi corazón... como gemelos; pero con las primeras luces de esa mañana que me proporcione la felicidad de llamarla mi esposa... habré de colocarlos sobre mi... sobre mi nariz... y usarlos desde entonces en la forma que usted lo desea, menos a la moda y menos romántica, cierto, pero mucho más útil para mí.

Nuestra conversación se encaminó entonces a los detalles concernientes al siguiente día. Me enteré por mi prometida que Talbot acababa de regresar a la ciudad. Debía ir a verlo inmediatamente y procurarme un coche. La *soirée* no terminaría antes de las dos, y a esa hora el coche estaría en la puerta; entonces, aprovechando la confusión ocasionada por la partida de los invitados, Madame Lalande podría subir al carruaje sin ser observada. Acudiríamos a casa de un pastor que estaría esperando para unirnos en matrimonio; luego de eso dejaríamos a Talbot en su casa y saldríamos para realizar una breve jira por el este, dejando a la sociedad local que hiciera los comentarios que se le ocurriera.

Una vez todo planeado, salí de la casa y me encaminé en busca de Talbot, pero en el camino no pude contenerme y entré en un hotel para examinar la miniatura. Los anteojos me ayudaron muchísimo para ver todos sus detalles y me permitieron descubrir un rostro de admirable belleza. ¡Ah, esos ojos tan grandes como luminosos, la altiva nariz griega, los rizos abundantes y negros...!

–¡Sí! –me dije, exultante–. ¡He aquí la imagen misma de mi adorada!

Y al examinar el reverso encontré estas palabras: «Eugènie Lalande, veintisiete años y siete meses».

Hallé a Talbot en su casa y le informé inmediatamente de mi buena fortuna. Pareció extraordinariamente sorprendido, como era natural, pero me felicitó muy cordialmente y me ofreció toda la ayuda que pudiera proporcionarme. En resumen, cumplimos el plan como había sido trazado y, a las dos de la mañana, diez minutos después de la ceremonia nupcial, me encontré en un carruaje cerrado en compañía de Madame Lalande... es decir de la señora Simpson, viajando a gran velocidad rumbo al noreste.

Puesto que deberíamos viajar toda la noche, Talbot nos había aconsejado que hiciéramos el primer alto en C..., pueblo a unas veinte millas de la ciudad, donde podríamos desayunar y descansar un rato antes de seguir viaje. A las cuatro, el coche se detuvo ante la puerta de la posada principal. Ayudé a salir a mi adorada esposa y ordené inmediatamente el desayuno. Entretanto fuimos conducidos a un saloncito y nos sentamos.

Amanecía ya y pronto sería la mañana. Mientras contemplaba arrobado al ángel que tenía junto a mí, se me ocurrió de golpe la singular idea de que era aquella la primera vez, desde que conociera la celebrada belleza de Madame Lalande, que podía contemplar aquella hermosura a plena luz del día.

–Y ahora, *mon ami* –dijo ella, tomándome la mano e interrumpiendo mis reflexiones–, puesto que estamos indisolublemente unidos, puesto que he cedido a sus apasionados ruegos y cumplido mi parte de nuestro convenio... espero que no olvidará usted que también le queda por cumplir un pequeño favor, una promesa. ¡Ah, vamos! ¡Déjeme recordar! Pues sí, me acuerdo perfectamente de las palabras con las cuales hizo anoche una promesa a su Eugènie. Dijo usted así: «¡Acepto... acepto de todo corazón! Sacrifico cualquier sentimiento por usted. Esta noche llevaré estos gemelos sobre mi corazón... como gemelos; pero con las primeras luces de esa mañana que me proporcione la felicidad de llamarla mi esposa... habré de colocarlos sobre mi... sobre mi nariz... y usarlos desde entonces en la forma que usted lo desea, menos a la moda y menos romántica, cierto, pero mucho más útil para mí...». Tales fueron sus exactas palabras, ¿no es así, queridísimo esposo?

–Tales fueron, en efecto –repuse–, y veo que tiene usted una excelente memoria. Lejos de mí, querida Eugènie, faltar al cumplimiento de la insignificante promesa. Pues bien... ¡vea! ¡Contemple! Me quedan bien, ¿no es cierto?

Y luego de preparar los cristales en su forma ordinaria de anteojos, me los apliqué rápidamente, mientras Madame Simpson, ajustándose la toca y cruzándose de brazos, sentábase muy derecha en una silla, en una actitud tan rígida como estirada, que incluso cabía considerar indecorosa.

–¡Que el cielo me asista! –grité, en el instante mismo en que el puente de los anteojos se hubo posado en mi nariz–. ¡Dios mío! ¿Qué les ocurre a estos cristales?

Y, luego de quitármelos rápidamente, me puse a limpiarlos con un pañuelo de seda y me los ajusté otra vez.

Pero si en la primera ocasión había ocurrido algo capaz de sorprenderme, esta vez la sorpresa se transformó en estupefacción, y esta estupefacción era profunda, extrema... y bien puede calificarse de espantosa. En nombre de todo lo horrible, ¿qué significaba esto? ¿Podía creer a mis ojos...? *¿Podía?* Lo que estaba viendo ¿era... era colorete? ¿Y esas... esas *arrugas* en el rostro de Eugènie Lalande? Y... ¡oh, Júpiter y todos los dioses y diosas!, ¿qué había sido de... de... de sus dientes?

Arrojé violentamente al suelo los anteojos y, levantándome de un salto, enfrenté a Mrs. Simpson, los brazos en jarras, convulsa y espumante la boca que, al mismo tiempo, era incapaz de articular palabra por el espanto y la rabia.

Creo haber dicho ya que Madame Eugènie Lalande –quiero decir, Simpson– hablaba el inglés apenas algo mejor de como lo escribía y por esta razón jamás empleaba dicha lengua en las conversaciones usuales. Pero la cólera puede arrastrar muy lejos a una dama, y en esta ocasión llevó a Mrs. Simpson al punto de pretender expresarse en un idioma del cual no tenía la menor idea.

–Pues pien, monsieur –dijo, después de contemplarme con aparente asombro durante un momento–. ¡Pues pien, monsieur! ¿Qué basa? ¿Qué le ocurre? ¿Le ha dado el baile de san Vito? Si no le barezco pien, ¿bor qué se casó conmigo?

–¡Miserable! –bisbiseé–. ¡Vieja bruja...!

–¿Fieja? ¿Bruja? No tan fieja, desbués de todo... apenas ochenta y tos años.

–¡Ochenta y dos! –balbuceé, retrocediendo hasta la pared–. ¡Ochenta y dos mil mandriles! ¡La miniatura decía veintisiete años y siete meses!

–¡Y así es... así era! La miniatura fue bintada hace cincuenta y cinco años. Cuando me casé con mi segundo esboso, Monsieur Lalande, hice bintar ese retrato para la hija que había tenido con mi primer esboso, Monsieur Moissart.

–¡Moissart! –dije yo.

–Sí, Moissart –repitió, burlándose de mi pronunciación, que, a decir verdad, no era nada buena–. ¿Y qué? ¿Qué sabe usted de Moissart?

–¡Nada, vieja espantosa, absolutamente nada, aparte de que hay un antepasado mío que llevaba ese nombre!

–¡Ese nombre! ¿Y gué hay de malo en ese nombre? Es un egcelente nombre, lo mismo que Voissart, que también es un egcelente nombre. Mi hija, Mademoiselle Moissart, se gasó con Monsieur Voissart, y los dos nombres son egcelentes nombres.

–¿Moissart? –exclamé–. ¿Y Voissart? ¿Qué quiere usted decir?

–¿Qué guiero decir? Guiero decir Moissart y Voissart, y si me da la gana diré también Croissart y Froissart. La hija de mi hija, Mademoiselle Voissart, se gasó con Monsieur Croissart, y luego la nieta de mi hija, Mademoiselle Croissart, se gasó con Monsieur Froissart. ¡Y no dirá usdé que este no es también un egcelente nombre!

–¡Froissart! –murmuré, empezando a desmayarme–. ¿No pretenderá usted decir... Moissart... y Voissart... y Croissart... y Froissart?

–Glaro que lo digo –declaró aquel horror, repantigándose en su silla y estirando muchísimo las piernas–. Digo Moissart, Voissart, Croissart y Froissart. Pero Monsieur Froissart sí era lo que ustedes llaman estúbido... pues salió de la bella France para fenir a esta estúbida América... y cuando estuvo aquí nació su hijo que es todavía más estúbido, muchísimo más estúbido... según oigo decir, bues todavía no he tenido el placer de gonocerlo bersonalmente... ni yo ni mi amiga, Madame Stéphanie Lalande. Sé que se llama Napoleón Bonaparte Froissart... y supongo que ahora usdé dirá que tamboco ese es un egcelente y respetable nombre.

Fuera la extensión o la naturaleza de este discurso, el hecho es que pareció provocar una excitación asombrosa en Mrs. Simpson. Apenas lo hubo terminado con gran trabajo, saltó de su silla como si la hubiesen hechizado y al hacerlo dejó caer al suelo un enorme polisón. Ya de pie, hizo chasquear sus desnudas encías, agitó los brazos, mientras se arremangaba y sacudía el puño delante de mi cara, y terminó sus demostraciones arrancándose la toca, y con ella una inmensa peluca del más costoso y magnífico cabello negro, todo lo cual arrojó al suelo con un alarido y se puso a pisotear y a patear en un verdadero fandango de arrebato y de enloquecida rabia.

Entretanto yo me había desplomado en el colmo del horror en la silla vacía.

–¡Moissart y Voissart! –repetía enmimismado, mientras asistía a las cabriolas y piruetas–. ¡Croissart y Froissart! ¡Moissart, Voissart, Croissart... y Napoleón Bonaparte Froissart! Pero, entonces, inefable serpiente... ¡Pero si se trata de mí! *¡De mí!* ¿Oye usted? ¡De mí...! –continué, vociferando con todas mis fuerzas–. ¡Yo soy Napoleón Bonaparte Froissart, y que me confunda por toda la eternidad si no acabo de casarme con mi tatarabuela!

En efecto, Madame Eugènie Lalande, *quasi* Simpson y anteriormente Moissart, era mi tatarabuela. Había sido hermosísima en su juventud, y todavía ahora, a los ochenta y dos años, conservaba la estatura majestuosa, la escultural *cabeza,* los hermosos ojos y la nariz griega de su doncellez. Con ayuda de ello, polvos de arroz, carmín, peluca, dentadura postiza, falsa *tournure* y las más hábiles modistas de París, lograba mantener una respetable posición entre las bellezas *un peu passées* de la metrópoli francesa. En ese sentido, merecía ciertamente compararse a la celebérrima Ninon de l'Enclos.

Era inmensamente rica, y al quedar viuda por segunda vez, y sin hijos, recordó que yo vivía en Norteamérica, y dispuesta a convertirme en su heredero se encaminó a los Estados Unidos acompañada de una parienta lejana de su segundo esposo, llamada Stéphanie Lalande.

En la ópera, la atención de mi tatarabuela se vio reclamada por mi insistente escrutinio de su persona; cuando a su vez me examinó con ayuda de los gemelos pareciole notar en mí un aire de familia. Muy interesada y no ignorando que el heredero que buscaba vivía en la ciudad, quiso saber algo acerca de mi persona. El caballero que la acompañaba me conocía y le dijo quién era. Sus palabras renovaron su interés y la indujeron a repetir su escrutinio, fue este gesto el que me dio la audacia suficiente para conducirme en la forma imprudente que he narrado. Cuando me devolvió el saludo, lo hizo pensando que, por alguna rara coincidencia, yo había descubierto su identidad. Y cuando, engañado por mi miopía y las artes de tocador sobre la edad y los encantos de la extraña dama, pregunté con tanto entusiasmo a Talbot quién era, mi amigo supuso que me refería a la belleza más joven, como es natural, y me contestó sin faltar a la verdad, que era «la célebre viuda, Madame Lalande».

A la mañana siguiente, mi tatarabuela se encontró en la calle con Talbot, a quien conocía desde hacía mucho en París, y, como es natural, la conversación versó sobre mí. Aclarose entonces la cuestión de mi defecto visual, pues era bien conocido aunque yo no estuviera enterado de ello. Para su gran pesar, mi excelente tatarabuela se dio cuenta de que se había engañado al suponerme enterado de su identidad, y que, en cambio, había estado poniéndome en ridículo al expresar públicamente mi amor por una anciana desconocida.

Dispuesta a castigarme por mi imprudencia, urdió un plan en connivencia con Talbot. Decidieron que este se marcharía, a fin de no verse obligado a presentarme. Mis averiguaciones en la calle sobre «la hermosa viuda Madame Lalande», eran tomadas por todos como referentes a la dama más joven; así, la conversación con los tres amigos a quienes encontrara poco después de salir de casa de Talbot se explica fácilmente, lo mismo que sus alusiones a Ninon de l'Enclos. Nunca tuve oportunidad de ver en pleno día a Madame Lalande, y en el curso de su *soirée* musical, mi tonta resistencia a usar anteojos me impidió descubrir su verdadera edad. Cuando se pidió a «Madame Lalande» que cantara, todos se referían a la más joven, y fue esta quien acudió al salón, pero mi tatarabuela, dispuesta a confundirme cada vez más, se levantó igualmente y acompañó a la joven hasta el piano. Si hubiese querido ir con ella, estaba pronta a decirme que las conveniencias exigían que me quedara donde estaba; pero mi propia y prudente conducta hizo innecesario esto último. Las canciones que tanto admiré, y que me confirmaron en la idea de la juventud de mi amada, fueron cantadas por Madame Stéphanie Lalande. En cuanto a los anteojos, me fueron entregados como complemento del engaño, como un aguijón en el epigrama de la burla. El obsequio dio además oportunidad para aquel sermón sobre mi presuntuosidad, que escuché tan religiosamente. Es casi superfluo añadir que los lentes del instrumento habían sido expresamente cambiados por otros que se adaptaban a mi miopía. Y por cierto que me iban estupendamente.

El sacerdote que nos había unido en matrimonio era un amigo de diversiones de Talbot y no tenía nada de sacerdotal. Su especialidad eran los caballos y, después de permutar la sotana por un levitón, se encargó de guiar el carruaje que llevaba a «la feliz pareja» en su viaje de bodas. Talbot se había instalado junto a él. Los dos miserables estaban metidos hasta el fondo en aquella burla y, por una rendija de la ventana del saloncito de la posada, divirtiéronse la mar presenciando el *dénouement* del drama. Me temo que tendré que desafiarlos a ambos.

De todas maneras, *no soy* el marido de mi tatarabuela, cosa que me produce un inmenso alivio con sólo pensarlo; pero, en cambio, soy el marido de Madame Lalande... de Madame Stéphanie Lalande, con la cual mi excelente y anciana parienta se ha tomado el trabajo de unirme para siempre, aparte de declararme su heredero universal cuando muera (si es que muere alguna vez). En resumen: jamás volveré a tener nada que ver con *billets doux*, y dondequiera que se me encuentre, andaré con ANTEOJOS.

como un aguijón en el epigrama de la burla. El obsequio dio además oportunidad para aquel sermón sobre mi presuntuosidad, que escuché tan religiosamente. Es casi superfluo añadir que los lentes del instrumento habían sido expresamente cambiados por otros que se adaptaban a mi miopía. Y por cierto que me iban estupendamente.

El sacerdote que nos había unido en matrimonio era un amigo de diversiones de Talbot y no tenía nada de sacerdotal. Su especialidad eran los caballos y, después de permutar la sotana por un levitón, se encargó de guiar el carruaje que llevaba a «la feliz pareja» en su viaje de bodas. Talbot se había instalado junto a él. Los dos miserables estaban metidos hasta el fondo en aquella burla y, por una rendija de la ventana del saloncito de la posada, divirtiéronse la mar presenciando el *dénouement* del drama. Me temo que tendré que desafiarlos a ambos.

De todas maneras, no soy el marido de mi tatarabuela, cosa que me produce un inmenso alivio con solo pensarlo; pero, en cambio, soy el marido de Madame Lalande... de Madame Stephanie Lalande, con la cual mi excelente y anciana parienta se ha tomado el trabajo de unirme para siempre, aparte de declararme su heredero universal cuando muera (si es que muere alguna vez). En resumen: jamás volveré a tener nada que ver con *billets doux*, y dondequiera que se me encuentre, andaré con ANTEOJOS.

EL DIABLO EN EL CAMPANARIO

Comentario de Víctor García Antón

«El diablo en el campanario» no pertenece a esa docena larga de títulos que han dado fama y reconocimiento a Edgar A. Poe. Quizás la intención del autor al concebir este relato fuera un tanto temporal y localista y buscara satirizar a su presidente de la República, Martin van Buren. Aun con todo, «El diablo en el campanario» es un artefacto eficaz, delicada unión de fondo y forma que plantea una grotesca alegoría del modo de vida burgués en la que nos vemos implicados los lectores del siglo XXI.

Edgar A. Poe conocía bien los modos de hacer de la clase privilegiada. Era nieto del general Poe y había sido educado por su protector John Allan como un caballero del sur. Sin embargo, cuando escribió este cuento, Poe abominaba ya de una sociedad que le había empujado a una vida de indigente. Era un hombre que vivía, en palabras de Hoffmann, «bajo el sino del aristócrata desheredado». No es, pues, casual la crítica feroz que «El diablo en el campanario» hace de la democracia ficticia que obliga a sus personajes a bailar al compás del orden establecido y a rechazar lo diferente.

En este sentido, merece la pena detenerse en el desafío que el texto de Poe nos propone. Por un lado, la motivación del narrador, y del relato mismo, consiste en denunciar ante sus lectores ficcionales –a los que el narrador se dirige por ser honestos burgueses como él– los calamitosos sucesos de la villa Vondervotteimittiss y reclamar de ellos su apoyo en la restauración del Orden. Por otro lado, sabemos que toda ficción despliega una realidad que sólo es verosímil y, por tanto, eficaz, en tanto se adecua a los parámetros de lo posible en el lector. De algún modo, un narrador *necesita* de la complicidad de sus lectores para que la realidad desplegada exista. Y es justamente esta doble complicidad la que reclama «El diablo en el campanario»: la de sus lectores ficcionales y la nuestra como lectores, la que nos une a ambos en la realidad común de un tiempo sin historia y un espacio sin afuera. Dicho de otro modo, para que el texto de Poe y la realidad que este despliega sigan funcionando con exactitud de relojero, es necesaria la connivencia de todos, cómplices a un lado y otro de la ficción.

Por esta razón, el cuento no tiene apenas trama y su conflicto se retrasa y se aminora en lo posible; pues la existencia misma de la villa –y del relato– viene sustentada por la ausencia de conflicto. Por eso también, Poe rompe aquí la estructura clásica del relato y se demora con complacencia en el planteamiento. Tras el único punto de giro –insoportable para las gentes de bien de la villa Vondervotteimittiss– no existe apenas nudo ni desenlace, sino puro caos. Y no puede haberlos, porque cualquier acción conllevaría una situación de equilibrio nueva; y el enunciado ha de mantener, para seguir existiendo, la ficción de que no hay otro modo de vida posible fuera del tiempo detenido de la villa; de que más allá de esa realidad y sus colinas, sólo existe la nada. Un relato, pues, sin muda, sin protagonista, sin sujetos. Un mundo plano de objetos jerarquizados por el tamaño de sus pipas y la longitud de sus levitas. Autómatas «aficionados a su repollo agrio y orgullosos de sus relojes», dedicados por entero a la producción más zafia y al mantenimiento minucioso del compás.

En última instancia, el texto de Poe transmite la vulnerabilidad de la villa Vondervotteimittiss y, por extensión, de nuestra estructura social de privilegios; pues requiere de un texto desplegado como imagen continua y sin fisuras para que la ficción siga siendo eficaz.

EL DIABLO EN EL CAMPANARIO

«¿Qué hora es?».
Antiguo adagio

Todo el mundo sabe, de una manera general, que el lugar más hermoso del mundo es –o era, ¡ay!– la villa holandesa de Vondervotteimittiss. Sin embargo, como queda a alguna distancia de cualquiera de los caminos principales, en una situación en cierto modo extraordinaria, quizá muy pocos de mis lectores la hayan visitado. Para estos últimos convendrá que sea algo prolijo al respecto. Y ello es en verdad tanto más necesario cuanto que si me propongo hacer aquí una historia de los calamitosos sucesos que han ocurrido recientemente dentro de sus límites, lo hago con la esperanza de atraer la simpatía pública en favor de sus habitantes. Ninguno de quienes me conocen dudará de que el deber que me impongo será cumplido en la medida de mis posibilidades, con toda esa rígida imparcialidad, ese cauto examen de los hechos y esa diligente cita de autoridades que deben distinguir siempre a quien aspira al título de historiador.

Gracias a la ayuda conjunta de medallas, manuscritos e inscripciones estoy capacitado para decir, positivamente, que la villa de Vondervotteimittiss ha existido, desde su origen, en la misma exacta condición que aún hoy conserva. De la fecha de su origen, sin embargo, me temo que sólo hablaré con esa especie de indefinida precisión que los matemáticos se ven a veces obligados a tolerar en ciertas fórmulas algebraicas. La fecha, puedo decirlo, teniendo en cuenta su remota antigüedad, no ha de ser menor que cualquier cantidad determinable.

Con respecto a la etimología del nombre Vondervotteimittiss, me confieso, con pena, en la misma falta. Entre multitud de opiniones sobre este delicado punto –algunas agudas, algunas eruditas, algunas todo lo contrario– soy incapaz de elegir ninguna que pueda considerarse satisfactoria. Quizá la idea de Grogswigg –que casi coincide con la de Kroutaplenttey– deba ser prudentemente preferida. Es la siguiente: *Vondervotteimittiss –Vonder, lege Donder– Votteimittiss, quasi und Bleitziz –Bleitziz obsol: pro Blitzen–*. Esta etimología, a decir verdad, se halla confirmada por algunas huellas de fluido eléctrico manifiestas en lo alto del campanario del edificio de la Municipalidad. No deseo, sin embargo, pronunciarme en tema de semejante importancia, y debo remitir al lector deseoso de información a las *Oratiunculae* de *Rebus Praeter-Veteris,* de Dundergutz. Véase también, Blunderbuzzard, *De Derivationibus,* págs. 27 a 5010, *in* folio, edición gótica, caracteres rojos y blancos, con reclamos y sin iniciales, donde pueden consultarse también las notas marginales autógrafas de Stuffundpuff y los comentarios de Gruntundguzzell.

No obstante la oscuridad que envuelve la fecha de la fundación de Vondervotteimittiss y la etimología de su nombre, no cabe duda, como dije antes, de que siempre existió como lo vemos actualmente. El hombre más viejo de la villa no recuerda la menor diferencia en el aspecto de cualquier parte de la misma, y, a decir verdad, la sola insinuación de semejante posibilidad es considerada un insulto. La aldea está situada en un valle perfectamente circular, de un cuarto de milla de circunferencia, aproximadamente, rodeado por encantadoras colinas cuyas cimas sus habitantes nunca osaron pasar. Lo justifican con la excelente razón de que no creen que haya absolutamente nada del otro lado.

En torno a la orilla del valle (que es muy uniforme y pavimentado de baldosas chatas) se extiende una hilera continua de sesenta casitas. De espaldas a las colinas, miran, claro está, al centro de la llanura que queda justo a sesenta yardas de la puerta de cada una. Cada casa tiene un jardinillo delante, con un sendero circular, un cuadrante solar y veinticuatro repollos. Los edificios mismos son tan exactamente parecidos que es imposible distinguir uno de otro. A causa de su gran antigüedad el estilo arquitectónico es algo extraño, pero no por ello menos notablemente pintoresco. Están construidos con pequeños ladrillos endurecidos a fuego, rojos, con los extremos negros, de manera que las paredes semejan un tablero de ajedrez de gran tamaño. Los gabletes miran al frente y hay cornisas, tan grandes como todo el resto de la casa, sobre los aleros y las puertas principales. Las ventanas son estrechas y profundas, con vidrios muy pequeños y grandes marcos. Los tejados están cubiertos de abundantes tejas de grandes bordes acanalados. El maderaje es todo de color oscuro, muy tallado, pero pobre en la variedad del diseño, pues desde tiempo inmemorial los tallistas de Vondervotteimittiss sólo han sabido tallar dos objetos: el reloj y el repollo. Pero lo hacen admirablemente bien y los prodigan con singular ingenio allí donde encuentran espacio para la gubia.

Las casas son tan semejantes por dentro como por fuera, y el moblaje responde a un solo modelo. Los pisos son de baldosas cuadradas, las sillas y mesas de madera negra con patas finas y retorcidas, adelgazadas en la punta. Las chimeneas son anchas y altas, y tienen no sólo relojes y repollos esculpidos en el frente, sino un verdadero reloj que hace un prodigioso tic-tac, en el centro de la repisa, y en cada extremo un florero con un repollo que sobresale a manera de batidor. Entre cada repollo y el reloj hay un hombrecillo de porcelana con una gran barriga, y en ella un agujero a través del cual se ve el cuadrante de un reloj.

Los hogares son amplios y profundos, con morillos de aspecto retorcido y agresivo. Allí arde constantemente el fuego sobre el cual pende un enorme pote lleno de repollo agrio y carne de cerdo, que una buena mujer de la casa vigila continuamente. Es una anciana pequeña y gruesa, de ojos azules y cara roja, y usa un gran bonete como un terrón de azúcar, adornado de cintas purpúreas y amarillas. El vestido es de una basta mezcla de lana y algodón de color naranja, muy amplio por detrás y muy corto de talle, a decir verdad muy corto en otras partes, pues no baja de la mitad de la pierna. Las piernas son un poco gruesas, lo mismo que los tobillos, pero lleva un bonito par de calcetines verdes que se las cubren. Los zapatos, de cuero rosado, se atan con un lazo de cinta amarilla que se abre en forma de repollo. En la mano izquierda lleva un pequeño reloj holandés; en la derecha empuña un cucharón para el repollo agrio y el cerdo. Tiene a su lado un gordo gato mosqueado, con un reloj de juguete atado a la cola que «los muchachos» le han puesto por bromear.

En cuanto a los muchachos, están los tres en el jardín cuidando el cerdo. Tienen cada uno dos pies de altura. Usan sombrero de tres puntas, chaleco color púrpura que les llega hasta los muslos, calzones de piel de ante, calcetines rojos de lana, pesados zapatos con hebilla de plata y largos levitones con grandes botones de nácar. Cada uno de ellos tiene, además, una pipa en la boca y en la mano derecha un pequeño reloj protuberante. Una bocanada de humo y un vistazo, un vistazo y una bocanada de humo. El cerdo, que es corpulento y perezoso, se ocupa ya de recoger las hojas que caen de los repollos, ya de dar una coz al reloj dorado que los pillos le han atado también a la cola para ponerle tan elegante como al gato.

Justo delante de la puerta de entrada, en un sillón de alto respaldo y asiento de cuero, con patas retorcidas de puntas finas como las mesas, está sentado el viejo dueño de la casa en persona. Es un anciano pequeño e hinchado, de grandes ojos redondos y doble papada enorme. Sus ropas se parecen a las de los muchachos, y no necesito decir nada más al respecto. Toda la diferencia reside en que su pipa es un poco más grande que la de aquellos y puede aspirar una bocanada mayor. Como ellos, usa reloj, pero lo lleva en el bolsillo. A decir verdad, tiene que cuidar algo más importante que un reloj, y he de explicar ahora de qué se trata. Se sienta con la pierna derecha sobre la rodilla izquierda, muestra un grave continente y mantiene, por lo menos, uno de sus ojos resueltamente clavado en cierto objeto notable que se halla en el centro de la llanura.

Este objeto está situado en el campanario del edificio de la Municipalidad. Los miembros del Consejo Municipal son todos muy pequeños, redondos, grasos, inteligentes, con grandes ojos como platos y gordo doble mentón, y usan levitones mucho más largos y las hebillas de los zapatos mucho más grandes que los habitantes comunes de Vondervotteimittiss. Desde que vivo en la villa han tenido varias sesiones especiales y han adoptado estas tres importantes resoluciones:

«Que está mal cambiar la vieja y buena marcha de las cosas».

«Que no hay nada tolerable fuera de Vondervotteimittiss», y

«Que seremos fieles a nuestros relojes y a nuestros repollos».

Sobre la sala de sesiones del Consejo se encuentra la torre, y en la torre el campanario, donde existe y ha existido, desde tiempos inmemoriales, el orgullo y maravilla del pueblo: el gran reloj de la villa de Vondervotteimittiss. Y a este objeto se dirige la mirada de los viejos señores sentados en los sillones con asiento de cuero.

El gran reloj tiene siete cuadrantes, uno a cada lado de la torre, de modo que se lo puede ver fácilmente desde todos los ángulos. Sus cuadrantes son grandes y blancos, las agujas pesadas y negras. Hay un campanero cuya única obligación es cuidarlo; pero esta obligación es la más perfecta de las sinecuras, pues jamás se ha sabido hasta hoy que el reloj de Vondervotteimittiss haya necesitado nada de él. Hasta hace poco tiempo, la simple suposición de semejante cosa era considerada herética. Desde el más remoto período de la antigüedad al cual hacen referencia los archivos, la gran campana ha dado regularmente la hora. Y a decir verdad, lo mismo ocurría con todos los otros relojes grandes y chicos de la villa. Nunca hubo otro lugar semejante para saber la hora exacta. Cuando el gran badajo consideraba oportuno decir: «¡Las doce!», todos sus obedientes seguidores abrían la boca simultáneamente y respondían como un verdadero eco. En una palabra: los buenos burgueses eran aficionados a su repollo agrio, pero estaban orgullosos de sus relojes.

Todas las gentes que poseen sinecuras son más o menos respetadas, y como el campanero de Vondervotteimittiss tiene la más perfecta de las sinecuras, es el más perfectamente respetado de todos los hombres del mundo. Es el principal dignatario de la villa, y los mismos cerdos lo miran con un sentimiento de reverencia. Los faldones de su levita son mucho más largos; su pipa, las hebillas de sus zapatos, sus ojos y su barriga, mucho más grandes que los de cualquier otro señor del pueblo; y, en cuanto a su papada, no sólo es doble, sino triple.

Acabo de pintar la feliz condición de Vondervotteimittiss. ¡Lástima que tan hermoso cuadro tuviera que sufrir un cambio!

Era un viejo dicho de los más prudentes habitantes que «nada bueno puede venir del otro lado de las colinas»; y en verdad parece que las palabras tuvieron algo de proféticas. Faltaban anteayer cinco minutos para mediodía cuando apareció un objeto de aspecto muy extraño en lo alto de la colina del este. Semejante suceso atrajo, por supuesto, la atención universal, y cada pequeño señor sentado en un sillón con asiento de cuero volvió uno de sus ojos con asombrada consternación hacia el fenómeno, mientras mantenía el otro en el reloj de la torre.

En el momento en que faltaban sólo tres minutos para mediodía se advirtió que el singular objeto en cuestión era un joven muy diminuto con aire de extranjero. Descendía las colinas a gran velocidad, de modo que todos tuvieron pronto oportunidad de mirarlo bien. Era en verdad el personaje más precioso y más pequeño que jamás se hubiera visto en Vondervotteimittiss. Su rostro mostraba un oscuro color tabaco y tenía una larga nariz ganchuda, ojos como guisantes, una gran boca y una excelente hilera de dientes que parecía deseoso de mostrar sonriendo de oreja a oreja. Entre los bigotes y las patillas no quedaba nada del resto de su cara por ver. Llevaba la cabeza descubierta y el pelo cuidadosamente rizado con *papillotes*. Constituía su traje una levita de faldones puntiagudos, de uno de cuyos bolsillos colgaba la larga punta de un pañuelo blanco, pantalones de casimir negro, medias negras y escarpines de punta mocha con grandes lazos de cinta de satén negra. Bajo un brazo llevaba un gran *chapeau-de-bras* y bajo el otro un violín casi cinco veces más grande que él. En la mano izquierda tenía una tabaquera de oro de la cual, mientras bajaba la colina haciendo cabriolas y toda clase de piruetas fantásticas, aspiraba incesantemente tabaco con el aire más satisfecho del mundo. ¡Santo Dios! ¡Qué espectáculo para los honestos burgueses de Vondervotteimittiss!

Hablando francamente el individuo tenía, a pesar de su sonrisa, un aire audaz y siniestro, y mientras corcoveaba derecho hacia la villa, el viejo aspecto de sus escarpines mochos despertó no pocas sospechas, y más de un burgués que lo miraba aquel día hubiera dado algo por atisbar debajo del pañuelo de algodón blanco que colgaba tan importunamente del bolsillo de su levita puntiaguda. Pero lo que provocaba justa indignación era que el pícaro galancete, mientras daba aquí un paso de fandango, allí una vuelta, no parecía tener la más remota idea de eso que se llama *guardar el compás.*

Las buenas gentes del pueblo apenas habían tenido tiempo de abrir por completo los ojos cuando, faltando medio minuto para mediodía, el bribón se plantó de un salto en medio de ellos, hizo un *chassez* aquí, un *balancez* allá y luego, después de una *pirouette y* de un *pas-de-zephyr,* subió como en un vuelo hasta el campanario del edificio de la Municipalidad, donde el campanero, estupefacto, fumaba con expresión de dignidad y espanto. Pero el pequeño personaje lo tomó de inmediato por la nariz, lo sacudió y lo empujó, le encajó el gran *chapeau-de-bras* en la cabeza, se lo hundió hasta la boca y entonces, enarbolando el violín, lo golpeó tanto y con tanta fuerza que entre el campanero tan gordo y el violín tan hueco se hubiera jurado que había un regimiento de tambores redoblando la retreta del diablo en lo alto del campanario de la torre de Vondervotteimittiss.

No se sabe qué acto desesperado de venganza hubiera provocado en los habitantes este ataque sin conciencia, de no ser por el importante hecho de que entonces faltaba sólo medio segundo para mediodía. La campana estaba a punto de sonar y era una cuestión de absoluta y suprema necesidad que todos pudieran mirar bien sus relojes. Parecía evidente, sin embargo, que justo en ese momento el individuo de la torre estaba haciendo con el reloj algo que no le correspondía. Pero como empezaba a sonar, nadie tuvo tiempo de atender a sus maniobras, pues estaban todos entregados a contar las campanadas.

–¡Una! –dijo el reloj.

–¡Uuna! –repitió como un eco cada viejo y pequeño señor en cada sillón con asiento de cuero, en Vondervotteimittiss–. ¡Uuna! –dijo también su reloj–. ¡Una! –dijo también el reloj de su mujer–. ¡Uuna! –los relojes de los muchachos y los pequeños y dorados relojitos de juguete en las colas del gato y el cerdo.

–¡Dos! –continuó la gran campana.

–¡Tos! –repitieron todos los relojes.

–¡Tres! ¡Cuatro! ¡Cinco! ¡Seis! ¡Siete! ¡Ocho! ¡Nueve! ¡Diez! –dijo la campana.

–¡Dres! ¡Cuatro! ¡Cingo! ¡Seis! ¡Siete! ¡Ocho! ¡Nuefe! ¡Tiez! –respondieron los otros.

–¡Once! –dijo la grande.

–¡Once! –asintieron las pequeñas.

–¡Doce! –dijo la campana.

–¡Toce! –replicaron todos, perfectamente satisfechos, y dejando caer la voz.

–¡Y las toce son! –dijeron todos los viejos y pequeños señores, guardando sus relojes. Pero el gran reloj todavía no había terminado con ellos.

–¡Trece! –dijo.

–*¡Der Teufel!* –boquearon los viejos y pequeños hombrecitos empalideciendo, dejando caer la pipa y bajando todos la pierna derecha de la rodilla izquierda.

–*¡Der Teufel!* –gimieron–. ¡Drece! ¡Drece! *¡Mein Gott,* son las drece!

¿Para qué intentar la descripción de la terrible escena que siguió? Todo Vondervotteimittiss se sumió de inmediato en un lamentable estado de confusión.

–¿Qué le pasa a mi fiendre? –gimieron todos los muchachos–. ¡Ya tebo esdar hambriento a esda hora!

–¿Qué le pasa a mi rebollo? –chillaron todas las mujeres–. ¡Ya tebe esdar deshecho a esta hora!

–¿Qué le pasa a mi biba? –juraron los viejos y pequeños señores–. ¡Druenos y cendellas! –y la llenaron de nuevo con rabia y, reclinándose en los sillones, aspiraron con tanta rapidez y tanta furia que el valle entero se llenó inmediatamente de un humo impenetrable.

Entretanto los repollos se pusieron muy rojos y parecía como si el viejo Belcebú en persona se hubiese apoderado de todo lo que tuviera forma de reloj. Los relojes tallados en los muebles empezaron a bailar como embrujados, mientras los de las chimeneas apenas podían contenerse en su furia y se obstinaban en tal forma en dar las trece y en agitar y menear los péndulos, que eran realmente horribles de ver. Pero lo peor de todo es que ni los gatos ni los cerdos podían soportar más la conducta de los relojitos atados a sus colas, y lo demostraban disparando por todas partes, arañando y arremetiendo, gritando y chillando, aullando y berreando, arrojándose a las caras de las gentes, metiéndose debajo de las faldas y creando el más horrible estrépito y la más abominable confusión que una persona razonable pueda concebir. Y el pequeño y desvergonzado bribón de la torre hacía evidentemente todo lo posible para tornar más afligentes las cosas. De vez en cuando podía vérselo a través del humo. Estaba sentado en el campanario sobre el campanero, que yacía tirado de espaldas. El bellaco sujetaba con los dientes la cuerda de la campana y la sacudía continuamente con la cabeza, provocando tal estrépito que me zumban los oídos de sólo pensarlo. Sobre su regazo descansaba el gran violín, y lo rascaba sin ritmo ni compás con las dos manos, haciendo una gran parodia, ¡el badulaque! de «Judy O'Flannagan and Paddy O'Rafferty».

Estando las cosas en esa lastimosa situación abandoné el lugar con disgusto, y ahora apelo a todos los amantes de la hora exacta y del buen repollo agrio. Marchemos en masa a la villa y restauremos el antiguo orden de cosas reinante en Vondervotteimittiss, expulsando de la torre al pequeño individuo.

EL SISTEMA DEL DOCTOR TARR Y DEL PROFESOR FETHER

Comentario de Karla Suárez

Hace años, cuando empecé a leer a Poe, sucedía que cada vez que comenzaba un relato era como si encima de mi cuerpo se fuera formando una corteza transparente, algo así como una segunda piel formada de curiosidad, inquietud y placer. Yo sabía que Edgar Allan iba a engañarme, que se las arreglaría para que, mientras durara la lectura, yo fuera poniéndome nerviosa pensando en las miles de posibilidades en las que podía desencadenar su historia, hasta terminar, quizá, en la sorpresa, en lo que menos había imaginado, en una sonrisa arrebatada a mis labios o, sencillamente, en un escalofrío.

Eso sucedió cuando comencé a leerlo, pero ahora, después de tanto tiempo, he leído esta historia que ya no recordaba y, apenas comencé con las primeras líneas, inmediatamente mi cuerpo volvió a cubrirse de esa segunda piel. De un lado hay un manicomio y un hombre interesado en conocerlo. Del otro están mis ojos y los del lector que llegará a estas páginas. En el medio, Poe juega a confundirnos, porque todo puede suceder y, sin poder evitarlo, nos vemos sentados a la mesa de este viejo *château,* compartiendo ricos vinos con una nutrida concurrencia. Somos el huésped y el fisgón, pero, sobre todo, somos quien no quiere abandonar la cena hasta saber qué va a pasar, adónde quieren llevarnos. El lector podría intuir cosas, o al menos eso me sucedió cuando ya estaba inmersa en la lectura, y entonces tuve ganas de salir de aquella sala, de escapar del *château,* pero el vino era bueno y los invitados divertidos, sinceramente la estaba pasando muy bien, así que me quedé, como sin duda se quedará el lector que visite esta historia.

No hay que asustarse, no pasa nada, Poe casi siempre nos deja usar la intuición, pero casi nunca muestra sus cartas desde el primer momento, prefiere darlas de una en una, como copas de vino bien servidas. Quizá en eso consiste, justamente, el sistema que el señor Edgar Allan Poe pone en práctica para mantenernos atrapados; aunque, ahora que lo pienso, bien que podía haber empleado otro método, algo quizá más sencillo y, a decir de algunos, realmente delicioso, un sistema extraordinario como el del doctor Tarr y el profesor Fether.

EL SISTEMA DEL DOCTOR TARR Y DEL PROFESOR FETHER[1]

En el otoño de 18..., mientras viajaba por las provincias meridionales de Francia, mi camino me condujo a pocas millas de cierta *Maison de Santé,* o manicomio privado, del cual mucho había oído hablar a mis amigos médicos en París. Dado que jamás había visitado un establecimiento de esa clase, me pareció que no debía perder tan excelente oportunidad, y propuse a mi compañero de viaje (caballero con el cual me había relacionado casualmente pocos días antes) que nos desviáramos de la ruta por una o dos horas, a fin de visitar el hospicio. Mi amigo se opuso, arguyendo en primer término estar de prisa, y luego un comprensible horror a la vista de un lunático. Me rogó, empero, que la cortesía no impidiera la satisfacción de mi curiosidad, agregando que cabalgaría despacio a fin de darme ocasión de alcanzarlo ese mismo día o, a más tardar, al siguiente.

Cuando nos despedíamos se me ocurrió que podía surgir alguna dificultad para mi admisión en el establecimiento, y así se lo dije a mi amigo. Contestó que, a menos que yo conociera personalmente al director, Monsieur Maillard, o le presentara alguna credencial por escrito, sería difícil que me dejasen pasar, pues los reglamentos de dichos manicomios privados eran mucho más rígidos que los de los hospitales públicos. Pero como él había conocido años atrás a Maillard, tendría el placer de acompañarme hasta la puerta y presentarme, aunque sus sentimientos con respecto a la locura no le permitirían penetrar en la casa.

Le di las gracias y, luego de abandonar el camino real, tomamos un sendero cubierto de pasto que, media hora más tarde, nos llevó a

1. De *tar,* alquitrán, y *feather,* pluma. *To tar and feather* significa untar a alguien con alquitrán y cubrirlo luego de plumas. *(N. del T.)*

una densa floresta situada al pie de una montaña. Cabalgamos casi dos millas por ese húmedo y lúgubre bosque, hasta divisar la *Maison de Santé*. Era un fantástico castillo, muy deteriorado, que, a juzgar por su edad y el descuido en que se hallaba, debía ser apenas habitable. Su apariencia me llenó de espanto y, conteniendo el caballo, estuve a punto de volverme. Pero pronto me avergoncé de mi debilidad y seguimos adelante.

Cuando nos acercábamos a la gran puerta noté que estaba entornada y que alguien espiaba por ella. Un instante después se asomó un hombre que se dirigió a mi compañero llamándolo por su nombre y estrechándole cordialmente la mano, mientras lo instaba a que desmontara. Se trataba de Monsieur Maillard en persona. Era un robusto y apuesto caballero de la vieja escuela, de modales muy finos y un cierto aire de gravedad, dignidad y autoridad que impresionaban sobremanera.

Luego de presentarme, mi amigo informó a Monsieur Maillard de mi deseo de visitar el establecimiento, y, al recibir de este la seguridad de que yo sería bien atendido, se despidió y no tardó en perderse de vista.

El director me condujo entonces a una pequeña sala de recibo muy bien instalada, que entre otras señales de un gusto refinado contenía diversos libros, dibujos, vasos con flores e instrumentos de música. Ardía en el hogar un alegre fuego. Sentada al piano y cantando un aria de Bellini había una joven y hermosísima mujer que, al verme entrar, hizo una pausa en su canción y me recibió con graciosa cortesía. Hablaba en voz baja y todas sus actitudes eran apagadas. Me pareció advertir asimismo huellas de dolor en su rostro, de una palidez excesiva aunque no desagradable para mi gusto. Vestía de luto riguroso y provocó en mí un sentimiento donde se mezclaban el respeto, el interés y la admiración.

Había oído decir en París que la institución de Monsieur Maillard se regía por lo que se denominaba vulgarmente el «sistema de la dulzura»; que los castigos estaban abolidos, que se prescindía en casi todos los casos del confinamiento, y que los pacientes, aunque secretamente vigilados, gozaban de gran libertad aparente, permitiéndoseles que pasearan por la casa y los jardines con todos los derechos de las personas en su sano juicio.

Teniendo en cuenta estos informes, me cuidé de lo que decía en presencia de la joven, pues no estaba seguro de que fuese cuerda; había en sus ojos cierto brillo inquieto que me llevaba a sospechar que no lo era. Limité, pues, mis observaciones a tópicos generales, escogiendo aquellos menos indicados para desagradar o excitar a una loca. Contestó de la manera más sensata a todo lo que le dije, y hasta sus observaciones personales mostraban la señal del sentido común más evidente. Empero, una larga familiaridad con los fundamentos de la locura me habían enseñado a no fiarme de ninguna apariencia de cordura, y a lo largo de toda la conversación seguí obrando con las mismas precauciones iniciales.

Poco después presentose un apuesto doméstico de librea, trayendo una bandeja con frutas, vino y otros refrescos, que compartí con el director y la dama, quien al poco rato abandonó el salón. Tan pronto hubo salido miré a mi huésped con aire de interrogación.

–No, no –repuso–. Forma parte de mi familia. Es mi sobrina, y por cierto que una mujer muy notable.

–Le pido mil disculpas por mi sospecha –dije–, pero sé muy bien que sabrá usted excusarme. La excelente administración de esta casa es bien conocida en París, y pensé que, después de todo, bien podía suceder que...

–Sí, claro está. No diga usted más. Soy yo quien debo darle las gracias por la loable prudencia que ha demostrado. Pocas veces se advierte tanta previsión en los jóvenes, y más de una vez han sucedido tristes contratiempos por culpa del aturdimiento de nuestros visitantes. Cuando mi antiguo sistema se hallaba en vigencia y se permitía a mis pacientes que pasearan a gusto por todos lados, con frecuencia caían en crisis frenéticas a causa de los imprudentes que visitaban este lugar. Por eso me vi obligado a establecer un sistema rígido de exclusión, y no permito la entrada de nadie en cuya discreción no pueda confiar.

–¡Cuando su antiguo sistema estaba en vigencia! –exclamé, repitiendo sus palabras–. ¿Debo entender, pues, que el «sistema de la dulzura», de que tanto he oído hablar, no se aplica más?

–Hace ya varias semanas –me contestó– que hemos renunciado a él por completo.

–¿Realmente? ¡Me asombra usted!

–Mi querido señor –dijo suspirando–, nos convencimos de la absoluta necesidad de volver a los antiguos métodos. El *peligro* del sistema de la dulzura era realmente espantoso, mientras que sus ventajas han sido muy exageradas por la opinión. Entiendo que en esta casa el experimento se ha cumplido de la manera más leal. Hicimos todo lo que era humana y racionalmente posible. Lamento que no nos haya visitado usted en otro tiempo, pues entonces podría juzgar por sí mismo. Supongo, sin embargo, que se halla al tanto del sistema de la dulzura... con todos sus detalles.

–No, ciertamente. Sólo he oído noticias de tercera o cuarta mano.

–Puedo decirle entonces que, en términos generales, el sistema consiste en que el paciente es *ménagé,* en que se toleran sus caprichos. Jamás nos oponíamos a las fantasías que asaltaban la mente de los locos. Por el contrario, no sólo las permitíamos, sino que las estimulábamos, y muchas de nuestras curas definitivas se lograron en esa forma. Ningún argumento impresiona tanto la débil razón del insano como la *reductio ad absurdum.* Por ejemplo, había aquí enfermos que se creían pollos. En estos casos el tratamiento consistía en aceptar la cosa como un hecho, en acusar al enfermo de estupidez por no admitir suficientemente que se trataba de un hecho, y, en consecuencia, privarlo durante una semana de todo alimento que no consistiera en la comida propia de los pollos. En esta forma, bastaban unos puñados de grano y de cascajo para hacer maravillas.

–Pero ¿se reducía el sistema a esta especie de aceptación?

–En modo alguno. Teníamos mucha fe en las diversiones sencillas, tales como la música, la danza, los ejercicios gimnásticos, juegos de cartas, cierto tipo de libros y cosas parecidas. Pretendíamos tratar a cada enfermo como si sólo sufriera de un trastorno físico ordinario, y la palabra «locura» no se empleaba jamás. Un detalle de gran importancia consistía en que cada loco tenía la misión de vigilar las acciones de todos los demás. Depositar confianza en la comprensión o la discreción de un insano equivale a ganárselo en cuerpo y alma. De esta manera evitábamos el gasto de un nutrido cuerpo de guardianes.

–¿Y no aplicaba usted castigos de ninguna especie?

–Ninguno.

–¿Jamás encerraba a sus pacientes?

–Muy rara vez. Una que otra, si la enfermedad de alguno de ellos degeneraba en una crisis o en un acceso de locura furiosa, lo encerrábamos en una celda secreta para que su estado no se transmitiera a los demás, y lo manteníamos allí hasta entregarlo a sus amigos, pues nada teníamos que ver con los locos furiosos. Por lo general los trasladaban a un hospicio público.

–¿Y ahora ha cambiado usted todo eso... y cree haber obrado bien?

–Ciertamente. El sistema tenía sus ventajas, y aun sus peligros. Afortunadamente ha fracasado en todas las *maisons de santé de* Francia.

–Me sorprende usted mucho –observé–, pues daba por descontado que actualmente no había en este país ningún otro tratamiento para la locura.

–Es usted joven, amigo mío –replicó mi huésped–, pero llegará un día en que aprenderá a juzgar por sí mismo lo que ocurre en el mundo, sin confiar en las charlas ajenas. No crea nada de lo que oye, y sólo la mitad de lo que ve. No cabe duda de que, con respecto a nuestras *maisons de santé,* algún ignorante lo ha engañado. Después de cenar, cuando se haya recobrado de la fatiga de su viaje, tendré el placer de llevarlo a recorrer la casa y hacerle conocer un sistema que, en mi opinión y en la de todos aquellos que han presenciado su aplicación, es incomparablemente más efectivo que los utilizados hasta ahora.

–¿Es suyo el sistema? –pregunté.

–Me enorgullezco de afirmar que lo es... por lo menos en cierta medida.

Seguí conversando con Monsieur Maillard durante una o dos horas, durante las cuales me mostró los jardines y los invernáculos del establecimiento.

–En este momento no puedo permitirle que vea a mis pacientes –dijo–. Para los espíritus sensibles significa siempre un choque más o menos violento, y no quisiera privarlo de su apetito. Ahora iremos a cenar. Puedo ofrecerle ternera *à la St. Menehoult,* con coliflor en salsa *veloutée.* Y luego de una copa de Clos-Vougeot, sus nervios estarán suficientemente preparados.

A las seis se anunció la cena y mi huésped me condujo a un gran comedor, donde se hallaba reunida una numerosa asistencia, veinticinco o treinta personas en total. Todas ellas parecían de alto rango e indudablemente de gran cultura aunque no pude menos de pensar que sus vestimentas eran extravagantemente suntuosas, al punto de recordar los ostentosos despliegues de las cortes de antaño. Reparé en que dos tercios de los huéspedes eran señoras y que algunas no estaban vestidas como una parisiense hubiera juzgado de buen gusto en la actualidad. Muchas de ellas, por ejemplo, cuya edad no debía bajar de los setenta, se cubrían con profusión de joyas tales como anillos, brazaletes y aros, dejando el seno y los brazos desvergonzadamente descubiertos. Noté que muy pocos vestidos estaban bien cortados o, por lo menos, que muy pocos sentaban bien a sus portadoras. Mirando en torno descubrí a la interesante joven que Monsieur Maillard me había presentado en el pequeño recibimiento; pero grande fue mi sorpresa al ver que se había puesto un vestido con miriñaque, zapatos de tacón alto y un sucio gorro de encaje de Bruselas, tan grande que su rostro parecía ridículamente pequeño. La primera vez que la había visto llevaba luto riguroso, de la manera más recatada. En resumen, toda aquella asamblea vestía de una manera tan rara, que llegué a pensar por un instante en el «sistema de la dulzura», y me pregunté si Monsieur Maillard no querría engañarme hasta después de la cena, a fin de evitarme toda sensación desagradable mientras comía, por el hecho de encontrarme entre locos. Pero recordé haber oído en París que los provincianos del Sud eran gentes excéntricas, llenas de nociones anticuadas, y me bastó conversar con varios de los asistentes para que mis aprensiones se disiparan instantáneamente y por completo.

El comedor, aunque de buenas dimensiones y suficientemente cómodo, no parecía tampoco muy elegante. El suelo, por ejemplo, no estaba alfombrado, aunque reconozco que en Francia suele prescindirse de las alfombras. Faltaban cortinas en las ventanas; las persianas, ya cerradas, aparecían aseguradas con barras de hierro colocadas diagonalmente, a la manera de los cierres de las tiendas. Noté que aquella estancia constituía una de las alas del *château*, por lo cual tenía ventanas en tres lados del paralelogramo, hallándose la puerta en el cuarto. Había por lo menos diez ventanas.

La mesa estaba espléndidamente servida. La vajilla era abundantísima y aparecía repleta de toda clase de exquisitos bocados. La profusión era absolutamente bárbara. Había allí golosinas suficientes para satisfacer a los Anakim. Jamás en mi vida había presenciado un derroche tan generoso, tan desorbitado de todas las buenas cosas de la vida. Muy poco gusto imperaba, sin embargo, en su presentación, y mis ojos, habituados a las luces discretas, se sintieron ofendidos por el prodigioso resplandor de multitud de bujías colocadas sobre la mesa en candelabros de plata, así como en todos los lugares del aposento donde era posible fijarlas. Varios domésticos se ocupaban de servir, y en una gran mesa situada en la parte más lejana del comedor habíanse instalado siete u ocho personas provistas de violines, pífanos, trombones y un tambor. Durante la comida, estos individuos me fastidiaron muchísimo con una infinita variedad de ruidos que parecían considerar como música y que, por lo visto, entretenían muchísimo a los presentes.

En conjunto, pues, no pude dejar de pensar que había mucho de raro en cada cosa que allí se me ofrecía... Pero el mundo está formado por toda clase de gentes con toda clase de costumbres convencionales. Demasiado había viajado para no ser un perfecto adepto del *nil admirari;* por lo cual me senté con toda compostura a la diestra de mi huésped y, como estaba dotado de un sólido apetito, hice los honores a las excelentes viandas que me presentaron.

La conversación, entretanto, era muy animada. Como de costumbre, las damas hablaban mucho. Pronto noté que casi todos los presentes eran personas muy bien educadas, y en cuanto a mi huésped, resultaba una fuente inagotable de anécdotas divertidas. Se mostraba muy inclinado a hablar de sus funciones de director de la *maison de santé* y, para mi gran sorpresa, advertí que el tema de la locura era el favorito de todos los presentes. Se contaban historias muy graciosas sobre los caprichos de los pacientes.

–Una vez tuvimos aquí a un individuo –dijo un hombrecillo sentado a mi derecha– que se creía una tetera. Dicho sea de paso, ¿no es singular que esta manía se repita con tanta frecuencia entre los locos? Apenas hay un manicomio en Francia que no pueda proporcionar una tetera humana. *La nuestra* era una tetera de fabricación británica y cuidaba de pulirse a sí misma todas las mañanas con tiza y una piel de ante.

–Además –dijo un hombre de alta estatura, sentado frente a mí– no hace mucho tuvimos a un enfermo a quien se le había metido en la cabeza que era un asno, lo cual, hablando figurativamente, no dejaba de ser muy cierto. Era un paciente de lo más molesto y nos daba mucho trabajo mantenerlo dentro de ciertos límites. Largo tiempo se negó a comer nada que no fueran cardos, pero lo disuadimos de su idea al no dejarlo que comiera otra cosa. Se pasaba el tiempo soltando coces, así, vean ustedes... así... así...

–¡Señor de Kock, le ruego que se comporte debidamente! –lo interrumpió una anciana señora ubicada al lado del orador–. ¡Guárdese usted sus coces! ¡Ha estropeado mi vestido de brocado! ¿Acaso es necesario ilustrar de manera tan práctica una observación? Nuestro amigo aquí presente comprenderá lo mismo. Palabra, casi es usted tan asno como aquel pobre infeliz creía serlo. Sus coces eran de lo más naturales, puede creerme.

–*Mille pardons, mam'zelle!* –repuso Monsieur de Kock–. ¡Mil perdones! No tenía la menor intención ofensiva. Mam'zelle Laplace, Monsieur de Kock tendrá el honor de beber vino con usted.

Y aquí Monsieur de Kock inclinose, besó ceremoniosamente su propia mano y bebió en unión de Mam'zelle Laplace.

–Permítame usted, amigo mío –dijo Monsieur Maillard dirigiéndose a mí– ofrecerle un trozo de esta ternera *à la St. Menehoult.* Estoy seguro de que la encontrará especialmente sabrosa.

En este momento tres robustos camareros acababan de depositar con gran trabajo en la mesa un enorme plato, o mejor plato trinchero, conteniendo lo que supuse era el *monstrum, horrendum, informe, ingens, cui lumen ademptum.* Pero un escrutinio más cuidadoso me aseguró que se trataba tan sólo de un ternerillo asado entero, apoyado en las rodillas y sosteniendo una manzana en la boca, como se acostumbra en Inglaterra para servir una liebre.

–Muchas gracias –repuse–. Para decir verdad, no me gusta mucho la ternera *à la*... ¿cómo era?, pues siento que no me cae bien. Prefiero cambiar de plato y probar un bocado de conejo.

Había sobre la mesa algunas fuentes conteniendo lo que parecía ser conejo ordinario, plato muy exquisito y digno de ser recomendado.

–¡Pierre! –gritó el huésped–. Cambie el plato del señor y sírvale un trozo de conejo *au-chat.*

–¿Al qué? –dije yo.

–*Au-chat.*

–Pues bien, muchas gracias, pero... pensándolo mejor, prefiero servirme un poco de jamón.

«Verdaderamente uno no sabe nunca lo que come en las mesas de estos provincianos –me dije–. No quiero saber nada de su conejo al gato, ni tampoco de su gato al conejo, si es que lo sirven...»

–Y luego –dijo un personaje de aire cadavérico situado hacia el final de la mesa, recogiendo el hilo interrumpido de la conversación–, entre otras extravagancias tuvimos cierta vez a un paciente que sostenía con gran obstinación ser un queso de Córdoba, y andaba cuchillo en mano pidiendo a sus amigos que probaran una rebanada de su muslo.

–Era un perfecto loco, sin duda –dijo otro–, pero no se lo puede comparar con cierto individuo a quien todos conocemos, excepción hecha de ese extraño caballero. Aludo al hombre que se creía una botella de champaña y andaba siempre descorchándose con un ruido y un burbujeo... como esto.

Y el orador, muy groseramente según pensé, apoyó el pulgar derecho en la mejilla izquierda, retirándolo con un sonido semejante al de una botella que se descorcha, tras lo cual y mediante un hábil juego de la lengua entre los dientes, produjo un agudo silbido que duró largo tiempo y que imitaba el de la espuma del champaña. Noté claramente que esta conducta no era del agrado de Monsieur Maillard, pero no dijo nada y la conversación continuó a cargo de un hombrecito muy delgado que usaba una enorme peluca.

–Teníamos también a un ignorante –dijo– que se tomaba por una rana, a la cual por cierto no dejaba de parecerse bastante. Me hubiera gustado que le viese usted, señor –agregó, dirigiéndose a mí–, pues le habría encantado la naturalidad con que actuaba. Si aquel hombre no era una rana, sólo puedo agregar que lo lamento mucho. Su croar, en esta forma... O-o-o-ogh... O-o-o-o-ogh... era la nota más bella del mundo... ¡un si bemol! Y cuando ponía los codos en la mesa así... después de haber bebido un vaso o dos de vino... y abría la boca, así... y revolvía los ojos en esta forma... y los guiñaba con extraordinaria rapidez... pues bien, señor mío, puedo asegurarle que hubiera caído en el colmo de la admiración frente al genio de aquel hombre.

–No tengo la menor duda –dije.

–Y también teníamos a Petit Gaillard –dijo otro–, que se creía un polvo de rapé, y estaba afligidísimo porque no podía tomarse a sí mismo entre el pulgar y el índice.

–Y también a Jules Desoulières, que había sido un genio muy notable y, al enloquecer, creyó que era una calabaza. Perseguía de continuo al cocinero, pidiéndole que lo utilizara para hacer un pastel, a lo cual el cocinero se negaba indignado. Por mi parte no dejo de pensar que un pastel de calabaza *à la Desouliè* hubiera sido excelente.

–¡Me asombra usted! –exclamé, mirando con aire interrogativo a Monsieur Maillard.

–¡Ja, ja, ja! –rió este caballero–. ¡Ja, ja, ja; je, je, je; ji, ji, ji! ¡Excelente! No tiene por qué asombrarse, amigo mío. Nuestro compañero es todo un ingenio... un *drôle*... No hay que tomarlo al pie de la letra.

–También –dijo otro de los comensales– estaba Bouffon-Le Grand, un tipo extraordinario a su modo. El amor lo trastornó, y se creía dueño de dos cabezas. Sostenía que una de ellas era la de Cicerón, mientras la otra estaba compuesta; vale decir que era la de Demóstenes desde la frente a la boca, y la de Lord Brougham, de la boca al mentón. No es imposible que estuviera equivocado, pero lo hubiese convencido a usted de lo contrario, pues era hombre de grandísima elocuencia. Tenía verdadera pasión por la oratoria y no podía dejar de manifestarla. Por ejemplo, solía saltar sobre la mesa, en esta forma, y...

En este momento, alguien que se hallaba al lado del que hablaba le puso la mano en el hombro y le susurró unas palabras al oído; inmediatamente el otro guardó silencio y se dejó caer en su asiento.

–Y no olvidemos –dijo el que lo había interrumpido– a Boullard, la perinola. Le llamo la perinola porque le había entrado la manía muy singular, aunque no por completo irrazonable, de que se había convertido en perinola. Se hubiera usted muerto de risa viéndolo dar vueltas. Era capaz de pasarse horas girando sobre un talón, así... y...

Pero entonces, el amigo a quien el orador había interrumpido poco antes hizo lo mismo con él.

–¡Pues bien –gritó una anciana señora con todas sus fuerzas–, su Monsieur Boullard era un loco, y un loco muy tonto, por lo que veo! Permítame preguntarle: ¿quién ha oído hablar jamás de una perinola humana? ¡Qué absurdo! Madame Joyeuse era mucho más sensata, como todos saben. Tenía una manía, pero llena de buen sentido y que proporcionaba gran placer a todos los que se honraban en conocerla. Después de maduras reflexiones llegó a la conclusión de que a causa de algún accidente se había convertido en gallo. Pero en su calidad de tal se conducía muy correctamente. Batía las alas de una manera prodigiosa, así... así... así... y así... y en cuanto a su cacareo, era delicioso. ¡Co, corocó! ¡Co... corocó! ¡Co... corocóooo!

–¡Madame Joyeuse, le ruego que se reporte! –le interrumpió muy encolerizado nuestro anfitrión–. ¡O se conduce usted como una dama... o abandona inmediatamente la mesa! ¡Elija!

La dama (a la cual había oído con gran estupefacción llamar Madame Joyeuse, luego de la descripción que acababa de hacernos de alguien de ese mismo nombre), sonrojose hasta la raíz de los cabellos y pareció sumamente humillada por el reproche. Bajó la cabeza, sin responder una sola palabra. Mas en ese momento otra señora, mucho más joven, reanudó la conversación. Era mi hermosa jovencita del recibimiento.

–¡Oh, Madame Joyeuse *era* una loca! –exclamó–. En cambio en la conducta de Eugènie Salsafette había mucho de buen sentido. Era una joven muy modesta y hermosa, que se había convencido de que la manera ordinaria de vestirse era indecente, y trataba de vestirse al revés, vale decir quedándose *fuera* de sus ropas y no *dentro* de ellas. Después de todo es algo muy fácil de hacer. Basta con empezar así... y luego así... y así... así... y entonces...

–*Mon Dieu!* ¡Mam'zelle Salsafette! –gritaron al unísono una docena de voces–. ¿Qué hace usted? ¡Deténgase... es suficiente! ¡Hemos visto perfectamente cómo se hace...! ¡Basta, basta!

Y numerosos comensales abandonaban ya sus sillas para impedir que mam'zelle Salsafette se pusiera a la par de la Venus de Médicis, cuando su intervención dejó de ser necesaria a causa de unos terribles gritos y alaridos que procedían de alguna parte del cuerpo central del *château*.

Mis nervios sufrieron un tardo choque al escuchar aquellos clamores, pero no pude dejar de sentir lástima por el resto de la asamblea. Jamás he visto a un grupo de personas razonables bajo un espanto semejante. Se pusieron pálidos como otros tantos cadáveres y, mientras se desplomaban en sus asientos, temblaban y se estremecían de terror, esperando la repetición de los gritos. Volvieron a oírse estos con mayor fuerza y al parecer más cerca, se repitieron por tercera vez con gran intensidad y luego más apagados. Ante esta aparente cesación de los clamores, los comensales recobraron inmediatamente los ánimos y todo volvió a ser alegría y conversación como antes. Me atreví entonces a preguntar la causa de aquella interrupción

–Una simple *bagatelle* –dijo Monsieur Maillard–. Estamos habituados a estas cosas y en realidad nos preocupamos muy poco de ellas. De vez en cuando los locos se ponen a gritar a coro, pues uno excita al otro, como suele ocurrir con los perros de noche. Pero al coro de alaridos sucede en ocasiones una tentativa simultánea para emprender la fuga, y en esos casos no deja de haber cierto peligro.

–¿Y cuántos tiene usted a su cargo en este momento?

–No más de diez.

–¿Mujeres en su mayoría, supongo?

–¡Oh, no! Todos ellos hombres, y puedo asegurarle que bien robustos.

–¿De veras? Había oído decir que la mayoría de los insanos pertenecían al sexo bello.

–Así es en general, pero no siempre. Hace algún tiempo había aquí unos veintisiete pacientes, y entre ellos no menos de dieciocho mujeres; pero las cosas han cambiado mucho, como puede ver.

–Sí... han cambiado mucho, como puede ver –interrumpió el caballero que había dado de coces a Mam'zelle Laplace.

–¡Sí... han cambiado mucho, como puede ver! –coreó la asamblea.

–¡A sujetar la lengua todo el mundo! –gritó mi anfitrión lleno de cólera, tras lo cual los presentes guardaron un silencio de muerte durante casi un minuto, mientras una de las damas obedecía al pie de la letra a Monsieur Maillard, vale decir, sacaba la lengua, que tenía notablemente larga, y la sujetaba resignadamente con ambas manos hasta el fin de la fiesta.

–Pero esta dama –dije al director, inclinándome hacia él para que los demás no me oyeran–, esa excelente señora que acaba de hablar y nos ha ofrecido el cocoricó... supongo que es inofensiva, ¿verdad? Completamente inofensiva.

–¡Inofensiva! –exclamó él, en el colmo de la sorpresa–. ¿Qué... qué quiere usted decir?

–¿O nada más que un poco tocada? –dije, acompañando mis palabras con el ademán de tocarme la sien–. Doy por descontado que su enfermedad no es particularmente... peligrosa, ¿verdad?

–*Mon Dieu!* ¿Qué esta usted imaginándose? Esta señora, mi antigua e íntima amiga, Madame Joyeuse, es tan cuerda como yo. Tiene sus pequeñas excentricidades, claro está... pero bien sabe usted que todas las mujeres... todas las mujeres *muy* ancianas las tienen en mayor o menor grado.

–Por supuesto –convine–. Por supuesto... pero entonces, el resto de las damas y caballeros...

–Son mis amigos y colaboradores –interrumpió Monsieur Maillard, irguiéndose altaneramente.– Mis excelentes amigos y ayudantes.

–¡Cómo! ¿Todos ellos? ¿Las damas también?

–Claro está; no podríamos arreglarnos sin ayuda de mujeres, que son las mejores enfermeras del mundo para atender a los locos. Tienen una modalidad propia, sabe usted; sus ojos brillantes producen efectos maravillosos... algo así como la fascinación de la serpiente.

–Por supuesto –repetí–, por supuesto... De todos modos, actúan de manera un tanto extraña, ¿no? Son ligeramente *raras*... ¿no le parece a usted?

–¡Extrañas! ¡Raras! ¿Por qué piensa así? Aquí, en el Sud, no somos nada mojigatos; hacemos lo que más nos gusta, gozamos de la vida y de todo el resto... ¿Comprende usted?

–Por supuesto –dije–. Por supuesto.

–Y, además, puede ser que este Clos Vougeot se suba un tanto a la cabeza, ¿sabe usted?... Un tanto *fuerte*... Usted comprende, ¿no?

–Por supuesto –dije–, por supuesto. Dicho sea de paso, señor, ¿no dijo usted, si he oído bien, que el sistema que había adoptado en reemplazo del famoso sistema de la dulzura es de una extremada severidad?

–De ninguna manera. La reclusión es obligadamente rigurosa; pero el tratamiento... quiero decir el tratamiento médico, es más bien agradable a los pacientes.

–¿Y es usted el inventor del nuevo sistema?

–No en su totalidad. Parte del mismo procede del profesor Tarr, de quien habrá usted oído hablar seguramente; y mi plan contiene, además, modificaciones que, me complazco en decirlo, provienen del celebrado Fether, con quien, si no me equivoco, está usted estrechamente vinculado.

–Me avergüenza muchísimo reconocer que no he oído jamás mencionar a dichos caballeros –repliqué.

–¡Grandes dioses! –exclamó mi huésped, echando bruscamente atrás su silla y alzando las manos–. ¡Sin duda he oído mal! ¿No pretenderá decirme que jamás ha oído hablar del sabio doctor Tarr o del famoso profesor Fether?

–Me veo precisado a reconocer mi ignorancia –repuse–, pero la verdad está por encima de todas las cosas. Mucho me humilla ignorar las obras de esos extraordinarios estudiosos. Las buscaré lo antes posible, para leerlas con la máxima atención. Monsieur Maillard, usted ha conseguido... se lo digo muy sinceramente... avergonzarme de mí mismo.

Y era muy cierto.

–No diga usted más, mi joven amigo –replicó amablemente el director, estrechándome la mano–, y acompáñeme con una copa de Sauternes.

Bebimos. La asamblea imitó sin vacilar nuestro ejemplo. Todos charlaban, bromeaban, reían, hacían las cosas más absurdas, mientras los violines chirriaban, el tambor tronaba, los trombones mugían como otros tantos toros de bronce de Falaris... y aquella escena, empeorando de minuto en minuto, a medida que los vinos hacían su efecto, se convertía finalmente en una especie de pandemonio *in petto.* A todo esto, con algunas botellas de Sauternes y Vougeot entre los dos, Monsieur Maillard y yo continuábamos nuestro diálogo a gritos. Cualquier palabra pronunciada con tono natural se hubiera oído mucho menos que la voz de un pez en las cataratas del Niágara.

–¿No mencionó usted antes de la cena –le grité al oído– que el antiguo sistema de la dulzura encerraba ciertos peligros? ¿Puede explicarme cuáles?

–Sí –repuso él–, en algunas ocasiones era sumamente peligroso. Los caprichos de los locos son inexplicables, y en mi opinión, así como en la del doctor Tarr y el profesor Fether, *nunca* se está seguro si se los deja andar solos y sin vigilancia. Un insano puede ser «calmado» por un tiempo, pero terminará siempre provocando algún alboroto. Su astucia, además, es tan proverbial como grande. Si proyecta alguna cosa, la ocultará con maravillosa sagacidad, y la destreza con que finge la cordura presenta para el filósofo uno de los problemas más singulares del estudio de la mente. Créame usted: cuando un loco parece *completamente* sano, ha llegado el momento de ponerle la camisa de fuerza.

–Pero el *peligro* del cual hablaba usted, mi querido señor... En el curso de su propia experiencia... mientras dirigía esta casa... ¿ha tenido razones para creer que la libertad era peligrosa en un caso de locura?

–¿Aquí? ¿En el curso de mi propia experiencia? Pues bien... sí. Por ejemplo: *no hace mucho,* sucedió en esta misma casa algo muy extraño. Como usted sabe regía el sistema de dulzura y todos los enfermos andaban en libertad. Se conducían muy bien...; tan bien, que cualquier persona sensata se hubiera dado cuenta de que *se* preparaba algún designio diabólico, tanta era la compostura con que se portaban. Y así ocurrió, en efecto: una mañana, los guardianes se despertaron atados de pies y manos y metidos en las celdas, donde fueron atendidos como si fueran los locos... por los locos mismos, que habían usurpado las funciones de guardianes.

–¡No me diga usted! ¡Jamás he oído cosa tan absurda!

–Le cuento la verdad. Todo sucedió por culpa de un imbécil... un loco que sostenía haber inventado el mejor sistema de gobierno jamás imaginado... gobierno de locos, se entiende. Supongo que quería experimentar su invención y persuadió al resto de los enfermos a que se le unieran en una conspiración destinada a derrocar los poderes reinantes.

–¿Y lo consiguió?

–Naturalmente. Los guardianes y los guardados cambiaron muy pronto de puesto, con la importante diferencia de que los locos habían estado sueltos con anterioridad, mientras que los guardianes fueron encerrados en las celdas y tratados, lamento decirlo, de una manera muy desdorosa.

–Pero supongo que no tardó en producirse una contrarrevolución. Imposible que semejante estado de cosas se prolongara mucho. Las personas de la vecindad... los visitantes que acudían al establecimiento... no hay duda de que debieron dar la alarma.

–Pues se equivoca usted. El jefe de los rebeldes era demasiado astuto para eso. No admitió a ningún visitante, excepción hecha, cierto día, de un joven de aire tan estúpido que no le inspiró el menor temor. Lo dejó entrar en el establecimiento... simplemente para variar un poco... para divertirse con él. Tan pronto se hubo burlado lo suficiente, lo dejó salir para que se volviera a sus negocios.

–¿Y cuánto tiempo duró el reinado de los locos?

–¡Oh, mucho tiempo! Por lo menos, un mes..., no podría decir exactamente cuánto. Pero, entretanto, lo pasaron admirablemente, eso puedo jurárselo. Tiraron sus viejas ropas ajadas y se apoderaron del guardarropa y las joyas de la familia. La bodega del establecimiento estaba bien provista de vino, y esos diablos de locos son precisamente los que mejor saben beberlo. Vivieron muy bien, se lo aseguro.

–Y el tratamiento... ¿En qué consistía ese tratamiento especial que puso en práctica el jefe de los rebeldes?

–Pues bien; como ya le he hecho notar, un loco no es necesariamente un tonto, y en mi honesta opinión, dicho tratamiento era muchísimo mejor que el anterior. Consistía en un sistema verdaderamente extraordinario... muy sencillo... pulcro... nada complicado... realmente delicioso... Era...

Las observaciones de mi huésped se vieron bruscamente interrumpidas por una nueva serie de alaridos semejantes a los que tanto nos habían desconcertado previamente. Pero esta vez parecían proceder de personas que se aproximaban rápidamente.

–¡Santo Dios! –grité–. ¡Los locos han debido escaparse...!

–Mucho me lo temo –replicó Monsieur Maillard poniéndose mortalmente pálido.

Apenas había terminado la frase cuando se oyeron gritos e imprecaciones bajo las ventanas, y no tardó en verse que algunas gentes del exterior estaban tratando de abrirse paso en el comedor. Golpeaban la puerta con algo que parecía ser un acotillo, mientras sacudían las persianas con violencia prodigiosa.

Siguió una escena de espantosa confusión. Para mi indescriptible asombro, Monsieur Maillard se metió debajo del aparador. Yo hubiera esperado una mayor resolución de su parte. Los miembros de la orquesta que en el último cuarto de hora habían dado la impresión de estar demasiado borrachos para cumplir con su obligación, se enderezaron bruscamente aferrando sus instrumentos y, trepándose a la mesa, atacaron de común acuerdo el *Yankee Doodle,* que ejecutaron, si no afinadamente, por lo menos con energías sobrehumanas durante todo el transcurso del tumulto.

Entretanto, el caballero a quien con tanta dificultad habían impedido que saltara sobre la mesa se apresuró a hacerlo y, tras de plantarse entre las botellas y vasos, comenzó una arenga que no dudo hubiera sido de primer orden de haber podido escucharla. En el mismo instante, el hombre cuyas predilecciones iban hacia las perinolas comenzó a girar por la estancia con inmensa energía, abiertos los brazos en ángulo recto con el cuerpo, con lo cual se parecía realmente a una peonza, y derribando a todo aquel que se le ponía en el camino. Entonces, al escuchar un increíble ruido de botella descorchada y de vino espumante saliendo de ella, terminé por descubrir que procedía de la persona que había imitado a una botella de champaña en el curso de la cena. Por su parte, el hombre-rana croaba como si la salvación de su alma dependiera de cada sonido que profería. Y en mitad de todo esto alzábase el continuo rebuznar de un asno. En cuanto a mi buena amiga Madame Joyeuse, me daba verdadera lástima contemplar el estado de perplejidad en que se encontraba. Todo lo que hacía era quedarse en un rincón, al lado de la chimenea, repitiendo continuamente y con todas sus fuerzas: «¡Cocoricó-o-o-o-o!».

Y entonces se produjo la crisis, la catástrofe del drama. Como, aparte de los hurras, los alaridos y los cocoricós, quienes me rodeaban no ofrecían la menor resistencia a los de fuera, las diez ventanas no tardaron en ser forzadas casi simultáneamente. Y jamás olvidaré el asombro y el horror con que vi saltar por ellas y lanzarse entre nosotros, golpeando, pateando, arañando y aullando, un ejército que creí de chimpancés, orangutanes o enormes babuinos negros del cabo de Buena Esperanza.

Recibí una terrible paliza, tras de la cual rodé bajo un sofá y me quedé inmóvil. Luego de un cuarto de hora, tiempo en el cual escuché con todos mis sentidos lo que seguía ocurriendo en la habitación, llegué a una explicación satisfactoria del desenlace de aquella tragedia. Por lo visto, al hablarme del loco que había incitado a sus compañeros a la rebelión, Monsieur Maillard no había hecho otra cosa que relatarme sus propias hazañas. Este caballero había sido el director del establecimiento dos o tres años atrás, pero acabó por enloquecer a su turno y pasó a la categoría de paciente. El compañero de viaje que me había presentado ignoraba semejante cosa. En cuanto a los guardianes, dominados por los locos, habían sido primeramente untados de alquitrán, luego emplumados y finalmente metidos en las celdas subterráneas. Llevaban allí un mes, en el curso del cual Monsieur Maillard no solamente les había prodigado generosamente el alquitrán y las plumas (que constituían su «sistema»), sino que los había tenido a pan y agua. Esta última en forma de ducha diaria... Pero, al fin, tras de escapar por una cloaca, uno de los prisioneros logró poner en libertad a los demás.

El «sistema de la dulzura» –con importantes modificaciones– se ha reanudado en el *château;* sin embargo, no puedo dejar de reconocer con Monsieur Maillard que su propio «tratamiento» era verdaderamente radical. Como muy bien lo había expresado, era «muy sencillo... pulcro... nada complicado...».

Sólo me resta añadir que, aunque he revisado todas las bibliotecas de Europa en busca de las obras del doctor Tarr y del profesor Fether, he fracasado hasta ahora en mi empeño por procurarme un ejemplar de las mismas.

NUNCA APUESTES TU CABEZA AL DIABLO

Comentario de Fernando Royuela

En «Nunca apuestes tu cabeza al diablo», Poe juega a plantear un debate moral. Por ello sostiene que en su propio título se encierra una moraleja, pero es mentira. Dolido por las críticas de sus contemporáneos que le acusan de escribir textos sin consecuencias morales, Poe concibe este relato como una burla para mofarse de cuantos pretenden minusvalorar su obra por tal razón.

La de Poe en este cuento es una chulería literaria, pero él se la puede permitir porque la suya es una literatura soberana, liberada de tributos, a años luz del paradigma de su época. Las convenciones de su tiempo exigían que la literatura ofreciese consecuencias morales. No hay literatura sin intención moral, sostenían los eruditos, y de toda obra puede extraerse una. Son los prolegómenos de ese mundo de hipocresías públicas y contradicciones privadas que pronto habrá de llegar. En la literatura empiezan a escribirse historias góticas que escenifican los dilemas entre el bien y el mal. El terror es un género ideal para albergarlas. Poe, sin embargo, navega por otras aguas. Su literatura tiene más que ver con la neurosis, con el espanto nihilista, con la visión onírica de la realidad. Ni siquiera se detiene en esas zonas ambiguas del alma humana que años más tarde Stevenson o Conrad explorarán con éxito. Poe va más allá, de ahí su drama y su genialidad.

De todos los relatos que Edgar Allan Poe escribiera puede que este sea el que de una manera más evidente esboce la literatura del futuro, esa que antepondrá a los conflictos morales la rotundidad desoladora del mundo real.

«Nunca apuestes tu cabeza al diablo» se plantea como una historia en la que el diablo hace acto de presencia en la vida cotidiana para cobrarse lo que es suyo. Su personificación responde más a la de un acreedor privilegiado que a la de un ente que represente el mal. Alguien le ha apostado la cabeza y la ha perdido, eso es todo. Al diablo le toca ahora venir a cobrar. La modernidad del relato trasciende, sin embargo, el planteamiento de la narración. Lo de menos es el protagonista que blasfema sin pausa y que a todas horas anda apostando su cabeza. Hasta el mismo diablo resulta irrelevante. El hallazgo del relato, lo que le confiere su extraordinaria calidad, no reside en la lógica de su hilo argumental sino en el punto de vista del narrador. Poe penetra en el relato y como si se tratase de un parásito, lo fagocita y lo transforma con un sarcasmo cercano al nihilismo.

El protagonista apuesta la cabeza y la pierde, el diablo viene y se la lleva, pero eso es lo de menos. No importa el diablo, no importa la moraleja, no importa el trasgredido uso social. Lo único relevante en este cuento, lo que lo hace moderno y por lo tanto desolador es el cinismo del narrador que justifica el impago del entierro del protagonista descabezado, la exhumación ulterior de sus restos mortales y la venta de los mismos como alimento para perros en una soberbia metáfora de la nada moral.

NUNCA APUESTES TU CABEZA AL DIABLO

Cuento con moraleja

Con tal que las costumbres de un autor sean puras y castas –dice don Tomás de las Torres en el prefacio a sus *Poemas amatorios*–, *importa muy poco que no sean igualmente severas sus obras*[1]. Presumimos que don Tomás ha de estar ahora en el Purgatorio a causa de su afirmación. Sería bueno tenerlo allí, desde un punto de vista de justicia poética, hasta que sus *Poemas amatorios* se agoten o empiecen a juntar polvo en las bibliotecas por falta de lectores. Toda ficción *debería* tener una consecuencia moral; y, lo que es más, los críticos han descubierto que no hay ficción que no la tenga. Hace ya tiempo, Felipe Melancthon escribió un comentario de la *Batracomiomaquia,* probando que lo que el poeta quería era volver odiosas las sediciones. Pierre La Seine, dando un paso adelante, mostró que la verdadera intención consistía en recomendar a los jóvenes la temperancia en la comida y la bebida. Jacobus Hugo, por su parte, quedó convencidísimo de que, en Euenis, Homero insinuaba la persona de Calvino; que Antinoo era Martín Lutero; los Lotófagos, los protestantes en general, y las arpías, los holandeses. Nuestros escoliastas modernos son igualmente agudos. Estos señores demuestran la existencia de un sentido oculto en *Los antediluvianos,* de una parábola en *Powhatan,* de nueve ideas en *Arrorró mi niño* y del trascendentalismo en *Pulgarcito.* En resumen, se ha demostrado que ningún hombre de este mundo puede sentarse a escribir sin un profundísimo designio. Con esto, los autores se ahorran muchas preocupaciones. Un novelista, por ejemplo, no necesita preocuparse de las consecuencias morales, pues allí están –vale decir, están en alguna parte de su libro–, y

---

1. En español en el original. *(N. del T.)*

tanto ellas como los críticos pueden arreglarse solos. Cuando llegue el momento oportuno, todo lo que dicho caballero se proponía y todo lo que no se proponía asomará a la luz, sea en el *Dial* o en el *Down Easter,* conjuntamente con aquello que debería haberse propuesto y aquello que claramente intentó proponerse; vale decir que todo se arreglará muy bien al final.

No hay ninguna justificación, pues, en la acusación que ciertos ignorantes han formulado contra mí; a saber: que jamás he escrito un cuento moral o, con palabras más precisas, un cuento con moraleja. Lo que pasa es que aquellos no son los críticos predestinados a ponerme de manifiesto y a *desarrollar* mis moralejas; he ahí el secreto. Poco a poco, la *North American Quarterly Humdrum* los hará sentir avergonzados de su estupidez. Pero por el momento, con el fin de aplazar la ejecución capital y mitigar las acusaciones alzadas contra mí, ofrezco el siguiente y triste relato, cuya obvia moraleja no puede ser cuestionada de ninguna manera, ya que cualquiera puede leerla en las mayúsculas que forman el título del relato. Debería reconocerse mi mérito por esta disposición, mucho más sabia que la de La Fontaine y otros, que reservan hasta el último momento la impresión que desean producir y la meten de rondón en el final de sus fábulas.

Defuncti injuria ne officiantur, decía una ley de las doce tablas, y *De mortuis nil nisi bonum* es un excelente corolario, aun si los muertos en cuestión no son más que bagatelas difuntas. Lejos de mí la intención, pues, de vituperar a mi finado amigo Toby Dammit. Era un pobre perro, la verdad sea dicha, y tuvo una muerte de perros; pero no hay que reprocharle sus vicios. Nacieron de un defecto personal de su madre. Aquella señora hacía todo lo posible en materia de azotes cuando Toby era niño, ya que para su bien ordenada mente los deberes eran siempre placeres, y los niños, al igual que las chuletas duras o los olivos griegos, mejoran si se los golpea. Pero, ¡pobre mujer!, tenía el infortunio de ser zurda, y mejor es no azotar a un chico que azotarlo con la mano izquierda. El mundo gira de derecha a izquierda. Dar de latigazos a un crío de izquierda a derecha no sirve de nada. Si cada golpe en la dirección adecuada arranca de raíz una propensión maligna, se sigue que cada porrazo propinado en el sentido opuesto ahincará aún más la maldad. Muchas veces fui testigo de los castigos aplicados a Toby, y, aunque sólo fuera por la forma en que pateaba, podía percatarme de que cada día se estaba poniendo más malo. Noté, por fin, a través de las lágrimas que velaban mis ojos, que no quedaba esperanza alguna para el pequeño miserable, y cierto día en que le habían dado tantos golpes que tenía la cara completamente negra, al punto que lo hubieran tomado por un pequeño africano, sin otro efecto visible que el de hacerlo retorcerse en un ataque de ira, me fue imposible soportar aquello por más tiempo y, cayendo de rodillas, alcé mi voz para profetizar su ruina.

La precocidad de Toby para el vicio era horrorosa. A los cinco meses de edad le daban tales ataques de rabia que no podía articular palabra. A los seis meses lo pesqué mordisqueando un mazo de barajas. A los siete tenía por costumbre abrazar y besar a los bebés del sexo opuesto. A los ocho rehusó perentoriamente agregar su firma a un memorial en pro de la temperancia. Y así fue creciendo en iniquidad, mes tras mes, hasta que, al cumplir su primer año de vida, no sólo insistía en usar bigotes, sino que había adquirido una gran propensión a las palabrotas y juramentos, así como a sostener sus afirmaciones mediante apuestas.

La ruina que había vaticinado a Toby Dammit se cumplió, por fin, a causa de la poco caballeresca práctica mencionada en último término. Aquella costumbre «creció con su crecimiento y se esforzó con sus fuerzas», de modo que, cuando Toby llegó a ser hombre, apenas podía pronunciar una frase sin aderezarla con una promesa de juego. Y no apostaba en firme... nada de eso. Seré justo con mi amigo y diré que antes hubiera preferido hacerse monje. En su caso, aquello era una simple fórmula, y nada más. Sus expresiones no tenían el menor sentido positivo. Eran desahogos, simplemente –ya que no puedo decir que lo fueran inocentemente–; frases imaginativas con las cuales redondeaba sus declaraciones. Cuando decía: «Le apuesto esto y aquello», a nadie se le ocurría formalizar la apuesta, pero de todos modos yo no podía dejar de considerar que mi deber era reprenderlo. Aquella costumbre era inmoral, y así se lo decía. Era vulgar, y le rogaba que me creyera. Era desaprobada por la sociedad, y nadie me desmentiría por decirlo. Estaba prohibida por una ley del Congreso, y afirmándolo así no incurría en ninguna mentira. Le hacía reproches, sin resultado; aducía pruebas, vanamente. Si lo amenaza, se sonreía; si le suplicaba, prorrumpía en carcajadas. Si rogaba, se encogía desdeñosamente de hombros. Si lo amenazaba... se ponía a jurar. Si le daba de puntapiés... llamaba a la policía. Si le tironeaba de la nariz, se sonaba y apostaba su cabeza al diablo a que no me atrevería a repetir el experimento.

La pobreza era otro vicio que la deficiencia física de la madre de Dammit había acumulado sobre su hijo. Era detestablemente pobre, y por esa razón, sin duda, sus expresiones coléricas acerca de las apuestas tomaban raras veces un giro pecuniario. Nadie me hará decir que en alguna oportunidad le haya escuchado figuras de lenguaje tales como: «Le apuesto a usted un dólar». Por lo regular decía: «Le apuesto lo que quiera», o «Le apuesto cualquier cosa», o bien, mucho más significativamente, *«Le apuesto mi cabeza al diablo»*.

Esta última fórmula era la que parecía agradarle más, quizá porque envolvía menos riesgo, pues Dammit se había vuelto muy parsimonioso. Si alguien le hubiera aceptado la apuesta, poco habría perdido, dado que tenía la cabeza muy pequeña; pero esta es una observación personal y no estoy nada seguro de poder atribuírsela con justicia. De todos modos, la frase en cuestión se le pegaba más y más, a pesar de lo impropio que resultaba que un hombre apostara todo el tiempo su cerebro como si fuese un billete de banco; empero, la perversa naturaleza de mi amigo no le permitía darse cuenta de ello. Terminó por abandonar todas las restantes fórmulas, entregándose de lleno a: *Le apuesto mi cabeza al diablo,* con una pertinacia y una exclusividad que me desagradaban tanto como me sorprendían. Siempre me repelen aquellas circunstancias que no puedo explicarme. Los misterios obligan a un hombre a pensar, con lo cual su salud se perjudica. A decir verdad, había algo en *el aire* con que Mr. Dammit pronunciaba aquella ofensiva expresión, algo en su *modo* de enunciarla, que primero me interesó y luego me hizo sentirme muy preocupado; algo que, a falta de un término más preciso, se me permitirá calificar de *raro* –pero que Mr. Coleridge hubiese llamado místico, Mr. Kant panteístico, Mr. Carlyle retorcido y Mr. Emerson hiperenigmático–. Aquello empezó a no gustarme nada. El alma de Mr. Dammit estaba en peligro. Resolví emplear toda mi elocuencia a fin de salvarla. Prometí consagrarme a él como san Patricio, en la crónica irlandesa, se consagró al sapo, vale decir «despertándolo a su verdadera situación». Me puse a la tarea de inmediato. Una vez más me preparé para reprochar su lenguaje a mi amigo. Una vez más reuní mis energías para una tentativa final de reconvención.

Cuando hube terminado mi conferencia, Mr. Dammit se permitió algunas actitudes sumamente equívocas. Durante unos instantes guardó silencio, limitándose a mirarme interrogativamente a la cara. Luego ladeó la cabeza, mientras alzaba muchísimo las cejas. Tendiendo las palmas de sus manos, se encogió de hombros. Guiñó a continuación el ojo derecho, repitiendo la operación con el izquierdo. Inmediatamente cerró los dos ojos, apretando mucho los párpados. Los abrió a continuación de tal manera que me alarmé seriamente por las consecuencias. Aplicándose el pulgar a la nariz, consideró oportuno efectuar un indescriptible movimiento con el resto de los dedos. Por fin, colocando los brazos en jarras, condescendió a contestarme.

Sólo recuerdo los titulares de su discurso. Me estaría muy agradecido si me callaba la boca. No tenía ninguna necesidad de mis consejos. Despreciaba mis insinuaciones. Era lo bastante crecido como para cuidarse a sí mismo. ¿Lo creía todavía el bebé Dammit? ¿Pretendía insinuar alguna cosa sobre su carácter? ¿Me proponía insultarlo? ¿Estaba loco? ¿Estaba mi madre enterada, en una palabra, de que yo había salido de casa sin permiso? Me hacía esta última pregunta considerándome capaz de responder la verdad, y se declaraba dispuesto a creer en mi respuesta. Una vez más me preguntaba explícitamente si mi madre estaba enterada de que yo había salido solo de casa. Mi confusión –agregó– me traicionaba y, por tanto, estaba dispuesto a apostarle la cabeza al diablo a que mi buena madre no estaba enterada.

Mr. Dammit no se detuvo a esperar mi réplica. Girando sobre los talones, se alejó con precipitación muy poco digna. Y más le valió haberlo hecho así. Me sentí injuriado. Hasta colérico. Hubiera querido recoger por una vez su insultante apuesta. Hubiera ganado para el Archienemigo la mínima cabeza de Mr. Dammit; pues la verdad es que mamá *estaba* perfectamente enterada de mi momentánea ausencia del hogar.

Pero *Khoda shefa midêhed* –el cielo trae alivio–, como dicen los musulmanes cuando alguien les pisa los pies. Había sido insultado mientras cumplía con mi deber, y soporté el insulto como un hombre. Pareciome, no obstante, que había hecho todo lo que se podía pedir en el caso de aquel miserable individuo y resolví no molestarlo más con mis consejos, abandonándolo a su conciencia y a sí mismo. De todos modos, aunque no volví a hablarle del asunto, no pude privarme por completo de su compañía. Llegué incluso a tolerar algunas de sus tendencias menos reprobables y en ciertas ocasiones hasta alabé sus pésimas bromas (aunque con lágrimas en los ojos, como elogian los epicúreos la mostaza); a tal punto me dolía oír su profano lenguaje.

Un día radiante, en que habíamos salido a pasear tomados del brazo, nuestro camino nos condujo hasta un río. Había un puente y resolvimos cruzarlo. Era un puente techado, que protegía del mal tiempo y, como dentro tenía pocas ventanas, resultaba desagradablemente oscuro. Cuando penetramos, el contraste entre el brillo exterior y la penumbra influyó penosamente en mi ánimo. No así en el desdichado Dammit, quien apostó en seguida su cabeza al diablo a que yo estaba melancólico. Por su parte parecía de excelente humor. Quizá en exceso, lo cual me hacía sentir no sé qué rara sospecha. No me parecía imposible que fuera víctima de algún trascendentalismo. Pero no soy tan versado en el diagnóstico de esta enfermedad como para afirmar nada y, por desgracia, ninguno de mis amigos del *Dial* se hallaba presente. Sugiero la idea, no obstante, a causa de una cierta austera bufonería que parecía haber invadido a mi pobre amigo, induciéndolo a comportarse como un estúpido. Nada podía disuadirlo de deslizarse y saltar por encima o por debajo de cualquier cosa que se cruzara en su camino; todo esto gritando o susurrando palabras y palabrotas, a tiempo que su rostro conservaba una profunda gravedad. Realmente yo no sabía si tenerle lástima o emprenderla a puntapiés con él. Por fin, cuando habíamos atravesado casi todo el puente y nos acercábamos a su fin, nuestra marcha se vio impedida por un molinete. Pasé como corresponde en estos casos, es decir, que hice girar el molinete. Pero esto no convenía al capricho de Mr. Dammit. Insistió en saltar sobre el molinete, afirmando que era capaz de hacer al mismo tiempo una pirueta en el aire.

Pues bien, hablando seriamente, no me pareció que pudiera hacerlo. Las mejores piruetas, en cualquier estilo, las ha hecho mi amigo Mr. Carlyle, y sé muy bien que, así como no sería capaz de hacer esta, tampoco podría hacerla Toby Dammit. Así se lo dije, agregando que era un fanfarrón y que hablaba por hablar. No me faltaron luego razones para lamentar haberme expresado así; pues instantáneamente Toby *apostó su cabeza al diablo* a que lo hacía.

Disponíame a replicarle, no obstante mi anterior resolución, con algunos reproches sobre su impiedad, cuando oí toser a mi lado. Aquella tos se parecía mucho a la exclamación «¡hola!», tanto que me sobresalté y miré en torno lleno de sorpresa. Por fin mis ojos cayeron de lleno en un nicho que había en la estructura del puente y vieron a un anciano y diminuto caballero cojo, de venerable aspecto. Nada podía ser más venerable que su apariencia, pues no sólo estaba enteramente vestido de negro sino que usaba una camisa muy limpia, cuyo cuello se plegaba esmeradamente sobre una corbata blanca, y sus cabellos aparecían partidos al medio, como los de una muchacha. Apoyaba pensativamente las manos en el estómago y tenía los ojos en blanco.

Al observarlo más de cerca percibí que llevaba puesto un delantal de seda negra sobre sus ropas, y la cosa me pareció sumamente extraña. Pero antes de que tuviera oportunidad de hacer la menor observación sobre tan singular circunstancia, me interrumpió con un segundo «¡hola!».

No me hallaba preparado para contestarle de inmediato. A decir verdad, las observaciones tan lacónicas como aquella son de muy difícil respuesta. He conocido cierta revista trimestral que se quedó estupefacta a causa de la expresión «¡Disparates!»; se comprenderá, pues, que no me avergoncé de volverme a Mr. Dammit en busca de ayuda.

–Dammit –dije–, ¿qué estás haciendo? ¿No oyes? Este caballero dice «¡hola!».

Y lo miré severamente a tiempo que le hablaba. Porque si he de decir la verdad, me sentía especialmente perplejo, y cuando un hombre está especialmente perplejo debe fruncir el ceño y tomar un aire salvaje, pues de lo contrario es seguro que pondrá cara de estúpido.

–Dammit –continué, aunque esta repetición del nombre empezaba a parecerse a un juramento, cosa que estaba muy lejos de mis intenciones[2]–. Dammit –agregué–, este caballero ha dicho «¡hola!».

No tengo intención de sostener que mi observación era profunda, pero he notado que el efecto de nuestras palabras no siempre está de acuerdo con la importancia que tienen para nosotros. Si hubiera hecho estallar una bomba a los pies de Mr. Dammit, o le hubiese golpeado en la cabeza con los *Poetas y Poesías de Norteamérica,* no lo hubiera visto tan trastornado como cuando me dirigí a él con aquellas simples palabras: «¡Dammit! ¿Qué estás haciendo? ¿No oyes? Este caballero dice ¡hola!».

–¡No me digas! –jadeó por fin, después de pasar por más colores que los que enarbola sucesivamente un barco pirata cuando se ve perseguido por otro de guerra–. ¿Estás seguro de que dijo *eso*? En fin, de todas maneras ya estoy pronto, y lo mejor es poner al mal tiempo buena cara. Ahí va, pues... *¡Hola!*

Al oír esto el diminuto caballero pareció muy complacido, Dios sabe por qué. Saliendo del hueco que había ocupado hasta entonces, avanzó cojeando con un aire muy gentil y estrechó la mano de Dammit, mientras lo miraba en la cara con el más auténtico aire de bondad que pueda imaginar un ser humano.

–Estoy absolutamente seguro de que usted ganará, Dammit –dijo con una sonrisa llena de franqueza–. Pero, de todos modos, tenemos que hacer una prueba, aunque no sea más que por mera formalidad.

–¡Hola! –repitió mi amigo, quitándose la chaqueta con un profundo suspiro, atándose un pañuelo de bolsillo a la cintura y modificando indescriptiblemente su expresión al revolver los ojos y dejar caer las comisuras de la boca–. ¡Hola! –agregó, repitiendo la palabra después de una pausa. Y desde ese instante no le oí pronunciar ninguna otra que no fuese el consabido «¡hola!».

«Pues bien –me dije–, he aquí un silencio bastante notable por parte de Toby Dammit, y sin duda es consecuencia de toda su verbosidad anterior. Un extremo induce al otro. Me pregunto si se habrá olvidado de las numerosas preguntas que me hizo con tanta fluidez

2. *Damn it,* ¡maldito sea! *(N. del T.)*

el día en que le propiné mi última conferencia. De todas maneras parece que se ha curado del trascendentalismo.»

–¡Hola! –prorrumpió Toby, como si hubiera estado leyendo en mis pensamientos, y mirándome con la cara de una oveja decrépita en una pesadilla.

El anciano caballero lo tomó del brazo y lo condujo un trecho hacia el interior del puente, a cierta distancia del molinete.

–Estimado amigo –dijo–, considero mi deber concederle todo este terreno para tomar impulso. Espere aquí, mientras me instalo junto al molinete a fin de verificar si usted lo salta elegante y trascendentalmente, sin omitir ninguno de los movimientos de una buena pirueta. Pura formalidad, por supuesto. Diré «una, dos, tres... ¡vamos!». Tenga buen cuidado de no arrancar hasta oír el «vamos».

Colocose al lado del molinete, hizo una pausa como si se sumiera en profunda reflexión, luego *miró hacia arriba* y, según me pareció, sonriose ligeramente, tras lo cual se ajustó las cintas del delantal, observó largamente a Dammit y, finalmente, dio la orden convenida:

–¡Una... dos... tres... y... vamos!

Exactamente al oírse la última palabra mi pobre amigo se lanzó a la carrera. Su estilo no era tan excelente como el de Mr. Lord, pero tampoco tan malo como el de los críticos de Mr. Lord; de todos modos me sentí seguro de que saltaría el obstáculo. Después de todo, si no lo saltaba... ¿qué? ¡Ah, esa era la cuestión! ¿Y si no lo saltaba?

–¿Qué derecho tiene este caballero de obligar a otro a dar un salto? –dije en alta voz–. ¿Quién es este personaje achacoso? ¡Si me pide a mí que salte, no lo haré, como que estoy vivo, y no me importa en absoluto *quién demonios sea*!

Ya he dicho que el puente aquel estaba cubierto de la manera más ridícula, por lo cual las palabras producían un eco desagradable... aunque nunca había reparado en él tan claramente como al pronunciar mis últimas tres palabras.

Pero lo que dije, o pensé, o escuché fueron cosas que sólo llenaron un instante. Menos de cinco segundos después de tomar impulso, mi pobre Toby daba su salto. Lo vi venir corriendo ágilmente y dar un grandísimo salto, a tiempo que efectuaba las evoluciones más extraordinarias con las piernas a medida que se elevaba. Lo vi en el aire, haciendo una admirable figura de danza justamente encima del molinete; y, como es natural, me pareció insólitamente singular que no *siguiera* su recorrido hacia adelante. Pero todo aquello fue cosa de un segundo; antes de que tuviera tiempo de hacer la menor reflexión profunda, vi a Mr. Dammit que se desplomaba de espaldas y del mismo lado del molinete de donde se había elevado. Y al mismo tiempo vi que el anciano caballero salía corriendo a toda velocidad, tras de recoger y envolver en su delantal alguna cosa que acababa de caer desde la oscuridad de la techumbre del puente, justamente sobre el molinete.

Me quedé profundamente estupefacto ante todo esto, pero no tuve tiempo de pensar, pues Mr. Dammit estaba curiosamente inmóvil, por lo cual deduje que se sentía muy agraviado y que necesitaba de mi ayuda. Me apresuré a acercarme, descubriendo que había recibido lo que cabe calificar de herida grave. En efecto, había sido privado de la cabeza, que inútilmente busqué por todas partes. Decidí entonces llevarlo a casa y mandar llamar a los homeópatas. Entretanto se me ocurrió algo y, luego de abrir una ventana que había en esa parte del puente, descubrí instantáneamente la triste verdad. A unos cinco pies sobre el nivel del molinete, atravesando la techumbre a manera de soporte, veíase una fina barra de acero, con el filo colocado horizontalmente; formaba parte de una serie de soportes análogos que reforzaban la estructura del puente. No cabía duda de que el cuello de mi infortunado amigo habíase puesto en contacto con el filo de aquella barra.

Mr. Dammit no sobrevivió a su terrible pérdida. Los homeópatas no le suministraron bastante poca medicina, y la poca que le dieron no pudo él tomarla. Al final empeoró y acabó muriéndose, dando con ello una lección a todos los seres de vida desenfrenada. Regué su tumba con mis lágrimas, agregué una barra siniestra en el escudo de armas de su familia y, a fin de cubrir los gastos generales de su funeral, envié una cuenta sumamente moderada a los trascendentalistas. Los villanos se negaron a pagarla, por lo cual hice exhumar de inmediato a Mr. Dammit y lo vendí como alimento para perros.

MIXTIFICACIÓN

Comentario de Manuel Vilas

Querido Mr. P:

He leído tu maravilloso relato sobre el barón Ritzner von Jung y me ha conmovido la delicadeza moral de tu prosa, su elevada distinción incluso a la hora de tratar temas tan vulgares como el de las bromas. Yo también conocí, hace mucho tiempo, al barón Ritzner von Jung en una casa de lenocinio de Toledo. Allí también puso en práctica sus destrezas, especialmente con la frívola Elvira, de la que von Jung siempre se reía. Aunque probablemente ella también acabó riéndose de él, y yo de ella, todo hay que decirlo. En aquella época, el barón tendría unos setenta años. Como fuera que había perdido su fortuna, y que huía de algo, en Toledo se dedicaba a dar clases de inglés y de alemán a los más destacados jóvenes de la nobleza toledana. El inglés es una lengua oscura, llena de intolerancia fonética. El alemán es una lengua triste, cosa que tú ya bien sabes, por tu longevidad similar a la mía: viste lo aburridos que eran aquellos mandriles del Tercer Reich. El barón hablaba misteriosamente bien el castellano. Murió de sífilis en la toledana calle del Casto Pastor en 18... También he decirte que en Toledo le nació un hijo, llamado Nicolás Borges (se puso el apellido de la madre), que acabó viviendo en una ciudad española llamada Zaragoza y en la que creo que no has estado, cosa que te recrimino. Imagino que Nico (así lo llamaban de pequeño) engendraría algún vástago del que ya no tengo noticia. De modo que hay descendencia española, aunque espuria, del barón. Del otro caballero protagonista de la historia, ese idiota de Johann Hermann, sólo puedo decirte que lleva el mismo nombre que el padre de nuestro amadísimo Franz Kafka. Por lo demás, sé (porque lo conocí en Praga, en el verano de 19...) que Hermann Kafka no sabía nada de duelos, aunque hablaba latín perfectamente porque lo estudió con jesuitas españoles. En cuanto al libro de Sieur Hedelin he de señalarte que te equivocas. Es un libro escrito en vasco antiguo (una lengua heroica y legendaria), de allí tu lío y el lío del barón. En absoluto era un duelo absurdo entre mandriles lo que allí se narraba. Todo lo contrario: los mandriles se fustigaban con conocimiento de las artes de la lucha, y te aseguro que eran mucho más que vulgares mandriles. Es una imprecisión pensar que el Mal es una bestia falta de razón. Hedelin relata una lucha ancestral entre mandriles; mandriles que esconden el genoma humano. Y eso deberías saberlo muy bien, querido Petrus. Nuestra mutación genética nos propulsa a través del tiempo. Tu licantropía y mi vampirismo también están perfectamente descritos en el noveno párrafo del capítulo «Injuriae per applicationem, per constructionem, et per se» del maravilloso *Duelli Lex Scripta, et non; aliterque.* Allí estamos nosotros, tú y yo, mi querido Petrus, porque esos mandriles somos nosotros, cosa que no puedes ignorar, pues tú eres un hombre culto y un estupendo lector del *Duelli Lex Scripta, et non; aliterque.* La última vez que nos vimos, en el París ocupado, vi ese libro en tu piso de Montmartre. La sucesión del tiempo tiene marejadas y salones llenos de humedad. Tu admirado Edgar no nos vio bien, no nos observó con detenimiento; estaría bebido, como siempre, con esa propensión suya al barroquismo suave. Pensó que éramos monos, y éramos monstruos humanos, muy humanos, como él.

Te abraza,

MV

MIXTIFICACIÓN

«¡Diantre! Si estos son tus "pasos" y tus "montantes",
no quiero saber nada de ellos».
NED KNOWLES

El barón Ritzner von Jung descendía de una noble familia húngara, cuyos miembros, hasta donde permiten asegurarlo antiquísimas y fidedignas crónicas, se habían destacado por esa especie de *grotesquerie* imaginativa de la cual Tieck, descendiente también de la familia, ha dado una ejemplificación tan vívida, aunque no la mejor.

Mi relación con Ritzner comenzó en el magnífico castillo de los Jung, al cual una serie de extrañas aventuras que no deseo hacer públicas me llevó en los meses de estío de 18... Fue allí donde gané su estima y, lo que era más difícil, un primer atisbo de su conformación mental. En tiempos posteriores estos atisbos se hicieron más profundos, y más estrecha la intimidad entre los dos; por eso, al encontrarnos otra vez en G...n, luego de tres años de separación, sabía todo lo que se necesitaba saber del carácter del barón Ritzner von Jung.

Recuerdo el rumor de expectativa que su llegada provocó en el recinto de la universidad la noche del 25 de junio. Recuerdo también claramente que, si todos los presentes lo declararon a primera vista «el hombre más notable del mundo», ninguno se esforzó por fundamentar su opinión. Tan innegable parecía el hecho de que fuera *único,* que toda pregunta sobre las razones de esa rareza hubieran resultado impertinentes. Pero, dejando esto de lado por el momento, me limitaré a observar que desde su llegada a la universidad el barón empezó a ejercer sobre los hábitos, modales, personas, faltriqueras y propensiones de la comunidad que lo rodeaba una influencia tan vasta como despótica, y al mismo tiempo tan indefinida como inexplicable. Así, el breve período de su residencia en la universidad constituyó una era en sus anales, y fue desde entonces denominada por los que pertenecían a ella o a sus descendientes como «aquella extraordinaria época de la denominación del barón Ritzner von Jung».

A su llegada a G...n, Von Jung fue a visitarme a mis habitaciones. Carecía en aquel entonces de edad, con lo cual quiero decir que resultaba imposible hacerse una idea de sus años basándose en su apariencia personal. Lo mismo podía haber tenido quince que cincuenta, y en realidad *tenía* veintiún años y siete meses. Nada de apuesto había en él, más bien lo contrario. El contorno de su rostro era angular y áspero. Tenía una frente tan alta como hermosa, nariz chata, ojos grandes, pesados, vidriosos e inexpresivos. Pero en la boca había más terreno de observación. Los labios sobresalían ligeramente y estaban siempre apretados, al punto que sería imposible imaginar otra combinación de rasgos, por más compleja que fuera, capaz de producir de manera tan total y sencilla la impresión de gravedad, de solemnidad y reposo.

De lo que ya he adelantado se deducirá que el barón constituía una de esas anomalías humanas que se encuentran una que otra vez, y que hacen de la ciencia de las *bromas* el estudio y la ocupación de su vida. Una especial conformación de su mente lo capacitaba instintivamente para esta ciencia, mientras su aspecto físico le proporcionaba grandes facilidades para llevarla a la práctica. Estoy firmemente convencido de que en la época tan curiosamente llamada «de la dominación» del barón Ritzner von Jung, ninguno de los estudiantes de G... n sospechó jamás el misterio que envolvía su persona. Lo repito: estoy convencido de que nadie, fuera de mí, imaginó nunca que el barón era capaz de una broma fuera verbal o de hecho; antes hubieran acusado al viejo bulldog del jardín, al fantasma de Heráclito o a la peluca del emérito profesor de teología. Y esto mientras saltaba a los ojos que los más egregios e imperdonables artificios, extravagancias y bufonadas tenían por causa al barón, si no de manera directa, al menos por su intermedio o connivencia. La belleza, si así puedo llamarla, de su arte *mystifique* residía en la consumada habilidad –resultante de un conocimiento casi intuitivo de la naturaleza humana, y de un admirable dominio de sí mismo–, mediante la cual el barón lograba aparentar que las extravagancias que preparaba se producían a pesar de sus laudables esfuerzos para impedirlas y para mantener el buen orden y la dignidad de la casa de estudios. La profunda, la punzante, la sobrecogedora mortificación que el fracaso de sus meritorios esfuerzos dibujaba en cada rasgo de su semblante no dejaba la menor sombra de duda en el ánimo de sus compañeros más escépticos. Y no era menos digna de observación la habilidad que tenía para hacer derivar lo grotesco del creador a lo creado, de su propia persona a las absurdas consecuencias que de ella nacían. Jamás, antes de conocer al barón, había visto que un bromista escapara a las consecuencias inevitables de sus maniobras, es decir, que lo ridículo acabara por contaminar a su propia persona. Mi amigo, en vez, aunque envuelto continuamente en una atmósfera de capricho, daba la impresión de vivir tan sólo para las formas sociales más severas, y ni siquiera los miembros de su propia casa pensaron jamás en asociar a la memoria del barón Ritzner Von Jung otras nociones que las de rigidez y majestad.

Durante la época de su residencia en G...n, parecía como si el demonio del *dolce far niente* dominara como un íncubo la universidad. Nada se hacía allí que no fuera comer, beber y divertirse. Las habitaciones de los estudiantes se habían convertido en sendas tabernas, y ninguna de ellas tenía tanta fama ni estaba tan concurrida como la del barón. Nuestras juergas eran numerosas, turbulentas y continuas, llenas siempre de incidentes.

Cierta vez habíamos prolongado la fiesta hasta el alba después de beber una insólita cantidad de vino. Fuera del barón y de mí, había siete u ocho asistentes. La mayoría eran jóvenes adinerados y de abolengo, orgullosos de su alcurnia y todos ellos imbuidos de un exagerado sentimiento del honor. Abundaban en las opiniones más ultragermánicas acerca del duelo. Estas opiniones quijotescas se habían visto vigorizadas por ciertas publicaciones aparecidas en París, así como por tres o cuatro duelos de resultado fatal que habían tenido lugar en G...n; por eso pasamos la mayor parte de la noche discutiendo entusiastamente aquel tema tan absorbente como apasionante.

El barón, que durante la primera parte de la fiesta se había mostrado extrañamente silencioso y abstraído, pareció por fin salir de su apatía, intervino en la conversación y disertó sobre los beneficios y, sobre todo, las bellezas del código de etiqueta imperante en materia de duelos caballerescos, haciéndolo con un ardor, una elocuencia y un apasionamiento tan grandes que provocó el entusiasmo de todos sus oyentes, y aun de mí mismo, que sabía perfectamente cómo el barón se burlaba en el fondo de aquellas mismas cosas que ahora defendía, y consideraba la *fanfaronade* de la etiqueta del duelo con el soberano desdén que esta merece.

Mirando a mi alrededor en el curso de una de las pausas del discurso de mi amigo (del cual mis lectores podrán formarse una débil idea si digo que se parecía a la manera fervorosa, cantante, monótona y, sin embargo, musical del sentencioso Coleridge), advertí que uno de los presentes evidenciaba síntomas de un interés más que común. Este caballero, al que llamaré Hermann, era muy original en todo sentido –salvo, quizá, en el hecho muy general de ser un perfecto tonto–. Había llegado a gozar en cierto sector de la universidad de gran reputación como profundo pensador metafísico y, según creo, como discurridor lógico. Asimismo disfrutaba de gran renombre como duelista, aun en G...n; he olvidado el número exacto de víctimas que habían sucumbido a sus manos, pero eran varias. No cabe dudar de que era hombre valiente, pero su orgullo se fundaba principalmente en el minucioso conocimiento de la etiqueta del duelo y la exquisitez de su sentido del honor. Estas cosas constituían una manía que habría de acompañarlo hasta su muerte. Para Ritzner, siempre a la búsqueda de lo grotesco, aquellas peculiaridades le habían ofrecido ya amplio campo para sus bromas. Y aunque yo lo ignoraba, no tardé en darme cuenta esta vez de que mi amigo se traía entre manos alguna de las suyas, y que Hermann era el destinatario.

A medida que el barón adelantaba en su discurso –o más bien monólogo– advertí que la excitación de su auditor iba en aumento. Por fin intervino, objetando un punto sobre el cual Ritzner insistía entusiastamente, y dio detalladas razones para su oposición. A estas contestó también en detalle el barón, sin alterar su tono de exagerado entusiasmo, terminando sus palabras con algo que me pareció de pésimo gusto, es decir, con un sarcasmo y una reflexión irónica.

La manía de Hermann se manifestó entonces en toda su fuerza. Fácil era advertirlo en la estudiada minuciosidad de su réplica. Me acuerdo perfectamente de sus últimas palabras:

–Permítame decir, barón Von Jung, que, si bien sus opiniones son en general correctas, en varios puntos me parecen ignominiosas para usted y para la universidad de la cual forma parte. Ciertos puntos no merecen siquiera que los refute seriamente. Y aun diría más, señor mío, si no temiera ofenderlo (y aquí sonrió amablemente); diría que sus opiniones no son las que cabe esperar de un caballero.

Cuando Hermann hubo pronunciado esta equívoca frase, todos los ojos se volvieron hacia el barón. Este se puso pálido y luego muy rojo; dejando caer el pañuelo, se agachó para recogerlo, momento en el cual alcancé a atisbar en su rostro una expresión que no podía ser apreciada por ninguno de los asistentes. Aquel rostro estaba radiante y mostraba el aire zumbón que constituía su verdadero carácter, pero que jamás le había visto asumir, salvo cuando estábamos a solas y él se permitía una completa libertad.

Un instante después se puso en pie, enfrentando a Hermann; jamás he vuelto a ver tan instantáneo cambio de expresión. Hasta pensé por un momento que me había equivocado y que el barón procedía con la más absoluta seriedad. Parecía contenerse para no estallar, y su rostro estaba blanco como el de un cadáver. Guardó silencio breve tiempo, como si luchara por dominar sus emociones. Luego, pareciendo haberlo logrado en parte, alzó un vaso que había a su alcance y, mientras lo aferraba con fuerza, le oímos decir:

–El lenguaje que ha creído usted adecuado utilizar para dirigirse a mí, Mynheer Hermann, es tan objetable que no tengo tiempo ni paciencia para señalárselo en detalle. De todos modos, decir que mis opiniones no son las que cabe esperar de un caballero constituye una observación tan ofensiva que sólo me permite adoptar una línea de conducta. La cortesía, empero, no me permite olvidar que estos señores y usted mismo son mis huéspedes. Me perdonará, pues, que, teniendo en cuenta esta consideración, me aparte ligeramente de lo que se acostumbra entre caballeros en casos análogos de afrenta personal. Perdóneme por imponer un ligero trabajo a su imaginación, si le pido que considere por un instante que el reflejo de su persona en ese espejo es Mynheer Hermann en persona. Aceptado esto, no habrá la menor dificultad. Arrojaré este vaso de vino contra su imagen en el espejo con lo cual cumpliré en espíritu, ya que no al pie de la letra, lo que me corresponde hacer frente a su insulto, evitando al mismo tiempo ejercer contra usted una violencia física.

Y con estas palabras lanzó el vaso colmado de vino contra el espejo colgado frente a Hermann, golpeando la parte que reflejaba su imagen y, como es natural, rompiendo el cristal en mil pedazos. Todos los presentes se pusieron de pie al unísono y abandonaron la estancia, con excepción de Ritzner y de mí. En momentos en que Hermann salía, el barón me susurró al oído que lo siguiera y le ofreciera mis servicios. Así lo hice, sin saber qué pensar a ciencia cierta de tan ridículo asunto.

El duelista aceptó mi asistencia con su aire estirado y *ultra recherché* y, luego de tomarme del brazo, me guió a sus habitaciones. Trabajo me costó no reírmele en la cara mientras procedía a discutir, con la más profunda gravedad, lo que denominaba el «carácter refinadamente peculiar» del insulto que había recibido. Luego de una aburridora arenga en su estilo habitual, extrajo de la biblioteca cantidad de polvorientos volúmenes que trataban del *duello,* y me retuvo largo tiempo leyéndome fragmentos de los mismos y comentándolos profusamente. Tenía en sus manos la *Ordenanza de Felipe el Hermoso sobre el combate singular,* el *Teatro del honor,* de Favyn, y el tratado *Sobre la autorización para los duelos,* de Andiguier. Exhibió, además, pomposamente las *Memorias de duelos,* de Brantôme, publicado en Colonia, 1666, en caracteres elzevirianos, preciso y único volumen en papel vitela, con espaciosos márgenes y encuadernado por Derôme. Pero me llamó especialmente la atención, con aire de misteriosa sagacidad, sobre un espeso volumen en octavo, escrito en latín bárbaro por un tal Hedelin, un francés, que ostentaba el raro título de *Duelli Lex Scripta, et non; aliterque.* De este libro me leyó uno de los capítulos más raros del mundo, concerniente a las *Injuriæ per applicationem, per constructionem, et per se,* la mitad de lo cual, según me aseguró, se aplicaba estrictamente a su propio y «refinadamente peculiar» caso, aunque a mí me fue totalmente imposible comprender una sola sílaba de lo que me leyó.

Terminado el capítulo, Hermann cerró el libro y me preguntó qué consideraba oportuno en la circunstancia. Repuse que tenía la mayor confianza en la delicadeza y refinamiento de sus sentimientos, y que me atendría a lo que propusiera. Pareció lisonjeado con la respuesta y sentose a escribir un mensaje al barón. Decía así:

Señor: Mi amigo Mr. P... le hará entrega de esta nota. Considero de mi incumbencia solicitarle que tenga a bien darme una explicación sobre lo ocurrido esta noche en sus aposentos. En caso de que declinara usted hacerlo, Mr. P... está conforme en arreglar, con la persona designada por usted, los detalles preliminares de un encuentro.

Con la expresión de mi profundo respeto, su muy humilde servidor.

Johann Hermann

Al barón Ritzner von Jung

18 de agosto de 18...

No sabiendo qué podía hacer mejor, llevé la epístola a Ritzner. Inclinose al presentársela, y con grave expresión me rogó que me sentara. Luego de haber leído el cartel de desafío, escribió la siguiente respuesta, que llevé a Hermann:

Señor: Por intermedio de nuestro común amigo Mr. P... he recibido su carta de la fecha. Luego de reflexionar, admito francamente la conveniencia de la explicación sugerida por usted. Admito esto, me veo en gran dificultad (debido a la naturaleza *refinadamente peculiar* de nuestro desacuerdo y de la afrenta personal de que soy responsable) para expresar lo que tengo que decir por vía de explicación, en forma tal que satisfaga las minuciosas exigencias y los variados matices del presente caso. Deposito toda mi confianza, sin embargo, en la delicadísima discriminación en cuestiones vinculadas con la etiqueta, que ha dado a usted un renombre tan eminente y duradero. En la plena certidumbre de ser comprendido, pues, me permito no expresar mis sentimientos personales sino remitir a usted a las opiniones del Sieur Hedelin, tales como figuran en el noveno párrafo del capítulo *Injuriæ per applicationem, per constructionem, et per se* de su *Duelli Lex Scripta, et non; aliterque.* La finura de su discernimiento en las materias allí tratadas será suficiente, estoy seguro, para convencerlo *de que la mera circunstancia de que yo lo remita* a ese admirable pasaje bastará para satisfacer su caballeresco pedido de una explicación.

Con la expresión de mi profundo respeto, su muy obediente servidor.
Von Jung
Al señor Johann Hermann
18 de agosto de 18...

Hermann comenzó la lectura de esta carta con el entrecejo fruncido, pero no tardó en sonreír de la manera más ridículamente vanidosa al llegar a la jerigonza sobre las *Injuriæ per applicationem, per constructionem, et per se.* Una vez que hubo terminado, me pidió con la más suave de las sonrisas que tomara asiento, mientras consultaba el tratado en cuestión. Buscando el pasaje especificado, lo leyó para sí con gran cuidado y luego, cerrando el libro, me solicitó en mi carácter de amigo personal que expresara al barón Von Jung su profundo reconocimiento ante tan caballeresco proceder, y que le asegurara que la explicación ofrecida era de naturaleza tan honorable como satisfactoria.

Un tanto sorprendido por esto, retorné a los aposentos del barón, quien pareció recibir el amistoso mensaje de Hermann como si fuera la cosa más natural del mundo. Luego de conversar conmigo unos instantes, pasó a otra habitación, de la cual regresó trayendo el inmortal tratado *Duelli Lex Scripta, et non; aliterque.* Alcanzándome el volumen, me pidió que leyera una parte del mismo. Traté de hacerlo sin resultado, pues no me era posible comprender una sola sílaba. Ritzner tomó entonces el libro y me leyó un capítulo en voz alta. Para mi gran sorpresa, lo que leía resultó ser el más absurdo de los relatos acerca del duelo entre dos mandriles...

No tardó mi amigo en explicarme el misterio, mostrándome que aquel volumen, contra lo que aparentaba *prima facie,* estaba escrito siguiendo el sistema de los versos disparatados de Du Bartas; es decir, que las palabras habían sido ingeniosamente dispuestas para producir una apariencia inteligible y hasta de profundidad conceptual, aunque en realidad aquello no tenía pies ni cabeza. La clave del libro consistía en leer una palabra de cada tres, con lo cual surgían una serie de ridículas chanzas sobre un combate celebrado en nuestros tiempos.

El barón me informó más tarde que se las había arreglado para que Hermann conociera el tratado dos o tres semanas antes de la aventura, y que por el tono general de su conversación se había dado cuenta de que lo había estudiado atentamente y que estaba convencidísimo de que era una obra de raro mérito. Basándose en esto, puso en práctica su broma. Hermann se hubiera dejado matar diez mil veces antes de reconocer su incapacidad para comprender cualquiera de las cosas que en este mundo se llevan escritas sobre el duelo.

POR QUÉ EL PEQUEÑO FRANCÉS LLEVA LA MANO EN CABESTRILLO

Comentario de Enrique Prochazka

No pocos autores han observado que las partes más suculentas de la literatura inglesa parecen consistir en alusiones a su vecindad –casi superposición– con la de Irlanda; es más, en la superposición de *lo inglés* con la misma Irlanda y su antiguo lenguaje.

Esta breve narración de nuestro bostoniano, que cuenta un episodio microscópico que sucede del otro lado del Atlántico, no escapa a esa nutritiva vecindad. El texto, en mi opinión, deviene de la picardía de un maestro de la lengua que –más con ganas de divertirse un poco con las palabras que de contar una historia– aterriza sobre uno de los episodios más *civiles* de la larga guerra civil que ha entretenido a Europa durante los pasados mil años, digamos, y lo emplea para enfatizar sus puntos de vista acerca de la creación literaria y el papel que en ella desempeña la voluntad del autor. No hay que olvidar que desde la segunda mitad del siglo XX, bajo el lema «el texto debe defenderse solo»[1] la crítica ha puesto de moda disputar cualquier intromisión posterior de un autor en lo que escribe; y Poe ha sido uno de los autores más entrometidos consigo mismo de los que ha habido noticia.

Tradicionalmente, quizá por negarse a escucharlo como el vistoso comentarista de sí mismo que era, la crítica acusó a Poe de ser un estilista improlijo. Pero más recientemente –y justamente a través de

1. He encontrado que los críticos, en especial los más jóvenes, repiten esta insensatez lógica como una lección bien aprendida. Me gusta preguntarles por qué ha de defenderse a sí mismo un texto al que no se le exige que se ataque a sí mismo.

textos como este relato– se lo percibe como un técnico deliberado, que disponía de –y empleaba sin temor– herramientas lexicales complejas con propósitos definidos y muchas veces con gran éxito. Escrito durante su periodo de mayor brillo como prosista, el cuento (que no había aparecido antes en diarios o revistas) formaba parte de una colección que Poe había puesto especial cuidado en prologar para explicarnos que sabía exactamente qué estaba haciendo, y que dotan de una densidad inédita a la curiosa verborrea a la que se enfrentó aquí el traductor Cortázar, que ha sido señalada como «de comedia chaplinesca» y que los hispanohablantes podríamos encontrar incluso más acertado –por su explosiva *oralidad*– entender como «cantinflesca».

En algo más de 2400 palabras, el autor nos entrega una avalancha de metaplasmos, metátesis, prótesis, trasposiciones, omisiones (sólo unos pocos de los cuales han podido ser vertidos en la traducción, lamentablemente)... la abrumadora acumulación de todo esto fue recibida en su época como una demostración de serios vicios estilísticos. De hecho, tales «vicios» estaban siendo usados intencionalmente por Poe para dar la impresión de *barbarismo*. Ya lo había hecho Mark Twain en *Huckleberry Finn*; aquí, todo el cuento está escrito desde la voz de un hablante incompetente del idioma inglés, *pero que cree lo contrario*. El irlandés se quiere un caballerito, ofrece una dirección plausible: «39 Southampton Row, Russell Square». Eso está a dos cuadras del University College, del Museo Británico, y a la vista de lo mejor del Támesis (construida hace tres siglos sobre las propiedades familiares de los duques de Bedford, Russell Square todavía alberga grandes residencias para familias de clase media alta, en especial en sus lados oeste y sur). Poe se burla no sólo de Londres, de la falsedad de las maneras del cortejo de la época y de las reputaciones (inventadas, en este caso) de sus participantes, sino también ridiculiza una antigua tradición que estaba siendo discutida en la Europa de ese momento, la del duelo a espada o pistola. Y termina jugando con el «verdadero» origen del pequeño francés, que no sería otra cosa que otro impostor, otro irlandés advenedizo que desde la augusta Southampton quiere ser algo que no es.

«Why the little frenchman wears his hand in a sling» fue una de las primeras historias de Poe en ser pirateada al otro lado del Atlántico. Poe pudo medir así su éxito: no podía hacerlo por las ventas del libro que la contenía, que fueron pocas, ni por las críticas al mismo, casi inexistentes en vida de su autor.

POR QUÉ EL PEQUEÑO FRANCÉS LLEVA LA MANO EN CABESTRILLO

Claro que sí! Está en mi tarjeta de visita (y en papel satinado color rosa); cualquiera que desee puede leer en ellas las interesantes palabras: «Sir Patrick O'Grandison, Baronet, 39, Southampton Row, Rusell Square, Parroquia de Bloomsbury». Y si quisiera usted descubrir quién es el rey de la buena educación y el que da el último grito del buen tono en la ciudad de Londres... pues aquí lo tiene. No vaya a asombrarse (y mejor será que deje de pellizcarse la nariz), pues por cada pulgada de las seis vigilias afirmo que soy un caballero, y desde que salí de los pantanos irlandeses para convertirme en baronet, vuestro Patrick ha estado viviendo como un emperador, educándose y refinándose. ¡Caracoles, para sus ojos sería una bendición si se posaran un momento sobre Sir Patrick O'Grandison, Baronet, cuando se viste para ir a la ópera o va a subir a su coche para dar una vuelta por Hyde Park! A causa de mi elegante figura, todas las damas se enamoran de mí. ¿Va a negarme alguien que mido seis pies y tres pulgadas, con los calcetines puestos, y que soy perfectamente bien proporcionado? En cambio, el extranjero, el pequeño francés que vive frente a mi casa, mide apenas tres pies y un poquitín más. ¡Sí, el mismo que se pasa el día comiéndose con los ojos (¡para su mala suerte!) a la preciosa viuda Mistress Tracle, vecina mía (¡Dios la bendiga!) y excelente amiga y conocida! Habrá usted observado que el pequeño gusano anda un tanto alicaído y que lleva la mano izquierda en cabestrillo; bueno, precisamente me disponía a contarle por qué.

La verdad es muy sencilla, sí, señor; el mismísimo día en que llegué a Connaught y salí a ventilar mi apuesta figura a la calle, apenas me vio la viuda, que estaba asomada a la ventana, ¡zas, su corazón quedó instantáneamente prendado! Me di cuenta en seguida, como se imaginará, y juro ante Dios que es la santa verdad.

Primero de todo vi que abría la ventana en un santiamén y que sacaba por ella unos ojazos abiertos de par en par, y después asomó un catalejo que la lindísima viuda se aplicó a un ojo, y que el diablo me cocine si ese ojo no habló tan claro como puede hacerlo un ojo de mujer, y me dijo: «¡Buenos días tenga usted, Sir Patrick O'Grandison, Baronet, encanto! ¡Vaya apuesto caballero! Sepa usted que mis garridos cuarenta años están desde ahora a sus órdenes, hermoso mío, siempre que le parezca bien». Pero no era a mí a quien iban a ganar en gentileza y buenos modales, de manera que le hice una reverencia que le hubiera partido a usted el corazón de contemplarla, me quité el sombrero con un gran saludo y le guiñé dos veces los ojos, como para decirle: «Bien ha dicho usted, hermosa criatura, Mrs. Tracle, encanto mío, y que me ahogue ahora mismo en un pantano si Sir Patrick O'Grandison, Baronet, no descarga una tonelada de amor a los pies de su alteza en menos tiempo del que toma cantar una tonada de Londonderry».

A la mañana siguiente, cuando estaba pensando si no sería de buena educación mandar una cartita amorosa a la viuda, apareció mi criado con una elegante tarjeta y me dijo que el nombre escrito en ella (porque yo nunca he podido leer nada impreso a causa de ser zurdo) era el de un Mosiú, el conde Augusto Luquesi, *maître de danse* (si es que todo esto quiere decir algo), y que el dueño de esa endiablada jerigonza era el pequeño francés que vive enfrente de casa.

En seguida apareció el pequeño demonio en persona, me hizo un complicado saludo, diciendo que se había tomado la libertad de honrarme con su visita, y siguió charlando y charlando largo rato, y maldito si le comprendía una sola palabra, salvo cuando repetía, y me soltaba una carretada de mentiras, entre las cuales (¡mala suerte para él!) que estaba loco de amor por mi viuda Mrs. Tracle y que mi viuda Mrs. Tracle estaba enamoradísima de él.

Cuando escuché esto, ya puede suponerse usted que me puse más rabioso que un leopardo, pero me acordé que era Sir Patrick O'Grandison, Baronet, y que no estaba bien que la cólera pudiera más que la buena educación, de manera que disimulé la rabia y me conduje con mucha gentileza, y al cabo de un rato, ¿qué piensa usted que el pequeño demonio me propone? Pues me propone visitar juntos a la viuda, agregando que tendría el placer de presentarme.

«¿Conque esas tenemos?», me dije. «Patrick, hijo mío, eres el hombre más afortunado de la tierra. Muy pronto veremos si Mistress Tracle está enamorada de este Mosiú Metré Dedans o de mi apuesta persona.»

Así fue como llegamos en un santiamén a casa de la viuda, y bien puede creerme si le digo que era una casa muy elegante. Había una alfombra en el piso, y en un rincón un piano y un arpa, y el diablo sabe cuántas cosas más, y en otro rincón había un sofá que era la cosa más bonita de toda la naturaleza, y sentada en el sofá estaba nada menos que ese preciosísimo ángel, Mistress Tracle.

–¡Buenos días tenga usted, Mrs. Tracle! –le dije, a tiempo le hacía una reverencia tan elegante que usted se hubiera quedado con la lengua afuera.

–Woully woo, parley woo –dijo el pequeño forastero francés–. Mrs. Tracle –agregó–, este caballero es su reverencia Sir Patrick O'Grandison, Baronet, el mejor y más íntimo amigo que tengo en el mundo.

Entonces la viuda se levantó del sofá, nos hizo el saludo más bonito que se ha visto nunca y volvió a sentarse. ¿Querrá usted creerlo? En ese mismo momento el condenado Mosiú Metré Dedans se instaló tranquilamente en el sofá, a la derecha de la viuda. ¡Que el diablo se lo lleve! Por un momento creí que los ojos se me iban a salir de la cara, tan furibundo estaba. Pero pensé: «¿Conque esas tenemos? ¿Conque así nos portamos, Mosiú Metré Dedans?». Y al mismo tiempo me instalé a la izquierda de su alteza, a fin de estar a la par con el miserable. ¡Condenación! Usted se hubiera sentido feliz de presenciar la doble guiñada que le hice a la viuda en plena cara, con un ojo después del otro.

El pequeño francés no sospechaba nada, y con todo atrevimiento se puso a cortejar a su alteza.

–Woully wou –le decía–. Parley wou –agregaba.

«Todo esto no te servirá de nada, Mosiú Rana, bonito mío», pensaba yo, y entonces me puse a hablar en voz muy alta y continuamente, hasta atraer la atención de su alteza gracias a la elegante conversación que mantenía con ella sobre mis queridos pantanos de Connaught. Y una que otra vez me dedicaba su preciosísima sonrisa, abriendo la boca de oreja a oreja, con lo cual yo me sentía más osado que un cerdo, y por fin le atrapé la punta del dedo meñique de la manera más delicada que se pueda imaginar en toda la naturaleza, al mismo tiempo que la miraba con los ojos en blanco.

No tardé en percatarme de lo inteligente que era aquel hermoso ángel, pues apenas observó que quería estrecharle la mano la retiró en un santiamén y se la puso a la espalda, como si me dijera: «Ahí tienes, Sir Patrick O'Grandison, te ofrezco una oportunidad mejor, bonito mío, pues no es muy gentil que me tomes la mano y me la aprietes en presencia de este pequeño forastero francés, Mosiú Metré Dedans».

Entonces le guiñé a fondo el ojo, como para decirle: «No hay como Sir Patrick para esta clase de triquiñuelas», me puse en seguida a la tarea, y usted se hubiera muerto de risa de haber visto la forma tan astuta con que deslicé el brazo derecho entre el respaldo del sofá y la espalda de su alteza, hasta encontrar, como es natural, su preciosa manecita, que parecía esperarme y decirme: «Buenos días tenga usted, Sir Patrick O'Grandison, Baronet». Y yo no hubiera sido quien soy si no le hubiera dado un apretón muy suave, el más gentil del mundo, para no hacer daño a su alteza, ¿verdad? Pero entonces, ¡condenación!, ¿qué diría usted al saber que a cambio de mi apretón recibí otro, el más delicado y gentil de todos los apretones? «Sangre y truenos, Sir Patrick, querido mío –pensé para mis adentros–, ¡cómo se ve que eres el hijo de tu madre, y nadie más que él, y que nunca se vio hombre más elegante y afortunado desde que dejaste los pantanos y saliste de Connaught!»

Y sin perder tiempo apreté con más fuerza la manita, y por mi alma que el apretón que me dio a su vez su alteza era también mucho más fuerte. Pero en ese momento a usted se le hubieran roto una a una las costillas de reírse si hubiese visto cómo se comportaba Mosiú Metré Dedans. Nunca se vio semejante parloteo, sonrisas estúpidas, *parley wou* y todo lo que dedicaba a su alteza. ¡Nunca se vio algo así en la tierra! Y que el diablo me queme si no lo vi con mis propios ojos cuando el condenado se permitía guiñarle uno de los suyos a mi ángel... ¡Condenación! ¡Si no me puse más furioso que un gato de Kil kenny, quisiera que me lo dijesen!

–Permítame informarle, Mosiú Metré Dedans –le dije con la mayor educación–, que no es nada gentil, aparte de que a usted no le queda nada bien estar mirando a su alteza de manera tan descarada.

Y al mismo tiempo apreté la mano de la viuda como para decirle: «¿No es verdad que Sir Patrick la protegerá a usted ahora, joya mía, encanto?».

Y como respuesta recibí otro buen apretón de ella, con el cual quería decirme muy claramente: «Verdad es, Sir Patrick, encanto mío; es usted el más cumplido de los caballeros de este mundo». Y al mismo tiempo la vi abrir sus preciosísimos ojos de manera tal que creí que se le saldrían instantáneamente y por completo de la cara, mientras miraba furiosa como un gato a Mosiú Rana y después me miraba a mí sonriéndose como un ángel.

–¿Cómo? –dijo entonces el miserable–. ¡Cómo! Woully wou, parley wou.

Y al mismo tiempo se encogió tanto de hombros que pensé que iba a quedarle el faldón de la camisa al aire haciendo simultáneamente una mueca despectiva con su condenada boca. Y esa fue la única explicación que conseguí de él.

Créame usted, el que se puso furibundo en aquel momento fue Sir Patrick, y mucho más al darme cuenta de que el francés insistía con sus guiñadas a la viuda, mientras la viuda seguía apretándome muy fuerte la mano, como si me dijera: «¡No se deje intimidar, Sir Patrick O'Grandison, bonito mío!». Por lo cual solté un terrible juramento, mientras decía:

–¡Maldita rana insignificante, condenado gusano impertinente!

¿Creerá usted lo que hizo entonces su alteza? Dio un salto en el sofá como si acabaran de morderla y corrió a la puerta, mientras yo la miraba muy asombrado y estupefacto y la seguía en su carrera con mis dos ojos. Se dará usted cuenta de que yo tenía mis razones para saber que mi ángel no podía salir del salón aunque quisiera, puesto que tenía su mano en la mía, y que el diablo me queme si pensaba soltarla. Por eso le dije:

–¿No está usted olvidando un poquitín que le pertenece, su alteza? ¡Vuelva usted, encanto mío, que pueda yo devolverle su manita!

Pero ella salió corriendo escaleras abajo sin escucharme, y entonces miré al pequeño forastero francés. ¡Condenación, que me cuelguen si su maldita mano, pequeña como era, no estaba perfectamente instalada dentro de la mía!

Y que vuelvan a colgarme si en ese momento no estuve a punto de morirme de risa al ver la cara del pobre diablo cuando se dio cuenta de que lo que había tenido todo el tiempo en la mano no era la de la viuda, sino la de Sir Patrick O'Grandison. ¡Ni el mismo demonio contempló nunca una cara tan larga como aquella! En cuanto a Sir Patrick O'Grandison, Baronet, no es hombre de preocuparse por una equivocación tan insignificante. Baste con decir que antes de soltar la mano del condenado Mosiú (y esto sólo ocurrió después que el lacayo de la viuda nos hubo echado a puntapiés escaleras abajo) le di un apretón tan grande que se la dejé convertida en jalea de frambuesa.

–Woully wou –dijo él–. Parley wou –agregó–. ¡Maldición!

Y por eso es que ahora anda con la mano izquierda en cabestrillo.

EL ALIENTO PERDIDO

Comentario de Pablo Andrés Escapa

Al día siguiente de su boda, un hombre está insultando a su mujer. De pronto, en mitad del enérgico discurso, pierde la respiración; no es que se quede sin fuelle o que el entusiasmo lo traicione; se trata de un accidente menos pasajero. Poe confía en las palabras: entiende que una línea es suficiente para que su personaje y sus lectores den por bueno el súbito horror y la estupefacción de este diagnóstico: «descubrí que había perdido el aliento». Y basta.

La virtud de este arranque es tan plural que deja nuestra imaginación expuesta a posibilidades extraordinarias –y el adjetivo no es inocente–. El propio cuentista es el primero en comprender que ha incurrido en ese riesgo que exige el tributo más caro de la literatura: ganarse la credulidad del lector. Y el narrador, en su cuarto cuento entregado a la imprenta, hace de las vacilaciones materia literaria para lograr el concilio del público: «me agradaría que el lector sensato reflexionara antes de pensar que tales aseveraciones exceden lo absurdo».

En su madurez creativa, Poe fue capaz de escribir «El cuervo», acaso el mejor símbolo de las letras románticas norteamericanas, y de acompañarlo de un tratado donde se expone en prosa cómo debe encauzarse la imaginación. Algunos aspectos de «El aliento perdido», un relato menor en palabras mayores de los críticos, ofrecen esas cualidades que harían de Poe no sólo uno de los padres de la imaginación fantástica moderna, sino uno de sus más conscientes pensadores. A la manera de las mejores creaciones desde la antigüedad, las fábulas de Poe saben hacerle un hueco a la reflexión sobre las propias maneras de contar. El lector de «El aliento perdido» no debería descuidar el valor de estos resquicios que, si no me engaño, constituyen hoy la mejor lección de este relato. Debemos agradecerle, además, que la teoría venga enredada en humor. El ejemplo más feliz es una punzada contra la tradición literaria costumbrista: «Todo autor debería limitarse a las cuestiones que conoce por experiencia. Así, Marco Antonio compuso un tratado sobre la borrachera». Y no me parece un exceso de presunción aceptar que el descrédito afecta también a la supuesta autoridad científica de algunas publicaciones periódicas en las que Poe encontró no pocas veces la inspiración para inventar libremente. De ahí que se nos advierta en el mismo párrafo que, para escribir sobre las sensaciones del reo en el patíbulo, «conviene haber sido ahorcado previamente».

De acuerdo con esta prescripción extrema y con las consecuencias de quien ha perdido la facultad de respirar pero decide exponer en primera persona su experiencia, venimos a descubrir a media lectura que la voz que nos guía es la de un muerto, una voz que desde la tumba repasa peripecias. Al modo de las narraciones picarescas, las que aquí se ofrecen van conformando un catálogo de calamidades que el sello imaginativo de Poe convierte en macabras vejaciones a un cadáver que pasa por diversos amos.

Pero la narratividad no es el propósito primero del cuentista en esta fábula que, por imposiciones de rigurosa lógica argumental, se aventura en una narración que necesariamente deriva en un catálogo de situaciones inverosímiles. Sí son de su incumbencia la parodia y la hipérbole, que se convierten en garantía de la honestidad del relato y del oficio del escritor. Por si estos avales no bastaran, Poe quiso hacer aún más evidente su propósito con un subtítulo: «Cuento que nada tiene que ver con el *Blackwood*». Sus lectores no necesitaban más para intuir por dónde iba el cuentista: una burla contra el tono de una popularísima revista especializada en las efusiones de sangre y las relaciones macabras, en el detalle morboso y la circunstancia inverosímil, todo ello arropado del rigor periodístico –si se acepta el oxímoron– que cabe exigir de una crónica de sucesos.

El valor de «El aliento perdido» radica en el uso paródico del modelo, en las demoras narrativas que revelan las propias vacilaciones del narrador frente a su materia –una inseguridad reflejada en el cambio de subtítulo que acompañó al relato en una segunda edición: «un cuento a lo *Blackwood*»– y en la constatación temprana, dentro de la obra de Poe, de una tendencia narrativa muy asentada en la literatura sureña de Norteamérica desde la aparición de los escritos autobiográficos del periodo colonial: el modo grotesco. Entonces era una forma de dilatar el lenguaje y sus figuras para que cupieran maravillas naturales nunca vistas o deformaciones absurdas de la fe, ignoradas en Europa. «El aliento perdido» es, como aquellas relaciones remotas, una ficción biográfica, pero el amparo de lo grotesco abre aquí las puertas a una investigación metafísica. Se trata de una forma sofisticada de mirar la realidad, una deformación voluntariosa y satírica de los acontecimientos; una solución, en fin, que convenía naturalmente a los modales exquisitos y atrabiliarios del caballero Edgar Poe.

EL ALIENTO PERDIDO

Cuento que nada tiene que ver con el *Blackwood*

«¡Oh, no respires...!, etc.».
Melodías, de MOORE

La desdicha más manifiesta cede finalmente ante el incansable coraje de un espíritu filosófico, así como la ciudad más inexpugnable ante la incesante vigilancia de su enemigo. Salmanasar, como nos lo enseñan las Escrituras, sitió Samaria durante tres años, pero esta cayó al fin. Sardanápalo –consúltese a Diodoro– se defendió en Nínive durante siete años, pero no le sirvió de nada. Troya cayó al terminar el segundo lustro, y Azoth, según lo afirma Aristeo por su honor de caballero, abrió, por fin, sus puertas a Psamético, después de haberlas tenido cerradas durante la quinta parte de un siglo...

–¡Miserable! ¡Zorra! ¡Arpía! –dije a mi mujer a la mañana siguiente de nuestras bodas–. ¡Bruja... carne de látigo... pozo de iniquidad... horrible quintaesencia de todo lo abominable... tú... tú...!

Y en puntas de pie, mientras la aferraba por la garganta y acercaba mi boca a su oreja, disponíame a botar un nuevo y más enérgico epíteto de oprobio, que de ser dicho no dejaría de convencerla de su insignificancia, cuando, para mi extremo horror y estupefacción, descubrí que *había perdido el aliento.*

Las frases: «Me falta el aliento», o «He perdido el aliento», se repiten con frecuencia en la conversación; pero jamás se me había ocurrido que el terrible accidente de que hablo pudiera ocurrir *bona fide* y de verdad. ¡Imaginaos, si tenéis fantasía suficiente, imaginaos mi maravilla, mi consternación, mi desesperación!

Tengo un genio protector, empero, que jamás me ha abandonado por completo. En mis accesos más incontrolables conservo siempre el sentido de la propiedad, *et le chemin des passions me conduit* –como dice Lord Edouard en *Julie*– *à la philosophie véritable.*

Aunque en el primer momento no pude verificar hasta qué punto me afectaba lo sucedido, decidí de todos modos ocultarlo a mi mujer hasta que nuevas experiencias me mostraran la amplitud de tan inaudita calamidad. Cambié de inmediato la expresión de mi rostro, haciéndolo pasar de su apariencia hinchada y retorcida a un aire de traviesa y coqueta bondad, y di a mi dama un golpecito en una mejilla y un beso en la otra, todo esto sin articular una sílaba (¡Furias! ¡Me era imposible!), dejándola estupefacta de mi extravagancia, tras lo cual salí de la habitación pirueteando y haciendo *un pas de zéphyr.*

Contempladme ahora, encerrado en mi *boudoir* privado, terrible ejemplo de las tristes consecuencias que se derivan de la irascibilidad; vivo, pero con todas las características de la muerte; muerto, con todas las propensiones de los vivos; una verdadera anomalía sobre la tierra; perfectamente tranquilo y, no obstante, sin aliento.

¡Sí, sin aliento! No bromeo al afirmar que mi aliento había desaparecido. No hubiera sido *capaz* de mover una pluma con él, aunque de ello dependiera mi vida, y menos aún empañar la transparencia de un espejo. ¡Crueles hados! Poco a poco, sin embargo, hallé algún alivio a ese primer incontenible paroxismo de angustia. Luego de algunas pruebas descubrí que la facultad vocal que, dada mi incapacidad para proseguir la conversación con mi esposa, había considerado como totalmente perdida, sólo se hallaba parcialmente afectada; noté también que, si en aquella interesante crisis hubiera bajado mi voz a un tono profundamente gutural, habría podido continuar comunicándole mis sentimientos; en efecto, este tono de voz (el gutural) no depende de la corriente de aire del aliento, sino de cierta acción espasmódica de los músculos de la garganta.

Dejándome caer en una silla, permanecí algún tiempo sumido en meditación. Ni que decir que mis reflexiones distaban de ser consoladoras. Mil vagas y lacrimosas fantasías se posesionaban de mi alma, y la idea del suicidio llegó a cruzar por mi mente. Pero la perversidad de la naturaleza humana se caracteriza por rechazar lo obvio y lo fácil, prefiriendo lo distante y lo equívoco. Me estremecía, pues, al pensar en el suicidio como en la más terrible de las atrocidades, mientras mi gato ronroneaba con todas sus fuerzas sobre la alfombra, y el perro de aguas suspiraba fatigosamente bajo la mesa, jactándose ambos de la fuerza de sus pulmones y burlándose con toda evidencia de mi incapacidad respiratoria.

Oprimido por un mar de vagos temores y esperanzas oí finalmente los pasos de mi mujer que bajaba la escalera. Seguro de su ausencia, volví con el corazón palpitante a la escena de mi desastre.

Cerrando cuidadosamente la puerta, inicié una minuciosa búsqueda. Era posible que el objeto de mis afanes estuviera escondido en algún sombrío rincón, o agazapado en algún armario o cajón. Podía tener quizá una forma tangible o vaporosa. La mayoría de los filósofos son muy poco filosóficos sobre diversos puntos de la filosofía. Empero, en su *Mandeville,* William Godwin sostiene que «las cosas invisibles son las únicas realidades», y se admitirá que esto merece tenerse en cuenta. Me agradaría que el lector sensato reflexionara antes de pensar que tales aseveraciones exceden lo absurdo. Se recordará que Anaxágoras sostenía que la nieve era negra, y desde este episodio estoy convencido de que tenía razón.

Larga y cuidadosamente seguí buscando, pero la despreciable recompensa de tanta industria y perseverancia resultó ser tan sólo una dentadura postiza, un par de caderillas, un ojo y cantidad de *billets-doux* dirigidos por Mr. Alientolargo a mi esposa. Aprovecho para hacer notar que esta confirmación de la parcialidad de mi esposa hacia Mr. Alientolargo me preocupaba muy poco. El hecho de que Mrs. Faltaliento admirara a alguien tan distinto de mí era un mal tan natural como necesario. Bien sabido es que poseo una apariencia corpulenta y robusta, pero que mi estatura está por debajo de la normal. No hay que maravillarse, pues, de que la delgadez como de palo de mi conocido, y su estatura, que se ha vuelto proverbial, mereciera la más natural de las admiraciones por parte de Mrs. Faltaliento. Pero volvamos a nuestro tema.

Como he dicho, mis esfuerzos resultaron inútiles. Vanamente revisé armario tras armario, cajón tras cajón, hueco tras hueco. Hubo un momento en que me sentí casi seguro de mi presa, cuando al revolver en una caja de tocador volqué accidentalmente una botella de aceite de Arcángeles de Grandjean –que, como perfume agradable, me tomo la libertad de recomendar–.

Con el corazón lleno de pena me volví a mi *boudoir* a fin de discurrir algún método que burlara la astucia de mi esposa; necesitaba ganar tiempo para completar mis preparativos de viaje, pues estaba dispuesto a abandonar el país. En una nación extranjera, desconocido, tenía algunas probabilidades de ocultar mi desdichada calamidad –calamidad aún más propia que la miseria para privarme de la estimación general y provocar con mi miserable persona la bien merecida indignación de los virtuosos y los felices–. No vacilé mucho tiempo. Como estaba dotado de una natural aptitud, me aprendí íntegramente de memoria la tragedia de *Metamora*[1]. Había recordado felizmente que en este drama, o por lo menos en las partes correspondientes a su héroe, los tonos de voz que había perdido eran completamente innecesarios, pues todo el recitado debía hacerse con una profunda voz gutural.

Practiqué algún tiempo mi texto en los bordes de un concurrido pantano, aunque sin acudir a procedimientos similares a los de Demóstenes, sino a un método absoluta y especialmente mío. Así eficazmente armado decidí hacer creer a mi esposa que me había apasionado súbitamente por el teatro. Tuve un éxito que puede considerarse milagroso; a cada pregunta o sugestión que me hacía le contestaba (con una voz sepulcral y en un todo semejante al croar de una rana) declamando algún pasaje de la tragedia; por lo demás, no tardé en observar con grandísimo placer que dichos pasajes se aplicaban igualmente bien a cualquier tema. No debe suponerse, además, que al proceder al recitado de dichos pasajes dejaba yo de mirar de través, exhibir mis dientes, entrechocar las rodillas, patear el piso, o hacer cualquiera de esas innominables gracias que constituyen justamente las características de un trágico popular. Ni que decir tiene que todo el mundo hablaba de ponerme una camisa de fuerza; pero, ¡gracias a Dios!, jamás sospecharon que había perdido el aliento.

Puestos por fin en orden mis asuntos, ocupé una mañana temprano mi asiento en la diligencia de N..., dando a entender a mis relaciones que en aquella ciudad me aguardaban asuntos de máxima importancia.

La diligencia estaba atestada de pasajeros, pero a la débil luz del amanecer no podía distinguir los rasgos de mis compañeros. Sin hacer mayor resistencia me dejé ubicar entre dos caballeros de colosales dimensiones, mientras un tercero, aún más grande, pedía disculpas por la libertad que iba a tomarse y se instalaba sobre mí cuan largo era, quedándose dormido en un instante ahogando mis guturales clamores de socorro con unos ronquidos que hubieran hecho sonrojar a los bramidos del toro de Falaris. Felizmente el estado de mis facultades respiratorias eliminaba todo riesgo de sofocación.

Cuando fue día claro y nos acercábamos a los suburbios de la ciudad, mi atormentador se levantó y, mientras se ajustaba el cuello, me dio cortésmente las gracias por mi gentileza. Viendo que yo permanecía inmóvil (pues tenía todos los miembros dislocados y la cabeza torcida hacia un lado), se sintió un tanto preocupado; despertando

1. *Metamora, o El último de los Wampanoags,* tragedia de J. A. Stone. *(N. del T.)*

al resto de los pasajeros, les dijo de manera muy decidida que, en su opinión, durante la noche les habían endilgado un cadáver pretendiendo que se trataba de otro pasajero, y me hundió un dedo en el ojo derecho como demostración de lo que estaba sosteniendo.

En vista de ello, el resto de los pasajeros (que eran nueve) consideraron su deber tirarme sucesivamente de las orejas. Un mediquillo joven me aplicó un espejo a los labios y, al descubrir que me faltaba el aliento, declaró que las afirmaciones de mi atormentador eran rigurosamente ciertas; por lo cual los viajeros manifestaron que no estaban dispuestos a tolerar mansamente semejantes imposiciones en el futuro, y que, en cuanto al presente, no seguirían en compañía de un cadáver.

Dicho esto, y mientras pasábamos delante de la taberna del Cuervo, me arrojaron de la diligencia sin sufrir otro accidente que la ruptura de ambos brazos aplastados por la rueda trasera izquierda del vehículo. Diré, además, en homenaje al cochero, que no dejó de tirarme también el más pesado de mis baúles, que desdichadamente me cayó en la cabeza, fracturándomela de manera tan interesante cuanto extraordinaria.

El posadero del Cuervo, que era hombre hospitalario, descubrió que mi baúl contenía lo suficiente para indemnizarlo de cualquier pequeño trabajo que se tomara por mí, y, luego de mandar llamar a un médico conocido, me confió a su cuidado conjuntamente con una cuenta y recibo por diez dólares.

El comprador me llevó a su casa y se puso a trabajar inmediatamente sobre mi persona. Comenzó por cortarme las orejas; pero al hacerlo descubrió ciertos signos de vida. Mandó entonces llamar a un farmacéutico vecino, para consultarlo en la emergencia. Pero en el ínterin, y por si sus sospechas sobre mi existencia resultaban exactas, me hizo una incisión en el estómago y me extrajo varias visceras para disecarlas privadamente.

El farmacéutico tendía a creer que yo estaba muerto. Traté de refutar su idea pateando y saltando con todas mis fuerzas, mientras me contorsionaba furiosamente, ya que las operaciones del cirujano me habían devuelto los sentidos. Pero ello fue atribuido a los efectos de una nueva batería galvánica con la cual el farmacéutico, que era hombre informado, efectuó diversos experimentos que no pudieron dejar de interesarme, dada la participación personal que tenía en ellos. Lo que más me mortificaba, sin embargo, era que todos mis intentos por entablar conversación fracasaban, al punto de que ni siquiera conseguía abrir la boca; imposible contestar, pues, a ciertas ingeniosas pero fantásticas teorías que, bajo otras circunstancias, mis detallados conocimientos de la patología hipocrática me habrían permitido refutar fácilmente.

Dado que le era imposible llegar a una conclusión, el cirujano decidió dejarme en paz hasta un nuevo examen. Fui llevado a una buhardilla, y luego que la esposa del médico me hubo vestido con calzoncillos y calcetines, su marido me ató las manos y me sujetó las mandíbulas con un pañuelo, cerrando la puerta por fuera antes de irse a cenar, y dejándome entregado al silencio y a la meditación.

Descubrí entonces con inmenso deleite que, de no haber tenido atada la boca con el pañuelo, hubiese podido hablar. Consolándome con esta reflexión, me puse a repetir mentalmente algunos pasajes de la *Omnipresencia de la Divinidad*, como era mi costumbre antes de entregarme al sueño; pero en ese momento dos gatos de voraz y vituperable aspecto entraron por un agujero de la pared, saltaron con una pirueta *à la Catalani* y cayeron uno frente a otro sobre mi cara, entregándose a una indecorosa contienda por la fútil posesión de mi nariz.

Así como la pérdida de sus orejas sirvió para elevar al trono a Ciro, el Mago de Persia, y la mutilación de su nariz dio a Zopiro la posesión de Babilonia, así la pérdida de unas pocas onzas de mi cara sirvió para la salvación de mi cuerpo. Exasperado por el dolor y ardiendo de indignación, hice saltar de golpe las cuerdas y el vendaje. Corrí por la habitación, lanzando una mirada de desprecio a los beligerantes, y, luego de abrir la ventana ante su horror y desencanto, me precipité por ella con gran destreza.

El ladrón de caminos W., al cual me parecía muchísimo, era llevado en ese momento desde la ciudad al cadalso erigido en los suburbios para su ejecución. Su extremada debilidad y el largo tiempo que llevaba enfermo le habían valido el privilegio de que no lo ataran; vestido con las ropas de los condenados a muerte –que se parecían mucho a las mías– yacía tendido en el fondo del carro del verdugo (carro que pasaba justamente bajo las ventanas del cirujano en momentos en que yo salía por la ventana), sin otra custodia que el carrero, que iba dormido, y dos reclutas del 6 de infantería, que estaban borrachos.

Para mi mala suerte, caí de pie en el vehículo. W., que era hombre astuto, percibió al instante su oportunidad. Dando un salto se dejó caer del carro y, metiéndose por una calleja, se perdió de vista en un guiñar de ojos. Sobresaltados por el ruido, los reclutas no pudieron darse cuenta del cambio producido. Pero al ver a un hombre semejante en todo al villano, que se erguía en el carro frente a ellos, supusieron que el miserable (es decir W.) trataba de escapar, y, luego de comunicarse el uno al otro esta opinión, bebieron sendos tragos y me derribaron a culatazos con los mosquetes.

No tardamos mucho en llegar a nuestro destino. Por supuesto, nada podía yo decir en mi defensa. Era inevitable que me ahorcaran. Me resigné, con un estado de ánimo entre estúpido y sarcástico. Había en mí muy poco de cínico, pero tenía todos los sentimientos de un perro[2]. Entretanto el verdugo me ajustaba el dogal al cuello. La trampa cayó.

Me abstengo de describir mis sensaciones en el patíbulo, aunque indudablemente podría hablar con conocimiento de causa, y se trata de un tema sobre el cual no se ha dicho aún nada correcto. La verdad es que para escribir al respecto conviene haber sido ahorcado previamente. Todo autor debería limitarse a las cuestiones que conoce por experiencia. Así, Marco Antonio compuso un tratado sobre la borrachera.

Mencionaré, empero, que no perecí. Mi cuerpo estaba suspendido, pero aquello no podía *suspender* mi aliento; de no haber sido por el nudo debajo de la oreja izquierda (que me daba la impresión de un corbatín militar), me atrevería a afirmar que no sentía mayores molestias. En cuanto a la sacudida que recibió mi cuello al caer desde la trampa, sirvió meramente para enderezarme la cabeza que me ladeara el gordo caballero de la diligencia.

Tenía buenas razones, empero, para compensar lo mejor posible las molestias que se había tomado la muchedumbre presente. Mis convulsiones, según opinión general, fueron extraordinarias. Imposible hubiera sido sobrepasar mis espasmos. El populacho pedía *bis*. Varios caballeros se desmayaron y multitud de damas fueron llevadas a sus casas con ataques de nervios. Pinxit aprovechó la oportunidad para retocar, basándose en un croquis tomado en ese momento, su admirable pintura de Marsias desollado vivo.

Cuando hube proporcionado diversión suficiente, se consideró llegado el momento de descolgar mi cuerpo del patíbulo –sobre todo porque, entretanto, el verdadero culpable había sido descubierto y capturado, hecho del que por desgracia no llegué a enterarme–.

Como es natural lo ocurrido me valió simpatías generales, y como nadie reclamó mi cadáver se ordenó que fuera enterrado en una bóveda pública.

Allí, después de un plazo conveniente, fui depositado. Marchose el sepulturero y me quedé solo. En aquel momento un verso del *Malcontento* de Marston,

---

2. *Cínico,* del griego *kyon, kynós,* «perro». *(N. del T.)*

La muerte es un buen muchacho, y tiene casa abierta...

me pareció una palpable mentira.

Arranqué, sin embargo, la tapa de mi ataúd y salí de él. El lugar estaba espantosamente húmedo y era muy lóbrego, al punto que me sentí asaltado por el *ennui.* Para divertirme, me abrí paso entre los numerosos ataúdes allí colocados. Los bajé al suelo uno por uno y, arrancándoles la tapa, me perdí en meditaciones sobre la mortalidad que encerraban.

–Este –monologué, tropezando con un cadáver hinchado y abotagado– ha sido sin duda un infeliz, un hombre desdichado en toda la extensión de la palabra. Le tocó en vida la terrible suerte de anadear en vez de caminar, de abrirse camino como un elefante y no como un ser humano, como un rinoceronte y no como un hombre.

Sus tentativas para avanzar resultaban inútiles y sus movimientos giratorios terminaban en rotundos fracasos. Al dar un paso adelante, su desgracia consistía en dar dos a la derecha y tres a la izquierda. Sus estudios se vieron limitados a la poesía de Crabbe[3]. No tuvo idea de la maravilla de una *pirouette.* Para él, *un pas de papillon* era sólo una concepción abstracta. Jamás ascendió a lo alto de una colina. Nunca, desde un campanario, contempló el esplendor de una metrópolis. El calor era su mortal enemigo. Durante la canícula sus días eran días de can. Soñaba con llamas y sofocaciones, con una montaña sobre otra, el Pelión sobre el Osa. Le faltaba el aliento, para decirlo en una palabra; sí, le faltaba el aliento. Consideraba una extravagancia tocar instrumentos de viento. Fue el inventor de los abanicos automáticos, de las mangueras de viento, de los ventiladores. Protegió a Du Pont, el fabricante de fuelles, y murió miserablemente mientras intentaba fumar un cigarro. Siento profundo interés por su caso, pues simpatizo sinceramente con su suerte.

–Pero aquí –dije, extrayendo desdeñosamente de su receptáculo un cuerpo alto, flaco y extraño, cuya notable apariencia me produjo una sensación de desagradable familiaridad–, aquí hay un miserable indigno de conmiseración en esta tierra.

Y diciendo así, para lograr una mejor vista de mi sujeto, lo agarré por la nariz con el pulgar y el índice, obligándolo a sentarse en el suelo, y lo mantuve en esta forma mientras continuaba mi monólogo.

–Indigno –repetí– de conmiseración en esta tierra. ¿A quién se le ocurriría compadecer a una sombra? Por lo demás, ¿no ha tenido el pleno goce de las dichas propias de los mortales? Fue el creador

3. Alusión al *crab,* cangrejo, y a su manera de moverse. *(N. del T.)*

de los monumentos elevados, de las altas torres donde se fabrica la metralla, de los pararrayos, de los álamos de Lombardía. Su tratado sobre *Sombras y penumbras* lo inmortalizó. Fue distinguido y hábil editor de la obra de South sobre «los huesos». A temprana edad concurrió al colegio y estudió la ciencia neumática. De vuelta a casa, no hacía más que hablar y tocar el corno francés. Protegió las gaitas. El capitán Barclay, que andaba en contra del tiempo, no pudo andar contra *él*. Sus escritores favoritos eran Windham y Allbreath, y Phiz su artista preferido[4]. Murió gloriosamente, mientras inhalaba gas; *levique flatu corrupitur,* como la *fama pudicitiœ* en san Jerónimo[5]. Era indudablemente un...

–¿Cómo se atreve... cómo... se... atreve...? –interrumpió el objeto de mi animadversión, jadeando por respirar y arrancándose con un desesperado esfuerzo el vendaje de la mandíbula–. ¿Cómo puede usted Mr. Faltaliento, ser tan infernalmente cruel para sujetarme de esa manera por la nariz? ¿No ve que me han atado la boca? ¡Debería darse cuenta, si es que se da cuenta de algo, que debo exhalar un enorme exceso de aliento! Pero, si no lo sabe, siéntese y lo verá. En mi situación representa un grandísimo alivio poder abrir la boca, explayarse, hablar con una persona como usted que no es de los que se creen llamados a interrumpir a cada momento el hilo del discurso de su interlocutor. Las interrupciones son molestas y deberían abolirse. ¿No lo cree usted? ¡Oh, no conteste, por favor! Basta con que uno solo hable a la vez. Pronto habré terminado, y entonces podrá empezar usted. ¿Cómo demonios llegó a este lugar, señor? ¡Ni una palabra, le ruego! Llevo aquí algún tiempo... ¡Terrible accidente! ¿Supo usted de él, presumo? ¡Espantosa calamidad! Mientras pasaba bajo sus ventanas... hace un tiempo... justamente en la época en que a usted le dio por el teatro... ¡cosa horrible! ... ¿Oyó alguna vez la expresión «retener el aliento»? ¡Cállese, le digo! ¡Pues bien... yo retuve el aliento de otra persona! Y eso que siempre había tenido bastante con el mío propio... Al ocurrirme eso me encontré con Blab en la esquina... pero no me dio la menor posibilidad de decir una palabra... imposible deslizar una sola sílaba... Naturalmente, fui víctima de un ataque epiléptico... Blab salió huyendo... ¡Los muy estúpidos! Creyeron que había muerto y me metieron aquí... ¡Vaya hato de imbéciles! En cuanto a usted, he oído todo lo que ha dicho... y cada palabra es una mentira... ¡Horrible, espantoso, ultrajante, atroz, incomprensible...! Etcétera, etcétera, etcétera...

---

4. *Wind,* viento; *Allbreath* podría entenderse como «todo aliento»; Phiz alude al sonido de la palabra, como un escape de aire. *(N. del T.)*

5. *Ternera res in feminis fama pudicitiœ, et quasi flos pulcherrimus, cito ad levem marcescit, levique flatu corrupitur, maxime, etc.* (Hieronymus ad Salviniam).

Imposible concebir mi estupefacción ante tan inesperado discurso, y la alegría que sentí poco a poco al irme convenciendo de que el aliento tan afortunadamente capturado por aquel caballero (que no era otro que mi vecino Alientolargo) era precisamente el que yo había perdido durante mi conversación con mi mujer. El tiempo, el lugar y las circunstancias lo confirmaban sin lugar a dudas. Pero de todas maneras no solté mi mano de la nariz de Mr. Alientolargo, por lo menos durante el largo período durante el cual el inventor de los álamos de Lombardía siguió favoreciéndome con sus explicaciones.

Obraba en este sentido con la habitual prudencia que siempre constituyó mi rasgo dominante. Reflexioné que grandes obstáculos se amontonaban en el camino de mi salvación, y que sólo con grandísimas dificultades podría superarlos. Muchas personas, bien lo sabía, estiman las cosas que poseen –por más insignificantes que sean para ellas, y aun molestas o incómodas– en razón directa de las ventajas que obtendrían otras personas si las consiguieran. ¿No sería este el caso con Mister Alientolargo? Si me mostraba ansioso por ese aliento que tan dispuesto se mostraba a abandonar, ¿no me convertiría en una víctima de las extorsiones de su avaricia? Hay villanos en este mundo, como le recordé mientras suspiraba, que no tendrán escrúpulos en aprovecharse del vecino de al lado; y además (esta observación proviene de Epicteto), en el momento en que los hombres están más deseosos de arrojar la carga de sus calamidades, es cuando menos dispuestos se muestran a ayudar en el mismo sentido a sus semejantes.

Frente a consideraciones de este género, manteniendo siempre mi presa por la punta de la nariz, consideré oportuno dirigirle la siguiente réplica:

–¡Monstruo! –empecé, con un tono de profunda indignación–. ¡Monstruo e idiota de doble aliento! Tú, a quien los cielos han castigado por tus iniquidades dándote una doble respiración, ¿te atreves a dirigirte a mí con el lenguaje familiar de la amistad? «¡Mentiras!», dices y «que me calle la boca», ¡naturalmente! ¡Vaya conversación con un caballero que sólo tiene un aliento! ¡Y todo esto cuando de mí depende aliviarte de la calamidad que sufres, y eliminar todas las superfluidades de tu malhadada respiración!

Al igual que Bruto, me detuve esperando una respuesta, que, semejante a un huracán, me arrolló inmediatamente. Mr. Alientolargo presentó toda clase de protestas y excusas. No había una sola cosa con la cual no se mostrara perfectamente de acuerdo, y no dejé de sacar ventaja de cada una de sus concesiones.

Arreglados los detalles preliminares, mi interlocutor procedió a devolverme mi respiración; luego de examinarla cuidadosamente, le entregué un recibo.

Comprendo que muchos me harán reproches por referirme tan brevemente a un negocio de tanta importancia. Se dirá que bien podía haber proporcionado minuciosos detalles de la operación gracias a la cual (y es muy cierto) podría arrojar nuevas luces sobre una interesantísima rama de las ciencias naturales.

Lamento mucho no poder responder a esto. Sólo me está permitido hacer una vaga alusión. Había *circunstancias* –pero después de pensarlo bien, me parece más seguro decir lo menos posible sobre tan delicado asunto–, *circunstancias muy delicadas,* repito, que al mismo tiempo involucran a una tercera persona cuyo resentimiento no tengo el menor interés en padecer en este momento.

No tardamos mucho, después de aquella transacción, en escaparnos de las mazmorras del sepulcro. Las fuerzas unidas de nuestras resucitadas voces fueron muy pronto oídas desde afuera. Tijeras, el director de un periódico centralista, aprovechó para publicar de nuevo su tratado sobre «la naturaleza y origen de los sonidos subterráneos». Una réplica-refutación-respuesta-justificación no tardó en aparecer en las columnas de un diario democrático. Abriéronse las puertas de la bóveda para liquidar la controversia, y la aparición de Mr. Alientolargo y mía probó a ambas partes que estaban igualmente equivocadas.

No puedo determinar estos detalles sobre algunos pasajes singulares de una vida bastante memorable, sin llamar otra vez la atención del lector acerca de los méritos de esa filosofía sin distinciones que sirve de seguro escudo contra los dardos de la calamidad que no alcanzan a verse, sentirse ni comprenderse. Está en el espíritu de esta sabiduría la creencia, entre los antiguos hebreos, de que las puertas del cielo se abrirían inevitablemente para aquel pecador o santo que, con buenos pulmones y lleno de confianza, vociferaba la palabra «¡Amén!». Y se halla también dentro del espíritu de esa sabiduría el que, durante la gran plaga que asolaba Atenas, y luego que se agotaron todos los medios para alejarla, Epiménides –como relata Laercio en su segundo libro sobre el filósofo– aconsejara la erección de un santuario y un templo «al Dios apropiado».

EL DUQUE DE L'OMELETTE
Comentario de Fernando Iwasaki

«El duque de l'Omelette» es un cuento menor de Edgar Allan Poe, pues formaba parte de un póquer de relatos paródicos y gamberros que Poe publicó en el *Saturday Courier* de Filadelfia para burlarse de los malos escritores de su tiempo. Aquellas historias fueron «Metzengerstein», «Bon-Bon», «El aliento perdido» y «El duque de l'Omelette», todos «perpetrados» en 1832.

Sin embargo, para mí, «El duque de l'Omelette» siempre ha sido un cuento especial, ya que el exquisito Omelette murió de un colerón por culpa de un pájaro peruano. Así, nada más comenzar la narración advertimos cómo «Una jaula de oro llevó al pequeño vagabundo alado, enamorado, derretido, indolente, desde su hogar en el lejano Perú a la Chaussée d'Antin»; pero cuando Omelette quiso contemplar la exótica belleza del ave descubrió horrorizado que estaba «deshabillé de ses plumes» y ahí nomás la palmó, «en un paroxismo de asco».

Qué honor para el Perú.

¿Por qué Edgar Allan Poe eligió un pájaro peruano para matar de un disgusto al duque de l'Omelette? Como el resto de la historia transcurre en el infierno y termina con una cómica timba de ultratumba entre Satanás y Omelette, es obvio que Poe introdujo un pájaro peruano para darle verosimilitud a su cuento, pues nadie en 1832 se hubiera tragado que el demonio era torpe jugando a las cartas. En cambio, que te diera un soponcio por culpa de la realidad peruana era perfectamente posible para los lectores de Filadelfia y sobre todo para los habitantes del Perú.

El problema es que el pájaro del cuento no existe ni en los Andes ni en la selva amazónica.

En el original en inglés Poe hablaba de un «ortolan» («De l'Omelette perished of an ortolan») que Cortázar tradujo como «verderón» («ave canora del orden de las Paseriformes, del tamaño y forma del gorrión, con plumaje verde y manchas amarillentas en las remeras principales y en la base de la cola», según el Diccionario de la Real Academia), pero según la *Encyclopædia Britannica* el «ortolan» *(Emberiza Hortulana)* es un ave europea que cada otoño vuela hacia Oriente Medio y jamás al Perú, donde seguramente acabaría así: http://www.telegraph.co.uk/news/worldnews/1562561/Franceandrsquos-songbird-delicacy-is-outlawed.html.

La verdad es que no estoy dispuesto a consentir que la realidad me arruine la ficción, así que acepto «verderón» como pájaro peruano, porque Poe quería escribir un cuento cómico y satánico y para eso era imprescindible que «L'Omelette's ortolan» fuera del Perú. Y ya puestos, reconozco que no me sorprendería que el cuervo de Poe también fuera peruano.

En el Perú tampoco hay cuervos, pero te sacan los ojos.

EL DUQUE DE L'OMELETTE

«Y pasó al punto a un clima más fresco».
COWPER

Keats sucumbió a una crítica. ¿Quién murió de una *Andrómaca*?[1]. ¡Almas innobles! El duque de l'Omelette pereció de un verderón. *L'historie en est brève.* ¡Ayúdame, espíritu de Apicio!

Una jaula de oro llevó al pequeño vagabundo alado, enamorado, derretido, indolente, desde su hogar en el lejano Perú a la Chaussée d'Antin; de su regia dueña, La Bellísima, al duque de l'Omelette; y seis pares del reino transportaron el dichoso pájaro.

Aquella noche el duque debía cenar a solas. En la intimidad de su despacho reclinábase lánguidamente sobre aquella otomana por la cual había sacrificado su Lealtad al pujar más que su rey en la subasta... la famosa otomana de Cadêt.

El duque hunde el rostro en la almohada. ¡Suena el reloj! Incapaz de contener sus sentimientos, su Gracia come una aceituna. En ese instante ábrese la puerta a los dulces sones de una música y, ¡oh maravilla!, el más delicado de los pájaros aparece ante el más enamorado de los hombres. Pero ¿qué inexpresable espanto se difunde en las facciones del duque? *«Horreur! -chien! -Baptiste! -l'oiseau! ah, bon Dieu! cet oiseau modeste que tu as deshabillé de ses plumes, et que tu as servi sans papier!»* Sería superfluo agregar nada: el duque expira en un paroxismo de asco.

–¡Ja, ja, ja! –dijo su Gracia, tres días después de su fallecimiento.

–¡Je, je, je! –repuso suavemente el diablo, enderezándose con un aire de *hauteur*.

---

1. Montfleury. El autor del *Parnasse Réformé* le hace decir en el Hades: *L'homme donc qui voudrait savoir ce dont je suis mort, qu'il ne demande pas s'il fût de fièvre ou de podagre ou d'autre chose, mais qu'il entende que ce fût de «L'Andromache».*

–Vamos, supongo que esto no es en serio –observó de l'Omelette–. He pecado, *c'est vrai,* pero, querido señor... ¡supongo que no tendrá la intención de llevar a la práctica tan bárbaras amenazas!

–¿Tan *qué?* –dijo su Majestad–. ¡Vamos, señor, desnúdese!

–¿Desnudarme? ¡Muy bonito en verdad! ¡No, señor, no me desnudaré! ¿Quién es usted para que yo, duque de l'Omelette, príncipe de Foie-Gras, apenas mayor de edad, autor de la *Mazurquiada* y miembro de la Academia, tenga que quitarme obedientemente los mejores pantalones jamás cortados por Bourdon, la más bonita *robe de chambre* salida de manos de Rombêrt, por no decir nada de los *papillotes y* para no mencionar la molestia que me representaría quitarme los guantes?

–¿Que quién soy? ¡Ah, es verdad! Soy Baal-Zebub, príncipe de la Mosca. Acabo de sacarte de un ataúd de palo de rosa incrustado de marfil. Estabas extrañamente perfumado y tenías una etiqueta como si te hubieran facturado. Te mandaba Belial, mi inspector de cementerios. En cuanto a esos pantalones que dices cortados por Bourdon, son un excelente par de calzoncillos de lino, y tu *robe de chambre* es una mortaja de no pequeñas dimensiones.

–¡Caballero –replicó el duque–, no me dejo insultar impunemente! ¡Aprovecharé la primera oportunidad para vengarme de esta afrenta! ¡Oirá usted hablar de mí! ¡Entretanto... *au revoir!*

Y el duque se inclinaba, antes de apartarse de la satánica presencia, cuando se vio interrumpido y devuelto a su sitio por un guardián. En vista de ello, su Gracia se frotó los ojos, bostezó, encogiose de hombros y reflexionó. Luego de quedar satisfecho sobre su identidad, echó una mirada a vuelo de pájaro sobre los alrededores.

El aposento era soberbio a un punto tal, que de l'Omelette lo declaró *bien comme il faut.* No tanto por su largo o su ancho, sino por su altura... ¡ah, qué espantosa altura! No había techo... ciertamente no lo había... Solamente una densa masa atorbellinada de nubes de color de fuego. Su Gracia sintió que la cabeza le daba vueltas al mirar hacia arriba. Desde lo alto colgaba una cadena de un metal desconocido de color rojo sangre; su extremidad superior se perdía, como la ciudad de Boston, *parmi les nuages.* En su extremo inferior se balanceaba un enorme fanal. El duque comprendió que se trataba de un rubí; pero de ese rubí emanaba una luz tan intensa, tan fija, como jamás fue adorada en Persia, o imaginada por Gheber, o soñada por un musulmán cuando, intoxicado de opio, cae tambaleándose en un lecho de amapolas, la espalda contra las flores y el rostro vuelto al dios Apolo. El duque murmuró un suave juramento, decididamente aprobatorio.

Los ángulos del aposento se curvaban formando nichos. Tres de ellos aparecían ocupados por estatuas de proporciones gigantescas. Su hermosura era griega, su deformación egipcia, su *tout ensemble* francés. En el cuarto nicho, la estatua aparecía velada y no era colosal. Veíase empero un tobillo ahusado, un pie con sandalia. De l'Omelette llevó su mano al corazón, cerró los ojos, volvió a abrirlos y sorprendió a su satánica majestad... cuando se sonrojaba.

¡Pero aquellas pinturas! ¡Kupris! ¡Astarté! ¡Astoreth! ¡Mil y la misma! ¡Y Rafael las ha contemplado! Sí, Rafael estuvo aquí: ¿acaso no pintó la...? ¿Y no se condenó a causa de ello? ¡Las pinturas, las pinturas! ¡Oh lujo, oh amor! ¿Quién, contemplando aquellas bellezas prohibidas, tendría ojos para las exquisitas obras que, en sus marcos de oro, salpican como estrellas las paredes de jacinto y de pórfido?

Empero, el corazón del duque desfallece. No se siente, como lo suponéis, marcado por la magnificencia, ni embriagado por el intenso perfume de los innumerables incensarios. *C'est vrai que de toutes ces choses il a pensé beaucoup-mais!* El duque de l'Omelette está aterrado. ¡A través de la cárdena visión que le ofrece la sola ventana sin cortinas se divisa el más espantoso de los fuegos!

Le pauvre Duc! No podía impedirse imaginar que las admirables, las voluptuosas, las inmortales melodías que invadían aquel salón, a medida que pasaban filtrándose y trasmutándose por la alquimia de las encantadas ventanas, eran los gemidos y los alaridos de los condenados sin esperanza. ¡Y allí, allí, sobre la otomana! ¿Quién está ahí? ¡Es él, el *petit-maître*... no, la Deidad... sentado como si estuviera esculpido en mármol, *et qui sourit,* con su pálido rostro, *si amèrement!*

Mais il faut agir... vale decir que un francés no se desmaya nunca de golpe. Además, a su Gracia le repugna una escena... De l'Omelette ha recobrado todo su dominio. Ha visto unos floretes sobre la mesa y unas dagas. El duque ha estudiado con B...; *il avait tué ses six hommes.* Por lo tanto, *il peut s'échapper.* Mide dos armas y, con inimitable gracia, ofrece la elección a su Majestad. *Horreur!* ¡Su Majestad no sabe esgrima!

Mais il joue! ¡Feliz idea! Su Gracia tuvo siempre una excelente memoria. Alguna vez hojeó *Le Diable,* del abate Gualtier. Allí se dice que *le Diable n'ose pas refuser un jeu d'écarté.*

¡Pero las probabilidades... las probabilidades! Remotísimas, deses peradas, es verdad; empero, apenas más desesperadas que el duque mismo. Además, ¿no está en el secreto? ¿No ha leído al Père Le Brun? ¿No era miembro del Club Vingt-et-un? *Si je perds* –dice– *je serai deux fois perdu*... quedaré dos veces condenado... *voilà tout!* (Y aquí su Gracia se encogió de hombros.) *Si je gagne, je reviendrai à mes ortolons... que les cartes soient préparées!*

Su Gracia era todo cuidado, todo atención; su Majestad, todo confianza. Un espectador hubiera pensado en Francisco y en Carlos. Su Gracia pensaba en su juego. Su Majestad no pensaba: barajaba. El duque cortó.

Distribuyéronse las cartas. Diose vuelta la primera. ¡El rey! ¡Pero no... era la reina! Su Majestad maldijo sus vestimentas masculinas. De l'Omelette se llevó la mano al corazón.

Jugaron. El duque contaba. Había terminado la mano. Su Majestad contaba lentamente, sonriendo, bebiendo vino. El duque escamoteó una carta.

–*C'est à vous de faire* –dijo su Majestad, cortando. Su Gracia se inclinó, barajó las cartas y levantose *en presentant le Roi.*

Su Majestad pareció apesadumbrado.

Si Alejandro no hubiese sido Alejandro, hubiera querido ser Diógenes, y el duque aseguró a su antagonista, mientras se despedía de él, *que s'il n'eût été de l'Omelette il n'aurait point d'objection d'être le Diable.*

CUATRO BESTIAS EN UNA

Comentario de Txani Rodríguez

Digámoslo: «Cuatro bestias en una. El hombre-camaleopardo» es un cuento raro, que nada tiene que ver, por ejemplo, con aquellos extraordinarios casos de monsieur C. Auguste Dupin. Pero no podemos negar que se trata de un relato hermoso –y, sin embargo, erudito–, mordazmente lúcido y, en cierto modo, descorazonador.

Al igual que después hiciera H. G. Wells con su máquina del tiempo, Edgar Allan Poe huyó de su contemporaneidad para escribir esta sátira. La historia arranca en el siglo XIX pero, en contra de la lógica misma de la cuentística, el narrador, cuyo nombre y circunstancias desconocemos, nos propone viajar al siglo II antes de Cristo para encontrarnos al cruel Antíoco Epífanes en el trono de Siria. Este funesto personaje aparece disfrazado de camaleopardo, que es como llamaban antiguamente a la jirafa por considerarla un cruce entre el camello y el leopardo. La inopinada apariencia del rey responde a una ocasión solemne. El pueblo vitorea y ensalza la figura de su soberano que, aseguran, acaba de quitar la vida a mil israelitas (recordemos que Antíoco asoló Jerusalén con la furia de la venganza y trató, sin éxito, pero como el peor de los bárbaros, de prohibir el judaísmo). Al parecer, tal fue su crueldad que la figura de Antíoco adquiere resonancias apocalípticas.

La turba que sigue al rey está acompañada por leones, tigres y leopardos adiestrados. La sensación que provoca la escena descrita es absolutamente grotesca, un efecto magistralmente reiterado en los textos de Poe. Repentinamente, esa absurda comitiva se ve alterada. Los súbditos, que mantienen su actitud cortesana, huyen aterrorizados: los «animales feroces domesticados», ofendidos por la camaleopárdica apariencia del rey, han decidido devorarlo. Dejemos a la lectura del relato la revelación de la suerte del tirano, pero quedémonos con la esterilidad acumulativa con la que a veces el tiempo, simplemente, pasa.

En el siglo XIII, Antioquía, donde transcurre este cuento, fue destruida por el sultán mameluco Baibars. Los días en los que la llamada Reina de Oriente resplandeciera como capital imperial y sede de uno de los cuatro patriarcados originales junto a Jerusalén, Alejandría y Roma palidecieron para siempre. Aquella ciudad hoy se llama Antakya, y si se viaja a Turquía aún puede adivinarse su rumor antiguo en las aguas del río Orontes. Han pasado muchos años, es cierto, pero actualmente, un Epífanes cualquiera nos puede hacer sentir indignos cada vez que el mundo da un zarpazo y miramos a otro lado para gritar a coro: «Antíoco, Príncipe de los Poetas». De alguna horrible manera, nos comportamos peor que las bestias. Poe, ese genio nervioso y visionario, no hablaba, por tanto, de la antigüedad, sino de los titulares de mañana, tan obstinadamente parecidos a los de ayer.

CUATRO BESTIAS EN UNA
El hombre-camaleopardo

«Chacun a ses vertus».
CREBILLON, *Jerjes*

Por lo general, se considera a Antíoco Epifanes como el Gog del profeta Ezequiel. Cabe sin embargo atribuir con más propiedad este honor a Cambises, hijo de Ciro. De todos modos, el carácter del monarca sirio no necesita ningún embellecimiento suplementario. Su acceso al trono, o más bien su usurpación de la soberanía, en el año ciento setenta y uno antes de Cristo; su tentativa de saquear el templo de Diana, en Éfeso; su implacable hostilidad hacia los judíos; su profanación del santo de los santos, y su miserable muerte en Taba, después de un tumultuoso reinado de once años, constituyen circunstancias prominentes y, por tanto, mucho más tenidas en cuenta por los historiadores de su tiempo que las impías, cobardes, crueles, estúpidas y extravagantes acciones que forman la suma total de su vida privada y su reputación.

Supongamos, amable lector, que estamos en el año del mundo tres mil ochocientos treinta, e imaginémonos por un momento en la más grotesca de las moradas humanas, en la notable ciudad de Antioquía. Por cierto que en Siria y otros países había un total de dieciséis ciudades de este nombre, aparte de aquella a que aludo particularmente. Pero *la nuestra* es la que recibió el nombre de Antioquia Epidafne a causa de su vecindad con el pueblo de Dafne, donde se alzaba un templo a dicha divinidad. Fue construida (aunque la cuestión está muy controvertida) por Seleuco Nicanor, primer rey del país después de Alejandro Magno, en memoria de su padre, Antíoco, y no tardó en convertirse en capital de los monarcas sirios. En los florecientes tiempos del imperio romano, Antioquía era la residencia habitual del prefecto de las provincias orientales, y muchos emperadores de la ciudad reina (entre los cuales cabe mencionar especialmente a Veras y a Valente) pasaron aquí la mayor parte de su tiempo. Pero advierto que estamos ya en la ciudad. Subamos a esa muralla, a fin de contemplar Antioquia y las comarcas circundantes.

–¿Qué río es ese, tan ancho y rápido, que se abre camino entre innumerables saltos, a través de la confusa multitud de las montañas, y de la multitud no menos confusa de los edificios?

–Es el Orontes. Sus aguas son las únicas visibles, fuera de las del Mediterráneo, que se tiende como un ancho espejo a unas doce millas al sur. Todo el mundo ha visto el Mediterráneo, pero permítame decirle que muy pocos han podido tener un atisbo de Antioquía. Cuando digo pocos, aludo a personas como usted y como yo, que poseen al mismo tiempo las ventajas de una educación moderna. Deje, pues, de contemplar el mar y conceda toda su atención a la masa de edificios que se tiende por debajo de nosotros. Recordará que estamos en el año del mundo tres mil ochocientos treinta. Si fuera más tarde –si, por ejemplo, estuviéramos en el año de Nuestro Señor mil ochocientos cuarenta y cinco–, nos veríamos privados de tan extraordinario espectáculo. En el siglo diecinueve Antioquia es –o, mejor dicho, *será*– un lamentable montón de ruinas. Para ese entonces habrá quedado destruida, en tres ocasiones diferentes, por tres terremotos sucesivos, Y a decir verdad, lo poco que quede de ella estará en un estado tan ruinoso y desolado que el patriarca habrá trasladado su residencia a Damasco. ¡Ah, muy bien! Veo que aprovecha usted mi consejo y se dedica a inspeccionar los lugares,

satisfaciendo sus ojos
con los recuerdos y los monumentos famosos
que tanto renombre dan a esta ciudad.

»Perdóneme usted; me olvidaba de que Shakespeare no florecerá hasta dentro de mil setecientos cincuenta años. Veamos: ¿no justifica la apariencia de Epidafne que la califique de *grotesca?*

–Está bien fortificada, y en este sentido debe tanto a la naturaleza como al arte.

–Muy cierto.

–Hay una prodigiosa cantidad de majestuosos palacios.

–En efecto.

–Y los numerosos templos, tan ricos corno magníficos, pueden compararse con los más alabados de la antigüedad.

–Lo reconozco. Pero hay también infinidad de cabañas de barro y abominables barracas. No podemos dejar de advertir en las calles la cantidad de inmundicias tiradas en el arroyo, y si no fuera por las continuas humaredas del incienso de los idólatras no hay duda que el hedor resultaría intolerable. ¿Vio usted alguna vez calles tan sofocadamente angostas o edificios tan milagrosamente altos? ¡Qué penumbra arrojan sus sombras sobre la tierra! Por suerte, las oscilantes lámparas de aquellas columnatas permanecen encendidas durante el día; de lo contrario, tendríamos aquí las tinieblas de Egipto en tiempos de su desolación.

–¡Ciertamente es un extraño lugar! ¿Qué significa aquel singular edificio? ¡Mírelo! Domina todos los otros y se halla situado al este de lo que creo debe ser el palacio real.

–Es el nuevo templo del Sol, a quien se adora en Siria bajo el nombre de Elah Gabalah. Más tarde, un emperador romano harto notorio instituirá su culto en Roma y extraerá de él su propio nombre, Heliogábalo. Pienso que le gustaría a usted echar una ojeada a la divinidad del templo. No necesita mirar hacia el cielo: el Sol no está allí, por lo menos el Sol que adoran los sirios. La deidad reposa en el interior de aquel edificio. Se lo adora bajo la forma de una ancha columna de piedra rematada por un cono o *pirámide* –que denota el Fuego.

–¡Escuche! ¡Mire! ¿Quiénes son esos ridículos seres semidesnudos, pintarrajeado el rostro, que gritan y gesticulan dirigiéndose a la chusma?

–Unos pocos son saltimbanquis. Otros pertenecen a la clase de los filósofos. Pero la mayoría –justamente aquellos que están apaleando a la muchedumbre– son los principales cortesanos de palacio, que ejecutan, como es su deber, alguna loable extravagancia ordenada por el rey.

–Pero ¿qué es eso? ¡Cielos, la ciudad está infestada de bestias salvajes! ¡Qué espectáculo terrible... qué peligrosa singularidad!

–Terrible, si usted quiere; pero nada peligrosa. Si mira atentamente, verá que cada uno de esos animales sigue tranquilamente a su amo. Algunos van con una cuerda al cuello, pero se trata de las especies más pequeñas o tímidas. El león, el tigre y el leopardo se mueven con entera libertad. Han sido adiestrados para sus actuales funciones, y sirven a sus respectivos dueños *de valets de chambre.* A veces, claro está, la naturaleza reivindica sus violadas leyes; pero que un guerrero sea devorado, o que un toro sagrado aparezca muerto, son cosas demasiado insignificantes para causar sensación en Epidafne.

–¡Qué tumulto tan extraordinario se escucha! ¡Un ruido terrible, aun para Antioquía! Sin duda ocurre cosa fuera de lo común.

–Así es. El rey ha dispuesto algún nuevo espectáculo: una exhibición de gladiadores en el hipódromo, quizá la matanza de los prisioneros escitas, el incendio de su nuevo palacio, la demolición de algún hermoso templo... o quizá una hoguera alimentada por algunos judíos. El rumor aumenta. Gritos y carcajadas ascienden a los cielos. El aire se conmueve con la estridencia de los instrumentos de viento y el horrible clamoreo de un millón de gargantas. ¡Bajemos, en nombre de la diversión, y veamos qué pasa! ¡Por ahí... cuidado! Ya estamos en la calle principal, llamada calle de Timarco. Un mar de gente se acerca y difícil nos será remontar la corriente. La multitud se derrama por la calle de Heráclides, que nace directamente en palacio... Es de suponer entonces que el rey se encuentra entre los alborotadores. ¡Sí, oigo los gritos de los heraldos, anunciando su llegada con la pomposa fraseología del Oriente! Podremos echar una ojeada a su persona cuando pase frente al templo de Ashimah. Refugiémonos en el vestíbulo del santuario; no tardará en llegar. Entretanto, examinemos esta imagen. ¿Qué es? ¡Oh, el dios Ashimah en persona! Advertirá usted que no se trata ni de un cordero, ni de un chivo, ni de un sátiro; tampoco se parece gran cosa al Pan de los árcades. Y, sin embargo, todas estas apariencias han sido asignadas... ¡oh, perdón: *serán asignadas!*, por los sabios de los tiempos venideros al Ashimah de los sirios. Póngase los anteojos y dígame qué es. ¿Qué es?

–¡Dios me bendiga! ¡Un mono!

–Exacto: un mandril. Pero no por eso deja de ser una deidad. Su nombre deriva del griego *Simia*... ¡Ah, qué grandes tontos son los arqueólogos! ¡Pero... vea! ¡Ese pequeño vagabundo que corre allí! ¿Adónde va? ¿Y qué vocifera? ¿Qué dice? ¡Oh! Dice que el rey viene en triunfo, que está vestido con traje de ceremonia y que acaba de quitar la vida con su propia mano a mil prisioneros israelitas encadenados. ¡Y el canalla lo ensalza hasta los cielos por esa hazaña! ¡Atención! ¡Viene una turba igualmente desastrada! Han compuesto un himno en latín sobre el valor del rey, y lo cantan mientras desfilan.

Mille, mille, mille,
Mille, mille, mille,
Decollavimus, unus homo!
Mille, mille, mille, mille, decollavimus!
Mille, mille, mille,
Vivat qui mille mille occidit!
Tantum vini habet nemo

Quantum sanguinis effudit![1].

Lo cual puede parafrasearse así:

¡Mil, mil, mil,
Mil, mil, mil,
Con un solo guerrero degollamos a mil!
¡Mil, mil, mil, mil!

¡Cantemos otra vez mil!
¡Ohé, cantemos:
Larga vida a nuestro rey,
Que bellamente mató a mil!
¡Ohé! ¡Proclamemos
Que él nos ha dado
Más galones de sangre
Que toda la Siria vino!

–¿Oye usted ese toque de trompetas?

–Sí: el rey se acerca. ¡Vea, el pueblo está estupefacto de admiración y alza los ojos al cielo en señal de reverencia! ¡Ya viene... ya viene... ya está aquí!

–¿Quién? ¿Dónde? ¿El rey? No lo veo... no lo distingo por ninguna parte.

–¡Se ha vuelto usted ciego!

–Es posible. Lo único que veo es una tumultuosa muchedumbre de imbéciles y de locos que se prosternan ante un gigantesco camaleopardo[2], tratando de besarle las pezuñas. ¡Vea, el animal acaba de dar una coz a uno de la chusma... a otro... y a otro! ¡Ah, no puedo dejar de admirar a esa bestia por el excelente uso que hace de sus patas!

–¡La chusma! ¡Vamos, si se trata de los nobles y libres ciudadanos de Epidafne! ¿Bestia, dijo usted? Tenga cuidado de que no lo oigan. ¿No ve usted que ese animal tiene rostro humano? ¡Mi querido señor, ese Camaleopardo es nada menos que Antíoco Epifanes, Antíoco el Ilustre, rey de Siria, el más potente de los autócratas del Oriente! Cierto que con frecuencia suelen llamarlo Antíoco Epimanes... Antíoco el Loco... pero sólo porque el pueblo no está capacitado

1. Flavio Vospicus cuenta que este himno fue cantado por el populacho luego que Aureliano, en la guerra contra los sármatas, hubo matado con su propia mano novecientos cincuenta enemigos.
2. Los antiguos llamaban así a la jirafa, por hallarla parecida al camello y al leopardo. *(N. del T.)*

para apreciar sus méritos. Lo seguro es que en este momento se ha escondido en la piel de un animal, haciendo todo lo posible para representar a un Camaleopardo; pero su intención es la de elevar aún más su dignidad de rey. Sepa usted que el monarca es de gigantesca estatura y que el traje no le resulta inapropiado ni excesivamente grande. Cabe presumir, empero, que no se lo hubiera puesto si no se tratara de alguna ocasión especialmente solemne. ¡Y no me negará usted que la matanza de un millar de judíos no es cosa solemne! ¡Con qué excelsa dignidad se pasea el monarca en cuatro patas! Repare en que sus dos concubinas principales, Elliné y Argelais, le sostienen la cola; toda su apariencia sería infinitamente atractiva de no ser por la protuberancia de sus ojos, que ciertamente acabarán saltándosele de las órbitas, y el extraño color de su rostro, que se ha convertido en algo indescriptible a causa de la cantidad de vino que ha bebido. Sigámoslo al hipódromo, al cual se encamina ahora, y escuchemos el canto de triunfo que él mismo entona el primero:

¿Quién es rey, sino Epifanes?
¡Decidlo! ¿Lo sabéis?
¿Quién es rey, sino Epifanes?
¡Bravo! ¡Bravo!
¡No hay nadie fuera de Epifanes,
No, no hay nadie!
¡Derribad entonces los templos
Y apagad el sol!

–¡Muy bien, magníficamente cantado! El populacho lo está saludando como «Príncipe de los Poetas», «Gloria del Oriente», «Delicia del Universo» y «El más asombroso de los Camaleopardos». Le han pedido un *bis*... ¿oye usted? ¡Lo está cantando de nuevo! Cuando llegue al hipódromo recibirá la corona de la poesía, como anticipación de su victoria en las próximas olimpíadas.

–¡Por Júpiter! ¿Qué ocurre entre la multitud, que viene detrás de nosotros?

–¿Detrás, dice usted? ¡Ah, oh... ya veo! Querido amigo, ha hablado usted a tiempo. ¡Refugiémonos lo antes posible en algún lugar seguro! ¡Ahí, en ese arco del acueducto! Le diré inmediatamente la causa de la conmoción. Ha ocurrido lo que yo estaba previendo. La singular apariencia del Camaleopardo con cabeza humana parece haber ofendido el sentido de la dignidad que, en general, poseen los animales feroces domesticados en esta ciudad. Como consecuencia se ha producido un motín. Y como es usual en tales ocasiones, ningún esfuerzo humano será capaz de contener a la muchedumbre. Muchos sirios han sido ya devorados, pero la consigna general de estos patriotas de cuatro patas parece ser la de comerse al Camaleopardo. Razón por la cual el «Príncipe de los Poetas» corre en estos momentos sobre sus dos piernas para salvar la vida. Los cortesanos lo han dejado en la encrucijada, y sus concubinas han seguido tan excelente ejemplo. ¡«Delicia del Universo», en qué lío te has metido! ¡«Gloria del Oriente», qué peligro de masticación corres! No mires, no, tu cola con tanta lástima; tendrá que arrastrar por el fango, no hay remedio. No mires hacia atrás, para asistir a su inevitable degradación; toma coraje, mueve vigorosamente las piernas y enfila hacia el hipódromo. ¡Recuerda que eres Antíoco Epifanes, Antíoco el Ilustre! ¡«Príncipe de los Poetas», «Gloria del Oriente», «Delicia del Universo» y «El más asombroso de los Camaleopardos»! ¡Cielos, qué velocidad eres capaz de desplegar! ¡Qué capacidad para proteger tus piernas! ¡Corre, príncipe! ¡Bravo, Epifanes! ¡Bien hecho, Camaleopardo! ¡Glorioso Antíoco! ¡Cómo corre... cómo salta... cómo vuela! ¡Se aproxima al hipódromo como una flecha recién disparada por una catapulta! ¡Salta... grita... ya llegó! Magnífico, pues si tardabas un segundo más en llegar a las puertas del anfiteatro, ¡oh «Gloria del Oriente»!, no hubiera quedado un solo cachorro de oso en Epidafne sin probar el sabor de tu carne. ¡Vámonos, salgamos de aquí! ¡Nuestros delicados oídos modernos son incapaces de soportar el alarido que va a alzarse para celebrar la escapatoria del rey! ¡Escuche... ya ha empezado! ¡Toda la ciudad está patas arriba!

–¡No hay duda de que es esta la más populosa ciudad del Oriente! ¡Qué cantidad de gente! ¡Qué revoltillo de clases y de edades! ¡Qué multiplicidad de sectas y naciones! ¡Qué variedad de trajes! ¡Qué Babel de idiomas! ¡Qué rugidos de fieras! ¡Qué resonar de instrumentos! ¡Qué hato de filósofos!

–¡Vamos, salgamos de aquí!

–¡Un momento! Veo una gran confusión en el hipódromo. ¿Puede decirme, por favor, qué ocurre?

–¿Eso? ¡Oh, no es nada! Los nobles y libres ciudadanos de Epidafne, luego de declararse satisfechos de la fe, valor, sabiduría y divinidad de su rey, y habiendo sido además testigos presenciales de la sobrehumana agilidad de hace un instante, consideran su deber depositar sobre su frente (además de la corona poética) la guirnalda de la victoria en la carrera pedestre, guirnalda que *sin duda* ganará en las próximas olimpíadas y que, por tanto, le conceden por adelantado.

AUTOBIOGRAFÍA LITERARIA DE THINGUM BOB, ESQ.

Comentario de Jorge Eduardo Benavides

Que míster Thingum Bob (más o menos «el señor No sé cuántos») haya hecho una meteórica carrera literaria partiendo de la supina ignorancia que lo lleva a plagiar a Dante y Milton, entre otros, resulta ser una parábola del mundo literario más vigente de lo que a simple vista pueda parecer. Lo que demuestra, como ocurre en tantos otros cuentos de Poe, su carácter absolutamente universal, su agudeza e intuición para captar la pulsión última de la vida. Así, Thingum Bob, hijo de barbero y repentinamente dedicado a la impostura literaria, se nos ofrece con su absoluta ingenuidad escalando rápidamente posiciones más sociales que literarias en las revistas a las que envía sus poemas y composiciones. Luego de unos primeros rechazos, absolutamente inexplicables para Thingum Bob, consigue por fin colar sus escritos y colarse él mismo entre los colaboradores más prestigiosos del momento y arremeter así contra quienes lo despreciaron en una primera instancia.

El humor corrosivo y por momentos ciertamente delirante de Poe, tan amigo de los juegos de palabras, de las dobles lecturas y las veladas alusiones a personajes reales, hacen del cuento (de muchos de sus cuentos) una verdadera golosina para los amantes del género, pues aunque es más conocido por su universo gótico y de terror, en Thingum Bob nos revela a ese otro Poe divertido, absoluto conocedor del ritmo narrativo, y sobre todo capaz de señalar las trivialidades, las rencillas y las mezquindades del mundo literario, de las publicaciones pequeñas y no obstante irremediablemente ombliguistas, que resultan casi tan antiguas como el propio género del cuento: agresivas, jactanciosas, poco fiables..., nada parece quedar en pie, consumido el mundo literario en su propio caldo de vanidades. «Dado que mis años van en aumento y, según tengo entendido, tanto Shakespeare como Mr. Emmons fallecieron alguna vez, no es imposible que hasta yo tenga que morir», dice Thingum Bob al principio de su narración, tan contundente en su fatuidad que resulta desarmante, un hombre devorado por su propio ego, fagocitado por su peculiar *pathos*, un escritor que apenas escribe y, sin embargo, triunfa y consigue, al menos él lo piensa así, el reconocimiento mundial. Puro fuego de artificio que en la prosa incandescente, vertiginosa del magnífico escritor bostoniano, resulta todo un ejercicio de cinismo y buen hacer.

AUTOBIOGRAFÍA LITERARIA DE THINGUM BOB, ESQ.[1]
(ex director del *Goosetherum foodle*)

Dado que mis años van en aumento y, según tengo entendido, tanto Shakespeare como Mr. Emmons fallecieron alguna vez, no es imposible que hasta yo tenga que morir. He pensado, pues, que bien podía retirarme del campo de las letras y dormir en mis laureles. Pero ansío dejar señalada mi abdicación del cetro literario con algún importante legado a la posteridad, y quizá nada mejor para ello que narrar la historia de los primeros tiempos de mi carrera. Tanto y tan constantemente ha brillado mi nombre ante los ojos del público, que no sólo estoy dispuesto a admitir lo natural de ese interés universalmente provocado, sino a satisfacer la extrema curiosidad que inspiró siempre. Por lo demás, constituye un deber de aquel que ha llegado a la grandeza dejar en su ascenso los hitos necesarios para guiar a los otros que ascenderán a su vez. Me propongo, pues, detallar en este artículo (que estuve a punto de titular «Datos para servir a la historia literaria de Norteamérica») esos importantes, aunque débiles y vacilantes primeros pasos por los cuales llegué a la larga al pináculo del renombre humano.

Superfluo sería hablar demasiado de nuestros ascendientes muy remotos. Mi padre, Thomas Bob, Esq., mantúvose muchos años en la cumbre de su profesión, que era la de barbero en la ciudad de Smug. Su negocio constituía el centro de reunión de los principales del lugar, y especialmente de los pertenecientes al cuerpo periodístico –cuerpo que provoca en todas partes profunda veneración y respeto–. Por mi parte, contemplábalos yo como a dioses, y bebía ávidamente el opulento

1. *Thingum-bob* se usa en inglés para reemplazar un nombre que no se recuerda en el momento. Estos juegos de palabras se multiplican a lo largo del relato. *(N. del T.)*

ingenio y la sabiduría que continuamente fluía de sus augustas bocas durante el desarrollo del proceso conocido por «jabonadura». Mi primer momento de verdadera inspiración data de aquella época memorable, cuando el brillante director del *Gad-fly,* en los intervalos del importante proceso mencionado, recitó en alta voz, ante un cónclave formado por nuestros aprendices, un inimitable poema en honor del «Único genuino Aceite de Bob» (así llamado por el nombre de su talentoso inventor, mi padre), y recibió por aquella efusión una generosa y real recompensa de la firma Thomas Bob & Compañía, comerciantes barberos.

El genio presente en las estrofas del «Aceite de Bob» me infundió por primera vez el divino *afflatus.* Inmediatamente resolví llegar a ser un gran hombre, comenzando para ello por ser un gran poeta. Aquella misma noche caí de hinojos a los pies de mi padre.

–¡Padre, perdóname –dije–, pero mi alma está por encima de la espuma de jabón! Tengo el firme propósito de marcharme del negocio. Quiero ser director... quiero ser poeta... quiero escribir estrofas al «Aceite de Bob». ¡Perdóname, y ayúdame a ser grande!

–Querido Thingum –repuso mi padre (el nombre Thingum me venía de un pariente rico así llamado)–, querido Thingum –agregó, levantándome por las orejas–, Thingum, muchacho, eres un real mozo, y gracias a tus padres has recibido un alma. Además, como tu cabeza es enorme, contiene sin duda un cerebro considerable. Hace tiempo que lo vengo notando, y por eso tenía pensado hacer de ti un abogado. Pero la profesión ha perdido su caballerosidad, y la de político no da para gastos. Creo que no estás desacertado; el negocio de director de periódico es lo mejor, y, si al mismo tiempo puedes ser un poeta (como lo son la mayoría de los directores, dicho sea de paso), pues bien, matarás dos pájaros de un tiro. Para estimularte en tus comienzos te asignaré la buhardilla; tendrás pluma, tinta y papel, un diccionario de la rima y un ejemplar del *Gad-Fly.* Supongo que no pretenderás nada más.

–¡Sería un ingrato y un villano si tal pretendiera! –repuse entusiasmado–. Tu generosidad es ilimitada. ¡Te la retribuiré convirtiéndote en el padre de un genio!

Terminó así mi confesión con el mejor de los hombres, e inmediatamente me consagré con todo celo a mis labores poéticas, ya que fundaba en ellas mis principales esperanzas para elevarme hasta la cátedra de la dirección periodística.

En mis primeras tentativas de composición descubrí que las estrofas del «Aceite de Bob» eran más un inconveniente que otra cosa. Su esplendor, en vez de iluminarme me mareaba. La contemplación de su excelencia tenía, como es natural, que descorazonarme si la comparaba con mis propios abortos; por lo cual trabajé largo tiempo en vano. Por fin nació en mi mente una de esas ideas exquisitamente originales que alguna que otra vez invaden el cerebro de un hombre de genio. Hela aquí –o, más bien, he aquí la forma en que la llevé a la práctica–. En una vetusta librería situada en los aledaños de la ciudad desenterré algunos volúmenes tan antiguos como desconocidos, que el librero me vendió por menos que nada. De uno de ellos, que pretendía ser la traducción de una obra llamada *Inferno,* de un tal Dante, copié con suma prolijidad un largo pasaje acerca de un individuo llamado Ugolino, que tenía varios chiquillos. De otro libro, que contenía numerosas obras de teatro del tiempo viejo, escritas por alguien cuyo nombre he olvidado, extraje del mismo modo y con idéntico cuidado muchos versos que hablaban de «ángeles», «sacerdotes bendiciendo la mesa» y «espíritus malignos», y muchos más. De un tercero, que era obra de un ciego, no sé si griego o indio Choctaw (no se puede pretender que me acuerde en detalle de cada insignificancia), extraje unos cincuenta versos que empezaban hablando de «la cólera de Aquiles», de «grasa» y otras cosas. De un cuarto, que, según recuerdo, era también obra de un ciego, elegí una o dos páginas llenas de «salves» y «santa luz»», y aunque me pregunto qué tiene un ciego que escribir acerca de la luz, de todos modos aquellos versos eran bastante buenos a su manera.

Luego que hube pasado en limpio los poemas, los firmé a todos «Oppodeldoc» (un hermoso, sonoro nombre) y, poniéndolos en sendos y bonitos sobres separados, los envié respectivamente a las cuatro principales revistas literarias, solicitando su rápida publicación y pronto pago. Pero el resultado de este bien concebido plan (cuyo éxito me hubiera evitado tantos disgustos en el futuro) sirvió para convencerme de que no es posible embaucar a ciertos directores, y dio el *coup de grâce* (como dicen en Francia) a mis nacientes esperanzas (como dicen en la ciudad de los trascendentales)[2].

La cuestión es que cada una de las revistas dio un terrible vapuleo a Mr. «Oppodeldoc» en sus «Respuestas Mensuales a los Colaboradores». El *Hum-Drum* lo hizo de la siguiente manera:

«*Oppodeldoc* (sea quien sea) nos ha enviado una larga tirada referente a un loco a quien llama "Ugolino", padre de muchos hijos que merecían una buena azotaina y que los mandaran a la cama sin cenar. El poema en cuestión es lamentablemente flojo, por no decir *chato.* Oppodeldoc (sea quien sea) carece por completo de imaginación, y la imaginación, según pensamos humildemente, no sólo es el alma de la POESÍA, sino su corazón. Oppodeldoc (sea quien sea) ha

2. Alusión a la escuela filosófica cuya primera figura era Emerson. *(N. del T.)*

tenido la audacia de exigirnos "rápida publicación y pronto pago" de su cháchara. Jamás publicamos ni adquirimos colaboraciones de esa estofa. No cabe duda, sin embargo, que le será muy fácil encontrar comprador para todos los disparates que garrapatee, en las redacciones del *Rowdy-Dow,* del *Lollipop* o del *Goosetherumfoodle*».

Preciso es reconocer que todo esto era sumamente severo para «Oppodeldoc», pero el rasgo más cruel consistía en la impresión de la palabra POESÍA con mayúsculas. ¡Qué mundo de amargura no está contenido en esas seis letras preeminentes!

Pero «Oppodeldoc» era castigado con igual severidad en el *Rowdy-Dow,* quien se expresaba así:

«Hemos recibido una muy singular e insolente comunicación de una persona que (sea quien sea) se firma "Oppodeldoc", profanando así la grandeza del ilustre emperador romano de ese nombre. Acompañando la carta de "Oppodeldoc" (sea quien sea) encontramos abundantes versos tan campanudos como repelentes e ininteligibles, que hablan de "ángeles y ministros bendicientes", y que sólo insanos como un Nat Lee[3] o un "Oppodeldoc" son capaces de perpetrar. Y por esta hojarasca de hojarascas se pretende que "paguemos prontamente". ¡No, señor, no! No pagamos cosas semejantes. Diríjase usted al *Hum-Drum,* al *Lollipop* o al *Goosetherumfoodle.* Dichos *periódicos* aceptarán sin duda alguna cualquier desperdicio literario que se le ocurra enviarles, y también sin duda alguna *prometerán* pagarlo.»

Esto era muy amargo, por cierto, para el pobre «Oppodeldoc», pero en este caso el peso de la sátira caía sobre el *Hum-Drum,* el *Lollipop y el Goosetherumfoodle,* a quienes se calificaba ácidamente de «periódicos» (y en itálicas, para colmo), cosa que debió de herirlos en pleno corazón.

Apenas menos salvaje se mostró el *Lollipop,* que se expresó en esta forma:

«Cierto individuo que se goza en hacerse llamar "Oppodeldoc" (¡a qué bajos usos se aplican a veces los nombres de los muertos ilustres!) nos ha hecho llegar cincuenta o sesenta versos que comienzan de esta manera:

La cólera de Aquiles, para Grecia calamitosa fuente
de innumerables males, etcétera, etcétera.

»Informamos respetuosamente a Oppodeldoc (sea quien sea) que no hay en nuestra casa un solo aprendiz que no componga cotidia-

3. Nathaniel Lee, dramaturgo inglés, 1653?-1692. Ni que decir que los versos son de «Nat» Lee. *(N. del T.)*

namente mejores *versos.* Los de Oppodeldoc no se pueden *escandir.* Oppodeldoc debería aprender a *contar.* Pero lo que va más allá de nuestra comprensión es cómo se le puede haber ocurrido la idea de que *nosotros* (¡nosotros, nada menos!) deshonraríamos nuestras páginas con sus inefables disparates. Semejantes garrapateos son apenas buenos para figurar en el *Hum-Drum,* el *Rowdy-Dow* y el *Goosetherumfoodle,* que no vacilan en publicar, como si fueran grandes novedades, los versos que todos sabíamos de niños. Y "Oppodeldoc" (sea quien sea) tiene el coraje de pretender que le paguemos sus ñoñerías. ¿No sabe acaso que ninguna paga sería suficiente para que publicáramos sus engendros?».

Mientras leía todo esto me iba sintiendo cada vez más pequeño y, cuando llegué a la parte donde el director se burlaba del poema calificándolo de *verso,* apenas sobrepasaba del nivel del suelo. En cuanto a «Oppodeldoc», comencé a sentir compasión por el pobre diablo. Pero el *Goosetherumfoodle* mostró aún menos piedad que el *Lollipop,* si ello era posible, al decir:

«Un lamentable poetastro que firma "Oppodeldoc" ha sido lo bastante tonto para imaginar que le publicaríamos y pagaríamos una rapsodia tan bombástica como incoherente que nos ha remitido, y que comienza con el siguiente verso más o menos inteligible:

¡Salve, santa luz! ¡Progenie del Cielo, primogénito!

»Decimos "más o menos inteligible"; pero Oppodeldoc (sea quien sea) tendrá la bondad de explicarnos cómo es posible que el granizo pueda ser una luz santa[4]. Siempre lo consideramos lluvia solidificada. ¿Nos informará, además, cómo la lluvia solidificada puede ser al mismo tiempo luz santa (sea lo que sea) y progenie? Pues, si algo sabemos de inglés, progenie sólo se usa apropiadamente al referirse a niños de unas seis semanas de edad. Pero sería ridículo seguir comentando esta absurdidad, pese a que "Oppodeldoc" (sea quien sea) tiene el cinismo incomparable de suponer que no solamente publicaremos sus ignorantes delirios, sino que además... ¡se los pagaremos!

»Esto es verdaderamente admirable. Estaríamos tentados de castigar al joven escritorzuelo por su egotismo, publicando sus efusiones *verbatim et literatim,* tal como las ha escrito. Ningún castigo podría ser más severo, y bien se lo infligiríamos, si no quisiéramos evitar el hastío consiguiente para nuestros lectores.

4. *Hail: granizo,* y también *salve* (sentido en que la usa Milton en este verso). *(N. del T.)*

»Que "Oppodeldoc" (sea quien sea) envíe sus futuras "composiciones" al *Hum-Drum,* al *Lollipop* o al *Rowdy-Dow.* Con toda seguridad se las publicarán. No hacen otra cosa en cada número que sacan. Sí, mejor es que se las envíe a ellos. NOSOTROS no nos dejamos insultar impunemente».

Esto acabó conmigo, y en cuanto al *Hum-Drum,* el *Rowdy-Dow* y el *Lollipop,* jamás pude comprender cómo sobrevivieron. Mencionarlos con los caracteres más pequeños, con miñonas (y ahí estaba la ofensa, al insinuar su inferioridad, su bajeza), mientras NOSOTROS aparecía mirándolos desde lo alto de sus mayúsculas... ¡oh, era demasiado duro! ¡Era ajenjo, era hiel! Si yo hubiera pertenecido a uno de aquellos periódicos no hubiera escatimado esfuerzo para llevar a los tribunales al *Goosetherumfoodle.* Habría podido basarme para ello en la ley destinada a «prevenir la crueldad contra los animales». En cuanto a Oppodeldoc (fuere quien fuese) ya había perdido la paciencia con respecto a él, y no le guardaba ninguna simpatía. Era indudablemente un estúpido (fuere quien fuese), y merecía todos los puntapiés que acababa de recibir.

El resultado de mi experimento con los viejos libros me convenció, en primer lugar, de que «la honestidad es la mejor política», y, en segundo, que si yo era incapaz de escribir mejor que Mr. Dante, los dos ciegos y el resto de la vieja camarilla, por lo menos me resultaría difícil escribir peor que ellos. Recobré el ánimo, pues, decidiéndome a lograr por fin algo «completamente original», como dicen en las cubiertas de las revistas, a costa de cualquier esfuerzo y estudio. Una vez más coloqué ante mis ojos como modelo las brillantes estrofas del «Aceite de Bob», escritas por el director del *Gad-fly,* y resolví fabricar una oda sobre el mismo sublime tema, rivalizando con la escrita.

Mi primer verso no me costó trabajo. Decía así:

Exaltar en una oda el «Aceite de Bob»...

Luego de revisar mi diccionario en procura de todas las rimas adecuadas para «Bob», me resultó imposible seguir adelante. Acudí entonces a la ayuda paterna y, después de varías horas de madura reflexión, mi padre y yo finalizamos el siguiente poema:

Exaltar en una oda el «Aceite de Bob»
Vale por todas las angustias de Job.

(Firmado) Snob

No hay duda de que esta composición no era muy extensa, pero aún «me queda por aprender», como dicen en el *Edinburgh Review,* que la mera extensión de una obra literaria tiene algo que ver con su mérito. En cuanto a las alabanzas que hace la *Quarterly* del «esfuerzo sostenido», me resulta imposible encontrarle el menor sentido. Por eso, todo bien considerado, quedé satisfecho con el éxito de mi virginal intento, y lo único que faltaba era decidir su destino. Mi padre sugirió que lo mandase al *Gad-fly,* pero dos razones me lo impedían: los celos del director y la seguridad de que no pagaba las colaboraciones. Por eso, luego de larga deliberación, remití mi poema a las más dignas columnas del *Lollipop* y esperé los resultados con ansiedad, pero con resignación.

En el número siguiente tuve el orgullo de ver mi poema impreso a dos columnas, como si fuera el editorial, precedido por las siguientes significativas palabras, en itálicas y entre corchetes:

[Señalamos a la atención de nuestros lectores las admirables estrofas que siguen acerca del «Aceite de Bob». No diremos nada de lo sublime de las mismas, ni de su pathos: imposible leerlas sin verter lágrimas. Aquellos que han padecido las tristes consecuencias de que la pluma de ganso del director del Gad-Fly osara profanar el mismo augusto tema, harán bien en comparar las dos composiciones.

P. S.- Nos consume la ansiedad por develar el misterio que envuelve el seudónimo «Snob» ¿Podemos esperar una entrevista personal?]

Todo esto era estrictamente justo, pero confieso que excedía lo que había esperado; lo reconozco, téngase bien en cuenta, para eterno deshonor de mi país y de la humanidad. De todas maneras no perdí tiempo en presentarme al director del *Lollipop,* y tuve la buena suerte de que dicho caballero se hallara en casa. Saludome con aire de profundo respeto, ligeramente teñido de paternal y protectora admiración, ocasionada sin duda por mi aire extremadamente joven e inexperto. Rogándome que tomara asiento, púsose a hablar inmediatamente sobre mi poema... pero la modestia me veda repetir los mil cumplidos que derramó sobre mí. Los elogios de Mr. Crab (pues tal era el nombre del director) no fueron sin embargo indiscriminados. Analizó mi composición con gran libertad y conocimiento, sin vacilar en señalarme algunos defectos insignificantes, circunstancia esta última que lo elevó grandemente en mi estima. Como es natural, el *Gad-fly* fue puesto sobre el tapete, y espero no verme jamás sometido a una crítica tan escudriñadora ni a reproches tan humillantes como los que Mr. Crab dejó caer sobre aquella desdichada publicación. Habíame acostumbrado a considerar al director del *Gad-fly* como a un ser sobrehumano, pero Mr. Crab no tardó en quitarme esa idea. Tanto el aspecto literario como el personal de la Mosca[5] –así calificaba satíricamente a su rival– fueron expuestos a su verdadera luz. La Mosca no valía nada. Había escrito cosas infames. Era un escritorzuelo de a un centavo la línea. Era un malvado. Había compuesto una tragedia que hizo morir de risa a todo el país, y una farsa que sumió el mundo en lágrimas. Fuera de esto, había tenido la imprudencia de publicar un panfleto contra él (Mr. Crab) y la temeridad de calificarlo de «asno». Si en cualquier momento deseaba yo expresar mi opinión sobre Mr. Mosca, las páginas del *Lollipop* quedaban ilimitadamente a mi disposición. En el ínterin, era seguro que el *Gad-fly* me atacaría por haberme animado a componer un poema rival sobre el «Aceite de Bob»; pero Mr. Crab tomaba a su cargo lo concerniente a mis intereses privados y personales. Y si yo no salía de todo aquello convertido en un hombre cabal, no sería culpa suya.

Habiendo hecho Mr. Crab una pausa en su discurso (cuya última parte me resultó imposible de comprender), me atreví a insinuar algo sobre la remuneración que creía merecer por mi poema, puesto que en la cubierta del *Lollipop* figuraba habitualmente una noticia según la cual la revista «insistía en que se le permitiera pagar precios exorbitantes por todas las colaboraciones aceptadas, gastando con frecuencia más dinero en un solo y breve poema que el costo anual combinado del *Hum-Drum*, el *Rowdy-Dow* y el *Goosetherumfoodle*».

Apenas hube mencionado la palabra «remuneración», Mr. Crab abrió mucho los ojos, todavía más la boca, llegando a adquirir la apariencia de un pato viejo extremadamente agitado en el momento de graznar. Quedóse así, llevándose una que otra vez las manos a la frente, como si pasara por una crisis de terrible desconcierto y no cambió de actitud hasta que hube terminado lo que tenía que decir.

Instantáneamente se hundió hasta lo más hondo de su asiento, como si le faltaran las fuerzas, mientras los brazos le colgaban inertes y su boca continuaba invariablemente abierta a la manera del pato. Mientras lo contemplaba mudo de estupefacción por una conducta tan alarmante, Mr. Crab saltó de pronto del asiento y corrió hacia la campanilla, pero cuando aferraba el cordón pareció cambiar de idea, pues se sumergió debajo de la mesa y volvió a aparecer con un garrote. Levantábalo ya (con finalidades que no podría explicar), cuando repentinamente se difundió en su rostro una benigna sonrisa, y volvió a sentarse plácidamente a mi lado.

5. *Gad-fly*, tábano; *fly*, mosca. *(N. del T.)*

–Señor Bob –dijo (pues yo había presentado mi tarjeta antes de aparecer en persona)– , supongo que es usted un hombre joven... *muy joven.*

Asentí, añadiendo que todavía no había completado mi tercer lustro.

–¡Ah, perfectamente! –exclamó–. Ya veo, ya veo... ¡no diga usted más! Con respecto a ese asunto de la remuneración, lo que ha dicho es muy justo... casi diría que demasiado. Pero... ejem... la *primera* colaboración... repito, la *primera...* ninguna revista tiene por costumbre pagarla, ¿comprende usted? Para decirle la verdad, en ese caso los *recipientes* somos nosotros. (Mr. Crab sonrió con blandura al enfatizar la palabra.) En la mayoría de los casos *se nos paga* para que publiquemos una primera composición... sobre todo si es en verso. En segundo lugar, señor Bob, la revista tiene por norma no desembolsar jamás lo que en Francia se denomina *argent comptant...* Supongo que me entiende usted. Tres o seis meses después de la publicación del artículo... o un año o dos más tarde... no tenemos inconvenientes en librar un pagaré a nueve meses; siempre, claro está, que podamos disponer nuestros negocios de manera de estar seguros de liquidarlo en seis. Espero sinceramente, señor Bob, que considerará usted satisfactoria esta explicación.

Mr. Crab guardó silencio con lágrimas en los ojos.

Herido en lo más hondo del alma por haber sido, aunque inocentemente, causante de un dolor a una persona tan sensible, me apresuré a pedirle disculpas, asegurándole que coincidía en todo con su punto de vista y que apreciaba perfectamente lo delicado de su situación. Y luego de manifestar todo esto en un discurso claro y conciso, me despedí de Mr. Crab.

Poco tiempo más tarde, una hermosa mañana «me desperté y supe que era famoso»[6]. La extensión de mi renombre podrá apreciarse mejor a través de las opiniones de los editoriales del día. Como se verá, dichas opiniones hallábanse incluidas en las reseñas críticas del número de *Lollipop,* donde había aparecido mi poema, y eran tan satisfactorias y concluyentes como diáfanas, con la excepción quizá de las marcas jeroglíficas *Sep. 15-1 t,* agregadas a cada una de dichas reseñas.

El *Owl,* diario de profunda sagacidad, y bien conocido por lo grave y ponderado de sus decisiones literarias, hablaba como sigue:

«¡El *Lollipop*! El número de octubre de esta deliciosa revista supera a los anteriores, desafiando toda competencia. En la belleza de su tipografía y su papel, en el número y excelencia de sus grabados

6. Lord Byron. *(N. del T.)*

al acero, así como en el mérito literario de sus colaboraciones, el *Lollipop* está tan por encima de sus lerdos rivales como Hiperión de un sátiro. Cierto es que el *Hum-Drum,* el *Rowdy-Dow* y el *Goosetherumfoodle* descuellan en fanfarronería; pero, para todo el resto, ¡que nos den el *Lollipop!* No llegamos a comprender, en verdad, cómo esta revista consigue subvenir a sus enormes gastos. Sabemos, eso sí, que tiene una circulación de 100 000 ejemplares, y que su lista de suscriptores ha aumentado en un cuarto a lo largo del mes pasado; pero, por otra parte, las sumas que desembolsa continuamente en pago de colaboraciones son inconcebibles. Se afirma que Mr. Slyass ha recibido no menos de treinta y siete centavos y medio por su inimitable artículo sobre "Cerdos". Con Mr. Crab en la dirección, y con colaboradores tales como Snob y Slyass, la palabra "fracaso" no existe para *Lollipop.* ¡*Suscríbase* usted! *Sep. 15-1 t»*

Debo confesar que me sentí muy contento con una reseña tan cordial proveniente de un periódico respetable como el *Owl.* Que mi nombre –es decir, mi *nom de guerre*– apareciera colocado antes que el del gran Slyass, me pareció un cumplido tan feliz como merecido.

De inmediato llamáronme la atención los siguientes párrafos del *Toad,* periódico altamente distinguido por su rectitud e independencia, y por prescindir de toda sicofancia y servilismo hacia los que ofrecen convites. Decía así:

«El *Lollipop* de octubre se pone a la cabeza de todos sus colegas, sobrepasándolos infinitamente por el esplendor de su presentación y la riqueza de su contenido. El *Hum-Drum,* el *Rowdy-Dow* y el *Goosetherumfoodle* se destacan, cabe reconocerlo, en la fanfarronería, pero en todo el resto que nos den el *Lollipop.* No llegamos a comprender, cómo esta revista consigue subvenir a sus enormes gastos. Es cierto que tiene una circulación de 200 000 ejemplares y que su lista de suscriptores ha aumentado en un tercio durante la última quincena; pero, por otra parte, las sumas que desembolsa mensualmente para el pago de colaboraciones son enormemente abultadas. Hemos oído decir que el señor Mumblethumb recibió no menos de cincuenta centavos por su reciente "Monodia en un charco de barro".

»Entre los colaboradores del presente número advertimos (aparte del eminente director Mr. Crab) a escritores como Snob, Slyass y Mumblethumb. Luego del editorial, lo más valioso nos parece una gema poética de Snob sobre el "Aceite de Bob"; pero nuestros lectores no deben suponer por el título de este incomparable *bijou* que tiene la menor similitud con ciertos garrapateos sobre el mismo tema, de los cuales es autor cierto despreciable individuo cuyo nombre no puede mencionarse ante personas delicadas. *Este* poema sobre el

"Aceite de Bob" ha provocado general curiosidad sobre el verdadero nombre de aquel que se oculta bajo el seudónimo de "Snob". Afortunadamente, estamos en condiciones de satisfacer dicha ansiedad. "Snob" es el *nom de plume* del señor Thingum Bob, de esta ciudad, pariente del gran Mr. Thingum (de quien deriva su nombre), y vinculado con las más ilustres familias del Estado. Su padre, Thomas Bob, Esq., es un opulento comerciante de Smug. *Sep. 15-1 t.*»

Esta generosa aprobación me tocó en lo más hondo, especialmente por emanar de una fuente tan reconocida, tan proverbialmente pura como el *Toad.* Consideré que la palabra «garrapateo», aplicada al «Aceite de Bob» del *Gad-fly,* era notablemente apropiada y punzante. Sin embargo, las palabras «gema» y *bijou* referidas a mi composición me parecieron un tanto débiles. Me daban la impresión de carecer de la fuerza suficiente. No estaban lo bastante *prononcés* (como decimos en Francia).

Apenas había terminado de leer el *Toad,* cuando un amigo me puso en la mano un ejemplar del *Mole,* diario que gozaba de gran reputación por la agudeza de su percepción de las cosas en general y el estilo abierto, honesto y elevado de sus editoriales. El *Mole* hablaba del *Lollipop* como sigue:

«Acabamos de recibir el *Lollipop* de octubre y debemos decir que jamás la lectura de una revista nos proporcionó una felicidad tan suprema. Hablamos con conocimiento de causa. El *Hum-Drum,* el *Rowdy-Dow* y el *Goosetherumfoodle* deberían cuidar sus laureles. Estos periódicos, sin duda alguna, sobrepujan a cualquiera en la vocinglería de sus pretensiones, pero para todo el resto que nos den el *Lollipop.* No llegamos a comprender, en verdad, cómo esta revista consigue subvenir a sus enormes gastos. Es cierto que tiene una circulación de 300 000 ejemplares y que su lista de suscriptores ha aumentado al doble en la última semana; pero, por otra parte, las sumas que desembolsa mensualmente para el pago de colaboraciones son asombrosamente crecidas. De buena fuente sabemos que Mr. Fatquack recibió no menos de sesenta y dos centavos y medio por su última narración familiar "El paño de cocina".

»Los colaboradores de este número son Mr. Crab (el eminente director), Snob, Mumblethumb, Fatquack y otros; pero, después de las inimitables composiciones del director, preferimos la efusión adamantina de la pluma de un poeta naciente que escribe con el seudónimo de "Snob", *nom de guerre* que, lo profetizamos, extinguirá algún día la radiación del de "Boz"[7]. Según hemos oído, "Snob" es el señor

7. «Boz», seudónimo de Charles Dickens. *(N. del T.)*

Thingum Bob, Esq., único heredero de un acaudalado comerciante de esta ciudad, Thomas Bob, Esq., y pariente cercano del distinguido Mr. Thingum. El título del admirable poema de Mr. Bob alude al "Aceite de Bob", y por cierto que se trata de un desdichado nombre, ya que un despreciable vagabundo relacionado con la prensa de un penique ha disgustado ya a la ciudad con sus garrapateos sobre el mismo tópico. No hay peligro, sin embargo, de que ambas composiciones puedan ser confundidas. *Sep. 15–1 t.*»

La generosa aprobación de un diario tan clarividente como el *Mole* colmó mi alma de satisfacción. Lo único que se me ocurrió objetar fue que los términos «despreciable vagabundo» podrían haber sido sustituidos ventajosamente por «odioso y despreciable villano, miserable y vagabundo». Pienso que esto hubiera sonado de manera más graciosa. «Adamantino», además, expresaba insuficientemente lo que sin duda alguna pensaba el *Mole* de la brillantez del «Aceite de Bob».

Aquella misma tarde en que leí las reseñas llegó a mis manos un ejemplar del *Daddy-Long-Legs,* periódico proverbial por la amplísima latitud de sus apreciaciones. En él encontré lo siguiente:

«*¡Lollipop!* Esta rutilante revista acaba de publicar su número de octubre. Toda cuestión de preeminencia queda definitivamente descartada, y de ahora en adelante sería completamente ridículo que el *Hum-Drum,* el *Rowdy-Dow* o el *Goosetherumfoodle* hicieran cualquier otro espasmódico esfuerzo por competir con ella. Dichas revistas podrán sobrepasar al *Lollipop* en vocinglería, pero en todo el resto que nos den el *Lollipop.* Cómo esta celebrada revista puede sostener sus gastos, evidentemente asombrosos, va más allá de nuestra comprensión. Es cierto que tiene una circulación de medio millón de ejemplares y que su lista de suscriptores ha aumentado en un setenta y cinco por ciento en los dos últimos días, pero las sumas que desembolsa mensualmente en concepto de pago a los colaboradores son de no creer; estamos enterados de que Mademoiselle Cribalittle recibió no menos de ochenta y siete centavos y medio por su último y valioso cuento revolucionario titulado "El saltamontes de la ciudad de York y el saltacolinas de Bunker Hill".

»Las contribuciones más valiosas al presente número son, claro está, las procedentes del director (el eminente Mr. Crab), pero hay además magníficas colaboraciones, tales como las de "Snob", Mademoiselle Cribalittle, Slyass, Mrs. Fibalittle, Mumblethumb, Mrs. Squibalittle y, finalmente, aunque no el último, Fatquack. Puede muy bien desafiarse al mundo entero a que produzca semejante galaxia de genios.

»El poema firmado por "Snob" está logrando elogios universales, pero es nuestro deber afirmar que merece todavía mayores aplausos de los que ha recibido. Esta obra maestra de elocuencia y de arte se titula "El Aceite de Bob". Uno o dos de nuestros lectores recordarán quizá, aunque con profundo desagrado, un poema (?) de igual título, perpetrado por un miserable escritorzuelo matón y pordiosero a la vez, que, según tenemos entendido, trabaja como pinche en uno de los indecentes periodicuchos de los arrabales; a esos lectores les pedimos encarecidamente que no confundan ambas composiciones. El autor del "Aceite de Bob", según tenemos entendido, es Mr. Thingum Bob, Esq., caballero de vastos talentos y profundos conocimientos. "Snob" es tan sólo un *nom de guerre. Sep. 15-1 t.»*

Apenas si pude contener mi indignación cuando llegué a la parte final de esta diatriba. Era claro como la luz que la manera entre dulce y amarga (por decir la gentileza) con que el *Daddy-Long-Legs* aludía a ese cerdo, el director del *Gad-Fly,* sólo podía nacer de su parcialidad hacia el mismo y de la clara intención de exaltar su reputación a expensas de la mía. Cualquiera podía darse cuenta con los ojos entornados de que si la verdadera intención del *Daddy* hubiese sido la que pretendía, hubiese podido expresarla perfectamente en términos más directos, más punzantes y muchísimo más apropiados. Las palabras «escritorzuelo», «pordiosero», «pinche» y «matón» eran epítetos tan intencionalmente inexpresivos y equívocos que resultaban peores que nada aplicados al autor de las estrofas más innobles escritas por un miembro de la raza humana. Todos sabemos muy bien lo que quiere decir «condenar con fingidos elogios»; pues bien, ¿quién podía dejar de advertir aquí el encubierto propósito del *Daddy*... vale decir glorificar mediante débiles insultos?

Pero lo que el *Daddy* había decidido decir a la Mosca no era asunto mío. En cambio sí lo era lo que decía de *mí.* Después de la nobilísima manera con que el *Owl,* el *Toad* y el *Mole* se habían expresado acerca de mis aptitudes, resultaba insoportable que un diarucho como el *Daddy-Long-Legs* se refiriera fríamente a mí calificándome tan sólo de «caballero de vastos talentos y profundos conocimientos». ¡Caballero! Instantáneamente me resolví a obtener excusas por escrito o llevar las cosas a otro terreno.

Imbuido de este propósito, busqué un amigo a quien pudiera confiar un mensaje para el director del *Daddy,* y como el director del *Lollipop* me había dado señaladas muestras de consideración, decidí solicitar su asistencia.

Jamás he llegado a explicarme de manera satisfactoria la muy extraña expresión y actitud con las cuales escuchó Mr. Crab la explicación de mis intenciones. Una vez más representó la escena del cordón de la campanilla y el garrote, sin omitir el pato. En un momento dado creí que iba realmente a graznar. Pero su acceso cedió como la vez anterior, y se puso a hablar y a obrar de manera racional. Rechazó, sin embargo, ser portador del desafío, y me disuadió de que lo enviara, aunque fue lo bastante sincero como para admitir que el *Daddy-Long-Legs* se había equivocado lamentablemente, sobre todo en lo referente a los epítetos «caballero» y de «profundos conocimientos».

Hacia el final de la entrevista, Mr. Crab, que parecía interesarse paternalmente por mí, sugirió que podría ganar honradamente algún dinero y al mismo tiempo aumentar mi reputación si de cuando en cuando hacía de Thomas Hawk para el *Lollipop*.

Supliqué a Mr. Crab que me dijera quién era Mr. Thomas Hawk y de qué manera tendría yo que hacer su papel.

Mr. Crab abrió mucho los ojos (como decimos en Alemania), pero luego, recobrándose de un profundo ataque de estupefacción, me aseguró que había empleado las palabras «Thomas Hawk» para evitar la baja forma familiar «Tommy», pero que la verdadera forma era Tommy Hawk, es decir, *tomahawk,* y que la expresión «hacer de tomahawk» significaba escalpar, intimidar y, en una palabra, moler a palos al rebaño de los autores del momento.

Aseguré a mi protector que si se trataba de eso estaba perfectamente decidido a hacer de Thomas Hawk. En vista de lo cual Mr. Crab me propuso liquidar inmediatamente al director del *Gad-fly* empleando el estilo más feroz que me fuera posible y dando la suma de mis posibilidades. Así lo hice sin perder un instante, escribiendo una reseña del «Aceite de Bob» (el original) que ocupaba treinta y seis páginas del *Lollipop.* Lo cierto es que hacer de Thomas Hawk me resultó una ocupación mucho menos pesada que la de poetizar, pues me confié completamente a un *sistema,* y la cosa resultó de una facilidad extraordinaria. He aquí cómo procedía. En un remate compré ejemplares baratos de los *Discursos* de Lord Brougham, las obras completas de *Cobbett,* el diccionario del nuevo *slang,* el *Arte de desairar, El aprendiz de insultos* (edición *infolio)* y *La lengua,* por Lewis G. Clarke. Procedí a cortar dichos volúmenes con una almohaza y luego, colocando las tiras en una sierra, separé cuidadosamente todo lo que podía considerarse como decente (apenas nada), reservando las frases duras, que arrojé a un gran pimentero de hojalata con agujeros longitudinales, por los cuales podía salir una frase entera sin que sufriera el menor daño. La mezcla quedaba entonces pronta para el uso. Cuando me tocaba hacer de Thomas Hawk untaba un pliego con clara de huevo de ganso; luego, desgarrando la obra que debía reseñar en la misma forma en que había desgarrado previamente los libros (sólo que con más cuidado, para que cada palabra quedase separada), arrojaba las tiras en la pimentera, donde se hallaban las otras, ajustaba la tapa, daba una sacudida al recipiente y dejaba caer la mezcla sobre el pliego engomado, donde no tardaba en pegarse. El efecto que lograba era bellísimo de contemplar. Era cautivante. Por cierto que las reseñas que obtuve mediante este simple expediente jamás han sido superadas y constituían el asombro del mundo. Al principio, a causa de mi timidez (fruto de la inexperiencia), me sentí algo desconcertado por cierta inconsistencia, cierto aire *bizarre* (como decimos en Francia) que presentaba la composición. No todas las frases *coincidían* (como decimos en anglosajón). Muchas eran sumamente sesgadas. Algunas estaban incluso patas arriba; y estas últimas sufrían siempre en su eficacia a causa de dicho accidente, con excepción de los párrafos de Mr. Lewis Clarke, los cuales eran tan vigorosos y robustos que no parecían perder nada por la posición en que quedaban, sino que producían el mismo efecto satisfactorio y feliz de cabeza o de pie.

Resulta un tanto difícil determinar lo que fue del director del *Gad-Fly* después de la publicación de mi crítica sobre el «Aceite de Bob». La conclusión más razonable es que lloró tanto que acabó por morirse. Sea como fuere, desapareció instantáneamente de la superficie terrestre y nadie ha vuelto a saber nada de él.

Cumplida satisfactoriamente esta tarea y aplacadas las furias, me convertí de golpe en el favorito de Mr. Crab. Me otorgó su confianza, me confirmó en mis funciones de Thomas Hawk del *Lollipop*, y como, por el momento, no podía pagarme sueldo, me permitió que usara a discreción de sus consejos.

–Querido Thingum –me dijo cierta noche después de cenar–. Respeto sus talentos y lo amo como a un hijo. Será usted mi heredero. Cuando muera, le dejaré el *Lollipop*. Entretanto, haré de usted un hombre... Lo prometo, siempre que siga mis consejos. La primera cosa que debe hacer es quitarse de encima al viejo cargoso.

–¿A quién? –pregunté.

–A su padre.

–¡Ah! Comprendo lo de cargoso, en efecto.

–Tiene usted que hacer fortuna, Thingum –continuó Mr. Crab–, y su padre es como una rueda de molino que lleva atada al cuello. Tenemos que cortarla inmediatamente.

Yo saqué el cuchillo.

–Debemos cortarla –agregó Mr. Crab– de una vez por todas y para siempre. Ese viejo es una molestia. Bien pensado, debería usted darle de puntapiés o de bastonazos, o algo por el estilo.

–¿Qué diría usted –sugerí modestamente– de darle primero los puntapiés, luego los bastonazos y terminar retorciéndole la nariz?

Mr. Crab me miró pensativamente unos instantes y luego contestó:

–Pienso, señor Bob, que lo que usted propone es precisamente lo que se requiere, y que está muy bien hasta cierto punto; pero los barberos son gentes difíciles de pelar, y por eso me parece que, después de cumplir con Thomas Bob las operaciones sugeridas, sería aconsejable que procediera a ponerle los ojos negros a puñetazos, de manera tan cuidadosa como completa, a fin de que no pueda volver a verlo a usted en los paseos de moda. Luego de esto, no creo que sea necesario nada más. De todos modos... bien podría revolearlo una o dos veces en el arroyo y confiarlo luego al cuidado de la policía. A la mañana siguiente bastará con que se presente a la comisaría y denuncie que se trata de un asalto.

Me sentí sumamente emocionado por los amables sentimientos hacia mi persona que se traslucían en el excelente consejo de Mr. Crab, y no dejé de llevarlo inmediatamente a la práctica. Como resultado del mismo, me libré del viejo cargoso y comencé a sentirme un tanto independiente y con aires de caballero. Lo malo era que la falta de dinero me afectó mucho las primeras semanas, pero después de haber aprendido a usar mis ojos descubrí cómo tenía que manejar la cosa. Nótese que digo «la cosa», pues estoy informado de que la palabra latina correspondiente es *rem.* Dicho sea de paso, y ya que hablamos de latín, ¿podría decirme alguien el significado de *quocumque* y el de *modo?*

Mi plan era extremadamente sencillo. Compré por menos de nada una decimosexta participación en la revista *The Snapping-Turtle.* Y eso fue todo. La cosa quedaba terminada así, y el dinero entraba en mi bolsillo. Cierto que hubo algunas cosillas insignificantes por hacer con posterioridad, pero no formaban parte del plan, sino que eran su consecuencia. Por ejemplo, compré pluma, tinta y papel y los puse en furiosa actividad. Habiendo completado un artículo en esta forma, lo titulé: *FOL LOL, por el autor de «Aceite de Bob»,* y la remití al *Goosetherumfoodle.* Pero, como esta revista lo declarara «disparate» en sus «Respuestas mensuales a los colaboradores», cambié el título del artículo por el de: *MANTANTIRULIRULÁ, por THINGUM BOB, Esq., autor de la Oda sobre el «Aceite de Bob» y director de* The Snapping-Turtle. Así enmendado, volví a enviarlo al *Goosetherumfoodle,* y mientras esperaba la respuesta publiqué diariamente en *The Snapping-Turtle* seis columnas de lo que cabe calificar de investigación filosófica y analítica de los méritos literarios del *Goosetherumfoodle,* así como de la persona de su director. Al final de la semana, el *Goosetherumfoodle* descubrió que, para su equivocación, había confundido un estúpido artículo titulado «Mantantirulirulá», compuesto por algún ignorante anónimo, con una gema de resplandeciente brillo que respondía al mismo título y que era obra de Thingum Bob, Esq., el celebrado autor del «Aceite de Bob». El *Goosetherumfoodle* lamentaba sinceramente «este muy natural accidente», y prometía que el verdadero «Mantantirulirulá» sería publicado en el número siguiente de la revista.

La verdad es que pensé, realmente *pensé,* lo pensé en el momento, lo pensé entonces y no tengo razón para pensar de otro modo ahora, que el *Goosetherumfoodle* se había equivocado de veras. Con las mejores intenciones del mundo, jamás he conocido nada capaz de tantas equivocaciones como esa revista. A partir de ese día empecé a tomarle simpatía, y el resultado fue que no tardé en comprender la profundidad de sus méritos literarios, y no dejé de explayarme sobre ellos en *The Snapping-Turtle,* toda vez que se me presentaba oportunidad. Y cabe considerar como una coincidencia muy peculiar, como una de esas muy *notables* coincidencias que hacen pensar seriamente a un hombre, que esa total modificación de mis opiniones, que ese completo *bouleversement* (como decimos en francés), que ese absoluto *trastocamiento (si* se me permite emplear este término más bien enérgico de los choctaws) entre mis opiniones, por una parte, y las *Goosetherumfoodle,* por la otra, volviera a producirse, a breve intervalo y en condiciones similares, entre el *Rowdy-Dow* y yo *y* entre el *Hum-Drum* y yo.

Fue así como, por un golpe maestro de genio, consumé finalmente mis triunfos llenándome los bolsillos de dinero, y así también como principió, según cabe afirmarlo verdadera y noblemente, esa brillante y fecunda carrera que me hizo ilustre y que hoy me permite decir con Chateaubriand: «He hecho historia» *(J'ai fait l'histoire).*

Sí, he hecho historia. Desde aquella radiante época que acabo de consignar, mis acciones y mi trabajo son propiedad del género humano. El mundo entero los conoce. Inútil me parece, pues, detallar cómo, remontándome rápidamente, me convertí en heredero del *Lollipop,* cómo uní esta revista con el *Hum-Drum* y cómo adquirí luego el *Rowdy-Dow,* combinando las tres publicaciones; cómo, finalmente, hice una oferta al único rival remanente y reuní toda la literatura de la región en una sola y magnífica revista, conocidas en todas partes con el nombre de *Rowdy-Dow, Lollipop, Hum-Drum y Goosetherumfoodle.*

Sí. He hecho historia. Mi fama es universal. Se extiende hasta los más alejados confines de la tierra. No puede usted abrir un periódico sin encontrar en él alguna alusión al inmortal THINGUM

BOB. Mr. Thingum Bob dijo esto, Mr. Thingum Bob escribió aquello y Mr. Thingum Bob hizo lo de más allá. Pero soy modesto y expiro con el corazón lleno de humildad. Después de todo, ¿qué es ese algo indescriptible que los hombres persisten en llamar «genio»? Coincido con Buffon y con Hogarth: no es más que *asiduidad*.

¡Contempladme! ¡Cuánto trabajé, cuánto bregué, cuánto escribí! ¡Oh dioses, lo que habré escrito! Siempre ignoré la palabra «facilidad». De día no me apartaba de mi mesa y de noche, pálido estudiante, veía consumirse la bujía. Deberíais haberme visto; sí, deberíais. Me inclinaba a la derecha. Me inclinaba a la izquierda. Me sentaba hacia adelante. Me sentaba hacia atrás. Me sentaba *tête baissée* (como dicen los kickapoos), acercando mi rostro a la página alabastrina. Y todo el tiempo *escribía*. A través de la alegría y del dolor, *escribía*. Con hambre y con sed, *escribía*. Fuera buena o mala mi reputación, *escribía*. Con luz del sol o luz de la luna, *escribía*. Inútil decir *qué* escribía. ¡El *estilo*... eso era todo! Lo tomé de Fatquack... ¡ejem, ejem!... y ahora mismo os estoy dando una muestra.

CÓMO ESCRIBIR UN ARTÍCULO A LA MANERA DEL *BLACKWOOD*

Comentario de Esther Cross

«Doy por supuesto que todo el mundo ha oído hablar de mí», dice Psyche Zenobia en el primer renglón del cuento. Por mi parte, como todos, doy por sentado que conozco los cuentos de Poe, pero hay sorpresas. «Cómo escribir un artículo a la manera del *Blackwood*» no es un típico cuento de Poe y, al mismo tiempo, quizá por eso, es un cuento típico de Poe. En el mundo de este escritor nada es tan simple y unívoco como en los artículos del Blackwood.

A la pregunta «Cómo escribir un artículo a la manera del *Blackwood*» se suman, en la cabeza del lector, otras preguntas. ¿Qué hay en el espacio que al parecer separa un buen texto de un texto vendedor? ¿Es un espacio vacío? ¿Es un espacio donde habitan textos tibios, textos de calidad mediana, con buenos temas pero mal escritos o bien escritos pero sin importancia? ¿En qué se diferencian –o parecen– la intensidad y la profundidad? ¿Es cierto que la no ficción es todo lo que puede corroborarse? En caso afirmativo, ¿qué es, entonces, la ficción? ¿Qué leemos cuando leemos? ¿Qué clase de lectores somos y qué clase de lectores creemos ser? ¿Qué libros merecemos?

Baudelaire dijo que Poe era un «cerebro singularmente solitario» y «Cómo escribir un artículo a la manera del *Blackwood*» es un cuento solitario entre los cuentos de Poe, es un cuento distinto, que dicta una poética en negativo, un manual de antiinstrucciones, un folleto de autoayuda para la autodestrucción. Sin humedades ni niebla, sin venganzas magistrales, sin animales poderosos como la culpa, sin agonías eternas ni casas que se incendian. Es un cuento solitario y eso no es una pena. Al contrario, «Cómo escribir un artículo a la manera del *Blackwood*» es una de las sátiras más graciosas que se hayan escrito.

Baudelaire también dijo que Poe es «el escritor de los nervios». En este cuento que explica cómo se escriben los textos que no queremos escribir, pero que compra todo el mundo, Poe también es un escritor de los nervios. No son los nervios crispados y más bien trágicos de las pasiones humanas, tan inhumanas. Son los nervios de una inteligencia hiperactiva, nervios que fomentan una risa contagiosa, apenas contenida, como tentada, inteligente, solitaria.

El escritor que sabía trabajar sobre el miedo, sobre la crueldad y la culpa, sobre el perdón y la venganza, podía bucear en el alma pero también era un observador agudo de su sociedad. Dentro de esa sociedad, el mundo de las personas que giran alrededor de la escritura no quedó a salvo.

La cabeza de Psyche Zenobia parece un mapa del mundo del *kitsch*, de la emoción provocada, del efecto especial y lo sublime a propósito. Si fuera música, sería uno de esos temas, en general protestantes, que oyen los despechados para poder llorar. Si fuera un paisaje, sería un cisne que nada en aguas de cartón. «Cómo escribir un artículo a la manera del *Blackwood*» describe a los escritores funcionales y complacientes de la mejor manera posible: mientras escriben. Como son obsecuentes con el mercado, siguen reglas que siempre son útiles: hay que provocar una experiencia –meterse en un lío– y contarla en el lenguaje de las *sensaciones*. La parte de lo que podríamos llamar «técnica del relleno» es de lo mejor. Una radiografía implacable.

En «Cómo escribir un artículo a la manera del *Blackwood*», Psyche Zenobia pronuncia algunas palabras –intensidad, profundidad–, y las repite tanto que al rato brillan por su ausencia. Son esos pases especiales de este cuento.

Los cerebros solitarios nunca pierden vigencia. «Cómo escribir un artículo a la manera del *Blackwood*» podría ser un cuento escrito ayer, hoy mismo. A mí me hace acordar al presente. Me hace acordar a algo que no me gusta pero también me hace sonreír. Es el cuento de un cerebro singular que habla de la literatura sin nombrarla. Por medio de una operación graciosa y formidable, nos recuerda que eso que llamamos literatura sigue siendo importante.

CÓMO ESCRIBIR UN ARTÍCULO A LA MANERA DEL *BLACKWOOD*

«En nombre del Profeta..., ¡higos!».
Pregón de los vendedores turcos de higos

Doy por supuesto que todo el mundo ha oído hablar de mí. Soy la Signora Psyche Zenobia. De ello no cabe la menor duda. Sólo mis enemigos son capaces de llamarme Suky Snobbs. He oído decir que Suky es una corrupción vulgar de Psyche, palabra del más excelente griego, que significa «el alma» (y así soy yo: toda alma), y a veces «mariposa», sentido este último que alude indudablemente a mi apariencia cuando luzco mi nuevo vestido de satén carmesí, con *mantelet* arábigo celeste, guarnición de *agraffas* verdes y los siete volantes del *auriculas* anaranjado. En cuanto a Snobbs, cualquiera que fije en mí sus ojos se dará instantáneamente cuenta de que no puedo llamarme Snobbs. Miss Tabitha Nabo difundió esa especie por pura envidia. ¡Nada menos que Tabitha Nabo! ¡La malvada intrigante! ¿Pero qué se puede esperar de un nabo? Me pregunto si alguna vez oyó el viejo adagio sobre «la sangre que sale de un nabo», etcétera. (Memorándum: Recordárselo en la primera oportunidad.) (Otro memorándum: Tirarle de la nariz.) ¿Dónde estaba? ¡Ah! Me han asegurado que Snobbs es una corrupción de Zenobia, y que Zenobia era una reina (como yo, pues el Dr. Moneypenny me llama siempre la Reina de Corazones); que tanto Zenobia como Psyche vienen del mejor griego, y que mi padre era «un griego»[1], por lo cual tengo derecho de usar nuestro patronímico, vale decir Zenobia y no Snobbs. Nadie fuera de Tabitha Nabo me llama Suky Snobbs. Yo soy la Signora Psyche Zenobia.

Como he dicho, todo el mundo ha oído hablar de mí. Soy la misma Signora Psyche Zenobia, tan justamente celebrada como secretaria

1. Zenobia no sabe que probablemente en este caso aluden a su padre como a un fullero. *(N. del T.)*

correspondiente de la *Philadelphia, Regular, Exchange, Tea, Total, Young, Belles, Lettres, Universal, Experimental, Bibliographical, Association, To, Civilize, Humanity.* El doctor Moneypenny es el autor de esta denominación, y dice que la eligió porque sonaba a grande como una pipa de ron vacía. (A veces este hombre es vulgar, pero siempre profundo.) Todos nosotros agregamos las iniciales de la sociedad a nuestros nombres, como lo hacen los miembros de la R. S. A. (Royal Society of Arts), o la S. D. U. K. (Society for the Diffusion of Useful Knowledge), etcétera. El doctor Moneypenny afirma de esta última que S. quiere decir «soso», y que D. U. K. se pronuncia como *duck,* pato (lo que no es cierto), y que, por tanto, la S. D. U. K. significa «el pato soso» y no la sociedad fundada por Lord Brougham. Pero el doctor Moneypenny es un hombre tan original que jamás sé si está diciendo la verdad. De todos modos, nosotros agregamos siempre a nuestros nombres las iniciales P. R. E. T. T. Y. B. L. U. E. B. A. T. C. H.[2], vale decir: *Philadelphia, Regular, Exchange, Tea, Total, Young, Belles, Lettres, Universal, Experimental, Bibliographical, Association, To, Civilize, Humanity;* como se verá, tenemos una letra para cada palabra, lo cual representa un gran adelanto sobre la sociedad de Lord Brougham. El doctor Moneypenny sostiene que esta sigla traduce nuestro verdadero carácter, pero realmente no sé lo que quiere dar a entender.

A pesar de los buenos oficios del doctor y las extenuantes tentativas de la asociación para alcanzar renombre, los resultados fueron nimios hasta el día en que me incorporé a ella. Digamos la verdad: los socios se complacían en discusiones llenas de petulancia. Los artículos que se leían los sábados por la tarde se caracterizaban por su bufonería y no por su profundidad. No era más que crema verbal batida. No se inventaban ni las primeras causas ni los primeros principios. No se investigaba nada. No se prestaba la menor atención al punto más importante: el «ajuste de todas las cosas». En resumen, no se escribía tan bellamente como lo hago yo. Todo era bajo, muy bajo. Ninguna profundidad, ninguna cultura, ninguna metafísica..., nada de lo que los sabios llaman espiritualidad y que los ignorantes prefieren estigmatizar con la denominación de «jerigonza».

Al incorporarme a la sociedad hice todo lo posible por sentar en ella un mejor estilo de pensamiento y de redacción, y el mundo sabe muy bien hasta qué punto lo logré. Producimos actualmente en el P. R. E. T. T. Y. B. L. U. E. B. A. T. C. H. artículos tan excelentes como los que podrían encontrarse en el *Blackwood.* Menciono el *Blackwood,*

2. O sea, «Bonita hornada de pedantes». *(N. del T.)*

pues me han asegurado que los mejores ensayos sobre cualquier tema deben buscarse en las páginas de tan justamente celebrado *magazine*. Lo hemos tomado por modelo en todo sentido y, como es natural, estamos conquistando rápida notoriedad. Al fin y al cabo no es tan difícil escribir un artículo que tenga la genuina estampa de los que se publican en el *Blackwood,* una vez que se ha aprendido la manera de hacerlo. Se entiende que no hablo de los artículos políticos. Todo el mundo sabe cómo se escriben desde que el Dr. Moneypenny nos lo explicó. El señor Blackwood tiene unas tijeras de sastre y tres aprendices que aguardan sus órdenes. Uno de ellos le alcanza el *Times,* otro el *Examiner,* y el tercero el *Nuevo compendio de insultos en «slang»*. El señor B. se limita a cortar de ahí y a mezclar. Todo eso se cumple en un momento, y no lleva más que *Examiner,* insultos en *slang* y *Times,* o bien *Times,* insultos en *slang* y *Examiner,* o bien *Times, Examiner* e insultos en *slang.*

Pero el mayor mérito de la revista reside en sus diversos artículos, y los mejores responden a lo que el Dr. Moneypenny llama las *bizarreries* (vaya una a saber lo que significa eso), pero que todo el mundo califica de artículos *intensos.* Hace mucho tiempo que he aprendido a apreciar esta clase de composiciones, aunque sólo en mi reciente visita a Mr. Blackwood (en calidad de delegada de la asociación) llegué a comprender exactamente el método que se sigue para escribirlas. Trátase de un método muy sencillo, aunque no tanto como el de los artículos políticos. Cuando me presenté ante Mr. Blackwood, expresándole los deseos de la sociedad, me recibió muy amablemente, llevome a su gabinete y procedió a explicarme con toda claridad el procedimiento aludido.

–Estimada señora –dijo, evidentemente impresionado por mi majestuosa apariencia, pues llevaba el vestido de satén carmesí con *agraffas* verdes y *auriculas* anaranjadas–, *estimada* señora, tenga la bondad de sentarse. La cuestión es la siguiente: en primer término, el escritor de *intensidades* debe procurarse una tinta muy negra y una gran pluma de tajo bien romo. Y, además, Miss Psyche Zenobia... ¡mucha atención! –agregó luego de una pausa, hablando con gran energía y solemnidad–, ¡mucha atención a lo que voy a decirle! *¡Dicha pluma... jamás... jamás debe ser afilada!* Ahí, señora, reside el secreto, el alma de la intensidad. Tomo la responsabilidad de afirmar que jamás un escritor ha producido un buen artículo con una buena pluma, por más grande que fuera su genio. Dé usted por sentado que cuando un manuscrito es legible jamás vale la pena leerlo. Tal es el principio conductor de nuestra fe, y si no asiente usted a él de inmediato, nuestra conferencia ha llegado a su término.

Hizo una pausa, pero como, naturalmente, yo no quería que nuestra conferencia llegara a su término, me manifesté de acuerdo con algo tan evidente y de cuya verdad no había tenido jamás la menor duda. Pareció complacido y continuó con sus instrucciones.

–Puede resultar odioso, Miss Psyche Zenobia, que la remita a un artículo o a una serie de ellos para que los tome por modelos, y, sin embargo, quisiera llamar su atención sobre algunos. Veamos. Está, por ejemplo, «El muerto vivo», que es algo extraordinario: la crónica de las sensaciones de un señor que fue enterrado antes de exhalar el último aliento; ahí tiene usted un tema lleno de sabor, espanto, sentimiento, metafísica y erudición. Juraría usted que el escritor nació y fue criado en un ataúd. Tenemos luego las «Confesiones de un tomador de opio». ¡Bello, hermosísimo! Imaginación extraordinaria, profunda filosofía, reflexiones agudas, muchísimo fuego y furor, y todo eso bien salpimentado de cosas ininteligibles. Le aseguro que su publicación fue una verdadera golosina, que resbaló deliciosamente por la garganta de los lectores. Todos sostenían que el autor era Coleridge, pero no era así. Lo compuso mi mandril preferido, «Junípero», ayudado por una gran copa de ginebra holandesa con agua, «caliente y sin azúcar». (Imposible me hubiese sido creer esto de no habérmelo asegurado el mismo Mr. Blackwood.) Tenemos luego «El experimentador involuntario», referente a un señor que se quedó encerrado en un horno de pan, del cual salió sano y salvo aunque chamuscado. Y está asimismo «El diario de un médico», cuyos méritos residen en el lenguaje campanudo y el mediocre griego que emplea, cosas ambas que entusiasman al público. Y también mencionemos «El hombre en la campana», un relato, estimada Miss Zenobia, que no puedo menos de recomendarle calurosamente. Trátase de un joven que se queda dormido debajo de una campana y despierta cuando esta se pone a tocar a difuntos. Los tañidos lo vuelven loco, y entonces, extrayendo papel y lápiz, nos da una crónica de sus sensaciones. Las sensaciones son después de todo lo que cuenta. Si alguna vez le ocurre a usted ahogarse o que la ahorquen, no se olvide de trazar un relato de sus sensaciones; le representará diez guineas por página. Si desea usted escribir con energía, Miss Zenobia, preste toda su atención a las sensaciones.

–Por supuesto que lo haré, Mr. Blackwood –dije.

–¡Muy bien! Veo que es usted una alumna como a mí me gustan. Pero ahora debo ponerla al tanto de los detalles necesarios para componer lo que podríamos denominar un genuino artículo a la manera del *Blackwood*, es decir, algo sensacional. Y no se extrañará usted si le digo que este tipo de composiciones me parece el mejor para cualquier fin.

»El primer requisito consiste en meterse en un lío como jamás se haya visto otro semejante. El horno, por ejemplo, era un tema excelente. Pero si no tiene usted ni horno ni campana a mano, y si no le resulta fácil caerse de un globo, ser tragada por un terremoto, o quedar encajada dentro de una chimenea, tendrá que contentarse con la simple imaginación de desventuras similares. De todos modos, yo preferiría que los hechos corroboraran su relato. Nada ayuda tanto a la fantasía como el conocimiento empírico de la cuestión de que se trata. «La verdad es más extraña que la ficción», como usted sabe, aparte de que viene más al caso.

En este punto le aseguré que disponía de un excelente par de ligas, y que me ahorcaría inmediatamente con ellas.

–¡Muy bien! –repuso–. Hágalo así, aunque ahorcarse ya está muy trillado. Quizá pueda encontrar algo mejor. Tome una dosis de las píldoras de Brandeth y descríbanos luego sus sensaciones. Sea como sea, mis instrucciones se aplicarán igualmente bien a cualquier clase de infortunio, y puede ocurrir que en el camino de vuelta a su casa le den un palo en la cabeza, la aplaste un ómnibus, la muerda un perro hidrófobo o se ahogue en una alcantarilla. Pero sigamos adelante.

»Una vez elegido el tema, corresponde considerar el tono o manera de su narración. Tenemos el tono didáctico, el tono entusiasta, el tono natural... pero todos ellos son bastante vulgares. Encontramos también el tono lacónico o cortante, que se emplea mucho en los últimos tiempos. Consiste en frases breves, algo así como: Imposible ser más breve. Ni más seco. Dos palabras y punto y aparte. Nunca párrafos largos.

»Tenernos luego el tono elevado, difusivo e interjeccional. Varios de nuestros mejores novelistas patrocinan este tono. Las palabras deben ser como un torbellino, como un trompo zumbador, y sonarán a la manera de este último, lo cual reemplaza ventajosamente el que no tengan ningún sentido. Cuando un escritor se halla demasiado apurado para detenerse a pensar, este es el mejor de todos los estilos.

»También el tono metafísico es excelente. Si conoce usted algunas palabras retumbantes, ha llegado el momento de emplearlas. Hable de las escuelas jónica y eleática, de Arquitas, Gorgias y Alcmeón. Diga algo sobre la objetividad y la subjetividad. No tenga miedo e insulte a un individuo llamado Locke. Mire desdeñosamente las cosas en general y, cuando se le escape alguna frase demasiado absurda, no se tome la molestia de borrarla; bastará con agregar una nota al pie, diciendo que debe dicha profunda observación a la *Kritik der reinen Vernunft* o a la *Metaphysische Anfangsgründe der Naturwissenschaft*. Esto parecerá erudito y... y franco.

»Hay varios otros tonos igualmente célebres, pero sólo mencionaré dos: el tono trascendental y el tono heterogéneo. En el primero, el mérito consiste en ver mucho más allá que cualquier otro en la naturaleza de las cosas. Esta doble vista es sumamente útil si se la maneja bien. La lectura del *Dial* la ayudará bastante para ello. Evite, en este caso, las grandes palabras; elíjalas lo más pequeñas posible y escríbalas al revés. Examine los poemas de Channing y cite lo que dice acerca de un «hombrecillo gordo con una engañosa exhibición de poder». Agregue alguna cosa sobre la Unidad Suprema. No diga una sola palabra sobre la Dualidad Infernal. Por sobre todo, estudie el arte de la insinuación. Aluda a todo, sin asegurar nada. Si se siente inclinada a escribir «pan con manteca», por nada del mundo se le ocurra decirlo así. Puede, en cambio, escribir cualquier cosa que se *aproxime* al pan con manteca. El pastel de alforfón, por ejemplo. O llegar al extremo de insinuar el *porridge* de avena; pero si su verdadero objeto es el pan con manteca, ¡tenga cuidado, mi querida Miss Psyche, y por nada del mundo vaya a escribir esas palabras!

Le aseguré que no las escribiría mientras viviera. Me besó, continuando luego así:

–Por lo que respecta al tono heterogéneo, consiste en una juiciosa mezcla de todos los otros tonos, en proporciones iguales, y, por tanto, incluye todo lo profundo, grande, extraño, picante, pertinente y bonito.

»Supongamos ahora que ha elegido los incidentes a narrar y el tono. Falta lo más importante, el alma del asunto: aludo al *relleno*. A nadie se le ocurre suponer que una dama, y aun un caballero, se pase la vida haciendo de ratón de bibliotecas. Y sin embargo es absolutamente necesario que su artículo tenga un aire de erudición, o que por lo menos proporcione pruebas de una vasta información general. Pues bien, le mostraré ahora la manera de conseguirlo. ¡Mire! (Y procedió a sacar tres o cuatro volúmenes de apariencia vulgar y abrirlos al azar.) Si echa una ojeada a cualquiera de estas páginas descubrirá al punto una multitud de fragmentos, ya sea de erudición o de fina espiritualidad, que constituyen lo esencial para salpimentar un artículo a la manera del *Blackwood*. Convendría que tome nota de unos cuantos a medida que se los leo. Haremos una doble división. Primero, *Hechos picantes para la fabricación de símiles,* y segundo, *Expresiones picantes a introducir según lo requiera la ocasión*. ¡Escriba usted!

Y así lo hice, mientras me dictaba:

–*Hechos picantes para símiles*. «Al principio sólo hubo tres musas: Melete, Mneme y Aœde: la Meditación, la Memoria y el Canto». Bien elaborado, este pequeño fragmento puede ser muy útil. Bien ve usted que no es muy sabido y que da la impresión de *recherché.* Tendrá que tener cuidado y presentarlo con un aire franco y natural.

»He aquí otro: «El río Alfeo pasaba por debajo del mar y volvía a salir sin que sus aguas hubieran perdido su pureza». Esto es un tanto añejo, pero si se lo aliña y se lo presenta debidamente parecerá tan fresco como nunca.

»He aquí algo mejor: «El iris de Persia tiene para algunas personas un perfume tal dulce como penetrante, mientras que para otras es completamente inodoro». ¡Muy bello y cuán delicado! Dele usted unas vueltas y logrará maravillas. Todavía nos quedan otras cosas en la sección botánica. Nada es tan útil, sobre todo con ayuda de una pizca de latín. ¡Escriba! «El *Epidendrum Flos aeris* de Java produce una hermosísima flor si se arranca la planta de raíz. Los nativos la cuelgan del techo con una soga y gozan durante años de su fragancia.» ¡Esto es magnífico! Pero basta ya de símiles. Pasemos a las *Expresiones picantes: «La venerable novela china Ju-Kiao-Li»*. ¡Excelente! Si intercala usted hábilmente estas pocas palabras, mostrará su íntimo conocimiento del lenguaje y la literatura china. Con esto podrá seguir adelante sin necesidad del árabe, el sánscrito o el chickasaw. Pero, en cambio, resulta imprescindible incluir el español, el italiano, el alemán, el latín y el griego. Le daré una pequeña muestra de cada uno. Cualquier fragmento servirá, ya que todo depende de su habilidad para insertarlo en el artículo. ¡Escriba! «*Aussi tendre que Zaire*», tan tierna como Zaira... en francés. Alude a la frecuente repetición de la frase *la tendre Zaire,* en la tragedia francesa de ese nombre. Bien ubicada, no sólo mostrará su conocimiento de dicho idioma, sino sus conocimientos generales y su ingenio. Puede usted decir, por ejemplo, que el pollo que estaba comiendo (escriba un artículo sobre cómo se ahogó con un hueso de pollo) no era de ninguna manera *aussi tendre que Zaire.* ¡Escriba!:

Ven, muerte, tan escondida
Que no te sienta venir
Porque el placer del morir
No me torne a dar la vida.

»Esto es español, y su autor, Miguel de Cervantes. Aproveche para deslizarlo en el momento en que exhala los últimos estertores del hueso de pollo. ¡Escriba!:

Il pover'uomo che non se n'era accorto
Andava combattendo ed era morto.

»Notará que se trata de italiano. Es obra del Ariosto. Quiere decir que un gran héroe no se había dado cuenta en el calor del combate de que ya lo habían matado y continuaba combatiendo valientemente. La aplicación de este fragmento a su propio caso cae de su peso, pues confío, Miss Psyche, que no dejará usted de seguir vivita y coleando por lo menos una hora y media después de haberse ahogado mortalmente con el hueso de pollo. ¡Escriba, por favor!:

Und sterb'ich doch, so sterb'ich denn
Durch sie - durch sie!

»Esto es alemán, y de Schiller. «Y si muero, por lo menos muero por ti... ¡por ti!» Está claro que aquí está usted apostrofando a la causa de su desastre, o sea, el pollo. Y la verdad es que me gustaría saber quién no estaría pronto a morir por un buen capón gordo de las Molucas, relleno de alcaparras y hongos, y servido en una ensaladera con jalea de naranja *en mosaïques.* ¡Escriba! (Por cierto, que los puede comer así en Tortoni.) ¡Escriba, por favor!

»He aquí una preciosa frasecita latina, sumamente rara (nunca se será lo bastante *recherché* en latín, pues se está volviendo tan vulgar...): *ignoratio elenchi.* Fulano ha cometido una *ignoratio elenchi,* es decir, que ha entendido las palabras de lo que usted decía, pero no la idea. Se entiende que a dicho personaje hay que presentarlo como a un tonto, un pobre diablo a quien se dirigió usted mientras se estaba ahogando con el hueso de pollo, y que no comprendió exactamente lo que usted quería decirle. Arrójele a la cara su *ignoratio elenchi* y con eso lo liquidará para siempre. Si se atreve a replicar, siempre puede decirle con Lucano (aquí está) que sus discursos son menos *anemonœ verborum,* palabras como anémonas. La anémona, a pesar de su brillo, no tiene olor. Y si se pone a bravuconear, derríbelo con *insomnia Jovis,* ensueños de Júpiter, frase que Silius Italicus (¡véalo aquí!) aplica a los pensamientos pomposos e hinchados. Esto lo herirá en lo más hondo del corazón. No le quedará más que morirse. ¿Quiere tener la amabilidad de escribir?

»En griego debemos elegir algo bonito, por ejemplo de Demóstenes. Ἀνερό φεύγων καὶ πάλύν μακέσεπαι *(Anero pheugon kai palin makesetai).* En Hudibrás hay una traducción pasable: «Pues el que huye puede volver a combatir mientras que no podrá hacerlo el que está muerto».

»En un artículo a la manera del *Blackwood,* nada presenta mejor aspecto que el griego. Hasta los caracteres tienen un aire de profundidad. ¡Observe, señora, el aire astuto de esa épsilon! ¡Y esa phi... realmente debería ser un obispo! ¿Se vio alguna vez un tipo tan listo como esa omicrón? ¡Y esa tau! En fin, que no hay como el griego para un artículo sensacionalista. En este caso, su aplicación es la cosa más evidente del mundo. Profiera la frase acompañada de un sólido juramento, a manera de ultimátum, contra el estúpido que no pudo comprender lo que le decía usted en inglés acerca del hueso del pollo. Ya verá cómo entiende la alusión y desaparece de inmediato.

Tales fueron las instrucciones que Mr. Blackwood pudo proporcionarme sobre el tópico en cuestión, pero comprendí que eran suficientes. Por fin me hallaba capacitada para escribir un genuino artículo a la manera del *Blackwood,* y me decidí a hacerlo de inmediato. Al despedirme, Mr. Blackwood me hizo una oferta por el artículo, pero como sólo podía ofrecerme cincuenta guineas por página me pareció mejor que quedara en el seno de nuestra sociedad en vez de sacrificarlo por suma tan mezquina. Empero, a pesar de su tacañería, Mr. Blackwood me mostró una alta consideración en todo sentido, tratándome de la manera más cortés. Sus palabras de despedida impresionaron profundamente mi corazón y espero recordarlas siempre con gratitud.

–Mi querida Miss Zenobia –díjome, con lágrimas en los ojos–, ¿puedo hacer algo para ayudar al buen éxito de su laudable empresa? ¡Permítame reflexionar! ¿No sería posible, por ejemplo, que se ahogara usted en seguida... o se atragantara con un hueso de pollo... o se ahorcara... o se hiciera morder por un...? ¡Ah, espere! Ahora que lo pienso, en el patio hay dos excelentes *bulldogs*... magníficos ejemplares, le aseguro... absolutamente salvajes... Justamente lo que usted necesita... Seguro que se la comerán con *auriculas* y todo en menos de cinco minutos... (Aquí está mi reloj.) ¡Piense en las sensaciones! ¡Pues bien... Tom... Peter...! ¡Dick, maldito villano... ! ¿Van a soltar de una vez a los...?

Pero, como yo tenía realmente mucha prisa y no podía perder un momento más, me vi obligada con mucha pena a apresurar mi partida y a marcharme *en el acto*... quizá algo más bruscamente de lo que la cortesía hubiera exigido en otras circunstancias.

Apenas me separé de Mr. Blackwood, mi objetivo inmediato consistió en seguir su consejo y meterme en alguna dificultad, para lo cual pasé la mayor parte del día dando vueltas por Edimburgo en busca de aventuras desesperadas... aventuras propias de la intensidad de mis sentimientos y bien adaptadas al amplio carácter del artículo que me proponía escribir. Me acompañaron en esta excursión Pompeyo, mi sirviente negro, y *Diana,* mi perrita, a quienes había traído conmigo desde Filadelfia. Pero sólo hacia el final de la tarde logré triunfar en mi ardua empresa. Y un importante evento tuvo lugar, que el próximo artículo a la manera del *Blackwood* (en tono heterogéneo) contendrá en sustancia y resultados.

UNA MALAVENTURA

Comentario de Antonio Ortuño

No puede dejarse de tener simpatía por la infeliz Signora Psyche Zenobia. Cómo hacerlo, si es una dama capaz de pasear con la mayor propiedad retórica por las calles de Edimburgo, del brazo de un leal enano negro y con una perrita retozona a sus pies. Cómo resistirse al repertorio de citas al que recurre, delirante y fársico, de autores elegidos con la mayor delicadeza posible (Cervantes, Ariosto, Demóstenes, Schiller). O a sus analogías, a la vez culteranas, entrañables y un poco imbéciles. En unos cuantos párrafos, la Signora Psyche Zenobia se convierte en una voz que no resultará fácil olvidar. En realidad, ¿para qué querríamos olvidar a la Signora? Sería tanto como cerrarle la puerta en la cara a nuestra propia madre.

Borges destaca el carácter innovador de Poe. No sólo inventó el cuento policial moderno y reinventó el de horror. También previó, así fuera a modo de sátira, la voz ingobernable que exigirían a los autores los personajes del futuro: su talante amoral, exagerado, verborreico. Príncipes Hamlet sin tragedia, o tan rebasados por la tragedia que sólo les resta reír, los mejores personajes de nuestros contemporáneos son descendientes todos de la Signora Psyche Zenobia.

Dos tradiciones principales convergen y fertilizan «Una malaventura»: por un lado el humor negro, que viene de Canterbury, el Decamerón y Voltaire y que será, en su variante de corto aliento, etiquetado para siempre por Villers como «cuento cruel». Por otro, la fina prosa disparatada, que recurre a la paradoja, la ironía y el sabio sinsentido, y que tan lejos llevarán Lewis Carroll y cierto Chesterton (y que vindicarán, menos divertidamente, algunas vanguardias del siglo XX).

Que poco nos importe el triste destino que Poe impuso a la Signora Psyche Zenobia: nos queda su voz, juguetona y doliente, nos quedan sus cuencas vacías y su hermosa cabeza, que comenzó a rodar por las calles de Edimburgo en el siglo XIX y no se ha detenido desde entonces.

UNA MALAVENTURA

Continuación del relato precedente

«Señora, ¿qué coyuntura os ha afligido así?».
COMUS

Era una tarde serena y silenciosa cuando eché a andar por la excelente ciudad de Edina[1]. Terribles eran la confusión y el movimiento en las calles. Los hombres hablaban. Las mujeres gritaban. Los niños se atragantaban. Los cerdos silbaban. Los carros resonaban. Los toros bramaban. Las vacas mugían. Los caballos relinchaban. Los gatos maullaban. Los perros bailaban. *¡Bailaban!* ¿Era posible? *¡Bailaban!* ¡Ay, pensé yo, mis tiempos de baile han pasado! Siempre es así. ¡Qué legión de melancólicos recuerdos despertará siempre en la mente del genio y en la contemplación imaginativa, especialmente la del genio condenado a la incesante, eterna, continua y, como cabría decir, *continuada*... sí, continuada y continuamente, amarga, angustiosa, perturbadora, y, si se me permite la expresión, la *muy* perturbadora influencia del sereno, divino, celestial, exaltador, elevador y purificador efecto de lo que cabe denominar la más envidiable, la más *verdaderamente* envidiable, ¡sí, la más benignamente hermosa!, la más deliciosamente etérea y, por así decirlo, la más *bonita* (si puedo usar una expresión tan audaz) de las cosas de este mundo! ¡Perdóname, gentil lector, pero me dejo arrastrar por mis sentimientos! En ese estado de ánimo, repito, ¡qué legión de recuerdos se remueven al menor impulso! ¡Los perros bailaban! ¡Y yo no podía bailar! ¡Retozaban... y yo sollozaba! ¡Brincaban... y yo gemía! ¡Conmovedoras circunstancias, que no dejarán de evocar en el recuerdo del lector clásico aquel exquisito pasaje sobre la justeza de las cosas que aparece al comienzo del tercer volumen de la admirable y venerable novela china *Yo-Ke-Sé!*

1. Nombre poético de Edimburgo. *(N. del T.)*

En mi solitario paseo por la ciudad me acompañaban dos humildes pero fieles amigos: *Diana,* mi perra de lanas, la más gentil de las criaturas... Caíale un gran mechón sobre un ojo y llevaba una cinta azul con un lazo a la moda en el cuello. *Diana* no medía más de cinco pulgadas de alto, pero su cabeza era algo más grande que el cuerpo, y su cola, que le habían cortado demasiado al ras, daba un aire de inocencia ofendida a aquel interesante animal y le ganaba las simpatías generales.

Y Pompeyo, mi negro. ¡Dulce Pompeyo! ¿Te olvidaré alguna vez? Iba yo del brazo de Pompeyo. Tenía tres pies de estatura (me gusta ser precisa) y entre setenta y ochenta años de edad. Tenía las piernas corvas y era corpulento. Su boca no podía considerarse pequeña, ni cortas sus orejas. Pero sus dientes eran como perlas, y deliciosamente puro el blanco de sus grandes ojos. La naturaleza no le había otorgado cuello, colocando sus tobillos (como es frecuente en dicha raza) hacia la mitad de la parte superior de los pies. Vestía con notable sencillez. Sus únicas ropas consistían en una faja de nueve pulgadas y un gabán casi nuevo, que había pertenecido anteriormente al apuesto, majestuoso e ilustre doctor Moneypenny. Era un excelente gabán. Estaba bien cortado. Estaba bien cosido. El gabán era casi nuevo. Pompeyo lo sostenía con ambas manos para que no juntara polvo.

Había tres personas en nuestro grupo y dos de ellas han sido ya motivo de comentario. Queda la tercera... y esa persona era yo misma. Soy la Signora Psyche Zenobia. No soy Suky Snobbs. Mi aspecto es imponente. En la memorable ocasión de que hablo, hallábame ataviada con un traje de satén carmesí, que tenía un *mantelet* arábigo de color celeste. Y el vestido tenía guarnición de *agraffas* verdes, y los siete volantes del *auricula,* anaranjados. Constituía yo así el tercer miembro del grupo. Estaba la perrita de aguas. Estaba Pompeyo. Estaba yo. Éramos *tres.* Así es como se dice que en el comienzo sólo había tres Furias: Melaza, Mema e Hiede: la Meditación, la Memoria y el Violín.

Apoyándome en el brazo del apuesto Pompeyo, y seguida a respetuosa distancia por *Diana,* recorrí una de las populosas y muy agradables calles de la ya desierta Edina. Repentinamente alzose ante mi vista una iglesia, una catedral gótica: vasta, venerable, con un alto campanario que subía a los cielos. ¿Qué locura se posesionó de mí? ¿Por qué me precipité hacia mi destino? Me sentí dominada por el incontrolable deseo de escalar el vertiginoso pináculo y contemplar desde allí la inmensa extensión de la ciudad. La puerta de la catedral mostrábase incitantemente abierta. Mi destino prevaleció. Entré bajo la ominosa arcada. ¿Dónde estaba en ese momento mi ángel guardián, si en verdad tales ángeles existen? *¡Sí!* ¡Angustioso monosílabo! ¡Qué mundo de misterio, y oscuro sentido, y duda, e incertidumbre envuelto en esas dos letras! ¡Entré bajo la ominosa arcada! Entré y, sin que mis *auriculas* anaranjadas sufrieran el menor daño, pasé el portal y emergí en el vestíbulo, tal como se afirma que el inmenso río Alfredo pasaba ileso y sin mojarse por debajo del mar.

Creí que la escalera no terminaría jamás. Girando y subiendo, girando y subiendo, girando y subiendo, llegó un momento en que no pude dejar de sospechar, al igual que el sagaz Pompeyo, en cuyo robusto brazo me apoyaba con toda la confianza de los afectos tempranos...; sí, no *pude* dejar de sospechar que el extremo de aquella escalera en espiral había sido suprimido accidentalmente o a propósito. Me detuve para recobrar el aliento; y en ese instante ocurrió un accidente tan importante desde un punto de vista y asimismo metafísico, que no puedo dejar de mencionarlo. Pareciome... aunque en realidad estaba segura... ¡no podía engañarme, no!... que *Diana,* cuyos movimientos había yo observado ansiosamente... y repito que no podía engañarme..., que *Diana había olido una rata.* Llamé inmediatamente la atención de Pompeyo sobre el hecho y estuvo de acuerdo conmigo. No quedaba, pues, ningún lugar a dudas. La rata había sido olida... por *Diana.* ¡Cielos! ¿Olvidaré jamás la intensa excitación de aquel momento? ¡La rata... estaba allí... estaba en alguna parte! ¡Y *Diana* la había olido! Mientras que yo... no. Así también se dice que el iris de Prusia tiene para ciertas personas un perfume tan dulce como penetrante, mientras que para otras es completamente inodoro.

La escalera había sido franqueada y sólo quedaban dos o tres peldaños entre nosotros y la cumbre. Seguimos subiendo, hasta que sólo faltaba un peldaño. ¡Un peldaño, un solo pequeño peldaño! Pero de un pequeño peldaño en la gran escalera de la vida humana, ¡qué vasta suma de felicidad o miseria depende! Pensé en mí misma, luego en Pompeyo, y luego en el misterioso e inexplicable destino que nos rodeaba. ¡Pensé en Pompeyo... ay, pensé en el amor! Pensé en los muchos pasos en falso que había dado y que volvería a dar. Resolví ser más cauta, más reservada. Solté el brazo de Pompeyo y, sin su ayuda, ascendí el peldaño faltante y gané el campanario. Mi perrita de aguas me siguió de inmediato. Sólo Pompeyo había quedado atrás. Acerqueme al nacimiento de la escalera y lo animé a que subiera. Tendió hacia mí la mano, pero infortunadamente se vio obligado a soltar el gabán que hasta entonces había sostenido firmemente. ¿Jamás cesarán los dioses su persecución? Caído está el gabán y uno de los pies de Pompeyo se enreda en el largo faldón que arrastra en la escalera. La consecuencia era inevitable: Pompeyo se tambaleó y cayó. Cayó hacia adelante y su maldita cabeza me golpeó en medio del... del pecho, precipitándome boca abajo, conjuntamente con él, sobre el duro, sucio y detestable piso del campanario. Pero mi venganza fue segura, repentina y completa. Aferrándolo furiosamente con ambas manos por la lanuda cabellera, le arranqué gran cantidad de negro, matoso y rizado elemento, que arrojé lejos de mí con todas las señales del desdén. Cayó entre las cuerdas del campanario y allí permaneció. Levantose Pompeyo sin decir palabra. Pero me miró lamentablemente con sus grandes ojos y... suspiró. ¡Oh, dioses... ese suspiro! ¡Cómo se hundió en mi corazón! ¡Y el cabello... la lana! De haber podido recogerla la hubiese bañado con mis lágrimas en prueba de arrepentimiento. Pero, ¡ay!, hallábase lejos de mi alcance. Y, mientras se balanceaba entre el cordaje de la campana, me pareció que estaba viva. Me pareció que se estremecía de indignación. Así es como el *epicentro Flos Aeris,* de Java, produce una hermosa flor cuando se la arranca de raíz. Los nativos la cuelgan del techo con una soga y gozan durante años de su fragancia.

Nuestra querella había terminado y buscamos una abertura por la cual contemplar la ciudad de Edina. No había ninguna ventana. La única luz admitida en aquella lúgubre cámara procedía de una abertura cuadrada, de un pie de diámetro, situada a unos siete pies de alto. Empero, ¿qué no emprenderá la energía del verdadero genio? Resolví encaramarme hasta el agujero. Gran cantidad de ruedas, engranajes y otras maquinarias de aire cabalístico aparecían junto al orificio, y a través del mismo pasaba un vástago de hierro procedente de la maquinaria. Entre los engranajes y la pared quedaba apenas espacio para mi cuerpo; pero estaba enérgicamente decidida a perseverar. Llamé a Pompeyo.

–¿Ves ese orificio, Pompeyo? Quiero mirar a través de él. Te pondrás exactamente debajo... así. Ahora, Pompeyo, estira una mano y déjame poner el pie en ella... así. Ahora la otra, Pompeyo, y en esta forma me treparé a tus hombros.

Hizo todo lo que le mandaba, y descubrí que, al enderezarme, podía pasar fácilmente la cabeza y el cuello por la abertura. El panorama era sublime. Nada podía ser más magnífico. Apenas si me detuve un instante para ordenar a *Diana* que se portara bien y asegurar a Pompeyo que sería considerada y que pesaría lo menos posible sobre sus hombros. Le dije que sería sumamente tierna para sus sentimientos... «ossí» *tendre que biftec.* Y, luego de cumplir así con mi fiel amigo, me entregué con gran vivacidad y entusiasmo a gozar de la escena que tan gentilmente se desplegaba ante mis ojos.

Empero, no me demoraré en este tema. No describiré la ciudad de Edimburgo. Todo el mundo ha ido a la ciudad de Edimburgo. Todo el mundo ha ido a Edimburgo, la clásica Edina. Me limitaré a los trascendentales detalles de mi lamentable aventura personal. Después de haber satisfecho en alguna medida mi curiosidad sobre la extensión, topografía y apariencia general de la ciudad, me quedó tiempo para observar la iglesia donde me hallaba y la delicada arquitectura del campanario. Noté que la abertura por la cual había sacado la cabeza era un orificio en la esfera de un gigantesco reloj y que, visto desde la calle, debía parecer el que se usa en los viejos relojes franceses para darles cuerda. Sin duda, su verdadero objeto era permitir que el encargado del reloj sacara por allí el brazo y ajustara las agujas desde adentro. Noté asimismo con sorpresa el inmenso tamaño de dichas agujas, la mayor de las cuales no tendría menos de diez pies de largo y ocho o nueve pulgadas de ancho en su parte más cercana a mí. Parecían de un acero muy sólido y sumamente afiladas. Luego de reparar en dichos detalles y otros más, dirigí nuevamente la mirada hacia el glorioso panorama que se extendía allá abajo, y pronto quedé absorta en contemplación.

Minutos más tarde me arrancó del mismo la voz de Pompeyo, declarando que no podía sostenerme más y pidiéndome que tuviera la gentileza de bajar. Esto me pareció poco razonable y así se lo dije mediante un discurso de cierta duración. Replicome con una evidente tergiversación de mis ideas al respecto. Enojeme en consecuencia y le dije lisa y llanamente que era un estúpido, que había cometido una *ignorancia del elenco,* que sus nociones eran meros *insomnios del jueves* y que sus palabras apenas valían más que *una mona verbosa.* Con esto pareció convencido y reanudé mi contemplación.

Habría pasado media hora de este altercado, cuando, absorta como me hallaba en el celestial escenario ofrecido a mis ojos, me sobresaltó la sensación de algo sumamente frío que se posaba suavemente en mi nuca. Inútil decir que me sentí sobremanera alarmada. Sabía que Pompeyo se hallaba bajo mis pies y que *Diana* seguía sentada sobre las patas traseras en un rincón del campanario, de acuerdo con mis instrucciones explícitas. ¿Qué podía entonces ser? ¡Ay, no tardé en descubrirlo! Girando suavemente a un lado la cabeza, percibí para mi extremo horror que el enorme, resplandeciente, cimitarresco minutero del reloj había descendido en el curso de su revolución horaria *hasta posarse en mi cuello.* Comprendí que no debía perder un segundo. Me eché hacia atrás... pero era demasiado tarde. Imposible pasar la cabeza por la boca de aquella terrible trampa en la que había caído tan desprevenidamente, y que se hacía más y más angosta con una rapidez demasiado horrenda para ser concebida. La agonía de aquellos instantes no puede imaginarse. Alcé las manos, luchando con todas mis fuerzas para levantar aquella pesadísima barra de hierro. Hubiera sido lo mismo tratar de alzar la catedral. Más, más y más bajaba, cada vez más cerca, más cerca. Grité para que Pompeyo me auxiliara, pero me contestó que había herido sus sentimientos al llamarlo un ignorante verboso. Clamé el nombre de *Diana,* que sólo me contestó «bow-bow-bow», agregando que le había mandado que no se saliera del rincón. No tenía, pues, que esperar socorro de mis compañeros.

Entretanto la pesada y terrífica *guadaña del tiempo* (pues ahora descubría el valor literal de la clásica frase) no se había detenido ni parecía dispuesta a hacerlo. Continuaba bajando más y más. Había ya hundido su filoso borde en mi cuello, penetrando más de una pulgada, y mis sensaciones se tornaron indistintas y confusas. En un momento dado me creí en Filadelfia, con el majestuoso Dr. Money penny, y en otro me vi en el estudio de Mr. Blackwood, recibiendo sus impagables instrucciones. Y luego me invadió el dulce recuerdo de tiempos pasados y mejores, y pensé en la época feliz, cuando el mundo no era un desierto, ni Pompeyo tan cruel.

El tic-tac de la máquina me divertía. Digo que *me divertía,* pues mis sensaciones bordeaban ahora la perfecta felicidad, y las más triviales circunstancias me proporcionaban vivo placer. El eterno tic-tac, tic-tac, tic-tac del reloj era la más melodiosa de las músicas en mis oídos y llegaba a recordarme las graciosas arengas y sermones del Dr. Ollapod. Y luego estaban los grandes números en la esfera del reloj... ¡Cuán inteligentes, cuán intelectuales parecían! Muy pronto empezaron a bailar una mazurca y me pareció que el número V era quien lo hacía más a mi gusto. No cabía duda de que era una dama bien educada. Nada de fanfarronería, nada de indelicado en sus movimientos. Hacía la pirueta admirablemente, girando como un torbellino sobre su eje. Me esforcé por alcanzarle una silla, pues parecía fatigada por el esfuerzo... y sólo entonces recobré la conciencia de mi lamentable situación. ¡Oh, cuán lamentable! La aguja se había introducido dos pulgadas más en mi cuello. Nació en mí una sensación de dolor exquisito. Rogué que la muerte llegara y en la agonía de aquel momento no pude impedirme repetir aquellos admirables versos del poeta Miguel de Cervantes:

Vanny Buren, tan escondida
Query no te senty venny
Pork and pleasure delly morry
Nommy, torny, darry, widdy!

Pero ya un nuevo horror se presentaba, capaz de conmover los nervios más templados. A causa de la cruel presión de la máquina, mis ojos se estaban saliendo de las órbitas. Mientras pensaba cómo podría arreglármelas sin su ayuda, uno de ellos saltó de mi cabeza y, rodando por el empinado frente del campanario, se alojó en un caño de desagüe que corría por el alero del edificio. La pérdida del ojo no fue tan terrible como el insolente aire de independencia y desprecio con que me siguió mirando cuando estuvo fuera. Allí estaba, en la canaleta, debajo de mis narices, y los aires que se daba hubieran sido ridículos de no resultar repugnantes. Jamás se vieron guiñadas y bizqueos semejantes. Esta conducta por parte de mi ojo en la canaleta no sólo era irritante por su manifiesta insolencia y vergonzosa ingratitud, sino que resultaba sumamente incómoda a causa de la simpatía siempre existente entre los dos ojos de la cara, por más alejados que se hallen uno del otro. Me veía, pues, obligada a guiñar y bizquear, me gustara o no, en exacta correspondencia con aquel objeto depravado que yacía debajo de mis narices. Pero pronto me alivió la caída de mi otro ojo, el cual siguió la dirección del primero (probablemente se habían puesto de acuerdo), y ambos desaparecieron por la canaleta, con gran alegría de mi parte.

La aguja del reloj se hallaba ahora cuatro pulgadas y media dentro de mi cuello y sólo quedaba por cortar un pedacito de piel. Mis sensaciones eran las de una perfecta felicidad, pues comprendía que en pocos minutos a lo sumo me vería libre de tan desagradable situación. Y no me vi defraudada en mi expectativa. Exactamente a las cinco y veinticinco de la tarde el pesado minutero avanzó lo suficiente en su terrible revolución para dividir el trocito de cuello faltante. No lamenté ver que mi cabeza, causa de tantas preocupaciones, terminaba por separarse completamente del cuerpo. Primero rodó por el frente del campanario, detúvose unos segundos en el caño de desagüe y, finalmente, se precipitó al medio de la calle.

Confieso honestamente que mis sentimientos eran ahora de lo más singulares; aún más, misteriosos, desconcertantes e incomprensibles. Mis sentidos estaban aquí y allá en el mismo momento. Con la cabeza imaginaba en un momento dado que yo, la cabeza, era la verdadera Signora Psyche Zenobia; pero en seguida me convencía de que yo, el cuerpo, era la persona antedicha. Para aclarar mis ideas al respecto tanteé en mi bolsillo buscando mi cajita de rapé, pero al encontrarla y tratar de llevarme una pizca de su grato contenido a la parte habitual de mi persona, advertí inmediatamente la falta de la misma y arrojé la caja a mi cabeza, la cual tomó un polvo con gran satisfacción y me dirigió una sonrisa de reconocimiento. Poco más tarde, se puso a hablarme, pero como me faltaban los oídos escuché muy mal lo que me decía. Alcancé a comprender lo suficiente, sin embargo, para darme cuenta de que la cabeza estaba sumamente extrañada de que yo deseara seguir viviendo bajo tales circunstancias. En sus frases finales citó las nobles palabras de Ariosto:

Il pover hommy che non sera corty
Andaba combattendo y erry morty,

comparándome así con el héroe que, en el calor del combate, no se daba cuenta de que ya estaba muerto y seguía luchando con inextinguible valor. Ya nada me impedía descender de mi elevación, y así lo hice. Jamás he podido saber qué vio *de particular* Pompeyo en mi apariencia. Abrió la boca de oreja a oreja y cerró los ojos como si quisiera partir nueces con los párpados. Finalmente, arrojando su gabán, dio un salto hasta la escalera y desapareció. Vociferé tras del villano aquellas vehementes palabras de Demóstenes:

Andrew O'Phlegethon, qué pálido que estás,

y me volví hacia la muy querida de mi corazón, la del único ojo a la vista, la lanudísima «Diana». ¡Ay! ¿Qué horrible visión me esperaba? ¿Vi realmente a una rata que se volvía a su cueva? ¿Y eran estos huesos los del desdichado angelillo, cruelmente devorado por el monstruo? ¡Oh dioses! ¡Qué contemplo! ¿Es *ese* el espíritu, la sombra, el fantasma de mi amada perrita, que diviso allí sentado en el rincón con melancólica gracia? ¡Escuchad, pues habla y, cielos... habla en el alemán de Schiller!:

Unt stubby duk, so stubby dun
Duk she! Duk she!

¡Ay! ¡Cuán verdaderas sus palabras!

Y si he muerto, al menos he muerto
Por ti... por ti.

¡Dulce criatura! ¡También ella se ha sacrificado por mí! Sin perra, sin negro, sin cabeza, ¿qué queda ahora de la infeliz Signora Psyche Zenobia? ¡Ay, *nada!* He terminado.

LOS LEONES

Comentario de Andrés Neuman

Los cuentos de Poe suelen asociarse a lo oscuro, terrible y aterrador, aunque la realidad es que escribió tantos o más textos cómicos y filosóficos. Igual que hay un Poe sesudo y erudito («La conversación de Eiros y Charmion», «El coloquio de Monos y Una») existe un Poe fresco, irónico y divertido que nos recuerda a Mark Twain. Puede decirse que ciertas piezas menores, como «Los leones», además de su encantador desenfado, desempeñan la importante misión de aliviar la imagen tenebrosa de Poe, haciéndole justicia a una variedad de la que el propio autor se declaraba orgulloso.

No hay leones en «Los leones». O sí: se trata de una fábula que, en lugar de humanizar la fauna animal, animaliza a la fauna humana, en general más tonta que salvaje. El cuento, sin duda ligero, probablemente escrito a vuelapluma, pero fluido y desternillante, acomete desde la primera línea una sátira sobre el prestigio social y el absurdo de sus ascensos y descensos. Los leones son esos: los arribistas, los ambiciosos sin talento. En el caso que nos ocupa, el mérito del protagonista consiste en poseer una nariz inmensa y un inagotable (¿deberíamos decir protuberante?) conocimiento del universo nasal. Imposible no estornudar de risa con el brillante segundo párrafo, que casi merecería ser el comienzo del cuento y que de hecho se deja leer como tal.

En el caso del lector en lengua española, no hace falta ser un prodigio de olfato para evocar el nombre de Francisco de Quevedo. No sólo por el eco célebre del soneto «érase un hombre a una nariz pegado, / érase una nariz superlativa...», sino sobre todo por el tono picaresco que el personaje da a su narración. Tono picaresco no al modo ágil del Lazarillo de Tormes o Tobias Smollett, sino más bien al modo elaborado de Quevedo o Sterne. Es decir, retorcidamente inteligente y con tendencia a intelectualizar la burla, a convertir una historia sencilla en un ejercicio cultural. Gracias a Usher, Poe nos evita con astucia un final moralizante. Y aunque los lectores comprendemos que el protagonista recibe alguna clase de lección, se hace difícil deducir cuál es exactamente esa lección: la conclusión de la última frase parece deliberadamente absurda, como si el cuento parodiase no solamente un tipo social, sino también un género literario.

Como suele ocurrir con esos señores que llamamos clásicos, el interés del texto no acaba aquí. A mitad del cuento, como quien no quiere la cosa, Poe va modulando el blanco inicial de su sátira hacia otros terrenos. Así asistimos al breve diálogo del protagonista con el pintor, que no por disparatado deja de ser una parodia de la originalidad y el genio en el arte. Y asistimos después al diálogo entre los sabios que acompañan al príncipe de Gales, «aquel pobre insignificante libertino», dando lugar a una suntuosa (hoy diríamos borgiana) burla filosófica. Burla que uno se ve tentado de leer como autoparodia, como el reverso cómico de los coloquios serios del propio Poe. Las digresiones de «Los leones», en suma, acaban metiendo las narices en todos los debates. Al fin y al cabo, como dice el protagonista, hasta la más solemne de las reflexiones suele esconder una misma y única intención: «Estaba yo. Hablé de mí. De mí, de mí, de mí. (...) Levanté la nariz y hablé de mí». Nos olemos que así es.

LOS LEONES

«... Y las gentes se fueron pisando sobre sus diez dedos,
llenas de asombro»
Sátiras del obispo HALL

Soy –vale decir fui– un gran hombre; no soy, sin embargo, ni el autor de *junius* ni el hombre de la máscara de hierro. Puede creérseme que mi nombre es Robert Jones y que nací en alguna parte de la ciudad de Fum-Fudge.

La primera acción de mi vida consistió en tomarme la nariz con ambas manos. Mi madre vio esto y me llamó genio; mi padre lloró de alegría, regalándome luego un tratado de Nasología. Me lo aprendí antes de usar los primeros pantalones.

Comencé a abrirme camino en esta ciencia y no tardé en comprender que si un hombre disponía de una nariz lo suficientemente conspicua le bastaría andar detrás de ella para llegar a convertirse en un «león» social. Pero no me limitaba a atender solamente a la teoría. Todas las mañanas aplicaba a mi proboscis un par de tirones y me enviaba al coleto media docena de tragos.

Cuando llegué a la mayoría de edad, mi padre me invitó cierto día a entrar en su despacho.

–Hijo mío –manifestó cuando nos hubimos sentado–. ¿Cuál es la finalidad esencial de tu existencia?

–Padre –contesté–, es el estudio de la Nasología.

–¿Y qué es la Nasología, Robert?

–La ciencia de las narices, señor –contesté, amostazado.

–¿Y puedes decirme cuál es el significado de una nariz?

–Una nariz, padre mío –dije, grandemente aplacado–, ha sido diversamente definida por unos mil autores diferentes. (Aquí saqué el reloj y lo consulté.) Es casi mediodía, es decir, que tendremos tiempo de mencionarlos a todos antes de medianoche. Comencemos, pues:

La nariz, según Bartolinus, es esa protuberancia, esa saliente, esa excrecencia, esa...

–Ya basta, Robert –me interrumpió aquel excelente caballero–. Me quedo estupefacto ante la extensión de tus conocimientos. Me pasmas, palabra de honor. (Aquí cerró los ojos y se llevó la mano al corazón.) ¡Acércate! (Aquí me tomó del brazo.) Tu educación puede considerarse como terminada... y es tiempo de que te arregles por tu cuenta. Nada mejor podrías hacer que limitarte a seguir a tu nariz... así... así... y así... (Aquí me echó a puntapiés escaleras abajo.) ¡Vete de mi casa, pues, y que Dios te bendiga!

Como sentía dentro de mí el divino *afflatus,* consideré este accidente más afortunado que otra cosa. Resolví guiarme por el consejo paterno. Decidí seguir a mi nariz. Le di uno o dos tirones y escribí al punto un folleto sobre Nasología.

Toda Fum-Fudge entró en conmoción.

–¡Genio maravilloso! –dijo el *Quarterly.*

–¡Fisiólogo soberbio! –dijo el *Westminster.*

–¡Un hombre inteligente! –dijo el *Foreign.*

–¡Magnífico escritor! –dijo *Edinburgh.*

–¡Pensador profundo! –dijo el *Dublin.*

–¡Grande hombre! –dijo el *Bentley.*

–¡Alma divina! –dijo el *Fraser.*

–¡Uno de los nuestros! –dijo el *Blackwood.*

–¿Quién podrá ser? –dijo la señora Marisabidilla.

–¿Quién podrá ser? –dijo la primera señorita Marisabidilla.

–¿Quién podrá ser? –dijo la segunda señorita Marisabidilla.

Pero yo no prestaba atención a esas gentes. Todo lo que hice fue entrar en el estudio de un artista.

La duquesa Fulana posaba para su retrato. El marqués Mengano se ocupaba del perrito de la duquesa. El conde de Zutano jugaba con sus Frasquitos de sales. Su Alteza Real Perengano inclinábase sobre la silla de la duquesa.

Acerqueme al artista y levantó la nariz.

–¡Oh, cuán hermosa! –suspiró su Gracia.

–¡Oh, rayos! –susurró el marqués.

–¡Oh, qué repugnante! –gruñó el conde.

–¡Oh, qué abominable! –bramó su Alteza Real.

–¿Cuánto quiere usted? –preguntó el artista.

–¡Por su *nariz!* –gritó su Gracia.

–Mil libras –dije, tomando asiento.

–¿Mil libras? –repitió el artista, pensativo.

–Mil libras –dije.

–¡Hermosa! –murmuró él, extático.

–Mil libras –dije.

–¿La garantiza usted? –preguntó, colocándola de modo que le diera la luz.

–La garantizo –contesté, soplando con fuerza por ella.

–¿Es *completamente* original? –inquirió, tocándola con reverencia.

–¡Hum! –dije, retorciéndola.

–¿No se han sacado copias de ella? –interrogó, examinándola con un microscopio.

–Ninguna –dije, alzándola.

–¡Admirable! –pronunció, tomado completamente de sorpresa ante la belleza de la maniobra.

–Mil libras –dije.

–¿*Mil* libras? –dijo él.

–Precisamente –dije.

–¿Mil *libras*? –dijo él.

–En efecto –dije.

–Las tendrá usted –declaró el artista–. ¡Qué pieza tan perfecta!

Me entregó un cheque de inmediato y se puso a dibujar mi nariz. Alquilé un departamento en la calle Jermyn y envié a Su Majestad la nonagesimonovena edición de mi *Nasología,* con un retrato de la proboscis. Aquel pobre insignificante libertino, el Príncipe de Gales, me invitó a cenar.

Todos éramos «leones» y *recherchés.*

Había un platónico moderno. Citó a Porfirio, a Yámblico, a Plotino, a Proclo, a Hierocles, a Máximo Tirio y a Siriano.

Había un defensor de la perfectibilidad humana. Citó a Turgot, a Price, a Priestley, a Condorcet, a De Staël y al «Estudiante Ambicioso de Mala Salud».

Estaba Sir Paradoja Positiva. Hizo notar que todos los locos eran filósofos, y que todos los filósofos eran locos.

Estaba Ético Estético. Habló del fuego, la unidad y los átomos; del alma bipartita y preexistente; de la afinidad y la discordia; de la inteligencia primitiva y las homeomerías.

Estaba Teología Teólogo. Habló de Eusebio y de Arrio; de la herejía y el concilio de Nicea, del puseyismo y el consustancialismo, del homousios y del homouioisios.

Estaba Fricassée del Rocher de Cancale. Mencionó el *muritón* de lengua roja, las coliflores con salsa *veloute,* la ternera *à la St. Menehoult,* la marinada *à la St. Florentin* y las jaleas de naranjas *en mosaiques.*

Estaba Bíbulo O'Barril. Se refirió al Latour y al Markbrünnen, al Mousseux y al Chambertin, al Richbourg y al St. George, al Haubrion, Leonville y Medoc, al Barac y al Preignac, al Grâve y al Sauternes, al Lafitte, al St. Peray. Meneó la cabeza ante el Clos de Vougeot, y, cerrando los ojos, nos dijo la diferencia que hay entre el jerez y el amontillado.

Estaba el Signor Tintontintino, de Florencia. Disertó sobre Cimabue, Arpino, Carpacio y Argostino, de la melancolía de Caravaggio, de la amenidad de Albano, de los colores de Tiziano, de las damas de Rubens y de las bufonadas de Jan Steen.

Estaba el Presidente de la Universidad de Fum-Fudge. Manifestó la opinión de que la luna se llama Bendis en Tracia, Bubastis en Egipto, Diana en Roma y Artemisa en Grecia.

Había un Gran Turco procedente de Estambul. No podía impedirse pensar que los ángeles eran caballos, gallos y otros; que alguien en el sexto cielo tenía setenta mil cabezas, y que la tierra estaba sostenida por una vaca color celeste, con incalculable cantidad de cuernos verdes.

Estaba Poligloto Delfino. Nos dijo lo que les había ocurrido a las ochenta y tres tragedias perdidas de Esquilo, a las cincuenta y cuatro oraciones de Iseo, a los trescientos noventa y un discursos de Lisias, a los ciento ochenta tratados de Teofrasto, al octavo libro del tratado de las secciones cónicas de Apolonio, a los himnos y ditirambos de Píndaro y a las cuarenta y cinco tragedias de Homero (hijo).

Estaban Ferdinando Fitz Feldespato Fósilus. Nos informó de todo lo concerniente a los fuegos internos y las formaciones terciarias; sobre aeriformes, fluidiformes y solidiformes; sobre cuarzo y marga, esquisto y turmalina; sobre yeso y roca trapeana, talco y cal, blenda y hornablenda; sobre la mica y la piedra pómez, la cianita y la lepidolita; sobre la hematita y la tremolita, el antimonio y la calcedonia; sobre el manganeso, y todo lo que usted quiera.

Estaba yo. Hablé de mí. De mí, de mí, de mí. De la Nasología, de mi folleto y de mí. Levanté la nariz y hablé de mí.

–¡Qué maravillosa inteligencia! –dijo el príncipe.

–¡Soberbia! –dijeron sus huéspedes. Y a la mañana siguiente recibí la visita de su Gracia la duquesa Fulana.

–¿Irá usted al Salón de Almack, encantadora criatura? –me dijo, dándome unos golpecitos en el mentón.

–Por mi honor... iré –dije.

–¿Con nariz y todo? –preguntó.

–Como que estoy vivo –dije.

–Pues bien, vida mía, aquí tiene mi tarjeta. ¿Puedo decir que *estará* usted presente?

–Querida duquesa, de todo corazón.

–¡Bah, no me interesa el corazón! Diga, más bien: «De toda nariz».

–Cada trocito de ella, amor mío –dije; y luego de retorcerme una o dos veces la nariz, me encontré en el Salón de Almack.

Las diversas estancias hallábanse colmadas hasta la sofocación.

–¡Ahí viene! –dijo alguien en la escalera.

–¡Ahí viene! –dijo otro algo más arriba.

–¡Ahí viene! –dijo un tercero, aún más lejos.

–¡Ha llegado! –exclamó la duquesa–. ¡Ha llegado el encantador amorcillo!

Y, tomando mis manos con fuerza, me besó tres veces en la nariz.

Siguió a esto una gran conmoción entre los presentes.

–*Diavolo!* –gritó el conde Capricornutti.

–¡Dios guarde! –murmuró Don Estilete.

–*Mille tonnerres!* –exclamó el príncipe de Grenouille.

–*Tousand Teufel!* –gruñó el elector de Bluddennuff.

Esto ya era intolerable. Me encolericé. Enfrenté a Bluddennuff.

–¡Caballero –le dije–, es usted un mandril!

–Caballero –repuso él, luego de una pausa–, *Donner und Blitzen!*

Con esto bastaba. Cambiamos tarjetas. A la mañana siguiente, en Chalk-Farm, le hice volar la nariz de un pistoletazo y luego me fui a visitar a mis amigos.

–*Bête!* –dijo el primero.

–¡Tonto! –dijo el segundo.

–¡Mastuerzo! –dijo el tercero.

–¡Asno! –dijo el cuarto.

–¡Badulaque! –dijo el quinto.

–¡Mentecato! –dijo el sexto.

–¡Fuera de aquí! –dijo el séptimo.

Todo esto me mortificó, y fui a visitar a mi padre.

–Padre –pregunté–. ¿Cuál es la finalidad esencial de mi existencia?

–Hijo mío –me contestó–, sigue siendo el estudio de la Nasología; pero, al herir al elector en la nariz, te has excedido lamentablemente. Tienes una hermosa nariz, es verdad; pero ahora Bluddennuff no tiene ninguna. Estás condenado, y él se ha convertido en el héroe del día. Doy fe de que en Fum-Fudge la grandeza de un «león» se halla proporcionada con el tamaño de su proboscis. Pero, ¡santo cielo!, no se puede competir con un león que no tiene absolutamente ninguna proboscis.

EL TIMO

Comentario de Ricardo Sumalavia

El día en que este cuento fue publicado por primera vez, el 14 de octubre de 1843, en el *Saturday Courier* de Filadelfia, E. A. Poe había tomado un desayuno ligero en compañía de su suegra María Clemm. Su jovencísima y ya tuberculosa esposa, Virginia, retardaba sus movimientos a causa de la fatiga y prefería reposar un poco más dentro de su recámara. Edgar, a pesar del aspecto agrio y masculino de su suegra, trató de sonreírle. Al fin había algo de dinero en casa. Los cien dólares de premio que había ganado por el cuento «El escarabajo de oro» trataban de borrar las anteriores decepciones de ese año. Atrás dejaba el frustrado proyecto de crear su propia revista, *The Stylus*, y el calamitoso intento de obtener los favores del hijo presidente Tyler para conseguir un puesto de inspector de aduanas y así asegurar su vida económicamente. En ambos propósitos, su dipsomanía había colaborado para echar a perder todo. Pero ahora se daba un breve cambio en su vida. Un poco de dinero ingresaba por las reediciones del cuento premiado, iniciaría ciclos de lecturas y conferencias y su notoriedad se tornaba evidente. Tenía treinta y cuatro años y creía, como lo creyó tantas otras veces, que al fin los problemas financieros se resolverían. Quizás por esta razón se animó a entregar este cuento a la revista. Según sus estudiosos y biógrafos «El timo (Considerado como una de las ciencias exactas)» fue escrito en los primeros años de la década de los treinta, mientras vivía en Baltimore. ¿Por qué esta entrega tardía? A lo mejor porque era el mejor momento para la sátira de aquel hombre cuya naturaleza es el timo, el engaño por unas monedas o escasos billetes. Cuando lo escribió, el acaudalado padre adoptivo de E. A. Poe se había opuesto a continuar pagando sus deudas de juego, las cuales llegaron a ascender a dos mil dólares. Era natural entonces que Edgar tuviera presente el tema del dinero y elucubrara todas las posibilidades de obtenerlo; concebir artificios, ilusiones breves en el resto de las personas y despojarlas de parte de sus riquezas. Este cuento, publicado casi diez años después de su escritura, además de leerse como una sátira, podría ser también una suerte de arte poética, de las que empezaría a ofrecer ese año en sus conferencias. Me refiero a ver el cuento como un timo, un engaño para el cual se requiere de muchas habilidades, técnicas, perseverancia, ingenio; en fin, talento. Y es probable que algunos lectores no consideren este texto como un cuento, no según el modelo desarrollado por otros escritos por este autor, los fantásticos o policiales; sin embargo, es un timo que le valió un buen desayuno a E. A. Poe.

EL TIMO
(Considerado como una de las ciencias exactas)

«Hey diddle diddle.
The cat and the fiddle».

Desde que el mundo empezó ha habido dos Jeremías. Uno de ellos escribió una jeremiada sobre la usura, y se llamaba Jeremías Bentham. Fue sumamente admirado por Mr. John Neal, y era un gran hombre en pequeña escala. El otro dio nombre a la más importante de las ciencias exactas y era un gran hombre en gran escala; bien puedo agregar que en la mayor de las escalas.

El timo –o la idea abstracta contenida en el verbo *timar*– es cosa bien conocida. El hecho, sin embargo, la cosa en sí, *el timo,* no se define fácilmente. Podemos llegar a tener, sin embargo, una concepción aceptable del asunto, si definimos, no la cosa en sí, el timo, sino al hombre como un animal que tima. Si Platón hubiera dado con esto, se hubiera ahorrado la afrenta del pollo desplumado.

A Platón le preguntaron, muy pertinentemente, por qué un pollo desplumado, que respondía perfectamente a la condición de «bípedo implume», no entraba en su definición del hombre. Pero a mí no vendrán a importunarme con preguntas parecidas. El hombre es un animal que tima y, fuera de él, no existe ningún animal que lo haga. Para invalidar esta afirmación haría falta todo un gallinero de pollos pelados.

Aquello que constituye la esencia, el núcleo, el principio del timo, sólo se encuentra en esa clase de criaturas que visten chaquetas y pantalones. Un cuervo roba, un zorro engaña, una comadreja triunfa por el ingenio, un hombre tima. Su destino es el timo. «El hombre fue hecho para lamentarse», afirma el poeta. Pero no es así: fue hecho para timar. Tal es su ambición, su objeto, su *fin.* Y por eso cuando a un hombre le han hecho un timo decimos que está «acabado».

Bien considerado, el timo es un compuesto cuyos ingredientes consisten en la pequeñez, el interés, la perseverancia, el ingenio, la audacia, la *nonchalance,* la originalidad, la impertinencia y la risita socarrona.

Pequeñez.– Nuestro timador practica sus operaciones en pequeña escala. Su negocio reside en la venta al por menor, en efectivo o con pagaré a la vista. Si alguna vez se deja tentar por especulaciones de gran vuelo, inmediatamente pierde sus rasgos distintivos y se convierte en lo que denominamos «financiero». Este último término contiene la noción del timo en todos sus aspectos mencionados, salvo la pequeñez. Por eso un timador puede ser considerado como un banquero en potencia, y una «operación financiera», como un timo en Brobdingnag[1]. El uno es al otro como Homero a «Flaccus», como un mastodonte a un ratón, como la cola de un cometa a la de un cerdo.

Interés.– Nuestro timador se guía por el interés. No le atrae el timo por el timo mismo. Tiene una finalidad a la vista: su bolsillo... y el tuyo. Busca siempre la oportunidad mayor. Sólo vela por el Número Uno. Tú eres el Número Dos, y debes velar por ti mismo.

Perseverancia.– Nuestro timador persevera. No se descorazona fácilmente. Aunque quiebren los bancos, no se preocupa. Continúa tranquilamente con su negocio, y

Ut canis a corio numquam absterrebitur uncto,

y así procede él con lo suyo.

Ingenio.– Nuestro timador es audaz. Es hombre osado. Traslada la guerra al África. Todo lo conquista por asalto. No temería los puñales de Frey Herren. Con un poco más de prudencia, Dick Turpin hubiera sido un buen timador; Daniel O'Connell, con un poco menos de adulaciones, y Carlos XII, con una pizca más de cerebro.

Nonchalance.– Nuestro timador es displicente. No se pone nunca nervioso. Nunca tuvo nervios. Imposible hacerle perder la calma. Jamás se lo sacará de sus casillas; lo más que puede hacerse es sacarlo de la casa. Es frío, frío como un pepino. Es tranquilo, «como una sonrisa de Lady Bury». Es blando y accesible, como un guante viejo o las damiselas de la antigua Baia.

Originalidad.– Nuestro timador es original, y lo es deliberadamente. Sus pensamientos le pertenecen. Le parecería despreciable hacer uso de los ajenos. Rechaza todo timo gastado. Estoy seguro de

1. País imaginario de los *Viajes de Gulliver,* de Jonathan Swift, donde las cosas existen en una escala colosal. *(N. del T.)*

que devolvería una cartera si se diese cuenta de que la había obtenido mediante un timo sin originalidad.

Impertinencia.– Nuestro timador es impertinente. Fanfarronea. Pone los brazos en jarras. Mete las manos en los bolsillos del pantalón. Se ríe irónicamente en nuestra cara. Nos pisa los callos. Nos come la cena, se bebe nuestro vino, nos pide dinero prestado, nos tira de la nariz, da de puntapiés a nuestro perro y besa a nuestra mujer.

Risita socarrona.– Nuestro *verdadero* timador hace el balance final con una risita socarrona. Pero sólo él es testigo de ella. Sonríe cuando el trabajo cotidiano ha terminado, cuando las labores han llegado a su fin; de noche, en su despacho, y para su entretenimiento privado. Va a su casa. Cierra la puerta. Se desnuda. Sopla la vela. Se acuesta. Apoya la cabeza en la almohada. Y, hecho esto, nuestro timador *sonríe*. No se trata de una hipótesis. Es así, es elemental. Razono a priori, y un timador no lo sería sin la risita socarrona.

El origen del timo se remonta a la infancia de la raza humana. Quizá el primer timador fue Adán. De todos modos, podemos seguir las huellas hasta una antigüedad muy remota. Los modernos, empero, han llevado el timo a una imperfección que jamás soñaron los cabezaduras de nuestros progenitores. Por eso, sin detenerme a hablar de los viejos timadores, me contentaré con un compendio de «ejemplos» modernos.

He aquí un excelente timo: En busca de un sofá, una señora recorre sucesivamente varias mueblerías. Llega finalmente a una que ofrece un variado surtido. La detiene en la puerta un locuaz caballero, quien la invita a entrar. No tarda la dama en descubrir un sofá que se adapta perfectamente a sus deseos, y al preguntar su precio se entera con gran placer de que cuesta un veinte por ciento menos de lo que esperaba. Como es natural, se apresura a finiquitar la compra, recibe una factura con recibo y deja su dirección con encargo de que el mueble le sea remitido lo antes posible, retirándose entre una profusión de inclinaciones y cortesías del vendedor. Llega la noche, pero no el sofá. Pasa el día siguiente, y nada. La dama envía a su criada para que averigüe lo que ocurre. En la mueblería niegan que se haya hecho tal compra. No se ha vendido ningún sofá ni se ha recibido ningún dinero; quien lo recibió es el timador, que ha sustituido diestramente al verdadero vendedor.

Nuestras mueblerías están siempre desatendidas y proporcionan en esta forma todas las facilidades para una triquiñuela semejante. Los visitantes entran, miran los muebles y vuelven a salir sin que nadie los vea ni los atienda. Si alguien desea comprar un artículo, hay una campanilla al alcance de la mano, la cual se considera harto suficiente.

He aquí otro respetable timo: Un señor bien vestido entra en un negocio, compra por valor de un dólar y descubre con gran mortificación que se ha dejado la cartera en otra chaqueta. Dice entonces al tendero:

–¡No se preocupe, señor mío! Le pido simplemente que tenga la gentileza de mandar el paquete a casa. ¡Un momento! Ahora que recuerdo, tampoco hay en casa billetes por debajo de cinco dólares. De todas maneras, junto con el paquete puede usted mandar cuatro dólares de vuelto.

–Muy bien, señor –replica el tendero, que se ha formado de inmediato una alta idea de su cliente. «Conozco individuos –piensa– que se habrían echado el paquete al brazo, prometiendo volver a pagar cuando pasaran otra vez por aquí.»

De inmediato despacha a un mandadero con el paquete y el vuelto. En el camino, casualmente, se encuentra este con el cliente, quien exclama:

–¡Ah, mi paquete! Creí que lo habrían mandado a casa hace rato. Bueno, vete. Mi esposa, Mrs. Trotter, te dará los cinco dólares, pues ya está enterada. Mejor es que me des el vuelto *a mí*, pues necesito algo de cambio para el correo. ¡Perfecto! Uno, dos... ¿es buena esta moneda? Tres, cuatro... ¡muy bien! Di a Mrs. Trotter que te encontraste conmigo, y no pierdas tiempo por la calle.

El chico no pierde tiempo... pero tarda muchísimo en regresar a la tienda, pues le resulta imposible encontrar a ninguna señora que responda al nombre de Mrs. Trotter. Se consuela, empero, pensando que no ha sido tan tonto como para dejar la mercadería sin recibir dinero en cambio, y cuando aparece en el negocio con aire satisfecho se queda muy perplejo e indignado al preguntarle su amo qué ha hecho con el vuelto...

He aquí un timo muy sencillo: Una persona con aire de funcionario presenta al capitán de un buque que se dispone a zarpar una factura sumamente módica de gastos portuarios. Contento de tener que pagar tan poco, y atareado con las mil obligaciones que lo asedian en ese momento, el capitán paga la nota sin tardar. Quince minutos después le llega otra factura, mucho más razonable, y la persona que se la entrega no tarda en convencerlo de que el primer funcionario era un timador.

El siguiente timo es parecido: Un vapor suelta amarras y está a punto de separarse del muelle. Un viajero, con el abrigo al brazo, corre presuroso para no perder el barco. De pronto se detiene, se agacha y recoge algo del suelo con evidentes muestras de agitación.

–¿Alguno de los presentes ha perdido una cartera? –grita.

Nadie puede contestarle, pero al subir a bordo se produce un gran revuelo, pues no tarda en verse que la cartera contiene una gruesa suma. Empero, el barco no puede demorar su salida.

–El tiempo y la marea no esperan a nadie –dice el capitán.

–¡Por favor, esperemos un momento! –exclama el que ha encontrado la cartera–. ¡Sin duda, no tardará en presentarse el dueño!

–¡Imposible! –responde autoritariamente el capitán–. ¡Fuera la planchada!

–¿Qué voy a hacer? –pregunta el viajero, lleno de tribulación–. Me alejo del país por muchos años y mi conciencia me impide partir llevándome esta suma que no me pertenece. ¡Perdone usted, señor –agrega, dirigiéndose a un caballero que ha quedado en el muelle–, pero su aspecto me parece el de una persona honesta! ¿Tendría usted la gentileza de hacerse cargo de esta cartera? Estoy seguro de que puedo confiar en usted y que no dejará de publicar un anuncio del hallazgo. La suma que hay en la cartera es muy considerable. No hay duda de que el dueño insistirá en ofrecerle una recompensa por su honradez...

–¿A mí? ¡No, por cierto! ¡A usted! ¡Usted encontró la cartera!

–En fin, si lo toma usted así... Aceptaría una pequeña recompensa... simplemente para calmar sus escrúpulos. Veamos... ¡Imposible, estos billetes son todos de a cien! No puedo tomar tanto...; bastaría con cincuenta...

–¡Fuera la planchada! –repite el capitán.

–Pero no tengo cambio de cien, y me parece que lo mejor...

–¡Suelta ese cabo! –grita el capitán.

–¡No se preocupe usted! –exclama el caballero del muelle, que ha estado revisando su propia cartera–. ¡Aquí tengo un billete de cincuenta del Banco Norteamericano! ¡Páseme usted la cartera!

Y el superescrupuloso viajero toma el dinero con marcada resistencia y alcanza la cartera al caballero del muelle, mientras el vapor humea y silba al abandonar el amarradero. Media hora más tarde se descubre que la «gruesa suma» consiste en billetes falsificados y que todo el episodio no era más que un formidable timo.

Un timo audaz es el siguiente: Va a celebrarse una reunión rural o algo parecido en un lugar sólo accesible por medio de un puente. El timador se instala en la cabecera del puente e informa respetuosamente a todos los que llegan que la nueva ley del condado establece un peaje de un centavo por peatón, dos por caballos y burros, etcétera. Algunos protestan, pero todos se someten y el timador se vuelve a casa con cincuenta o sesenta dólares bien ganados, pues cobrar un peaje a una gran multitud es trabajo muy fatigoso.

He aquí un timo muy hábil: Un amigo del timador acepta un pagaré de este, debidamente llenado y firmado en uno de los formularios usuales impresos en tinta roja. El timador compra una o dos docenas de dichos formularios y diariamente moja uno de ellos en su sopa, hace que su perro salte para atraparlo y finalmente se lo cede como un buen bocado. Cuando el pagaré llega a su vencimiento, el timador y su perro se presentan en casa del amigo y se habla del documento en cuestión. El amigo lo saca de su escritorio y va a alcanzarlo al timador cuando el perro reconoce el formulario y de un salto lo atrapa y lo devora. El timador se muestra no sólo sorprendido sino vejado y furioso por la absurda conducta de su perro, y se manifiesta dispuesto a cancelar la obligación... en el momento en que le presenten una prueba de que existe.

Un pequeño timo tiene lugar en esta forma: Una señora es insultada en la calle por el cómplice del timador. Este acude en defensa de la dama y, luego de dar una soberana paliza a su amigo, insiste en acompañar a la señora hasta su domicilio. Una vez allí, se inclina con la mano sobre el corazón y se despide respetuosamente. Pero la dama ruega a su salvador que entre, a fin de presentarle a su papá y a su hermano mayor. Con un suspiro, el salvador declina la invitación.

–¿No hay, pues, un medio, señor, de testimoniarle mi gratitud? –murmura la dama.

–Por supuesto que sí, señora. ¿Podría usted prestarme dos chelines?

Bajo la impresión que le causan estas palabras la dama decide primeramente desmayarse. Pero lo piensa mejor y, luego de soltar los lazos de su bolso, hace entrega del dinero pedido. Como he dicho, este timo es muy modesto, pues hay que entregar la mitad de la suma obtenida al caballero que se tomó el trabajo de insultar a la señora y debió luego aguantar sin resistencia una buena paliza.

El que sigue es también un timo menudo, pero científico. El timador se acerca al mostrador de una taberna y pide dos rollos de tabaco. Una vez que se los entregan, los examina y declara:

–No me gusta este tabaco. Tómelo y déme en cambio un vaso de coñac.

Bebe el coñac y se encamina a la puerta. Pero la voz del tabernero lo detiene:

–Me temo, señor, que se ha olvidado de pagar la bebida.

–¿Pagar la bebida? ¿No le di el tabaco a cambio del coñac? ¿Qué más quiere usted?

–Pero, señor... no recuerdo que me haya pagado el tabaco.

–¿Qué quiere decir con eso, bribón? ¿No le devolví su tabaco? ¿No es *ese su* tabaco, encima del mostrador? ¿Pretende entonces que pague por algo que no me llevo?

–Pero, señor... –dice el tabernero, completamente confundido–. Pero, señor...

–Nada de peros conmigo –interrumpe el timador, aparentemente muy disgustado y golpeando la puerta al alejarse–. ¡Nada de peros conmigo, y mucho menos esas triquiñuelas con los viajeros!

El timo siguiente es muy hábil, y la simplicidad no es una de sus menores cualidades. En ocasión de haberse perdido *realmente* una cartera o un bolso, el perdedor inserta en *uno* de los periódicos de una gran ciudad un aviso lleno de detalles. Nuestro timador copia los detalles, cambiando el encabezamiento, la fraseología general, *y el domicilio.* Si, por ejemplo, el aviso original es largo, verboso y comienza: ¡CARTERA EXTRAVIADA!, solicitando que la misma sea entregada en el número 1 de la calle Tom, la copia fabricada por el timador será breve, sólo encabezada por la palabra EXTRAVÍO, y dará como domicilio el 2 de la calle Dick o el 3 de la calle Harry. Inserta su aviso en cinco o seis periódicos de la localidad que aparecen unas pocas horas después que el original. Si el que ha perdido la cartera lee uno de estos avisos, no es muy probable que advierta la relación que existe con el suyo. Y, en cambio, hay cinco o seis probabilidades contra una de que la persona que encontró la cartera se presente a la dirección dada por el timador en vez de acudir a la del verdadero dueño. Nuestro timador paga la recompensa, embolsa el tesoro y desaparece.

Un timo análogo es el siguiente: Una dama acaudalada ha perdido en la calle un anillo de brillantes de grandísimo valor. Ofrece una recompensa de cuarenta o cincuenta dólares, agregando en su aviso una minuciosa descripción de la joya, sus engastes, y afirmando que la recompensa será pagada en determinado domicilio contra entrega del anillo y sin que se hagan preguntas.

Un día o dos más tarde, cuando la dama se halla ausente de su casa, se oye sonar la campanilla; acude una criada, informando al visitante que la señora ha salido, noticia que produce en este el más lamentable de los efectos. Afirma que lo trae una cuestión de suma importancia y que concierne solamente a la señora. Agrega, por fin, que ha tenido la buena suerte de hallar el anillo. De todas maneras, quizá sea mejor que vuelva otro día... «¡De ninguna manera!», exclama la criada. «¡De ninguna manera!», corean la hermana de la señora y su cuñada, que acuden al punto. Todas ellas identifican clamorosamente el anillo, pagan la recompensa y hacen salir al visitante poco menos que a empujones. La dueña de la casa regresa y no tarda en manifestar cierto disgusto hacia su hermana y su cuñada por la sencilla razón de que acaban de pagar cuarenta o cincuenta dólares por un facsímile de su anillo de brillantes, muy bien hecho con similor y piedras falsas.

Pero como el timo es cosa infinita, también lo sería este artículo, aunque me limitara a sugerir apenas la mitad de las variantes y los matices de que dicha ciencia es susceptible. Como he de concluir estas páginas, nada mejor que hacerlo con una noticia resumida de un timo muy decente, pero más bien complicado, del que fue teatro no hace mucho nuestra ciudad, y que se repitió más tarde con buen éxito en otras ciudades todavía más inocentes de nuestro país.

Un caballero de edad mediana llega a la ciudad, sin que se sepa de dónde procede. Se conduce de manera notablemente precisa, cauta y reflexiva. Viste con toda corrección, sin que haya en él nada de ostentoso. Lleva corbata blanca, amplio chaleco, sólo destinado a la comodidad; confortables zapatos de gruesa suela y pantalones sin trabilla. En suma, tiene el aire de nuestro acomodado, sobrio y respetable hombre de negocios *par excellence;* uno de esos caballeros exteriormente severos y duros, pero tiernos por dentro, como suelen pintarse en las comedias; hombres cuyas palabras son otras tantas garantías, y que mientras distribuyen guineas con una mano para fines caritativos extraen hasta el último centavo con la otra en el terreno de sus propios negocios.

Nuestro caballero se muestra muy difícil de complacer en lo que respecta a una casa de pensión. No le gustan los niños. Está habituado a una gran quietud. Tiene costumbres metódicas y además le gustaría habitar en casa de una familia pequeña y respetable, de tendencias piadosas. Las condiciones de pago lo tienen sin cuidado; insiste solamente en que liquidará la cuenta el primero de cada mes (estamos ahora a dos), y una vez que ha hallado una casa a su gusto, pide encarecidamente a la dueña que no olvide de ninguna manera sus instrucciones al respecto: la cuenta, así como el recibo, deberán ser presentados a las diez de la mañana del día *primero* de cada mes, y bajo ninguna circunstancia dejados para el día siguiente.

Hechos estos arreglos, nuestro hombre de negocios alquila una oficina en un barrio más respetable que a la moda. No hay cosa que desprecie tanto como la ostentación. «Donde mucho se muestra –suele decir–, poco hay de sólido», observación que impresiona tan profundamente a su casera que se apresura a copiarla a lápiz en la gran biblia de la familia, aprovechando el amplio margen que hay en los Proverbios de Salomón.

El paso siguiente consiste en publicar un aviso en los principales periódicos mercantiles de a seis peniques, pues los de a uno no son considerados por él como «respetables», aparte de que reclaman el pago adelantado de todo aviso, práctica que nuestros hombres de negocios detestan, pues, según él, jamás debe pagarse un trabajo hasta que no esté concluido. El aviso dice aproximadamente así:

SE NECESITAN EMPLEADOS.– En ocasión de iniciar importantes operaciones comerciales en esta ciudad, requerimos los servicios de tres o cuatro inteligentes y competentes empleados. Sueldo importante. Exigimos las mejores recomendaciones sobre la integridad del postulante, que nos interesa aún más que su capacidad. Dado que las obligaciones a cumplir suponen una alta responsabilidad, pues grandes sumas de dinero deberán pasar por las manos de nuestros empleados, consideramos necesario solicitar una caución de cincuenta dólares, que será depositada por el empleado respectivo. Inútil presentarse, por tanto, si no se está en condiciones de hacer dicho depósito, así como de exhibir los mejores testimonios sobre moralidad. Se preferirá a los jóvenes con inclinaciones piadosas. Presentarse de diez a once y de dieciséis a diecisiete en las oficinas de los señores

Bogs, Hogs, Logs, Frogs & Co.
Calle de los Perros, 110

Al cumplirse el 31 del mes, este aviso ha llevado a la oficina de los señores Bogs, Hogs, Logs, Frogs y Compañía a unos quince o veinte jóvenes de inclinaciones piadosas. Pero nuestro hombre de negocios no tiene prisa en cerrar trato con ninguno de ellos; ningún hombre de negocios tiene prisa; y, sólo después de haber pasado un severo examen concerniente a sus inclinaciones piadosas, los jóvenes son finalmente aceptados y, al mismo tiempo, por vía de simple precaución, se los invita a hacer efectiva la fianza de cincuenta dólares, por la cual la respetable firma de Bogs, Hogs, Logs, Frogs y Compañía libra el correspondiente recibo. En la mañana del primero de cada mes la casera *no* presenta su cuenta, como había prometido hacerlo; negligencia por la cual el director de la casa con tantos *ogs* no habría dejado de reprenderla severamente, suponiendo que se hubiera quedado un día o dos más en la ciudad para tal propósito.

Como es de suponer, la policía se ve abrumada de trabajo, corriendo inútilmente de un lado a otro, y todo lo que puede hacer es declarar enfáticamente que aquel hombre de negocios es n. e. i., letras que parecen corresponder a la muy clásica frase *non es inventus.* Y entretanto los jóvenes postulantes ven mermar sensiblemente sus inclinaciones piadosas, mientras la casera compra una excelente goma de borrar de un chelín, y con todo cuidado suprime la nota a lápiz que algún tonto había escrito en la gran biblia familiar, aprovechando los anchos márgenes de los Proverbios de Salomón.

X EN UN SUELTO

Comentario de Alejandro Zambra

Veleta Cabezudo llama Cortázar al personaje que Edgar Allan Poe bautizó como Mr. Touch-and-go Bullet-head, un hombre obstinado y también un sabio, aunque como prueba de su sabiduría el narrador sólo arguye que viene «del Oriente». Pero el señor Cabezudo no es un verdadero sabio: quiere serlo, o al menos quiere ser «único», pues busca un pueblo donde fundar el primer periódico y comete, en cambio, la imprudencia de fundar el segundo.

Los personajes son, esta vez, caricaturas, y el narrador opera con liviandad, como quien se burla de enemigos no muy relevantes. «Touch-and-go», flamante director de *La Tetera,* se enfrenta a la impensada competencia de la *Gaceta de Alejandromagnópolis,* a cuyo director ataca sin más, pues ya se ve que en ese pueblo no hay lugar para dos *sheriffs*.

Lo mejor de este relato es que supone un debate estilístico: el director de la *Gaceta* acusa a Cabezudo de ser «pura O», de ir en círculos y no hacia adelante. Cabezudo se indigna, pero no repara en el lado metafórico de la acusación; la entiende literalmente como una mofa a sus limitaciones como escritor, por lo que planea escribir un artículo entero sin la letra «o», pero enseguida comprende que eso sería reconocer la autoridad del enemigo, por lo que decide, como una forma de demostrar su independencia, persistir en esa vocal. Escribe, entonces, un artículo repleto de oes, que comienza de forma elocuente: «¡Oh, John; oh, tonto!».

El siglo XX será, luego, terreno fértil para este tipo de experimentos. Es casi imposible no recordar la «e» desaparecida del gran Georges Perèc, y hay otros numerosos ejemplos en narrativa y, sobre todo, en poesía, y hasta en la música popular (como lo prueba, dicho sea muy al paso, una horrible canción «de oes» del argentino León Gieco titulada «Ojo con Orozco»). En este relato, en cambio, el desafío estilístico es simplemente una broma que el sabio no entendió y que, además, no funciona: un lamentable accidente –una bufonada, en realidad– determina que el texto de las oes se transforme en el artículo «místico y cabalístico» de las equis: «¡Xh, Jxhn; xh, txntx!».

Crítica al «razonamiento en círculos» o a la carrera periodística o simple y puro divertimento, «X en un suelto» no es –ni será– uno de los cuentos más conocidos de Edgar Allan Poe, ni tampoco puede leerse como un relato representativo de su obra. Es justamente eso lo que lo vuelve interesante, pues señala un camino incierto, tal vez fallido pero válido como punto de fuga. No aparece aquí, en plenitud, el enorme escritor que Poe sin duda fue, sino más bien el escritor menor que no quiso ser.

X EN UN SUELTO

Como es sabido que los «sabios» vienen «del Oriente»[1] y el señor Veleta Cabezudo vino también del Este, se sigue que el señor Cabezudo era un sabio. Si hiciera falta una prueba accesoria, hela aquí: el señor C. era director de periódico. La irascibilidad constituía su solo lado flaco, pues la obstinación de la cual se lo acusaba no era en absoluto una debilidad, ya que él la consideraba justamente como su fuerte. Allí residía su mérito, su virtud, y hubiera hecho falta toda la lógica de un Brownson para convencerlo de que estaba equivocado.

He demostrado que Veleta Cabezudo era un sabio; la única ocasión en que no se mostró irascible fue cuando hizo abandono de ese legítimo hogar de todos los sabios, el este, y emigró a la ciudad de Alejandromagnópolis, o a cualquier sitio de nombre parecido, en el oeste.

Debo, sin embargo, declarar en su favor que, cuando se decidió finalmente a instalarse en dicha ciudad hallábase convencido de que en esta parte del país no existía ningún periódico y, por tanto, ningún director. Al fundar *La Tetera,* esperaba ser el único dueño del campo. Estoy seguro de que jamás se le habría ocurrido instalarse en Alejandromagnópolis si hubiera sabido que en Alejandromagnópolis vivía un caballero llamado John Smith (si recuerdo bien), quien, durante muchos años, había engordado tranquilamente dirigiendo y publicando la *Gaceta de Alejandromagnópolis.* Vale decir que, sólo por haber sido mal informado, el señor Cabezudo vino a parar a Alejan... Llamémosle Nópolis, para abreviar. Pero, una vez que estuvo en ella, decidió mantener su reputación de obsti... de firmeza, y quedarse. Por lo cual se quedó, e hizo aún más: desempaquetó su prensa, su tipo, etcétera, etcétera, alquiló un local situado exactamente

1. *The wise men,* los Reyes Magos. Literalmente, «los sabios». *(N. del T.)*

enfrente de la *Gaceta* y, a la tercera mañana de su arribo, lanzó el primer número de *La Tetera de Alejan...*, vale decir *La Tetera de Nópolis,* que así, si mis recuerdos no me engañan, se titulaba el nuevo periódico.

El editorial, debo admitirlo, era brillante, por no decir severo. Se mostraba especialmente duro con todas las cosas en general, y en particular con el director de *La Gaceta,* quien quedaba reducido a hilas. Algunas observaciones de Cabezudo eran tan terribles, que desde entonces me he visto obligado a considerar a John Smith –quien todavía vive– como una especie de salamandra. No pretendo reproducir *verbatim* todas las frases de Cabezudo, pero una de ellas era como sigue:

«¡Oh, sí! ¡Oh, ya vemos! ¡Oh, indudablemente! El director de enfrente es un genio... ¡Oh, dioses! ¡Oh, cielos! ¿A qué ha llegado el mundo? O *Témpora! O mores!*».

Semejante filípica, a la vez tan cáustica y tan clásica, cayó como una granada entre los hasta entonces pacíficos ciudadanos de Nópolis. Grupos de excitados vecinos se juntaban en las esquinas. Todos esperaban, con sincera ansiedad, la respuesta del decoroso Smith, la cual apareció al día siguiente en esta forma:

«Extraemos de *La Tetera* de ayer el siguiente párrafo: "*¡Oh, sí! ¡Oh,* ya vemos! *¡Oh,* indudablemente! *¡Oh* dioses! *¡Oh,* cielos! O, témpora! O, mores!". ¡Vamos! ¡Pero este hombre es todo O! Esto explica que razone en círculo, y que por eso no haya ni pies ni cabeza en lo que dice. Estamos plenamente convencidos de que el pobre hombre es incapaz de escribir una sola palabra que no contenga una O. ¿Será una costumbre suya? Dicho sea de paso, este sujeto llegó del este con gran precipitación. ¿No habrá cometido algún *dolo,* o tendrá tantas deudas como las que ya tiene aquí? ¡*Oh,* es lamentable!».

No intentaré describir la indignación del señor Cabezudo ante estas escandalosas insinuaciones. Contra lo imaginable, sin embargo, y de acuerdo con el principio de las plumas de pato sobre las cuales resbala el agua, no era el ataque a su integridad el que más lo ofendía. Lo que lo inducía a la desesperación era que se burlaran de su *estilo.* ¡Cómo! ¡Él, Veleta Cabezudo, incapaz de escribir una palabra que no contuviera una o! Bien pronto iba a probar a ese ganapán que estaba equivocado. ¡Sí, ya le mostraría *hasta qué punto* estaba equivocado! El Veleta Cabezudo, procedente de Ranápolis, demostraría al señor John Smith que él, Cabezudo, era capaz de redactar, si así le parecía, un suelto completo... ¡sí, señor, un artículo entero!... donde tan despreciable vocal no figuraría ni una sola, lo que se dice ni una sola vez. ¡Pero no! Eso significaría inclinarse ante el susodicho John

Smith. *Él,* Cabezudo, no cambiaría en nada su estilo, y menos para satisfacer los caprichos de un señor Smith. ¡Que tan vil pensamiento cayera en la nada! ¡Viva la o! Persistiría en la o. Sería todo lo o-bstinado que pudiera.

Lleno de ardor ante lo caballeresco de tal determinación, el gran Veleta se limitó a insertar en *La Tetera* el siguiente suelto alusivo al desdichado asunto:

«El director de *La Tetera* tiene *el honor* de informar al director de la *Gaceta* que *(La Tetera)* aprovechará su edición de mañana para convencer (a la *Gaceta)* de que *(La Tetera)* puede y ha de ser *su propio amo* en materia de estilo; y que *(La Tetera),* con objeto de mostrar (a la *Gaceta)* el supremo y absoluto desprecio que las críticas (de la *Gaceta)* provocan en el seno independiente (de *La Tetera),* compondrá para especial satisfacción (?) (de la *Gaceta)* un artículo de fondo de cierta extensión, en el cual tan hermosa vocal –emblema de la Eternidad–, tan inofensiva para la hiperexquisita sensibilidad (de la *Gaceta)* no ha de ser ciertamente evitada por este muy obediente y humilde servidor (de la *Gaceta*). *La Tetera*».

En cumplimiento de tan augusta amenaza, antes nebulosamente insinuada que claramente enunciada, el gran Cabezudo hizo oídos sordos a todos los pedidos de «material» y, limitándose a decir a su regente que se fuera al demonio, en momentos en que este (el regente) le aseguraba que ya era tiempo de que *La Tetera* entrara en prensa, el gran Cabezudo, repetimos, hizo oídos sordos a todo y pasó la noche quemándose las pestañas hasta el alba, absorto en la composición del incomparable suelto que sigue:

«¡Oh, John; oh, tonto! ¿Cómo no te tomo encono, lomo de plomo? ¡Ve a Concord, John, antes de todo! ¡Vuelve pronto, gran mono romo! ¡Oh, eres un sollo, un oso, un topo, un lobo, un pollo! ¡No un mozo, no! ¡Tonto goloso! ¡Coloso sordo! ¡Te tomo odio, John! ¡Ya oigo tu coro, loco! ¿Somos bobos nosotros? ¡Tordo rojo! ¡Pon el hombro, y ve a Concord en otoño, con los colonos!», etcétera.

Exhausto, como es natural, por tan estupendo esfuerzo, el gran Veleta no fue capaz de ocuparse aquella noche de otra cosa. Firme, sereno, pero a la vez con un aire de autoridad vigilante, alargó su manuscrito al aprendiz tipógrafo y, tras ello, marchando sin apuro a casa, acogiose a su lecho con inefable dignidad.

Entretanto, el aprendiz a quien había sido confiado el suelto voló sin perder un instante a su caja y dispúsose a componer el manuscrito. Dado que la palabra inicial era *¡Oh...!,* zambulló la mano en el agujero correspondiente al signo de admiración y la retiró triunfante con uno de dichos signos. Entusiasmado por este buen éxito, lanzose de inmediato y con gran ímpetu al cajetín de las «oes» mayúsculas; pero, ¿quién describirá su horror cuando sus dedos volvieron a salir sin la anticipada letra entre los mismos? ¿Quién pintará su estupefacción y su rabia al advertir, mientras se frotaba los nudillos, que su mano no había hecho otra cosa que tantear inútilmente el fondo de un cajetín *vacío*? En el compartimento de las «oes» mayúsculas no quedaba una sola «o» mayúscula; y, lanzando una ojeada temerosa al de las «oes» minúsculas, el aprendiz comprobó para su indescriptible espanto que tampoco había allí ninguna letra. Despavorido, su primer impulso fue correr en busca del regente.

–¡Oh, señor! –jadeó, tratando de recobrar el aliento–. ¡No puedo componer nada si me faltan las *oes*!

–¿Qué diablos quieres decir? –gruñó el regente, malhumorado por el retardo de la edición.

–¡Señor... no queda ni una *o* en la caja... ni grande ni chica!

–¿Cómo? ¿Y dónde demonio han ido a parar todas las que había?

–Yo no sé, señor –dijo el chico–, pero uno de los aprendices de la *Gaceta* anduvo dando vueltas por aquí toda la noche, y a mí me parece que se las debe de haber robado.

–¡Que el infierno se lo trague! ¡Claro que sí! –gritó el regente, rojo de rabia–. No importa, Bob, yo te diré lo que has de hacer. En la primera ocasión que tengas entras allá y les sacas todas las «íes» que tengan... ¡y las «zetas» también, malditos sean!

–De acuerdo –dijo Bob, guiñando el ojo–. Ya lo creo que iré, y ya lo creo que les haré una buena. Pero... ¿y este suelto? Hay que componerlo esta noche, porque si no...

–Ya veo –dijo el regente, suspirando profundamente–. ¿Es un suelto muy largo, Bob?

–Yo no diría que es muy largo –opinó Bob.

–¡Ah, bueno, entonces arréglate como puedas! Sea como sea, tenemos que entrar de una vez por todas en prensa –agregó distraídamente el regente, sumergido hasta los codos en su trabajo–. En vez de «o» pon cualquier otra letra; de todos modos nadie va a leer lo que este tipo escribe.

–Muy bien –dijo Bob, y se volvió corriendo a su caja, mientras murmuraba para sí: «¿Conque tengo que ir a sacarles todas las "íes" y las "zetas", eh? ¡Pues yo soy el hombre para eso!». La verdad es que Bob, aunque sólo tenía doce años y cuatro pies de estatura, estaba pronto para afrontar cualquier lucha, siempre que no fuera muy dura.

La orden que acababa de darle el regente no era demasiado insólita, pues cosas así suelen ocurrir en las imprentas. Aunque me resulta imposible explicarlo, cuando eso sucede se acude siempre a la *x* como sustituto de la letra faltante. Quizá la razón resida en que la *x* tiende a sobreabundar en las cajas de composición (o, por lo menos, así ocurría en otros tiempos), por lo cual los impresores se han ido acostumbrando a emplearla para sustituir otras letras. En cuanto a Bob, frente a un caso como el presente, hubiera considerado escandaloso emplear otra letra que la *x*, pues tal era su costumbre.

–Tendré que ponerle *x* a este suelto –se dijo, mientras lo leía lleno de estupefacción–, pero que me cuelguen si no es el suelto con más *oes* que he visto en mi vida.

Inflexible, sin embargo, procedió a componer usando la x, y así entró el suelto en prensa.

A la mañana siguiente la población de Nópolis se quedó de una pieza al leer en *La Tetera* el siguiente extraordinario artículo:

«¡Xh, Jxhn, xh, txntx! ¿Cxmx nx te txmx encxnx, lxmx de plxmx! ¡Ve a Cxncxrd, Jxhn, antes de txdx! ¡Vuelve prxntx, gran mxnx rxmx! ¡Xh, eres un sxllx, un xsx, un txpx, un lxbx, un pxllx! ¡Nx un mxzx, nx! ¡Txntx gxlxsx! ¡Cxlxsx sxrdx! ¡Te txmx xdix, Jxhn! ¡Ya xigx tu cxrx, lxcx! ¿Sxmxs bxbxs nxsxtrxs? ¡Txrdx rxjx! ¡Pxn el hxmbrx, y ve a Cxncxrd en xtxñx, cxn lxs cxlxnxs!», etcétera.

Difícil es concebir la agitación ocasionada por este místico y cabalístico artículo. La primera idea concreta que circuló entre el pueblo fue que en esos jeroglíficos se encerraba alguna traición diabólica, por lo cual hubo un avance general en dirección al domicilio de Cabezudo, a efectos de lincharlo. Pero dicho caballero no se encontraba allí. Habíase evaporado, sin que nadie supiera decir cómo, y desde entonces no se ha vuelto a ver ni siquiera su fantasma.

Incapaz de descubrir al legítimo objeto de su cólera, la muchedumbre fue calmándose poco a poco, dejando a manera de sedimento diversas opiniones sobre este desdichado asunto.

Un caballero opinaba que todo había sido una excelente broma.

Otro sostuvo que, de todas maneras, Cabezudo había demostrado poseer una fantasía exuberante.

Un tercero lo declaró excéntrico, pero no más que eso.

Un cuarto sólo alcanzaba a suponer, en el plan de Cabezudo, el deseo de expresar su exasperación de manera general.

«Digamos –completó un quinto– que quería exponer un ejemplo para la posteridad».

Para todo el mundo resultaba claro que Cabezudo había sido arrastrado a tales extremos y, puesto que dicho director había desaparecido, hablose en cierto momento de linchar al que quedaba.

La conclusión más compartida, sin embargo, fue que el asunto era sencillamente extraordinario e inexplicable. Incluso el matemático del pueblo admitió que no encontraba la solución del problema. Como todo el mundo sabía, *x* representaba una cantidad desconocida, una incógnita; pero en este caso (como hizo notar apropiadamente) había además una cantidad desconocida de x.

La opinión de Bob (que mantuvo en secreto su intervención en las *x* del suelto) no encontró la atención que a mi juicio merecía, aunque fue expresada abiertamente y sin ningún temor. Bob manifestó que, por su parte, no le cabían dudas sobre el asunto, pues era muy sencillo: «Nadie pudo persuadir jamás al señor Cabezudo de que bebiera lo que bebían los otros muchachos del pueblo; se pasaba el tiempo bebiendo esa condenada cerveza marca XXX, y, como natural consecuencia, se le mezcló con la bilis y lo hizo volverse extremadamente extravagante».

EL HOMBRE DE NEGOCIOS

Comentario de Ronaldo Menéndez

La luz que irradia Edgar Allan Poe es múltiple. Como si el escritor fuera un prisma a través del cual pasó el rayo de la Literatura, para luego llegarnos descompuesto en una diversa gama. El cuento policiaco clásico, los fundamentos del cuento de terror y fantástico ya han sido enfatizados en cuanta página se ha escrito sobre el autor de «Los crímenes de la calle Morgue». Pero también Poe, en contados momentos, logra infligirnos un humor extraño y agresivo, que tiene el empuje de un tsunami y el mar de fondo de la buena inteligencia. Este es el caso del cuento «Un hombre de negocios». Es la primera vez que se me ocurre nombrar a Kafka de la mano de Poe. ¿Podría afirmarse que el humor de Poe aquí es kafkiano? Sí, pero no sólo eso. Un hombre afirma ser un gran negociante, y a continuación nos va dejando su singular currículo: se ha dedicado al arte de hacerse golpear para pedir indemnizaciones, a barrer las calles con el propósito de ensuciar a los transeúntes, a fungir de organillero desafinado cuanto sea necesario a fin de que le paguen para que deje de tocar. O sea, lo absurdo, lo inconcebible, aparece desde las primeras líneas de este cuento expuesto con la mayor naturalidad del mundo; de la misma manera en que José K. se levanta en las primeras líneas de *El proceso*, la obra de Kafka, con la perspectiva de un tribunal anónimo que lo acusa sin pruebas ni delito, o de modo similar a Gregorio Samsa cuando despierta una mañana tras un sueño intranquilo..., y ya se sabe el resto de la historia. Esta violencia risible es atribuida a Franz Kafka porque atravesó toda su obra, pero el humor ante las situaciones esperpénticas o inconcebibles rezuma en este cuento de Poe, en su lenguaje y en los «casos» que agotan la trama. Poe, aquí, es kafkiano, pero también y sobre todo es Poe. No deja una frase, un giro, que no tienda en el cuento a un fin preestablecido, tal y como afirmara en su famoso texto «La unidad de impresión». El gran aporte de esta curiosa joya narrativa es su anticipación, su carácter premonitorio: luego tendríamos, en Literatura y en el cine, una procesión de personajes «irreales», cuyos inconcebibles atributos nos hacen reír y pensar en lo ridícula e inadmisible que puede llegar a ser la condición humana. Chaplin pudo perfectamente haber encarnado al protagonista de este cuento, que va de la picaresca a la ternura, pasando por la ilegalidad, con su condición trágica y su disfuncionalidad social. Un sujeto así es quien nos aconseja sobre orden y eficacia empresarial desde estas páginas. Bienvenido, pragmático lector, al mundo de los negocios según Poe.

EL HOMBRE DE NEGOCIOS

«El método es el alma de los negocios».
Antiguo adagio

Soy un hombre de negocios. Soy un hombre metódico. El método es lo que cuenta, después de todo. Pero a nadie desprecio más profundamente que a esos excéntricos que charlan mucho sobre el método sin entenderlo, y que se atienen estrictamente a la letra mientras violan el espíritu. Individuos así se pasan la vida haciendo las cosas más desorbitadas, de una manera que ellos califican de ordenada. Pero esto es una paradoja; el verdadero método pertenece tan sólo a lo que es normal, ordinario y obvio, y no se puede aplicar a nada *outré*. ¿Acaso sería posible referirse a una nube metódica, o a un fatuo sistemático?

Mis nociones sobre este punto podrían no haber sido todo lo claras que son, de no mediar un afortunado accidente que me ocurrió en la infancia. Una bondadosa y anciana niñera irlandesa (a quien no olvidaré en mi testamento) me agarró un día por los pies, en momentos en que yo alborotaba más de lo necesario, y luego de hacerme revolar dos o tres veces, me maldijo empecinadamente por ser «un mocoso gritón», y me convirtió la cabeza en una especie de tricornio, golpeándola contra un poste de la cama. Debo reconocer que esto decidió mi destino e hizo mi fortuna. No tardó en salirme un gran chichón en la coronilla, el cual se convirtió para mí en el órgano del *orden*. De ahí proviene ese marcado gusto por el sistema y la regularidad que me han convertido en el distinguido hombre de negocios que soy.

Para mí, lo más odioso en esta tierra es un hombre de genio. Los genios son una colección de asnos redomados; cuanto más geniales, más asnos; y no hay ninguna excepción a la regla. Imposible hacer un hombre de negocios de un genio; sería como querer sacar dinero a un judío o nueces a un abeto. Dichos seres se salen continuamente del buen camino para dedicarse a alguna ocupación fantástica o a ridículas especulaciones, totalmente divorciadas de las cosas bien ordenadas; jamás hacen negocios que puedan considerarse como tales. Resulta fácil descubrir a estos personajes por la naturaleza de sus ocupaciones. Si alguna vez repara usted en un hombre que se instala como comerciante o fabricante, que fabrica algodón, tabaco o cualquiera de esos excéntricos productos, que se ocupa de tejidos, jabón, o algo parecido, o pretende ser abogado, herrero o médico, es decir, cualquier cosa fuera de lo usual... pues bien, tenga la seguridad de que es un genio y, por tanto, de acuerdo con la regla de tres, es un asno.

En cuanto a mí, no tengo absolutamente nada de genio, sino que soy un hombre de negocios normal. Mi diario y mi libro mayor pueden demostrarlo en un minuto. Están bien llevados, aunque sea yo quien lo dice, y no es el reloj quien va a ganarme en mis hábitos de exactitud y puntualidad. Lo que es más, mis ocupaciones han coincidido siempre con las costumbres ordinarias de mis semejantes. Y no es que a este respecto me sienta en lo más mínimo agradecido a mis débiles progenitores, quienes sin duda hubieran hecho de mí un redomado genio si mi ángel guardián no hubiese acudido oportunamente a socorrerme. En las biografías la verdad es lo que cuenta, y muchísimo más en una autobiografía; no obstante, apenas espero que me crean si afirmo solemnemente que mi pobre padre me hizo ingresar a los quince años en la oficina de lo que él llamaba «un respetable comerciante y comisionista en ferretería, que hace excelentes negocios». ¡Excelentes negocios! ¡Excelentes disparates, diría yo! Como consecuencia de esta locura, tuve que volverme dos o tres días después a casa de mi obtusa familia, víctima de un acceso de fiebre y sufriendo los más violentos y peligrosos dolores en la coronilla, vale decir, alrededor de mi órgano del orden. Estuve entre la vida y la muerte durante seis semanas, y los médicos me desahuciaban. Pero, aunque sufrí mucho, quedé muy agradecido. Me había salvado de convertirme en un «respetable comerciante y comisionista en ferretería, que haría excelentes negocios», y bendije la protuberancia que había coadyuvado a mi salvación, así como a la bondadosa mujer que había puesto dicho medio a mi alcance.

La mayoría de los chicos se escapan de su casa entre los diez y los doce años, pero yo esperé hasta los dieciséis. Y ni siquiera creo que me hubiese ido, de no oír hablar a mi madre sobre un proyecto de instalarme por mi cuenta con un negocio de almacén. ¡Un negocio de almacén! ¡Nada menos! Inmediatamente resolví marcharme, a fin de iniciar por mi lado alguna tarea *decente* sin seguir esperando el resultado de los caprichos de aquellos excéntricos viejos, ni correr el peligro de que al final hicieran de mí un genio. Mi proyecto se vio coronado por el mejor de los éxitos en la primera tentativa y al cumplir los dieciocho años me encontré haciendo amplios y proficuos negocios en el renglón de la Propaganda Callejera de Sastrerías.

Las onerosas tareas de mi profesión sólo podía llevarlas a cabo gracias a la rígida fidelidad a un sistema que constituía el rasgo distintivo de mi inteligencia. El método escrupuloso caracterizaba tanto mis acciones como mis cuentas. En mi caso no era el dinero, sino el método, quien «hacía» al hombre –por lo menos aquello que no hacía el sastre que me empleaba–. Todas las mañanas, a las nueve, me presentaba para que este me entregara las ropas del día. A las diez ya me hallaba en algún paseo de moda o lugar frecuentado por el público. La precisión y regularidad con que hacía girar mi elegante persona, a fin de mostrar sucesivamente cada porción de mi vestimenta, era la admiración de todos los conocedores del oficio. Jamás llegaba el mediodía sin que regresara con algún cliente a la sastrería de los señores Corte y Vuelva. Lo digo orgullosamente, pero con lágrimas en los ojos, pues aquella firma se condujo conmigo de la manera más ingrata. La moderada cuenta por la cual disputamos, para finalmente separarnos, no puede considerarse en modo alguno excesiva; no lo pensarían así aquellos que conocen a fondo la profesión. De todas maneras, siento tanto orgullo como satisfacción al permitir que el lector juzgue por sí mismo. He aquí cómo estaba redactada mi cuenta:

SEÑORES CORTE Y VUELVA, SASTRES, DEBEN A PETER PROFITT, ANUNCIADOR CALLEJERO:

	Cents
Julio 10.– Paseo como de costumbre, y regreso con un cliente......	25
Julio 11.– ídem id. id.	25
Julio 12.– Mentira de segunda clase: género negro estropeado vendido como verde invisible...........	25
Julio 13.– Mentira de primera clase: recomendación de un satinete como si fuera de paño fino..............	75
Julio 20.– Compra de un cuello de papel, para hacer juego con el completo gris..........	2
Agosto 15.– Por vestir el traje con doble forro (mientras el termómetro marcaba 706 a la sombra).........................	25
Agosto 16.– Por pararme en una sola pierna durante tres horas, para exhibir los nuevos pantalones con trabilla, a 12,1/2 centavos por pierna y por hora..........	37,1/2
Agosto 17.– Paseo como de costumbre, y regreso con un cliente (hombre muy grueso)..........	50
Agosto 18.– ídem id. id. (estatura mediana)..........	25
Agosto 19.– ídem id. id. (estatura pequeña y mal pagador)..................	6
Total..........	$2,95 1/2

El punto en disputa de mi cuenta era el muy moderado precio de dos centavos por el cuello de papel. Doy mi palabra de honor de que no era un precio exagerado. Se trataba de uno de los cuellos más limpios y bonitos que he visto nunca, y tengo buenas razones para creer que influyó en la venta de los tres completos grises. Sin embargo, el socio principal de la firma sólo quiso pagarme un centavo, tomando a su cargo la demostración de cuántos cuellos podían obtenerse con una hoja de papel de oficio. Inútil señalar que insistí en el *principio* de la cosa. Los negocios son los negocios, y deben ventilarse como corresponde. No alcanzaba a distinguir ningún *sistema* en el hecho de que me estafaran un centavo (un evidente fraude del cincuenta por cien), y mucho menos un *método.* Abandoné de inmediato el empleo de los señores Corte y Vuelva, instalándome por mi cuenta en el negocio del Mal de Ojo, que es una de las ocupaciones ordinarias más lucrativas, respetables e independientes.

También aquí entraron en juego mi estricta integridad, economía y rigurosas costumbres comerciales. Pronto me encontré en plena prosperidad, y no tardé en ser muy conocido y señalado. La verdad es que jamás me metí en negocios sensacionalistas, sino que me atuve a la antigua y excelente rutina de la profesión en la cual seguiría actualmente de no ser por un pequeño accidente que sobrevino en el curso de una de las operaciones habituales de la misma. Toda vez que un avaro rico, o un heredero manirroto, o una sociedad en bancarrota se decide a construir un palacete, no hay en el mundo mejor cosa que impedir que lo hagan, y toda persona inteligente sabe cómo arreglárselas para ello. En realidad, esta intervención constituye la base del Mal de Ojo como profesión. En efecto, tan pronto como alguna de las partes nombradas proyecta levantar un edificio, nosotros, los hombres de negocios, adquirimos un bonito rincón del lote donde van a edificarlo, buscando quedar situados frente al mismo o al lado. Hecho esto, esperamos hasta que el palacio anda ya por la mitad, y entonces pagamos a un arquitecto de buen gusto para que nos levante a nuestra vez una cabaña de barro sumamente decorativa, o una pagoda oriental u holandesa, o un chiquero, o alguna fantasía ingeniosa, sea esquimal, kickapoo u hotentote. Como es natural, no podemos consentir en demoler dicha construcción por menos de un precio superior en un quinientos por cien al de nuestro lote y material de construcción. ¿Cómo *podríamos* proceder de otro modo? Lo pregunto a los hombres de negocios. Sería irracional suponer semejante cosa. Y, sin embargo, no faltó una sociedad de aventureros que me pidió que lo hiciera... ¡a mí, nada menos! Ni que decir que ni siquiera contesté a tan absurda propuesta, pero aquella misma noche consideré de mi deber cubrir el frente de su palacio con negro de humo. Aquellos irrazonables villanos me metieron en la cárcel y, cuando salí, las personas vinculadas con el negocio del Mal de Ojo se vieron forzadas a interrumpir sus relaciones conmigo.

El negocio de Asalto y Agresión, en el cual me vi forzado a aventurarme a fin de ganar el sustento, no se adaptaba muy bien a mi delicada constitución, pero de todos modos lo tomé de buen grado y me vi protegido, como antes, por los severos hábitos de metódica precisión que me había inculcado aquella excelente nodriza, por cierto que sería el más vil de los hombres si no la tuviera en cuenta en mi testamento. Observando, repito, el sistema más estricto en todas mis operaciones, y llevando mis libros con mucho cuidado, pude superar grandísimas dificultades, estableciéndome por fin de manera muy cómoda en la profesión. Estoy seguro de que pocas personas han tenido un negocio tan agradable como el mío. Copiaré una o dos páginas de mi diario, lo cual me evitará hablar en especial de mí mismo, condenable práctica a la cual no se rebaja ningún hombre de altas miras. El diario, en cambio, no miente nunca.

«2 de enero.– Vi a Snap en la Bolsa. Me le acerqué y le pisé los pies. Cerró el puño y me tumbó al suelo. ¡Excelente! Volví a levantarme. Tuve una ligera dificultad con Bag, mi abogado. Quiero mil dólares de indemnización, pero insiste en que por un mero puñetazo no conseguiremos más que quinientos. Memorándum: debo quitarme de encima a Bag. Carece de *sistema*.

»3 de enero.– Fui al teatro en busca de Gruff. Lo vi en un palco de la segunda fila, entre una dama gruesa y otra delgada. Los estuve mirando con los gemelos hasta que la dama gorda enrojeció y dijo algo a G. Entré entonces en el palco, poniendo la nariz al alcance de la mano de G. No me quiso tirar de ella. Me soné e hice otra tentativa: nada. Me senté entonces y me puse a guiñar el ojo a la dama flaca, hasta tener la satisfacción de que G. me agarrara por el cuello y me tirara a la platea. Dislocación de cuello y pierna derecha completamente astillada. Volví a casa contentísimo, bebí una botella de champaña y asenté en mis libros al joven Gruff por la suma de cinco mil dólares. Bag dice que todo saldrá bien.

»15 de febrero.– Llegué a un acuerdo en el caso de Mr. Snap. Ingreso consignado: cincuenta centavos (ver libros).

»16 de febrero.– Perdí el pleito contra el canalla de Gruff, quien me hizo un regalo de cinco dólares. Costas del proceso: cuatro dólares y veinticinco centavos. Beneficio neto (ver libros), setenta y cinco centavos.»

Pues bien, en un período tan breve, puede verse, por lo que antecede, que había obtenido un beneficio de un dólar y veinticinco, nada más que en los casos de Snap y Gruff; por lo demás, aseguro solemnemente al lector que estos extractos han sido tomados de mi diario al azar.

Un viejo y muy cierto adagio afirma, sin embargo, que el dinero no es nada al lado de la salud. Pronto descubrí que los esfuerzos de mi profesión no convenían a mi delicada constitución; cuando no me quedó hueso sano en el cuerpo, y mis amigos, al encontrarme en la calle, no se atrevían a asegurar que yo fuera Peter Profitt en persona, se me ocurrió que lo mejor era cambiar de negocio. Consagré por tanto mi atención al Barrido de las Aceras y me dediqué al mismo durante varios años.

Lo malo de esta ocupación está en que demasiadas personas se aficionan a ella y la competencia se vuelve excesiva. Cualquier ignorante que no tiene inteligencia en cantidad suficiente como para abrirse camino como anunciador callejero, en el Mal de Ojo o en el Asalto y Agresión, piensa que le irá perfectamente como barredor de aceras. Pero nunca hubo idea tan errónea como la de creer que para este negocio no hace falta inteligencia. Y, sobre todo, que en él se puede prescindir del *método*. Por mi parte sólo lo practicaba al por menor, pero mis viejos hábitos de *sistema* me mantenían magníficamente a flote. En primer lugar elegí con todo cuidado el cruce de calle que me convenía, y jamás arrimé una escoba a otras aceras que no fueran *esas*. Tuve buen cuidado, además, de contar con un excelente charco de barro a mano, del cual podía proveerme en un instante. Gracias a todo ello llegué a ser conocido como hombre de confianza; y permítaseme decir que, en los negocios, esto representa la mitad de la batalla ganada. Jamás persona alguna que me hubiera ofendido tirándome tan sólo un cobre alcanzó a llegar al otro lado de *mi* cruce con los pantalones limpios. Y como mis costumbres comerciales en este sentido eran suficientemente conocidas, nunca me vi sometido al menor abuso. De haber ocurrido así, no lo habría tolerado. Puesto que no pretendía imponerme a nadie, no estaba dispuesto a que nadie se burlara de mí. Claro que no podía impedir los fraudes de los bancos. El cierre de sus puertas me creaba inconvenientes ruinosos. Pero los bancos no son individuos, sino sociedades, y las sociedades carecen de cuerpos donde se puedan aplicar puntapiés y de almas que mandar al demonio.

Estaba ganando dinero en este negocio cuando, en un momento aciago, me dejé tentar e ingresé en la Salpicadura de Perro, profesión un tanto análoga, pero de ninguna manera tan respetable. A decir verdad, estaba muy bien instalado en pleno centro y tenía lo necesario en materia de betún y cepillos. Mi perrito era muy gordo y estaba habituado a todas las variantes del oficio, pues llevaba en él largo tiempo, y me atrevo a decir que lo comprendía. Nuestra práctica general era la siguiente: Luego de revolcarse convenientemente en el barro, *Pompeyo* se instalaba en la puerta de la tienda hasta ver a un dandi que venía por la calle con los zapatos relucientes. Se le acercaba entonces y se frotaba una o dos veces contra él. Como es natural, el dandi juraba abundantemente y luego miraba en torno en busca de un lustrador de zapatos. Y allí estaba yo, bien a la vista, con betún y cepillos. El trabajo sólo tomaba un minuto y su resultado eran seis centavos. Esto me bastó por un tiempo; yo no era avaricioso, pero en cambio mi perro sí lo era. Le cedía un tercio de los beneficios, hasta que le aconsejaron que pidiera la mitad. Imposible tolerar semejante cosa, de modo que, luego de discutir, nos separamos.

Por un tiempo ensayé la profesión de organillero, y debo admitir que me fue bastante bien. Es un negocio sencillo, directo y que no requiere aptitudes especiales. Puede usted comprar un organillo por muy poco dinero y, a fin de ponerlo en buen estado, basta abrirlo y darle tres o cuatro martillazos. Mejora el tono del instrumento –para sus finalidades comerciales– mucho más de lo que usted imaginaría. Hecho esto, no hay más que echar a andar con el organillo a la espalda hasta ver un jardín delantero bien cubierto de grava y un llamador envuelto en piel de ante. Se detiene uno entonces y se pone a dar vueltas a la manija, adoptando el aire de quien está dispuesto a quedarse ahí y tocar hasta el juicio final. Muy pronto se abre una ventana y alguien arroja seis peniques, pidiendo al mismo tiempo: «¡Deje de tocar y váyase!». Estoy enterado de que ciertos organilleros han aceptado marcharse por esta suma; por mi parte, mis gastos de capital eran demasiado grandes para permitirme hacerlo por menos de un chelín.

Obtuve buenos beneficios con esta ocupación, pero de todos modos no me sentía satisfecho y acabé por abandonarla. Diré la verdad: trabajaba con el inconveniente de carecer de un mono, aparte de que las calles de Norteamérica son tan sucias, el populacho tan molesto... y no digamos nada de la cantidad de mocosos traviesos.

Estuve sin empleo algunos meses, pero por fin, a fuerza de gran perseverancia, logré introducirme en el Falso Correo. En este negocio las obligaciones son sencillas y procuran bastantes beneficios. Por ejemplo: de mañana muy temprano, tenía que preparar mi fajo de cartas falsas. Dentro de cada una escribía unas pocas líneas sobre cualquier cosa, con tal de que tuviera un aire misterioso, y firmaba aquellas epístolas «Tom Dobson» o «Bobby Tompkins». Cerradas y lacradas, procedía a aplicarles falsos sellos de Nueva Orleans, Bengala, Botany Bay o cualquier otro lugar muy distante. Me ponía luego en marcha, como si llevara mucha prisa. Siempre llamaba a las casas importantes, entregaba una carta y recibía el pago del porte correspondiente. Nadie vacila en pagar el porte de correos por una carta, especialmente si es voluminosa. ¡La gente es tan estúpida! Y ni que decir que me sobraba tiempo para dar vuelta a la esquina antes de que tuvieran tiempo de enterarse de la epístola. Lo peor de esta profesión es que me obligaban a caminar mucho y rápidamente, así como a variar de continuo mi itinerario. Además, me producía grandes escrúpulos de conciencia. Jamás he podido tolerar los insultos a las personas inocentes, y la forma en que toda la ciudad maldecía a Tom Dobson y a Bobby Tompkins era realmente muy penosa de escuchar. Terminé lavándome las manos del asunto lleno de repugnancia.

Mi octava y última especulación consistió en la Cría de Gatos. Dicho negocio me resultó el más agradable y lucrativo de todos, sin que me diera el menor trabajo. Como es sabido, la región está plagada de gatos, al punto que recientemente se debatió en la Legislatura, en una memorable sesión, un pedido de ayuda firmado por personas tan numerosas como respetables. En aquel momento la Asamblea se hallaba excepcionalmente bien informada de los problemas públicos, y coronó sus muchas, sabias y saludables decisiones con la Ley de los Gatos. En su forma original, esta ley ofrecía una recompensa por toda cabeza de gato, a razón de cuatro centavos la pieza; pero más tarde el Senado enmendó el artículo correspondiente, sustituyendo «cola» por «cabeza», y la enmienda era tan adecuada que la Asamblea la aprobó *nemine contradicente*[1].

Tan pronto el gobernador hubo firmado el decreto, invertí todo mi capital en la compra de gatos. Al principio sólo podía alimentarlos con ratones, que son baratos, pero pronto aquellos animales cumplieron las prescripciones de la Escritura a una velocidad tan maravillosa que su número me permitió adoptar una política liberal, y desde entonces los alimenté con ostras y tortuga. Sus colas, a precio legislativo, me proporcionan hoy en día una buena renta, pues he descubierto un procedimiento basado en el aceite macasar, que me permite obtener tres cosechas anuales. Me encanta asimismo que los animalitos se hayan acostumbrado de tal manera que prefieran perder la cola a conservarla. Me considero, pues, un hombre que ha completado su carrera, y estoy negociando la compra de una finca sobre el Hudson.

---

1. Hay aquí un juego de palabras intraducible pues «cabeza» y «cola» equivalen a «cara» y «cruz». *(N. del T.)*

NOCHE DE BRUJAS EN BALTIMORE

Fernando Iwasaki

Llegué a la estación de Baltimore después de casi cuatro horas a bordo del Amtrack que cogí en New Brunswick, un soñoliento pueblo de Nueva Jersey famoso por sus mapaches, poetas y equilibristas.

Baltimore tiene del norte algunas manzanas erizadas de rascacielos, y del sur unos cuantos suburbios encrespados de navajas. A pesar de la distancia con Nueva Inglaterra, las copas encarnadas de los arces me recuerdan el otoño espléndido de Providence, Boston y Cambridge. Estoy alojado en Broadview, en los alrededores de la Johns Hopkins University, un recoleto barrio residencial que nada tiene que ver con los barracones por donde pastorea la canalla de Baltimore, célebre por su bohemia marinera, lírica y musical.

Poco más de cien años atrás los esclavos fugitivos se asentaron en Fellspoint –un arrabal próximo al puerto–, creando así unas zahúrdas que cobijaron a la cimarronería americana. Melville en *Moby Dick* (1851) elogió el arrojo de los arponeros bozales de Fellspoint, quienes preferían el salario del miedo de los balleneros a las carimbas de los negreros. Ahora el antiguo territorio liberado es una pintoresca zona de *pubs* y restaurantes caros que vive de su leyenda criminal, aunque algunos figurantes disparen todavía balas de verdad.

Recorro Lancaster street buscando un lugar para comer y deploro mi aprensión hacia los cangrejos, que adivino exquisitos bajo sus caparazones colorados. Las cartas de los escaparates ofrecen el cangrejo *soft shell* que tanto conmovió a Julio Camba en Nueva York, y apabullado por la destreza quirúrgica de un comensal me inhibo de hacer la prueba. Desguazar crustáceos es cosa de médicos o de escritores finísimos, como Josep María Sagarra, y con el propósito voraz de aprender a comerlos antes de cumplir los cincuenta, enfilo hacia Little Italy porque la *pastasciutta* es más proletaria.

Desde mi mesa percibo las caricias de la brisa marina y pienso en el ritual que me ha traído hasta Baltimore. En las páginas del *Sun*, uno de los periódicos más antiguos de los Estados Unidos, leo que el famoso Yo–Yo Ma interpretará las seis *suites* para violonchelo de Bach en el auditorio del Peabody Institute. Habría sido un agradable programa si aquella noche no hubiera coincidido con Halloween, el día de las brujas.

En 1832, cuando Baltimore no era más que una madriguera de hampones, libertos y bucaneros, María Clemm –una modistilla indigente y viuda– arrendó una casucha para instalarse con sus hijos Virginia y Henry Clemm, su madre Elizabeth Cairnes, y sus sobrinos Edgar y Henry Poe. Edgar Allan Poe vivió en Baltimore de 1832 a 1835, frecuentando a los más insignes borrachines y sablistas de la localidad hasta aventajarles con creces. Los vicios portuarios engolfaron tanto a Poe que el 29 de setiembre de 1849, tras una escala en Baltimore camino a Filadelfia, desapareció para siempre entre los garitos y cantinas de la ciudad. Desde entonces, su tumba se ha convertido en lugar de romería y peregrinación.

Salgo de la *trattoria* y me recreo en el malecón del Inner Harbor, nostálgico de balandros y chalanas. Paso delante del AVAM –que no es un museo valenciano– y subo por Pratt street, que tampoco es una calle catalana. En el camino veo las anaranjadas calabazas de Halloween y a los niños bien disfrazados y subidos en coches inmensos como hidroaviones. Una nota del *Sun* recomendaba a los padres llevar a sus hijos a pedir golosinas en los *malls* y grandes almacenes, para evitar así los envenenamientos que algunos desaprensivos provocaron el año anterior.

Mi primera parada es en el 203 de Amity street, un pequeño chalé de dos plantas y media que, a pesar de los cristales impecables y las relucientes cerrajerías, no consigue disimular los verdugones de un pasado menesteroso y barriobajero. Ahí renqueó Edgar Allan Poe y allí tiene su sede la E. A. Poe Society of Baltimore, institución filantrópica que mantiene el inmueble y destina parte de sus fondos a socorrer a los *homeless*, esos pordioseros y vagabundos que brindaron con Poe hasta morir.

La casa es realmente minúscula: los bajos consisten en un recibidor que debió de hacer las veces de salón–comedor–cocina. Por unas estrechas y empinadas escaleras de madera llegamos a la primera planta, donde apenas caben dos habitaciones que con toda seguridad fueron las de *Muddie* Clemm y las demás mujeres de la familia. Sólo queda la asfixiante buhardilla que Edgar y su hermano tuberculoso compartieron hasta la muerte de Henry en 1833.

Dentro de aquel hórrido sotabanco Poe manuscribió poemas y relatos que aportan pistas sobre sus miserias y necesidades; cuentos que hablan de enfermedades irreversibles como «El Rey Peste» y de obsesivas angustias como «Sombra». De aquella buhardilla salieron también «El Visionario», «Manuscrito hallado en una botella», «La incomparable aventura de un tal Hans Pfaall», «Leones» y esas joyas de su espíritu enamoradizo y necrofílico: «Morella» y «Berenice», esta última inspirada en su prima Virginia.

El cielo empieza a teñirse del mismo color de los arces y dejo la mustia casa de Poe para dirigirme a su tumba, adonde quiero llegar antes de que comience la verbena de las brujas.

La tumba de Edgar Allan Poe está en la vieja iglesia de Westminster, en una esquina sucia en la que confluyen Greene street y Fayette avenue; donde los negros pobres hacen la cola de la sopa y todavía huele a musgo por las mañanas. Desde los chapiteles de los campanarios los arces tienen que formar una gran calabaza de Halloween, con sus copas rojas y sus dientes de lápidas.

El cementerio de Westminster tiene trazas de convención de muertos insolventes. A Poe lo enterraron gracias a una colecta de los niños de una escuela vecina, quienes dieron un penique para costear el funeral. Fue una buena inversión: la tumba del escritor sigue en su sitio y en cambio la escuela ha desaparecido.

Los epitafios y exergos funerarios son los retazos de una crónica social que a veces reserva sorpresas. Al lado de Poe me topo con la cripta de los Watson y más cerca del baptisterio yace la familia Holmes. Jane Holmes murió a los tres años en abril de 1790, y cinco meses más tarde falleció su madre Anne. Tal vez fue la misma enfermedad, acaso Anne no soportó la ausencia de la niña o quizá les mató el hambre, como algún día les ocurrirá a los negros de la sopa.

Me seduce fantasear que Conan Doyle visitó estos jardines cuando se enroló en la tripulación del ballenero *Hope* en febrero de 1880, recorriendo Terranova, Groenlandia y otros parajes árticos antes de fondear unas semanas en Boston y luego emprender el regreso hacia Edimburgo en octubre del mismo año. El joven Conan Doyle veneraba a Edgar Allan Poe y pudo embarcarse a Baltimore para rendir un discreto homenaje al creador del detective Auguste Dupin. Entonces, barruntando ficciones policiales bajo los árboles, Conan Doyle vería las sepulturas de los Watson y los Holmes. El resto es elemental. Seguro que nunca fue así, mas sería hermoso que fuera cierto.

En la tumba de Poe hay flores muertas como murciélagos de colores, devotos que se amontonan para celebrar un aquelarre en el cementerio y turistas con los gatillos engrasados de sus cámaras. Cada noche de brujas los melancólicos y algunos curiosos recitan poemas, tocan *jazz* y derraman brandi sobre el sediento túmulo. Este año han representado «El corazón delator» y «El tonel de amontillado», y regado su lápida con una botella de Jack Daniel's etiqueta negra. Nadie sabe cuándo comenzó el ritual y nadie desea ponerle punto final.

Todos hemos sido muy decentes y nos vamos del cementerio con la música a otra parte. La cita es en el *Buddy's,* uno de los últimos reductos del *jazz* «jondo» de Baltimore y taberna de pensionistas, trileros, fulanas, progres *in progress* y algún que otro *nerd.* Los parroquianos me explican que el Buddy's tiene solera dentro del *jazz,* y para persuadirme descuelgan una foto dedicada por Ethel Waters, quien debutó como profesional en Baltimore. «Billy Holiday también nació aquí», me ilustra un fan escuchimizado. «Tenía *punch*», apuntó uno. «Tenía *swing*», terció otro. Y yo concluí que aquel boliche melancólico tenía un viento a peña flamenca o tertulia taurina.

A la mañana siguiente decido distraer mis últimas horas en Baltimore haciendo de antropólogo: quiero ver la barriada de Hampden, un típico *american white ethnic enclave.* Algo así como el negativo de Harlem o un corral de vecinos con avenidas propias.

La visión de esas hileras de casas de madera con sus balaustres y toda la parentesca apoltronada en mecedoras, me transporta a las películas de John Waters, divulgador empedernido de los aspectos más cutres de la vida de Baltimore. Ahí están las chillonas estampas de *Pink Flamingos* (1972), *Polyester* (1981) y *Hairspray* (1987), por citar algunas de las producciones más conocidas de su vasta filmografía.

Y mientras desayuno en un tenderete vegetariano y naturista que despacha un jipi reciclado, me digo que Edgar Allan Poe sólo podía morir en una ciudad como Baltimore, a caballo entre los sueños gloriosos del norte y las peores pesadillas del sur.

Ya en el autobús camino a Washington D. C. rememoro la espirituosa charanga del cementerio, y me figuro que a esa hora de la mañana el musgo ya habrá embriagado a los caracoles y que los arces habrán conocido una dulzura nueva. Cuento las monedas que me quedan y caigo en que la entrada me costó cinco dólares, y no me convidaron ni a *whisky* ni a sopa ni a nada.

Edgar Allan Poe sigue bebiendo a costa de todos[1].

---

1. Texto aparecido en: *Clarín* (Oviedo), 16, 1998.

Esta quinta edición de
Cuentos completos, de Edgar Allan Poe,
se terminó de imprimir el 9 de mayo de 2011

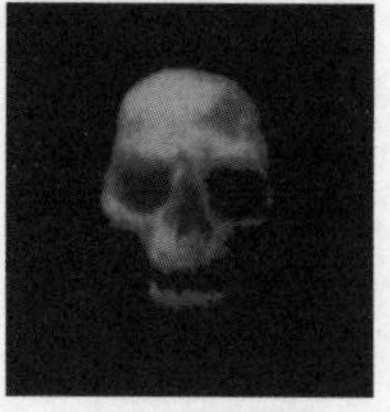